Rebecca Gablé, geb. 1964, studierte Literaturwissenschaft, Sprachgeschichte und Mediävistik in Düsseldorf, wo sie anschließend als Dozentin für mittelalterliche englische Literatur tätig war. Heute ist sie freie Autorin und Literaturübersetzerin. Sie lebt mit ihrem Mann am Niederrhein, verbringt aber zur Recherche viel Zeit in England. Nach den Bestsellern *Das Lächeln der Fortuna, Das zweite Königreich, Der König der purpurnen Stadt, Die Siedler von Catan* und *Die Hüter der Rose* ist dies ihr sechster historischer Roman.

Homepage: www.gable.de

*Mit Illustrationen
von Jan Balaz*

Rebecca Gablé

DAS
SPIEL
DER
KÖNIGE

Historischer
Roman

BASTEI LÜBBE TASCHENBUCH
Band 16307

1. Auflage: September 2009

Vollständige Taschenbuchausgabe
der in Ehrenwirth erschienenen Hardcoverausgabe

Bastei Lübbe Taschenbücher und Ehrenwirth in der Verlagsgruppe Lübbe

Copyright © 2007 by Rebecca Gablé

Deutsche Erstausgabe 2007 in der Verlagsgruppe Lübbe GmbH & Co. KG,
Bergisch Gladbach
Lektorat: Karin Schmidt
Illustrationen: Jan Balaz
Titelillustration: Shrewsbury Talbot Book of Romances
© British Library Board. All Rights Reserved
Umschlaggestaltung: Gisela Kullowatz
Autorenfoto: Olivier Favre
Satz: Kremerdruck GmbH, Lindlar
Gesetzt aus der Aldus Roman von Linotype
Druck und Verarbeitung: GGP Media GmbH, Pößneck
Printed in Germany
ISBN 978-3-404-16307-6

Sie finden uns im Internet unter
www.luebbe.de
Bitte beachten Sie auch: www.lesejury.de

Der Preis dieses Bandes versteht sich einschließlich
der gesetzlichen Mehrwertsteuer.

Für

Regina und Sabine

»Unsere Schwestern halten uns einen Spiegel vor:
Sie zeigen uns, wer wir sind und wer zu sein wir wagen
könnten.«

Elizabeth Fishel

Es folgt eine Aufstellung der wichtigsten Figuren, wobei die historischen Personen mit einem * gekennzeichnet sind.

Daran schließen sich drei Stammbäume an, die der besseren Orientierung dienen sollen, aber keinen Anspruch auf Vollständigkeit erheben.

WARINGHAM

Julian of Waringham
Blanche of Waringham, seine Zwillingsschwester
Kate of Waringham, ihre ältere Schwester
Geoffrey, der Stallmeister
Adam, der Pfiffikus
Alexander und Roland Neville, Kates Söhne und Julians
    Knappen
Lucas Durham, Julians Ritter, genau wie
    Algernon Fitzroy
    Frederic of Harley und
    Tristan Fitzalan
Mortimer Welles, Julians Cousin

DAS HAUS LANCASTER
UND SEINE ANHÄNGER

Henry VI.*, König von England
Marguerite d'Anjou*, seine Königin
Edward*, genannt »Edouard«, Prince of Wales, ihr Sohn
Edmund Tudor*, Earl of Richmond, König Henrys Halbbruder
Margaret Beaufort*, genannt »Megan«, seine Gemahlin

Henry Tudor*, genannt »Richmond«, ihr Sohn
Jasper Tudor*, gelegentlich Earl of Pembroke, König Henrys
    Halbbruder
Owen Tudor*, Edmunds und Jaspers Vater, König Henrys
    Stiefvater
Rhys ap Owain, sein Bastard
Humphrey Stafford*, Duke of Buckingham
Henry »Hal« Stafford*, sein Sohn
Henry Beaufort*, gelegentlich Duke of Somerset
Edward »Ned« Beaufort*, sein Bruder
John de Vere*, Earl of Oxford

DAS HAUS YORK
UND SEINE ANHÄNGER

Richard*, Duke of York
Edward*, erst Earl of March und dann Edward IV., König von
    England, sein Sohn
Elizabeth Woodville*, Edwards Königin
    Elizabeth of York*, ihre älteste Tochter
    Edward*, der ungekrönte Edward V., und
    Richard*, Duke of York, ihre verschwundenen Söhne
George*, Duke of Clarence, König Edwards Bruder
Richard*, noch ein Bruder, erst Duke of Gloucester und dann
    Richard III. von England
William »Black Will« Herbert*, ein walisischer Marcher Lord,
    vorübergehend Earl of Pembroke
Walter Devereux*, ein englischer Marcher Lord
Thomas Devereux, sein Bruder
Anne Devereux*, ihre Schwester, Black Will Herberts Gemah-
    lin
William Hastings*, König Edwards Lord Chamberlain, viel-
    leicht der standhafteste aller Yorkisten
Ralph Hastings*, sein Bruder
Janet Hastings, seine Schwester
Robert Welles*, ein Mann fürs Grobe

BEKEHRTE, WANKELMÜTIGE
UND OPPORTUNISTEN

Richard Neville*, Earl of Warwick, genannt »Der Königs-
macher«
Anne Neville*, seine Tochter
George Neville*, sein Bruder, Erzbischof von York
John Neville*, Lord Montague, noch ein Bruder
Henry Stafford*, Duke of Buckingham
Henry Percy*, gelegentlich Earl of Northumberland
Thomas Lord Stanley*, Steward des königlichen Haushaltes
James Tyrell*, ein übel beleumundeter Charakter

KIRCHENMÄNNER

Thomas Bourchier*, Erzbischof von Canterbury
Owen Tudor jun.*, Benediktiner in Westminster
John Morton*, Bischof von Ely
Christopher Urswick*, Mortons Spion und Megan Beauforts
Beichtvater

Das Haus Lancaster und Tudor

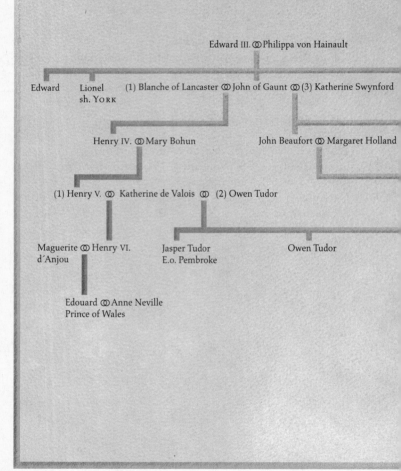

Edward III. ⊕ Philippa von Hainault

Edward   Lionel   (1) Blanche of Lancaster ⊕ John of Gaunt ⊕ (3) Katherine Swynford
          sh. YORK

Henry IV. ⊕ Mary Bohun   John Beaufort ⊕ Margaret Holland

(1) Henry V. ⊕ Katherine de Valois ⊕ (2) Owen Tudor

Maguerite ⊕ Henry VI.   Jasper Tudor   Owen Tudor
d'Anjou   E.o. Pembroke

Edouard ⊕ Anne Neville
Prince of Wales

Edmund   Thomas
sh. YORK

Henry Beaufort   Thomas Beaufort   Joan Beaufort
»Kardinal von England«   Duke of Exeter   sh. NEVILLE

John Beaufort ⚭ Margaret Beauchamp   Edmund Beaufort ⚭ Eleanor Beauchamp
Duke of Somerset   Duke of Somerset

Edmund Tudor ⚭ Margaret   Henry Beaufort   Edward »Ned« Beaufort
E.o. Richmond   »Megan« Beaufort   Duke of Somerset

Henry VII. ⚭ Elizabeth of York
»Richmond«

DAS HAUS YORK

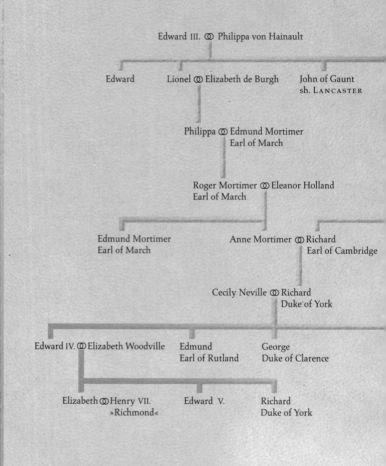

Edward III. ⊕ Philippa von Hainault

Edward Lionel ⊕ Elizabeth de Burgh John of Gaunt
sh. LANCASTER

Philippa ⊕ Edmund Mortimer
Earl of March

Roger Mortimer ⊕ Eleanor Holland
Earl of March

Edmund Mortimer Anne Mortimer ⊕ Richard
Earl of March Earl of Cambridge

Cecily Neville ⊕ Richard
Duke of York

Edward IV. ⊕ Elizabeth Woodville Edmund George
Earl of Rutland Duke of Clarence

Elizabeth ⊕ Henry VII. Edward V. Richard
»Richmond« Duke of York

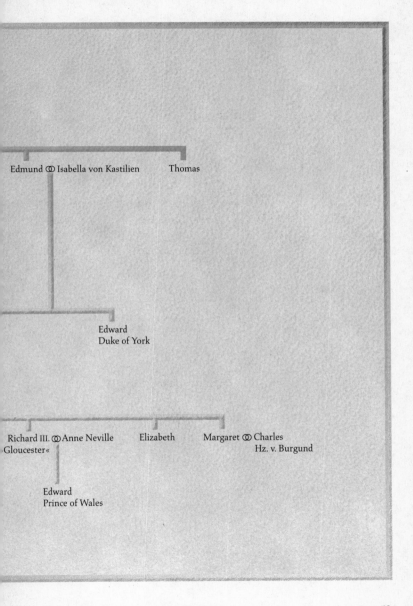

Edmund ⚭ Isabella von Kastilien   Thomas

Edward
Duke of York

Richard III. ⚭ Anne Neville   Elizabeth   Margaret ⚭ Charles
»Gloucester«   Hz. v. Burgund

Edward
Prince of Wales

DIE NEVILLES

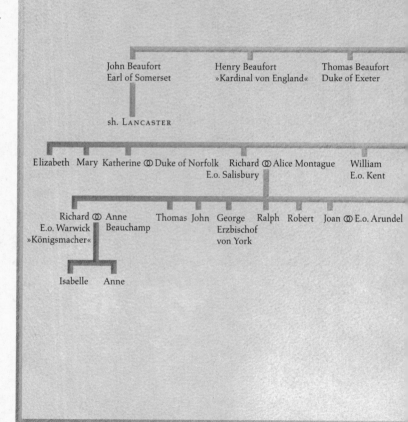

John Beaufort
Earl of Somerset

Henry Beaufort
»Kardinal von England«

Thomas Beaufort
Duke of Exeter

sh. LANCASTER

Elizabeth Mary Katherine ⚭ Duke of Norfolk Richard ⚭ Alice Montague William
E.o. Salisbury   E.o. Kent

Richard ⚭ Anne Thomas John George Ralph Robert Joan ⚭ E.o. Arundel
E.o. Warwick Beauchamp   Erzbischof
»Königsmacher«   von York

Isabelle Anne

John of Gaunt ⚭ (3) Katherine Swynford

(1) Robert Ferrers ⚭ Joan Beaufort ⚭ (2) Ralph Neville
Earl of Westmoreland

George Baron Latimer	Edward	Robert Bischof v. Durham	Cuthbert	Henry	Thomas	Eleanor	Anne	Jane	Cecily ⚭ Richard D.o. York

Cecily	Alice	Eleanor	Catherine ⚭ William Hastings	Margaret ⚭ E.o. Oxford

St. Albans, Mai 1455

»Edmund, das ist Wahnsinn!«, rief John of Waringham über das Waffenklirren hinweg. »Wir müssen den König in Sicherheit bringen!«

Edmund Beaufort, der Duke of Somerset, hob kurz die Linke, um anzuzeigen, dass er ihn gehört hatte. Ein wenig ratlos sah er sich auf dem Marktplatz des verschlafenen Städtchens um, der so gänzlich unerwartet zum Schlachtfeld geworden war. Es herrschte ein unüberschaubares Gedränge: Wohin das Auge blickte, waren Ritter und Soldaten in erbitterte Zweikämpfe verwickelt und stolperten über die reglosen Leiber der ersten Gefallenen. Es war kurz vor Mittag, und seit einer halben Stunde währte die Schlacht.

Die Männer der Leibgarde hatten einen schützenden Ring um ihren König gebildet, doch allmählich bekam dieser Schutzwall Lücken. Vier Pfeile, die fast gleichzeitig aus dem Nichts auf sie zugeschossen kamen, fanden ein Ziel: Drei Männer sanken tödlich getroffen zu Boden, das vierte Geschoss verfehlte John so knapp, dass er die Befiederung über sein Ohr streicheln fühlte, und streifte den König dann am Hals. Henry schrie auf.

John fuhr herum. »Sire! Oh, süßer Jesus ...« Er machte einen Schritt auf ihn zu, die Schlacht vergessen.

König Henry hatte die rechte Hand oberhalb des linken Schlüsselbeins an den Hals gepresst, und Blut quoll zwischen den Fingern hervor. Aber er schüttelte den Kopf. »Es ist nichts, John.«

»Mein König, warum ...« *habt Ihr Eure Klinge nicht gezogen?*, wollte John fragen, als er einen eigentümlichen Schlag im Rücken spürte. Ein sengender Schmerz durchzuckte seinen Leib, und dann sah er fassungslos eine blutige Schwertspitze aus seinem Brustpanzer stoßen. Keine Handbreit unterhalb des Herzens. »Sire … Eure Waffen. Ihr müsst …«

Er brach ab, als der Schmerz zurückkehrte und die Schwertspitze verschwand. Helles Blut sprudelte aus dem Schlitz in seiner Rüstung, und ganz plötzlich gaben seine Knie nach. Im Sturz hörte John den König seinen Namen rufen. Es klang angstvoll, beinah verzweifelt, aber die Stimme entfernte sich schon. John war auf der rechten Seite gelandet und hatte sein eigenes Schwert unter sich begraben. Mühsam hob er den Kopf und stellte erleichtert fest, dass seine Männer jetzt einen engeren Ring um den König geschlossen hatten und ihn aus dem Kampfgetümmel in eins der bescheidenen Holzhäuser am Marktplatz brachten.

Langsam ließ sich John auf den Rücken fallen. Er starrte in den wolkenlosen Maihimmel. *Was für ein Wetter, um zu sterben,* dachte er, und dann: *Ich wünschte, ich hätte dich noch ein einziges Mal sehen können, Juliana. Aber irgendwie haben wir beide gewusst, dass dies hier passieren würde, nicht wahr?*

Unter Anstrengung hob er den Kopf und erwartete, das Gesicht des Mannes zu sehen, der ihn verwundet hatte. Stattdessen fiel sein Blick auf seinen ältesten Freund, der neben ihm im Staub kniete und ihm sprachlos die Hand auf die Schulter legte.

»Owen.« Es war nur ein Flüstern. Rote Bläschen bildeten sich in Johns Mundwinkeln. Er bekam kaum noch Luft.

»Ich schaff dich hier weg«, sagte Owen Tudor.

»Spar dir die Mühe.«

Aber wie so oft in der Vergangenheit hörte Tudor auch dieses Mal nicht auf ihn. Er zog ihn unsanft an den Armen hoch und warf ihn sich über die Schulter. John hätte geschrien, wenn er nur hätte atmen können.

Tudor schenkte der Schlacht um sie herum nicht mehr Beachtung als Bäumen am Wegesrand. Ohne große Mühe bahnte er sich einen Weg, trug seinen Freund aus dem Getümmel und in den Klostergarten, wo er ihn im Schatten einer Buche ins Gras gleiten ließ. Das Gesicht des Verwundeten war bläulich. Schweiß rann von der Stirn über die Schläfen und versickerte in den immer noch schwarzen Locken.

»War's Arthur Scrope?«, fragte John.

»Wer sonst würde den Captain der königlichen Leibwache feige von hinten niedermachen«, antwortete sein walisischer Freund.

»Ich hab mir einmal geschworen, ihm niemals den Rücken zuzukehren … Daran hätte ich mich halten sollen.«

»Ich werd ihn kriegen, John«, versprach Tudor. »Er war schneller verschwunden, als das Auge folgen konnte. Aber ich hol ihn mir.«

John keuchte. »Owen … Oh, süßer Jesus.« Er kniff die Augen zu. Seine Mundwinkel zuckten, und sein Atem wurde flacher. »Owen, würdest du …«

»Ja. Ich reite nach Waringham zu deiner Frau. Willst du einen Priester?«

John schüttelte den Kopf. Er wollte in der Tat einen Priester, aber er wusste, ehe Tudor mit geistlichem Beistand zurückkäme, wäre er längst tot, und er hatte noch zwei wichtige Dinge zu sagen. »Geh zu Julian«, bat er flüsternd.

Tudor nickte

»Sag ihm, es tut mir leid. Das … tut es wirklich. Sag ihm, ich bitte ihn um Vergebung und sende ihm meinen Segen. Wirst du das für mich tun?«

Owen Tudor nahm die zitternde, kalte Hand, die rastlos durchs Gras strich, und hielt sie mit seinen beiden. »Natürlich.« Er blinzelte und legte den Kopf einen Moment in den Nacken.

»Und er soll für mich beten«, fuhr John kaum noch hörbar fort. »Ihr alle werdet für meine Seele beten müssen, denn ich fürchte, ich muss noch eine schreckliche Sünde begehen … ehe ich diese Welt verlasse.«

Tudor wusste, es wäre seine Christenpflicht gewesen, den Freund von dieser Sünde abzuhalten, aber er brachte es nicht fertig. Außerdem konnte er seiner Stimme nicht trauen.

»Richard of York.« Johns Stimme klang wie ein Seufzen – liebevoll, hätte man meinen können. »Alles Unglück, das über uns gekommen ist, hast du verschuldet. *Du* hast Somerset in den Freitod getrieben. *Du* trägst die Schuld an meinem Zerwürfnis mit meinem geliebten Sohn. *Du* hast den Seelenfrieden meines Königs zerstört, der ... der auch dein König ist und der dich liebt. Aber du rebellierst gegen ihn und willst seine Krone. Darum ... verfluche ich dich mit meinem letzten Atemzug: Möge dieser gottlose Bruderkrieg, den du angezettelt hast, dich das Leben kosten. Mögen ... deine Söhne und die Söhne deiner Söhne ihm zum Opfer fallen, verraten und ermordet, so wie du deinen König verraten und mich ermordet hast, und möge ... dein Geschlecht verlöschen.«

Noch einmal verstärkte sich der Druck seiner Hand in der seines Freundes, dann wurde der Griff schlaff, und das mühsame Atmen verstummte.

Tudor schaute noch ein letztes Mal in die blauen Augen, schloss mit der Linken behutsam die Lider, beugte sich vor, um dem Toten die Stirn zu küssen, und faltete ihm die Hände auf der Brust. »Mögest du aber Frieden finden, John of Waringham. Gott weiß, du hast ihn verdient.«

Eine Weile kniete er mit gesenktem Kopf an Johns Seite, aber er wusste, er durfte sich nicht viel Zeit gönnen, um den toten Freund zu betrauern. Darum erhob er sich bald und schaute sich rasch im Klostergarten um. An einem der Rosenbüsche entdeckte er eine erste rote Knospe. Er schnitt sie mit seinem Jagdmesser ab, schob dem Toten die Blume unter die gefalteten Hände und machte sich dann auf die Suche nach seinem Stiefsohn, dem König.

1. Teil:

HENRY

1455-1457

Waringham, Mai 1455

Der Hundezwinger war in einer Holzbaracke am Fuß der Burgmauer untergebracht, auf der Südseite des Innenhofs. Schon auf etliche Schritte Entfernung hörte man frenetisches Gebell. Adam, der junge Gehilfe des Hundeführers, runzelte verwundert die Stirn und sah zur Sonne.

»Früh dran mit dem Füttern«, murmelte er, verfrachtete den Strohballen unter den linken Arm und stieß mit der Rechten die Tür auf. Schlagartig wurde das Gebell ohrenbetäubend, und der Gestank von nassem Fell und Hundekot schlug ihm entgegen. Adam nahm ihn kaum wahr, denn er war an den Geruch gewöhnt. Eher ungewöhnlich war hingegen der hohe Besuch im Hundezwinger.

»Mylord«, grüßte der junge Mann verblüfft.

Robert of Waringham hörte ihn nicht, denn das Getöse der Hunde übertönte alles. Gemeinsam mit Walter, seinem Hundeführer, stand der Earl über die Wand zum Verschlag der Jagdhunde gebeugt, warf ihnen blutige Fleischbatzen zu und beobachtete gebannt, wie sie darum rauften. »Morgen«, versprach er den Tieren. »Morgen bekommt ihr Auslauf und frische Beute.«

Er lachte, und Adam sah die blauen Augen vor freudiger Erwartung leuchten.

Dir ist jedes blutige Spektakel recht, was?, fuhr es dem Knecht durch den Kopf. Er trug sein Stroh auf die andere Seite des dämmrigen Schuppens, wo in einem kleineren Verschlag eine Hündin mit ihrem Wurf untergebracht war. Er stieg über die niedrige Trennwand. »Jetzt mach ich euch ein schönes frisches Bettchen, was sagst du dazu, Diana.«

Die Hündin hatte den Kopf gehoben und folgte jeder seiner Bewegungen mit ihren klugen, braunen Augen, aber sie knurrte nicht. Adam war ihr vertraut. Sie ließ gar zu, dass er die vier Welpen, die nicht größer als sein Handteller waren, aufhob und in eine strohgepolsterte Kiste legte. »Da, ihr Helden. Damit ich euch nicht versehentlich mit dem dreckigen Stroh zusammenkehre.«

Sie gaben kleine, herzerweichende Fieplaute von sich. Behutsam strich er ihnen mit dem Zeigefinger über die Köpfe. Dann stellte er die Kiste beiseite und machte sich an die Arbeit. Diana beschloss, ihm das Leben heute ausnahmsweise einmal leicht zu machen, und stand freiwillig auf. Ihre schweren Zitzen schaukelten sacht.

Rasch hatte Adam das verschmutzte Stroh zusammengekehrt und neues ausgebreitet. Gerade wollte er die Welpen wieder zu ihrer Mutter legen, als er unsanft am Ohr gepackt und herumgerissen wurde.

»Mit dir hab ich ein Wörtchen zu reden«, verkündete Robert of Waringham.

»Mylord?« Adam bemühte sich, aufrecht zu stehen, aber der Earl verdrehte ihm das Ohr so schmerzhaft, dass er den Kopf unfreiwillig senkte und zur Seite bog.

Diana knurrte. Es war ein leiser, kehliger Laut, eine höfliche Warnung.

»Was fällt dir ein, du ungehobelter Lump, hier hereinzukommen, ohne zu grüßen?«, schnauzte Waringham.

Wider besseres Wissen gab Adam zurück: »Das hab ich. Ihr habt mich nur nicht gehört.«

Das bescherte ihm eine schallende Ohrfeige. Adam war weder besonders beeindruckt noch überrascht. Er hielt den Blick auf den Boden gerichtet und schärfte sich ein, seine lose Zunge im Zaum zu halten, damit es nicht schlimmer wurde.

»Versuch's noch mal«, riet Waringham.

»Ich bitte um Vergebung, Mylord.«

Der Earl schlug ihn wieder. »Du findest das wohl komisch, he?«

Dianas Knurren wurde drohender, und sie bellte einmal kurz.

Waringham packte den Knecht bei den Haaren, riss seinen Kopf hoch und sah ihm in die Augen, die den seinen verblüffend ähnlich waren. »Und wie komisch findest du dies: Walter sagt, dass hier ständig Futter verschwindet. Er glaubt, du lässt das Fleisch mitgehen und verhökerst es im Dorf.«

Adam wechselte einen Blick mit dem Hundeführer, der die Augen verdrehte und bedauernd den Kopf schüttelte. Natürlich hatte er nichts dergleichen behauptet. Er kannte seinen Gehilfen und hatte keinerlei Anlass, an dessen Ehrlichkeit zu zweifeln. Waringham wollte einfach einen Vorwand. Irgendwie machte es ihm mehr Spaß, wenn er einen hatte.

Als Adam aufging, dass er fällig war, ließ er die Maske der Unterwürfigkeit fallen. »So wie Ihr die Bauern auspresst, wär's kein Wunder, wenn sie Hundefutter fräßen. Besser als nichts.«

Robert of Waringham lächelte. Es war kein Lächeln, das anzusehen ein normaler Mensch gut aushalten konnte: Sein Gesicht verzog sich zu einer Fratze der Heiterkeit, und etwas Irres trat in seinen Blick.

Diana bellte wieder und erhob sich.

»Was immer Ihr vorhabt, Mylord, tut's nicht hier drin«, riet Adam. »Sonst macht sie aus uns beiden Hundefutter.«

Robert packte ihn am Kittel, stieg rückwärts über die Trennwand und zog den Jungen mit sich. Mit der Linken schlug er ihn zu Boden, mit der Rechten riss er Walter die Hundepeitsche aus der Hand, und dann machte er sich ans Werk.

»Zum letzten Mal, Blanche, wo ist das Fohlen?«

»*Zum letzten Mal?*«, wiederholte das junge Mädchen halb amüsiert, halb entrüstet. »Ist das so etwas wie eine Drohung?«

»Schon möglich«, erwiderte Geoffrey und machte einen Schritt auf sie zu, um zu unterstreichen, wie ernst es ihm war. Die Stalltür stand weit offen und ließ das helle Frühlingslicht herein, aber trotzdem war Blanche der Fluchtweg abgeschnitten, denn Geoffrey hatte sie in die Ecke zwischen Stirn- und Seitenwand gedrängt.

Blanche schien indes nicht beunruhigt. »Dann lass dir sagen, dass du mir keine Angst machen kannst. Du wirst schwerlich die Hand gegen mich erheben, nicht wahr, Cousin?«

»Bist du dir dessen so sicher?«, entgegnete er, obwohl er genau wusste, dass es das war, was sie hören wollte. Blanche spielte gern mit dem Feuer.

Mit einem siegesgewissen Lächeln strich sie sich die schwarzen Locken hinters Ohr. »Das Fohlen ist an einem sicheren Ort, und du wirst nie aus mir rausholen, wo.«

Er schloss die Lücke zwischen ihnen mit einem plötzlichen Schritt, packte ihre Hände, zwang sie auf den Rücken und hielt sie dort mühelos mit einer der seinen. »Wenn du dich da nur nicht irrst. Das Fohlen gehört *mir*, Blanche. Und was du tust, ist Quälerei. Das ist kein Spaß, verstehst du? Also wirst du mir jetzt sagen, wo du es versteckt hast, und ich werde hingehen und …«

»Nein! Du willst ihr die Kehle durchschneiden, ich weiß es. Dabei könnte sie hier ein so schönes Leben haben, und wir könnten sie in die Zucht nehmen und …«

»Sie kann nicht einmal stehen. Das heißt, sie kann nicht trinken.«

»Ich hab ihr verdünnte Kuhmilch gegeben, und sie hat sie getrunken.«

»Aber vermutlich wird sie sie nicht vertragen. Und sie wird auf diesem verkümmerten Bein niemals laufen. Ein Pferd, das sich nicht bewegt, wird krank.«

»Jack der Tischler könnte ihr doch ein Holzbein machen und …«

»Oh, das ist wirklich das Albernste, was ich je gehört habe! Selbst wenn wir sie durchbekämen, sie könnte niemals eine Zuchtstute werden, denn auf drei Beinen hätte sie nicht genug Gleichgewicht, damit ein Hengst sie …« Er brach abrupt ab.

»Ja?«, fragte Blanche mit großen Unschuldsaugen, und als sie sah, wie seine Wangen sich verfärbten, lachte sie.

Sie war ein bisschen verliebt in ihren strengen Cousin. Ebenso wie sein Vater, sein Großvater und alle Stallmeister in Waringham seit Menschengedenken war er ein eher ernster, wortkarger Mann, doch im Gegensatz zu seinen Vorgängern besaß er höfische Bildung und war von ritterlichem Stand. Als Knappe war er mit dem Earl of Salisbury nach Frankreich gezogen und vor zwei Jahren aus der letzten – verlorenen – Schlacht des Krieges als Ritter heimgekehrt, nur um festzustellen, dass seine beiden älteren Brüder, die das Gestüt übernommen hatten, im Winter zuvor an der Pest gestorben waren. So hatte Geoffrey mit nur dreiundzwanzig Jahren und ohne viel Erfahrung die berühmteste Pferdezucht Englands übernommen, deren eine Hälfte ihm, deren andere Hälfte dem Earl of Waringham gehörte. Von Anfang an war seine damals sechzehnjährige Cousine ihm eine große Hilfe gewesen, denn sie hatte diese geheimnisvolle Gabe der Waringham, die über normalen Pferdeverstand weit hinausging. Doch er wusste, er war gut beraten, sich vor Blanche zu hüten. Sie war ein wildes Geschöpf. Hinreißend, aber gefährlich. Und ihr Vater, der der Onkel und Steward des jungen Earl of Waringham war, hätte dem Stallmeister vermutlich das Herz herausgerissen, wenn er wüsste, wie nah dieser manchmal daran war, der Verlockung nachzugeben.

»Blanche, sei vernünftig.«

»Wie geht das?«, fragte sie, stellte sich auf die Zehenspitzen und drückte einen flüchtigen, aber reichlich unschwesterlichen Kuss auf seine Lippen.

Er ließ sie los und fuhr zurück, als habe sie ihn gebissen. »Herr*gott* noch mal ...«

Blanche nutzte seine momentane Verwirrung, schlängelte sich an ihm vorbei und lief hinaus ins Freie. Voller Euphorie über ihre geglückte Flucht und den Triumph, den unnahbaren Stallmeister in Verlegenheit gebracht zu haben, rannte sie mit wehenden Locken über den Mönchskopf ins Dorf hinab, fand Berit, ihre einstige Amme, im Stall beim Melken, schwatzte ihr einen halben Eimer Milch ab und machte sich auf den Weg in den Wald von Waringham, wo sie das verkrüppelte Fohlen versteckt hielt.

Die kleine Stute sah nicht gut aus. Ihre Augen waren verklebt, und trotz der Decke, in die Blanche sie gewickelt hatte, schien sie zu frieren. Sie trank jedoch munter von der verdünnten Kuhmilch, die das junge Mädchen ihr mit einem Holztrichter einflößte. Das ging langsam vonstatten und erforderte viel Geduld – normalerweise nicht Blanches Stärke. Aber in diesem Fall machte es ihr überhaupt nichts aus, jeden Schluck in mühevoller Kleinarbeit zu verabreichen.

Die Sonne stand schon schräg, als sie das Fohlen schließlich verließ. Es wirkte sehr verloren, und es jammerte, als Blanche sich aus dem weichen Farnbett erhob. Die schwachen Laute gingen ihr zu Herzen.

»Ach, es tut mir wirklich leid, Helena, aber ich *muss* nach Hause«, erklärte sie zerknirscht. »Mutter wird sich fragen, wo ich bleibe. Sie hasst es, allein mit Robert zu essen, verstehst du …«

Helena war offensichtlich nicht an Ausreden interessiert. Sie jammerte noch ein wenig erbarmungswürdiger. Dennoch riss Blanche sich los und lief ein Stück durch den Wald, um den Lauten, die ihr Gewissensbisse verursachten, schnellstmöglich zu entrinnen. Leichtfüßig sprang sie über hervorstehende Wurzeln und tückische Dornenranken auf der dunklen Erde hinweg, ohne sie bewusst wahrzunehmen. Sie kannte in diesem Wald jeden Zweig und Halm.

Als sie die Lichtung am Weißen Felsen erreichte, verlangsamte sie ihr Tempo. Einen Moment sah sie auf die satten grünen Weiden mit den Bruchsteinmauern hinab. Dann schlug sie den Pfad zur Burg ein.

Es dämmerte bereits. Die Vögel jubilierten, und die letzten Sonnenstrahlen übergossen die jungen Blätter der Bäume mit einem kupfernen Glanz. Zwischen den Baumstämmen erspähte Blanche ein Reh und hoffte, es werde weit weg sein, wenn ihr Cousin Robert und seine Raufbolde am nächsten Tag zur Jagd ritten.

»… können nicht angreifen, solange es hell ist«, hörte sie plötzlich eine fremde Stimme mit einem nördlichen Akzent sagen. »Wir bräuchten mehr als doppelt so viele Männer.«

Blanche hielt inne.

»Lasst uns warten, bis es dunkel ist, Sir Arthur«, riet eine zweite Stimme. »Warum sollten sie die Brücke schließen? Hier weiß doch noch kein Mensch, was passiert ist.«

Blanche trat den Rückzug an. Langsam, ganz langsam bewegte sie sich, hielt den Blick auf den Boden gerichtet, um nur ja auf keinen trockenen Zweig zu treten, und das Herz schlug ihr bis zum Hals. Dann stieß sie mit dem Rücken gegen ein Hindernis, das eindeutig kein Baum war, und im nächsten Moment legten sich zwei Arme um ihren Leib. »Ja, was haben wir denn hier?«

Blanche warf einen Blick über die Schulter und sah in ein bartloses, nicht unsympathisches Gesicht unter einem matten Helm.

»Habt die Güte und lasst mich los, Sir«, verlangte sie. Sie bemühte sich, würdevoll zu klingen und ihre Furcht zu verbergen.

Der Mann zog die Brauen hoch. »Ich glaube nicht, Herzchen.« Er schob sie vorwärts, und nach zwanzig Schritten fand Blanche sich inmitten einer Gruppe von einem guten Dutzend fremder Ritter.

»Wer seid Ihr?«, fragte sie.

»Die viel interessantere Frage wäre, wer bist du?«, entgegnete einer. Der Anführer, nahm Blanche an. Er war älter als die Übrigen. Seine buschigen Brauen waren grau, sein Gesicht zerfurcht.

»Richildis of Fernbrook.« Es war der erste Name, der ihr in den Sinn gekommen war, und sie fand, er klang lächerlich. Aber irgendetwas warnte sie, ihre wahre Identität preiszugeben. »Ich bin Lord Waringhams Verlobte, Sir. Und Ihr seid …?«

Er verneigte sich knapp – es war eine höhnische Geste. »Arthur Scrope of Masham, Lady … Richildis.«

Sie wusste, sie hatte seinen Namen schon einmal gehört.

Im Augenblick konnte sie sich nicht erinnern, in welchem Zusammenhang, aber er klang nicht gut. »Und was sucht Ihr in Waringham, Sir Arthur?«

»Ich hätte gern ein Wort mit Seiner Lordschaft gesprochen.«

»Dann schlage ich vor, Ihr wendet Euch an die Torwache.«

Mit einer plötzlichen Bewegung packte er sie am Arm und zog sie mit einem Ruck näher. »Eine Kratzbürste wie deine Mutter. Du kannst dir die Mühe sparen, mir etwas vorzumachen, Täubchen. Ich weiß genau, wer du bist.« Etwas in seinem Blick verursachte ihr eine Gänsehaut, machte ihr mehr Angst als seine Worte und seine bärenstarken Hände. »Welch ein unerwarteter Bonus, dass ausgerechnet du uns hier in die Arme gelaufen bist.« Er packte sie bei den Haaren und schlug ihr die Faust gegen die Schläfe.

Blanche ging ohne einen Laut zu Boden. Sie war benommen, aber nicht bewusstlos. Hände packten ihre Arme und zogen sie ins Gebüsch.

»Lasst sie zufrieden, und ich bringe Euch nach Einbruch der Dunkelheit in die Burg«, sagte plötzlich eine raue Frauenstimme.

Die Ritter fuhren herum. Scrope ließ Blanche los und wandte sich ebenfalls um. »Und wer bist du?«, fragte er abschätzig.

Die Frau, die wie eine Waldfee aus der Dämmerung gekommen war, trug waidblaue Bauernkleidung und ein graues Tuch um den Kopf. Sie war nicht mehr jung, sicherlich Mitte dreißig, und unförmig nach zu vielen Schwangerschaften. Über ihrem Arm hing ein Korb mit Kräutern, die sie offenbar im Wald gesammelt hatte: eine Dienstmagd.

»Ich arbeite oben in der Küche.« Sie ruckte das beachtliche Doppelkinn Richtung Burg.

Scrope trat gemächlich auf sie zu, seine Miene fast amüsiert. »Eine Küchenmagd, so, so. Und du meinst, du kannst uns in die Burg bringen, ja?«

Sie verschränkte die fetten Arme und nickte. »Gleich nach Sonnenuntergang ziehen sie die Brücke ein. Das hat Sir John so angeordnet. Aber mich werden die Wachen einlassen. Sie kennen mich. Einer von Euch kann sich in meinem Rücken verstecken. Mehr sind nicht nötig. Es gibt nur zwei Torwachen. Keine weiteren Posten.«

»Oh Gott, Alys, was tust du?«, fragte Blanche. Sie lag immer noch im feuchten Gras, hatte sich aber auf einen Ellbogen aufgerichtet.

»Ich rette Euch das Leben, Kindchen«, grummelte die Magd. Und an Scrope gewandt, fuhr sie fort: »Also? Was sagt Ihr?«

Er ging langsam um sie herum, als sei sie eine Jahrmarktsattraktion. Dann blieb er vor ihr stehen, einen Finger nachdenklich am Mundwinkel. »Hm. Erklär mir eins, Alys. Was soll uns hindern, uns mit der kleinen Kratzbürste zu vergnügen und dich nach Einbruch der Dunkelheit mit einem Dolch an der Kehle zu zwingen, uns in die Burg zu schmuggeln?«

Sie schüttelte kurz den Kopf. »Ich würde es nicht tun. Ich hänge nicht am Leben, wisst Ihr.«

Sie sagte es mit solch leidenschaftsloser Aufrichtigkeit, dass Scrope nicht umhin kam, ihr zu glauben. »Und was versprichst du dir davon, wenn du uns reinbringst?«

»Ihr seid gekommen, um Lord Waringham zu töten, richtig?«

Er deutete ein Achselzucken an. »Es wäre durchaus möglich, dass es dazu kommt, wackere Alys.«

»Tut es. Das ist der einzige Wunsch, den ich noch habe. Aber sie ist ein gutes Kind, also lasst sie zufrieden. Das ist meine Bedingung. Sucht es Euch aus.«

Scrope überlegte nicht lange. »Na schön. Aber besser, du gibst dir ein bisschen Mühe. Wenn wir Erfolg haben, soll sie ihre Unschuld meinetwegen behalten. Aber nur dann, hast du verstanden?«

Alys nickte ungerührt.

Auch Blanche hatte Arthur Scrope verstanden. Sehr genau. Ihre Unschuld würde er ihr möglicherweise lassen, aber nicht ihr Leben. Er war nicht gekommen, um Robert zu töten, sondern jeden Waringham, der ihm in die Hände fiel. Sie hatte es gespürt, als sie ihm in die Augen gesehen hatte.

»Wo ist mein Vater?«, fragte sie.

Scrope tätschelte ihr lächelnd die Wange. »Keine Sorge, Engelchen. Ich bin sicher, er ist auf dem Weg nach Hause.«

Mit einem Strick banden sie ihr die Hände auf den Rücken und knoteten das lose Ende an einen Baum.

»Alys«, flehte das Mädchen leise. »Bitte ... bitte tu das nicht.«

Die Küchenmagd sah einen Moment auf sie hinab, aber sie war zu verbittert, als dass irgendetwas sie leicht hätte rühren können. »Habt Ihr gehört, dass er meinen Adam halb totgeschlagen hat?«

Blanche nickte. »Ich weiß, wie er ist. Gerade deswegen bitte ich dich. Er ist es nicht wert, dass du dein Seelenheil riskierst.«

»Mein Seelenheil«, wiederholte Alys mit einem hässlichen, freudlosen Lachen. »Ich bin schon lange verdammt, Kindchen.«

Das war sie wirklich, sie wusste es genau. Obwohl sie nie eine Wahl gehabt hatte. Denn ihr Halbbruder, der Earl of Waringham, hatte sie nie gefragt, ob sie ein halbes Dutzend Bastarde von ihm wollte.

Kurz nach Einbruch der Dunkelheit führte die Küchenmagd einen von Scropes Rittern an den Rand des Burggrabens. Scrope und seine übrigen Männer folgten fünfzig Yards hinter ihnen. Sie hielten sich geduckt und verursachten keinen Laut. Die Nacht war dunkel – kaum Gefahr, dass eine der Wachen durch das Fenster des Torhauses ihre Gesichter leuchten sah. Sicherheitshalber hatten sie sich die Haut dennoch mit Ruß geschwärzt.

»Alle bis auf die Torwachen sitzen jetzt beim Essen«, wisperte Alys über die Schulter. »Seine Lordschaft und die Familie vermutlich im Gemach über der Halle.«

»Und du bist sicher, dass es außer den Torwachen keine Posten gibt?«, fragte der Kerl hinter ihr leise.

»Manchmal am Eingang zum Bergfried, aber nicht, wenn die Brücke eingezogen ist. Wozu? Wie auch immer, Ihr müsst Euch sputen: Wenn sie Euch hören, ehe Ihr in der Halle seid, habt Ihr verloren. Dort gibt es einen Seilzug, der den ganzen Fußboden der Eingangshalle unten wegklappen lässt.«

»Na schön. Jetzt mach endlich.«

Alys atmete tief ein und sammelte ihren Mut. Dann rief sie zum Torhaus hinüber: »He da! Miles?«

Nach wenigen Augenblicken erschien ein Schatten am schwach erleuchteten Fenster. »Wer ist da?«

»Ich bin's, Alys!«, rief sie. »Ich musste mich um meinen Jungen kümmern, ich konnte nicht eher kommen! Lass mich rein, um Gottes willen, ehe seine Lordschaft merkt, dass ich spät dran bin!«

»Ja, ja«, rief der Torwächter brummelig zurück. »Wenn du nicht willst, dass er dich erwischt, dann mach kein solches Gezeter!«

Knirschend und unter vernehmlichem Kettenrasseln begann die schwere Zugbrücke, sich herabzusenken. Kaum hatte die Oberkante den Boden berührt, setzte Alys einen Fuß darauf und überquerte die Brücke mit eiligen Schritten. Der fremde Ritter folgte ihr dicht auf den Fersen.

»Danke, Miles«, sagte die Magd, als sie ins Torhaus kam. Sie brauchte ihre Kurzatmigkeit nicht zu spielen. Plötzlich drohte die Furcht ihr die Luft abzudrücken.

»Ach, schon in Ordnung, Mädchen«, erwiderte der altgediente Miles gutmütig. »Was hätt ich schon davon, dem kleinen Schinder da oben einen Grund zu liefern?« Mit einer verächtlichen Grimasse sah er zu den oberen Fenstern des Bergfrieds, hinter denen er Lord Waringham vermutete. Das Licht seiner Fackel blendete ihn, sodass er den Schatten, der sich plötzlich aus Alys' Rücken löste, zu spät erkannte. »He, was …«, brachte er noch heraus, und seine Hand fuhr zum Heft, aber schon durchbohrte eine kurze, geschwärzte Klinge seine Kehle. Mit einem gurgelnden Laut brach Miles in die Knie.

Alys wandte sich schaudernd ab, blieb aber im Torhaus stehen, während der Ritter mit gezücktem Dolch zur Wachkammer hinüberschlich und auch den zweiten Torwächter erledigte. Als Alys ihn wieder herauskommen und nicken sah, hob sie die

Fackel auf, die Miles aus der Hand gefallen war, trat damit auf die Zugbrücke hinaus und schwenkte sie zweimal hin und her.

»Gut, gut«, murmelte Arthur Scrope zufrieden und gab das Zeichen zum Vorrücken.

»Wo steckt Blanche nur wieder?«, fragte Lady Juliana seufzend und wandte den Blick zur Decke, als erhoffe sie von Gott eine Antwort. »Das Kind treibt mich zur Verzweiflung.«

»Nun, ich finde es angenehm friedvoll hier, wenn sie nicht da ist«, erwiderte der Earl of Waringham.

Lady Juliana lächelte frostig. »Deine Offenheit gehört wirklich zu deinen bestechendsten Eigenschaften, Robert«, gab sie zurück.

Er grinste in seinen kostbaren Weinpokal. »So grantig, Tantchen?«

Er hatte Recht, gestand sie sich ein. Sie *war* grantig. Und das mit gutem Grund. All ihre Lieben verließen Waringham wie Ratten das sinkende Schiff: Ihre älteste Tochter Kate, die mit ihren Kindern den Winter hier verbracht hatte, war zu St. Georg an den Hof zurückgekehrt. Ihr Sohn, Julian, hatte seine Nase seit zwei Jahren nicht mehr in Waringham gezeigt, nachdem er sich mit seinem Vater überworfen hatte. Besagter Vater hatte in diesen gottlosen Zeiten als Captain der königlichen Leibwache mehr zu tun denn je und war kaum einmal hier, und nun versäumte auch ihre Tochter noch das Essen – die einzige, die Lady Juliana vor einem Abend allein mit Robert, diesem unaussprechlichen Scheusal, hätte bewahren können.

»Ich nehme an, sie treibt sich wieder mal mit dem Stallmeister herum«, bemerkte der Earl gehässig. »Eure Blanche, meine ich. Bist du eigentlich darüber im Bilde, wie sie sich ihm an den Hals wirft? Wie sie sich zum Gespött macht?«

»Vor wem, Robert?«, konterte Juliana. »Den Bauern? Dem Abschaum, den du deine Ritterschaft nennst? Das raubt mir nicht den Schlaf.«

»Und was, wenn ihr Vater davon erfährt?«

Sie beugte sich ein wenig vor. »Es wird dir nicht gelingen,

Zwietracht zwischen John und Blanche zu säen. Das kannst du dir aus dem Kopf schlagen. Sie sind wie Pech und Schwefel. Glaub mir, ich weiß, wovon ich rede.«

»Umso bitterer für ihn, wenn sie ein Balg von Geoffrey bekäme, he?«

Juliana knabberte missvergnügt an einem Hasenschenkel und hob die Schultern. »Von mir aus kann sie ihn heiraten, wenn sie ihn unbedingt will.«

»Bedauerlicherweise ist er aber ihr Vetter.«

»Zweiten Grades.«

»Das ist der Kirche gleich.«

»Ah. Robert of Waringham neuerdings als Wächter kirchlicher Moralvorschriften? Wie amüsant. Zumal du …« Sie unterbrach sich und lauschte mit geneigtem Kopf. »Da, hörst du das? Was ist das?«

Lord Waringham winkte ab. »Was soll schon sein. Ich nehme an, ›der Abschaum, den ich meine Ritterschaft nenne‹, rauft mal wieder unten in der Halle.«

Gut möglich, dachte Lady Juliana und aß weiter. Doch als sie Waffenklirren und Schreie vernahmen, wechselten sie wieder einen Blick, Robert stand auf und ging mit energischen Schritten zur Tür.

Er riss sie auf und fand sich Auge in Auge mit einem Fremden, dessen kostbare Rüstung Robert anzeigte, dass er es mit einem Gentleman zu tun hatte.

»Nanu? Kann ich Euch behilflich sein, Sir?«

»Seid Ihr Robert of Waringham?«

Lady Juliana war wie gestochen von ihrem Stuhl hochgefahren. »Nein!«

»Ja«, antwortete der Earl im selben Moment, und der Fremde stieß ihm die gezückte Klinge in die Brust.

Mit einem halb erstickten Schrei, der sich beinah wie Schluckauf anhörte, sackte Robert in sich zusammen. Scrope setzte ihm den Fuß auf die Schulter und befreite sein Schwert mit einem Ruck. Glasig starrten Roberts blaue Waringham-Augen auf einen Punkt an der Wand.

»Oh, Arthur Scrope, du Bastard ...«, brachte Juliana heiser hervor.

Der Beschimpfte lachte. »Ausgerechnet du nennst mich einen Bastard, Herzblatt? Die du der Bastard eines Bastards bist?«

Juliana hörte gar nicht hin. Sie hatte den Handballen der Linken auf die Lippen gepresst und sah auf ihren toten Neffen hinab. »Ich werde nicht behaupten, es sei ein großer Verlust für die Welt, aber du musst den Verstand verloren haben«, murmelte sie undeutlich. Dann ließ sie die Hand sinken. »Was hast du nur getan?«

»England von einem weiteren Waringham befreit«, antwortete Scrope. »Den Duke of York von einem weiteren Feind.«

Sie schaute ihn an. Vage nahm sie wahr, dass ihre Hände eiskalt geworden waren. Sie spürte ihre Füße nicht den Boden berühren, und ein leises Rauschen war in ihren Ohren.

»John?«

Es war ein dünner, mutloser Laut des Jammers.

Untätigkeit und Resignation waren Blanches Natur fremd. Scrope hatte es nicht für nötig befunden, einen seiner Männer als Wache bei ihr zurückzulassen. Sobald sie allein war, hatte sie begonnen, den Strick an der Baumrinde durchzuscheuern, und es dauerte nicht einmal lange, bis er riss. Es war kein dickes Seil gewesen. Auch das hatte Scrope offenbar als überflüssig erachtet. Schließlich war sie ja nur eine Frau.

Die Hände immer noch zusammengebunden, lief Blanche den Burghügel hinauf und roch die Schafe, die auf seinem Hang weideten, selbst wenn sie sie nicht sehen konnte. Die Brücke war unten. Alys hatte also Erfolg gehabt.

Blanche wappnete sich und überquerte die dicken Eichenbohlen. Schwaches Licht fiel aus der Wachkammer, beleuchtete das Innere des tunnelartigen Torhauses und den toten Wächter, der auf dem Rücken ausgestreckt lag, ein Bein abscheulich verdreht.

»Oh, Miles ...«, flüsterte Blanche. »Wie konntest du das tun, Alys?«

Ohne es zu merken wich sie zurück, und schon wieder packte sie eine kräftige Hand von hinten und drehte sie um. Ihr Kopf wurde an eine breite Brust gepresst, und eine vertraute Stimme fragte: »Wieso sind deine Hände gebunden?«

»Owen ... Gott sei gepriesen.« Erst jetzt merkte sie, wie groß ihre Angst gewesen war. »Wo ist Vater?«

Tudor strich ihr die schwarzen Locken zurück, spähte einen Moment in ihr Gesicht, und dann zückte er sein Jagdmesser und durchschnitt ihre Fesseln. »Lauf ins Gestüt und versteck dich dort. Beeil dich.«

Sie rieb sich die Handgelenke. »Ein Mann namens Scrope«, berichtete sie mit einer vagen Geste auf den toten Wächter.

Tudor nickte. »Weißt du, wie viele Männer er hat?«

»Vierzehn.«

Er fluchte leise in seiner Muttersprache. »Na schön. Jetzt lauf, Blanche.«

Eindringlichkeit lag in seiner Stimme und noch etwas anderes. Etwas, das ihre ganze Welt zum Einsturz zu bringen drohte, und darum weigerte sie sich, es zur Kenntnis zu nehmen. »Ich werd mich nicht verkriechen. Ich kann ein Schwert führen und ...«

Er legte wieder die Hand um ihren Arm und schob sie zur Brücke. »Schluss jetzt. Du wirst nicht mit hineinkommen. Wenn du mir helfen willst, dann verschwinde, hast du mich verstanden?«

»Aber warum ist Vater nicht ...«

»Dein Vater ist tot, Blanche.« Tudor nahm ihr Kinn zwischen Daumen und Zeigefinger und sah ihr in die dunklen Augen. »Die Yorkisten haben uns bei St. Albans geschlagen und deinen Vater getötet.« Ihre Hände krallten sich einen Moment in sein Surkot, dann sträubte sie sich mit einem Mal, und Tudor ließ sie los. Schock und Grauen hatten ihre Augen geweitet, aber er hatte jetzt keine Zeit, ihr Trost zu spenden. »Nun sind sie hergekommen, um den Rest eures Hauses auszulöschen. Vielleicht eure Burg zu beschlagnahmen, ich habe keine Ahnung.« Er legte dem Mädchen kurz beide Hände auf die Schultern.

»Alles hat sich geändert, Blanche, hörst du mich? Nichts ist mehr sicher, vor allem dein Leben nicht. Darum musst du tun, was ich sage, auf der Stelle, damit ich versuchen kann, zu retten, was noch zu retten ist.« Allerdings glaubte er nicht, dass er viel ausrichten konnte. Er war allein hergeritten, weil er nicht damit gerechnet hatte, dass der Krieg so schnell nach Waringham kommen würde.

Blanche wandte sich ab, rannte auf die Brücke hinaus und verschmolz mit der Dunkelheit.

Arthur Scrope und seine Männer hatten fürchterlich gewütet, erkannte Tudor, als er zum Bergfried hinüber und zur Halle hinauf schlich. Vermutlich war das Gesindel, das diese Halle heutzutage bevölkerte, betrunken und leichte Beute gewesen. Roberts Ritter lagen erschlagen im Stroh, nicht einmal vor den Knappen hatten die Mörder Halt gemacht. Sie saßen jetzt an den langen Tischen, ohne den Toten noch die geringste Beachtung zu schenken, und hatten sich über die Weinkrüge und die Speisen hergemacht. Arthur Scrope war allerdings nicht dabei, stellte Tudor fest, der die Halle aus dem dunklen Schatten der Treppe in Augenschein genommen hatte. Das Schwert in der Rechten, schlich er weiter nach oben.

Die Tür zum Wohngemach über der Halle stand offen, und warmer Lichtschein fiel auf die Steinfliesen des Korridors. Tudor hörte eine Frau leise weinen. Juliana, erkannte er.

Vorsichtig und langsamer, als er eigentlich ertragen konnte, näherte er sich der Tür. Robert entdeckte er als Ersten. Tot lag der junge Earl gleich an der Schwelle auf dem Rücken, die Augen wie vor Verblüffung aufgerissen. Tudor wagte sich noch einen Schritt weiter und spähte in den Raum hinein. Juliana stand am Tisch, hielt einen blutverschmierten Dolch in der Hand, und Arthur Scrope lag gekrümmt und reglos zu ihren Füßen.

»Gut gemacht, Juliana«, sagte der Waliser, machte zwei große Schritte über die beiden Leichen hinweg und schloss die Witwe seines Freundes mitsamt Dolch in die Arme.

»Es ist wahr, oder? John ist tot.«

Tudor nickte.

»Hast du ihn mitgebracht?«

»Der Wagen steht unten im Dorf.« Und weil er fürchtete, sie werde ihn fragen, wie es passiert sei, wies er auf Scrope hinab. »Wie hast du ihn erwischt?«

Sie hob leicht die Schultern. »Es war einfach. Ich trage immer einen Dolch im Ärmel. Das hat mein Vater mich gelehrt. Und Arthur Scrope hatte noch nie Respekt vor mir, darum konnte er sich nicht vorstellen, dass ich ihm gefährlich werden könnte. Es war … einfach. Wo ist Blanche?«

»Ich hab sie ins Gestüt geschickt. Und dorthin bringe ich dich jetzt auch. Du solltest nicht hier sein, wenn Scropes Männer feststellen, dass sie sich einen neuen Dienstherrn suchen müssen.«

Juliana machte keine Anstalten, sich von ihm zu lösen. Sie verspürte kein Bedürfnis, sich in Sicherheit zu bringen. Lieber legte sie die Wange an Tudors Brust und ließ ihrem Kummer freien Lauf. Nicht, dass es etwas nützte. John war tot, und da, wo sein Platz gewesen war, hatte sich eine Ödnis in ihrem Inneren aufgetan, ein Nichts, sodass sie sich taub und kalt fühlte.

»Owen …«

»Hm?«

»Jetzt sind nur noch du und ich übrig.«

Er nickte. »Dann lass uns zusehen, dass nicht auch du und ich noch verloren gehen. Komm. Ganz leise. Wir müssen uns hier ungesehen rausschleichen, wenn wir das Leben deines Sohnes retten wollen.«

»Na warte, Waringham! Das zahl ich dir heim, du hinterhältiger Schuft«, knurrte Edmund Tudor, der junge Earl of Richmond, und rieb sich die Stirn, wo bereits eine Beule sichtbar wurde.

»Was kann ich dafür, wenn du zu langsam bist und den Kopf dahin hältst, wo dein Schläger sein sollte?«, konterte Julian unbekümmert und trat einige Schritte vom Netz zurück.

»Zu langsam?«, wiederholte Edmund empört. »Das werden wir ja sehen ...«

Er hob den Ball aus dem kurz geschnittenen Gras auf. Krachend prallte sein Aufschlag gegen die linke Wand des Tennishofs, ehe er in Julians Hälfte landete. Mit flinken blauen Augen verfolgte der junge Waringham die Flugbahn, um den Effet des Balls vorauszuahnen, und er verschätzte sich nicht. Er glitt nach hinten und nach rechts, holte genau im richtigen Moment aus, schlug den Ball übers Netz und gegen die rechte Wand in Edmunds Hälfte.

Sie spielten konzentriert und schweigend. Nichts war zu hören als der dumpfe Laut von Holzschläger auf Filzkugel, das Dröhnen der Bälle, die gegen die hölzernen Wände geschmettert wurden, das gedämpfte »Plock«, mit welchem sie aufs Gras trafen. Bald glänzten die Gesichter der Spieler, denn es war ein warmer Frühsommertag, aber sie hörten erst auf, als Edmund Tudor seine Revanche bekommen und sechs zu vier gewonnen hatte.

Feierlich schüttelten sie sich über das Netz hinweg die Hand, und dann winkte Edmund den beiden jungen Knappen zu, die den Wettstreit von der Galerie aus verfolgt hatten – kein ganz ungefährliches Vergnügen, denn nicht selten verirrten die schweren Filzkugeln sich dorthin. »Hebt die Bälle auf«, befahl er, ehe er mit seinem Freund aus dem Tennishof zurück in den Garten schlenderte.

Dort saß im Schatten einer Silberbirke ein sehr zierliches junges Mädchen auf einer nachtblauen Samtdecke, den Kopf über ein schweres Buch auf ihren angezogenen Knien gebeugt. Sie trug das dunkle, glatte Haar offen, und es war ihr über die Schultern geglitten, sodass es ihr Gesicht verdeckte. Ohne aufzuschauen sagte sie: »Seht nur, was ich hier für euch habe, Gentlemen.«

Die beiden Männer traten näher und entdeckten zwei gut gefüllte Krüge auf einem hölzernen Tablett. Sie setzten sich zu ihr und legten die Tennisschläger ins Gras.

»Was würde nur aus uns, wenn du nicht für uns sorgtest, Megan«, bemerkte Julian lächelnd und nahm einen der Becher. »Herrlich kühl.« Er hielt ihn einen Moment an seine erhitzte Wange und stieß dann mit Edmund an. »Auf deinen teuer erkauften Sieg, Mylord«, frotzelte er. »Wenn man deine Stirn ansieht, könnte man dich beinah für ein Einhorn halten.«

Die zwölfjährige Lady Margaret hob endlich den Kopf und schaute fragend von einem zum anderen. »Hat es wieder einmal Blessuren gegeben?«, spöttelte sie.

Edmund Tudor warf seinem Freund einen wütenden Blick zu. Margaret Beaufort, die vielleicht reichste Erbin Englands, war sein Mündel. König Henry, Edmunds Halbbruder, hatte ihm die Vormundschaft übertragen, damit er Margarets Wohl in sicheren Händen wusste, aber auch, damit Edmund während ihrer Jugendzeit in den Genuss eines Zehntels ihrer Pacht- und Zinseinkünfte kam. Es war ein übliches Arrangement, das niemanden verwundert hatte, denn alle Welt wusste, dass der König seine Halbbrüder materiell gut versorgt wissen wollte. Was hingegen niemand bei Hofe ahnte, war, dass Edmund Tudor ein wenig mehr als fürsorgliche Freundschaft für sein Mündel empfand. Julian war ihm auf die Schliche gekommen, aber sie hatten noch nie offen darüber gesprochen. Der junge Waringham beschränkte sich nur dann und wann auf ein paar Andeutungen. Mehr als Träumerei konnte Edmunds Zuneigung für sein Mündel ohnehin nicht sein, denn Megan, wie die junge Lady Margaret allgemein genannt wurde, war mit John de la Pole, dem Duke of Suffolk, verlobt.

»Was liest du denn da schon wieder, Cousinchen?«, fragte Julian.

Wortlos drehte Megan ihr Buch um und hielt es ihm zur Begutachtung hin.

»Oh. Heiligengeschichten«, bemerkte er ohne die gebotene Begeisterung. »Wie … erbaulich.«

»Ja, das sind sie«, bestätigte Megan, aber sie sagte es ohne jeden missionarischen Eifer. Julian wusste, dass seine Cousine selten das Bedürfnis verspürte, andere zum Studium der Bücher zu bekehren, die sie so schätzte. Megan war mehr oder minder allein mit ihren Büchern aufgewachsen, war es gewöhnt, ganz für sich die Geschichten und Lehren zu erkunden. Womöglich hatte das gar dazu geführt, dass es ihr widerstrebte, sie zu teilen.

Vornehmlich um sie aufzuziehen, fragte er: »Und welchen Heiligen hast du dir heute vorgenommen?«

»Den heiligen Nikolaus von Myra. Er beschäftigt mich schon eine Weile.«

Edmund Tudor hob den Kopf so abrupt, dass Bier aus seinem Becher schwappte, und schaute sein Mündel an.

Julian verzog angewidert das Gesicht. »Ich erinnere mich. Lauter grässliche Geschichten erzählt seine Legende. Irgendetwas von drei Knaben in einem Pökelfass, die der Metzger zerstückelt hatte, um Wurst aus ihnen zu machen …«

»Das sieht dir mal wieder ähnlich, Julian of Waringham«, entgegnete Megan tadelnd. »*Du* erinnerst dich natürlich nur an die bluttriefenden Geschichten. St. Nikolaus hat die Knaben indes wieder zusammengesetzt und zum Leben erweckt. Aber es stimmt schon, er war ein seltsamer Heiliger. Grausam und gütig zugleich. Ich werde nicht so recht aus ihm klug … Was schaust du mich so seltsam an, Edmund Tudor?«

»Hm?«, machte er zerstreut, anscheinend gänzlich in die Betrachtung ihres halb kindlichen, halb fraulichen Gesichts vertieft. Dann nahm er sich zusammen. »Oh … gar nichts.«

»In der Abtei von Northampton haben sie ein Wandgemälde des heiligen Nikolaus. Ob du nächste Woche einmal mit mir hinreiten würdest, Edmund? Ich meine natürlich nur, wenn du Zeit hast«, bat Megan ihren Vormund.

Der schüttelte bedauernd den Kopf. »Nächste Woche muss ich nach Monmouth. Der König wünscht, dass ich seine Burgen jenseits der Grenze inspiziere, denn er fürchtet, wenn York sich wirklich erhebt, könnte Wales ihm wie eine reife Frucht in die Hand fallen.« Er tippte Julian mit dem Finger an die Brust. »Ich hab mir gedacht, ich nehm dich mit.«

Julian zuckte die Schultern. »Was immer du wünschst, Mylord.«

Offiziell stand er in Edmunds Diensten. Sein Freund war zwar selbst erst Mitte zwanzig, aber mündig und hatte ihm somit Zuflucht gewähren können, nachdem Julian sein Zuhause in Waringham so überstürzt hatte verlassen müssen. Der Jüngere legte sich auf den Rücken, streckte die Arme über dem Kopf aus und rekelte sich verstohlen. »Denkst du, es gibt noch was anderes als dünnes Bier, Megan?«

»Noch nicht Mittag, und schon willst du dich betrinken?«

Julian grinste träge in die Zweige der Birke hinauf. »Noch nicht Mittag, und schon willst du mir eine Predigt halten?«

Megan und Edmund lachten. Dann machte das junge Mädchen der Dienstmagd, die aus Anstandsgründen in der Nähe auf einer steinernen Bank saß, ein Zeichen. »Sei so gut und hol einen Krug Wein, Mary.« Und an ihren Cousin gewandt fuhr sie fort: »Ich glaube, du hast einen wirklich schlechten Einfluss auf deine Freunde, Julian of Waringham.«

»Hm«, machte er, den Blick immer noch in das Gewölbe des Blätterdachs gerichtet. »Glücklicherweise bist du gegen schädliche Einflüsse ja gefeit. Und falls …«

»Da kommt Besuch«, unterbrach Edmund.

Megan beschirmte die braunen Augen mit der Hand und schaute zum Tor hinüber. »Dein Vater«, sagte sie zu ihrem Vormund. »Und deine Mutter, Julian. Und Blanche! Wie wunderbar!«

Edmund und Julian setzten sich auf und tauschten einen Blick. Keiner von beiden war sonderlich entzückt über die elterliche Heimsuchung. Dennoch standen sie auf und gingen den Ankömmlingen entgegen.

Owen Tudor half erst Lady Juliana, dann Blanche aus dem Sattel. Während die Männer der Eskorte die Pferde wegbrachten, reichte er jeder der Damen einen Arm und führte sie auf die kleine Gruppe zu, die den Hügel hinabgeschlendert kam.

Julian sah seiner Mutter in die Augen und hatte mit einem Mal das Gefühl, ein heißer Ziegel liege in seinem Magen. Ohne ein Wort drehte er sich zu seiner Zwillingsschwester um. Blanche schlang die Arme um seinen Hals, und er spürte ihre Tränen auf der Haut.

»Vater?« Seine Stimme kam ihm selbst fremd vor; sie klang zu dunkel und rau.

Blanche nickte und schluchzte wie ein verlorenes Kind – vermutlich, weil sie sich genau so fühlte. Seine Brust zog sich zusammen. Es war Mitgefühl für den Kummer seiner Schwester, das ihm diese beklemmende Enge verursachte. Mitgefühl für seine Mutter vielleicht. *Aber nichts sonst*, schärfte er sich ein.

Mit leicht verengten Augen sah er über Blanches Schulter zu Tudor. »Ich hoffe, Ihr erwartet nicht, dass ich Trauer heuchle, Sir.«

Niemand antwortete. Und Julian fragte sich, wie es kam, dass er sich mit einem Mal so allein fühlte. Einsamer, als er je in seinem Leben gewesen war.

Edmund besann sich seiner Gastgeberpflichten. »Kommt.« Er legte seinem Mündel die Hand auf die Schulter und führte sie alle zum Haus hinüber.

Owen Tudor saß in der Halle breitbeinig auf einem Ebenholzstuhl, hatte die Ellbogen auf die Knie gestützt und die Finger zusammengelegt, sodass sie ein Dach formten. »Julian, es spielt jetzt keine Rolle mehr, dass ihr einander gram wart. Der Duke of York hat Waffen gegen den König geführt, verstehst du. Er hat etwas begonnen, dessen Ende niemand absehen kann. Er hat eine Lawine losgetreten. Und nicht nur dein Vater ist ihr zum Opfer gefallen.« Er sah Megan an. »Es tut mir leid, mein Kind, aber früher oder später musst du es erfahren: Dein Onkel, der Duke of Somerset, ist bei St. Albans gefallen.«

Megan blinzelte. Nach all den furchtbaren Nachrichten schien sie diesen Schlag kaum noch zu spüren. Der Duke of Somerset war der Bruder ihres Vaters gewesen. Aber es war nicht so, als habe er ihr je große Beachtung geschenkt. Sein Tod riss keine wirkliche Lücke in ihr Leben. Ihre Trauer war eher pflichtschuldig.

Edmund hingegen schien erschüttert. »Somerset ist tot? Wer in aller Welt soll York jetzt noch Einhalt gebieten?«

Sein Vater nickte. »Das ist in der Tat die Frage. Und sie betrifft euch beide in besonderem Maße.« Er sah seinen Sohn an, dann Julian. »Es wird Zeit, dass ihr entscheidet, wie ihr zu König Henry steht.«

Edmund musste nicht lange überlegen. »Er ist mein Bruder«, antwortete er. »So auf Anhieb fällt mir nichts ein, was ich nicht für ihn täte.«

»Wirklich? Wieso warst du dann letzte Woche nicht in St. Albans wie dein Bruder Jasper?«

Edmund breitete die Arme aus. »Ich hab doch nichts davon gewusst.«

»Keiner von uns hat eine schriftliche Einladung zur Schlacht bekommen, weißt du. Hättest du ein wenig mehr Interesse gezeigt, *hättest* du es gewusst. Aber ich bin nicht gekommen, um einem von euch Vorwürfe zu machen«, kam Tudor den Protesten seines Sohnes zuvor.

»Es hört sich aber verdammt danach an«, murmelte Julian.

Alle Blicke richteten sich auf ihn.

Der junge Mann gab vor, nichts davon zu bemerken. Er wandte den blonden Kopf und starrte aus dem Fenster. Eine fette Taube landete auf einem der oberen Zweige der Birke, der unter ihrem Gewicht bedenklich schaukelte. Kein sehr interessanter Anblick. Aber Julian war nicht wählerisch. Alles war ihm recht. Alles war besser als die Erinnerung, die sich natürlich dennoch einstellte, gerade weil er sie nicht wollte. *Du bist eine Schande für dein Haus, Julian. Schlimmer als Robert …*

»Hat der Duke of York den König etwa gefangen genommen?«, fragte Edmund unbehaglich.

Sein Vater zog die roten Brauen in die Höhe. »Du solltest ihn besser kennen. Er hat sich dem König nach gewonnener Schlacht zu Füßen geworfen und seiner unerschütterlichen Treue versichert.«

»Und der König war gerührt«, höhnte Julian.

Tudor nickte. »Der Duke of Somerset ist gefallen, der Duke of Suffolk ermordet. König Henrys vertraute Freunde werden rar. Die Königin ist sein letzter mutiger Ratgeber, aber er weiß ihren Rat nicht zu schätzen, weil sie eben kein Mann ist. Und da kommt Richard of York daher, stellt beeindruckend unter Beweis, welche Macht er in England besitzt, und bietet an, diese Macht in Henrys Dienst zu stellen. Was glaubt ihr wohl, was passiert? York wird Lord Protector. Und ihr könnt euch ausrechnen, wohin das führt.«

»Aber der König hat einen Sohn und Erben«, wandte Edmund ein.

Lady Juliana nickte. »Mögen Gott und alle Erzengel den kleinen Prinz Edouard behüten.«

»Oh, Mutter, es ist abscheulich, was du York da unterstellst«, wandte Julian entrüstet ein.

»Richard of York ist nicht der Ehrenmann, für den du ihn hältst, mein Sohn«, eröffnete sie ihm. »Er ist für den Tod deines Vaters verantwortlich.«

»Ich dachte, mein Vater sei in der Schlacht gefallen.« *Mein Vater ist tot. Oh Gott, mein Vater ist tot, und ich habe mich nie mit ihm ausgesöhnt, und jetzt ist es zu spät. Was soll ich tun? Wie soll ich das aushalten …*

Blanche stand auf, trat zu ihm und nahm seine Hand. »Du weißt noch nicht alles, Bruder. Sir Arthur Scrope hat das Durcheinander bei der Schlacht ausgenutzt, um Vater von hinten zu erschlagen. Ein feiger Mord, kein offener Kampf. Und dann … dann ist er nach Waringham gekommen, hat die Torwachen niedergemacht und die Ritter und dann … Robert.«

Julian setzte alles daran, niemanden merken zu lassen, wie sehr diese neue Hiobsbotschaft ihn schockierte. »Weder um Robert noch um seine Ritter ist es besonders schade«, befand er.

Blanche fuhr fort, als habe sie ihn gar nicht gehört. »York hat Scrope geschickt, das Haus Waringham auszulöschen, verstehst du?«

»Aber es ist ihm nicht ganz gelungen«, fuhr Tudor fort. »Ihr beide und eure Schwester seid noch übrig. Ausgerechnet die drei Waringham mit dem pikanten Tröpfchen Lancaster-Blut in den Adern. Und du, Julian, bist nun der Earl of Waringham.«

Julian streckte die langen Beine vor sich aus, kreuzte die Knöchel und legte den Kopf in den Nacken. Zu den Deckenbalken sagte er: »Nur gut, dass mein armer Vater das nicht erleben muss.«

Julian ritt wie der Teufel. Er setzte über ein eiliges, nicht gerade schmales Flüsschen, galoppierte über eine abschüssige Weide, sodass die Schafe unter empörtem Blöken auseinanderstoben, und übersprang eine Hecke. Aber was er auch anstellte, sein Plan, Owen Tudor abzuhängen, schlug fehl. Wann immer er einen verstohlenen Blick über die Schulter riskierte, fand er den Waliser eine Länge hinter sich.

Schließlich verlangsamte der junge Waringham sein halsbrecherisches Tempo, weil er es nicht fertig brachte, sein Pferd weiter zu schinden. Der wackere Dädalus, eins der ausdauernden, kostbaren Waringham-Rösser, fiel in einen leichten Trab und schnaubte missbilligend.

Als Tudor neben ihn ritt, bekundete Julian: »Nicht schlecht für einen Tattergreis.«

Der Waliser grinste verstohlen, knurrte aber: »Du willst wohl was hinter die Löffel, Söhnchen. Nicht einmal dein Vater hat mich im Pferderennen je geschlagen.«

»Ah. Dann ist es ja kein Wunder, dass ich chancenlos bin.«

»Du kannst dir die Mühe sparen, mein Mitgefühl erregen zu wollen«, eröffnete Tudor ihm brüsk.

»Euer Mitgefühl ist das Letzte, woran mir gelegen ist.«

»Das trifft sich gut. Ich kann euch einfach nicht verstehen, meinen Sohn und dich, weißt du. Ihr seid in Sicherheit und ohne Entbehrungen aufgewachsen, aber ihr seid nicht gewillt, für dieses Geschenk irgendeine Gegenleistung zu erbringen. Im Gegenteil, ihr denkt, die Welt sei euch etwas schuldig. Leichtfertige Verschwender und Taugenichtse seid ihr, und ihr glaubt an nichts.«

Julian fand solche Vorträge schlimmer als Zahnschmerzen. Aber Owen Tudor gehörte für gewöhnlich nicht zu den Männern, die dazu neigten, über den Sittenverfall der Jugend zu klagen, und so hörte Julian beinah verdattert zu. Schließlich gab er zurück: »Ihr habt gut reden. Ihr und Somerset und Vater hattet einen ehrenhaften Krieg und einen ruhmreichen König, als ihr jung wart. Und was haben wir? Einen so schmählich verlorenen Krieg, dass niemand ihn ohne Not erwähnt, und einen schwachsinnigen König. Wofür, denkt Ihr, sollen wir uns begeistern?«

»Der König ist *nicht* schwachsinnig.«

Julian schnaubte. »Hat er vielleicht nicht den Verstand verloren, als wir in Frankreich endgültig geschlagen waren? Hat Edmund vielleicht gelogen, als er mir erzählte, dass der König zwei Jahre lang so umnachtet war, dass er nicht einmal die Geburt seines Sohnes mitbekommen hat?«

»Siebzehn Monate lang«, verbesserte Tudor unwillkürlich. »Und seit Weihnachten ist er wieder völlig er selbst.«

»Aber was macht das für einen Unterschied? Es kann morgen wieder passieren.« Julian warf dem älteren Mann einen kurzen Seitenblick zu. »Ihr seht den Dingen nicht ins Auge, Sir, weil er Euer Stiefsohn ist.«

Tudor schüttelte den Kopf. »Du irrst dich. Ich mache mir niemals etwas vor, weißt du. Aber was immer Henry sonst sein mag, er ist auf jeden Fall der König. Ein König, der auf die Unterstützung und die Treue seiner Lords angewiesen ist wie keiner seiner Vorgänger. Und ob es dir passt oder nicht, du bist jetzt einer seiner Lords. Also hör auf, dich zu zieren, und reite nach Windsor.«

»Ich will aber nicht.«

»Nein, ich weiß. Tu's trotzdem. Edmund und Megan werden dich begleiten, vielleicht versüßt dir das den schweren Gang.«

»Edmund und Megan? Warum?«

»Edmund ist der Earl of Richmond und des Königs Bruder. Es wird höchste Zeit, dass er Stellung bezieht, genau wie du. Und Megan will ihren königlichen Cousin um eine Audienz in einer Angelegenheit ersuchen, über die sie sich nichts entlocken lässt. Du weißt ja, wie sie ist.« Er hob kurz die Schultern. »Wie dem auch sei. Dein bequemes Lotterleben ist zu Ende, mein Junge. Du musst dich um Waringham kümmern. Dein fürchterlicher Cousin Robert hat dort zehn Jahre lang gewütet, es gibt viel wiedergutzumachen.«

»Aber ich bin schlimmer als Robert, Sir«, wandte Julian ein.

Tudor runzelte die Stirn. »Wer sagt das?«

»Mein Vater.«

»Es wird höchste Zeit, Julian. Der König will dich als Knappen in seinem Gefolge. Du wirst also aus den Diensten des Earl of Warwick scheiden. Nächste Woche kannst du mich nach Westminster begleiten.«

Julian sah noch genau vor sich, wie sein Vater am Fenster gestanden hatte, hoch aufgerichtet, die Hand auf dem Kaminsims, starr. Lauernd. So als wisse er genau, dass sein Sohn nicht wollte.

»Vielen Dank, Sir, aber ich ziehe es vor, zu bleiben, wo ich bisher war.«

»Was?« Ein ungläubiges Lachen. *»Wie kannst du die Ödnis von Warwick dem Hof in Westminster vorziehen?«*

»Warwick ist keine Ödnis, sondern der einzige Ort in England, wo man etwas über moderne Waffenkunst lernen kann.«

»Nun, ich muss trotzdem darauf bestehen. Du verlässt den Earl of Warwick, und damit Schluss.«

»Ach ja? Warum?«

»Weil er ein Yorkist ist.«

»Und was, glaubst du, sollte mich das kümmern?«

Sein Vater hatte eine hitzige Antwort heruntergeschluckt – Julian hatte förmlich sehen können, wie er sie hinunterwürgte. Sein Vater war ein besonnener Mann. Vielleicht war dieser Unterschied die größte Kluft zwischen ihnen gewesen.

»Sollte es dir entfallen sein: Der König ist dein Cousin.«

»Ach, hör doch auf! Andauernd betest du mir das vor. Vermutlich, weil der Gedanke dich stolz macht. Aber ich sag dir, mich macht er nicht stolz. Außerdem wollen wir doch nicht vergessen, dass meine Mutter ein Bastard ist und der König ihre Verwandtschaft niemals anerkannt hat. Also soll er jetzt nicht ...«

»Lass dir nicht einfallen, deine Mutter zu beleidigen.«

Es klang gefährlich. Julian kannte die warnenden Anzeichen zur Genüge. Trotzdem konterte er: »Ich beleidige sie nicht, ich stelle eine Tatsache fest.«

»Diese Debatte ist beendet. Du kommst nächste Woche mit nach Westminster.«

»Das werde ich nicht tun, Sir. Ich weiß, dass du Warwick misstraust – vermutlich ist es eine liebe alte Gewohnheit, denn den letzten Earl of Warwick konntest du auch nicht ausstehen, stimmt's? Aber ich werde nicht in den Dienst eines frömmelnden Jämmerlings treten, König oder nicht.«

»Julian!«

»Er ist ... so eine Peinlichkeit, ich kann es nicht aushalten, ihn zu sehen. Und ich wünschte ... ich wünschte, der Duke of York wäre nicht so verflucht anständig und würde sich die Krone nehmen – die ihm ohnehin zusteht –, um England von dieser Missgeburt auf dem Thron zu erlösen.«

Sein Vater hatte ihn mit der Faust zu Boden geschlagen. Nie zuvor hatte er so etwas getan. Ein ungehemmter, gut platzierter Haken. »Du bist eine Schande für dein Haus, Julian. Schlimmer als Robert.«

Benommen hatte der Junge auf den kalten Steinfliesen gelegen und blinzelnd zu seinem Vater emporgestarrt, der ihn kühl und mit verhaltenem Widerwillen betrachtete wie eine fette, haarige Spinne, sich dann abwandte und ohne Eile den Raum verließ.

Owen Tudor hielt sein Pferd an, saß ab und bedeutete Julian mit einer Geste, es ihm gleichzutun. Nach einem winzigen Zögern glitt der junge Mann aus dem Sattel, stellte sich vor den Freund seines Vaters und sah ihm herausfordernd in die Augen. »Er hat es gesagt!«

»Lass mich dir etwas über deinen Vater erklären, mein Junge.«

Julian verschränkte die Arme. »Nein, vielen Dank.«

»Du bist nicht wie dein Cousin Robert. Und das hat dein Vater gewusst. Aber deine Weigerung, in König Henrys Dienst zu treten, hat ihn sehr gekränkt. Väter wünschen sich immer, dass Söhne in ihre Fußstapfen treten und ihr Lebenswerk fortführen. Vielleicht bilden sie sich ein, der Sterblichkeit so ein Schnippchen zu schlagen, ich weiß es nicht.«

»Aber Ihr habt Edmund und Jasper und Owen nie irgendwelche Vorschriften gemacht«, wandte Julian ein. »Ihr habt nie verlangt, dass sie so werden wie Ihr.«

Tudor hob mit einem wehmütigen kleinen Lächeln die Schultern. »Das liegt daran, dass ich kein Lebenswerk erschaffen habe, das ich ihnen aufdrängen könnte. Aber wie dem auch sei, Julian, dein Vater hat dich geliebt.« Hastig und verlegen wandte der junge Mann den Kopf ab, aber Tudor fuhr unbeirrt fort. »Sei versichert, er hat unter eurem Zerwürfnis weit mehr gelitten als du.«

»Das könnt Ihr überhaupt nicht wissen.«

»Beinah seine letzten Worte galten dir: Er sendet dir seinen Segen und bittet dich um Vergebung.«

Kopfschüttelnd nahm Julian Dädalus' Zügel in die Rechte und fuhr dem Hengst sacht über die Nüstern. »Tut mir leid, aber das kann ich nicht glauben.«

»Dann lass uns nach Waringham reiten, ich werde die Hand

auf seinen Grabstein legen und dir schwören, dass er es gesagt hat.«

Julian schaute auf. Seine Miene spiegelte Skepsis und bange Hoffnung.

»Du kannst wetten, dass ihm das nicht leicht gefallen ist«, fuhr Tudor fort. »Einzugestehen, dass er Unrecht hatte, war nie seine Stärke. Aber es ist das Privileg der Sterbenden, reinen Tisch zu machen.«

Julians Adamsapfel arbeitete. Dann lachte er ein wenig zittrig, bohrte die Stiefelspitze ins Gras und sagte: »Ihr legt es drauf an, mich heulen zu sehen, was?«

Tudor lächelte und legte ihm für einen Augenblick die Hand auf die Schulter. »Ich habe so viele Tränen um John of Waringham vergossen, dass es für uns beide reicht«, gestand er unverblümt.

Sie nahmen die Pferde an den Zügeln, gingen ein Stück zu Fuß, und nach einer Weile fragte Tudor: »Denkst du, du hältst es aus, wenn ich dir noch einen Rat gebe?«

Julian seufzte. »Da ich Euch nicht davonreiten kann, wird mir kaum etwas anderes übrig bleiben.«

»Stimmt.«

»Also?«

»Der König wird dich zum Ritter schlagen, wenn du zu ihm kommst, aber er wird dir einen Vormund vor die Nase setzen, bis du einundzwanzig bist.«

»Oh Schande …«

»Ich weiß, dass du den Duke of York insgeheim bewunderst und ihn vielleicht gern als Vormund hättest, um ein Band für die Zukunft zu knüpfen. Aber wenn der König ihn vorschlägt, solltest du ein betretenes Gesicht machen und ihn artig bitten, jemand anderen zu wählen, dessen Name nicht mit dem Tod deines Vaters in Verbindung steht. Henry wird dir die Bitte nicht abschlagen. Er ist ein herzensguter Mensch.«

»Aber wieso soll ich ihn darum bitten?«

»Weil es gesünder für dich ist, so viel Abstand wie möglich zwischen dich und Richard of York zu bringen. Du pfeifst vielleicht auf den Tropfen Lancaster-Blut in deinen Adern, aber sei versichert, York tut das nicht.«

Windsor, Juni 1455

»Julian of Waringham, mein König«, meldete der Offizier der Wache.

Auf sein Nicken betrat Julian das geräumige Gemach. Seine Schritte auf den Steinfliesen kamen ihm unnatürlich laut vor. Mit gesenktem Blick blieb er vor dem Sessel am Fenster stehen, riss sich mit der Linken fahrig den Samthut vom Kopf und sank auf ein Knie. »Sire.«

Er bekam keine Antwort.

Julian verharrte reglos und überlegte fieberhaft, ob er noch mehr sagen sollte. Und wenn ja, was. Nervös befeuchtete er sich die Lippen.

Dann endlich sprach König Henry: »Erhebt Euch, Waringham.« Seine Stimme klang leise. So als sei er erschöpft.

Julian kam auf die Füße.

»Wollt Ihr mich denn gar nicht ansehen?«, fragte Henry.

Julians Kopf ruckte hoch. »Ich dachte, es gehört sich nicht.«

Für einen winzigen Moment lächelte der König. Aber sogleich verzogen die Mundwinkel sich wieder nach unten – ihre gewohnte Stellung, so schien es. Henrys dunkle Augen waren ein wenig gerötet, als habe er zu lange bei Kerzenlicht gelesen, und halb von den schweren Lidern verdeckt. Dennoch entdeckte Julian in diesen Augen eine Ähnlichkeit mit seiner Mutter und seiner Zwillingsschwester, und das bestürzte ihn.

»Lasst mich Euch mein tief empfundenes Beileid zum Tod Eures Vaters und Cousins aussprechen, mein junger Freund«, sagte Henry. »Es muss ein schwerer Schlag für Euch sein. Und nun lastet eine große Verantwortung auf Euren Schultern.«

Julian neigte den Kopf wieder ein wenig, dankbar, nicht länger in diese melancholischen Augen blicken zu müssen. »Danke,

Sire. Ich nehme an, Euch hat der Tod meines Vaters kaum weniger hart getroffen als mich.«

Henry wandte den Blick zum Fenster und nickte. »Euer Vater und der Duke of Somerset waren meine ältesten und vertrautesten Freunde«, eröffnete er ihm. »Aber Einsamkeit ist Teil der Bürde, die ein König zu tragen hat. Sie gehört zu diesem Amt ebenso wie die Krone und das Szepter. Gott und die heilige Jungfrau spenden mir Kraft und Trost.«

Julian bekam allmählich das Gefühl, als drücke die Stimmung im Raum ihm die Luft ab. Verstohlen betrachtete er den König aus dem Augenwinkel und sah angewidert, dass zwei Tränen über die eingefallenen Wangen rollten und im spärlichen Bart versickerten.

Henry war vierunddreißig Jahre alt, wusste Julian, aber die Erscheinung des Königs wirkte greisenhaft. Nicht die grauen Strähnen im schütteren braunen Haar waren daran schuld, nicht einmal die Furchen auf der Stirn und den bleichen Wangen, vielmehr waren es die schleppenden Bewegungen und die gebeugte Haltung, die diesen Eindruck erweckten. Julian fragte sich, ob es wirklich die Bürde des Amtes war, die den König so niederdrückte und vor der Zeit altern ließ, oder die eineinhalb Jahre schwerer Krankheit und geistiger Umnachtung. Wahrscheinlich beides, schloss er, aber sosehr er sich auch bemühte, er konnte kein Mitgefühl für diese Jammergestalt aufbringen.

Vielleicht spürte der König das. Jedenfalls nahm er sich plötzlich zusammen, schenkte seinem jungen Besucher ein kummervolles Lächeln und wies aus dem Fenster. »Ich glaube, es gibt im Frühling keinen schöneren Ort in England als Windsor Castle«, bemerkte er. »Wart Ihr je zuvor hier?«

Julian nickte. »Als Junge hat mein Vater mich manchmal mit an den Hof genommen, Sire.« Vor allem, nachdem sein Onkel Raymond gestorben und Robert Earl of Waringham geworden war. »Ich war ein paar Monate auf Eurer Schule in Eton«, fügte Julian hinzu.

Henrys Miene hellte sich auf. »Ist das wahr?« Die Schulen, die er im unweit von Windsor gelegenen Eton, in Cambridge und in Canterbury gegründet hatte, waren ihm ein besonderes Anliegen. »Ich hoffe, Ihr habt dort viel Nützliches gelernt.«

»Oh ja, Sire. Vor allem, nicht zu heulen, wenn ich Prügel bezog. Das war die Lektion, in der mich zu üben ich dort am häufigsten Gelegenheit hatte«, bekannte Julian grinsend.

Der König nickte, aber er war offenbar nicht amüsiert. »Es ist betrüblich, dass so wenige englische Lords und Ritter Freude an frommer Gelehrsamkeit haben«, sagte er. »Wenn das anders wäre, stünden wir heute vermutlich besser da in der Welt.«

Ja, und wie gut stünden wir erst da, wenn wir keine schwermütige Bibelschwester auf dem Thron hätten, dachte Julian boshaft. Süßer Jesus, gib, dass er mich bald entlässt …

Henry betrachtete ihn einen Moment. Es schien ein vorwurfsvoller, gekränkter Blick zu sein, als habe er einen Hauch von Julians ungehörigen Gedanken erhascht. Der junge Mann stand vor ihm und hinderte sich nur mit Mühe daran, ungeduldig von einem Fuß auf den anderen zu treten.

»Bleibt bis Sonntag, Waringham«, lud Henry ihn unvermittelt ein. »Nach dem Hochamt werden Wir Euch mit Freuden zum Ritter schlagen.«

Julian verneigte sich tief. »Danke, Sire.«

»Ihr braucht einen Vormund.« Der König seufzte, als sei die Angelegenheit ihm lästig. »Ich werde darüber nachdenken.«

»Danke, Sire«, wiederholte Julian.

»Ihr dürft Euch entfernen.«

Unendlich erleichtert ging der junge Waringham hinaus.

Windsor im Frühling war in der Tat ein wundervoller Anblick, stellte er fest, als er ins Freie trat. Vor seiner Begegnung mit König Henry war er zu nervös gewesen, um sich sehenden Auges umzuschauen, und das holte er nun nach. Seit der Eroberer sie angelegt hatte, hatten viele englische Könige eine besondere Vorliebe für diese Burg gehegt, und Henry war nicht der erste von ihnen, der hier das Licht der Welt erblickt hatte. Einige Herrscher hatten die schöne Burg nach ihren Vorstellungen und der architektonischen Mode ihrer Zeit umgebaut, sodass die Türme, die Kapelle und Wohngebäude ein wenig durcheinandergewürfelt schienen. Aber sie waren alle aus dem wundervollen graugelben Sandstein dieser Gegend gebaut, der in der Junisonne so hell leuchtete, dass man nur blinzelnd hinschauen konnte. Und Julian kannte keine zweite Burg mit solch einem riesigen Innenhof. Die Freiflächen waren mehrheitlich mit Rasen bedeckt, und darum wirkte Windsor grün. Das war höchst ungewöhnlich.

Immer noch ein wenig beklommen schlenderte der junge Mann über eine dieser Wiesen und einen sachten Hügel empor, auf dessen Kuppe sich ein achteckiges Gebäude erhob. Julian lief leichtfüßig die Treppe hinauf und drückte gegen die Tür. Sie schwang auf gut geölten Angeln nach innen. Er trat ein und kam in eine dämmrige, menschenleere Halle mit hohen, verglasten Fenstern. In ihrer Mitte stand eine runde Tafel, darum kostbar gepolsterte Sessel, und über jedem hing ein berühmtes Wappen, gekrönt von einem blauen Band.

»Oh, bei St. Georgs Eiern«, murmelte Julian. »Die Halle der Ritter des Hosenbandordens.«

»So ist es. Der Tempel höchster ritterlicher Weihen. Und deswegen solltest du vielleicht nicht gerade hier die Eier ihres Schutzheiligen anrufen, du Lump.«

Julian fuhr erschrocken zusammen und wandte den Kopf. Sein Ohr hatte ihn nicht getrogen. Keine fünf Schritte von ihm entfernt lehnte sein einstiger Dienstherr und Lehrmeister mit verschränkten Armen an der Wand: Richard Neville, der Earl of Warwick.

»Mylord!« Mit leuchtenden Augen trat Julian auf ihn zu und verbeugte sich artig.

Warwick verpasste ihm eine Kopfnuss und lachte in sich hinein. »Verneig dich nicht vor mir, Julian, du bist jetzt ein Lord.«

»Noch nicht offiziell«, entgegnete der Jüngere hastig, als ändere das irgendetwas an den Tatsachen.

Warwick betrachtete ihn aufmerksam. »Du willst nicht?«

Nicht unter diesem König, dachte Julian, aber er sprach es

nicht aus. »Ich schätze, ich muss mich erst an den Gedanken gewöhnen, Mylord«, erwiderte er stattdessen.

Er erntete noch eine Kopfnuss. »Hast du nicht gehört, was ich gesagt habe, Bengel? Nenn mich Richard. Schließlich sind wir Cousins, nicht wahr.«

Das waren sie in der Tat, wenn auch zweiten Grades: Julians Großvater – der berühmte Kardinal von England – und Warwicks Großmutter – die kaum minder berühmte Lady Joan Beaufort – waren Geschwister gewesen.

Der junge Waringham rieb sich grinsend den gemaßregelten Schädel. Er war geschmeichelt.

»Eins ist jedenfalls gewiss«, fuhr Warwick fort. »Arthur Scrope hat der Welt ein einziges Mal einen Dienst erwiesen, als er deinen grässlichen Vetter Robert erschlug.«

»Ich habe bloß Mühe zu glauben, dass er es aus dem Grund getan hat.«

Sie lachten, und wenngleich es nur ein leises Lachen war, hallte es doch in dem leeren Saal, schien die feierliche Stille zu entweihen.

»Nun ja«, Warwick hob kurz die breiten Schultern. »*Honi soit qui mal y pense*, sagt man hier gern.« Er wies auf die blauen Bänder der Wappen, wo dieses französische Motto des Hosenbandordens in goldenen Lettern eingestickt war: *Wehe dem, der Übles dabei denkt.* »Aber es ist nicht recht von mir zu spotten. Ich bin sicher, du bist erschüttert über den Tod deines Vaters. Es tut mir leid, Julian. Wenn ich heute noch einmal mit Richard of York vor St. Albans stünde, würde ich wieder das Gleiche tun. Aber *das* hab ich nicht gewollt.«

»Nein, ich weiß.«

Sie schwiegen einen Moment, und die Stille machte Julian verlegen. Wie eigentümlich es sich anfühlte, hier so plötzlich dem Mann gegenüberzustehen, in dessen Haushalt er fast drei Jahre lang gelebt hatte, dem er in knabenhafter Heldenverehrung auf Schritt und Tritt gefolgt war, wann immer er durfte.

Der Earl of Warwick war ein gut aussehender, athletischer Mann mit dunklem Haar, einer strengen Adlernase und fesselnden blaugrauen Augen. Er war erst siebenundzwanzig Jahre alt, aber schon einer der mächtigsten Adligen des Reiches. Obwohl dem Haus Lancaster verwandtschaftlich nah verbunden, hatten er und sein Vater, der Earl of Salisbury, sich im jahrelang schwelenden Konflikt zwischen des Königs Vertrauten und dem Duke of York auf Yorks Seite geschlagen. Dabei war es kein Geheimnis, dass der ehrgeizige York damit liebäugelte, sich der Krone zu bemächtigen. Mit Warwicks und Salisburys Unterstützung hatte er die engsten Verwandten und Ratgeber des Königs nach und nach entmachtet und vernichtet, bis der König mutterseelenallein dastand.

Julians Vater hatte sie deswegen Verräter genannt.

Julian hingegen hatte als Knappe auf Warwick Castle gelernt, dass auch ein König nicht über jeden Zweifel erhaben war. Dass man zumindest darüber nachdenken durfte, ob ein Souverän, der halb Frankreich verlor, sich von seinen Höflingen gängeln ließ und dessen Reich in Rebellionen und wirtschaftlicher Not zu versinken drohte, der hohen Würde seines Amtes noch gerecht wurde.

Schließlich gab Julian sich einen Ruck und brach das Schweigen. »Ich habe mich zwei Jahre lang vor dem Moment gefürchtet, da wir uns wiedersehen. Ihr … Du musst mich für einen treulosen Lump halten, dass ich nicht zurückgekommen bin. Aber mein Vater hatte es verboten.«

Warwick nickte und sah versonnen zum königlichen Wappen empor. »Es hat mich immer verwundert, dass ein so kluger Mann wie dein Vater so viele Jahre lang die Augen verschließen konnte, um nicht zu erkennen, was aus Henry geworden ist.«

»Ja«, stimmte Julian zu. »Das habe ich auch nie verstanden.«

Warwick wies auf die Tafelrunde. »Mein Großvater war einer der Auserwählten.«

»Meiner auch. Aber weder mein Vater noch mein Onkel. Seltsam.«

»Es ist keineswegs seltsam«, widersprach Warwick. »Es liegt daran, dass König Henry Adlige aus Frankreich, Burgund, Portugal und weiß der Henker woher sonst noch in den Hosenbandorden aufnimmt und seine eigenen Lords übergeht. Er hält all dies hier für einen unterhaltsamen, aber antiquierten Zeitvertreib, weißt du.« Seine Bitterkeit war unüberhörbar. »Henry ist kein Ritter, Julian. *Darum* haben wir den Krieg verloren. Sein Desinteresse war schuld. Und Somersets Unfähigkeit.«

Julian sah ebenfalls zu der ehrwürdigen Tafel hinüber. Die sichtbare Staubschicht auf der ringförmigen Tischplatte schien auf einmal eine symbolische Bedeutung zu tragen. »Mag sein. Ich weiß nie, was ich in dieser Frage denken soll«, gestand er. »Mein Vater pflegte zu sagen, selbst wenn der ruhmreiche König Harry von den Toten auferstanden und zurückgekommen wäre, hätte er diesen Krieg am Ende nicht mehr gewinnen können.«

»Nun, das konnte er gefahrlos behaupten, nicht wahr?«, gab Warwick zurück. »Es war höchst unwahrscheinlich, dass das passieren würde.« Immer noch war sein Blick auf die Wappen der Ordensmitglieder gerichtet, und ohne ihn abzuwenden, fragte er: »Und nun? Dein Vater ist so tot wie der ruhmreiche Harry und kann dir nichts mehr verbieten. Arthur Scrope und Gott haben es so gefügt, dass du Earl of Waringham geworden bist. Was wirst du tun, Julian?«

Ich schließe mich euch an, wollte er sagen. Er fühlte ein starkes Verlangen, das zu tun, was dieser Mann von ihm erwartete, um seine Freundschaft und Anerkennung zu gewinnen. Aber es fiel ihm unglaublich schwer, es herauszubringen. Seine Zunge wollte sich mit einem Mal nicht mehr bewegen, war ein totes Stück Fleisch in seinem Mund. Er wusste nicht, ob der Geist seines Vaters von ihm Besitz ergriffen hatte oder allein die Erinnerung an ihn solche Macht ausübte. Jedenfalls befreite er sich wütend von diesem Bann, richtete sich auf und sagte: »Mylord, ich …«

»Welch eine abscheuliche Überraschung«, unterbrach ihn eine Stimme von der Tür. »Der Earl of Warwick – mein treuer Feind.«

Julian fuhr herum. Aus dem Augenwinkel sah er Warwick

spöttisch den Mund verziehen, dann verneigte der Earl sich galant. »*Majesté*. Im Gegensatz zu Euch bin ich immer entzückt, wenn wir uns begegnen.«

»Das glaub ich aufs Wort.«

Es war, als ließe er den Hohn einfach von sich abperlen. »Darf ich vorstellen? Mein Cousin, der Earl of Waringham. Julian: Marguerite d'Anjou, die Königin von England. Jedenfalls *noch*.«

Marguerite war rund zehn Jahre jünger als ihr trübsinniger Gemahl. Eine schöne junge Frau mit makellos heller Haut und dunkelbraunem Haar unter einer eleganten Hörnerhaube. Sie wirkte höfisch und würdevoll, aber ihr Hass auf Warwick verlieh ihr etwas Furchteinflößendes. »Ich weiß, der Tag wird kommen, da ich Euren Kopf am Ende einer Lanze über einer Burgmauer thronen sehe, Warwick. Ich bete, dass Gott mich nicht mehr gar zu lange auf diesen Tag warten lässt.«

Er verneigte sich nochmals, mit der Hand auf der Brust und einem charmanten, schelmischen Lächeln. »Welch frommer Wunsch. Ich fürchte nur, es wird noch ein Weilchen dauern, eh er sich erfüllt, da Euer Gemahl unfähig scheint, uns zu besiegen.«

»Nun, dann werde ich es möglicherweise selbst tun.«

Lachend wandte Warwick sich zur Tür. »Den Tag sehne nun wiederum ich herbei, Madame«, versicherte er. Im Hinausgehen zwinkerte er Julian zu. »Wir setzen unsere Unterhaltung ein andermal fort.«

»Natürlich, My… Richard«, stammelte Julian, der von diesem rasanten Abtausch von Gehässigkeiten ein wenig benommen war. Doch endlich besann er sich seiner Manieren und sank vor der Königin auf ein Knie nieder. »Julian of Waringham, *Majesté*, Euer ergebener Diener.«

»Der Name eines Freundes, das ist gewiss.« Sie lächelte, und es war verblüffend, wie vollkommen dieses Lächeln ihr Gesicht veränderte. Es betonte das Grübchen in ihrem Kinn, brachte Lebhaftigkeit in ihre Züge und Wärme in ihre blauen Augen. Julian erinnerte sich erst mit geraumer Verspätung daran, dass es ihm nicht anstand, die Königin so lange anzustarren, und er senkte hastig den Blick.

»Und Ihr sprecht Französisch, welch eine Freude«, fügte sie hinzu und erlaubte ihm mit einer Geste, sich zu erheben.

Julian stand auf und fuhr sich verlegen mit der Hand über den Hals. »Nun ja. Ich habe mich gegen den Großteil meiner Schulbildung erfolgreich zur Wehr gesetzt, aber meine Schwester hat eines Tages begonnen, nur noch Französisch mit mir zu reden. Da blieb mir nichts anderes übrig.«

»Das klingt, als sei Eure Schwester eine Dame, die weiß, was sie will und wie sie es bekommt.«

»Das könnt Ihr in Stein meißeln, Madame.«

»Wie bitte?«

»Ähm … Ich wollte sagen, Ihr habt völlig Recht. Meine Schwester sorgt in erfinderischer Weise immer dafür, dass sie und ihre Wünsche nicht zu kurz kommen.«

»Und Ihr vergöttert sie«, bemerkte Marguerite.

»Nur manchmal und nur ein bisschen«, schränkte er mit einem scheuen Lächeln ein.

Die Königin streckte ihm die Rechte entgegen. »Ich glaube, wir werden uns gut verstehen, Waringham.«

Behutsam nahm er die Hand mit Daumen und Mittelfinger, beugte sich darüber und küsste sie.

Der König hatte sich geschlagene zwei Stunden mit Edmund Tudor beraten, ehe der Sergeant-at-Arms – ein Angehöriger der königlichen Leibwache – Megan vorließ.

»Komm mit mir, Blanche«, bat das junge Mädchen.

Blanche, die ihr in der kühlen, schmucklosen Vorhalle Gesellschaft geleistet hatte, erhob sich willig, wandte jedoch ein: »Warum? Sag nicht, du fürchtest dich vor unserem königlichen Lämmchen.«

»Nein. Aber er wird es unschicklich finden, wenn ich allein zu ihm komme.«

Die beiden jungen Damen betraten das königliche Privatgemach und versanken in einem tiefen Knicks.

Henry stand leicht gebeugt am Fenster. Trotz des herrlichen Sonnenscheins draußen war es geschlossen, die Luft im Raum ein wenig stickig.

»Mesdames.« Er trat zu Megan, hob sie auf und küsste ihr die Stirn. Mit einer Geste gestattete er auch Blanche, sich zu erheben. »In Euren Augen sehe ich, was ich in denen Eures Bruders vermisst habe, Lady Blanche: Trauer um Euren Vater.«

»Oh, er trauert, Sire, das ist gewiss. Nur anders als Ihr und ich.« Dann besann sie sich etwas verspätet dessen, was ihre Mutter ihr über Hofetikette beizubringen versucht hatte, und biss sich auf die Lippen. »Vergebt mir, mein König. Ich wollte Euch nicht widersprechen. Habt Dank für Eure gütige Anteilnahme.«

»Euer Vater ist uns in eine bessere Welt vorausgegangen, mein Kind«, erinnerte er sie.

»Ich weiß, Sire.« Blanche rang um Haltung. Sie fand es widerwärtig, ständig in Tränen auszubrechen. »Es ist nur … Er fehlt mir so schrecklich.«

Plötzlich lag die warme, trockene Hand des Königs auf ihrer Wange. Sie duftete gut, diese Hand. Nach Büchern und nach Äpfeln. »So geht es mir auch«, räumte Henry ein. »Aber Gott wird uns Trost spenden.«

Blanche nickte.

»Nun, Megan?«, wandte der König sich bemüht fröhlich an seine Cousine. »Du wünschtest mich zu sprechen?«

Das Mädchen senkte den Blick. »So ist es, Sire. Und ich wäre dankbar, wenn wir unsere Unterhaltung in der Kapelle fortsetzen könnten.«

Es war eine ungewöhnliche Bitte, und Henry runzelte verwundert die Stirn, erhob aber keine Einwände. Ihm war jeder Grund recht, ein Gotteshaus zu betreten. Es war der einzige Ort, wo er Zuversicht verspüren konnte, sagte er gern. Manchmal verbrachte er ganze Tage in seiner Privatkapelle, hatte Blanche gehört, mal allein, mal in Begleitung seines Beichtvaters oder eines befreundeten Bischofs. Mit ihnen las der König in der Bibel und den Schriften der Kirchenväter, sie beteten gemeinsam, und Henry lauschte ihren Predigten, freilich ohne zu ahnen, dass deren Inhalt zuvor immer genauestens mit seinem Lord Chamberlain abgestimmt wurde, denn Predigten über weltliche Belange und die Missstände im Land könnten, so fürchtete man, die angeschlagene Gesundheit des Königs gefährden.

Nun ging Henry voraus, verließ die Flucht seiner Privatgemächer und führte Megan und Blanche durch einen kleinen, geschützten Garten voll sorgsam beschnittener Obstbäume zum Eingang der Kapelle. Sie war nicht so groß wie die prachtvolle St.-Georgs-Kapelle im oberen Burghof, aber sein bevorzugtes Refugium.

Blanche zögerte an der Schwelle und sah fragend zu Megan. Ihre junge Freundin deutete ein Nicken an, fasste Blanche am Handgelenk und zog sie mit sich ins dämmrige Innere. Sie ist nervös, erkannte Blanche erstaunt. Das war höchst untypisch. Megan Beaufort mochte jung und weltfremd sein, doch egal, was passierte, sie ruhte immer in sich selbst. Sie war beim Tod ihres Vaters erst ein Jahr alt gewesen – zu jung, um sich an die mysteriösen Umstände oder die Feindseligkeiten mit dem Duke of York und die Verbannung vom Hof zu erinnern, die seinem Tod vorausgegangen waren. Aber der große Schmerz ihrer Mutter hatte ihre frühen Jahre verdüstert wie ein Schatten. Abgeschieden hatten Mutter und Tochter in Bletsoe gelebt, oft einsam. Zu den wenigen Freunden, die sie nicht im Stich gelassen hatten, zählte Blanches Vater. Er hatte sie in Bletsoe besucht, so oft es ihm möglich war. Nicht selten hatte er Blanche und Julian mitgenommen, damit sie ein Band mit der einzigen Tochter seines toten Freundes knüpfen konnten. Und wenngleich ein Altersunterschied von sechs Jahren Megan und Blanche trennte und ihr Temperament kaum unterschiedlicher hätte sein können, waren sie einander doch innig verbunden. Zu den Dingen, die Blanche an ihrer jungen Freundin immer bewundert hatte, gehörten Megans Ausgeglichenheit und Heiterkeit, die offenbar von den vielen Büchern genährt wurden, die sie las.

Aber heute war Megan nervös. »Vergebt mir, wenn ich Eure Zeit über Gebühr beanspruche, Sire, aber wäret Ihr wohl bereit, ein Weilchen mit mir zu beten?«, fragte sie.

»Nur zu gern, mein Kind«, willigte ihr Cousin ein, und sie knieten Seite an Seite auf der gepolsterten Gebetsbank vor dem schlichten Altar nieder und senkten die Köpfe.

Blanche blieb nicht viel anderes übrig, als sich auf die zweite Bank weiter rechts zu knien und wenigstens so zu tun, als ob sie auch in fromme Betrachtungen vertieft sei. Dabei waren Einkehr und Stille nicht ihre Sache, und sie setzte außerhalb der täglichen Messe und wöchentlichen Beichte freiwillig keinen Fuß in eine Kirche.

Schließlich hörte sie das Rascheln von edlem Stoff und des Königs Stimme: »Also, was bedrückt dich, Cousine? Wenn es in meiner Macht steht, deinen Kummer zu lindern, dann soll es geschehen.«

»Es steht in Eurer Macht, Sire«, bestätigte Megan. Sie wisperte beinah, doch selbst ihre gesenkte Stimme hallte ein wenig in der leeren Kapelle, und Blanche – die versunken tat, aber eifrig lauschte – hörte jedes Wort.

»Es steht in Eurer Macht«, wiederholte das junge Mädchen, »aber ich weiß nicht, wie Ihr meine Bitte aufnehmen werdet, mein König.«

»Die da lautet?«

»Ich … ich wollte Euch ersuchen, mein Verlöbnis mit John de la Pole zu lösen, Sire.« Es klang ein wenig atemlos. »Denkt nicht, ich wüsste nicht, dass Ihr mir einen guten Mann gewählt habt, aber ich kann ihn nicht heiraten.«

»Warum nicht?«, fragte der König. »Fühlst du dich berufen? Willst du den Schleier nehmen?«

»Eine Weile habe ich geglaubt, das sei mein Weg. Aber es war ein Irrtum. Seit einigen Wochen sehe ich meinen Weg klar vor mir. Mein König, ich … ich hatte eine Vision.«

Henry starrte sie einen Moment mit weit geöffneten Augen an. Dann bekreuzigte er sich langsam, ohne den Blick abzuwenden. »Sprich weiter«, forderte er sie auf.

»Nach der Messe am Palmsonntag war ich von einer seltsamen Unrast erfüllt«, erzählte Megan. »Wisst Ihr noch, welch ein kalter, regnerischer Tag es war? Ich ging zurück in die Kirche und betete. Der Regen trommelte aufs Dach, und es war kalt. Lange konnte ich keine Ruhe finden. Aber mit einem Mal legte sich Wärme wie eine Decke um meine Schultern. Mein Geist wurde klar und ruhig. Vor dem Altar erschien ein helles Schimmern, das mich zuerst blendete. Doch schließlich erkannte ich eine lichtumflutete Gestalt: einen Bischof mit einem Buch und ... drei Goldkugeln.«

Der König zog ergriffen die Luft ein. »Der heilige Nikolaus.«

Megan nickte. »Und er sprach zu mir, Sire. Er ... sprach zu mir.« Es klang, als könne sie dieses Wunder selbst heute noch nicht fassen. »Er trug mir auf, zu Euch zu gehen und Euch zu bitten, mein Verlöbnis mit John de la Pole zu lösen. ›Aber heiliger Nikloaus‹, sagte ich zu ihm, ›er wird mir niemals glauben, dass du mir erschienen bist. Kein Mensch wird mir glauben.‹ Da hat er geantwortet: ›Der König lebt im Herrn und wird die Wahrheit erkennen.‹ Und er trug mir weiter auf, Euch dies zu sagen: Ihr sollt mich meinem Vormund zur Frau geben, und zwar bevor das Jahr zu Ende geht.«

»Edmund Tudor?«, fragte Henry entgeistert. »Aber er ist ... nun ja, er ist aufgrund der etwas wunderlichen zweiten Ehe meiner Mutter mein Halbbruder, aber ehrlich gesagt, Megan, kein angemessener Gemahl für dich. Er entstammt nicht dem englischen Hochadel.«

Blanche fand es hässlich, dass der König so geringschätzig von seinem Bruder sprach, aber sie ließ sich nichts anmerken und gab weiterhin vor, in ihre Gebete vertieft zu sein.

»Und du bist noch schrecklich jung«, fuhr Henry fort.

»Ja, Sire«, antwortete Megan. »All das ist mir bewusst. Aber der heilige Nikolaus, welcher, wie Ihr sicher wisst, der Patron der Jungfrauen ebenso wie glücklicher Eheschließungen ist, hat es gesagt.« Und nach einem kurzen Schweigen fügte sie eindringlich hinzu: »Mein König, ich hoffe, Ihr zweifelt nicht an meinem Wort oder meinem ...« *Verstand* hatte sie wohl sagen wollen, brach aber gerade noch rechtzeitig ab. Da am Verstand des Königs berechtigte Zweifel bestanden, nahm niemand das Wort in seiner Gegenwart gern in den Mund. »An meiner Ehre«, sagte sie stattdessen. »Ich habe wochenlang mit mir gerungen, ehe ich den Mut gefunden habe, mit dieser Angelegenheit zu Euch zu kommen. Aber es ist genau, wie der Heilige gesagt hat: Ihr seid Gott nahe, darum vertraue ich darauf, dass Ihr die Wahrheit erkennt.«

Henry ließ sich mit seiner Antwort viel Zeit. Er dachte nach, dann schloss er die Augen, wandte das Gesicht dem Altar zu und betete. So lange, dass die beiden jungen Damen schon anfingen zu glauben, er habe ihre Anwesenheit völlig vergessen. Doch schließlich hob er den Kopf, schaute seine Cousine an und nickte. »Da es offenbar Gottes Wille ist, soll es geschehen: Du wirst Tudor heiraten, und ich werde de la Pole die Gründe erklären. Oh, Megan. Wie ich dich beneide«, fügte er seufzend hinzu. »Wie ich mir wünschte, Gott würde mir ein einziges Mal ein solches Zeichen senden …«

Blanche musste sich ein wenig schütteln, als sie mit Megan wieder in den sonnenwarmen Garten kam. Ihr gruselte. »Megan?«

»Ich will nicht darüber reden«, kam die kategorische Antwort. »Ich brauchte eine Begleitung, und ich habe dich gewählt, weil du den Mund halten kannst. Versprich mir, dass du keiner Menschenseele ein Wort davon erzählst.«

Blanche legte die Hand aufs Herz und hob sie dann zum Schwur.

»Gut.« Die Jüngere atmete tief durch. »Oh, Blanche, ich kann dir nicht sagen, wie erleichtert ich bin, dass ich das hinter mir habe.«

»Aber Megan … Ist es wahr?«, fragte Blanche. »Hattest du *wirklich* eine Vision? Oder hast du … du weißt schon.«

»Mir diese Geschichte ausgedacht, weil ich mich in meinen Vormund verliebt habe? Und weil es der sicherste Weg war, unseren arglosen, frommen König zu bewegen, mir meinen Wunsch zu erfüllen?«

Blanche zuckte mit einem koboldhaften Lächeln die Schultern und nickte.

»Würdest *du* so etwas tun, Blanche?«, fragte Megan. Es klang wirklich neugierig.

Blanche dachte einen Moment darüber nach. »Vermutlich ja«, räumte sie dann ein. »Wenn es der einzige Weg wäre.«

Megan schüttelte den Kopf. »Du bist schlimmer als dein Bruder. Wirklich kein Umgang für ein unschuldiges Kind wie mich.«

Blanche zeigte keinerlei Anzeichen von Reue. »Also sagst du mir nun …«

»Wieso bist *du* eigentlich noch nicht verheiratet?«, unterbrach Megan. »Ich meine, du bist immerhin schon achtzehn. Meine Mutter würde sagen, eine alte Jungfer.«

»Tja«, machte Blanche mit einer unbestimmten, etwas ratlosen Geste, während sie den ummauerten Garten durch eine kleine Pforte verließen und in den Burginnenhof zurückkamen. »Mein Verlobter war Sir William Talbot, aber er fiel bei der Schlacht von Castillon.«

»Oh …«

»Kein Grund zum Wehklagen, ich hab ihn nie im Leben gesehen. Nachdem der Krieg aus war, fielen die Preise für Schlachtrösser, und mein Vater war noch ärmer als sonst. Er hatte kein Geld für eine Mitgift, die ausgereicht hätte, mir einen annehmbaren Ritter zu kaufen.«

»Aber ein Wort an den König hätte gereicht, und er hätte deine Mitgift übernommen«, entgegnete Megan.

»Ja, das hat meine Mutter auch gesagt. Aber Vater meinte, es gäbe genügend Halunken bei Hofe, die die Großmut des Königs ausnutzten. Er wollte nichts davon hören. Und mir war es recht so. Ich bin nicht versessen darauf zu heiraten.«

»Aber wenn du dich nicht beeilst, bleibst du sitzen«, gab Megan zu bedenken.

»Dann verführe ich meinen Cousin Geoffrey auf dem Heuboden, sodass er mich heiraten muss.«

»Blanche!« Megan schlug beide Hände vor Mund und Nase.

69

Ihre dunklen Augen oberhalb der Fingerspitzen wirkten riesig. Dann fing sie an zu kichern, und schließlich brachen sie beide in Gelächter aus.

Julian machte sich die Sache nicht einfach. Die Nacht von Sonnabend auf Sonntag verbrachte er in der St.-Georgs-Kapelle, um zu beten und zu fasten. Er betete, weil er wusste, dass er Beistand und Führung brauchte. Und in Windsor hatte er bislang niemanden getroffen, der ihm einen uneigennützigen Rat hätte geben können. Jeder hier kochte irgendein Süppchen. Die einen für York, die anderen für den König, manche nur für sich selbst. Alte Bande, in Kriegszeiten geknüpft, schufen ein solches Gewirr aus Loyalitäten, Verpflichtungen und Abhängigkeiten, dass der Unachtsame sich leicht darin verstricken und straucheln konnte.

Julian musste eine Entscheidung treffen, aber er fühlte sich außerstande. Jeder Weg, der ihm offenstand, war voller Tücken.

Er sah zu dem wundervollen Wandgemälde auf, das den heiligen Ritter auf einem gewaltigen weißen Pferd zeigte, den erschlagenen Drachen zu seinen Füßen. »Heiliger Georg«, murmelte der junge Mann, »es heißt, du seiest ein Nothelfer. Also hilf mir. Denn ich bin in Nöten, weiß Gott ...«

»Das ist ja nichts Neues«, bemerkte eine vertraute Stimme hinter ihm.

Julian wandte mit einem etwas gequälten Lächeln den Kopf. »Was treibt dich zu so später Stunde noch um, Mylord of Richmond?«

Edmund Tudor kniete sich neben ihn auf die Steinfliesen. »Es wird bald Tag. Ich war wach und dachte, dann könnte ich ebenso gut herkommen und dafür sorgen, dass sie dich hier nicht selig schlummernd vorfinden. Das würde keinen besonders guten Eindruck auf den König machen.«

»Wie du siehst, war deine Sorge unbegründet«, gab Julian ein wenig gereizt zurück, aber in Wahrheit war er dankbar für die Gesellschaft. »Um ehrlich zu sein, habe ich wenig Hoffnung, die Freundschaft des Königs erwecken zu können, ganz gleich, wie eifrig ich hier heute Nacht bete. Er kann mich nicht ausstehen.«

Tudor warf ihm einen langen Blick zu. »Hättest du seine Freundschaft denn verdient?«, wollte er schließlich wissen.

»Du zweifelst daran?«

Edmund Tudor ließ sich durch den gekränkten Tonfall nicht vom Kurs abbringen. »Du bist mit Warwick gesehen worden.«

»Ah, verstehe. Hier kann man keinen Schritt tun, ohne dass irgendwer es sieht und finstere Machenschaften unterstellt, nicht wahr?«

»Ich unterstelle dir gar nichts«, widersprach Edmund. »Und ich zweifle auch nicht an dir. Aber ich weiß, wie es in dir aussieht.«

»Nein, Edmund. Du hast keine Ahnung, wie es in mir aussieht. Ich habe drei Jahre in Warwicks Haushalt gelebt, und er war immer großzügig und anständig zu mir. Ich stehe in exakt dem gleichen verwandtschaftlichen Verhältnis zu ihm wie zu König Henry, nur dass Warwick das nicht verleugnet. Dennoch ist der König der König, und ich weiß, was das bedeutet und was ich ihm schuldig bin. Glaub mir. Ich weiß das genau.«

Edmund nickte und wandte den Blick zu dem St.-Georgs-Bildnis. »Ja. Mir ist klar, dass es nicht einfach für dich ist. Für niemanden. Außer für Jasper und mich, denn der König ist unser Bruder. Aber ich weiß ehrlich nicht, wo ich stünde, wäre das nicht der Fall.« Dieses Eingeständnis war ein so ungeheurer Vertrauensbeweis, dass Julian einen Moment sprachlos war. Ehe er noch entschieden hatte, wie er darauf angemessen reagieren könnte, fuhr sein Freund fort: »Reite nach Hause, Julian. Kümmere dich um deine Angelegenheiten in Waringham und denk in Ruhe nach.«

Julian nickte. Er wusste, es war ein guter Rat. »Ich hoffe nur, mein Vormund wird mich nicht an die kurze Leine nehmen.«

»Bestimmt nicht. Ich kann mir kaum vorstellen, dass er große Lust verspürt, seine Zeit im öden Kent zu vertun.«

»Kent ist nicht öde. Weißt du, wer es ist?«

Tudors schwarze Augen glommen. »Oh ja.«

»*Du?*«, brachte Julian fassungslos hervor.

Sein Freund lachte leise. »Überleg dir lieber gut, ob du Einwände vorbringen willst.«

»Woher denn.« Julian hatte keine Einwände, im Gegenteil. Er fühlte sich geschmeichelt. »Aber gib dich keinen falschen Hoffnungen hin, Mann: *Mich* kriegst du mit dieser fürsorglichen Vormund-Masche nicht in dein Bett.«

Ihr höchst unpassendes Gelächter hallte zum Deckengewölbe der altehrwürdigen Kirche empor und wurde zurückgeworfen, bis es sich anhörte, als lache ein Heer von Geisterstimmen.

Doch als die ersten Beter sich zur Sonntagsmesse sammelten – unter ihnen der König –, fanden sie Edmund Tudor und Julian of Waringham vor dem Altar auf den Knien und gänzlich in ihre Gebete vertieft.

König Henry lächelte wohlwollend. So und nicht anders stellte er sich den idealen Ritter vor.

Nach dem Hochamt fand der Hof sich in der großen Halle ein, wo der König Julian of Waringham und zwei weitere junge Männer zu Rittern schlug. Seite an Seite knieten sie vor ihm nieder, und er berührte sie nacheinander mit dem Schwert an der linken Schulter. Er tat es mit feierlichem Ernst, denn er war ein pflichterfüllter König, aber ohne das komplizenhafte, stolze Lächeln, an das ein jeder sich erinnerte, der den Ritterschlag von Henrys Vater empfangen hatte. Jener König hatte mit diesem Ritual aus einem Knaben einen Waffenbruder gemacht. Für Henry war es nur eine Pflichtübung wie zahllose andere.

Julian fühlte sich nicht verwandelt, sondern auf unbestimmte Weise betrogen, als der König ihn aufhob und in die Arme schloss.

»Sei ihm nicht gram«, sagte seine Schwester seufzend, als die Zwillinge nach dem Mittagsmahl mit Edmund und Megan durch den kleinen Obstgarten im oberen Burghof schlenderten.

»Nein, das bin ich nicht«, erwiderte Julian. Und es war nicht einmal gelogen.

»Er ist eben, wie er ist. Und es wäre eines Königs unwürdig, sich zu verstellen.«

»Blanche, ich sagte, ich bin ihm nicht gram«, wiederholte Julian ungeduldig. »In Ordnung? Ich bin nur ...« Er winkte ab.

»Unausgeschlafen?«, schlug Edmund vor. »Und darum unleidlich. Eine Nacht auf den Knien ist schließlich eine ungewohnte Bußübung für dich.«

Julian verdrehte die Augen, sagte aber nichts.

»Es könnte euch beiden nicht schaden, mehr Zeit in der Kirche zu verbringen«, befand Megan. »Was das angeht, dürftet ihr euch den König ruhig zum Vorbild nehmen.«

»Und du könntest deinem Vormund und zukünftigen Gemahl ein wenig mehr Respekt zollen, Engelchen«, konterte Edmund, legte seiner Braut den Arm um die Taille und küsste sie ungeniert auf die Nasenspitze.

»Mylord of Richmond!«, schalt sie. »Wenn uns jemand sieht.« Aber sie lächelte.

»Na und? Dank der Einsicht meines königlichen Bruders brauchen wir uns jetzt endlich nicht mehr zu verstecken«, entgegnete ihr Verlobter.

Endlich nicht mehr?, dachte Julian erstaunt. Wie lange geht das schon? Und was genau hat sich da vor meiner Nase abgespielt, wovon ich nicht das Geringste geahnt habe? »Werdet ihr bald heiraten?«, erkundigte er sich.

Megan verstand in ihrer Arglosigkeit nicht, was er mit dieser Frage eigentlich in Erfahrung bringen wollte, aber Edmund warf ihm einen entrüsteten Blick zu. »Im August«, antwortete er mit Nachdruck.

Aha. Also nicht, schloss Julian. Er wusste nicht so recht, warum ihn das erleichterte. Megan mochte noch furchtbar jung sein, aber sie war heiratsfähig. Mit Edmund Tudor bekam sie den besten Mann, den eine Frau sich erhoffen konnte – Julian wusste seine kleine Cousine in guten Händen. Aber sie war so zierlich, die Haut so durchschimmernd, die Züge so zart und schmal. Megan wirkte, als sei sie nicht wie andere Menschen aus Lehm gemacht, sondern aus etwas Feinerem, weit weniger Handfestem.

»Und was wird bis dahin?«, fragte er. »Gehst du zurück nach Bletsoe?«

Megan schüttelte den Kopf. »Der König wünscht, dass ich vorläufig hier bleibe, solange Edmund in Wales ist. Um ehrlich zu sein, graut mir ein wenig davor, allein bei Hofe zurückzubleiben, während ihr alle fortgeht.« Mit einem verlegenen kleinen Lächeln hob sie die Schultern.

»Das liegt nur daran, dass du es nicht gewöhnt bist«, mutmaßte ihr Verlobter. »Du hast in Bletsoe wie hinter Klostermauern gelebt. Der König hat schon ganz Recht, dich ein Weilchen hier zu behalten, damit du mal unter Menschen kommst.«

Sie nickte. Es war ein etwas unglückliches Nicken, aber sie war zu gut erzogen, um ihm zu widersprechen.

Julian und Blanche verständigten sich mit einem Blick, dann ergriff Blanche Megans schmale Linke und drückte sie kurz. »Ich bleib bei dir, wenn du willst.«

Das Gesicht des jungen Mädchens hellte sich auf. »Das würdest du tun? Aber gewiss hat Julian gehofft, dass du mit ihm nach Hause reitest, jetzt wo so viel Verantwortung in Waringham auf ihn wartet.«

Wie ähnlich es ihr sieht, an so etwas zu denken, fuhr es Julian durch den Kopf. Sie hatte nicht einmal Unrecht. Ihm wurde ganz entschieden mulmig zumute, wenn er an Waringham dachte, und er hatte tatsächlich gehofft, dass seine Schwester, die in den letzten Jahren so viel mehr Zeit zu Hause verbracht hatte als er und die Menschen und Verhältnisse dort darum viel besser kannte, ihm zur Seite stehen würde. Aber Megan, wusste er, brauchte Blanche dringender. »Nein, nein, behalt sie nur hier«, sagte er leichthin. »Das erspart mir, darüber wachen zu müssen, dass Blanche sich benimmt, wie man es von der Schwester des Earl of Waringham erwartet. Allein damit wäre ich schon vollauf beschäftigt, und es wäre ja doch ein hoffnungsloses Unterfangen.«

Alle lachten, aber Blanche zog ihn unsanft an den Haaren. »Flegel. Sieh du lieber zu, dass du dich benimmst, wie man es von Lord Waringham erwartet.«

»Das raubt mir nicht den Schlaf«, gab er zurück. Da mir diesbezüglich niemand etwas zutraut, kann ich auch niemanden enttäuschen, fügte er in Gedanken hinzu.

Obwohl er es nicht laut ausgesprochen hatte, sah Blanche doch den bitteren Zug, der sich für einen kurzen Moment auf seinem Gesicht zeigte. Sie hängte sich bei ihm ein und strich ihm unauffällig über den Arm.

So schlenderten sie paarweise durch den frühsommerlichen Garten, redeten über dieses und jenes und allerhand Belanglosigkeiten, wie gute Freunde es eben manchmal tun, und schließlich begegneten sie der Königin in Begleitung ihres Sohnes und seiner Amme.

Edmund und Julian verneigten sich ehrerbietig, Blanche und Megan sanken in eine tiefe *Reverence.*

Lächelnd bedeutete die Königin ihnen, sich zu erheben. »Waringham. Tudor. Mesdames. Welch angenehme Überraschung.« Sie nahm der Amme ihren eineinhalbjährigen Sohn ab, der mit noch nicht ganz sicheren Schritten an ihrer Seite durchs Gras tapste, hob ihn hoch und hielt ihn den jungen Leuten voller Stolz zur Begutachtung hin. »Seht nur. Ist er nicht ein wunderschöner kleiner Prinz?«

Sie pflichteten ihr bei, vor allem Megan und Blanche mit echtem Interesse.

»Welche Farbe haben seine Augen?«, fragte Letztere und beugte sich ein wenig vor, um es zu ergründen.

»Genau die gleiche wie die Euren, Lady Blanche.«

Es entstand eine winzige Pause, in welcher niemand sich zu rühren schien. Dann trat Julian einen Schritt näher und legte seiner Schwester den Arm um die Schultern. Dabei war in Wahrheit er derjenige, der empfindlich reagierte, wenn jemand auf die Lancaster-Abstammung und die uneheliche Geburt ihrer Mutter anspielte. Blanche war das alles von Herzen gleichgültig.

»Dunkle Augen sind keine Besonderheit in England, Madame«, klärte er die Königin ein wenig steif auf.

»Besonders unter dem Adel, ist mir aufgefallen«, stimmte sie zu. »Es muss daran liegen, dass so viele von Euch normannische Vorfahren haben.« Dann zeigte sie ihr schönes Lächeln, das Julian schon bei ihrer ersten Begegnung so bezaubert hatte. »Es besteht kein Grund, so finster dreinzuschauen, Sir Julian. Ich weiß, dass mein Sohn von keinem Waringham je etwas zu befürchten hat. Und es lag mir fern, Euch oder Eure Schwester zu kränken.«

Er entspannte sich sichtlich, ließ Blanche los und verneigte sich vor der Königin. »Vergebt mir, Madame.«

»Wann werdet Ihr den Hof verlassen?«

»Morgen früh, Majesté, wenn Ihr gestattet.«

»Er muss seine Ländereien in Besitz nehmen, Marguerite«, fügte Edmund hinzu.

Julian hielt sich mit Mühe davon ab, seinem Freund und Vormund einen verwunderten Blick zuzuwerfen. Er hatte nicht geahnt, dass Edmund so vertraut mit der Königin war. Schwägerin oder nicht, es war ungewöhnlich, dass er sie beim Vornamen nannte.

Sie nickte seufzend. »Na schön, dann geht mit Gott, Waringham. Ihr werdet uns fehlen. In der Düsternis, die jetzt über uns kommen wird, können wir hier jeden Freund gebrauchen.«

»Düsternis?«, wiederholte Julian verständnislos.

»Habt Ihr nicht gehört, dass der Duke of York Lord Protector wird, Sir?« Unbewusst drückte sie den Prinzen ein wenig fester an ihre Brust, sah für einen Lidschlag auf ihn hinab und küsste ihm behutsam den dunkelblonden Flaum.

Julian tauschte einen Blick mit Edmund. »Ich hörte ein Gerücht, Madame«, räumte er dann ein.

Sie nickte. »Wenn das geschieht, wird seine Macht in England vollkommen sein. Jetzt, da der Duke of Somerset tot ist, gibt es niemanden mehr, der den Lancaster-Thron schützen kann. York wird nicht rasten, bis er die Krone hat.«

Das war nicht gerade Julians Lieblingsthema. Und da er nicht wusste, wo er in dieser Frage stand, war die Königin der letzte Mensch auf der Welt, mit dem er es erörtern wollte. »Madame, ich …«

»Er trachtet meinem Sohn nach dem Leben, Sir Julian«, fiel sie ihm ins Wort, ihre Stimme verblüffend schneidend. »Und meinem Gemahl ebenso.«

»Marguerite …«, begann Edmund beschwichtigend, aber auch er wurde unterbrochen.

»Es ist die Wahrheit«, stieß die Königin hervor, hielt aber die Stimme gesenkt, um den Prinzen nicht zu erschrecken. »Warum wohl, denkt Ihr, hat er alles getan, um zu vereiteln, dass ich während der … Krankheit des Königs die Regentschaft übernahm?«

Edmund und Julian trauten sich nicht, den offensichtlichen Grund anzuführen. Blanche tat es stattdessen: »Ich nehme an, weil Ihr eine Frau seid, Madame.«

Marguerite schnaubte undamenhaft. »Weil er Morgenluft witterte und die Macht an sich reißen wollte. Somerset hat das verhindert, aber nun ist Somerset tot.« Sie stellte den kleinen Edouard auf die Füße und wies auf ihn hinab. »Hier. Das sind die Schultern, auf denen Lancasters Hoffnung ruht. Seht Ihr, wie zerbrechlich sie sind? Und Euch fällt nichts Besseres ein, als mir zu sagen, ich sehe Gespenster und müsse mich beruhigen? Wann werdet Ihr aufwachen, Gentlemen?«

Eine Antwort blieb ihnen erspart, denn die Königin machte auf dem Absatz kehrt, ging hoch erhobenen Hauptes davon und war nach wenigen Schritten zwischen den Bäumen verschwunden. Die Amme ergriff hastig die Hand des Prinzen und folgte ihr.

»Puh«, machte Julian leise, als er sicher war, dass sie sie nicht mehr hören konnte. »Ich hätte nicht gedacht, dass sie eine Furie sein kann.«

Edmund Tudor nickte versonnen. »Regelmäßig, wenn die Sprache auf den Duke of York oder den Earl of Warwick kommt. Unsere Königin hat ein Temperament wie ein Feuerwerk.«

»Hm, passt ja hervorragend. Hat der König doch in etwa so

viel Temperament wie ein Schluck lauwarmes Wasser«, behauptete Julian boshaft.

»Wollt ihr wohl aufhören«, schimpfte Megan gedämpft, die nie ein Wort der Kritik an ihrem königlichen Cousin duldete.

»Sie hat wirklich Angst um den kleinen Prinzen, glaube ich«, warf Blanche ein. »Ich bete, dass sie sich täuscht.«

Julian schnalzte mit der Zunge. »Herrgott, was denkt ihr eigentlich alle von York? Dass er ein Ungeheuer ist?«

»Vielleicht nicht«, antwortete Edmund. »Aber er ist überzeugt, das Recht sei auf seiner Seite. Darum ist er gefährlich.«

Julian biss sich gerade noch rechtzeitig auf die Zunge, ehe ihm entschlüpfen konnte, dass er diese Meinung des Duke of York zufällig teilte. Mit einem leisen Seufzen verschränkte er die Arme und schaute in die Richtung, in welcher die Königin verschwunden war. »Auf jeden Fall sieht sie hinreißend aus, wenn sie wütend wird.«

Vor Tau und Tag brach Julian am nächsten Morgen auf. Er gab dem Stallburschen, der ihm Dädalus gesattelt und aufgezäumt ins Freie brachte, einen Farthing, nickte ihm zu und wollte aufsitzen, als sich ein Schatten aus der Dämmerung löste.

»Du wolltest dich also davonschleichen, ohne dich zu verabschieden, ja?«

Julian ließ die Rechte vom Heft seines Schwertes sinken. »Richard«, grüßte er. »Warum in aller Welt sollte ich das tun? Der Lord Chamberlain sagte, du seiest mit York zusammen nach Westminster geritten.«

»Der Lord Chamberlain ist ein Lügner«, eröffnete Warwick ihm leidenschaftslos. »In diesem Fall hat er allerdings ausnahmsweise die Wahrheit gesagt. Ich war in Westminster, und nun bin ich wieder hier.«

Julian nickte und stellte einen Fuß in den Steigbügel. »Ich kann mir vorstellen, dass du als Yorks rechte Hand ein bewegtes Leben hast. Alsdann, Cousin.«

Warwick kam einen Schritt näher und legte ihm die Hand

auf den Arm. »Warum hast du es so verdammt eilig, Julian? Warum läufst du vor mir davon?«

Julian stellte den linken Fuß zurück ins Gras und befreite seinen Arm mit einem kleinen, beiläufigen Ruck. »Es sind über fünfzig Meilen von hier bis nach Waringham. Wenn ich mich spute, bin ich bei Einbruch der Dunkelheit dort, denn die Straßen sind gut, aber ich sollte nicht trödeln. Im Übrigen laufe ich nicht vor dir davon, aber ich kann dir nicht sagen, was du hören willst. Du hast gefragt, was ich jetzt tun werde, da ich Earl of Waringham bin. Die Antwort lautet: Nachdenken. Und zwar gründlich. Und nun musst du mich entschuldigen.«

»*Sie* hat dich eingewickelt«, stieß Warwick angewidert hervor. »Nicht wahr? So ist es doch. Marguerite, dieses durchtriebene Luder, hat dir ein Lächeln geschenkt, und schon frisst du ihr aus der Hand. Ich hoffe, sie hat dich für deinen Treueschwur angemessen entlohnt. Es heißt ja, sie sei eine heißblütige Bettgenossin …«

Julian verschränkte die Arme und betrachtete seinen einstigen Dienstherrn mit Unverständnis. »Das ist ziemlich schäbig. Ich wusste ehrlich nicht, dass du so sein kannst.« Er war eher verwundert als enttäuscht.

Warwick machte eine ungeduldige Geste. »Sie ist ein Miststück, Julian, glaub mir. Hör nicht auf sie. Geh ihr nicht auf den Leim.« Der Blick, mit dem er seinen jungen Cousin betrachtete, war scharf, durchdringend, aber er hatte auch etwas Flehendes.

Es wird hell, stellte Julian fest, als ihm bewusst wurde, wie genau er Warwicks Züge erkennen konnte. »Sei unbesorgt«, sagte er. »Sie ist sehr schön. Und sie ist … kühn, glaube ich. Das gefällt mir. Aber ich bin nicht in die Königin verliebt, falls du das annimmst, weil ich mich niemals verliebe, und ich gehe ihr ganz gewiss nicht auf den Leim. Zufrieden?«

Warwick lächelte humorlos. »Hat sie dir die besorgte Prinzenmutter vorgespielt? He? Ich hoffe, du glaubst nicht im Ernst, dass Henry der Vater von dem Balg ist, oder?«

»Doch, ehrlich gesagt. Zumindest war ich noch nicht auf die Idee gekommen, daran zu zweifeln.«

»Dann solltest du vielleicht auch darüber nachdenken.«
Julian nickte und saß auf. »Leb wohl, Richard.«

Waringham, Juni 1455

Ein letzter Rest blauen Abendlichts verlieh den Bäumen auf dem Dorfplatz und den Häusern von Waringham weiche Konturen, sodass sie ein wenig unwirklich erschienen. Julian hielt sein Pferd an und sah zur neuen Dorfkirche hinüber. Das alte Gotteshaus war vor fünf Jahren abgebrannt, während der Revolte, als sich viele anständige Männer, aber auch viel Gesindel aus ganz Südengland erhoben, hinter einem Kriegsveteran namens Jack Cade zusammengeschart hatten und bewaffnet nach London gezogen waren, um den König zu zwingen, der Misswirtschaft ein Ende zu machen, die korrupten Hofbeamten zu entlassen und zu bestrafen. Fremde waren durch Waringham gekommen, und auch einige Männer aus dem Dorf hatten sich den Rebellen angeschlossen. Sie hatten sich in der Kirche getroffen, um ihr weiteres Vorgehen zu beraten, und als es dunkel wurde, war der Earl of Waringham – Julians Cousin Robert – mit seinen Männern zur Kirche hinuntergeritten und hatte sie angezündet. Alle, die ins Freie flohen, hatten sie an die umliegenden Bäume gehängt und unter ihren Füßen Feuer entzündet. Keiner der Rebellen, weder Fremde noch Dorfbewohner, war mit dem Leben davongekommen. Als das anschwellende Rebellenheer nach London gezogen war, hatte der König das Weite gesucht und sich in Kenilworth in den Midlands verkrochen. Doch als Julians Vater von den Vorfällen in Waringham gehört hatte, war er nach Hause gekommen, hatte Blanche nach Bletsoe zu Megan gebracht und Julian als Knappen zum Earl of Warwick geschickt, damit sie nicht länger Zeugen der Schreckensherrschaft ihres teuflischen Cousins sein mussten, und er hatte während dieses kurzen Besuchs kein Wort mit Robert gesprochen.

Aber Julian würde die Nacht, da die alte Kirche abgebrannt war, wohl niemals vergessen, und wenn er hundert Jahre alt werden sollte. Denn Robert hatte ihn mitgenommen. »Heute Nacht machen wir einen Kerl aus dir, Julie«, hatte er gesagt und den dreizehnjährigen Knaben mit zum Pferdestall gezerrt. Julian hatte sich gesträubt und gewehrt, so gut er konnte. Nicht weil er ahnte, was passieren würde, sondern weil er es hasste, von seinem Cousin herumkommandiert zu werden. Aber Robert hatte ihm angedroht, ihn an einem Seil hinter sich herzuschleifen, wenn er nicht freiwillig mitkam. Also war Julian mitgeritten, hatte alles gehört und alles gesehen. Die entsetzlichen Schreie. Die lebenden Fackeln, die aus der lichterloh brennenden Kirche taumelten. Die zuckenden, verkohlten Füße der Gehenkten. Und als alles vorüber war, hatte König Henry Robert of Waringham ein kostbares Silberreliquiar und einen Dankesbrief für sein königstreues Handeln geschickt ...

Julian betrachtete den Dorfanger, der Schauplatz dieses grausigen Spektakels gewesen war, ohne sich schaudernd abzuwenden. Dazu gab es keinen Grund. Die neue Kirche war ein hübsches, weiß getünchtes Fachwerkhaus, viel schöner als die alte. In der Kate nebenan, wo Vater Michael wohnte, schimmerte Licht im Fenster; auch ein paar der Häuser entlang der Gasse waren erleuchtet. Das Laub der alten Buchen flüsterte in der warmen Abendbrise, und in Julians Rücken plätscherte der Tain. Ein friedvoller Abend, ein schönes Dorf. Trotzdem musste Julian gegen den heftigen Drang ankämpfen, kehrtzumachen und im gestreckten Galopp zur Straße zurückzureiten.

Er wendete Dädalus in genau die entgegengesetzte Richtung und schnalzte ihm zu. »Nur noch ein kleines Stück, mein ausdauernder Freund«, versprach er und klopfte den muskulösen Pferdehals. »Über den Mönchkopf und den Burghügel hinauf. Dann kriegst du den besten Hafer, der in England zu haben ist, du hast mein Wort.«

Doch als sie oben am Burggraben ankamen, musste er feststellen, dass die Zugbrücke geschlossen war.

»Oh, das ist großartig«, knurrte Julian vor sich hin. »Ihr wollt mich nicht reinlassen? Ist mir nur recht, dann kann ich ja wieder verschwinden ...« Stattdessen steckte er zwei Finger in den Mund und pfiff durchdringend.

»Wer ist da?«, rief eine barsche Stimme aus dem Fenster des Torhauses.

»Julian of Waringham!«

Nach einem kurzen Schweigen fragte der Wächter: »Welcher Name steht auf dem zweiten Grabstein von rechts, wenn man hinter der Burgkapelle auf den Kirchhof kommt?«

Ungläubig starrte Julian zum Tor hinüber, dann runzelte er konzentriert die Stirn. »Gar keiner!«, rief er endlich, erleichtert, dass es ihm eingefallen war. »Es ist das Grab eines pestkranken Spielmanns, der tot zusammenbrach, als er ans Tor kam. Niemand wusste, wie er hieß.«

Unter vernehmlichem Kettenrasseln begann die Zugbrücke, sich herabzusenken. Als Julian endlich über den Graben reiten konnte, stellte er fest, dass ihn nun das Fallgitter daran hinderte, seine Burg zu betreten.

»Denkt ihr nicht, ihr übertreibt ein wenig?«, fragte er die beiden Torwachen, die, jeder mit einer Fackel in der Linken und der gezückten Waffe in der Rechten, auf der anderen Seite des Gitters standen.

»Schaden macht klug«, brummte der alte Piers, der hier schon das Tor gehütet hatte, als Julian und Blanche laufen lernten. »Miles war mein Schwiegersohn.«

»Ich weiß. Es tut mir leid, Piers.«

Der Torwächter machte irgendwem in der Wachkammer ein Zeichen, und die Winde des Fallgitters setzte sich quietschend in Gang. Ehe es noch ganz oben war, glitt Julian aus dem Sattel und führte Dädalus in das tunnelartige Torhaus.

»Willkommen zu Hause, Mylord«, sagte der alte Piers feierlich.

Julian nickte, ohne anzuhalten. Er hatte versucht, sich für den Moment zu wappnen, da irgendwer in Waringham ihn mit dem Titel anredete, der bislang Robert vorbehalten gewesen war, aber trotzdem überlief es ihn eiskalt. »Danke, Piers. Wurd auch Zeit.«

»Ja. Ihr wart drei Jahre nicht hier. Eine Schande ist das«, bekundete der alte Soldat und ging neben ihm her Richtung Pferdestall.

Julian wandte grinsend den Kopf. »Ich meinte eigentlich, dass der Gaul todmüde ist. Und mir tut der Hintern weh. Im Übrigen waren es nur zwei Jahre.«

Piers enthüllte ein paar Zahnlücken, als er das Lächeln erwiderte. »Unter manchen Lords wird einem die Zeit lang, scheint mir.«

Julian nickte.

Piers nahm ihm die Zügel ab. »Ich kümmere mich um Euren wackeren Freund, Mylord. Geht nur. Eure Mutter wird froh sein, Euch zu sehen.«

»Ist sie oben?« Julian wies auf den hässlichen, viergeschossigen Kasten, der der Bergfried von Waringham Castle war.

Aber Piers schüttelte den Kopf. »Bei Eurem alten Herrn. Da ist sie jeden Abend um diese Zeit, wenn's nicht gerade gießt.«

Julians Herz sank. Es erschütterte ihn, wieder in Waringham zu sein. Erinnerungen flammten vor seinem geistigen Auge auf wie Sternschnuppen, eine abscheulicher als die andere, alle mit diesem Ort verknüpft, der nun sein Eigen war, ob er wollte oder nicht. Das Letzte, was ihm jetzt noch fehlte, war die Trauer seiner Mutter. Aber natürlich blieb ihm nichts anderes übrig, als zu ihr zu gehen. Nicht nur, weil der Anstand es gebot, sondern weil Piers ihn beobachtete, und Julian wollte nicht, dass der alte Haudegen schlecht von ihm dachte.

Doch als er auf die kleine Burgkapelle zuging, hinter welcher der Friedhof der Waringham gelegen war, kam seine Mutter mit einer Fackel in der Linken hinter dem Gotteshaus zum Vorschein.

»Julian?« Sie war stehen geblieben, hielt ihr Licht von sich ab und spähte in die Dunkelheit.

Er verneigte sich höflich. »Ja, Mutter.«

Lady Juliana stellte sich auf die Zehenspitzen, um ihren

großen Sohn auf die Wange küssen zu können, und er schloss sie kurz in die Arme. Sie duftete nach Rosenöl und Mandeln, genau wie früher. Es war ein Geruch, der ihn in seine Kindheit zurückversetzte und zur Abwechslung einmal schöne Erinnerungen wachrief.

»Komm«, sie ergriff seine Hand. »Du musst müde und hungrig sein. Komm mit hinein, mein Junge. Und willkommen zu Hause.«

»Danke.« Es klang kühl und förmlich.

Unwillig, aber ohne erkennbaren Widerstand ließ er sich zum Bergfried führen und die zwei Treppen zu den Privatgemächern der Familie hinauf. Julian wollte auf den Raum über der Halle zusteuern, der den Waringham seit Generationen als Wohngemach diente, aber seine Mutter zog ihn kopfschüttelnd weiter. »Scrope hat Robert dort drin erschlagen, und ich Scrope. Ich kann es nicht aushalten, dort zu sitzen.«

Julian war stehen geblieben. »*Du* hast Arthur Scrope erschlagen?«

Sie brachte ihn ein paar Türen weiter, über die Schwelle des Zimmers, das sie mit seinem Vater bewohnt hatte, und schloss die Tür. »Das hat dir niemand gesagt?«

Julian sank auf einen der schlichten Schemel am Tisch und schüttelte den Kopf.

»Nun, ich hänge es selbst nicht an die große Glocke«, gestand sie, während sie im Raum umherging und mit einem Kienspan ein paar Kerzen auf dem Tisch und dem Kaminsims anzündete. »Owen Tudor hat ein Wort mit dem König geredet, der König mit dem Sheriff von Kent, aber wenn York es erführe, würde er sich vermutlich den Spaß erlauben, mir Scherereien zu machen.«

»Scherereien?«, fragte Julian ungläubig. »Weil du in Notwehr einen Mann getötet hast, der dich mit gezückter Waffe bedrohte?«

»Kein Sheriff würde glauben, dass eine Frau einen bewaffneten Mann töten kann, Julian. Noch dazu einen Mann wie Scrope.«

»Wie hast du's gemacht?«, fragte er neugierig.

Seine Mutter schob den weiten Ärmel ihres Kleides höher, als eigentlich schicklich war, und enthüllte die lederne Messerhülle oberhalb des Ellbogens.

Julian betrachtete sie verwundert. »Ah. Ich habe mich früher oft gefragt, was es wohl ist, das du unter dem Kleid am Arm trägst«, sagte er dann. »Ich hab es manchmal gefühlt.«

Sie lächelte schwach. Jetzt da es heller war, sah Julian, wie blass und spitz ihr Gesicht war. Seine Mutter war Ende vierzig. Der blonde Haaransatz, der unter der schlichten Haube hervorschaute, war mit vielen Silberfäden durchzogen, aber sie war ihm nie alt erschienen. Bis heute. Jetzt wirkten die geröteten Augen müde, ihre Haut welk.

»Und plagt dich dein Gewissen wegen Scrope?«, wollte er wissen. »Meidest du deswegen den Ort, wo sein Blut geflossen ist?«

»Nein.« Es klang kategorisch. »Arthur Scrope hat deinem Vater und mir immer nur Unglück beschert. Er hatte hundertfach verdient zu sterben. Ich bedaure höchstens, dass ich ihn nicht viel früher getötet habe. Bevor er deinen Vater ermorden konnte.« Ihre Stimme bebte bei den letzten Worten, aber sie räusperte sich entschlossen, trat hinter ihren Sohn und legte ihm die Hände auf die Schultern. »Lass uns heute Abend nicht von ihm sprechen.«

»Wie du willst.«

»Bist du hungrig?«

»Fürchterlich«, gestand Julian.

»Dann entschuldige mich einen Moment.« Sie nahm einen der Kerzenhalter und ging hinaus. Es war spät geworden, vermutlich hatte das Gesinde sich längst schlafen gelegt. Also würde sie selbst in die Küche hinuntergehen, um ihm etwas zu holen. Das war ihm unangenehm. Er wollte nicht, dass sie ihn bemutterte. Aber er war zu erledigt, um ihr nachzugehen und sie zu hindern, ganz abgesehen davon, dass er sich in der Küche nicht auskannte und vermutlich verhungert wäre, ehe er irgendetwas zu essen gefunden hätte.

Sie brauchte nicht lange. Als Julian ihre Schritte hörte, stand er auf und öffnete ihr die Tür. Mit einem Holzbrett in der Linken, der Kerze in der Rechten trat sie über die Schwelle und bemerkte: »Das erinnert mich an die Erntezeiten, wenn dein Vater so spät heimkam, dass er das Essen versäumte. Nicht zu fassen, wie er sich hier manchmal abgerackert hat. Für Robert, dieses Scheusal – Gott hab ihn selig.«

Julian grinste flüchtig, sagte aber nichts. Sie hatte ihm frisches, deftiges Roggenbrot, Schinken und einen Krug dunkles Bier gebracht, und er fiel gierig darüber her. Julian hatte ganz und gar nichts gegen schlichte ländliche Kost.

»Wie geht es Blanche und der jungen Megan?«, fragte seine Mutter, als sein ärgster Hunger gestillt war.

»Prächtig.« Julian war erleichtert, dass sie nicht mehr von seinem Vater sprach. »Megan wird Edmund Tudor heiraten, stell dir das vor.«

Sie zog eine Braue in die Höhe. »Tatsächlich? Ich könnte mir vorstellen, ihre Mutter wird nicht begeistert sein.«

»Megan war so klug, gleich den König zu fragen. Ich habe keine Ahnung, wie sie ihn überredet hat, aber er hat eingewilligt. Blanche weiß irgendwas darüber, glaube ich, aber ...« Er breitete kurz die Arme aus. »Sie ist ungewöhnlich zugeknöpft und übt sich neuerdings in Diskretion.«

Lady Juliana lächelte mokant. »Mach dir keine Sorgen, mein Sohn. Das wird nicht lange anhalten. Edmund Tudor und Megan Beaufort, sieh an, sieh an.« Zum ersten Mal kam wieder Leben in ihre Augen. »Nun, ich für meinen Teil finde, das ist eine hervorragende Idee. Megan ist steinreich und besitzt sehr viel Land. Dein Freund Edmund wird ein sehr mächtiger Mann in England werden. Das wiederum ist gut für König Henry.«

Julian nickte. »Der ohne mächtige Freunde an seiner Seite hilflos ist und umhertreibt wie ein ruderloses Schiff auf dem Meer.«

»Das trifft den Nagel auf den Kopf«, gestand sie freimütig.

Julian blinzelte verwundert. Er hatte mit scharfem Widerspruch gerechnet. »Er ist übrigens mein Vormund«, sagte er dann. »Edmund Tudor, meine ich natürlich, nicht der König.«

Lady Juliana schien diese Nachricht weniger zu überraschen als ihn. »Eine gute Wahl. Sein Vater sagte mir übrigens, Edmund werde bald für den König nach Wales gehen. Wirst du ihn begleiten?«

»So war es geplant. Ich würde auch gern. Aber Edmund sagt, erst soll ich mich um Waringham kümmern.«

»Waringham hat es bitter nötig«, stimmte sie zu. »Es ist ausgeblutet. Die Pferdezucht wirft nicht mehr so viel ab wie vor Kriegsende, und viele der Bauern sind vor Robert geflüchtet, ihre Felder liegen brach. Du wirst alle Hände voll zu tun haben.«

Schon bei dem Gedanken fühlte Julian sich hoffnungslos überfordert. »In dem Falle sollte ich jetzt wohl lieber schlafen gehen, wenn du gestattest.« Er stand auf.

Seine Mutter geleitete ihn zur Tür. »Gute Nacht, mein Sohn. Ich bin froh, dass du nach Hause gekommen bist.«

»Ich nicht.«

»Nein. Ich weiß.«

Julian wünschte ihr höflich eine gute Nacht und wandte sich nach links, wo die kleineren Kammern lagen, aber seine Mutter zupfte ihn am Ärmel.

»Da«, sagte sie und zeigte auf die Tür schräg gegenüber. »Das ist das Schlafgemach von Lord Waringham. Deins, mit anderen Worten.«

»Oh ja, richtig …«, murmelte er, überquerte den Korridor und betrat sein neues Refugium.

Der Raum erinnerte ihn nicht an Robert, sondern vielmehr an dessen Vater. Julians Onkel Raymond hatte sich vor zehn Jahren am Heiligen Abend in dieses Bett gelegt, auf dessen Kante Julian sich nun behutsam setzte, und war am Weihnachtsmorgen einfach nicht mehr aufgewacht. Dabei hatte er immer gesagt, er wolle in seinen Stiefeln sterben, noch als uralter Mann. Für Julian und Blanche war er mehr ein Großvater als ein Onkel gewesen: nicht so streng wie ihr Vater, für jeden Unfug zu haben, ein großartiger Geschichtenerzähler und vor allem immer daheim. Julian hatte ihn sehr geliebt und an dem Weihnachtsfest, da er gestorben war, seine Kammer nicht einmal für die Messe verlassen, um Gott seinen Zorn zu bekunden. Vielleicht die erste Gelegenheit, bei der er – ein achtjähriger Knirps – seinem Vater getrotzt hatte.

Mit den Fingern der Linken befühlte er den schweren Bettvorhang und betrachtete das hohe Kopfteil der Schlafstatt, welches mit dem gleichen feinen Wollstoff gepolstert war. Ein schwarzes Einhorn war in den grünen Hintergrund gestickt: Das Wappen derer of Waringham. Julian war überzeugt, er werde darunter kein Auge zutun. Doch seine müden Knochen forderten ihr Recht, und er schlief ein, kaum dass er sich ausgestreckt hatte.

»Es ist nicht so, dass wir nicht wirtschaftlich wären«, erklärte Geoffrey ernst. »Im Gegenteil. Je mehr Stuten wir haben, je größer die Zucht geworden ist, umso weiter sind die Unterhaltskosten pro Kopf gesunken. Pro Pferdekopf, meine ich. Es sind nur die Preise, die nicht mehr stimmen.«

»Der Krieg ist aus«, bemerkte Julian mit einem ergebenen Schulterzucken.

Gleich nach dem Frühstück, das er allein im einstigen Wohngemach der Familie eingenommen und hastig hinuntergeschlungen hatte, war er ins Gestüt gegangen. Genau genommen war er geflüchtet. Hier wusste er wenigstens, wovon er redete, denn mit Pferden kannte er sich aus. Ganz im Gegensatz zur Landwirtschaft, Buchführung oder – Gott helfe ihm – Rechtsprechung.

»Und denk nicht, ich sei nicht froh darüber«, gab der Stallmeister zurück. Sie lehnten am Gatter an einem der Übungsplätze und schauten zu, während zwölf Stallburschen unter der Anleitung und den kritischen Blicken von Jack, Geoffreys Vormann, mit den Zweijährigen die üblichen Trainingsmanöver ritten. »Aber es ist nicht gut fürs Geschäft.«

Julian nickte trübsinnig. »Derzeit werden Schlachtrösser nur noch für Turniere gebraucht. Da überlegen sich die Ritter ein bisschen länger, ob ihnen der vierbeinige Luxus dreihundert Pfund wert ist.«

»So ist es. Und der Verschleiß ist weit geringer als früher, denn im Turnier trennt niemand den Gäulen die Kehle durch oder reißt ihnen die Gedärme aus dem Leib.«

Julian schnitt eine Grimasse. »Gott ... Manchmal bin ich froh, dass ich zu jung war, um die letzten Schlachten des Krieges mitzuerleben«, gestand er seinem Cousin. »Ich glaube nicht, dass es mir viel ausgemacht hätte, Franzosen mit durchtrennter Kehle und herausgerissenen Gedärmen zu sehen. Aber Pferde ...« Er schüttelte sich.

Geoffrey grinste flüchtig und kam auf ihr ernstes Thema zurück. »Zehn hervorragende Tiere sind bei der Auktion nicht verkauft worden. So etwas hat es noch nie gegeben. Möglicherweise habe ich irgendwas falsch gemacht, ich habe ja nicht besonders viel Erfahrung. Dein alter Herr war so gut wie nie hier, und Robert ... Na ja, du weißt ja selbst, wie er war, und er hatte weder Interesse an Pferden, noch verstand er sich auf die Zucht. Jetzt stehen die Gäule hier und fressen uns die Haare vom Kopf. Nutzloses Pferdefleisch im Wert von dreitausend Pfund.«

Julian dachte nach. »Bevor wir sie gar nicht verkauft bekommen, sollten wir die Preise senken. Wie weit könnten wir runtergehen, ohne uns das Kreuz zu brechen?«

»Alles über zweihundert Pfund wäre zu verkraften. Aber *wo* willst du sie verkaufen? Es gibt nur eine Pferdeauktion in Waringham pro Jahr, und die ist vorbei.«

»Ich könnte ein paar Freunden Nachricht schicken. Es gibt noch genug Ritter in England, die gute Pferde zu schätzen wissen, auch wenn niemand mehr Verwendung für solche Ritter zu haben scheint.«

Geoffrey richtete sich auf und sah ihn an. »Ich habe auch ein paar alte Freunde, die wir mit einem guten Angebot wahrscheinlich ködern könnten. Lass es uns versuchen, Julian.«

»Du meinst ... du hältst es für eine gute Idee?«, fragte Julian verblüfft.

»Ich könnte mich ohrfeigen, dass ich nicht selbst darauf gekommen bin.«

»Und wir könnten ...« Julian brach unsicher wieder ab.

»Was?«, hakte der Stallmeister nach.

Der junge Waringham überlegte. »Unser Urgroßvater hat
dieses Gestüt gegründet, bevor der Krieg ausbrach«, sagte
er schließlich. »Und er hat damals hauptsächlich Reitpferde
gezüchtet. Für betuchte Kaufleute, feine Damen, was weiß
ich. Edle, kostspielige Rösser, aber nicht diese Riesen hier, die
wirklich nur unsere Jungs oder ausgebildete Ritter handhaben
können.«

»Hm, aber selbst die kostbarsten Reitpferde bringen nur die
Hälfte dessen, was ein Schlachtross wert ist.«

»Mag sein, aber sie werden *gebraucht*. Und zwar in Scharen.
Die Pfeffersäcke in London werden immer reicher, und ihre
Zahl wächst.«

»Hm.« Der Stallmeister dachte lange nach. Dann sagte er
kopfschüttelnd: »Wir können die Zucht nicht von heute auf
morgen umstellen.«

»Natürlich nicht. Ich sage auch nicht, dass wir aufhören
sollen, Schlachtrösser zu züchten. Wir ... erweitern lediglich
unser Angebot. Wir könnten damit anfangen, dass wir all
unsere Stutfohlen behalten und ausbilden. Das kostet uns keinen Penny zusätzlich.«

»Oh doch. Es kostet uns zwei Jahre Futter, und wir müssten
zusätzliche Ställe bauen.«

Julian seufzte. »Daran hab ich nicht gedacht«, musste er
eingestehen. »Gott, ich tue nur so, als hätte ich Ahnung von
diesen Dingen. Wahrscheinlich mach ich mich gerade mal wieder lächerlich.«

Geoffrey hob die Hand, um ihn zum Schweigen zu bringen. »So hab ich's nicht gemeint. Ich sage nur, wir sollten es
nicht tun, ohne vorher auszurechnen, ob es sich lohnt. Oder
was wir tun müssen, damit es sich lohnt. Aber der Gedanke,
solche Pferde zu züchten, die wir auch verkaufen können, ist
alles andere als dumm. Komm mit.« Beinah eifrig nahm der

sonst so bedächtige Geoffrey Julian beim Ärmel und brachte ihn zu seinem geräumigen, eleganten Haus hinüber.

Neiderfüllt betrachtete Julian das säuberliche Fachwerk und die hohen Glasfenster. »Wie ich es hasse, in dem zugigen alten Kasten da oben leben zu müssen«, grollte er.

»Ich schätze, du gewöhnst dich wieder daran«, mutmaßte Geoffrey.

Julian brummte. »Was meinst du, ob er einstürzt, wenn man den Dachstuhl in Brand steckt?«

»Das hab ich nicht gehört, Mylord«, entgegnete der Stallmeister streng, führte Julian in seine behagliche Halle, schickte eine Dienstmagd nach einem Krug Bier und holte die Bücher aus ihrer Truhe. »Lass uns ein bisschen rechnen …«

Julian schwirrte der Kopf, als er auf seine ungeliebte Burg zurückkam. Es war schon nach Mittag, und er spürte die heiße Junisonne stechend im Nacken, während er den Hügel überquerte, der sich zwischen Dorf, Gestüt und Burg erhob und den man in Waringham wegen seiner kahlen Kuppe »Mönchskopf« nannte.

Im Burginnenhof begegnete ihm eine junge Magd, die mit einem Korb voller Brotlaibe vom Backhaus kam. Sie dufteten verführerisch, und Julian brach sich ein Stück ab. »Wenn du erlaubst, Emily …«

Sie hielt den Blick gesenkt. »Natürlich, Mylord.«

Er ließ seine Beute hastig von einer Hand zur anderen wandern, denn sie war noch heiß. »Geht es dir gut?«, fragte er. Sie war die Tochter einer der Küchenmägde, erinnerte er sich, und darum praktisch auf der Burg aufgewachsen. Ein niedliches Elfchen war sie gewesen, und nun arbeitete sie schon hier, erkannte er erstaunt.

»Natürlich, Mylord.«

»Kannst du auch noch was anderes sagen?«

Schreckhaft ruckte ihr Kopf hoch. Nur für einen Herzschlag schaute sie ihm in die Augen, aber sie missverstand sein freundschaftliches Lächeln. »Bitte, Mylord, die Köchin wartet auf das Brot.«

»Dann lass dich nicht aufhalten.« Auf seinen Wink hastete sie davon. »Ich hatte nicht die Absicht, dir die Nase abzubeißen«, raunte er ihr nach, ein wenig gekränkt, weil sie offenbar vergessen hatte, dass er sie früher heimlich und zu ihrem größten Entzücken auf seinem Pony hatte reiten lassen, ihretwillen den Spott der Knappen riskiert hatte, weil er sich mit einem Mädchen abgab ...

»Es ist nicht die Nase, um die die Mägde hier fürchten«, sagte jemand hinter ihm brüsk.

Julian wandte den Kopf. »Adam! Gut, dich zu sehen, Mann.« Sie waren etwa gleich alt und Freunde gewesen, bis man Julian in die Schule und die Knappenausbildung steckte, und sie hatten lernen müssen, dass sie von unterschiedlichem Stand waren. »Sie ist deine Schwester, richtig?« Julian wies vage über die Schulter in die Richtung, wo Emily verschwunden war.

Der junge Gehilfe des Hundeführers nickte knapp. »So ist es ... Mylord.«

Julian senkte für einen Moment den Blick. Sein Herz war mit einem Mal bleischwer. »Ich bin nicht Robert«, sagte er leise. »Deine Schwester hat keinen Grund, vor mir die Flucht zu ergreifen.«

»Nein, ich weiß.« Plötzlich wich ein Gutteil der Anspannung aus Adams Schultern. Es war, als wäre ihm mit einem Mal wieder eingefallen, dass sie als Knaben zusammen Fußball gespielt und dem schlummernden Schmied einmal den Bart angezündet hatten. »Es mag wohl ein Weilchen dauern, eh Emily es glaubt.«

Julian nickte unwillig.

Nach einem kurzen Schweigen sagte Adam: »Mylord, ich wollte Euch um Erlaubnis bitten, meine Mutter zu sehen.«

»Deine Mutter?«, wiederholte Julian verständnislos. »Wieso? Wo ist sie?«

Adam wies zum Bergfried hinüber. »Eingesperrt. Morgen kommt der Sheriff, und dann wird sie aufgehängt.« Er sagte es, als sei es völlig vernünftig und üblich, Küchenmägde in Burgverliese zu sperren und aufzuhängen.

»Ähm … würdest du mir das erklären?«

»Ihr wisst es nicht? Von der Nacht, als dieser Scrope hier mit seinen Schlächtern eingefallen ist?«

Julian schüttelte den Kopf. »Ich bin gestern Abend spät nach Hause gekommen und habe nur ein paar Worte mit meiner Mutter gewechselt. Ich weiß überhaupt nichts, Adam. Um ehrlich zu sein, wollte ich mich ein paar Tage davor drücken, zu erfahren, was genau sich hier abgespielt hat. Aber ich schätze, ich muss es jetzt hören.«

Der junge Mann hob langsam die mageren Schultern. »Ihr könnt nichts tun.«

»Vermutlich nicht. Erzähl's mir trotzdem.«

»Lady Juliana wollte nicht, dass sie den Sheriff holen. Und sogar Vater Michael hat für meine Mutter gesprochen. Aber der alte Piers ist nach Canterbury geritten.«

»Piers? Der Torwächter?« Das wurde immer verrückter.

Adam nickte. »Meine Mutter hat die Torwachen und alle anderen auf dem Gewissen, die in der Nacht hier gestorben sind. Sie hat Miles hinters Licht geführt und diesen Scrope in die Burg geschleust. Sie schuldet ihr Leben, sagt Piers. Und er hat ja auch Recht.« Zorn und Mutlosigkeit rangen in den Zügen des jungen Mannes um die Oberhand.

Julian nahm ihn beim Arm, führte ihn in den Winkel neben der Burgkapelle, wohin sie sich als Bengel verzogen hatten, wenn sie unbeobachtet sein wollten, und wie früher setzten sie sich nebeneinander auf einen Mauervorsprung des steinernen kleinen Gotteshauses.

»Warum?«, fragte Julian und biss von seinem erbeuteten Brot ab, ehe er sich besann, das Stück in zwei Hälften brach und eine Adam in die Finger drückte.

Der Knecht nickte dankbar und antwortete mit einer Gegenfrage. »Wisst Ihr, wer mein Vater war?«

»Natürlich«, gab Julian mit einem ungeduldigen Schulterzucken zurück. »Ich bin ja nicht blind. Und deswegen hat sie diesen Scrope hier hereingeschmuggelt? Sie wollte, dass er Robert tötet, weil der ihr ein paar Bälger gemacht hat?« Julian versuchte, seine Stimme neutral zu halten, aber seinem Gesicht war anzusehen, dass er das für keine ausreichende Rechtfertigung hielt.

Adam schüttelte den Kopf, biss lustlos in sein Brot und stierte darauf hinab. Schließlich gab er sich einen Ruck. »Er war ihr Bruder. Na ja, Halbbruder.«

»Was? Wer?«

»Seine Lordschaft. Euer Cousin Robert«, erklärte der junge Knecht geduldig. »Er war der Halbbruder meiner Mutter. Sein Vater konnte die Finger auch nicht von den Mägden lassen.«

Julian wurde flau. »Oh, Jesus ...« Das war widerlich. Und er fand es ungeheuer mutig von Adam, ihm diese Tatsache zu eröffnen. Wie musste es sich anfühlen, in Blutschande gezeugt zu sein? Er unterdrückte mit Mühe ein Schaudern. »Ja«, sagte er schließlich. »Ich glaube, jetzt wird mir so einiges klar. Und natürlich kannst du zu deiner Mutter gehen, Adam. Frag sie, ob sie mit Vater Michael sprechen will, dann schicken wir nach ihm.«

»Aber sie lassen mich nicht zu ihr. Piers und die anderen.«

Dann weiß ich auch nicht, was wir machen sollen, dachte Julian, ehe ihm wieder einfiel, wer er neuerdings war. Die Erkenntnis ging immer mit heißen Stichen im Magen einher, aber davon ließ er sich nichts anmerken. Er stand auf. »Komm. Und lass uns irgendwas zu essen und zu trinken mitnehmen. Ich glaube, das macht man so, wenn man jemanden besucht, der eingesperrt ist.«

Dankbar folgte Adam ihm zum Bergfried hinüber und auf einem Umweg über die Küche die Treppe zum Kellergeschoss hinab. Trotz der Sommerhitze war es dort unten kühl und dumpfig. Kaum Licht drang von oben hierher, aber ein Stück den Gang entlang steckte eine Fackel in einem Ring neben einer der Türen. Die beiden jungen Männer hielten darauf zu.

Vor der verschlossenen Tür aus dicken Eichenbohlen stand ein jüngerer Angehöriger der Wachmannschaft von Waringham Castle. Julian sann einen Moment auf seinen Namen. »Andrew.«

»Mylord.« Der Mann nickte höflich.

»Lass uns rein, sei so gut.«

Andrew zögerte einen Augenblick. Aber natürlich blieb ihm nichts anderes übrig, ganz gleich, wie groß der Groll der Torwachen gegen Alys war. Widerspruchslos trat Andrew beiseite und zog den Riegel zurück.

Es hat unbestreitbar seine praktischen Seiten, der Earl of Waringham zu sein, erkannte Julian, drückte Adam den Krug in die Hand, den er getragen hatte, und trat den geordneten Rückzug an, weil ihm ein bisschen davor graute, der armen Sünderin in die Augen zu schauen.

Die Sache mit Alys und die Abgründe, die Adam ihm offenbart hatte, deprimierten Julian. Er fühlte sich rastlos und gleichzeitig eigentümlich lethargisch. Eine Weile streifte er im Burghof umher und redete sich ein, den Zustand von Wirtschaftsgebäuden und Verteidigungsanlagen zu inspizieren. In Wahrheit war er mit seinen Gedanken bei seiner Schwester, bei Megan und Edmund, und er wünschte, er wäre dort. In Bletsoe oder in Gottes Namen auch bei Hofe. Er vermisste sie und beneidete sie darum, dass sie beisammen waren, während er allein nach Waringham hatte zurückkehren müssen. Wie ein Verbannter kam er sich vor.

Er merkte kaum, wohin seine Füße ihn trugen, und war verwundert und ein wenig erschrocken, sich schließlich auf dem kleinen Friedhof hinter der Kapelle wiederzufinden. Es war ein stiller, abgeschiedener Ort, zwischen dem kleinen Gotteshaus und der Außenmauer gelegen, teilweise beschattet von einer gewaltigen Sommerlinde. Gar nicht weit von ihrem Stamm entfernt sah Julian seine Mutter im Gras sitzen. Er schloss sich ihr an.

»Ich habe mich gefragt, wann du kommst«, sagte sie zur Begrüßung. »Ich hatte damit gerechnet, dass du es länger vor dir herschiebst. Ich an deiner Stelle hätte das bestimmt getan.«

Julian wusste nichts zu sagen. Er betrachtete das Grab seines Vaters. Es sah noch frisch aufgeschüttet aus, aber der Stein war bereits gesetzt. Er stand im Baumschatten, doch noch war die gemeißelte Inschrift deutlich zu lesen: John of Waringham, *fragilissimae rosae protector*.

Julian war keine Leuchte in Latein, aber dafür reichte es so gerade noch. »*Der Beschützer der zerbrechlichsten Rose?*«, fragte er ungläubig. »Eine so blumige Beschreibung für die Schwäche des Königs hab ich noch nie gehört. Blumig im wahrsten Sinne des Wortes.«

»Es kann auch ›vergänglich‹ bedeuten«, erklärte seine Mutter – ganz die Tochter ihres gelehrten Vaters. »Jedenfalls hat der König selbst diese Inschrift gewählt.«

»Das sieht ihm ähnlich. Er schämt sich noch nicht einmal für das, was er ist.«

»Nein«, bestätigte Lady Juliana. »Dazu hat er auch keinen Grund.«

»Ich würde sagen, darüber ließe sich trefflich streiten«, gab er angrifflustig zurück.

»Ich stehe gern zu deiner Verfügung. Aber nicht hier und nicht jetzt. Setz dich zu mir, mein Sohn. Mir scheint, es wird Zeit, dass wir über deinen Vater sprechen.«

Julian war keineswegs sicher, ob er das wollte, aber er folgte ihrer Bitte. Ein wenig nervös zog er die Schultern hoch, schaute sich um und entdeckte Roberts letzte Ruhestätte am Fuß der Burgmauer. »Nur zwei neue Gräber«, bemerkte er.

»Hm. Roberts Raufbolde und die beiden Torwachen sind im Dorf begraben. Arthur Scrope wollte ich an die Hunde verfüttern lassen, aber Vater Michael ist mir zuvorgekommen, hat ihn in einen Sarg legen lassen und Scropes Ritter mitsamt ihrem toten Dienstherrn fortgeschickt.«

»Du wolltest ihn an die Hunde verfüttern?«, wiederholte Julian schockiert.

»Zumindest kam es mir so vor, als wollte ich das. Vermutlich hätte es mir später leid getan.« Sie dachte einen Moment nach. »Nein, ich glaube doch nicht.«

Julians Lächeln verriet, dass er zwischen Hochachtung und Befremden schwankte. Seine Mutter hatte er noch nie begreifen, geschweige denn vorhersagen können. Er hob einen kleinen, gegabelten Ast auf, den wohl einer der Frühjahrsstürme aus der Linde gerissen hatte, zückte seinen Dolch und begann, die Rinde abzuschälen.

»War deine Schwester nicht bei Hofe?«, erkundigte sich seine Mutter.

»Blanche?«, fragte er verdutzt. »Natürlich.«

»Ich meine Kate.«

»Oh ...« Er vergaß gelegentlich, dass er noch eine ältere Schwester hatte. Kate hatte kurz nach Julians und Blanches Geburt Simon Neville geheiratet – die Zwillinge kannten sie kaum. »Nein. Sie verbringt den Sommer mit den Kindern auf ihren Gütern in Lancashire, hat Simon mir erzählt. Er hat sie aufs Land geschickt, weil er offenbar befürchtet, Kate werde York bei erster Gelegenheit an die Gurgel gehen wegen Vater.«

»Das würde mich nicht wundern«, erwiderte seine Mutter. »Ich nehme an, Simon ist jetzt Captain der königlichen Leibgarde?«

Julian schüttelte den Kopf. »Seltsamerweise nicht. Obwohl er doch all die Jahre Vaters Stellvertreter war. Simon glaubt, die Königin hat es vereitelt. Weil er ein Neville ist. Warwicks Cousin.«

Lady Juliana schnalzte missbilligend mit der Zunge. »Was für ein Unsinn. Arme Marguerite. Für alles, was schiefläuft, machen die Männer bei Hof sie verantwortlich.«

»Kennst du sie gut?«, fragte ihr Sohn neugierig. Er hatte die Enden der Astgabel gekürzt und begonnen, Hufe hineinzuschnitzen.

»Ich bin nicht sicher, ob irgendwer Marguerite d'Anjou wirklich gut kennt. Man merkt es nicht sofort, aber sie hält alle Welt auf Distanz. Woraus du schließen darfst, dass sie eine kluge Frau ist. Außerdem ist sie einsam und hat kein leichtes Leben mit Henry. Aber sie ist eine wahre Königin und trägt ihr Los mit Würde.«

»Na ja ...« Julian klang skeptisch. »Sonntagnachmittag in

Windsor hat sie eine ziemliche Szene gemacht. Sie ist regelrecht aus der Haut gefahren.«

Seine Mutter schlang die Arme um die angezogenen Knie. »Aber ich merke, sie hat dir imponiert?«

Er dachte einen Moment darüber nach. Aus den beiden Armen der Astgabel waren vier kleine Pferdebeine geworden. Nun begann er, in das obere Ende eine Mähne zu ritzen. Er schien kaum auf das zu achten, was seine großen, schlanken Hände taten, aber sie bewegten sich rasch und geschickt – es war eine Freude, ihnen zuzusehen. »Ja«, räumte er dann zögernd ein. »Sie hat etwas Unbeugsames an sich. Wie Stahl. Ich hab bewundert, wie sie Warwick die Stirn bietet. Ich meine ... Ich habe ihn immer verehrt, aber er hat mich auch immer ein bisschen eingeschüchtert. Sie nicht. Das hat mir imponiert. Er glaubt übrigens nicht, dass der König der Vater ihres Sohnes ist. Warwick, meine ich.«

Lady Juliana kräuselte spöttisch die Lippen. »Das würde ich an seiner Stelle auch behaupten. Dieser Prinz macht Yorks Aussichten, legal auf den Thron zu kommen, zunichte. Und da Warwick sein Geschick mit dem des Duke of York verknüpft hat, kann ihm das nicht gefallen, nicht wahr?«

»Der Duke of York steht Englands Krone näher als jeder Lancaster, und darum ist es eigentlich gleich, wie viele Prinzen Marguerite zur Welt bringt.«

Seine Mutter brauste nicht auf. Hielt ihm nicht vor, es sei eine Schande, so etwas am Grab seines Vaters auszusprechen. Das verwunderte ihn ein wenig. Und es enttäuschte ihn, musste er zugeben. Er *wollte* mit ihr streiten. Stellvertretend für seinen Vater. Aber da sie ihm keinen Anlass bot, fügte er lediglich hinzu: »Und sind wir mal ehrlich, es spricht einiges für Warwicks Theorie.«

Als er auf seinem langen Ritt am vorherigen Tag über all diese Dinge nachgedacht hatte, war ihm gar der ungeheuerliche Verdacht gekommen, sein Freund Edmund Tudor könne der Vater des kleinen Edouard sein. Julian hatte schließlich gesehen, wie vertraut Edmund und die Königin miteinander umgingen.

Aber er hatte nicht die Absicht, diesen Gedanken zu äußern, mit dem er seinen Freund des Hochverrats bezichtigt hätte. Auch wenn es nur seine Mutter war, die ihn hörte, die kaum noch bei Hofe verkehrte und den Tudors sehr gewogen war – es gab Dinge, die besser unausgesprochen blieben.

»Ich glaube, du tust der Königin unrecht, Julian«, sagte sie. »Marguerite … Nun, auf ihre etwas eigentümliche Weise liebt sie Henry. Genau wie umgekehrt. Gott, wenn du gesehen hättest, wie er ihr bei ihrer Hochzeit den Ring ansteckte, den mein Vater ihm zu seiner Krönung in Paris geschenkt hatte … Sie waren ein wunderbares Brautpaar. So verliebt. Und Henry hat ihr so feurig den Hof gemacht. Nach ihrer Ankunft in England lag sie krank in Southampton, und er ist inkognito hingeritten und hat sie besucht.« Sie lächelte wehmütig.

Julian traute seinen Ohren kaum. »Das klingt nicht nach dem Henry, den ich kennen gelernt habe.«

Sie wiegte den Kopf hin und her. »Derselbe Mann. Nur älter, kränker und unglücklicher.«

Er hob abwehrend die Hand. »Spar dir die Mühe. Ich kann ihn nicht bedauern. Ich hab's versucht, aber nichts regte sich in mir. Vermutlich liegt es daran, dass ich so einen miserablen Charakter habe. Du darfst nicht zu viel von mir erwarten.«

Sein flapsiger Tonfall konnte sie nicht täuschen. »Womit wir wieder bei deinem Vater angelangt wären, nicht wahr?«, bemerkte sie.

Er nickte, den Blick auf seine Schnitzerei gerichtet. Ein verblüffend lebensechter Pferdekopf war entstanden, und mit der nadelfeinen Spitze seines Dolches bohrte Julian winzige Löcher, wo die Nüstern hingehörten. »Sein alter Kumpel Owen Tudor hat mir schon von seinen denkwürdigen letzten Worten erzählt. Nicht nötig, noch mal davon anzufangen.« Er hob sein Holzpferdchen auf Augenhöhe, drehte es kritisch hin und her, um die Proportionen von Hals und Kopf zu prüfen, und machte sich dann daran, das noch unförmige Hinterteil mitsamt Schweif zu schnitzen.

Eine Weile war nichts zu hören als das Schaben seines

Messers auf Holz und eine Drossel in den Zweigen der Linde. Die Laute des geschäftigen Treibens im Burginnenhof drangen nicht hierher.

»Dein Vater hätte niemals zulassen dürfen, dass ihr euch im Streit trennt«, sagte Lady Juliana schließlich. »Denn er war dein Vater und somit für dein seelisches Wohlergehen verantwortlich. Nicht du für das seine. *Er* trug die Schuld an eurem bitteren Zerwürfnis, nicht du.«

Julian ließ Messer und Schnitzwerk in den Schoß sinken und starrte sie an.

»Was ihn so unversöhnlich gestimmt hat, war, dass manches von dem, was du damals gesagt hast, die Wahrheit war. Eine sehr schmerzliche Wahrheit für ihn. Kein Vater hört gern unangenehme Wahrheiten von seinem sechzehnjährigen Sohn, weißt du.«

Julian hob die Linke mit dem Holzpferdchen zu einer abwehrenden Geste. »›Schlimmer als Robert‹, hat er mich genannt, und er hat es so gemeint, das weiß ich. Schlimmer als dieses Monstrum, das wehrlose Bauern an Bäumen aufknüpft und ihre Füße verbrennt oder seine eigene Schwester schwängert. Aber Robert war Lancaster-treu. Und an diesem und keinem anderen Punkt unterschied Vater zwischen gut und böse.«

Seine Mutter schüttelte den Kopf. »Er war kein Mann, der die Welt so mühelos in schwarz und weiß unterteilen konnte. Er wäre glücklicher gewesen, hätte er das gekonnt, aber dafür war er zu nachdenklich.« Sie unterbrach sich und wandte den Kopf ab. Julian ging auf, wie schmerzlich und schwierig dieses Gespräch für sie sein musste, und er wollte etwas sagen, wollte das Thema wechseln, doch dann legte sie ihre faltige, schmale Hand auf seine Linke und sah ihn wieder an. »Die Aufgabe, den König zu behüten und ihm zur Seite zu stehen, hat dein Vater sich nicht ausgesucht. Sie wurde ihm auferlegt, und sie war niemals leicht. Wahrscheinlich kannte niemand Henry so gut wie er. Glaub mir, er wusste um all seine Schwächen und Unzulänglichkeiten. Und je älter der König wurde, je deutlicher diese Schwächen zu Tage traten, desto schwerer hat dein

Vater an seinem Amt getragen. Oft war er verzweifelt. Er hat getan, was er konnte, um einen anderen Mann aus Henry zu machen, aber man kann nicht ändern, was einem Menschen in die Wiege gelegt wird.«

»Wenn er seine Schwächen kannte, wieso hat er ihm nie den Rücken gekehrt? Ich meine, hat der König ihm seine Treue je gedankt? Ihn mit einem Stück Land belehnt? Ihm ein lukratives Amt gegeben oder eine Jahresrente ausgesetzt wie so vielen Speichelleckern an seinem Hof? Eine Mitgift für Blanche springen lassen? *Irgendetwas* für ihn getan? Nein. Er hat ihn schäbig behandelt und ausgenutzt.«

Lady Juliana deutete ein Schulterzucken an. »Dein Vater konnte Henry so wenig den Rücken kehren, wie er freiwillig hätte aufhören können zu atmen. Königstreue war ein zu wichtiger Bestandteil seiner selbst.«

»Aber der Duke of York sollte von Rechts wegen König sein!«, wandte Julian verständnislos ein.

»Wirklich?«

»Sein Urgroßvater war der ältere Bruder von Henrys Urgroßvater. Somit steht er dem Thron näher, oder nicht?« Seine Finger hatten zu beben begonnen, sodass er eine Klippe in den Schweif seines Holzpferdes schnitzte.

»Dynastisch gesehen, vielleicht«, räumte seine Mutter ein. »Aber König Henrys Großvater – dem ersten Lancaster-König – wurde die Krone vom Parlament angetragen.«

Julian fiel aus allen Wolken. »Ist das wahr?«

»Sei versichert. Er war meines Vaters Bruder, ich sollte es also wissen. Was nun schwerer wiegt – Erbrecht oder parlamentarische Legitimation – darüber könnten wir bis zum Tag des Jüngsten Gerichts debattieren. Tatsache ist: Henry ist der gesalbte König von Gottes Gnaden. Wer daran rütteln will, verstößt nicht nur gegen die Gesetze der Welt, sondern gegen göttliche Ordnung. Dein Vater war ein ewiger Zweifler, doch zu den wenigen Dingen, an die er glaubte, gehörte, dass ein wohlmeinender, aber schwacher König wie Henry der Fürsorge und Unterstützung seiner Lords in besonderem Maße bedarf. Seiner Cousins allemal. Zum Lohn für diese Gesinnung hat Richard of York ihn ermorden lassen. Er ...« Sie kniff die Lider zu, und zwei Tränen lösten sich von ihren Wimpern, aber sie sprach mit derselben, ruhigen Stimme weiter: »Ich würde dich nie dazu drängen, den gleichen Weg einzuschlagen wie dein Vater, Julian, denn es war ein sehr steiniger Weg. Aber du könntest überlegen, ob du nicht wenigstens ein klein wenig Zorn um seinetwillen empfinden solltest. Das hätte er verdient, weißt du.«

»Ja, ich weiß«, räumte Julian vorbehaltlos ein, doch er versprach ihr nichts.

Seine Mutter nahm das Spielzeugpferd in die Hand, das er achtlos ins Gras gelegt hatte. Er verlor meist das Interesse an seinen Schnitzereien, sobald sie fertig waren. Es war hübsch geworden: Kopf und Hals aufgrund der Krümmung des Astes ein wenig zur Seite gedreht, so wie Pferde es taten, die außerhalb ihres Blickfeldes ein Geräusch hörten, das ihre Neugier erweckte. »Für Waringham wird es sich gewiss als Segen erweisen, dass du nach Hause gekommen bist. Vor allem für das Gestüt«, bemerkte sie.

»Ich würde sagen, das muss sich herausstellen«, entgegnete er ein wenig unbehaglich. »Wie du sicher weißt, besitze ich die Gabe nicht. Ich kann nicht so wie Vater oder Blanche in Pferde hineinhorchen, um zu wissen, wie es um sie bestellt ist.«

Lady Juliana erwiderte mit einem kleinen Lächeln: »Bei dir ist es eher umgekehrt: Die Pferde horchen in dich hinein, um zu wissen, wie es um dich bestellt ist, weil sie dich alle so vergöttern.«

Er hob abwehrend die Linke. »Ein guter Pferdezüchter zu sein wird mir jedenfalls nicht in den Schoß fallen. Ich hab heute früh mit Geoffrey gesprochen, und wir haben ein paar Pläne gemacht, aber ob wir ...« Die Worte blieben ihm im Halse stecken, als er seinen toten Cousin Robert hinter der Kapelle zum Vorschein kommen sah. Ein so gewaltiger Schreck durchfuhr ihn, dass er das Blut in den Ohren singen hörte. Erst auf den zweiten Blick erkannte er seinen Irrtum. Der Mann, der mit zögernden Schritten, aber einem warmen Lächeln auf seine

Mutter zutrat, sah Robert of Waringham verblüffend ähnlich, war aber mindestens zehn Jahre älter.

Lady Juliana erhob sich aus dem Gras – mühelos wie ein junges Mädchen. »Daniel!«

Der Fremde nahm ihre ausgestreckten Hände in seine und küsste sie nacheinander. »Ich hab erst vor drei Tagen erfahren, was passiert ist, Juliana. Es tut mir leid.« Seine Stimme klang tief und biergeölt. »Was für eine verfluchte Schurkerei.«

Der junge Earl war ebenfalls aufgestanden. »Daniel?«, fragte er unsicher. »Onkel Raymonds …«

»Bastard, ganz recht«, antwortete der Fremde mit einem spitzbübischen Augenzwinkern und deutete eine Verbeugung an. »Mein teurer Bruder Robert, das kleine Ungeheuer, hat mich aus Waringham verbannt, als unser alter Herr starb, und versprochen, mich im Keller einmauern zu lassen, wenn ich meine Nase hier je wieder zeigen sollte. Aber jetzt, da endlich die Würmer an ihm nagen, dachte ich, ich könnte einen kurzen Besuch riskieren.«

Julian hatte Mühe, sich ein breites Grinsen zu versagen. Ihm war, als gleite ein erdrückendes Gewicht von seinen Schultern. Die zwanglose Unverfrorenheit dieses Mannes hatte etwas Erlösendes. »Dann sei willkommen zu Hause, Cousin.«

Daniel warf Julians Mutter einen erstaunten Blick zu, dann sah er dem jungen Lord in die Augen. »Danke. Ich werde Eure Gastfreundschaft nicht über Gebühr in Anspruch nehmen, Ihr habt mein Wort. Nur lange genug, um das Grab meiner Mutter zu sehen, dann verschwinde ich wieder, My…«

»Nein, sag es nicht«, wehrte Julian mit einem scheuen Lächeln ab. »Mich schaudert jedes Mal, wenn ich es höre. Nenn mich Julian, wenn du so gut sein willst.«

»Also dann, Julian.« Daniel lachte verschmitzt, aber man konnte sehen, dass die Schüchternheit und die aufrichtige Freundlichkeit in dem jungen Gesicht ihn rührten. »Dir muss all dies so vorkommen, als wär dir das Haus auf den Kopf gefallen, wenn ich so drüber nachdenke. Du hast wohl kaum damit gerechnet, Lord Waringham zu werden.«

Julian nickte. »Ein herber Schlag.« Die Fassungslosigkeit, die seiner Miene immer noch anzusehen war, hatte etwas Komisches.

»Ich schätze, du wirst dich daran gewöhnen«, mutmaßte Daniel.

»Ja, das sagen alle. Noch merke ich leider nichts davon. Wo bist du all die Jahre gewesen, Daniel?«

»Im Krieg, und als er verloren war, bei der Garnison in Calais. Aber dort kann ich nicht bleiben. Der Earl of Warwick wird der neue Kommandant von Calais, heißt es, und ich habe nicht die Absicht, die gleiche Luft zu atmen wie dieser kleine Wichtigtuer.«

Julian fuhr fast unmerklich zusammen, ging aber nicht darauf ein. »Nun, es trifft sich gut, dass du heimgekommen bist«, eröffnete er seinem Cousin. »Und keinen Tag zu früh. Morgen kommt der Sheriff her, um deine Schwester Alys aufzuhängen.«

Schockiert sah Daniel von Julian zu dessen Mutter, die ihm in wenigen Worten erklärte, was genau vorgefallen war.

Daniel hatte die Stirn gefurcht, seine Miene war finster. »Robert gehörte aufgehängt«, grollte er. »Nicht sie.«

Lady Juliana hob seufzend die Schultern. »Du hast Recht. Aber wir können nichts tun.«

»Vielleicht doch«, entgegnete ihr Sohn unsicher. »Ich … hätte eine Idee. Aber ich weiß nicht, ob es funktioniert. Auf jeden Fall bräuchte ich Hilfe, und es ist … ziemlich riskant. Wir könnten uns in Schwierigkeiten bringen.«

Daniel verschränkte die Arme und sah ihn an. »Das klingt, als sei deine Idee genau nach meinem Geschmack.«

»Was hast du zu deiner Verteidigung vorzubringen, Alys?«, fragte Reginald Delacour, welcher der Sheriff und Friedensrichter von Kent war.

»Gar nichts, Mylord«, antwortete die Magd. Ihr Blick war voller Trotz, aber die hängenden Schultern verrieten ihre Resignation.

Das Wetter war umgeschlagen. Graue Wolken waren von der See herangezogen, drohten sich jeden Moment über Waringham zu entladen, und ein ungemütlicher Wind fegte über den Anger am Tain. Trotzdem waren die Dörfler vollzählig erschienen, und auch viele Menschen von der Burg hatten sich eingefunden. Die dienstfreien Wachen bildeten eine schweigende Gruppe. Eigentümlich reglos standen sie auf der Wiese, die Mienen grimmig. Die Bauern hielten ein gutes Stück Abstand zu ihnen. Sie standen in einem langgezogenen Halbkreis, Adam und seine Schwester Emily in vorderster Reihe. Adam hielt seinen kleinen Bruder Melvin auf dem Arm, der schon sieben war, aber kaum ein Wort sprechen konnte, und dessen Augen sich ständig nach oben verdrehten. Die anderen drei Kinder, die Alys dem Earl of Waringham geboren hatte, waren genauso schwachsinnig gewesen wie Melvin, aber ihnen hatte Gott die Gnade erwiesen, sie nach wenigen Wochen auf Erden zu sich zu holen.

Sir Reginald Delacour saß an einem langen wackeligen Tisch, dem anzusehen war, dass er schon so manche Reise landauf, landab durch Kent erlebt und bei jedem Wetter als Richterbank gedient hatte. Delacours Schreiber und der Bailiff flankierten den Sheriff, dann kamen zu beiden Seiten je sechs Geschworene – freie Männer aus Waringham und den umliegenden Weilern. Die Büttel und der Henker warteten mit verschränkten Armen unter den Bäumen, und die Beschuldigte stand vor dem Sheriff, mit dem Rücken zu ihren Nachbarn.

»Irgendwer sollte für dich sprechen, Frau«, brummte Delacour. »Wo ist dein Mann?«

»Er hat sich vor fünfzehn Jahren in der Scheune erhängt, Mylord.«

Delacour nickte. Seiner Miene war anzusehen, dass er sich den Rest mühelos zusammenreimen konnte und solche Geschichten schon zu oft gehört hatte. Er war noch keine vierzig und dies seine erste Amtszeit, aber für einen Moment sah er alt aus. So als habe er mehr als genug von den Menschen und ihren Abgründen. »Nun, was immer Lord Waringham dir angetan hat, du hattest kein Recht, seinem erklärten Feind Zugang zur Burg zu verschaffen.«

»Nein, Mylord.«

»Du kannst froh sein, dass wir dich nur aufhängen.«

»Ich weiß.«

»Sieh nur, was du angerichtet hast«, hielt der Richter ihr vor, als hätte sie ihm widersprochen. »Waringham, siebzehn seiner Männer, neun Knappen und zwei treue Wachmänner sind tot. Was wirst du deinem Schöpfer sagen, wenn du vor ihn trittst?«

»Dass es mir leid um die Jungen tut, Mylord. Und um Miles und Roger, die Wachen. Dass es um Waringham und seine Bande von Strolchen nicht schade ist, und dass er mir verdammt übel mitgespielt hat.«

»Waringham?«

»Ich meinte Gott, Mylord.«

Delacours Miene wurde verschlossen. »Du solltest dich jetzt lieber nicht noch weiter versündigen, Alys.«

Sie zuckte die massigen Schultern und sagte nichts mehr.

Der Sheriff schickte die Geschworenen nicht fort, um ihr Urteil zu beraten, wie es eigentlich üblich war. Er sah erst nach links, dann nach rechts, und erntete von beiden Seiten nur ernstes Nicken. Er war ein beleibter Mann, und als er sich erhob, wirkte er schwerfällig. »Alsdann: Du hast deinem Herrn die geschuldete Treue gebrochen und ihn verraten. Du trägst die Verantwortung für neunundzwanzig Menschen, die ihr Leben aushauchen mussten, ohne zuvor von ihren Sünden losgesprochen zu sein. Darum wirst du am Halse aufgehängt, bis der Tod eintritt. Möge Gott deiner Seele gnädig sein.« Er nahm die Feder, die sein Schreiber ihm hinhielt, und setzte seinen Namen unter das schriftliche Urteil. Dann nickte er Vater Michael und seinen Bütteln zu.

Der Dorfpriester von Waringham löste sich aus der schweigenden Zuschauerschar, trat zu Alys und legte ihr segnend die Hand auf den gesenkten Kopf. Während die Männer des Sheriffs ihr die Hände auf den Rücken banden und sie zu den

Buchen führten, ging er leise betend neben ihr her. Als sie im Schatten der Bäume Halt machten, hielt er ihr ein Kruzifix hin. Alys zögerte einen Augenblick, dann kniff sie die Augen zusammen und küsste das Kreuz.

Auf Anweisung des Bailiffs von Waringham war ein dicker Balken mit einer Schlinge daran zwischen zwei der majestätischen Buchen angebracht worden; seine Enden ruhten je in einer stabilen Astgabelung. Es war ein provisorischer Galgen, und der Balken hatte eine deutliche Schieflage, aber er war besser als nichts. Ordentlich verurteilte Übeltäter hängte man nicht einfach an einen Baum – das gehörte sich nicht.

Der maskierte Scharfrichter trat hinzu und schaute Vater Michael an. Der schlug das Kreuzzeichen über Alys und nickte ihm zu. Der Henker wandte sich an Alys. »Wirst du mir vergeben?«

»Ich vergebe dir.«

Er legte ihr die Schlinge um den Hals und zog den Knoten fest. Dann wandte er der Verurteilten den Rücken zu, schulterte das lose Ende des Seils, packte es mit seinen riesigen Pranken und zerrte.

Adam legte seiner Schwester den Arm um die Schultern und zog sie an sich. »Nicht, Emily«, sagte er leise. »Sieh nicht hin.« Sie presste das Gesicht an seine Brust und weinte. Er stellte Melvin auf die Füße und hielt ihm mit der freien Hand die Augen zu. Der kleine Bruder klammerte sich an sein Hosenbein und rührte sich nicht. Adam sah unverwandt zu seiner Mutter. Sein Gesicht zeigte keinerlei Ausdruck, aber Tränen rannen ihm über die stoppeligen Wangen.

Alys war eine schwere Frau, doch der Henker hatte Bärenkräfte. Mit einem Ruck lösten sich ihre Füße vom Boden. Ein Aufseufzen ging durch die Menge wie das Säuseln des Windes. »Angenehme Höllenfahrt, du durchtriebenes Miststück!«, gab der alte Piers ihr mit auf den Weg. Aber der grauenvolle, gurgelnde Laut, der aus Alys' zugeschnürter Kehle drang, übertönte sie alle. Unkontrolliert, in Panik strampelten ihre Füße, sodass ihr Leib zu pendeln begann.

Vater Michael war zu seiner Gemeinde zurückgekehrt, hatte das *Paternoster* begonnen, und viele stimmten mit ein. Adam und Emily waren nicht die Einzigen, die Alys' Abschied mit Tränen begleiteten. Adam war wachsbleich geworden, und Jack, der Vormann des Gestüts, trat unauffällig hinter ihn, damit er ihn auffangen konnte, falls der Sohn der Gehenkten in Ohnmacht fiel.

Alys gab keinen Laut mehr von sich, da sie keine Luft holen konnte, aber es war noch lange nicht vorbei. Ihr Gesicht hatte sich dunkelrot verfärbt und nahm nun eine bläulich-violette Tönung an. Es arbeitete, verzog sich zunehmend zu einer grotesken Fratze. Und immer noch starrte Adam sie an. *Wie kann er das aushalten?*, fuhr es Julian durch den Kopf.

Dann war es plötzlich, als vollführe der Strick eine Pirouette. Er drehte sich, und niemand konnte sich zuerst einen Reim darauf machen. Die leisen Gebete wichen verwundertem Raunen. Als die Zuschauer begriffen, dass das Seil durchgescheuert war und die straff gespannten Stränge sich auseinanderdrehten, ging ein verhaltenes Luftschnappen durch die Reihen. Im nächsten Moment gab das Seil unter seiner Last nach und riss. Mit einem dumpfen Laut landete Alys wieder im Gras, wo sie reglos liegen blieb.

»Gott sei Dank«, flüsterte Julian. Seine Kehle kam ihm seltsam trocken vor, und ihm war schlecht.

»Gott hat sich verdammt viel Zeit gelassen«, knurrte Daniel an seiner Seite. »Ich hoffe, nicht zu lange.«

»Ist es vorbei?«, fragte Lady Juliana. Sie hatte sich nicht überreden lassen, auf der Burg zu bleiben, aber sie hatte die Augen fest geschlossen, seit Alys' Füße den Kontakt zum Boden verloren hatten.

Daniel legte ihr für einen Moment die Hand auf den Arm. »Es ist vorbei.«

Sie standen mit Geoffrey ein wenig abseits von den Bauern am Ufer des Tain. »Soll ich dich heimbringen, Tante?«, fragte der junge Stallmeister fürsorglich.

Sie schüttelte den Kopf.

»Master Fennyng, was ist das für eine unverantwortliche Schlamperei?«, donnerte der Sheriff.

Der Henker riss sich die schauerliche Maske herunter, enthüllte ein pockennarbiges, ausgemergeltes Gesicht, welches schreckenerregender als die Maske wirkte, und breitete ratlos die Arme aus. »Das Seil war tadellos in Ordnung, Mylord. Ich hab's genau überprüft, Ehrenwort.«

Adam hatte seine Geschwister losgelassen und war auf nicht ganz sicheren Beinen zu seiner Mutter gelaufen. Er kniete sich neben sie ins Gras, löste den Knoten des Stricks, der sich tief in ihren Hals gegraben hatte, drehte sie auf den Rücken und legte die Hand auf ihre Brust.

»Verschwinde da, Junge«, befahl der Sheriff. »Weck sie nicht noch mal auf, um Himmels willen, sie hat's ja fast geschafft. Holt einen neuen Strick, Fennyng. Euren eigenen dieses Mal, wenn ich bitten darf. Ich will keine weiteren Überraschungen erleben.«

Der Scharfrichter nickte zerknirscht und eilte zum Karren, der auch den Richtertisch hergebracht hatte.

»Augenblick.« Julian trat ein paar Schritte vor. »Bei allem gebotenen Respekt, Sir, aber das dürft Ihr nicht. Mehr als einmal könnt Ihr sie für ein Vergehen nicht aufknüpfen.«

Delacour runzelte die Stirn. »Und wer seid Ihr, Söhnchen?«

»Der Earl of Waringham.«

»Ah ja? Nun, ich kann mir schon vorstellen, dass Ihr das Vergehen der Magd für eine lässliche Sünde haltet, hat sie Euch doch vortrefflich den Weg geebnet, aber ich kann sie neunundzwanzig Mal aufhängen, wenn ich will. Für jedes verlorene Leben einmal.«

Julian lächelte unverbindlich. »Hättet Ihr sie nicht für alle neunundzwanzig schon verurteilt, vielleicht. Aber so …«

Der Sheriff winkte mit einem unwilligen Knurren ab. »Ich werde den Teufel tun und Haare mit einem Milchbart spalten. Fennyng, wo bleibt der Strick, Herrgott noch mal?«

Daniel trat neben Julian und lockerte scheinbar beiläufig das Schwert in der Scheide. »Der Junge hat Recht, Delacour, und das wisst Ihr verdammt genau.«

Der Sheriff verzog verächtlich die Mundwinkel. »Sir Daniel Raymondson, sieh an. Noch jemand, der Lord Waringham keine Träne nachweint.«

Daniel streifte seinen Handschuh ab und ließ ihn am Zeigefinger vor Delacours Augen baumeln. »Soll ich? Überlegt lieber gut, Mann. Ihr habt mächtig Fett angesetzt, seit wir uns zuletzt gesehen haben.«

»Warum bringt mir denn niemand einen Becher Wasser?«, scholl Adams Stimme zu ihnen herüber. »Ihr Herz schlägt, aber sie atmet nicht!«

Julian wandte den Kopf. »Na los, Emily, hilf deinem Bruder.«

Als löse sich plötzlich ein Bann, lief Emily mit dem kleinen Melvin an der Hand zum Brunnen und schöpfte. Die übrigen Dorfbewohner verfolgten gespannt die Auseinandersetzung.

»Seid Ihr sicher, dass Ihr mich daran hindern wollt, das Gesetz des Königs zu befolgen?«, fragte der Sheriff drohend.

»Ihr seid im Begriff, gegen das Gesetz des Königs zu *verstoßen*«, widersprach Julian, obwohl er wusste, dass es unklug war. Dass allein seine Jugend den Sheriff reizte und er es deshalb lieber Daniel überlassen sollte, diesen Disput zu führen. Aber er konnte sich nicht zurückhalten. »Ein gerissener Strick ist ein Gottesurteil, Sir, und allein der König kann verfügen, den Verurteilten noch einmal aufzuhängen.«

»Und der König würde natürlich nie gegen einen Waringham entscheiden, nicht wahr?«, entgegnete Delacour säuerlich. »Die Frage ist allerdings, wie der neue Lord Protector wohl urteilen würde.«

Mit einem Mal dämmerte Julian, warum der Sheriff so feindselig war. Kopfschüttelnd trat er einen halben Schritt zurück und täuschte Ehrerbietung vor. »Die Tatsache, dass Ihr Yorkist seid und die Waringham Lancastrianer sind, sollte hier nicht von Belang sein, Sir Reginald.«

Emily hatte zu schluchzen begonnen. »Atme! Mutter, atme doch ...«

Daniel ließ den Sheriff stehen und trat unter den provisorischen Galgen. »Wer ist die Kräuterfrau?«, fragte er Adam leise.

Der junge Mann schüttelte mutlos den Kopf. »Gibt keine mehr, seit Eure Mutter tot ist, Sir. Judith Saddler sollte ihre Nachfolgerin werden, aber sie hat sich eines Nachts davongemacht.«

»Wie so viele«, bemerkte Daniel, kniete sich hinter seiner bewusstlosen Halbschwester ins Gras und richtete sie behutsam auf. Er legte den Arm um sie, wiegte sie sacht vor und zurück und benetzte ihr Stirn und Wangen mit dem kühlen Brunnenwasser.

»Ihr müsst natürlich selbst entscheiden, ob Ihr den neuen Lord Protector mit dem Fall einer verurteilten Küchenmagd behelligen wollt, Sir Reginald«, sagte Lady Juliana, »aber hier und heute wird sie nicht noch einmal aufgehängt.«

Delacour betrachtete sie mit einem süffisanten Lächeln. »Ich denke, je weniger Ihr in dieser Angelegenheit sagt, desto besser für Euch, Madam.«

Julian spürte, wie ihm die Galle überkochen wollte, aber ehe er etwas Unüberlegtes sagen oder tun konnte, gab seine Mutter zurück: »Da der König mir bereits Pardon gewährt hat, rauben Eure Drohungen mir nicht den Schlaf, Sir.«

»Auch hier gilt, dass der Lord Protector gewiss eine etwas andere Haltung einnimmt.«

Sie winkte desinteressiert ab. »Für eine Laus wie Arthur Scrope wird der Duke of York sich nicht mit dem König streiten, seid versichert.«

»Wollt Ihr Euren Kopf darauf verwetten?«

»Jederzeit. Von meinen ungezählten Cousins ist Richard of York der kühlste Rechner. Auf Scrope kann er gut verzichten. Er hat ja so viele willige Gefolgsmänner, die sich liebend gern die Hände für ihn schmutzig machen. Nicht wahr, Sir Reginald?«

Der Sheriff hob das Kinn, betrachtete sie noch einen Moment mit verengten Augen und machte dann auf dem Absatz kehrt. »Die Geschworenen sind entlassen. Fennyng, Banon, wir rücken ab. «

Im Schatten der Buchen begann Alys mit einem Mal zu husten und zu röcheln. Von Erleichterung übermannt, ließ Adam sich ins nasse Gras sinken und legte einen Arm über die Augen.

Daniel hörte nicht auf, Alys zu wiegen, und sprach leise und beruhigend auf sie ein. »Schsch. Es wird alles gut, Alys. Ich bin's, dein Bruder Daniel. Ich bin wieder da. Jetzt wird alles gut ...«

Piers, der alte Haudegen von der Torwache, war hinzugetreten und schaute mit verschränkten Armen auf sie hinab. »Also, ich weiß nicht, Sir Dan«, sagte er kopfschüttelnd. »Es ist nicht recht.«

Daniel sah kurz zu ihm hoch. »Komm schon, Mann, hab ein Herz. Du weißt doch genau, wie's war.«

»Mag sein. Aber sie hat Miles und Roger auf dem Gewissen.«

»Wenn Gott ihr vergeben hat, solltest du es auch tun, mein Sohn«, mahnte Vater Michael.

Daniel nickte fromm. »Amen.«

»Wie's aussieht, kommt sie durch«, berichtete Daniel, als er kurz vor Einbruch der Dunkelheit aus dem Dorf auf die Burg zurückkam.

»Gott sei gepriesen«, murmelte Lady Juliana. Man konnte sehen, dass die Ereignisse des Vormittags ihr zu schaffen gemacht hatten. Ihre Augen waren bekümmert und unruhig, ihre Wangen fahl. Doch gleichzeitig sah Julian, dass es ihr Sicherheit gab, wieder einen Mann im Haus zu haben, der nicht ihr Sohn war. Plötzlich konnte sie gar wieder den Raum betreten, in dem Robert of Waringham und Arthur Scrope ihr Leben verloren hatten.

Es kränkte ihn ein wenig, dass nicht er es war, der seiner Mutter Geborgenheit geben konnte, aber dennoch war er dankbar, dass Daniel ihm wenigstens diesen Teil der Bürde abgenommen hatte. Und sei es auch nur vorübergehend.

»Richtigerweise müsste es wohl heißen, Julian sei gepriesen«, bemerkte Daniel, während er sich zu ihnen an den Tisch setzte. »Das war ein großartiger Plan, Junge.«

Julian hob abwehrend die Linke. »Wär beinah schiefgegangen.«

Es war nicht so leicht gewesen, das Seil nachts zu präparieren. Unter dem Vorwand, mit Geoffrey ein paar Krüge leeren zu wollen, hatten sie die Burg verlassen, als es dunkel war, hatten die ganze Zeit befürchtet, die Männer der Torwache könnten ihnen auf die Schliche kommen. Während Daniel den Bailiff, der den Galgen bewachte, mit einem Becher Wein und in dröhnender Lautstärke vorgetragenen Kriegsanekdoten ablenkte, hatte Julian sich in ihrem Rücken angeschlichen und in beinah völliger Dunkelheit das Seil an der Stelle angeritzt, wo es seiner Schätzung nach über den Balken scheuern würde, sobald Alys hing. Es war alles andere als einfach: Das Seil musste noch stark genug sein, um der Überprüfung durch den Scharfrichter standzuhalten und nicht durchgeschnitten auszusehen, wenn es schließlich nachgab, aber auch schwach genug, um zu reißen, ehe die Verurteilte erstickt war. Julian hatte dergleichen nie zuvor getan – er hatte nur raten können, wie tief er schneiden musste. Die Minuten, die es gedauert hatte, bis der Strick endlich gerissen war, waren ihm wie Jahre erschienen.

Daniel betrachtete ihn mit einem kleinen Lächeln. »Dein alter Herr hätte uns ganz schön was gehustet, wenn er erlebt hätte, was wir getan haben.«

»Ja, todsicher«, stimmte Julian unbehaglich zu. »Wie geht es Alys?«

»Na ja. Es wird ein paar Tage dauern, bis sie wieder richtig auf dem Damm ist. Aber sie war schon wieder hinreichend bei Kräften, um Unmut zu verbreiten. Sie lässt dir ausrichten, du sollst nicht erwarten, dass sie dir Dankbarkeit zollt.«

»Sie *weiß*, dass wir …?«

»Ich hab's ihr gesagt. Ich fand, sie sollte es wissen.«

Es war einen Moment still. Dann schenkte Lady Juliana Wein in einen der kostbaren Glaspokale, die sie zur Feier des Tages vom Wandbord geholt hatte, reichte ihn Daniel und bat:

»Erzähl uns ein wenig mehr von dir. Was hast du gemacht in all den Jahren?«

»Das Gleiche wie früher«, antwortete Daniel achselzuckend. »Ich hab mich rumgetrieben, bis ich jemanden fand, der sich mit mir schlagen wollte. War die Schlacht vorüber, bin ich weitergezogen. Auf die Art vergehen zehn Jahre wie im Flug.«

»Hast du geheiratet?«

Er sah ihr in die Augen. »Nein.«

Sie gab vor, den Blick nicht zu verstehen, und wandte in einer beinah königlichen Geste den Kopf ab.

»Und was hast du nun für Pläne?«, fragte Julian.

»Im Augenblick gar keine«, gestand Daniel.

»Ich wünschte, du würdest ein Weilchen bleiben.«

»Tatsächlich? Hat dir nie jemand erzählt, dass ich ein Taugenichts bin?«

Julian grinste flüchtig. »Vielleicht gerade deswegen. Nein, im Ernst. Ich könnte hier weiß Gott ein bisschen Hilfe gebrauchen. Du kennst die Leute von Waringham viel besser als ich. Ich … habe keine Ritterschaft. Ich weiß überhaupt nicht, womit ich anfangen soll, um den Scherbenhaufen zu kitten, den Robert mir hinterlassen hat. Obendrein will Edmund Tudor, dass ich mit ihm nach Wales gehe. Und …«

»Du solltest nicht zu viel von mir erwarten, Julian«, fiel Daniel ihm warnend ins Wort. »Ich mag aussehen wie ein Waringham, aber ich bin keiner. Keine Respektsperson, weißt du. Ganz sicher nicht der richtige Mann, um dein Steward zu werden.«

»Du willst nicht bleiben«, schloss der jüngere Mann enttäuscht.

»Doch«, widersprach sein Cousin unerwartet. »Wenn du die Wahrheit wissen willst: Ich werde in ein paar Monaten fünfzig Jahre alt und hab das Gefühl, ich sollte mir allmählich ein ruhiges Plätzchen suchen. Ich bin das Vagabundendasein satt. Solltest du mir dieses Plätzchen hier bieten, dann ist das mehr, als ich zu hoffen gewagt und als ich verdient habe. Aber außer ein paar vermutlich schlechten Ratschlägen werd ich dir nicht viel zu bieten haben.«

Julian war dennoch erleichtert. »Nun, wie ich schon sagte: Sei willkommen zu Hause, Daniel. Und der Rest findet sich schon irgendwie.«

Während im Dorf die Schafschur und die Heuernte begannen, fand der Haushalt auf der Burg langsam wieder zur Ruhe, und Julian verschaffte sich allmählich einen Überblick. Ohne Robert war Waringham ein vollkommen anderer Ort, hatte er zu seinem Erstaunen festgestellt. Selbst die hässliche alte Burg verlor etwas von ihrer bedrückenden Düsternis, nachdem Roberts allgegenwärtiger Schatten verschwunden war.

Manchmal mit, meist aber ohne Daniels Begleitung ritt Julian ins Dorf, hinüber nach Hetfield und zu den anderen Weilern der Baronie, besuchte seine Vasallen, sprach mit Förstern und Reeves. Die Bauern taten alles, um ihm den Einstand zu erleichtern, denn sie hatten seinen Vater sehr geschätzt, sie waren dankbar, dass Roberts Schreckensherrschaft ein Ende hatte, und vor allem verehrten sie Julian dafür, dass er dem Sheriff ein Schnippchen geschlagen hatte, um einer Küchenmagd das Leben zu retten. Wie üblich hatte das »Geheimnis« sich unter der Landbevölkerung wie ein Lauffeuer verbreitet.

»Dann bleibt mir nur zu hoffen, dass die Torwachen nichts davon erfahren, sonst steht mir vermutlich eine Meuterei ins Haus«, brummte Julian.

Adam zuckte unbekümmert mit den Schultern. »Darum macht Euch keine Sorgen, Mylord.« Sie standen zusammen im Hundezwinger. Julian hatte zwei Drittel der Jagdhunde verkauft, weil er derzeit ohnehin kein Geld hatte, um dem König ein Jagdrecht zu bezahlen, und der Verkauf der Tiere eine willkommene Einnahmequelle darstellte. Nun überlegten sie, wie sie den Zwinger für die wenigen Hündinnen und ihren Nachwuchs aufteilen sollten. »Kein Bauer käme im Traum darauf, es ihnen zu verraten«, fuhr Adam fort. »Ich wünschte nur ...«

»Ja?« Julian war über die niedrige Bretterwand in Dianas Pferch gestiegen und hatte einen der Welpen, die jetzt vier

Wochen alt waren, aufgehoben. Diana ließ ihn nicht aus den Augen, aber sie erhob keine Einwände.

»Ich wünschte, Ihr würdet mir verraten, warum Ihr es wirklich getan habt«, sagte Adam.

»Ist das so schwer zu begreifen?«, fragte Julian ein wenig grantig. »Tja, vielleicht ist es das«, antwortete er sich selbst und legte den Welpen wieder neben seiner Mutter ins Stroh. »Wer nicht erlebt hat, wie es ist, einen Cousin wie Robert zu haben, weiß vielleicht nicht, was echte Scham bedeutet.«

Adam schnaubte. »Wer in Blutschande gezeugt ist, kennt sich mit Scham ziemlich gut aus, Mylord. Aber Ihr tragt keine Verantwortung für die Taten Eures Vetters.«

»So wenig wie du für die Umstände deiner Zeugung.« Julian richtete sich auf und wandte sich zu ihm um. »Adam, ich hab was mit dir zu besprechen.«

»Und zwar?«, fragte der junge Mann verblüfft.

Julian kletterte wieder über die Trennwand, nahm Adam die Mistgabel ab und lehnte sie an die Wand. »Wenn du fortwillst, kannst du gehen. Das gilt natürlich auch für deine Schwester, deinen Bruder und eure Mutter. Ich könnte verstehen, wenn ihr irgendwo neu anfangen wollt, wo keiner weiß ... wo keiner über euch Bescheid weiß.«

Adam hatte die Arme verschränkt und lauschte aufmerksam. »Aber?«

»Weißt du, dass die Hälfte aller Ackerflächen in Waringham brachliegt, weil Robert die Bauern weggelaufen sind?«

»Natürlich. Und sie wären verrückt gewesen, hätten sie's nicht getan. Ist die Flucht erst einmal geglückt, können sie anderswo besseres Land als freie Pächter bewirtschaften.«

»So ist es. Und damit mir der Rest nicht auch noch davonläuft, werden die Bauern von Waringham, Hetfield und so weiter in Zukunft ebenfalls freie Pächter. Der Frondienst wird abgeschafft. Jeder Bauer bekommt so viel Land in Waringham, wie er bestellen kann. Aber das wird nicht reichen, um wirklich wieder das ganze Land zu bewirtschaften. Ich muss neue Pächter nach Waringham holen. Mit günstigen Pachten locken oder weiß der Henker was sonst. Die Frage, um die ich hier herumschwafle, Adam, ist: Willst du einer dieser neuen freien Pächter werden?«

Adam starrte ihn einen Moment mit offenem Munde an. Dann lachte er leise. »Wollt Ihr ein Paradies aus Waringham machen? So hört es sich jedenfalls an.«

»Ach, hör schon auf«, entgegnete Julian. »Es ist doch inzwischen beinah in ganz England so. Seit der großen Pest gibt es zu viel Land und zu wenige Bauern, und unter solchen Voraussetzungen sind Bauern auf einmal kostbar. Das haben so ziemlich alle Landeigentümer inzwischen begriffen. Alle außer Robert. Also? Ja oder nein?«

Adam nickte. »Oh ja, Mylord.«

Julian streckte die Hand aus. »Beim nächsten Gerichtstag überlegen wir mit dem Reeve und dem Bailiff, wie das Land neu aufgeteilt wird. Es kann nicht schaden, wenn du schon mal über die Felder wanderst und dir deine Scholle aussuchst.«

Adam schlug ein. »Gott, das muss ein Traum sein …«

»Nein, nein.« Julian boxte ihm unsanft gegen die Schulter. »Siehst du?«

Sie lachten, bis ihnen gleichzeitig wieder einfiel, wer sie heute waren, und beide verlegen wegschauten.

Adam räusperte sich. »Tja, Mylord. Was kann ich sagen? Vielen Dank.«

Julian nickte. »Du tust mir ebenso einen Gefallen wie umgekehrt. Je schneller ich neue Pächter finde, umso eher kommen wir hier wieder auf die Beine.« Robert hatte das Land beliehen, um Schulden zu machen, und Julian musste wenigstens versuchen, sie zu tilgen, ehe er das Land verlor. Auf dass die Geister seiner Ahnen ihn nicht heimsuchten. Aber er gedachte nicht, das Adam zu erzählen.

»Nur sagt mir, Mylord, was wird aus Eurem Gutsbetrieb? Wer soll Euer Land bestellen, wenn die Bauern keinen Frondienst mehr leisten müssen?«

»Niemand«, antwortete Julian. »Der Gutsbetrieb wird genauso abgeschafft wie die Fron. Ich behalte meine Schafe –

ich wär verrückt, wenn ich es nicht täte, denn seit der Krieg aus ist, steigen die Wollpreise wieder. Die Schafherden, meinen Anteil am Gestüt und genügend Weideland. Das ist alles. Der Rest wird verpachtet.«

Adam schüttelte verwundert den Kopf. »Du meine Güte … so viele neue Ideen auf einmal.« Mit einem Mal schien ihm die Sache nicht mehr ganz so geheuer zu sein.

Julian lächelte freudlos. »Du fragst dich, was mein alter Herr dazu sagen würde, dass ich das Gut auflöse, was?«

»Na ja, ich …« Adam geriet ins Stocken und nickte. »Es steht mir vermutlich nicht zu, das zu sagen, und es geht mich ja auch überhaupt nichts an, aber es kommt mir *sehr* gewagt und neumodisch vor.« Adam hatte einen gesunden Argwohn gegen alles Neue – zumindest in der Hinsicht war er schon ein waschechter Bauer.

»Aber das ist es nicht«, widersprach Julian. »Überall in England machen die Lords es so. Der Earl of Warwick, zum Beispiel. Und es funktioniert, ich hab's gesehen.« Er breitete kurz die Arme aus. »Die Zeiten haben sich geändert. Auch in Kent, selbst wenn man hier weiß Gott noch nicht viel davon merkt.«

»Ich denke, das wird sich schnell ändern.« Es war schwer zu sagen, was Adam von diesen Aussichten hielt.

»Tja. Jetzt bräuchte ich nur noch einen Steward, der meine ehrgeizigen Reformen auf den Weg bringt, während ich weg bin.«

»Ihr wollt schon wieder fort?« Adam klang enttäuscht.

Julian war nicht sicher, ob er wollte. Was er niemals für möglich gehalten hätte, war geschehen: Er hatte entdeckt, dass er Wurzeln in Waringham hatte. Die Aufgabe, die abgewirtschaftete Baronie wieder zur Blüte zu bringen, beflügelte ihn, und er hätte sich ihr gern mit aller Kraft gewidmet. »Ich werde nicht gefragt, ob ich will oder nicht«, erklärte er dem Knecht. »Aber in ein paar Wochen heiratet mein Dienstherr meine Cousine. Ich glaube kaum, dass ich mich drücken kann.«

»Henri, mon très cher mari«, sagte die Königin. »Erlaubt mir, nach Euren Kammerdienern zu schicken. Sie sollen Euch behilflich sein, andere Gewänder anzulegen.« Sie sprach sanft, wie zu einem geliebten, aber ungebärdigen Kind.

Der König winkte ungehalten ab. »Nichts da, Marguerite.«

»Aber es ist nicht recht, dass der König so unfestlich gekleidet vor seinen Hof tritt«, gab sie zu bedenken.

Unfestlich ist noch sehr gelinde ausgedrückt, fuhr es Blanche durch den Kopf. Sie hatte mit Megan über einer Partie Schach gesessen, aber natürlich hatten sie ihr Spiel unterbrochen, als der König die Gemächer seiner Gemahlin betreten hatte. Nur bot er eine so unkönigliche Erscheinung in seinem ausgebeulten Surkot aus schlichter brauner Wolle, dessen Brust statt Perlen- oder Goldstickereien Kleckerspuren des Frühstücks aufwies, dass Blanche sich eigentümlich erniedrigt fühlte, vor ihm das Knie zu beugen.

Mit einem milden Lächeln streckte er den beiden jungen Damen die Hände entgegen. »Erhebt Euch, Mesdames. Nun, Megan? Wirst du allmählich aufgeregt drei Tage vor deiner Hochzeit?«

Blanche war verblüfft, dass er das Datum offenbar so genau im Kopf hatte, schien er doch sonst meist nicht zu wissen, ob am nächsten Tag Ostern oder Weihnachten war.

»Ich tue kaum mehr ein Auge zu, Sire«, gestand Megan. »Ich bete um den Beistand des heiligen Nikolaus und der Heiligen Muttergottes, deren Himmelfahrt wir heute begehen, dass alles gut geht, ich nicht über den Saum meines Kleides stolpere oder beim Eheversprechen zu stammeln anfange.«

Er nickte zerstreut, schien kaum gehört zu haben, was sie sagte, und es war Blanche, die er anschaute. Für einen Lidschlag ruhte sein Blick auf ihrem Dekolleté und glitt dann zur Seite. »Ihr solltet Euch schämen, mein Kind, wahrlich und wahrlich.«

Blanche spürte, wie ihr das Blut in die Wangen schoss. Unwillkürlich schaute sie an sich hinab, aber sie fand nichts, das seinen Tadel rechtfertigte. Sie trug ein moosgrünes Kleid, das nach der neuesten Mode gearbeitet war. Es war das beste, welches sie besaß, und sie liebte es besonders, weil es das letzte Geschenk war, das sie von ihrem Vater bekommen hatte. Die Farbe betonte den Glanz ihrer beinah schwarzen Locken und die dunklen Augen. Der Ausschnitt war viereckig, erlaubte einen großzügigen Blick auf ihren weißen Schwanenhals und die Schultern, doch ihr Busen, stellte sie erleichtert fest, war züchtig bedeckt und nur der Ansatz sichtbar.

»Sire ... Ich verstehe nicht, was Ihr meint.«

»Wirklich nicht? Denkt Ihr, das sei ein angemessener Aufzug für den heutigen Tag?«

Blanche biss sich beinah die Zunge blutig, so groß war ihre Mühe, nicht zu erwidern, dass man den König mit Fug und Recht das Gleiche fragen könne.

Marguerite errettete sie aus ihrer misslichen Lage. Sie kam vom Fenster herüber und legte dem König eine beschwichtigende Hand auf den Arm. »Es ist so gut von Euch, dass Ihr mit fürsorglicher Strenge versucht, Lady Blanche den Vater zu ersetzen, der so grausam aus unserer Mitte gerissen wurde. Aber sie ist jung, Sire, und trägt nur, was alle jungen Damen heutzutage tragen.«

»Es ist eine Schande«, beharrte er. Der Tonfall war beinah quengelig.

Blanche verdrehte hinter seinem Rücken die Augen und handelte sich von Megan einen vorwurfsvollen Blick ein.

»Ich bin überzeugt, Lady Blanche wird zum Kirchgang ein Tuch um die Schultern legen, wenn es Euer Wunsch ist«, fuhr die Königin fort. »Ich hätte eines, das hervorragend zu ihrem hübschen Kleid passt. Ich könnte es ihr leihen.«

Henry nickte. »Seid so gut.«

»Dann werdet Ihr mir im Gegenzug aber gewiss auch eine Gefälligkeit bezüglich Eurer Festtagsgarderobe erweisen?«

»Madame?«

Nicht zum ersten Mal, seit sie an den Hof gekommen war,

fragte sich Blanche, ob der König wirklich nicht verstand, was Marguerite ihm sagte, oder ob er ihr seine Begriffsstutzigkeit nur vorspielte. Sie kam nie zu einem befriedigenden Ergebnis. Es gab Tage, da der König so verwirrt war, dass er sich nur mit Mühe der Namen seiner engsten Vertrauten zu erinnern schien. Es gab Tage, da man ihn überhaupt nicht zu sehen bekam und über seinen Geisteszustand nur spekulieren konnte. Aber ebenso gab es Tage, da Blanche der Verdacht beschlich, Henry führe sie alle an der Nase herum.

»Eure Kammerdiener, Sire«, erklärte die Königin behutsam.

Henry betrachtete sie kopfschüttelnd. »Kann es sein, dass der König von England hier gerade Opfer einer Erpressung wird?«

Marguerite lächelte ihn warm an. »Das halte ich für ausgeschlossen, *mon roi*.«

Plötzlich schmunzelte der König, dann begann er leise zu lachen. Er nahm die linke Hand seiner Gemahlin und führte sie kurz an die Lippen. »Also dann, es soll so sein, wie du wünschst, Marguerite.«

Sie belohnte ihn mit ihrem strahlenden Lächeln, das es selbst dem Earl of Warwick manchmal schwer machte, sie so leidenschaftlich zu verabscheuen, wie ihm angemessen schien. »Und was war der Grund, warum Ihr uns mit Eurem Besuch beehrt, Sire?«, fragte sie.

Henrys Blick glitt in die Ferne. Er weiß es nicht mehr, erkannte Blanche. Aber dann fiel es ihm wieder ein. »Ich hätte etwas mit Euch zu besprechen, Madame.« Er sah zu Blanche und Megan. »Würdet Ihr uns wohl ein Weilchen entschuldigen?«

Blanche stieß hörbar die Luft aus, als sie ins Freie traten. Es war ein brütend heißer Tag, wie es sie nur im August gab, aber ihr kam es vor, als könne sie plötzlich wieder freier atmen.

»Sag es nicht«, bat Megan hastig.

»Was soll ich nicht sagen?«

Das junge Mädchen zog die zierlichen Schultern hoch. »Ich weiß nicht. Irgendetwas Gehässiges. Deine Bemerkungen über König Henry werden mit jedem Tag schärfer, sollte dir das nicht bewusst sein. Dabei meint er es nur gut.«

Blanche hakte sich bei ihr ein und unterdrückte ein Seufzen. »Ja, ich weiß. Und ich weiß auch, dass du ihm insgeheim Recht gibst und denkst, mir mangele es an Demut und frommem Eifer. Aber weder mein Benehmen noch mein Aufzug sind je unschicklich – oder zumindest nicht, seit ich hierhergekommen bin –, und mir das zu unterstellen ist himmelschreiend ungerecht.« Sie verbiss sich mit Mühe ein Grinsen. »Ich könnte auf die Idee kommen, dass es sich gar nicht lohnt, mich so zu bemühen. *Dann* hätte Henry Grund, über mich zu klagen. Jetzt noch nicht.«

Megan schien wie so oft unentschlossen, ob sie Blanches Respektlosigkeit bewundern oder verurteilen sollte. »Ich gebe ihm nicht insgeheim Recht«, widersprach sie, während sie Arm in Arm den Innenhof überquerten. »Aber ich bin nicht so … unerschrocken wie du. Ich würde nie wagen, den missfälligen Blick des Königs auf mich zu ziehen. Ich habe immer nur das getan, was man mir auftrug und was man von mir erwartete, weil es das Sicherste ist. Und ich habe mir schon oft gewünscht, ich könnte so sein wie du.«

Blanche betrachtete sie verblüfft. Dann schüttelte sie den Kopf. »Ich bin nicht unerschrocken, Megan. Im Gegenteil. Seit mein Vater ermordet wurde, habe ich immer das Gefühl, am Rand einer Klippe zu stehen, während ein vermummter Feind sich von hinten anschleicht, um mich hinunterzustoßen. Es ist genau, wie Owen Tudor zu mir gesagt hat: Nichts ist mehr sicher. Du hast deinen Vater nie gekannt. Du hast praktisch dein ganzes Leben am Rand dieser Klippe verbracht. Es ist kein Wunder, dass du dich gut festhältst und gelegentlich mal über die Schulter blickst.«

»Nein, das kann man nicht vergleichen«, fand Megan. »Ich war immer wohl behütet.«

Und trotzdem schutzlos ausgeliefert, dachte Blanche. Ein

Spielball. »Wahrscheinlich kommt es dir so vor, weil du ein so großes Gottvertrauen hast. Das ist übrigens etwas, worum *ich dich* schon manches Mal beneidet habe.«

Die Jüngere winkte lächelnd ab. »Was für törichte Gänse wir sind, dass wir uns wünschen, wie die andere zu sein. Das ist eitel und undankbar.«

»Da hast du wahrscheinlich Recht.«

Sie hatten die Mitte des unteren Hofs beinah erreicht, als das allgemeine Gedränge sie zum Stillstand brachte. Fein gekleidete Lords und Damen standen in Gruppen beisammen und plauderten. Eine große Jagdgesellschaft ritt zum Tor, an ihrer Spitze der edel gewandete Abt von St. Thomas, gefolgt von mehreren Falknern mit den prächtigsten Vögeln. Alle waren nach Windsor gekommen, um den hohen Feiertag zu begehen, doch nur die wenigsten strebten zur St.-Georgs-Kapelle. Im Torhaus gab es einiges Gedränge, denn den Jägern kam der Bischof von London mit seinem riesigen Gefolge entgegen.

»Du meine Güte, was für ein Durcheinander«, murmelte Blanche.

»Wohin gehen wir eigentlich?«, fragte ihre junge Cousine argwöhnisch, als sie feststellen musste, dass es auch Blanche offenbar noch nicht zum Gotteshaus zog.

Blanche tat unbestimmt. »Oh, ich …«

Megan blieb stehen. »Nein. Wir werden nicht schon wieder in den Pferdestall gehen. Ohne mich.«

»Komm schon, nur ganz kurz. Ich schwöre dir, ich habe nicht die Absicht, beim Misten zu helfen.« Sie wies auf ihr feines moosgrünes Gewand. »Dafür bin ich kaum passend gekleidet.«

Megan fiel etwas ein. »Ach herrje. Jetzt sind wir hier unten, und du hast das Tuch der Königin noch gar nicht. Schnell, lass uns zurückgehen und es holen. Wenn wir uns beeilen, sind wir pünktlich zu Beginn der Messe wieder da.« Sie wollte kehrtmachen und Blanche mit sich ziehen.

Aber ihre Freundin rührte sich nicht und schaute zum Torhaus. »Warte einen Augenblick.«

»Wir haben aber keine Zeit. Du musst …«

Plötzlich erstrahlte Blanches Gesicht. »Da kommt mein Bruder!«

Megan suchte das Gedränge mit den Augen ab und sah den blond gelockten jungen Ritter auf dem kostbaren Waringham-Ross aus dem Schatten des Torhauses reiten. »Woher wusstest du das?«, fragte sie verblüfft.

»Hm? Oh, keine Ahnung. Das war immer schon so. Ich weiß es einfach, wenn mein Bruder kommt. Vater Michael in Waringham sagt, das gibt es bei vielen Zwillingen.«

Mit dem gleichen etwas unheimlichen Gespür entdeckte Julian seine Schwester mühelos inmitten all der Menschen im Burghof. Er lächelte, und die Hand, die er zum Gruß hob, zeigte unauffällig auf das große Stallgebäude östlich des Tores.

Blanche wandte sich an ihre Freundin. »Geh nur schon vor zur Kapelle, Megan. Ich komme mit Julian nach.«

»Gewiss doch«, spöttelte die Jüngere. »Vielleicht kannst du ja seine Satteldecke borgen, um dich züchtig zu bedecken.«

Blanche hörte gar nicht mehr hin. Mit gerafften Röcken lief sie zum Stall hinüber – Lords und Ladys stoben vor ihr auseinander und schauten ihr mit missfälligem Kopfschütteln hinterher – und riss ihren Bruder förmlich aus dem Sattel.

Lachend schloss Julian sie in die Arme. »Ungestüm wie eh und je.«

»Hm. Mir fehlt dein festigender Einfluss.« Sie stellte sich auf die Zehenspitzen, und doch musste Julian sich ein klein wenig herunterbeugen, damit seine Schwester ihm die Wange küssen konnte. »Du kratzt«, beschied sie.

»Das ist kein Wunder. Ich habe mich gestern Morgen zuletzt rasiert, eh ich zu Hause losgeritten bin.«

Blanche nahm Dädalus am Zügel und führte ihn in das großzügige, helle Stallgebäude. »Wo hast du übernachtet?«, fragte sie über die Schulter.

Julian folgte ihr. »In London. Ich besitze neuerdings ein Haus in Farringdon, das wollte ich mir anschauen.«

»Und? Wie ist es?«

»Groß. Und ziemlich verkommen. Robert hat es gelegentlich

genutzt, aber nicht oft. Ich muss mir überlegen, was ich damit mache. Aber nun erzähl mir von dir, Blanche. Was hast du hier getrieben in all den Wochen?«

Sie hatte das Gefühl, dass er nicht weiter über das alte Waringham-Haus in Farringdon reden wollte. Als habe er dort etwas vorgefunden, das ihn erschreckt hatte. Aber sie bedrängte ihn nicht. Mit leisem Bedauern übergab sie Dädalus der Obhut eines Stallknechts. Sie hätte den prächtigen Rappen lieber selbst abgesattelt und versorgt, aber sogar Blanche sah ein, dass das höchst befremdlich gewirkt hätte, vor allem an einem Tag wie diesem.

Sie nahm ihren Bruder bei der Hand und zog ihn zu der Stiege, die auf den Heuboden hinaufführte. »Komm. Da oben sind wir ungestört.«

»Blanche, ich bin extra gestern aufgebrochen, um heute pünktlich zum Hochamt hier zu sein, aber ich habe das Gefühl, wir gehen nicht hin, richtig?«

Sie machte eine unbestimmte Geste. »Es sei denn, du bestehst darauf.«

»Nein«, gestand er offen. »Ich wollte meinen guten Willen beweisen und einen besseren Eindruck auf den König machen als bei unserer letzten Begegnung.«

»Spar dir die Mühe«, gab sie zurück und erklomm die erste der knarrenden Sprossen. »In dem Gedränge merkt er nicht, wer da ist und wer nicht, und heute Abend hat er es ohnehin wieder vergessen.«

Aus dem Augenwinkel sah sie, dass der junge Stallbursche vor sich hin grinste, und plötzlich schämte sie sich ihrer respektlosen Worte. »Reib ihn ja gründlich ab«, fuhr sie den Jungen an. »Und wenn er trocken ist, striegelst du ihn, hast du verstanden, Hugh?«

»Natürlich, Lady Blanche«, erwiderte der sommersprossige Flegel unbekümmert.

Blanche wandte sich ab. Sie wusste sehr wohl, dass die Knechte in den königlichen Stallungen insgeheim die Köpfe über sie schüttelten. Sie kamen nicht umhin, ihrem Pferdeverstand Respekt zu zollen, aber sie fanden die pferdesüchtige Lady unmöglich.

Oben angekommen, ließ sie sich auf einen Strohballen sinken. »Ich habe mir hier in Windeseile den Ruf erworben, ein wenig absonderlich zu sein«, eröffnete sie ihrem Bruder. »Ja, ja, sag es ruhig.«

»Was?«, fragte er lächelnd und setzte sich zu ihr.

»Dass das kein Wunder ist. Ich *bin* absonderlich.«

»Höchstens ein bisschen.«

Blanche knuffte ihn zwischen die Rippen. »Mach dich nur lustig. Ich sag dir, manchmal wird mir hier angst und bange. Wusstest du, dass der König höchstpersönlich meine Vormundschaft übernommen hat?«

»Edmund hat es mir geschrieben.«

»Ich fürchte, er will mich mit irgendeinem betagten Langweiler verheiraten, damit er mich in sicheren Händen weiß.«

Julian runzelte die Stirn. »Hat er schon einen Namen genannt?«

Sie nickte, ohne ihrem Bruder in die Augen zu sehen. »Sir Thomas Devereux.«

»*Devereux?*« Julian schnaubte.

»Kennst du ihn?«

Er schüttelte den Kopf. »Nur den Namen. Die Schwester des Earl of Waringham soll einen kleinen Ritter aus den Grenzmarken heiraten? Ich fürchte, um den Verstand des Königs ist es schlechter bestellt, als wir alle angenommen haben ...«

Blanches Mundwinkel verzogen sich für einen Moment zu einem kleinen Koboldlächeln, aber in Wahrheit beunruhigte sie diese Sache. »Die Devereux sind vielleicht nicht besonders vornehm, aber reich. Das heißt, ihnen liegt mehr an einer Verbindung zum Adel als an Geld. Es gibt ja immer noch das kleine Problem mit meiner Mitgift.«

»Es wird Zeit, dass du vom Hof verschwindest«, befand Julian. »Wenn Henry dich nicht mehr ständig sieht, wird er dich und deine Verheiratung einfach vergessen.«

»Ja, das würde er vielleicht, wenn die Königin ihn nicht

ständig daran erinnerte. Sie fühlt sich ... verantwortlich für mich. Weil der König doch mein Vormund und streng genommen unser Vetter ist.«

»Verstehst du dich gut mit der Königin?«, fragte Julian neugierig.

»Na ja ...« Blanche überdachte die Frage einen Moment. »Sie ist sehr gut zu mir und zu Megan auch. Manchmal haben wir richtig unbeschwerte Tage mit ihr verlebt, vor allem, wenn es dem König gut geht und der Duke of York keine Boten mit Nachrichten sendet, die sie ärgern. Aber manchmal ist sie auch voller ... Groll. Und Ungeduld. Wenn der König sich in einen seiner merkwürdigen Dämmerzustände verabschiedet, schaut sie ihn manchmal an, als würde sie ihm am liebsten die Kehle durchschneiden.«

Sie erzählte ihrem Bruder, was sie im Laufe des letzten Vierteljahres am Hofe beobachtet hatte. König Henry war in den Händen seiner Magnaten und Ratgeber wie ein Blatt auf einem reißenden Strom: macht- und willenlos. »Die meisten, die sich um ihn scharen, tun es, um seine Großzügigkeit auszunutzen. Sieh dir nur an, was heute hier los ist. Sie kommen zu allen möglichen Feiertagen an den Hof, um auf Henrys Kosten zu prassen. Er hingegen denkt, sie kommen aus Frömmigkeit oder Königstreue. Dabei ist er vollkommen abgebrannt. Er hat fast vierhunderttausend Pfund Schulden, Julian«, schloss sie im Flüsterton.

»Süßer Jesus.« Ihr Bruder klang ehrlich entsetzt.

»Das ist viel, nicht wahr?«

»Viel? Das ist eine Katastrophe!«

»Schsch. Nicht so laut. Hier haben die Wände Ohren, und die Stallburschen spionieren entweder für York oder den Lord Chamberlain.«

»Die jährlichen Einnahmen der Krone waren noch nie so gering wie in den zwei Jahren seit Kriegsende«, erklärte Julian ihr leise. »Bestenfalls zwanzigtausend Pfund pro Jahr.«

Blanche fiel aus allen Wolken. »Woher weißt du so was?«

»Auch von Edmund, natürlich. Er ist ziemlich beunruhigt

über die Finanzlage der Krone, glaub ich. Seine Gläubiger bringen den König in peinliche Abhängigkeiten, und nicht einmal die mageren zwanzigtausend pro Jahr stehen zur Schuldentilgung zur Verfügung, denn von irgendetwas müssen Henry, sein Hof und seine Verwaltung ja leben. Gott, und ich dachte, *ich* hätte Geldsorgen in Waringham ...«

Blanche horchte auf. »Geldsorgen?«

»Mach dir keine Gedanken.« Er sagte es ein wenig zu hastig. »Das wird schon wieder.«

Sie sah ihn scharf an. »Du bist verändert«, bemerkte sie kritisch.

Er zuckte die Schultern. »Mein Leben hat sich verändert.«

»Ist das ein Grund, distanziert zu sein? Und überheblich?«

»Blanche ...« Es klang gekränkt und entrüstet zugleich.

»Du hast Sorgen in Waringham?«, fiel sie ihm ins Wort. »Dann erzähl mir gefälligst davon. Es ist mein Zuhause ebenso wie deins. Mehr als deins, denn ich *liebe* Waringham. Es ist ein verfluchtes Pech, dass ich es nicht erben konnte, obwohl ich vor dir auf die Welt gekommen bin, weil ich nun mal eine Frau bin. Aber untersteh dich, mir etwas von meinem Zuhause vorzuenthalten.«

Ein Lächeln breitete sich auf seinem Gesicht aus, ganz allmählich. »Es hat mir so richtig gefehlt, dass du mir hin und wieder den Kopf wäschst.«

Sie ergriff seine Hand, schon versöhnt. »Das tröstet mich.«

»Fluchst du vor dem König eigentlich auch?«, wollte er wissen.

Sie schnaubte. »Der Ärmste würde in Wehklagen ausbrechen. Er hält ja so große Stücke auf damenhafte Sittsamkeit.« Und sie erzählte ihm von dem Tadel, den sie sich für ihr Kleid eingehandelt hatte.

In Julians Gesellschaft war es plötzlich leicht, über Henrys altjüngferliche Prüderie zu lachen. Bald war die eigentümliche Befangenheit, die sie bislang nie gekannt hatten, verflogen. Sie sprachen über ihre Mutter und Waringham, über Megan und den Hof und über ihre Pläne für den Herbst.

»Es gibt so fürchterlich viel zu tun in Waringham, dass ich kaum weiß, wo ich anfangen soll«, gestand Julian seiner Schwester. »Aber ich will meine kleine Landreform vor dem Winter wenigstens auf den Weg bringen, damit sie nächstes Jahr anfängt, Früchte zu tragen.« Und er erzählte ihr auch, was sich auf dem Gestüt ändern sollte.

Blanche war beeindruckt. »Das ist eine großartige Idee. Denk nur, wie viel Spaß es machen wird, so unterschiedliche Pferde zu züchten und zuzureiten. Immer nur Schlachtrösser war doch irgendwie langweilig.«

Er schien dankbar für ihren Optimismus, sagte jedoch: »Na ja. Warten wir ab, was es uns einbringt. Geoffrey ist auch dafür, es zu probieren, aber er fürchtet, die Reitpferde könnten nicht genug Profit bringen und unserem Ruf schaden.«

»Unsinn.« Sie winkte ungeduldig ab. »Geoffrey ist ein unverbesserlicher Schwarzseher, Julian. Lass dich von ihm nicht bange machen.«

»Was heißt‹ ›unverbesserlicher Schwarzseher‹? Ich dachte, Geoffrey ist der Mann deiner Träume?«

Aber Blanche wusste es besser. Als Geoffrey aus dem Krieg heimgekommen war, hatte sie eine törichte Schwärmerei für ihn entwickelt – für das, was er in ihrer Vorstellung war: ein Held. Sie mochte ihn immer noch gern. Sie fühlte sich zu ihm hingezogen. Aber ein hart arbeitender Stallmeister mit Geldnöten und Nachschubsorgen und dicken Kontenbüchern war ihr zu zahm. Sie wusste, sie war viel zu alt für romantische Träumereien, aber Blanche ersehnte sich einen wahren Ritter. Mehr noch, sie wollte ein Abenteuer. Doch sie gedachte nicht, das ihrem Bruder auf die Nase zu binden. Langsam hob sie die Schultern. »Vielleicht kenne ich ihn dafür einfach zu genau. Wie dem auch sei. Er ist ein hervorragender Stallmeister und tut der Zucht gut, aber es fällt ihm schwer, einmal ein Wagnis einzugehen. Insofern ergänzt ihr euch hervorragend.« Sie überlegte einen Moment. »Wenn du mich lässt, würde ich gern die Tiere für den Damensattel anreiten. Du glaubst ja nicht, wie schlampig das oft gemacht wird. Wie unsicher und ungebärdig die Gäule manchmal sind. Es ist ein wahres Wunder, dass sich nicht mehr Damen beim Reiten die Hälse brechen.«

»Das heißt, du willst mit nach Hause kommen?« Seine Augen leuchteten.

Blanche nickte. »Nichts lieber als das.« Sie hatte Heimweh, sie vermisste ihre Mutter, Geoffrey und das Gestüt, und sie war neugierig darauf, ihren Cousin Daniel kennen zu lernen. »Ich bin nur nicht sicher, ob der König ... da, hörst du das?« Sie wandte den Kopf.

Ein paar Atemzüge lauschten sie beide. Rufe und rennende Schritte drangen von draußen zu ihnen herauf.

»Irgendetwas ist passiert«, schloss Julian.

Nebeneinander traten sie an den offenen Giebel des Stallgebäudes, durch welchen mit Hilfe eines Seilzuges Heu und Stroh auf den Boden transportiert wurden. Von hier oben hatten sie einen hervorragenden Blick über den unteren Burghof.

Eine Menschentraube hatte sich vor dem Portal der prachtvollen St.-Georgs-Kapelle gebildet, obwohl die Messe eigentlich noch nicht vorüber sein konnte. Plötzlich bildeten sie eine Gasse, und Julian entdeckte Edmund Tudor und seinen Bruder Jasper, die eine leblose Gestalt aus der Kirche trugen.

»Oh Gott.« Erschrocken legte Blanche eine Hand über den Mund. »Der König ist schon wieder zusammengebrochen.«

»Schon wieder? Was soll das heißen?«

»Es geschieht immer häufiger«, antwortete sie. »Das letzte Mal ist höchstens zwei Wochen her. Er wird besinnungslos, wacht kurze Zeit später wieder auf und ist verwirrt. Es dauert Stunden, manchmal Tage, bis er sich wieder richtig erholt hat.«

Dicht hinter den beiden Tudors folgten deren Vater und ihr jüngster Bruder, Owen, der vor kurzem sein ewiges Gelübde abgelegt und ein Bruder der Abtei zu Westminster geworden war. Genau wie sein Vater war er bereits zur bevorstehenden Hochzeit angereist. Die beiden Männer eskortierten die Königin, die den Schleier ihrer Hörnerhaube vors Gesicht gezogen hatte und den Kopf tief gesenkt hielt.

»Arme Marguerite«, murmelte Blanche.

»Armes England«, entgegnete ihr Bruder. Es klang grimmig.

König Henry erholte sich glücklicherweise rasch von dem letzten seiner rätselhaften Anfälle, sodass die Hochzeit seiner jungen Cousine planmäßig stattfinden konnte. Viele Lords und Ritter und die zahllosen Schmarotzer, die vom Hof angezogen wurden wie Fliegen von einem Pferdeapfel, hatten die Gelegenheit gern genutzt, ihren Aufenthalt in Windsor um ein paar Tage zu verlängern. Während der König krank daniedergelegen hatte und sowohl die Königin als auch seine Halbbrüder kaum von seiner Seite gewichen waren, schmausten und tranken sie in seiner prunkvollen Halle, ließen sich von seinen Gauklern und Musikern vortrefflich unterhalten, ritten mit seinen Rössern zur Jagd auf sein Wild.

Drei Tage und Nächte hatte Julian dieses ungeheuerliche Treiben mit zunehmendem Zorn verfolgt. Er hatte sich bemüht, irgendetwas Sinnvolles zu tun: sich zu Edmunds Verfügung gehalten, der sehr um seinen königlichen Bruder besorgt war, oder zusammen mit Blanche Megan die Zeit und das bange Warten vertrieben. Doch er war sich überflüssig und unnütz vorgekommen.

So war er in vielerlei Hinsicht erleichtert, als es am Abend vor der Hochzeit hieß, dem König ginge es besser. Er verspürte indessen nach wie vor kein Bedürfnis, sich den Blutsaugern in der Halle anzuschließen. Also beschwatzte er eine der Küchenmägde, die ihm Brot, ein paar Scheiben Hirschbraten und einen kleinen Krug Wein brachte, und mit seiner Beute setzte er sich in den Garten im oberen Burghof. Er genoss es, sein Mahl allein in der Abendsonne unter den Obstbäumen einzunehmen, aber noch ehe es ganz vertilgt war, bekam er Gesellschaft.

»Julian!«, rief eine vertraute Stimme. »Und wir dachten schon, du hättest dich in Waringham vergraben.«

Julian hob den Kopf und sah den Earl of Warwick Arm in Arm mit seiner Gemahlin auf sich zukommen. Für einen Lidschlag verspürte er ein eigentümliches Kribbeln in der Magengrube, so als habe er eine Hand voll kleiner Ameisen verschluckt. Es war kein angenehmes Gefühl. Länger als zwei Jahre hatte er Anne Beauchamp, die Countess of Warwick, nicht gesehen. Es war eine niederschmetternde Erkenntnis, dass sie nichts von ihrer Wirkung auf ihn eingebüßt hatte.

Er erhob sich aus dem duftenden Gras und verneigte sich. »Lady Anne. Richard.«

Warwick legte ihm freundschaftlich die Hand auf die Schulter. »Wie geht es dir, Cousin? Wie bekommen dir deine neuen Pflichten?«

»Es ist nicht so unerträglich, wie ich gedacht hätte«, gestand Julian aufrichtig. Er schaute Warwick in die Augen, aber er wusste, er konnte es nicht ewig aufschieben, *sie* anzusehen. Mit einer bewussten Willensanstrengung zwang er sich dazu. »Was bringt Euch nach Windsor, Madam?«

»Oh, die unterschiedlichsten Beweggründe«, vertraute Lady Anne ihm mit einem verschwörerischen Lächeln an. »Die Politik. Neugier. Langeweile. Eine sentimentale Vorliebe für Hochzeiten. Im Übrigen ist Megan Beaufort meine Nichte. Entfernt, jedenfalls. Ich dachte, ich sollte bei ihrer skandalösen Eheschließung vielleicht anwesend sein, um dem armen Kind Trost zu spenden.«

Sie ließ ihn nicht aus den Augen. Derselbe Spott wie eh und je stand darin, verlieh ihrem vermeintlich warmen Braun ein grünliches Funkeln.

Julian ging auf ihre Spitze gegen Megan und Edmund nicht ein, ließ stattdessen einen kurzen, aber dennoch unverschämten Blick über ihren leicht gewölbten Bauch gleiten und sagte liebenswürdig: »Meinen Glückwunsch, Madam. Ihr müsst überglücklich sein, und ich wünsche Euch Gottes Segen und einen gesunden Sohn.«

Er wusste, wie sehr sie es hasste, schwanger zu sein. Dies war das erste Mal seit vier Jahren, dass sie guter Hoffnung war, und mehr als eine einzige Tochter hatte sie bislang nicht vorzuweisen.

Aber ihr Lächeln blieb ungetrübt. »Ganz im Vertrauen, Sir Julian, ich hätte gar nichts gegen eine zweite Tochter. Söhne machen Müttern ja doch nichts als Kummer, nicht wahr? Die Eure weiß gewiss ein Lied davon zu singen.« Sie gab nur vor zu scherzen.

»Meine Mutter ist geduldig und hat sich eigentlich nie sonderlich über mich beklagt, Madam, aber mein Vater hat mir gelegentlich prophezeit, dass all meine Schandtaten zurückkehren werden, um mich heimzusuchen, wenn ich eines Tages erleben muss, wie meine eigenen Söhne sie begehen.«

»Ich bin überzeugt, Eure Söhne hätten alle Hände voll zu tun, Sir«, erwiderte sie verschmitzt. »Aber damit hat es ja gewiss noch ein paar Jahre Zeit, nicht wahr? Oder hat Henry Euch schon eine Braut ausgesucht und will Euch verheiraten, noch ehe Ihr Euch regelmäßig rasieren müsst?«

Er spürte, dass seine Wangen sich röteten. Das ärgerte ihn, denn nun hatte sie ihn da, wo sie ihn wollte: Er fühlte sich dumm und mauseklein und gedemütigt, genau wie damals. Nur konnte er es heute besser verbergen. »Der König hat noch nie davon zu sprechen beliebt, aber ich kann mir nicht vorstellen, dass es etwas damit zu tun hat, dass mein Bartwuchs ihm spärlich erscheint. Wäre das ein Kriterium, hätte der König schließlich bis heute keine Königin.«

»Nun, in Eurem Fall besteht ja noch Hoffnung, dass die Jahre es richten.«

»So betrachtet, kann ich mich glücklich preisen, denn mir hat das fortschreitende Alter noch Vorzüge zu bringen. Und nun muss ich Euch bitten, mich zu entschuldigen.«

Er verneigte sich knapp, nickte Warwick, der den Austausch mit amüsierter Miene verfolgt hatte, kurz zu und wandte sich ab. Mit langen Schritten, aber ohne verräterische Hast ging er davon.

Er hatte in ihren Augen gesehen, dass er sie mit seinen letzten Worten getroffen hatte. Anne Beauchamp war an die dreißig, über zwei Jahre älter als ihr Gemahl, und wie er geahnt hatte, litt sie unter diesem Umstand und fürchtete das Alter.

Aber sein Sieg war schal. Er hatte sie verletzt, und nun fühlte er sich schäbig, und es brachte ihn zur Verzweiflung, dass sie und ihr gekränkter Blick ihn nach all den Jahren immer noch berühren konnten.

Mit dreizehn war Julian in Warwicks Haushalt gekommen – ein verschlossener, scheuer Junge, der nie zuvor allein in der Fremde gewesen war und der unter den Erinnerungen an das grausige Gemetzel von Waringham litt. Doch gleich am ersten Tag hatte er sich rettungslos in die Herrin der schönen Burg verliebt. Länger als zwei Jahre hatte er sie aus der Ferne bewundert, während aus dem verschüchterten Knaben allmählich ein junger Gentleman wurde, und sich nach ihr verzehrt. Manchmal war sein Schmerz ihm süß vorgekommen, wie etwas Kostbares, das man in einem Tonkrug auffangen und sorgsam verschließen müsse, damit es niemals verflog. Manchmal hatte es ihn stolz gemacht, wie mannhaft und klaglos er sein Leid ertrug, und er hatte sich vorgestellt, er sei ein Gralsritter, der jede Prüfung und jeden Feind überwinden konnte, weil der Kummer seines Herzens ihn stark gemacht hatte. Unsinniges, schwülstiges Zeug, wie nur ein halbwüchsiger Knappe mit Liebeskummer es sich ausdenken konnte, dachte er heute oft mit einem verschämten Lächeln. Aber er hatte sie geliebt, und er hatte gelitten, so viel stand fest. Und nachdem sie ihn zwei Jahre lang mit ihren Blicken, dem Spiel ihrer Wimpern und den Lockungen ihres Lächelns dazu ermuntert hatte, war er eines Tages in die Vorratskammer geschlichen, hatte einen Becher Rotwein getrunken, um sich Mut zu machen, war zu ihr gegangen und hatte ihr seine Liebe gestanden.

Ihr Hohn, ihr Gelächter und ihr Spott fühlten sich selbst heute in der Erinnerung noch an wie Geißelschläge. Sie hatte gelacht, bis sie ganz außer Atem war. Abwechselnd hatte sie sich die Seiten gehalten und mit dem Finger auf ihn gezeigt. Und er hatte mit grausamer Klarheit erkannt, was sie vor sich sah: einen schlaksigen, dürren Jungen im Stimmbruch mit blonden Kinderlocken und einem riesigen Adamsapfel. Eine lächerliche

Gestalt, obendrein leicht angetrunken und so erniedrigt, dass er geglaubt hatte, er müsse gewiss daran sterben. Doch als er fliehen wollte, hatte sie ihm die Tür versperrt. Und sie hatte fürchterliche Dinge zu ihm gesagt. Was er denn schon könne, hatte sie ihn gefragt. Ob es sich denn lohne, ihren Gemahl seinetwegen zu hintergehen. Sie hatte die Hand an seinen Schritt gelegt und ihm Dinge ins Ohr geflüstert, die ihm heute noch die Schamesröte ins Gesicht trieben.

Als er sich schließlich befreien konnte, war er bis zur Turnierwiese am Avon gerannt, hatte sich hinter einem der Pavillons versteckt und gewartet, dass sie kamen. Die anderen Jungen, um ihn zu verhöhnen, ihn auszulachen und mit Steinen zu bewerfen. Der Nutricius – der alte Ritter, der die Knappenausbildung beaufsichtigte –, um ihn grün und blau zu schlagen. Irgendetwas. Es war ihm beinah egal gewesen. Nichts konnte schlimmer sein als ihr Gelächter, ihre Hand auf seiner Hose, die Dinge, die sie ihm zugeflüstert hatte.

Warwick selbst hatte ihn schließlich hinter dem bunt gestreiften Zelt gefunden. Ein Blick in seine Augen hatte genügt, um Julian zu verraten, dass sein Dienstherr Bescheid wusste. Dass sie es ihm erzählt hatte. Aber der Earl hatte kein Wort darüber verloren. Freundschaftlich – so wie vorhin im Obstgarten – hatte er dem Jungen die Hand auf die Schulter gelegt, hatte vorgegeben, rein zufällig vorbeizukommen und von Julians Verzweiflung nichts zu bemerken. Julian war ihm dankbarer gewesen, als er je in Worte hätte fassen können, und das war er heute noch.

Dank Warwicks Diskretion und Feingefühl hatte er gelernt, die Kränkung zu überwinden, und war nicht davongelaufen. Aber der Liebe hatte er für immer abgeschworen. Natürlich ging er bei Gelegenheit zu einer Hure, so wie alle jungen Männer seines Standes es taten. Und nun, da er Earl of Waringham war, würde ihm wohl auch nichts anderes übrig bleiben, als irgendwann zu heiraten und einen Erben zu zeugen. Wenn der König ihm eine Braut vorschlug, würde er sich nicht sträuben. Eine Ehe, nahm er an, konnte man mit Höflichkeit und gegenseitiger Rücksichtnahme durchstehen. Aber das war alles, wozu er bereit war. Er fand, eine Erinnerung, bei der man sich vor Scham krümmen und winden wollte, musste reichen.

Die Hochzeit von Edmund Tudor und Megan Beaufort wurde ein rauschendes Fest. Immerhin waren es der Bruder und die Cousine des Königs, die sich an diesem schwülen, gewittrigen Augustnachmittag in Windsor das Jawort gaben, und dementsprechend prachtvoll war der Rahmen.

Der König selbst führte Megan ans Tor der St.-Georgs-Kapelle und legte ihre Hand in Edmunds, ehe der Bischof von Winchester die Trauung vornahm. Offenbar gehörte der ehrwürdige Bischof zu jenen, die die Verbindung missbilligten, denn seine Miene war abweisend, und er lächelte kein einziges Mal. Aber er leitete die Zeremonie mit routinierter Feierlichkeit.

»Es ist ein Jammer, dass euer Großvater nicht mehr lebt«, sagte Megans Mutter, Lady Margaret Beauchamp, mit gesenkter Stimme zu Julian und Blanche. »Wenn er noch Bischof von Winchester wäre, hätte diese Feier anders ausgesehen, das kann ich euch sagen.«

Julian räusperte sich und verlagerte das Gewicht von einem Fuß auf den anderen. Er wurde nicht sonderlich gern daran erinnert, dass sein Großvater ein Bischof und Kardinal gewesen war, der um ein Haar Papst geworden wäre.

»Megan und Edmund scheint es wenig zu stören, dass er so sauertöpfisch dreinschaut«, wisperte Blanche. »Ich nehme an, sie würden es nicht einmal merken, wenn der Himmel plötzlich seine Schleusen öffnete und es karierte Hundebabys regnete.«

Lady Margaret wischte sich verstohlen eine Träne aus dem Augenwinkel. »Da hast du wohl Recht.«

Blanche hatte selbst mit Tränen der Rührung zu kämpfen, dennoch sagte sie zur Brautmutter: »Es besteht kein Anlass zur Betrübnis, Madam. Eure Tochter bekommt, was sie sich gewünscht hat.«

Lady Margaret nickte. »Ich habe an dieser Kirchentür Megans Vater geheiratet. Wahrscheinlich ist es das, was mich so melancholisch stimmt«, gestand sie.

Sie verstummte, weil der Bräutigam in diesem Moment den Ring hervorholte. Blanche hielt sich an Julians Arm fest, um sicher auf den Zehenspitzen stehen zu können.

»Wundervoll«, raunte sie ihrem Bruder zu. »Ein Rubin. Wenn Sir Thomas Devereux dich eines Tages fragen sollte, welch einen Ring ich mir wohl wünsche, sag ihm, er soll sich Megans anschauen …«

Der Bischof segnete den Ring, und Edmund steckte ihn seiner Braut an den Finger, ehe der hohe Geistliche das Kreuz über ihnen schlug und sie im Angesicht Gottes zu Mann und Frau erklärte.

Nach der Brautmesse in der Kapelle gab es natürlich ein Bankett in der großen Halle. Anscheinend vertrat der König die Auffassung, dass es angesichts seines Schuldenbergs auf ein paar weitere hundert Pfund nicht ankäme, denn es war an nichts gespart worden: Burgundische Köche hatten Kapaun in einer Pfeffersauce bereitet, Wildschweinkopf und Aalpasteten, Rohrdommeln, Wachteln und Schnepfen, Eier in Gelee, Pfauen und Schwäne im Federkleid, es gab cremige Suppen und Erbsenpüree und zwischendurch die herrlichsten Süßspeisen: eingemachte Quitten in syrischem Wein, Pudding mit geschälten Nüssen, Waffeln und lombardische Schnitten.

Julian saß mit Blanche am rechten Seitentisch, von wo aus sie einen freien Blick auf das Brautpaar, das Königspaar und die übrigen Gäste an der erhöhten Ehrentafel hatten, und aß ohne alle Hemmungen.

»Sie ist eine wunderschöne Braut, unsere Megan«, seufzte Blanche zufrieden.

»Nach meinem Geschmack wär sie in zwei Jahren eine viel schönere Braut«, brummte Julian.

»Ach, das ist doch albern.« Blanche fegte den Einwand mit einer ungeduldigen Geste beiseite. »Sie ist heiratsfähig, und damit Schluss.«

»Ja, das hab ich mir auch schon ein paar Mal vorgebetet, aber ich verstehe trotzdem die Eile nicht«, beharrte Julian.

Seine Schwester blieb eine Antwort schuldig. Ihr Blick wurde eigentümlich vage. Es war, als verschließe sich etwas in ihr, beinah als ziehe sie eine innere Zugbrücke ein.

Julian wusste genau, dass irgendein Geheimnis diese Hochzeit umgab, und es machte ihn schier wahnsinnig, dass seine Schwester es kannte und ihm nicht verraten wollte. Doch ehe er sie noch einmal bedrängen konnte, wechselte Blanche das Thema.

»Der blonde Mann neben Edmund ist sein Bruder Jasper?«, fragte sie.

Julian steckte sich einen Löffel Aalpastete in den Mund und zog eine Braue in die Höhe. »Sag nicht, du kennst ihn nicht«, entgegnete er kauend. Auf den missfälligen Blick seiner Schwester hin schluckte er, ehe er fortfuhr: »Er kam früher oft nach Bletsoe, genau wie Edmund.«

Blanche schüttelte den Kopf. »Nie, wenn ich dort war.«

»Na ja. Jasper ist der Earl of Pembroke.«

»Pembroke liegt in Wales?«

Er nickte und spülte den Riesenbissen Aal mit einem ordentlichen Zug Wein nach. »Dort treibt Jasper sich meistens rum, ja. Aber ich glaube, er ist auch öfter bei Hofe als Edmund. Jedenfalls hat er bei St. Albans gegen Yorks Truppen gekämpft. Und er ist schon seit drei Tagen hier. Seltsam, dass du ihm nicht begegnet bist.«

Blanche sah immer noch zur hohen Tafel hinüber, die Waffel in ihrer Linken anscheinend vergessen. »Er sieht ziemlich gut aus«, bemerkte sie beiläufig.

»Er sieht aus wie Edmund«, erwiderte Julian verwundert.

Sie schaute ihn an wie einen hoffnungslosen Fall. »Unsinn.«

Die Tudor-Brüder hatten beide die dunklen Augen ihres Vaters und das blonde Haar ihrer französischen Mutter geerbt, aber damit endete jede Ähnlichkeit. Edmund war lang aufgeschossen wie Julian. Die eher schmalen, geschwungenen Brauen gaben seinem Gesicht einen ewig fragenden Ausdruck. Die Augen waren voller Schalk und immer in Bewegung, er lachte und redete gern und hatte das Herz meist auf der Zunge. Jasper war einen Kopf kleiner und breiter in den Schultern. Er wirkte nicht gedrungen, sondern kompakt. Auch seinen Augen schien nicht viel zu entgehen, aber ihr Blick war ruhiger.

»Die Augen eines Jägers«, murmelte Blanche.

»Was?«, fragte Julian verdattert.

»Oh, nichts.« Sie lächelte und knabberte an ihrer Waffel. »Es ist seltsam. Jasper kommt einem vor wie der Ältere, nicht Edmund.«

»Ja. Das stimmt«, räumte er ein. »Von uns dreien war er immer der Einzige mit einem Funken Vernunft. Aber ganz unter uns, Blanche, Jasper Tudor ist ein klein bisschen unheimlich.«

»Ach ja? Wieso?« Sie rückte näher, als hoffe sie auf eine saftige Skandalgeschichte. Julian wusste, seine Schwester liebte Skandalgeschichten. »Na ja, weißt du, er ...«

»Julian, entschuldige die Störung, aber könnte ich dich deiner Tischdame einen Augenblick entführen? Wenn Ihr mir vergeben wollt, Madam?«

Julian erhob sich bereitwillig. »Blanche, dies ist Richard Neville, der Earl of Warwick. Richard: Meine Schwester Blanche.«

Warwick verneigte sich formvollendet. »Lady Blanche. Es ist mir eine große Freude, dass wir uns endlich kennen lernen, Cousine. Julian hat mir nie verraten, welch eine Schönheit seine Zwillingsschwester ist. Wenn man ihn anschaut, könnte man so etwas ja nicht ahnen ...«

Blanche lachte. »Mylord, die Freude ist ganz auf meiner Seite. Und das meine ich ausnahmsweise sogar ehrlich. Ich weiß, dass Ihr Julian immer ein guter Freund und ein großes Vorbild wart. Und er ist nicht so leicht zu beeindrucken.«

Er sah ihr tief in die Augen, einen Moment länger, als eigentlich schicklich war. »So wenig wie Ihr, möchte ich wetten. Also? Leiht Ihr ihn mir ein Weilchen?«

Sie nickte. »Wenn Ihr versprecht, ihn irgendwann zurückzubringen.«

»Ihr habt mein Wort.«

Sie verließen die Halle und traten hinaus in die drückende Abendluft. Es dämmerte, und im Osten flammte Wetterleuchten auf. Unheil verkündende Wolken kamen themseaufwärts gekrochen.

Als sie durch das gewaltige innere Torhaus – aus unerfindlichen Gründen Normannentor genannt – in den unteren Hof traten, konnte Julian seine Neugier nicht länger beherrschen. »Machen wir einen Spaziergang?«

»Hast du etwas Besseres vor?«, konterte Warwick.

»Ich war gerade dabei, die beste Aalpastete aller Zeiten zu vertilgen.«

»Ich bin überzeugt, deine Schwester wird dir etwas aufheben.«

»Was soll das werden?«, beharrte Julian. »Ist einer deiner Gäule krank? In dem Falle sollten wir Blanche lieber mitnehmen, denn sie ...«

»Ich will dich jemandem vorstellen«, unterbrach der ältere Cousin. Er führte Julian den steilen Burghügel zum Runden Turm hinauf, dem ältesten Gebäude der Anlage. Zwei Wachen mit einer weißen Rose am Mantel standen vor der Tür, ließen Warwick aber anstandslos passieren.

Julian folgte ihm nicht gleich über die Schwelle. »Richard, ich weiß nicht, ob heute ...«

»Oh, jetzt zier dich nicht.« Warwick nahm seinen Arm, als fürchte er, Julian werde kehrtmachen und davonlaufen, zog ihn ins Innere des alten Gemäuers und die Treppe hinauf ins Hauptgeschoss. Sie betraten jedoch nicht die dortige Halle, sondern erklommen zwei weitere Treppen. Durch eine ebenfalls von zwei Mann bewachte Pforte gelangten sie auf das zinnenbewehrte Dach des gewaltigen Turms.

Warwick trat zu einer großen Gestalt in einem langen, dunklen Mantel. »Mylord? Julian of Waringham.«

Der Angesprochene wandte sich ohne Eile um und kam zwei Schritte näher. Er musterte Julian aus kühlen blauen Augen. »Das ist nicht zu übersehen«, sagte er dann. »Im Gegensatz zu Eurem Vater sieht man Euch auf den ersten Blick an, dass Ihr ein Waringham seid.«

Julian verneigte sich. »Mylord of York. Eine hohe Ehre, Euer Gnaden.« Er konnte nicht so richtig fassen, wie ihm geschah. Natürlich hatte er geahnt, wem er hier oben begegnen würde, als er die weiße Rose an der Livree der Wachen bemerkt hatte, doch war ihm kaum Zeit geblieben, sich zu wappnen. »Ich wusste nicht, dass Ihr in Windsor seid.«

»Wir sind vor einer Stunde eingetroffen«, erwiderte der Herzog. »Ich beabsichtige, dem König erst morgen früh meine Aufwartung zu machen. Hätte ich gewusst, was hier heute vorgeht, wäre ich ein paar Tage später gekommen. Ich will Euch nicht zu nahe treten, Waringham, aber Ihr werdet sicher verstehen, dass ich lieber ein Pesthaus betreten würde als der Hochzeitsfeier einer Beaufort beizuwohnen.«

Er sprach bedächtig. Weder sein Tonfall noch sein Gesichtsausdruck ließen den geringsten Schluss auf seine Empfindungen zu. Er verschränkte die Arme vor der Brust und sah Julian abwartend an.

Das also ist der Duke of York, dachte Julian, der mächtigste Adlige in England, der zukünftige Lord Protector. Der Mann, der nach Henrys Krone trachtet, weil er überzeugt ist, dass sie ihm zusteht. Und jetzt, da er York vor sich sah und ihn im Geiste mit dem König verglich, fand er bestätigt, was er immer geahnt hatte: Der Herzog wirkte weitaus königlicher als Henry. Er war groß und athletisch von Gestalt, sah aus, als hätte er viel mehr Jahre im Krieg verbracht, als tatsächlich der Fall war. Im hellen Tageslicht entdeckte man wahrscheinlich graue Fäden in seinem kinnlangen blonden Haar, vermutete Julian, denn sein kurzer Bart war schon fast gänzlich silbern. Doch der Herzog wirkte kraftvoll, entschlossen und klug. Richard of York strahlte eine Würde aus, die König Henry auch in Staatsroben und Hermelin niemals besitzen konnte.

»Nein, Mylord, um ehrlich zu sein, habe ich Mühe, das zu verstehen«, antwortete Julian. »Megan Beauforts Vater und Onkel waren Eure erbitterten Feinde. Aber sie heiratet heute einen Tudor und verschwindet damit vom Schachbrett der Politik. Wäre das ... wäre das nicht eine gute Gelegenheit, den Groll zu begraben, der mit ihr doch nicht das Geringste zu tun hat?«

York lachte leise. »Niemand, der den Namen Beaufort trägt, könnte jemals das Schachbrett der Politik verlassen. Aber seid beruhigt. Ich habe keine finsteren Absichten, was das Mädchen betrifft, ganz gleich, welche Schauergeschichten man Euch über Richard of York erzählt hat.« Die Bitterkeit in seiner Stimme entging Julian nicht.

Der junge Waringham nickte wortlos und sah über die Zinnen ins Land hinaus. Die Abendsonne hatte die Felder und Wiesen, die schmucken Dörfer Windsor und Eton und die Themse in ein warmes Licht getaucht, dessen Farbe Julian an reife Orangen erinnerte. Doch im Osten verschluckten die dräuenden Wolkentürme das Licht, wirkten in seinem Schein rabenschwarz und unecht, so als sehe man sie auf einem Gemälde. Es war ein Bild von bizarrer Schönheit.

Der Herzog war neben ihn getreten und folgte seinem Blick, die Hände auf die Brüstung gestützt. »Ein wundervolles Land, nicht wahr?«

»Das ist es«, stimmte Julian zu.

»Und denkt Ihr, es hat das, was es verdient?«

Julian wandte den Kopf und schaute ihn an. »Was hättet Ihr gewonnen, wenn ich ›nein‹ sagte, Mylord? König Henry einen bis dato unerschütterlich Lancaster-treuen Vasallen abspenstig gemacht? Zu welchem Zweck? Ist es Euch nicht ein bisschen zu zahm, einen Gegner zu bekriegen, der längst am Boden ...« Er brach ab, obwohl es natürlich zu spät war. Ärgerlich über seine lose Zunge stieß er die Luft aus und blickte wieder nach Osten, wo Waringham lag. »Was wünscht Ihr von mir, Mylord?«

»Ich will, dass Ihr in meinen Dienst tretet.«

»Ich stehe im Dienst des Earl of Richmond, der, nebenbei bemerkt, mein Vormund ist.«

»All das ließe sich ändern. Spätestens in drei Monaten bin ich Lord Protector, und Ihr wisst, was das bedeutet. Nur die wenigsten meiner Wünsche werden dann unerfüllt bleiben, und ich sage Euch, ein Aufatmen wird durch England gehen, wenn ich mein Reformwerk beginne. Ich will dieses Land heilen, und ich will, dass Ihr mir dabei helft.«

Julian ging ein Licht auf. »Ihr wollt nicht mich, sondern meinen Namen.« Denn wenn ein *Waringham* König Henry den Rücken kehrte und sich dem Duke of York anschloss, konnte ein Damm brechen. Wer vermochte zu sagen, wie viele, die jetzt noch schwankten, seinem Beispiel folgen würden?

»Was macht das für einen Unterschied?«, entgegnete der Herzog. »An meiner Seite könnten sich viele Dinge für Euch ändern, wisst Ihr. Ich kann dafür sorgen, dass Ihr noch vor Jahresfrist für mündig erklärt werdet. Dann könntet Ihr Eure Angelegenheiten selbst in die Hand nehmen. *Ihr* würdet entscheiden, ob Eure Schwester einen lausigen Devereux heiraten muss oder nicht. Ich könnte Euch eine Abnahmegarantie für die nächsten fünf Jahrgänge Eurer Schlachtrösser geben, das wird Eure Gläubiger über die Maßen besänftigen.« Er lächelte flüchtig. »Ich kann Euch helfen, Junge, wenn Ihr mir helft.«

Julian nickte versonnen. Er wusste, jedes Wort, das York sagte, entsprach der Wahrheit. Er trat einen Schritt zurück und verneigte sich förmlich. »Ich weiß Euer Angebot zu schätzen, Mylord. Aber ich bin nicht käuflich.«

Er wollte sich abwenden, aber plötzlich stand Warwick hinter ihm und packte seinen Arm. »Bist du denn von allen guten Geistern verlassen?«, zischte er wütend.

»Sei so gut und lass mich los, Richard«, bat Julian höflich.

Zögernd ließ Warwick die Hand sinken, aber Julians Rückzugsweg war versperrt; York stand zwischen ihm und der Tür ins Innere des dicken runden Turms. »Mir scheint, Ihr missversteht mich absichtlich, Waringham.«

»Mir hingegen schien Euer Angebot unmissverständlich, Mylord.«

»Ihr wollt mich nicht zum Feind, glaubt mir, Söhnchen.«

Nicht so sehr seine Worte, aber der Blick seiner stahlblauen Augen war eine Drohung.

Julian spürte einen Schauer seinen Rücken hinabrieseln. York hatte Recht, wusste er. Er konnte sich in seiner derzeitigen Lage keine Feinde leisten, einen so mächtigen schon gar nicht. Er war jung und hatte weder Verbindungen noch Einfluss. Edmund Tudors Schutz reichte nur so weit wie der Arm des Königs, war demnach kein sehr wirksames Bollwerk. Waringham, er selbst, seine Mutter, nicht zuletzt Blanche, sie alle konnte der Duke of York unter seinem Stiefelabsatz zertreten, wenn er Lord Protector wurde, ungehindert und ungestraft.

»Du solltest dich entschuldigen, Julian«, riet Warwick eindringlich. »Und zwar schleunigst.«

Doch York hob abwehrend die Hand. »Das ist nicht nötig.« Kopfschüttelnd betrachtete er Julian. »Es scheint, ich habe mich in Euch geirrt.«

»Ich bedaure, wenn ich Euch enttäuscht habe, Mylord«, erwiderte Julian. Er hörte selbst, wie steif und unaufrichtig es klang.

»Ich hörte einmal, Ihr hättet Euch mit Eurem Vater überworfen.«

Julian warf Warwick einen bitterbösen Blick zu. An York gewandt antwortete er: »Ihr seid ausgesprochen gut informiert.«

»Das ist der Grund, warum ich noch lebe. Also? Stimmt es?«

»Ja, Mylord.«

»Was war der Anlass?«

»Ihr.« Jedenfalls hatte er das damals geglaubt. Heute war er nicht mehr so sicher.

»Und trotzdem könnt Ihr die Vorurteile nicht überwinden, die Euer Vater Euch eingeflüstert hat?«

»Ich habe ihm nie ein Wort geglaubt, wenn er gelegentlich etwas über Euch sagte, das nicht gerade schmeichelhaft war. Bis zu dem Tag, als Ihr ihn habt ermorden lassen.«

»Er ist in der Schlacht …«, begann York empört.

»Das ist er nicht«, fiel Julian ihm rüde ins Wort. »Scrope hat ihn ermordet.«

Der Herzog hob die Hände zu einer Geste der Unschuld. »Ihre Fehde hatte nicht das Geringste mit mir oder dem König zu tun.«

»Vielleicht nicht. Aber Scrope hätte trotzdem niemals gewagt, das zu tun, hätte er nicht Euren Segen gehabt. Und ganz sicher hätte er nicht gewagt, nach Waringham zu kommen in der Absicht, unser ganzes Geschlecht auszulöschen, nicht wahr?«

»Julian, du redest dich um Kopf und Kragen …« Warwick klang beschwörend.

Der junge Waringham tat, als habe er ihn nicht gehört. *Du könntest überlegen, ob du nicht wenigstens ein klein wenig Zorn um deines Vaters willen empfinden solltest*, hatte seine Mutter zu ihm gesagt. Bis zu diesem Moment war ihm nie klar gewesen, wie groß sein Zorn war. Mit erhobenem Zeigefinger trat er auf den mächtigsten Mann Englands zu. »Ich habe immer geglaubt, die Königstreue habe meinen Vater blind gemacht. Aber heute bin ich mir dessen nicht mehr so sicher, Mylord.«

York nickte versonnen. »Ich verstehe.«

»Dann darf ich jetzt gehen?«

York zog die schmalen Brauen in die Höhe und betrachtete ihn amüsiert. »Oh, gewiss doch. Gehabt Euch wohl, Waringham.«

Julian hörte den unzureichend verhohlenen Hohn in der Stimme, den er nicht so recht verstand, und ihm wurde unbehaglich. Er warf seinem Cousin einen unsicheren Blick zu, doch Warwick hatte nur Augen für York, starrte ihn unverwandt an, wobei er fast unmerklich den Kopf schüttelte.

Nichts wie raus hier, dachte Julian. Mit einer knappen Verbeugung wandte er sich ab, und er fühlte sich geradezu lächerlich erleichtert, als er die Tür ins Innere erreichte. Er zog sie auf und nickte den beiden Wachen zu, die davor auf Posten standen. Doch sie sahen seinen Gruß nicht, denn sie spähten konzentriert über seine Schultern aufs Dach hinaus, und ehe er sich an ihnen vorbeigeschlängelt hatte, packten sie ihn links und rechts an den Armen und stießen ihn rückwärts zurück ins Freie. Julian war so überrumpelt, dass er gestürzt wäre, hätten sie ihn losgelassen. Doch ihre großen Hände hielten ihn sicher gepackt und schleiften ihn bis an die Zinnen.

»Ich fürchte, Ihr lasst mir mit Eurer Entscheidung keine Wahl, als das Werk fortzusetzen, das Scrope nicht mehr vollenden konnte, Waringham«, erklärte der Duke of York.

»Mylord«, sagte Warwick eindringlich. »Ich bitte Euch, tut das nicht. Das … das dürft Ihr nicht. Dergleichen habt Ihr doch nicht nötig.«

York legte ihm kurz die Hand auf den Unterarm. »Geht, mein Freund. Eilt Euch und geht, wenn Ihr es nicht sehen wollt. Denn es muss sein, ganz gleich, was Ihr denkt.«

Julian warf in Panik einen Blick über die Schulter. Die Wolken waren inzwischen näher gekommen, und es war zu dunkel, um viel zu erkennen, aber er wusste, der Turm war an die fünfzig Fuß hoch. Er hatte keine Chance. Er würde sterben. Jetzt.

»Richard …« Seine Stimme kippte. Jeder konnte seine nackte Todesangst hören. Aber das spielte keine Rolle mehr. »Richard, du … du musst dich um meine Schwester kümmern.«

Warwick nickte wie im Traum, Entsetzen stand in seinen Augen. »Julian …«

»Na los, runter mit ihm«, knurrte York.

Die Wachen drängten Julian weiter zurück. Er spürte die Krone der Brüstung im unteren Rücken. Viel zu niedrig, um ihm den geringsten Halt zu gewähren. Obwohl er wusste, dass es keinen Sinn hatte, wehrte er sich, trat zu beiden Seiten aus und versuchte, sich den Pranken zu entwinden. Umsonst. Julian kniff die Augen zu, betete ein *Ave Maria* und fluchte zugleich. Seine Füße verloren den Bodenkontakt.

»Vater?«, fragte eine junge Stimme unsicher. »Ich hab Euch schon überall …«

Julians Sturz endete, noch ehe er richtig begonnen hatte. Die Wachen zogen ihn zurück über die Brüstung und stellten ihn wieder auf die Füße. Nur für einen Moment erahnte er die Gestalt eines jungen Mannes an der Tür, dann wandte er der Szene auf dem Dach den Rücken zu, klammerte die Hände um die steinernen Zinnen, kniff die Augen zu und versuchte, sich zu fassen. Sein Atem ging viel zu schnell und stoßweise, und ihm war so übel, dass er nicht sicher war, ob er sich würde beherrschen können. Besser der Aal tritt die schnelle Reise nach unten an als Julian of Waringham, fuhr es ihm durch den Kopf, und nun hatte er mit einem hysterischen Kichern ebenso zu ringen wie mit der Übelkeit.

»Vater? Was geht hier vor?«

»Edward!«, rief York aus. Er klang aufgeräumt, so als sei er hocherfreut über den Ankömmling. »Schau dir das an, mein Sohn, das scheint ein gewaltiges Gewitter zu werden. Wir sind so gut wie fertig mit der Politik für heute und wollten gerade hineingehen.«

»Wirklich?«, fragte die junge Stimme. »Für mich sah es eher so aus, als wollten die Wachen einen Mann vom Dach stoßen, Mylord.«

Julian hörte keine Schritte näher kommen, und als sich eine Hand auf seinen Arm legte, fuhr er mit einem halb unterdrückten Laut des Schreckens herum. Er fand sich Auge in Auge mit einem braungelockten Jüngling, der kaum älter als vierzehn Jahre sein konnte, aber nur ein paar Zoll kleiner war als er selbst.

»Wer seid Ihr, Sir?«, fragte der Junge.

»Ju...« Er musste sich räuspern. »Julian, Earl of Waringham.«

»Edward, Earl of March«, stellte der Neunankömmling sich vor. »Geht es Euch gut, Sir?«

»Bestens«, versicherte Julian nicht ohne Hohn. »Bestens ...« Er trat einen Schritt zur Seite und befreite sich auf die Art unauffällig von der wohlmeinenden Hand.

Der erste Blitz flammte gleißend auf, ein paar Herzschläge später folgte der Donner. Edward of March wandte sich an York. »Darf ich fragen, was das zu bedeuten hat, Vater?«

»Nichts, was dich kümmern müsste«, antwortete York seinem Ältesten. »Waringham wollte sich gerade verabschieden.«

»Und zwar schneller, als ich mir je hätte träumen lassen«, knurrte Julian.

»Ihr solltet lieber Acht geben, was Ihr redet, mein Junge«, warnte der Herzog.

»Ich bin nicht Euer Junge«, teilte Julian ihm mit.

»Und genau das ist unser Problem.«

»Es ist also wahr?«, verlangte March von Julian zu wissen. »Ich habe mich nicht getäuscht?«

»Das solltet Ihr Euren Vater fragen, Sir.«

»Nun, ich frage aber Euch. Wollten Sie Euch vom Dach stoßen, ja oder nein?«

»Edward«, begann Warwick, der sich anscheinend von seinem Schrecken erholt hatte. »Lass uns …«

Aber der Junge hob gebieterisch die Hand. Er sah Warwick, der hinter seiner linken Schulter stand, nicht einmal an, aber der Earl verstummte dennoch.

Julian beneidete den Knaben um seine Selbstsicherheit. Er wusste, er selbst könnte niemals so sein, obwohl er doch ein paar Jahre älter war als Yorks Sohn. »Es hat verdammt danach ausgesehen, Sir«, antwortete er. Er sah keinen Sinn darin zu lügen.

»Und was denkt Ihr, warum?«

Julian wählte seine Worte ausnahmsweise mit Bedacht. »Weil Euer Vater offenbar der Ansicht ist, wer nicht für ihn sei, sei gegen ihn.«

»Verstehe.« Edward verschränkte die Hände auf dem Rücken und sah ihm ins Gesicht. Seine Augen waren groß, mandelförmig und von einem warmen Haselnussbraun. Wieder zuckte ein Blitz, beleuchtete für einen kurzen Moment sein gut aussehendes, aber für einen so jungen Mann auffällig scharf geschnittenes Gesicht. »Es ist eine Haltung, für die allerhand spricht, Sir.«

»Wirklich? Also nun doch ab über die Zinnen mit dem Letzten derer of Waringham? Sicher ist sicher?«

Edward grinste und verriet, was Julian bislang nicht geahnt hatte: Der Earl of March war ein Draufgänger und ein Flegel.

»Nein, ich denke, heute nicht. Ich räume Euch eine Gelegenheit ein, Eure Haltung zu überdenken.«

»Zu gütig.«

»Der Duke of York verfolgt uneingeschränkt die richtigen Ziele, wisst ihr«, belehrte Edward ihn. »Nur seine Mittel sind vielleicht manchmal ein wenig fragwürdig.«

»Na warte, Bengel«, kam Yorks Stimme aus der Dunkelheit.

Edward schien davon wenig beeindruckt. Er verzog das Gesicht zu einer frechen Grimasse und zwinkerte Julian zu. »Woll'n wir? Es wird jeden Moment anfangen zu regnen.«

Julian nickte. Er verneigte sich spöttisch in die Richtung, aus der eben Yorks Stimme gekommen war. »Es war ein unvergesslicher, erhellender Abend, Euer Gnaden. Lebt wohl.« Als er sich abwandte, raunte er dem jungen Edward beinah unhörbar ein »Danke« zu, dann war er durch die Tür und lief die Treppe hinab.

Kaum war er unten wieder ins Freie getreten, fing es tatsächlich an zu regnen. Erst hörte er ein paar vereinzelte dicke Tropfen fallen, die Luft nahm diesen rätselhaften, einzigartigen Geruch an, den es nur bei Gewitterregen gibt, und dann öffnete der Himmel seine Schleusen. Noch ehe Julian das Normannentor erreichte, war er bis auf die Haut durchnässt. Er blieb im Torhaus stehen, um das Schlimmste dort abzuwarten, und war alles andere als verwundert, als er Warwick sagen hörte: »Julian ... es tut mir leid. Ich habe nicht geahnt, dass er so etwas ... Das hab ich wirklich nicht gewollt.«

Julian drehte sich nicht zu ihm um. »Das hast du nach St. Albans auch gesagt. Allmählich nutzt es sich ab.«

»Denkst du nicht, du bist ein wenig ungerecht? Habe ich dir je Anlass gegeben, an meiner Freundschaft zu zweifeln?«

»Nein. Heute Abend war das erste Mal.« Und das erschütterte ihn vielleicht mehr als der Anschlag auf sein Leben. Er sah sich plötzlich gezwungen, nicht nur sein Bild des Duke of York, sondern auch das seines Cousins Warwick, den er immer für seinen Freund und Mentor gehalten hatte, zu überdenken.

»Dann ist dein Vertrauen leicht erschüttert.«

Nun sah Julian ihn doch an. Er war fassungslos. »Was erwartest du? Sie wollten mich umbringen, verflucht noch mal!«

»Unsinn.« Das Gewitter war jetzt genau über ihnen. Unmittelbar nach dem Blitz dröhnte der Donner, und Warwick musste warten, bis dieser verhallt war, ehe er fortfahren konnte: »Er wollte dir einen Schreck einjagen, nichts weiter. Du warst rüde und unverschämt zu ihm, und der Duke of York ist der Unverschämtheit der Lancastrianer überdrüssig. Aber er hätte sie zurückgehalten, wäre Edward nicht gekommen, sei versichert. Er ist ein wirklich ehrenwerter Mann, weißt du.«

Julian schüttelte ungläubig den Kopf. »Er hätte sie nicht zurückgehalten. Und das hast du auch nicht geglaubt. Du machst dir was vor, Richard. Du belügst dich selbst. Das ist … entschuldige, aber das ist erbärmlich.«

»Ach, was weißt du schon, Bengel!«, fuhr Warwick auf. »Ich sage dir, York ist Englands Zukunft!« Er hatte die Stimme jetzt erhoben, ob vor Erregung oder um sich gegen das Prasseln und Grollen Gehör zu verschaffen, war schwer zu sagen. »Und seine einzige Hoffnung. Ich habe meine Wahl getroffen, *für* York. Aber ich habe ebenso viel Lancasterblut in den Adern wie du, und er wird mir nur dann trauen, wenn ich vorbehaltlos an seiner Seite stehe. *Vorbehaltlos*, Julian, hast du eigentlich eine Ahnung, was das bedeutet? Es bedeutet Opfer!«

Julian nickte und klopfte ihm tröstend die Schulter. »Nimm's nicht so tragisch, Richard. Wenn du eins im Überfluss hast, sind es Cousins.«

»Du … Herrgott, du hast mich bis auf die Knochen blamiert, ist dir das eigentlich klar?«

»*Blamiert?*« Entrüstet schob Julian sich die tropfnassen Haare aus der Stirn. »Was zum Henker soll das heißen? Du hast mich einfach vor ein Fait accompli gestellt, und dann wunderst du dich, dass ich nicht so funktioniere, wie du dir das gedacht hast? Ich bin keine dressierte Maus!« Es donnerte wieder.

»Als wir im Mai miteinander gesprochen haben, warst du

gewillt, dich Yorks Sache anzuschließen. Aber du ziehst immer noch vor deinem Vater den Schwanz ein, obwohl er tot ist.« Warwick klang verständnislos und enttäuscht.

»Du hast Recht, ich wollte mich Yorks Sache anschließen. *Deiner* Sache. Aber ich habe dir gesagt, ich muss darüber nachdenken. Es wäre wirklich besser gewesen, du hättest mit mir gesprochen, ehe du mich einfach zu ihm bringst. Ich … » Das war nicht so einfach zu erklären. »Seit ich Earl of Waringham bin, ist mir die Tradition meiner Familie viel bewusster geworden als früher. Darum habe ich mich mit dieser Entscheidung fürchterlich herumgequält. York hat sie mir heute Abend unerwartet leicht gemacht. Und dafür bin ich ihm fast dankbar. Ich war es ziemlich satt, darüber nachzugrübeln.«

»Sprich nicht so, als wäre es vorbei«, herrschte Warwick ihn an. »Du musst dich besinnen. Du hast gar keine andere Wahl, Julian. Wenn York über England herrscht, wird es hier verdammt ungemütlich für diejenigen, die sich ihm widersetzt haben, glaub mir.«

Dann werde ich England womöglich den Rücken kehren müssen, dachte Julian. Es war ein furchtbarer Gedanke. Als tue sich ein Abgrund zu seinen Füßen auf. »Was denn, noch mehr Drohungen?« Er schüttelte ungläubig den Kopf. »Das kannst du dir wirklich sparen. Heute Abend zumindest kann mir nichts mehr Angst einjagen. Gute Nacht, Richard.«

»Julian!«

Aber er hatte sich schon abgewandt, rannte mit gesenktem Kopf durch den prasselnden Regen zur Halle hinüber, und als er merkte, wie die Sturzbäche ihm in den Nacken rannen, lachte er. Es war so gut, noch am Leben zu sein.

Seine Schwester erwartete ihn mit Ungeduld und Missbilligung. »Wie siehst du nur aus.« Sie betrachtete ihn kopfschüttelnd. »Was hast du getrieben, he?«

»Wir brechen auf, Blanche. Wir reiten nach Hause.«

»Was, jetzt?«

»Jetzt.«

»Hab die Güte und tritt einen Schritt zurück, du tropfst auf mein einziges Festtagskleid.«

»Du wirst unterwegs noch sehr viel nasser werden«, prophezeite er. »Aber besser nass als tot.«

»Was ist passiert, Julian?«

»Das erzähl ich dir später.« Er sah sich kurz um. Die Halle hatte sich merklich geleert. Nicht nur der König und die Königin, sondern auch das Brautpaar hatte sich zurückgezogen. Julian dachte lieber schnell an etwas anderes. Die Vorstellung, was sich vielleicht gerade jetzt im prunkvollen Brautgemach zutrug, konnte er im Moment wirklich nicht gebrauchen. »Verdammt, ich müsste mit Edmund reden …«

Wie so oft, wenn er den Kopf zu verlieren drohte, behielt Blanche die Ruhe. »Dann sprich mit seinem Bruder. Ich gehe mich umziehen und meine Sachen holen. Wir treffen uns im Stall.«

»Abgemacht.« Er sah ihr nach, bis sie die hell erleuchtete Halle verlassen hatte, und ertappte sich dabei, dass er argwöhnte, irgendeine finstere Gestalt könne ihr nachschleichen. Aber anscheinend interessierte sich niemand für Blanches eiligen Abgang. Die adligen Herrschaften, Ritter und Kirchenmänner, die noch in der Halle weilten, waren in angeregte Gespräche vertieft oder heillos betrunken oder beides.

Zögernd näherte Julian sich der hohen Tafel. Er nahm an, jetzt, da Henry und Marguerite sich zurückgezogen hatten, war es verzeihlich, dass er die Estrade betrat.

Als spüre er die Präsenz in seinem Rücken, wandte Jasper Tudor den Kopf. »Julian.« Er zeigte nicht wirklich ein Lächeln. Das tat er höchst selten. Doch für einen Moment trat ein Schimmer freundschaftlicher Wärme in seine schwarzen Augen.

»Jasper. Ich … müsste dich kurz sprechen.« Julian sagte es so unbeschwert, wie er konnte.

»Natürlich.« Jasper erhob sich. Seinem Schritt nach zu urteilen, war er stocknüchtern, denn er ging auf schnurgeradem Kurs und leichtfüßig von der erhöhten Plattform der Ehrentafel und an den linken Seitentischen entlang, bis sie in den unteren Teil der Halle gelangten, wo die Wandfackeln in größeren Abständen hingen. Dort blieb er stehen. »Bist du in Schwierigkeiten?«

»Wie kommst du darauf?«, fragte Julian entgeistert.

»Ich habe deine Schwester hinauslaufen sehen. Und du bist nervös wie ein Fuchs, der die Meute wittert.«

Julian schüttelte langsam den Kopf. »Wenn ich dir erzähle, was mir heute Abend passiert ist, wirst du mir vermutlich nicht glauben.«

»Probier's mal«, schlug Jasper vor. »Mein alter Herr behauptet gern, ich sei leichtgläubig.«

Julian, der immer noch versuchte, die Augen überall gleichzeitig zu haben wie der besagte Fuchs, entdeckte Warwick, der zu seiner Gemahlin getreten war und eindringlich mit ihr sprach. »Nicht hier.«

Jasper nickte und brachte ihn durch eine schmale Türöffnung zu einer Treppe, die auf die Galerie der Halle führte. Die Musiker, die hier oben bei festlichen Anlässen spielten, machten entweder eine Pause oder hatten, was wahrscheinlicher war, für heute Feierabend. Jasper Tudor setzte sich auf den Schemel hinter der Harfe und entlockte den Saiten einen leisen Seufzer. Er war ein ausgezeichneter Harfespieler. »Also?«

Julian berichtete. Erst stockend und ein wenig verschämt, doch als er zu seinem Gespräch mit dem Duke of York und dem beinah blutigen Ende kam, kehrte sein Zorn zurück, und er redete sich in Rage. »Ich meine, ist das zu fassen? Was ist aus England geworden, wenn ein Mann mit dem Leben bezahlen soll, weil er etwas gesagt hat, das dem zukünftigen Lord Protector nicht passt? Was für eine wunderbare, Heil spendende Politik soll das sein, die York England bescheren wird? ›Und willst du nicht mein Bruder sein, so schlag ich dir den Schädel ein‹?«

Jasper schnaubte amüsiert, warnte aber: »Nicht so laut.«

Julian senkte die Stimme. »Jedenfalls, wenn der junge Edward of March nicht zufällig gekommen wäre, dann hätte es ganz finster für mich ausgesehen.«

»Falls es denn wirklich ein Zufall war.«

»*Was?*«

Jasper hob langsam die Schultern. »York beherrscht seine Welpen mit eiserner Hand. Sie tun, was er befiehlt, und zwar schleunigst. Vielleicht war es eine abgekartete Sache. Zu welchem Zweck auch immer. Man durchschaut nicht so leicht, was er vorhat. Das muss man ihm lassen.«

Julian dachte darüber nach. Er war sich sehr wohl bewusst, dass er oft naiv war und einfach vergaß, die Dinge, die das Auge sah, zu hinterfragen. Aber er war sicher, dass Edward of March ihm keine Komödie vorgespielt hatte. Der Schrecken in den Augen des Jungen war so aufrichtig gewesen wie sein eigener. Doch er ging nicht weiter darauf ein. Im Augenblick war es unwichtig. »Du glaubst mir also.«

Jasper Tudor nickte. »Mühelos. Was hast du jetzt vor?«

»Ich will nach Hause«, antwortete Julian. »Meine Schwester von hier fortschaffen, da York es offenbar immer noch auf uns Waringham abgesehen hat. Ich verstehe allerdings nicht, warum. Wenn er jedem in England nach dem Leben trachtet, der ein Tröpfchen Lancasterblut in den Adern hat, wird er alle Hände voll zu tun bekommen. Meine Großtante Joan allein hatte fünfzehn Kinder, und die Zahl ihrer Enkel muss eine Kathedrale füllen.«

»Nun, rechne lieber nicht damit, dass York sich vom Ausmaß seiner Aufgabe abschrecken lässt. Es kann auf keinen Fall schaden, vorsichtig zu sein.«

»Also wirst du Edmund erklären, warum Blanche und ich so plötzlich verschwunden sind? Er soll mir Nachricht schicken. Wenn er oder Megan mich brauchen, komme ich sofort.«

»Megan sollte ebenso aus Yorks Blickfeld verschwinden wie du und deine Schwester«, murmelte Jasper nachdenklich und spielte einen kleinen Lauf auf der Harfe, der wie das Plätschern von klarem Wasser in einem steinigen Bachbett klang.

»Ja, du hast Recht«, antwortete Julian beklommen. Mit einem Mal fühlte er sich verzagt und erschöpft, und ihm graute vor dem langen Ritt durch die Regennacht.

Jasper schien gänzlich in sein Harfespiel versunken. Doch plötzlich nahm er die Hände von den Saiten und stand auf. »Warte hier, Julian. Ich bin gleich wieder da.«

»Aber ich muss los. Blanche ist allein im Pferdestall, und ich …«

»Es dauert nicht lange«, versprach Jasper und hastete die Treppe hinab, ohne sich auf weitere Debatten einzulassen.

Julian wartete. Erst kaute er an seinem Daumennagel. Als ihm das bewusst wurde, ließ er die Hand sinken, denn es hatte ihn als Knaben solche Mühe gekostet, sich diese Unsitte abzugewöhnen. Langsam zog er seinen Dolch, erwog kurz, in den Klangkörper der Laute ein zusätzliches Schallloch zu schneiden, zog es dann aber vor, in die runde Sitzfläche eines der Schemel ein Gesicht zu schnitzen.

Er hatte gerade mit dem zweiten Auge begonnen, als er leise Schritte auf den Steinstufen vernahm. Seine Nackenhaare richteten sich auf, aber er wandte sich ohne unwürdige Hast um.

Jasper Tudor kam zurück auf die dämmrige Galerie, und er war in Begleitung dreier junger Männer. »Julian, das ist Lucas Durham of Sevenelms.« Er wies auf den größten, einen äußerst kostbar gekleideten Gentleman mit schwarzen Locken. »Frederic of Harley«, stellte Jasper den zweiten vor. »Taub wie ein Stock und stumm wie ein Stein, aber leg dich lieber nicht mit ihm an. Ein Mordskerl. Und dann hätten wir da noch Algernon Fitzroy, den jüngsten Bruder des Earl of Burton.«

Süßer Jesus, *noch* ein Cousin, fuhr es Julian durch den Kopf. Er schüttelte den drei Männern die Hand. Sah er sie heute auch zum ersten Mal, war doch keiner der Namen ihm fremd. Alle drei entstammten Familien, die der seinen seit Generationen verbunden waren – freundschaftlich oder gar verwandtschaftlich.

»Eine Ehre, Gentlemen«, murmelte er.

»Jasper hat uns angedeutet, dass Ihr ein paar kleinere Schwierigkeiten mit dem Duke of York hattet«, bemerkte Algernon Fitzroy. »Lucas, Frederic und ich lungern seit Wochen hier bei Hofe herum und wissen nichts Rechtes mit uns anzufangen.

Und jetzt, da York hier aufgetaucht ist, drängt es uns, Windsor zu verlassen, wenn Ihr versteht, was ich meine. Deswegen hat Jasper uns vorgeschlagen, Euch und Eure Schwester nach Waringham zu begleiten.«

Julian war überwältigt. Im ersten Moment fand er keine Worte, und Jasper Tudor missverstand sein Schweigen. »Du solltest nicht lange zögern«, drängte er leise. »Allein auf der Straße seid ihr zu verwundbar.«

»Ich weiß.« Julian stieß hörbar die Luft aus. Erst jetzt merkte er, wie groß seine Furcht gewesen war, und eine enorme Last glitt von seinen Schultern. »Ich bin Euch sehr dankbar, Gentlemen.«

Lucas Durham zeigte ein schelmisches Lächeln. »Es ist kein gar zu großes Opfer, wisst Ihr. Wir alle haben Eure Schwester hier in den letzten Wochen gelegentlich gesehen.«

Es gab Gelächter, in das auch Julian mit einstimmte, doch gleichzeitig zeigte er ihnen die geballte Faust: »Finger weg.«

Algernon klopfte ihm grinsend die Schulter. »Lasst uns gehen, Vetter. Wir wollen die liebreizende Lady Blanche nicht länger als nötig warten lassen.«

Waringham, September 1455

»... ihn lieben und ehren, ihm gehorchen und angehören, in Gesundheit und Krankheit, in Armut und in Reichtum, in guten wie in schlechten Tagen, bis dass der Tod euch scheidet?«, fragte Vater Michael.

Nicht zwingend, aber mir soll's recht sein, dachte Blanche. »Ich will, Vater.«

»Und wollt Ihr, Thomas Devereux of Lydminster, diese Jungfrau zu Eurem angetrauten Weibe nehmen, sie lieben und ehren, in Gesundheit und Krankheit, in Armut und in Reichtum, in guten wie in schlechten Tagen, bis dass der Tod euch scheidet?«

»Ich will.«

»So erkläre ich Euch hiermit im Angesicht Gottes zu Mann und Weib.«

Der Ring, den Devereux Vater Michael reichte, war ein aufwändig ziselierter Goldreif, in welchen ein rund geschliffener Rubin eingesetzt war. Blanche unterdrückte mit Mühe ein Jauchzen und verdrehte die Augen nach links, so weit es möglich war, um einen verstohlenen Blick mit ihrem Bruder tauschen zu können. Hatte er Devereux bei der Auswahl tatsächlich beraten, oder hatte ihr Gemahl ohne Hilfe exakt ihren Geschmack getroffen? Sie beschloss, Julian nicht danach zu fragen, lieber Letzteres zu glauben und als gutes Omen zu werten.

Vater Michael segnete den Ring, und nachdem Devereux ihn seiner Braut an den Ringfinger der Linken gesteckt hatte, sprach der Priester die lateinischen Worte und schlug das Kreuzzeichen über ihnen.

Thomas Devereux nahm seine Braut bei den Händen und blickte ihr lächelnd in die Augen. Blanche sah sein Gesicht näher kommen. Im letzten Moment verließ sie der Mut, und sie schloss die Lider. Seine Lippen waren rau und kühl auf ihren. Männlich. Als seine Zunge sich vorwagte, öffnete Blanche die Lippen ein wenig, und plötzlich schlang er die Arme um sie und presste sie an sich.

»Ich würde sagen, das reicht, mein Sohn«, mahnte Vater Michael trocken, und hier und da gab es Gelächter. Es war nur eine sehr kleine Hochzeitsgesellschaft: Braut und Bräutigam, Julian mit seinen drei neuen Freunden, Lady Juliana und Berit Wheeler aus dem Dorf, die Blanches und Julians Amme gewesen war und sich anlässlich der Hochzeit ihres kleinen Lieblings die Augen aus dem Kopf heulte. Geoffrey der Stallmeister hatte die Einladung ausgeschlagen und war geflüchtet. Angeblich hatte er dringende Geschäfte in Canterbury zu erledigen.

Vater Michael führte das Brautpaar und die kleine Gemeinde in die Burgkapelle, aber Blanche konnte der Messe kaum folgen. Sie fühlte sich immer noch ein wenig betäubt von der schwindelerregenden Plötzlichkeit, mit der sie verheiratet worden war.

Eine Woche, nachdem sie mit Julian nach Hause gekommen war, hatte ein königlicher Bote ihrem Bruder und ihrer Mutter einen Brief gebracht: *Henry, von Gottes Gnaden König von England und Frankreich, an Unseren Vasallen Julian, Earl of Waringham, und Lady Juliana of Wolvesey, Grüße! Wir sind hocherfreut, Euch mitzuteilen, dass die Verhandlungen mit Sir Thomas Devereux bezüglich seiner Eheschließung mit Lady Blanche of Waringham zu einem erfolgreichen Abschluss gekommen sind. In Unserer Eigenschaft als Vormund der Braut betrachten Wir es als Unser Privileg, die Mitgift von fünfhundert Pfund zu tragen. Unsere gelehrten Ratgeber haben das Namensfest der heiligen Eugenia als geeigneten, segensreichen Hochzeitstag ermittelt, sodass Wir vorschlagen ...*

»Wann ist das?«, hatte Blanche gefragt.

»Der elfte September, du ungebildetes Heidenkind«, hatte ihre Mutter erwidert, aber ihr Tadel klang zerstreut, denn sie studierte den Pergamentbogen in ihrer Hand.

»Das ist in drei Wochen!« Julian klang entrüstet. »Ein bisschen kurzfristig, oder?«

»Wieso?«, entgegnete ihre Mutter. »Wir müssen ja keine große Affäre daraus machen, wenn Henry nicht darauf besteht. Hier steht nichts davon, dass er persönlich zu erscheinen gedenkt.«

»Gott sei Dank für diese kleine Gnade«, knurrte Julian missgelaunt. Er wandte sich an seine Schwester. »Und du sagst gar nichts?«

Blanche hatte ratlos die Schultern gezuckt. »Was erwartest du, das ich sagen soll? Irgendwann muss es sein, das war mir immer klar, also warum nicht am elften September? Mir macht die Wahl des Bräutigams mehr Kopfschmerzen als der Termin.«

»Warum?«, fragte Lady Juliana. »Hast du irgendetwas Schlechtes über Sir Thomas gehört?«

Blanche schüttelte den Kopf. »Aber ich weiß nicht einmal, ob er fett oder dürr, jung oder alt, hübsch oder hässlich ist.«

»Nein«, stimmte Julian düster zu. »Das Einzige, was wir mit Sicherheit wissen, ist, dass er Yorkist ist, nicht wahr?« Er wechselte einen besorgten Blick mit seiner Schwester, und sie fragten sich beide, ob York irgendwie dahintersteckte, dass die vagen Hochzeitspläne so schnell konkret geworden waren. Und wenn ja, was er damit bezweckte.

»Woher willst du wissen, dass er ein Yorkist ist?«, fragte Lady Juliana.

Julian hob ungeduldig die Hände. »Er ist ein Marcher Lord, oder nicht?« Die Marcher Lords waren die Lords der Marken, die Ländereien und verwandtschaftliche Verbindungen auf beiden Seiten der walisischen Grenze hatten. Ihr Anführer und Lehnsherr war der Earl of March – mit anderen Worten, der Duke of York, der Land und Titel des Earl of March vom Bruder seiner Mutter geerbt und erst vor wenigen Jahren seinem ältesten Sohn Edward überschrieben hatte.

»Nun, ich muss gestehen, es erstaunt und erfreut mich, dass du den Yorkisten endlich das gebotene Misstrauen entgegenbringst, mein Sohn«, spöttelte Lady Juliana. »Was immer bei Megans und Edmunds Hochzeit vorgefallen sein mag, das du mir nicht erzählen willst, hat dir offenbar die Augen geöffnet, und dafür bin ich Gott dankbar. Aber es besteht kein Anlass zur Sorge um das Wohl deiner Schwester.« Sie nahm Blanches Hand und drückte sie. »Ich kannte die Mutter deines Bräutigams und ihn selbst als Knaben. Die Devereux sind anständige Leute. Und gut aussehend.«

Blanche fühlte sich tatsächlich ein wenig getröstet. Wie praktisch, eine Mutter zu haben, die jeden kannte, der in England etwas galt.

Aber Julian war nicht so leicht zu versöhnen. »Fünfhundert Pfund«, schimpfte er vor sich hin. »Eine beschämende Mitgift für eine Waringham.«

»Ja, das ist wahr«, stimmte ihre Mutter zu. »Aber wir können die Umstände nicht ändern, Julian: Weder dein Vater noch dein

Cousin haben dir etwas hinterlassen, womit du deine Schwester ausstatten könntest.«

»Aber in ein paar Jahren könnte ich es bestimmt ...«

»In ein paar Jahren bin ich zu alt, Julian«, fiel Blanche ihm ins Wort. »Oh, jetzt schau mich nicht an wie ein waidwundes Reh! Schließlich musst *du* ihn ja nicht heiraten, oder?«

Eine gute Woche nach dem königlichen Brief war der Bräutigam selbst in Waringham erschienen, um dem jungen Earl und dessen Mutter seine Aufwartung und Blanche den Hof zu machen. Dafür hatte er sich großzügige zwei Stunden Zeit genommen, die das junge Paar im Rosengarten verbracht hatte – unter Lady Julianas wachsamem Blick, die oben am Fenster gesessen hatte. Thomas Devereux hatte seiner Braut von seinem Landgut in Lydminster vorgeschwärmt, von der Schönheit der Grenzmarken, dem Blau des Severn und des weiten Himmels über Herefordshire. Und sie hatte ihn angeschaut, diesen gut aussehenden Fremden mit dem altmodisch kurzen Blondschopf und den lebhaften Augen, die fast so dunkel waren wie ihre. Seine Stirn war schon von ein paar Furchen durchzogen, denn er war gewiss zehn Jahre älter als sie, aber dagegen hatte Blanche nichts. Sie fand die Furchen vertrauenerweckend. Und so hatte sie dagesessen – untypisch still – und ihm gelauscht und vergeblich darauf gewartet, dass sie etwas spürte. *Dies ist der Mann, den du heiraten wirst. Also?* Nichts, nicht das Geringste hatte sich in ihr geregt bis auf eine vage Erleichterung, denn er war höflich und ansehnlich und ein Gentleman. Es hätte schlimmer kommen können.

Nach der Trauung gab es kein Festmahl in der Halle, denn Thomas Devereux war in Eile. Es gäre in Wales, hatte er seiner Braut und deren Familie am Vorabend berichtet, und er wolle so schnell wie möglich nach Hause. So nahmen sie nur einen raschen Imbiss, ehe die Pferde vor den Bergfried geführt wurden. Devereux' Begleiter – zwei junge Verwandte, die in seinem Dienst standen – waren bereits aufgesessen.

Julian sah zum Himmel. »Ich fürchte, das Wetter wird nicht halten, Devereux«, sagte er seinem Schwager. »Ihr seid herzlich eingeladen, in meinem Haus in London zu übernachten. Es ist nicht übermäßig komfortabel, aber ein Dach über dem Kopf.«

»Danke, das ist nicht nötig. Ich habe selbst ein Haus in London, Mylord.« Es klang eine Spur gereizt, argwöhnte Blanche. Vielleicht war ihr Gemahl ein wenig empfindlich und missverstand Julians freundschaftliches Angebot als adlige Gönnerhaftigkeit.

Sie umarmte erst ihre Mutter, dann ihren Bruder. Für einen Moment gestattete sie sich, dem Schmerz über die Trennung von Waringham und ihrer Familie nachzugeben, kniff die Augen zusammen und presste das Gesicht an Julians Brust. »Leb wohl, Bruder.«

Er musste sich räuspern. »Leb wohl, Schwester.« Er legte die Hände auf ihre Wangen, hob ihr Gesicht und sah ihr in die Augen. Dann küsste er ihr die Stirn, ließ sie beinah abrupt los und streckte Devereux die Hand entgegen. »Wenn Ihr nicht anständig zu ihr seid, bring ich Euch um, Schwager.«

Es war die Art scherzhafter Bemerkung, die Bruder oder Vater der Braut bei Hochzeiten üblicherweise machten, nur meinte Julian es todernst, wusste Blanche. Doch Devereux schlug ein und entgegnete mit einem Lächeln: »Ihr werdet von meiner Gemahlin gewiss keine Klagen hören, Mylord.« Er reichte Blanche den Arm. »Wollen wir, Madam?«

Blanche musste sich einen kleinen Ruck geben. Dann legte sie die Hand auf seinen Ellbogen und ließ sich zu ihrer Stute führen. Galant half Devereux ihr beim Aufsitzen, ehe er sich selbst in den Sattel schwang.

Die Eskorte ließ ihnen höflich den Vortritt, damit nicht Devereux und seine junge Gemahlin in dem Staub reiten mussten, den ihre Pferde aufwirbelten, und Seite an Seite ritt das Brautpaar aus dem Tor. Blanche gelang es eine Weile, sich zusammenzunehmen. Doch als sie die kahle Kuppe des Mönchskopfes erreichten, erlebte sie, wie es Lots Frau ergangen war: Die Versuchung, zurückzuschauen, war einfach zu gewaltig, um ihr zu widerstehen. Also wandte sie den Kopf und ließ einen letzten Blick über Burg und Gestüt schweifen, ehe sie Richtung Dorf hügelabwärts ritten.

»Erzähl mir nicht, dass du diesen hässlichen grauen Kasten vermissen wirst«, sagte Devereux amüsiert.

Blanche lächelte ihn an. »Du hast Recht. Es *ist* ein hässlicher Kasten. Aber ich habe dort eine behütete und glückliche Kindheit verbracht. Meistens jedenfalls. Darum bin ich ein bisschen wehmütig.«

»Du solltest dich lieber glücklich preisen, ein so warmes Nest gehabt zu haben«, entgegnete er.

Blanche nickte. »Ich weiß.«

Ihr Bruder hatte sich nicht getäuscht, was das Wetter betraf. Kurz hinter Rochester begann es zu nieseln. Ein ungemütlicher Wind kam auf, und Devereux wies einen seiner jungen Vettern an, Blanche seinen Mantel zu geben. Sie wollte abwehren, doch ihr Gemahl bestand darauf, und legte ihr den Umhang, der länger und wärmer war als ihr eigener, sorgsam um die Schultern.

Als sie über die London Bridge kamen, fing es ernsthaft an zu regnen, aber es war nicht mehr weit bis zu Devereux' Haus in der Vintry: eine Kaufmannsvilla in bester Flusslage, die bis vor zehn Jahren einem Weinhändler gehört hatte. Devereux hatte sie gemeinsam mit seinem Bruder gekauft, denn wer nicht als hoffnungsloser Hinterwäldler gelten wollte, brauche heutzutage ein Haus in London, erklärte er Blanche. Die Devereux hatten den gut gefüllten Keller kurzerhand mit erworben und den lukrativen Handel mit französischen Weinen fortgeführt.

»Jeder Engländer, der es sich leisten kann, trinkt französischen Wein«, belehrte Sir Thomas seine Braut beim Nachtmahl, das sie allein in einer elegant eingerichteten Halle einnahmen. Den beiden jungen Vettern war zu Blanches Befremden befohlen worden, mit dem Gesinde in der Küche zu essen. »Egal ob Krieg oder kein Krieg. Es ist ein krisensicheres Geschäft. Wir importieren preiswerten, jungen Wein aus Bordeaux, den inzwischen selbst die einfachen Leute in London alle Tage trinken, aber auch edlere burgundische Tropfen, vor allem aus Beaune.« Und weil Blanche sich nicht sogleich beeindruckt zeigte, fügte er vielsagend hinzu: »Das ist der Wein, den der Papst trinkt.«

»Oh, verstehe«, beeilte sie sich zu sagen. Sie war nervös. Das Essen war hervorragend: Lammrücken mit geschmorten Birnen und dazu frisches weißes Brot, doch sie hatte Mühe, es herunterzuwürgen.

»Die besten Geschäfte machen wir allerdings mit Grenache«, fuhr Devereux fort.

Blanche spürte Regenwasser aus ihrem Haar in den Kragen tropfen und hätte ein Handtuch besser gebrauchen können als einen Vortrag über Weinhandel, aber sie bemühte sich, Interesse zu zeigen. »Grenache? Was ist das?«

»Ein spanischer Süßwein. Ethel!« Und als die Magd, die ihnen aufgetragen hatte, hereinkam und vor ihm knickste, wies er sie an: »Bring meiner Braut einen Grenache.«

Das Mädchen knickste wieder, ging an einen reich geschnitzten Schrank, der an der Wand hinter dem Tisch stand, und holte einen verschlossenen Krug und einen kleinen Glaspokal heraus. Sie schenkte ein und trug das Glas feierlich vor sich her. »Madam.« Sie stellte es auf dem Tisch ab, senkte schüchtern den Blick, knickste schon wieder und wandte sich ab.

Devereux machte eine auffordernde Geste. »Trink.«

Blanche hob das Glas, schnupperte, setzte es an die Lippen und nahm einen kleinen Schluck. Es war ein eigentümlicher Geschmack, süß und gleichzeitig würzig. »Hm! Wunderbar.«

Er lächelte ihr zu, und um seine Augen bildeten sich kleine Faltenkränze. »Wir trinken ihn nur zu besonderen Anlässen. Er ist sehr teuer.«

Es war plump, hoffnungslos unhöfisch, so etwas auszusprechen, aber der unverhohlene Stolz in seiner Stimme rührte sie. Sie erwiderte sein Lächeln. »Ich bin geschmeichelt.« Sie setzte ihr Glas wieder an und sah ihm in die Augen, während sie es leerte.

Devereux lehnte sich in seinem Sessel zurück, verschränkte die Arme und betrachtete sie. Dann sprang er auf die Füße. »Komm.«

Sie war ein wenig erschrocken über seinen plötzlichen Stimmungsumschwung. »Wohin?«, fragte sie verdutzt.

Er lachte. Es war ein echtes, heiteres Lachen, aber irgendetwas Unangenehmes schwang darin. »Wohin gehen frisch Vermählte, wenn es dunkel wird, he?«

Blanche erhob sich rasch. »Oh, natürlich. Wie dumm von mir.«

Er nahm sie bei der Hand – die seine war trocken und schwielig – und zog sie aus der Halle und einen kurzen dämmrigen Flur entlang. Aus dem Augenwinkel sah Blanche die kleine Magd in einem dunklen Winkel stehen, und mit einem Mal genierte sie sich, und sie bekam Angst.

Devereux öffnete eine Tür und schob sie hindurch. Das Brautgemach war vorbereitet: Ein breites Bett lud mit frischen Laken und prallen Daunenkissen ein. Ein Feuer knisterte im Kamin, um die kühle, schon herbstliche Feuchte des Septemberabends zu vertreiben, und unter dem geschlossenen Fenster standen zwei brennende Kerzen und ein Weinkrug auf einem Tisch.

Blanche zeigte zum Fenster. »Kann man den Fluss von hier aus sehen?«

Statt zu antworten zog Devereux sie mit einem leichten Ruck näher, legte wieder beide Arme um sie wie am Vormittag vor der Burgkapelle und drückte den Mund auf ihren. Blanche hatte keine nennenswerten Erfahrungen im Küssen. Geoffrey den Stallmeister hatte sie einmal so weit gekriegt, und als Zwölfjährige hatte sie Adam mit einem Stück Rehbraten bestochen, damit er ihr zeigte, wie es ging, aber er war ebenso ahnungslos gewesen wie sie. Doch mangelnde Erfahrung oder nicht – es erschien ihr seltsam, wie weit Devereux den Mund aufriss, ihn praktisch über den ihren stülpte, und seine Zunge rammte sich regelrecht zwischen ihre Lippen, sodass sie einen Moment fürchtete, sie könnte ersticken. Er beugte sich immer weiter über sie, und Blanche musste den Kopf in den Nacken legen und den Rücken wölben.

Dann richtete er sich abrupt auf und ließ sie los. »Zieh dich aus.«

Blanche sah ihn unsicher an. »Einfach ... so? Vor deinen Augen?«

»Sei keine Gans. Du bist auf dem Land aufgewachsen; ich nehme an, du weißt Bescheid über die Tatsachen des Lebens, oder? Also mach schon.« Er klang eher ungeduldig als barsch.

Na schön, dachte sie. Nur die Ruhe. Millionen und Abermillionen von Frauen haben das vor dir überstanden. Und du bist eine Waringham. Sie setzte das Lächeln auf, das Julian immer ihr »Zieh-mir-den-Splitter-aus-dem-Fuß«-Lächeln nannte, hob die Hände und öffnete die Samtschleifen, die das Überkleid vorne verschlossen. Es war das gute moosgrüne. Mit einem Schulterzucken schlüpfte sie aus dem losen, langärmeligen Gewand, ehe sie die Haken am Unterkleid löste und es sich über den Kopf zog, sodass sie nur noch im knielangen Hemd vor ihrem Gemahl stand.

Er betrachtete sie, den Kopf leicht zur Seite geneigt. Als sie ihm einen verstohlenen, unsicheren Blick zuwarf, machte er eine auffordernde Geste. »Nur weiter. Ich will sehen, ob genug an dir dran ist, um mich für die magere Mitgift zu entschädigen.«

Blanche zog eine Braue in die Höhe. »Das Ausmaß deines Taktgefühls beweist, dass die Devereux schon seit mindestens zwei Generationen nicht mehr mit den Schweinen aus dem Koben fressen, mein Gemahl.« Wie so oft waren die Worte heraus, ehe sie die Folgen überdacht hatte.

Devereux' Augen verengten sich. »Den adligen Hochmut werd ich dir austreiben, mein Täubchen«, versprach er, seine Stimme so eigentümlich leise, dass es sie schauderte.

Er packte sie am Arm und schlug sie mit dem Handrücken ins Gesicht – so schnell, dass Blanche eines sofort klar wurde: Ihr Mann hatte diesbezüglich keine Hemmungen, die es zu überwinden galt. Der Schlag war hart genug, dass sie zur Seite taumelte, aber sie fiel nicht, weil Devereux sie weiter am Arm gepackt hielt. Blut lief ihr aus der Nase.

Sie fühlte seine großen Hände, die sich durch das dünne Leinen auf ihre Brüste legten, dann riss der Stoff, und die Fetzen ihres Hemdes gingen zu Boden. Jetzt hatte er freie Bahn, und wieder legten sich seine schwieligen Hände auf ihre Brust. Ein halb zufriedenes, halb spöttisches Lächeln umspielte seine Lippen. Blanche schloss die Augen.

Mit einem unsanften Stoß beförderte er seine Braut rückwärts aufs Bett. Blanche wollte zurückweichen, aber er klemmte sie mit dem linken Knie ein, während er Obergewand und Wams abstreifte und seine Hosen aufschnürte. Dann riss er sie am Oberarm hoch und rüttelte sie. »Schau mich an.«

Blanche öffnete die Lider.

Sein Gesicht war ihrem viel näher, als sie geahnt hatte. Trotz der schwachen Beleuchtung konnte sie jedes rote Äderchen auf seiner großporigen Nase erkennen. Plötzlich war Devereux ihr widerlich, sodass sie nur mit Mühe einen Laut des Abscheus unterdrückte.

»Ich habe auf den ersten Blick gesehen, dass du ein verzogenes Edelfräulein ohne Respekt bist. Weil heute unsere Hochzeitsnacht ist, werde ich Nachsicht üben. Aber es ist das erste und letzte Mal.« Er nahm seinen Gürtel, der sein Surkot gerafft hatte, von der Bettdecke und zeigte ihn ihr. »Wenn du mir noch einmal mit einer hochnäsigen Bemerkung kommst, mir widersprichst oder es in irgendeiner anderen Weise an gottgefälligem Respekt für deinen Gemahl fehlen lässt, dann wirst du es bitter bereuen. Hast du mich verstanden?«

Blanche starrte ihn an und nickte. Sie brachte einfach keinen Ton heraus. So erbärmlich ihre Furcht ihr auch erschien, hatte diese sie doch gänzlich sprachlos gemacht.

Devereux lächelte, und ein Funkeln trat in seine Augen, das man für Wärme hätte halten können. »Gut.« Mit dem Daumen wischte er das Blut fort, das von der Nase bis zu ihrem Mundwinkel gelaufen war. Dann drückte er sie in die Kissen zurück und ließ den Blick geruhsam über sie wandern. »Gott, du bist wirklich ein schönes Kind«, murmelte er mit einem zufriedenen Seufzer.

Warum sagst du nicht meinen Namen?, fragte sie sich. Er hatte sie noch kein einziges Mal beim Namen genannt.

»Wir werden schon lernen, uns zu verstehen.« Er sprach beschwichtigend, legte die großen Hände auf ihre Knie und schob sie auseinander. »Jetzt sei eine gefügige Braut. Hab keine Angst. Ich tu dir nicht weh.«

Es war die erste von vielen Lügen.

Carmarthen, August 1456

»Julian!«, rief Edmund Tudor und kam mit ausgebreiteten Armen auf ihn zu. »Willkommen in Wales.«

»Danke.« Sie umarmten sich – ein wenig brüsk, wie sie es immer taten –, und über Edmunds Schulter ließ Julian einen verstohlenen Blick durch den Hof und die gewaltige Mauer hinauf schweifen. Nie zuvor hatte er eine so trutzige, abweisende Burg wie Carmarthen gesehen. Waringham Castle nahm sich im Vergleich dazu wie eine Gartenlaube aus. Er wies auf die drei Ritter, die ihn begleiteten. »Ich bin nicht sicher, ob ihr euch kennt: Mein Cousin Algernon Fitzroy, Lucas Durham of Sevenelms und Frederic of Harley. Freunde, dies ist der Earl of Richmond.«

»Willkommen, Sirs.« Edmund schüttelte drei schwerterprobte Pranken und machte aus seiner Erleichterung keinen Hehl. »Ihr kommt gerade recht.«

»Zwei Dutzend Bogenschützen hab ich dir auch noch mitgebracht«, sagte Julian. »Mehr konnte ich auf die Schnelle nicht zusammenkriegen. Sie kampieren unten im Dorf auf dem Anger an der Kirche.«

Edmund nickte dankbar, erwiderte aber: »Schick ihnen Nachricht, sie sollen auf die Burg kommen. Hier ist Platz genug, und es ist besser, wenn wir unsere Truppen beisammen haben. Wir wissen nicht genau, womit wir rechnen müssen.«

Julian wandte sich an seinen Knappen. »Du hast es gehört, Alexander. Ab ins Dorf mit dir.«

»Und ihr kümmert euch um die Gäule«, wies Algernon die anderen drei Knaben an, die sie begleitet hatten.

Die Ritter folgten Edmund Tudor zum Bergfried – der ungewöhnlicherweise am Südostrand der Anlage stand und einen Teil der Ringmauer bildete – und eine Treppe hinauf in einen halbwegs behaglichen Raum mit Teppichen an den grauen Steinwänden und gepolsterten Sesseln um einen klobigen Tisch.

»Herrlich kühl«, bemerkte Lucas Durham und fuhr sich mit dem Ärmel über die Stirn. Die Augusthitze war mörderisch, und riesige Mückenschwärme lauerten in den walisischen Hügeln auf arglose englische Ritter.

»Geduldet Euch einen Moment, Gentlemen, gleich werdet Ihr walisisches Ale zu kosten bekommen. Es ist das beste der Welt«, versprach Tudor. »Hattet Ihr eine gute Reise?«

Julian nickte, setzte sich in einen der Sessel und ließ die Schultern kreisen. »Aber wir haben trotzdem eine Woche gebraucht. Die Straßen in Wales sind ein wenig … gewöhnungsbedürftig, wenn du mir die Bemerkung verzeihen willst. Und der Weg war weiter, als ich gedacht hatte. Ich wusste ehrlich nicht, dass es so weit im Westen noch Land gibt, Edmund. Immer wenn wir an eine Hügelkette kamen, dachte ich, dahinter muss aber doch jetzt das Meer sein. Stattdessen kamen noch mehr Hügel.« Er zuckte die Achseln. »Na ja. Hier sind wir.« Und er war froh, dass er endlich angekommen war. Edmunds Bote, der ihn ersucht hatte, mit möglichst vielen Männern umgehend nach Carmarthen zu ziehen, war mitten in der Erntezeit in Waringham erschienen. Julians Mutter hatte alle nur denkbaren Einwände gegen seinen überstürzten Aufbruch erhoben. Er wusste natürlich, wieso. Aber ihre mütterliche Sorge war ihm ein Mühlstein um den Hals, und er hatte angeführt, dass Edmund Tudor nicht nur sein Freund, sondern ebenso sein Vormund und Dienstherr sei – er konnte nicht ablehnen. Und er wollte auch nicht. Seine Mutter hatte ihn schließlich ziehen lassen, da ihr ja nichts anderes übrig blieb. Aber sie hatte keinen Hehl aus ihren bösen Vorahnungen gemacht, und das hatte Julian ihr verübelt.

Ein dürrer, hoch aufgeschossener Knabe mit roten Locken trat ein und stellte einen Krug auf den Tisch, so unsanft, dass Bier herausschwappte, verteilte mit gesenktem Blick und angewiderter Miene ein paar Zinnbecher und schlurfte grußlos hinaus.

»Höflicher Junge, das muss man wirklich sagen«, bemerkte Algernon Fitzroy trocken.

Edmund winkte mit einem Schulterzucken ab. »Mein Vater hat ihn mir geschickt – irgendwie sind wir verwandt. Ein wackeres Bürschchen, unser Rhys. Aber er missbilligt, dass ich Engländer nach Wales geholt habe. Viele hier tun das.«

»Die Leute im Dorf waren freundlich«, widersprach Julian.

»Tja. Manche denken so, andere so. Das ist, wie es immer schon war. Und nur die wenigsten weinen Gryffydd ap Nicholas eine Träne nach.«

»Das heißt, du hast diesen Gryffydd schon geschlagen?«, fragte Julian enttäuscht. »Wir kommen zu spät?«

»Im Gegenteil. Ganz so einfach ist es in Wales nie, weißt du.« Edmund seufzte leise. »Gryffydd ap Nicholas hat die … Schwierigkeiten in England seit Jahren genutzt, um ganz Südwest-Wales unter seine Kontrolle zu bringen, aber viele Waliser waren nicht gewillt, sich ihm unterzuordnen oder anzuschließen. Als der König mich letzten Herbst herschickte, um seine Autorität in Wales wiederherzustellen, haben viele mir Tür und Tor geöffnet. Mein Bruder Jasper genießt großes Ansehen in Wales, das hat die Dinge einfacher gemacht. Im Frühjahr hat Gryffydd eine Truppe aufgestellt, und wir haben uns ein paar Scharmützel geliefert. Aber entscheidend war Carmarthen.« Er tippte mit dem Fuß auf den strohbedeckten Boden. »Wer diese Burg hält, beherrscht den Südwesten. Vor gut zwei Wochen haben wir sie Gryffydd abgeknöpft, und er hat sich in die Berge verkrochen. Vorläufig wird er vollauf damit beschäftigt sein, seine Wunden zu lecken. Aber kaum hatte ich mich auf meinen

Lorbeeren zur Ruhe gebettet, schickte mein Bruder mir Nachricht: Zwei Marcher Lords haben eine Truppe aufgestellt und von Herefordshire aus die Grenze nach Wales überschritten. Sie sind auf dem Weg hierher.«

»Marcher Lords?«, wiederholte Algernon. »Aber wieso?«

Edmund betrachtete ihn einen Moment mit zur Seite geneigtem Kopf. »Fitzroy ... ein walisischer Name, oder?«

Algernon nickte. »Mein Urgroßvater stammte aus Powys, aber er besaß kein Land. Er hat für den Schwarzen Prinzen in Aquitanien gekämpft und ist anschließend nach England gegangen. Ich fürchte, ich weiß nichts über das Land meiner Ahnen, Mylord.«

»Hm. Das ist bedauerlich. Die Marcher Lords, Sir, haben sich seit jeher in walisische Belange eingemischt. Sie haben es nie besonders gern gesehen, wenn der König von England zu viel Kontrolle in Wales ausübt, weil sie sich bei dem, was sie hier treiben, nicht gern auf die Finger schauen lassen. Aber jetzt haben wir die Situation, dass die Marcher Lords es nicht gern sehen, dass ein *Lancaster* Wales kontrolliert.«

»Du meist, York hat sie nach Wales geschickt«, schloss Julian.

»Sei versichert, dass es so ist.«

»Aber das ist offene Rebellion gegen die Krone!«, empörte sich Lucas Durham.

Edmund verschränkte die Arme und lächelte humorlos. »Nein, Sir Lucas, das ist *verdeckte* Rebellion gegen die Krone. Denn die Marcher Lords werden nicht unter Yorks Banner hier ankommen. Sie würden niemals zugeben, dass sie auf seine Veranlassung handeln. York kann getrost alles abstreiten, und natürlich wird der König ihm glauben. Und so kann York gefahrlos versuchen, Wales und seinen Schatz an erstklassigen Bogenschützen für sich zu gewinnen. Ich für meinen Teil würde das gerne verhindern.«

Darauf tranken sie.

»Wann werden sie hier sein?«, fragte Algernon.

»In zwei bis drei Tagen. Die letzten Nachrichten bekam ich

vorgestern, aber seither ist keiner meiner Kundschafter zurückgekehrt.«

»Wie groß ist ihre Stärke?«, wollte Julian wissen.

»Das wissen wir nicht. Sie marschieren in kleinen Gruppen
und auf unterschiedlichen Routen.«

Lucas schaute aus dem Fenster. Die Abendsonne lugte gerade noch über die gewaltige Mauer. »Nun, ganz gleich, wie viele
sie sind, hier kommen sie niemals rein. Nicht ohne schwere
Geschütze, die sie in diesem schwierigen Gelände kaum mit-
führen können.«

Edmund war nicht so zuversichtlich. »Ich wäre geneigt,
Euren Optimismus zu teilen, hätte ich diese Burg vor zwei
Wochen nicht selbst eingenommen.«

»Wie bist du reingekommen?«, fragte Julian gespannt.

»Mit einer uralten List. Ich bin mit einem traurigen Häuflein vors Tor gezogen, und wir haben Gryffydd ap Nicholas verhöhnt und beleidigt, bis der mit seinen Leuten herauskam, um
es uns zu zeigen. Da ist der Rest meiner Männer – fast zweihundert – aus dem Wald hervorgebrochen, und siehe da, auf
einmal waren wir in der Überzahl. Es war ein Kinderspiel.«

»Die Marcher Lords werden es schwerer haben, weil du
nicht so unglaublich dämlich bist wie Gryffydd«, warf Julian
grinsend ein.

»Keine Burg ist unverwundbar«, entgegnete Edmund ungewöhnlich ernst.

Sie erörterten die Lage noch eine Weile. Algernon erbot
sich, als Kundschafter auszureiten, aber Edmund lehnte ab. Er
wollte nicht noch mehr Männer verlieren, nur um bestätigt zu
hören, was er ohnehin schon ahnte oder wusste, und Algernon hätte in unbekanntem Gelände keine Chance gehabt, heil
zurückzukehren. Ein wenig verschnupft verabschiedete sich
der verschmähte Kundschafter, um sich die gewaltige Festung
anzuschauen, und sowohl Lucas als auch Frederic schlossen
sich ihm an.

»Kein Freund großer Worte, dieser Frederic of Harley, was?«,
fragte Edmund, als sie allein waren, und schenkte ihnen nach.

Julian trank. Es war tatsächlich das beste Ale, das er je gekostet hatte. »Er ist taubstumm. Aber er kann Lippen lesen, und wenn er was zu sagen hat, schreibt er es auf eine Tafel. Ich kenne keinen Menschen, der so schnell schreiben kann. Trotzdem tut er's nur, wenn es sich lohnt. Ich schätze, er wäre selbst dann wortkarg, wenn er reden könnte.«

»Es sind gute Männer«, bemerkte Edmund und nahm einen tiefen Zug aus seinem Becher.

»Sie sind großartig. Ich werde deinem Bruder ewig dankbar sein, dass er sie mir ausgesucht hat. Alles in Waringham hat sich verändert, seit sie dort sind.« Waren Algernon, Lucas und Frederic ursprünglich nur die Eskorte gewesen, die ihn und Blanche an jenem unvergesslichen Abend nach Edmunds und Megans Hochzeit sicher nach Waringham geleiten sollte, waren sie doch länger dort geblieben als ursprünglich geplant. Sie hatten schnell erkannt, wie viel dort zu tun war, und sie hatten auch alle drei nichts Besseres vor, erklärten sie ihm.

»Es war schon ... na ja, wie soll ich sagen. Bewegend, ist das richtige Wort, fürchte ich. Zu erleben, was es tatsächlich bedeutet, Lancastrianer zu sein. Was für eine verschworene Gemeinschaft sie bilden. Wie viel Freundschaft mir entgegengebracht wird, ohne dass ich das Geringste dafür getan hätte. Auf Vertrauensvorschuss, nur aufgrund meines Namens. Es kann einem angst und bange davon werden, Edmund, ehrlich.«

Sein Freund betrachtete ihn kopfschüttelnd. »Darauf, dass sie geblieben sind, weil sie dich schätzen, kommst du nicht, wie?« Und ehe Julian etwas erwidern konnte, fragte er: »Du hast sie also in deinen Dienst genommen?«

Der junge Waringham nickte und senkte einen Moment den Blick. »Ich weiß, ich hätte dich zuerst fragen müssen, aber du warst so weit weg, und ich fürchtete, sie würden wieder verschwinden, wenn ich es nicht täte.«

»Ich habe dir schon Dutzende Male gesagt, ich mische mich nicht in deine Angelegenheiten, Julian. Du hast völlig richtig gehandelt. Und wer ist dein Knappe?«

»Alexander Neville, mein Neffe. Der Sohn meiner Schwester Kate und …«

»Sir Simon Neville, ich weiß. Dein Schwager war bis zum Tod deines Vater königlicher Leibwächter.«

»Ja. Aber nach St. Albans hat Henry ihn nicht zu Vaters Nachfolger ernannt. Simon denkt, der König misstraue ihm oder vielmehr die Königin, weil er Warwicks Cousin ist. Er hat seinen Abschied genommen und sich auf seine Ländereien zurückgezogen. Der Junge war in Waringham zu Besuch, als meine drei neuen Ritter mir erklärten, ich bräuchte unbedingt einen Knappen. Na ja, da hat's ihn erwischt, weil er gerade zur Hand war. Aber er scheint ganz zufrieden.«

»Und ich sehe, du trägst das alte Waringham-Schwert. Ich bin froh, dass du dich daran gewöhnst, der zu sein, der du eben bist.«

Julian sah unwillkürlich zu seiner linken Seite hinab. Es war eine hervorragende und wertvolle Waffe, Heft und Scheide mit Edelsteinen verziert. Trotzdem hatte er nie vorgehabt, sie anzulegen. »Meine Mutter hat mich überredet. Ich wollte nicht, weil ich das Gefühl hatte, Robert habe das Schwert entehrt. Ich meine, ich habe mit eigenen Augen gesehen, wie er unbewaffnete Bauern damit niedergemacht hat. Aber sie hat gesagt, Robert habe sich und nicht das Schwert damit entehrt.«

»Eine kluge Frau.«

»Ja, ich schätze, das ist sie. Da fällt mir ein, was macht Megan?«

Edmunds Gesicht verwandelte sich, als der Name seiner jungen Gemahlin fiel. Die senkrechten Falten, die die Anspannung und Strapazen der letzten Wochen in seine Stirn gegraben hatten, glätteten sich, und seine Augen wurden lebhaft. »Megan geht es prächtig. Wir haben den Winter als Gäste des Bischofs von St. David verbracht, und sie hat in seiner Bibliothek geschwelgt. Es waren wundervolle Wochen. Sie wollte mit herkommen, aber es schien mir zu unsicher. Ich habe sie nach Pembroke gebracht.«

»Zu Jasper?«

Edmund nickte und schüttelte zugleich den Kopf. »Jasper ist bei Hofe. Henry lässt ihn nicht gehen, sonst wäre er natürlich hier. Um dir die Wahrheit zu sagen: Megan hat keinerlei Gesellschaft in Pembroke als nur ihre Bücher, und der Gedanke lastet auf mir. Aber ihre Sicherheit schien mir wichtiger als alles andere, zumal sie guter Hoffnung ist.«

Julian biss die Zähne zusammen. Sein Freund sollte nicht sehen, dass diese Neuigkeit ihn mit Schrecken erfüllte, da er unwillkürlich an Megans zierliche Elfenstatur denken musste. Er griff hastig nach seinem Becher, um seine Gefühle dahinter zu verbergen. »Na ja.« Er klang unbeschwerter, als er war. »Lass uns hoffen, dass wir hier bald fertig werden, dann kannst du zu ihr nach Pembroke reiten. Ist nicht weit von hier, oder?«

Edmund wies aus dem Fenster auf die untergehende Sonne. »Keine dreißig Meilen.« Sie schauten beide in die Richtung, und einen Moment herrschte Schweigen. »Und Blanche?«, fragte Edmund schließlich.

Julian nickte. »Sie schreibt uns ab und zu. Ihr Mann ist oft geschäftlich in London, und dann nimmt er ihre Briefe mit und schickt uns einen Boten. Sie schwärmt von Herefordshire und Lydminster.« Er rieb sich die Nasenwurzel. »Um dir die Wahrheit zu sagen, ich werde nicht ganz klug aus ihren Briefen. Sie sind so … überhaupt nicht Blanche. So untypisch. Ich erkenne sie nicht wieder. Aber vielleicht ist das ganz normal. Wir haben uns monatelang nicht gesehen – natürlich werden wir uns allmählich fremd. Sie hat sich verändert und ich mich auch. Jedenfalls schreibt sie, Devereux lese ihr jeden Wunsch von den Augen ab.«

Edmund richtete sich auf. »Der König hat sie mit einem Devereux verheiratet?«

»Sir Thomas Devereux, ja. Wieso? Stimmt was nicht mit ihnen?«

»Nein, so kann man das nicht sagen.« Edmund tippte sich nachdenklich mit dem Zeigefinger an den Mundwinkel. »Sie sind durchaus ehrenwert. Und ich kann schon verstehen, warum der König die Verbindung wollte: um wenigstens ein

Geschlecht der Marcher Lords an sich zu binden. Aber er hätte lieber eine andere Familie wählen sollen. Die Devereux gehören York mit Mann und Maus.«

»Ich hab's doch geahnt«, grollte Julian. »Und du hast Zweifel, dass diese Verbindung daran etwas ändert, nicht wahr?«

»Größte Zweifel. Julian, der Schwager deiner Schwester, Sir Walter Devereux, ist einer der beiden Lords, die gerade Yorks Truppen hierher führen, um mich aus Carmarthen zu jagen.«

Am Nachmittag des übernächsten Tages kamen sie, und ihre Stärke erschütterte sogar Edmund Tudor: Walter Devereux und sein Cousin Sir William Herbert hatten zweitausend Mann aufgeboten, die wie Heuschrecken im Dorf einfielen und es plünderten. Die Dorfbevölkerung war rechtzeitig geflohen, die Männer in die Festung, Frauen und Kinder ins nahe gelegene Franziskanerkloster. Schweigend und grimmig standen die Bauern und kleinen Handwerker nun auf den Zinnen und sahen ihre Häuser in Rauch aufgehen. Und noch ehe es Abend wurde, marschierten die Marcher Lords auf das gewaltige Tor der Burg. Aufgrund der steilen Hügellage hatte Carmarthen Castle keinen Graben, und das Fehlen einer Zugbrücke machte das Tor besonders verwundbar. Doch die Baumeister hatten diesen Schwachpunkt bedacht: Das hölzerne Tor selbst war fast vollständig mit dicken Eisenplatten bewehrt, und die Stäbe des Fallgitters waren armdick. Durch Pechnasen an der Brustwehr des Torturmes konnte man die Angreifer mit allem begießen und bewerfen, was man zur Hand hatte.

Julian spähte durch eine dieser Luken auf den Burghügel hinaus. »Sie haben Wachfeuer entzündet, aber es sieht so aus, als seien sie für heute schlafen gegangen«, berichtete er.

Lucas Durham, der mit ihm zur Nachtwache eingeteilt war, zog ihn am Ärmel zurück. »Was nicht heißt, dass sie nicht noch munter genug wären, um einen gar zu naseweisen Waringham vom Turm zu schießen.« Genau wie Algernon Fitzroy und Frederic of Harley hatte auch Lucas Durham die letzten Kriegsmonate in Frankreich erlebt. Lucas war bei der Schlacht von

Castillon verwundet worden. Im Gegensatz zu Julian verfügten seine drei Ritter also über Kampferfahrung. »Ich kann nicht glauben, dass sie allen Ernstes einen Rammbock mitgebracht haben«, fuhr er fort. »In Wales führt man Krieg wie in England vor zweihundert Jahren.«

»Ich nehme an, es liegt an der unzugänglichen Gegend, oder? Wie du schon sagtest: Hier kannst du keine Geschütze herschaffen oder in Stellung bringen.«

»Stimmt.« Lucas gähnte herzhaft und legte mit einiger Verspätung die Hand vor den Mund. »Tschuldigung. Jedenfalls, wenn ihnen nichts Besseres einfällt als ein Rammbock, werden wir hier drin alle graue Bärte kriegen, eh sie die Burg einnehmen.«

»Ich hoffe, du hast Recht«, erwiderte Julian ein wenig unbehaglich. Das Fallgitter hatte dem zweistündigen Ansturm des Rammbocks standgehalten, aber es war sichtlich verbogen.

»Hier kommt keine Maus rein oder raus, solange das Tor nicht genommen ist. Ich hoffe, dein Freund Tudor hat reichlich Vorräte angelegt? Sie werden vermutlich versuchen, uns auszuhungern.«

»Notfalls kommen wir über den Winter, hat er gesagt«, antwortete Julian. »Wenn wir die Gäule mitessen.«

Lucas betrachtete ihn amüsiert. »Ich schätze, ein Waringham würde lieber krepieren, he?«

»Keine Ahnung«, gestand Julian. »Frag mich noch mal, wenn die Rationen mager werden.«

Im Lager der Angreifer draußen am Fuß des Hügels war es ruhig geworden. Julian und Lucas trennten sich, um in entgegengesetzten Richtungen die Brustwehr zu patrouillieren. Nichts Aufregenderes geschah in dieser Nacht, als dass Julian einen seiner Bogenschützen schlafend bei der Wache erwischte. Er weckte den Faulpelz mit einem kräftigen Tritt.

Fast zwei Wochen belagerten Walter Devereux und William Herbert die mächtige Burg von Carmarthen. Sie hatten Belagerungsmaschinen ebenso wenig mitbringen können wie Kanonen, doch ihre Truppenstärke machte sie gefährlich. Im Wald, der die umliegenden Hügel bedeckte, schlugen sie Holz und bauten lange Belagerungsleitern. Die Angriffe waren gut koordiniert, und so viele Leitern wurden gleichzeitig angestellt, dass die Verteidiger kaum genügend Hände hatten, um sie wieder umzustoßen. Aber die größte Gefahr stellte der Rammbock dar. Am Abend des vierten Tages war das Fallgitter geborsten, und im letzten Tageslicht hatten die Angreifer dem Haupttor schon beträchtlichen Schaden zugefügt. Edmund, Julian und seine drei Ritter waren zwei Stunden vor Sonnenaufgang aus der Burg geschlichen, hatten die feindlichen Wachen niedergemacht, den Rammbock mit Lampenöl übergossen und angezündet. Augenblicklich war das ganze Lager auf den Beinen gewesen, und der kleine Ausfalltrupp hatte es nur mit Mühe zurück hinter die sicheren Mauern geschafft. Der Rammbock bestand aus einem alten Eichenstamm, der munter brannte. Ehe das Feuer gelöscht werden konnte, war der Stamm unbrauchbar. Die eiserne Ramme hingegen war unversehrt, und es war nur eine Frage der Zeit, bis der Stamm ersetzt würde. Julian wusste, sie waren in Bedrängnis.

Doch weder der Rammbock noch der Hunger besiegelten ihre Niederlage, sondern die tückischste und abscheulichste aller Waffen.

»Verrat! Auf, Männer, zu den Waffen! Verrat! Wir sind …« Der Ruf endete in einem gellenden Schrei.

Julian fuhr aus dem Schlaf auf. »Was ist passiert?«, keuchte er.

»Ich weiß es nicht«, antwortete Algernon. Er klang ganz ruhig. »Beeil dich. Hier.« Er drückte Julian sein Schwert in die Finger. »Nun seht euch das an, Harley pennt mal wieder wie ein Toter. Ich vergess einfach ständig, dass der Kerl nichts hört …« Aber noch ehe er ihn wachrütteln konnte, wachte Frederic von selbst auf und sprang auf die Füße, so als verfüge er über einen inneren Alarmmechanismus, der ihm das fehlende Gehör ersetzte. Er wechselte einen Blick mit Algernon und griff nach seinen Waffen.

Lucas stand am Fenster und schaute in den Burghof hinaus. »Das Tor ist gefallen«, berichtete er über die Schulter. »Irgendwer hat sie reingelassen, Gott verflucht! Jetzt wimmelt es da unten wie in einem Ameisennest.«

Die Knappen, die im Vorraum zu dem komfortablen Quartier im Bodenstroh schliefen, waren ebenfalls aufgewacht. Mit blassen, verschreckten Mienen kamen sie hereingestürzt und halfen ihrem Herrn schweigend in die Rüstungen. Sie waren schnell und konzentriert, trotz ihrer Angst.

Julian legte seinem Neffen kurz die Hand auf die Schulter. »Gut gemacht, Alexander. Bleibt hier und rührt euch nicht von der Stelle. Und habt keine Furcht. Niemand wird euch etwas tun.«

»Ja, aber was ist mit Euch, Sir?«, entgegnete Alexander ängstlich.

Gute Frage, dachte Julian, aber es war ihm zu heikel, sich damit zu befassen. Er hatte genug Schauergeschichten von jungen Rittern gehört, die bei ihrer ersten Bewährungsprobe die Nerven verloren, sich irgendwo verkrochen und rettungslos entehrt hatten. Und die Lage war verzweifelt genug, um ihn in Versuchung zu führen. Edmund Tudor hatte nicht einmal dreihundert Mann auf Carmarthen. Sie waren hoffnungslos unterlegen. Jetzt wird sich zeigen, was Warwicks Ausbildung wert war, fuhr es Julian durch den Kopf. Er stülpte den Helm über und folgte seinen drei Rittern eilig zur Treppe.

Im Burghof herrschte dichtes Kampfgetümmel. Julian blieb kaum Zeit, sich einen Überblick zu verschaffen, schon stellte sich ihm ein vierschrötiger Mann in einer altmodischen Rüstung in den Weg. Julian hatte das Waringham-Schwert bereits in der Hand und hob es gerade noch rechtzeitig. Die Klinge seines Gegners krachte darauf nieder. Julian lenkte den Hieb geschickt nach unten ab, aber er spürte den Schlag bis in die Schulter. Konzentrier dich, schärfte er sich ein, und beweg die Füße. Er umrundete den Feind behände und griff ihn auf der schwachen linken Seite an. Er vergaß das Hauen und Stechen um sich herum, hörte die Schreie nicht, sah auch die Waffenschmiede zu seiner Rechten nicht in Flammen aufgehen. Er hatte nur Augen für seinen Widersacher. Nach drei oder vier Streichen hatte er den Zweikampf unter seine Kontrolle gebracht, drängte den anderen zurück, bis der beinah mit dem Rücken gegen die brennende Schmiede stieß. Julian sah ihn mit der Linken den Dolch aus der Scheide reißen, trat ihn ihm aus der Hand, und als der Mann seitwärts taumelte, stieß er ihm das Schwert in die Brust. Das Knirschen von Stahl auf Stahl kam ihm unglaublich laut vor, es übertönte das Rauschen in seinen Ohren. *So* fühlt es sich also an, dachte er, als er den Blick seines Gegners brechen sah. Du hast einen Mann getötet und wirst nie erfahren, wer er war. Aber er hielt sich mit dem Gedanken nicht auf und befreite seine Klinge beinah achtlos aus dem Leib des Gefallenen. Warwicks Ausbildung hatte ihn auf diese Stunde perfekt vorbereitet, stellte er fest. Er funktionierte wie ein mechanisches Spielzeug.

Julians Bluttaufe währte kaum eine Stunde. Im flackernden Schein der vielen Fackeln und zunehmenden Brände hatte er Edmund Tudor im Zentrum des Schlachtgetümmels entdeckt und versucht, sich zu ihm durchzukämpfen, um ihm beizustehen. Aus dem gleichen Grund hielten Lucas, Algernon und Frederic sich immer in Julians unmittelbarer Nähe, und so drangen sie alle vier nach und nach ins Innere des Hofs vor. Doch als ein Mann in einer kostbaren Rüstung mit einem roten Greif auf dem Wappenrock sich Edmund zum Kampf stellte, stieß der das Schwert ins zertrampelte Gras.

»Es ist genug«, hörte Julian ihn sagen. »Sir Walter Devereux?«

»Der bin ich, Mylord of Richmond.« Auch Devereux ließ die Waffe sinken und verneigte sich höflich.

Edmund schob das Visier hoch. »Ich begebe mich in Eure Gefangenschaft, Sir Walter, unter der Bedingung, dass Ihr diesem Gemetzel hier ein Ende macht und meinen Männern freien Abzug gewährt.«

Walter Devereux zog den Helm vom Kopf. Die Haare in

seiner Stirn waren schweißverklebt. »Wieso glaubt Ihr, Ihr könntet Bedingungen stellen, Mylord? Wie ich es sehe, habt Ihr diese Schlacht und diese Festung verloren.«

»Das bestreite ich nicht«, entgegnete Edmund scheinbar gelassen und legte die Rechte wieder auf den Knauf seines Schwertes, beiläufig, hätte man meinen können. »Die Frage ist, wie hoch der Preis für Euren Sieg sein soll. Noch stehen und atmen ein paar von uns, und wenn Ihr darauf besteht, nehmen wir noch das eine oder andere Dutzend von euch mit ins Jenseits. Euch, zum Beispiel, Sir.« Er lächelte liebenswürdig.

Devereux brummte abschätzig, überlegte einen Augenblick, dann rief er ein paar Befehle über die Schulter, und wenig später erscholl ein Trompetensignal. Das Waffenklirren verstummte. Nur das Knistern der Brände und das Stöhnen der Verwundeten waren noch zu hören.

Ein zweiter, edel gerüsteter Ritter trat hinzu und musterte Edmund mit zufriedener Miene. »Mylord of Richmond«, grüßte er. Es klang höflich, aber ein Hauch von Spott lag in seiner Stimme.

Ein mattes Lächeln huschte über Edmunds Züge und verschwand sofort wieder. »Ich schätze, Förmlichkeiten wären ziemlich lächerlich, Will.«

Sie kennen sich, erkannte Julian ungläubig. Später erfuhr er, dass Edmund Tudor und William Herbert – den alle Welt wegen seines schwarzen Barts »Black Will« nannte – als Knaben Freunde gewesen waren und Seite an Seite den Ritterschlag empfangen hatten. Aber bis zu diesem Moment hatte Edmund das mit keinem Wort angedeutet.

»Sergeant, sorgt dafür, dass die Brände gelöscht werden«, befahl Herbert. »Wir brauchen Carmarthen intakt. Vorratskammern und Weinkeller werden nicht geplündert, aber ihr könnt Wein an eure Männer ausgeben.«

Der Sergeant verschwand mit einem zufriedenen Lächeln.

Devereux wandte sich an einen seiner Männer. Er wies mit dem Finger auf Edmund Tudor. »Bindet ihm die Hände, schafft ihn runter ins Verlies und legt ihn in Ketten.«

Der Soldat trat hinter Edmund und riss ihm grob die Hände auf den Rücken.

»Was fällt Euch ein, Devereux?«, protestierte Julian. »Ihr habt kein Recht ...«

Edmund wandte den Kopf in seine Richtung. »Du hältst den Mund«, fuhr er ihn an. »Reite nach Hause und warte dort auf weitere Order. Es besteht keine Veranlassung, dass du dich hier einmischst, hast du verstanden?«

Nein, ganz und gar nicht, dachte Julian. Ihm war klar, dass Edmunds eindringlicher Blick ihm etwas mitteilen wollte, aber er kam nicht dahinter, was es war. Er nickte unsicher.

Der Sergeant fesselte Edmund unnötig grob die Hände, doch der schien es kaum zu bemerken. »Erweise mir eine Gunst und befriedige meine Neugier, Will.«

Herbert grinste flüchtig. »Du willst wissen, wer uns reingelassen hat?«

Edmund nickte. »Man weiß schließlich nie, wie das Schicksal sich wenden mag, und sollte ich eines Tages wieder ein freier Mann sein, wüsste ich doch zu gern, wer der Judas war, damit ich ihm die Kehle durchschneiden kann.«

Manchmal meldet sich sein wildes walisisches Blut, fuhr es Julian durch den Kopf, und dann ist er richtig unheimlich.

Herbert nickte Devereux zu, der einem seiner Männer ein Zeichen gab. Nach wenigen Augenblicken öffnete sich eine Gasse in der Schar der umstehenden Soldaten, und einer von Devereux' Männern schob einen mageren, offenbar unwilligen Jungen vor sich her. Voller Schrecken erkannte Julian den mürrischen walisischen Knaben, der Edmunds Page gewesen war.

»*Rhys?*« Edmund Tudor empfand offenbar mehr als Schrecken. Seine Augen waren wie vor Grauen geweitet. Kopfschüttelnd sah er den Jungen an, und für einen Moment schien es Julian, als schwanke er leicht. »Warum? Warum hast du das getan, Junge?«, fragte Edmund. Es klang verstört. »Wie konntest du?«

Rhys stieß einen walisischen Wortschwall hervor. Dann

fügte er in gebrochenem Englisch hinzu: »Weil Ihr Wales unterwerfen wollt dem verfluchten englischen König!« Er schleuderte Edmund die Worte voller Zorn und Trotz entgegen, aber Tränen liefen über seine Wangen. »Ihr verratet das walisische Volk!«

»Nein, Rhys.« Edmund klang mit einem Mal erschöpft. »Der Verräter bist du. An deinem Volk und an deinem eigenen Blut. Gott steh dir bei, Rhys ap Owain.«

Ap Owain? Julian starrte Edmund entgeistert an, und ihm kam ein furchtbarer Verdacht. Doch noch während er mit sich rang, ob er gegen Edmunds ausdrückliches Verbot verstoßen und etwas sagen sollte, brach der plötzlich ohne jede Vorwarnung in sich zusammen und fiel lautlos ins Gras.

Die entwaffneten Besiegten, die hier und da zwischen den Soldaten der Marcher Lords standen, zogen erschrocken die Luft ein, mancher machte unwillkürlich einen Schritt auf seinen Dienstherrn zu. Aber Julian war der schnellste. Er kniete sich ins Gras, nahm Edmund den Helm ab und enthüllte eine hässliche Wunde am Hinterkopf, die lebhaft sprudelte und das vermutlich schon eine ganze Weile tat. Nur hatte es niemand bemerkt, weil das Blut in die Rüstung gelaufen war. Jetzt entdeckte Julian auch die tiefe Delle in Edmunds Helm. »Schnell, bringt mir Verbandszeug«, sagte er zu niemand Bestimmtem.

Sir Walter Devereux stemmte die Hände in die Seiten und schaute auf ihn hinab. »Wer seid Ihr eigentlich, Söhnchen?«

Julian riss einen Streifen von seinem kostbaren Wappenrock, um seinen Freund zu verbinden, und er sah nicht auf. »Waringham.«

»Ach wirklich? Seid Ihr etwa der Bruder meiner kratzbürstigen Schwägerin?«

Nun hob er doch den Kopf, aber er sagte nichts.

Sein Blick war indessen Antwort genug. Devereux lächelte süffisant. »Sie ist eine richtige kleine Teufelin, wenn Ihr mich fragt. Aber mein Bruder wird mit so was fertig, da könnt Ihr ganz beruhigt sein. Man kann wohl sagen, er hat sie gezähmt. Jedenfalls hört man sie bis runter in den Hof jubilieren, wenn er es ihr so richtig besorgt – anscheinend hat sie's gern ein bisschen härter und …«

Julian wusste nicht, wie der Dolch in seine Linke gekommen war. Kein Entschluss war dem vorausgegangen. Plötzlich hielt er die mörderisch scharfe Waffe umklammert, fuhr zu Devereux herum und sprang ihn an. Jemand stieß einen warnenden Ruf aus, Füße scharrten, es gab einen kleinen Tumult. Julian kam nur so weit, Devereux an der Kehle zu packen, ehe zwei von dessen Männern sich auf ihn stürzten, was wiederum Julians Ritter auf den Plan rief. Schließlich lagen sie alle vier am Boden, jeder einen Stiefel auf Brust oder Rücken.

»Lasst sie aufstehen«, knurrte Devereux unwirsch.

Julian wurde auf die Füße gezerrt, aber zwei Männer hielten ihn links und rechts gepackt. Der Marcher Lord trat ganz dicht vor ihn. »Ich glaube, Euch behalten wir vorerst hier, Söhnchen. Ihr könnt Euren verwundeten Busenfreund versorgen und ihm zu Willen sein, wenn er sich erholt hat, he?«

Julian verzog verächtlich den Mund, sagte aber nichts.

»Dann werdet Ihr uns auch hier beherbergen müssen, Sir«, meldete Lucas Durham sich zu Wort. »Wir gehen, wohin er geht.«

Devereux nahm einem seiner Männer eine Fackel ab und hielt sie gefährlich nah an Lucas' Gesicht. »Nein, ich denke nicht«, beschied er. »Ich kenne Euch. Euer Vater war Sheriff von Kent, richtig?«

»Stimmt.«

»Durham. Jetzt hab ich's. Ihr seid einer von diesen *Pfeffersäcken*.« Er spie Lucas vor die Füße. »Durchtrieben und rattenschlau. Wenn ich Euch und Eure Freunde zu ihm sperrte, würdet Ihr doch immer nur Fluchtpläne schmieden und mir Ärger machen. Ihr verschwindet. Packt Euch, eh ich Euch Beine mache.«

Ratlos schauten die drei Ritter zu Julian. Der nickte ihnen zu – gefasster, als ihm zumute war. »Reitet nach Waringham. Vergesst Alexander nicht.«

»Oh, Lady Blanche, Ihr habt schon wieder die schweren Eimer getragen! Warum habt Ihr nicht gerufen?«

»Sei nicht albern, Gail. Ich bin nicht aus Schilf gemacht, weißt du.« Blanche stellte die beiden vollen Milcheimer auf den festgestampften Boden der Molkerei, fuhr sich mit dem Unterarm über die Stirn und drückte verstohlen die andere Hand in den Rücken. Es stimmte, die Arbeit machte ihr nichts aus. Sie hatte zu Hause in Waringham auf dem Gestüt mit angepackt, wann immer man sie gelassen hatte, und unter den anliegenden Ärmeln ihres Kleides zeichneten sich deutlich die Muskeln ihrer Oberarme ab. Aber vom Melken bekam man einen krummen Rücken, hatte sie gelernt. Wie sie überhaupt viele Dinge gelernt hatte im Laufe des letzten Jahres.

Sie schüttete den Inhalt eines Eimers in eine Milchkanne, den zweiten in einen hölzernen Bottich, wo die Milch säuern sollte, ehe sie zu Quark verarbeitet wurde.

»Bist du fertig mit dem Buttern?«, fragte sie die Magd.

Die kleine Gail riss erschrocken die Augen auf. »Buttern? Aber Ihr habt gesagt, ich soll heute Morgen zuerst den Käse rühren und …«

Blanche rang um Geduld. »Nein, Gail, erst die Butter. Beeil dich, sonst wird uns die Sahne schlecht bei der Schwüle. Und du weißt ja, wie Sir Thomas über Verschwendung denkt.«

Gail machte sich schleunigst an die Arbeit. Blanche nahm die Milchkanne und trug sie zum Gutshaus hinüber. Auf dem Weg sah sie sich um. Tau lag auf den Obstwiesen, und Schafe weideten auf den abgeernteten Feldern. Die Sonne stand noch tief im Osten und übergoss das hügelige Land mit zartrosa Morgenlicht. Blanche spürte, wie ihr das Herz aufging. Lydminster Manor war ein wunderschönes Gut – in dem Punkt hatte Thomas Devereux nicht gelogen.

Sie beschleunigte ihre Schritte, wechselte die Milchkanne von der linken in die rechte Hand und stieß die Tür zum Haus auf. Eine weiße Katze lag wie ein Fußabtreter genau davor und räkelte sich gähnend in der Sonne. »Komm mit hinein, Daisy, dann gibt's eine Schale Milch.«

Das ließ Daisy sich nicht zweimal sagen. Scheinbar träge, in Wahrheit aber gierig folgte sie Blanche den kurzen, dunklen Flur entlang in die geräumige Küche.

»Morgen, Mary«, grüßte Blanche.

»Madam.«

»Ist die Grütze fertig?«

»Gleich.« Mary, die dienstältere der beiden Mägde, die sich nur unwillig an die neue Herrin im Haus gewöhnt hatte, rührte ohne Hast in einem mittelgroßen Topf über dem Feuer.

Blanche stellte die Milchkanne ab, füllte einen Krug für den Frühstückstisch und wie versprochen eine kleine Schale für Daisy. Kaum hatte sie sie auf den Boden gestellt, drängelte die fette Katze sie förmlich beiseite und begann zu schlecken. Blanche fuhr ihr lachend übers seidige Fell.

»Es ist nicht recht, dass Ihr sie so verhätschelt«, brummte Mary.

»Ja, ich weiß, wie du darüber denkst«, erwiderte Blanche kurz angebunden. Sie hatte es schon lange aufgegeben, Marys Freundschaft gewinnen zu wollen, und sie als hoffnungslosen Fall abgetan. Heute war ein guter Tag, ein herrlicher Morgen, und sie gedachte nicht, sich von der Verdrießlichkeit der Alten die Laune verderben zu lassen.

»Bring die Grütze herein, sobald sie fertig ist«, befahl sie, legte einen Laib Roggenbrot auf ein Brett und trug es mitsamt Milchkrug und Buttertopf in die Halle hinüber.

Thomas Devereux und drei kleine Kopien von Thomas Devereux saßen schweigend am Tisch, die Hände gefaltet, die Köpfe gesenkt.

Blanche stellte Brot und Milch ab, setzte sich auf ihren Platz und tat es ihnen gleich. Als sie saß, sprach ihr Gemahl ein kurzes Gebet. Sie bekreuzigten sich, und Blanche griff nach Brot und Messer. Sie ritzte zur Ehre Gottes ein Kreuz in die Brotrinde, schnitt dann fünf dicke Scheiben ab und bestrich sie reichlich mit Butter. Die Devereux frühstückten gern ordentlich.

Sie reichte ihrem Mann die erste Scheibe. »Sir.«

»Danke.«

»Malachy.«

»Danke, Mutter.«

»Richard.«

»Danke, Mutter.«

»Und mein kleiner Liebling, Andrew.«

»Danke, Mutter.« Er als Einziger sah sie an und schenkte ihr ein Lächeln mit einer wunderschönen Zahnlücke. Sie zwinkerte ihm zu.

Keinen Ton hatte Thomas ihr von seinen Söhnen gesagt, ehe sie nach Lydminster gekommen waren. Er hatte es auch nicht für nötig befunden, ihr von seiner ersten Frau zu erzählen. Blanche wusste bis heute nicht, wie und wann sie gestorben war. Jedenfalls hatten sie bei ihrer Ankunft hier vor einem Jahr drei Stiefsöhne erwartet, damals acht, sechs und fünf Jahre alt, und sie hatten Blanche mit Schrecken erfüllt – genau wie umgekehrt. Blanche hatte sich selbst noch fast als Kind betrachtet, bis ihr Vater ermordet worden war. Kaum ein halbes Jahr danach sollte sie plötzlich Mutterstelle an drei Knaben vertreten. Sie fühlte sich hoffnungslos überfordert. Malachy, der älteste, war feindselig und unverschämt zu ihr gewesen, und dass sein Vater ihn deswegen schlug, nahm ihn nicht gerade für seine Stiefmutter ein. Richard war scheu und verstört gewesen, fast so wie sie selbst. Inzwischen hatten sie sich einigermaßen aneinander gewöhnt. Der kleine Andrew hatte es ihr am leichtesten gemacht und sie beinah vom ersten Tag an als Mutter akzeptiert. Blanche nahm an, dass er im Gegensatz zu seinen Brüdern an seine wirkliche Mutter kaum Erinnerungen hatte.

Ächzend und schlurfend kam Mary mit dem Kessel herein, stellte ihn auf den Tisch und verteilte Grütze in die bereitstehenden Schalen.

»Heb die Füße hoch«, knurrte Thomas ihr nach, als sie wieder hinausging, und sie grummelte: »Ja, ja, Sir Tom.«

Was für sonnige Gemüter allesamt, dachte Blanche und unterdrückte ein Seufzen.

Sie leerten die Schalen ebenso schweigend, wie sie das Brot verspeist hatten. An Thomas Devereux' Tafel wurde nur gesprochen, wenn Gäste bewirtet wurden, ansonsten bestand er auf sittsamem Schweigen bei Tisch, denn so machten es die heiligen Männer und Frauen in den Klöstern, hatte er Blanche erklärt.

Erst nachdem das Dankgebet gesprochen war, entspannten die Jungen sich, und Thomas wandte sich an seine Frau: »Ich breche morgen nach Chester auf. Bürste meinen Sommermantel aus und sorg dafür, dass die alte Vettel mir genug Proviant einpackt.«

»Gewiss.«

Sie missbilligte es, dass er vor den Kindern so abfällig von der Köchin sprach, aber sie hatte gelernt, ihn nicht zu kritisieren. »Chester? Darf ich erfahren, was Euch dorthin führt?«

»Der Earl of Chester hat einige Marcher Lords eingeladen, um Probleme beim Eintreiben ausstehender Pachten jenseits der Grenze zu erörtern.«

Blanche runzelte verwundert die Stirn. »Ich hätte geschworen, der Prince of Wales ist der Earl of Chester.«

Devereux hob das Kinn. »Wie war das?«

Blanche spürte einen heißen Stich im Bauch. Sie winkte beschwichtigend ab. »Hört nicht auf mein Gefasel. Entschuldigt.«

»Wir reden wieder einmal, bevor wir nachgedacht haben, ja? Nicht ratsam.« Er sagte es mit einem trügerischen Lächeln, damit seine Söhne nicht merkten, dass er ihr drohte. Er demütigte sie niemals vor den Kindern, denn das passte nicht in sein Bild der gottgewollten Ordnung: Das Weib war dem Manne untertan, aber die Kinder hatten Vater und Mutter zu ehren. Er bestand darauf, dass die Jungen ihr Respekt erwiesen, und setzte dieses wie jedes andere seiner vielen Gesetze mit eiserner Hand durch.

Aber Blanche war gewarnt. Sie senkte den Kopf und sagte nichts mehr. Dabei wusste sie ganz genau, dass der kleine Prinz Edouard der Earl of Chester war – es war einer der Erbtitel des englischen Thronfolgers. Der Mann, den Thomas meinte, war Hugo of Grangecross, der Sheriff von Cheshire, der in Vertretung des kleinen Prinzen auch dessen Pflichten in der Grafschaft wahrnahm und den viele deswegen für den Earl of Chester hielten. Es war egal. Es spielte überhaupt keine Rolle, und Blanche fand ihre Neigung zur Besserwisserei selbst nicht besonders sympathisch. Aber dass sie sich so leicht von ihrem Mann einschüchtern ließ, machte ihr Sorgen. Sie hatte immer geglaubt, sie sei mutig. Früher hatte sie sich von niemandem etwas sagen lassen und immer offen ausgesprochen, was sie dachte. Ein Wildfang war sie gewesen, hatte sich oft genug ihre Regeln selber gemacht. Heute wusste sie, dass das nichts mit Mut zu tun gehabt hatte. Sie war ja nie wirklich ein Risiko eingegangen, denn die Menschen, unter denen sie früher gelebt hatte, hatten sie geliebt. Vorbehaltlos – so, wie sie eben war.

Das war hier ganz anders. Niemand hier wäre im Traum darauf gekommen, Nachsicht mit ihr zu üben. Hier wurde verlangt, dass sie funktionierte: Die Kinder erwarteten, dass sie zwei Mahlzeiten am Tag auf den Tisch brachte, ihre Sachen in Ordnung hielt und ihnen mütterliche Zuwendung schenkte, so sie diese denn wollten. Die beiden Mägde erwarteten, dass sie ihren Teil der Arbeit in Haus und Hof erledigte und sie vor Thomas' Zornesausbrüchen beschützte. Und Thomas erwartete, dass sie am Tage seine züchtige, demütige Gemahlin war und nachts ein Luder.

Nichts von alldem hätte ihr viel ausgemacht, dachte sie manchmal, wenn er sie für ihre endlosen Mühen, all diesen Rollen gerecht zu werden, mit ein bisschen Zuneigung belohnt hätte. Aber er hatte keine Liebe in sich, wusste sie inzwischen. Dabei war Thomas Devereux kein von Natur aus boshafter Mensch, wie ihr toter Cousin Robert etwa. Es bereitete Thomas keine Genugtuung, sie unglücklich zu machen. Er tat es eher versehentlich. Seine Furcht vor Gottes Zorn und seine unumstößlichen Grundsätze von Ordnung, Pflichterfüllung, Fleiß und dem, was er für Anstand hielt, beherrschten ihn. Liebe kam in seiner Vorstellung der Welt nicht vor. Und Blanche verstand auch, wieso. Manchmal, wenn er einen Becher Wein zu viel getrunken hatte und redselig wurde, erzählte er ihr, wie er und sein Bruder Walter aufgewachsen waren. Von der Armut und dem Hunger, während der Vater im Krieg war. Und vom Vater, wenn er nicht im Krieg war: ein so grausamer Despot, dass Thomas im Vergleich dazu milde wirkte. Thomas, wusste sie, trug nur einen Teil der Schuld. Er hatte es einfach nicht gelernt.

Aber er wollte es auch nicht lernen. Er sah keinerlei Veranlassung, sich zu ändern. Und die wenigen Male, da sie es versucht hatte, hatte sie bitter bereut. Nun lebte sie in Resignation und Furcht vor ihrem Mann, und sie spürte, dass sie allmählich anfing, sich für ihren Mangel an Kampfgeist zu verabscheuen.

»… wirst während meiner Abwesenheit die Apfelernte beaufsichtigen. Ich werde mindestens eine Woche unterwegs sein und erwarte, dass bei meiner Rückkehr alle Bäume abgeerntet sind, hast du verstanden?«

Sie war gerade noch rechtzeitig ins Hier und Jetzt zurückgekehrt. »Gewiss, Sir. Wir fangen morgen gleich nach der großen Wäsche damit an. Ich bin sicher, Malachy und seine Brüder werden uns eine große Hilfe sein.«

Der Junge warf ihr einen giftigen Blick zu, doch weil sein Vater anwesend war, erwiderte er zuckersüß: »Selbstverständlich, Mutter.«

Verfluchter Rotzbengel, dachte Blanche wohl zum hundertsten Mal und ging in die Küche, um mit der Wäsche anzufangen.

Am frühen Nachmittag lagen alle Laken zum Bleichen auf der Wiese hinter dem Gutshaus. Die kleine Gail hatte kräftig mit angepackt, und Blanche war eher fertig geworden, als sie gedacht hatte. Ein Blick zur Sonne bestätigte, dass ihr bis zum Abendmelken noch reichlich Zeit blieb. Also schaute sie über die Schulter, um sicher zu sein, dass niemand sie beobachtete, und ging in das kleinere der Stallgebäude, welches Thomas' Wallach, ihre geliebte Stute Calliope und einen alten Esel ebenso beherbergte wie das Ochsengespann. Blanche steckte Calliope ein süßes Haferplätzchen zwischen die samtweichen Lippen und wurde mit einem wahrhaft verliebten Blick belohnt.

Sie musste lachen und strich dem Pferd sacht über die Ohren. »Ach, es ist furchtbar, wie bestechlich du bist, weißt du.«

Calliope schnaubte leise und stupste Blanche mit den Nüstern an den Oberarm. Es war eine beinah zärtliche Geste. Plötzlich spürte Blanche einen Kloß in der Kehle. Es kam gelegentlich vor, dass sie hier eine Stunde im Stroh hockte und heulte. Calliope, der Geruch nach Pferden und Leder, die Zaumzeuge und Sättel – all das war wie ein Stück von zu Hause, eine kurze Reise in die Vergangenheit. Es war schmerzlich und süß zugleich, sich zu erinnern. Nie fühlte sie sich einsamer und verbannter, doch gab es ihr auch Kraft, sich auf ihre Wurzeln zu besinnen.

Sie suchte sich eine halbwegs brauchbare Bürste aus der Holzkiste neben der Stalltür und begann, Calliopes Fell zu striegeln. »Morgen verschwindet er für eine Woche«, vertraute sie ihrer Stute an. »Dann können wir es vielleicht riskieren, einen Nachmittag in die Hügel zu reiten. Ich weiß, du brauchst dringend Auslauf, du Ärmste. Ich sorg dafür, du hast mein Wort. Wir müssen nur Acht geben, dass der Rotzbengel uns nicht sieht. Er würde es wieder irgendwie fertigbringen, es seinem Vater zu sagen, ohne wie ein Denunziant dazustehen.«

Calliope stand still und richtete die Ohren auf, als lausche sie aufmerksam. Blanche wusste, es war ein wenig wunderlich, mit einem Pferd zu sprechen. Hatte sie auch die seltsame Waringham-Gabe im Umgang mit Pferden geerbt, bedeutete dies doch nicht, dass sie wie der heilige Franziskus mit den Tieren sprechen konnte. Aber es tat ihr gut, sich Calliope anzuvertrauen. Manchmal klärte es ihre Gedanken, und es erleichterte sie.

»Ich bin froh, ihn ein paar Tage loszuwerden. Im Moment kann ich ihm gar nichts recht machen, scheint mir, und ich habe ständig das Gefühl, am Rand eines Abgrunds entlangzubalancieren. Vermutlich liegt es daran, dass ich immer noch nicht schwanger bin. Das macht ihm Sorgen, ich weiß es. Ich glaube, es ist ihm peinlich vor seinen Freunden und seinem Bruder.« Sie selbst wunderte sich nicht darüber, dass sie immer noch nicht guter Hoffnung war, denn sie trank jeden Tag einen großen Becher Petersilienwurzeltee, um es zu verhindern. Ihre Amme in Waringham, deren Mutter eine viel gerühmte Heilerin und Hebamme gewesen war, hatte ihr vor der Hochzeit diesen Rat gegeben, um zu häufige Empfängnis zu vermeiden. Blanche hatte nicht wirklich geglaubt, dass es funktionieren werde, aber offenbar hatte sie sich getäuscht. Sie konnte es ertragen, dass Thomas Devereux sie besaß und beherrschte. Aber sie war überzeugt, sie würde vor Entsetzen eingehen, wenn sie ein Kind von ihm bekäme.

All das erzählte sie Calliope, während sie das dunkle Fell auf Hochglanz bürstete, doch als sie draußen leichte Schritte und fröhliches Pfeifen näher kommen hörte, verstummte sie. Ivor, der walisische Knecht, kam mit dem hübschen weißen Ochsengespann in den Stall. Er strahlte, als er Blanche entdeckte. »Gott zum Gruße, Lady Blanche!«

Sie nickte ein wenig hochmütig. »Ivor. Fertig für heute?«

»Fertig? Was ist das?«

Blanche musste lachen.

»Na ja, wahrscheinlich sollte ich das nicht gerade Euch fragen, nicht wahr, Madam? Da er Euch schuften lässt wie eine Magd – nur weil er zu geizig ist, mehr Gesinde einzustellen, nicht weil er sich das nicht leisten könnte –, wisst Ihr ja auch nicht, wie es sich anfühlt, wenn alle Arbeit getan ist.«

»Wie oft muss ich dich an deine Stellung erinnern?« schalt sie mit gedämpfter Stimme. »Was du da redest, ist ebenso ungehörig wie gefährlich.«

Er winkte ab, seine Stirn untypisch umwölkt. »Ich sage nur die Wahrheit, und das kann mir niemand verbieten. Es ist eine *Schande*, wie er Euch schindet.«

»Jetzt ist es genug!«, fuhr sie ihn an.

Er nickte, lächelte treuherzig und band die Ochsen an. »Ich hab ja auch alles gesagt, was ich auf dem Herzen hatte.«

Ivor war der einzige Lichtblick auf Lydminster Manor.

Er war neunzehn Jahre alt – genau wie Blanche –, ein statt-licher Bursche mit braunen Augen und Haaren, einem Holz-fällerkreuz und der Einzige hier, dem Thomas Devereux keine Angst einjagte. Insgeheim genoss Blanche seine unverschämten Bemerkungen über den Gutsherrn. So wie sie auch genoss, dass Ivor in sie verliebt war. Er war ihr Trost. Aber sie wusste, wenn sie ihn das je merken ließe, würden sie beide in Teufels Küche kommen.

»Lasst mich wenigstens den Gaul für Euch striegeln«, erbot er sich. »Es muss wirklich nicht sein, dass Ihr meine Arbeit mit erledigt.«

»Putz den Wallach«, wies sie ihn an. »Sir Thomas will morgen nach Chester reiten. Besser, er findet an seinem Pferd nichts auszusetzen.«

Ivor griff wahllos eine Bürste aus der Kiste und machte sich gleich neben ihr ans Werk. »Er reitet fort? Gut.«

Blanche seufzte hörbar. »Ivor …«

Er schenkte ihr sein charmantes Grinsen und arbeitete schweigend weiter, striegelte den Grauschimmel mit geübten, langen Strichen. Hin und wieder klopfte er ihm den Hals oder strich ihm über die Flanke. Er machte kein großes Gewese, aber man konnte merken, dass er Pferde liebte.

Seine Nähe machte Blanche nervös. Sie trat an Calliopes Krippe, fand sie aber gut gefüllt. Während sie überlegte, was sie stattdessen tun könnte, erhaschte sie einen Blick auf ihr Spiegelbild im Wassereimer neben dem Futtertrog. Sie hatte nicht oft Gelegenheit, ihr Konterfei zu betrachten. Thomas hielt Spiegel für sündig und hatte den kleinen Handspiegel, den Blanche von ihrer Mutter geschenkt bekommen hatte, bei einem seiner Wutausbrüche aus dem Fenster der Schlafkam-mer geschleudert, sodass er unten im Hof in tausend Stücke zersprungen war. Blanche hatte gelernt, sich morgens blind zurechtzumachen, das Haar zu flechten und aufzustecken und mit dem züchtigen weißen Kopftuch zu bedecken, wie ihr Gemahl es ihr nahegelegt hatte. So erblickte sie nun auf der stillen Wasseroberfläche ein schmales Gesicht mit großen, dunklen Augen, die Haut deutlich dunkler als das grobe Leinen, welches Haar, Ohren und Hals verhüllte, denn sie war von der Arbeit im Freien gebräunter, als bei einer Dame der Fall sein sollte. Ihre Brauen – seit fast einem Jahr ungezupft – waren zu stark und machten sie hässlich, fand sie. Ihre ungeschminkten Lippen waren blass und rissig. *Verhärmt* war das Wort, das ihr in den Sinn kam. In fünf Jahren, schätzte sie, würde sie alt und verbraucht aussehen. Sie wandte den Blick lieber rasch von ihrem Spiegelbild ab und betrachtete stattdessen ihre Hände. Rau. Heute rot und aufgesprungen von der Wäsche. Sie waren fast noch schlimmer als ihr Gesicht. Mit einem ungeduldigen Laut ließ sie sie sinken, als plötzlich zwei große Männerhände ihre Linke umschlossen.

»Es ist nicht recht«, sagte Ivor leise. Es klang eindringlich.

»Lass mich los, Ivor, was fällt dir ein?«

Er ignorierte ihren Befehl. »Ihr müsst Euch *wehren*, Lady Blanche. Ihr seid eine starke Frau, ich weiß es. Lasst nicht zu, dass er Euch zugrunde richtet.«

Blanche riss ihre Hand los. »Tritt zurück, Ivor. Du vergisst dich. Du wirst mich auf der Stelle vorbeilassen, oder ich muss Sir Thomas sagen, dass du mir zu nahe getreten bist.«

Er machte einen halben Schritt zurück, stand aber immer noch direkt vor ihr. »Tut, was Ihr für richtig haltet. Aber wenn Ihr nichts unternehmt, wird er Euch in ein frühes Grab bringen wie die arme Lady Isabel, und das wäre wirklich ein Jammer.«

»Du kanntest seine erste Frau?«, fragte Blanche verblüfft.

»Seine zweite«, verbesserte der junge Bursche. »Er hat einen enormen Verschleiß an Gemahlinnen.«

»Was ist passiert?«

Ivor zuckte die Achseln. »Er hat sie bei sengender Hitze bei der Heuernte schuften lassen, obwohl sie hochschwanger war. Die Wehen kamen weit draußen auf der Ginsterwiese. Ehe die Hebamme aus dem Dorf geholt werden konnte, war sie verblutet.«

Blanche schauderte. »War es Andrews Geburt?«

»Nein. Es ist vor drei Jahren passiert. Das Kind war ein

Mädchen. Es starb mit ihr.« Er streckte die Rechte aus, als wolle er sie wieder berühren, aber auf ihren warnenden Blick hin hob er begütigend beide Hände. »Ihr seid viel zu schade für diesen verfluchten Dreckskerl, Lady Blanche.«

»Ach wirklich?«, fragte Thomas Devereux.

Blanche und Ivor stoben auseinander.

Devereux, der offenbar an der Tür gestanden und gelauscht hatte, schlenderte gemächlich auf sie zu. Er sah von seiner Frau zu seinem Knecht und wieder zurück. Die dunklen Augen waren verengt, aber Blanche sah sie glimmen.

»Sir, lasst mich erklären …«, begann sie, aber er hob einen Zeigefinger, um sie zum Schweigen zu bringen. Dann packte er Ivor am Arm, zog ihn mit einem Ruck aus der Box, wo die beiden Pferde standen, und schlug ihm die Faust ins Gesicht. Ivor wurde krachend gegen die Stallwand geschleudert, fiel auf ein Knie, stand aber sofort wieder auf.

»Zu dir komm ich später«, versprach Sir Thomas ihm. »Jetzt pack dich.«

Ivor stand mit gesenktem Kopf vor ihm, die Hände zu losen Fäusten geballt. Man konnte sehen, wie er seinen Mut zusammennahm. Schließlich schaute er auf. »Eure Gemahlin trifft keine Schuld, Sir. Sie hat mir befohlen …«

»Noch ein Wort, und ich schleif dich morgen nach Chester und sorg dafür, dass der Sheriff dich aufhängt. Ich finde schon einen Grund.«

Ivor zögerte immer noch.

»Geh, um Himmels willen«, drängte Blanche leise. Sie wusste, der Narr machte alles nur schlimmer.

Mit einem kummervollen Blick in ihre Richtung wandte der junge Knecht sich ab und lief hinaus.

Blanche kam aus freien Stücken aus der Box. Sie wollte nicht, dass Calliope sich beunruhigte, und sie wollte zumindest den Anschein erwecken, als habe sie keine Furcht.

Thomas betrachtete sie von Kopf bis Fuß. »Ein hochmütiges Weib ist weiß Gott Strafe genug für einen Mann«, bemerkte er. »Aber ein unkeusches?«

»Sir, ich habe mir nichts zuschulden kommen lassen, und es ist nicht das Geringste vorgefallen.« Es war nicht leicht, ruhig zu sprechen. Sein Blick schien ihr die Luft abzuschnüren.

»Lüg mich nicht auch noch an. Ich habe gesehen, wie du ihn angeschmachtet hast, du *Hure*!«

Bei dem Wort zuckte sie zusammen. »Von der Tür aus? Auf zehn Schritte Entfernung im dunklen Stall?«

Sie sah den Schlag kommen, aber sie schaffte es nicht, ihm rechtzeitig auszuweichen. Die Faust traf ihr linkes Auge. Schmerz breitete sich sengend in ihrem Kopf aus. Sie fiel auf die Knie und hob einen Arm schützend vor ihr Gesicht. Devereux packte sie am Ausschnitt ihres Kleides und zerrte sie mit einem Ruck wieder auf die Füße. Der dünne, verwaschene Stoff riss entzwei. »Ich schwöre dir, den heutigen Tag wirst du so bald nicht vergessen«, drohte er und stieß sie vor sich her zur Rückwand, wo ein paar Strohballen aufgestapelt lagen. »Es hat den Anschein, als müsstest du deine Lektion noch einmal ganz von vorne lernen.« Von einem der rostigen Nägel an der Wand, die die Zaumzeuge und andere Reitutensilien hielten, nahm er seine lange Gerte. Er versetzte Blanche einen Stoß in die Nierengegend. »Na los. Knie dich hin.«

Blanches linkes Auge tränte, und sie spürte, wie es zuschwoll. Reglos und hoch aufgerichtet stand sie vor der Reihe aus Strohballen, mit dem Rücken zu ihrem Mann, beobachtete die goldenen Staubteilchen, die in dem einzelnen Sonnenstrahl tanzten, welcher durch die Tür fiel, und spürte, wie sie über den Rand in den Abgrund stürzte. Die Prügel konnte sie aushalten. Aber nicht, was danach kam. Sie hatte längst durchschaut, dass er sie schlug, weil es ihn erregte, solche Macht über sie zu haben, und sie fragte sich, wie oft sie das noch erdulden konnte, ehe sie daran zerbrach.

»Knie dich hin, hab ich gesagt, und ich werde es nicht noch einmal wiederholen!«

Blanche holte tief Luft und wappnete sich. Sie versuchte, ihre Atmung zu beruhigen. Dann ging sie in die Hocke, als wolle sie seinem Befehl gehorchen, doch plötzlich fuhr sie zu ihm herum, richtete sich in der Drehung wieder auf und stahl ihm das Schwert aus der Scheide. Ihre Bewegungen waren von so graziöser Schnelligkeit, dass Devereux keine Chance hatte, es zu verhindern. Blinzelnd, mit einem beinah komischen Ausdruck dümmlicher Verblüffung starrte er auf die Klinge, die auf seine Brust gerichtet war. »Was zum Henker …«

»Es ist genug, Thomas. Es reicht. Du wirst mich nie wieder anrühren.«

Er erholte sich allmählich, betrachtete das schmale Persönchen mit dem gewaltigen Schwert in der Hand und fing an zu lachen. »Wenn du wüsstest, wie drollig du aussiehst. Aber jetzt wollen wir diese Posse beenden.« Er streckte die Hand aus. »Gib es mir. Du wirst noch jemanden verletzen. Komm schon, du kannst doch gar nicht mit so etwas umgehen.«

»Du täuschst dich.« Die Ritter ihres Cousins Robert hatten es ihr beigebracht. Allesamt Halunken waren sie gewesen, die es vermutlich getan hatten, weil das junge Mädchen im Kampfeseifer gelegentlich ein Stück Wade zeigte. Oder weil es ihre Mutter aufregte. Jedenfalls waren sie gute Lehrmeister gewesen, vor allem, was die miesen Tricks betraf. »Es ist mir ernst, Thomas, du solltest mir lieber glauben.«

Er schüttelte den Kopf, halb ungläubig, halb nachsichtig. »Jetzt ist es wirklich genug. Gib mir das Schwert. Dann nimm hin, was du verdient hast, und wir können wieder Freunde sein. Du weißt doch, ich tue es nur zu deinem Besten …« Er machte einen plötzlichen Satz auf sie zu, aber Blanche wich aus, glitt seitlich an ihm vorbei, und nun stand sie mit dem Rücken zur Tür, er vor den Strohballen. Ihr Weg war frei.

»Du tust es nicht zu meinem Besten«, widersprach sie. »Vielleicht hätte ich es ertragen können, wenn das der Fall wäre. Aber das ist eine der zahllosen Lügen, mit denen du dich selbst täuschst. «

»Was fällt dir ein, so mit mir zu reden?«

»Oh, das ist nicht weiter schwierig, solange ich bewaffnet bin und du nicht.«

Er versuchte es wieder mit einem seiner plumpen Überraschungsangriffe, aber Blanche war zu schnell für ihn. Sie wich einen Schritt weiter auf die Tür zu, und die Schwertspitze zeigte unverändert auf sein Herz. »Ich warne dich. Ich bin eine verzweifelte Frau, Thomas, und verzweifelte Menschen sind gefährlich. Ich glaube, ich könnte dich töten.«

Sein Zorn kehrte zurück. »Dann wirst du in die Hölle kommen, du gottloses Miststück!«

»Ich *bin* in der Hölle.«

Er sprang. Offenbar war er zu dem Schluss gekommen, dass er sie nur mit seinem größeren Gewicht bezwingen konnte, und machte einen Satz, als wolle er sich auf sie werfen. Blanche konnte wiederum ausweichen, aber sie stolperte über ihren Rocksaum, und ehe sie das Gleichgewicht zurückerlangte, hatte Thomas mit der Rechten ihren linken Unterarm gepackt. »Genug des Vorspiels«, verkündete er. Sein Gesicht zeigte ein halb zufriedenes, halb lüsternes Lächeln. Er zog sie näher. »Du machst dir ja keine Vorstellung davon, was dir blüht, Weib.«

»Warum kannst du mich nicht ein einziges Mal beim Namen nennen, du verfluchter *Bastard*.« Blanche hob das Schwert und hieb mit einem kraftvollen, entschlossenen Streich die Hand ab, die noch einen grausigen Moment ihren Arm umklammert hielt und dann mit einem satten Klatschen auf dem Boden landete.

Thomas Devereux stand wie versteinert und starrte auf seine abgetrennte Hand. Dann auf das Blut, welches im Pulsrhythmus aus dem Stumpf sprudelte. Dann fing er an zu schreien.

Blanche wich vor ihm zurück. Langsam wie in einem Albtraum. Sie konnte nicht fassen, dass sie das getan hatte. Beinah so entsetzt wie Thomas starrte sie auf die Hand hinab, deren Finger immer noch zu einer Kralle gekrümmt waren. Sie werden mich einsperren, erkannte sie. Und wenn er verblutet, werden sie mich aufhängen. Die Vorstellung brachte sie zum völligen Stillstand. Sie hörte rennende Schritte im Hof, aber sie konnte sich nicht rühren.

Dann stieß Calliope sie an die Schulter. Die Stute war aus

eigenem Antrieb aus der Box gekommen, als hätte sie mehr Verstand als Blanche und wisse, dass Eile nottat.

Die vertraute, sachte Berührung brachte Blanche wieder zu sich.

»Komm her, du verrücktes Weibsstück! Ich dreh dir den Hals um!«, schrie Devereux. Er war vollkommen hysterisch.

Klirrend ließ Blanche das blutverschmierte Schwert zu Boden fallen, hangelte sich auf Calliopes nackten Rücken und wendete die Stute mit den Knien. Über die Schulter sagte sie: »Fragt sich nur, womit, Thomas.«

Dann preschte sie ins Freie.

Blanche floh in heilloser Panik, und wie ein Tier auf der Flucht vor dem Jäger strebte sie heimwärts und ritt in südöstlicher Richtung. Sie war kaum imstande, einen klaren Gedanken zu fassen, aber Waringham schien ihr der sichere Bau, in den sie sich verkriechen konnte.

Als sie Dorf und Gut von Lydminster weit hinter sich gelassen hatte, beruhigte sie sich allmählich. Die Weiden und Stoppelfelder waren zurückgeblieben, und sie ritt auf einem schmalen Pfad durch ein lichtes Gehölz. Durch das Blätterdach drang die Abendsonne und betupfte den Weg mit goldenem Licht. Der Wald hallte von Vogelstimmen.

Blanche hielt an und klopfte Calliope den feuchten Hals. »Danke, treueste aller Freundinnen«, murmelte sie. »Ich glaube, es ist nicht übertrieben, zu sagen, du hast mir das Leben gerettet. Zumindest vorläufig.«

Sie scheute vor dem Gedanken an das, was sie getan hatte, zurück. Sie wollte jetzt nicht die abgetrennte Kralle auf dem Stallboden vor sich sehen oder den sprudelnden Stumpf oder Thomas' schockverzerrtes Gesicht. Sie musste nachdenken. Sie war eine Verbrecherin auf der Flucht, und Waringham, erkannte sie mit sinkendem Herzen, war der letzte Ort auf der Welt, wo sie sich hinwenden durfte. Natürlich konnte sie an den Hof gehen und sich der Gnade des Königs anempfehlen – immer vorausgesetzt, dass ihre Häscher sie nicht schnappten, ehe sie

Henry fand. Er konnte überall sein, in Eltham ebenso gut wie in Windsor oder an jedem Ort dazwischen. Und sie war keineswegs sicher, ob der König ihr Asyl gewähren würde. Ob er es überhaupt konnte. Auch der König durfte sich nicht über das Gesetz stellen. Sie hatte ihren Gemahl, der vor Gott und der Welt ihr Herr und Meister war, verstümmelt. Vielleicht umgebracht. Kein Richter würde sich für die Gründe interessieren, die zu Blanches Verzweiflungstat geführt hatten. Vor dem Gesetz war sie schuldig, und jeder Sheriff in jeder Grafschaft Englands würde bald auf der Suche nach ihr sein.

Ihr blieb nur eine Chance, wurde ihr klar. »Wir müssen England verlassen, Calliope«, sagte sie. Ihre Stimme klang seltsam brüchig.

Sie wendete und ritt der untergehenden Sonne entgegen. Beim letzten Tageslicht überschritt sie die Grenze nach Wales – ohne es indes zu merken, denn kein Stein oder Schlagbaum markierte diesen Übergang von einer Lebenswelt in eine völlig andere. Der Mond war schon mehr als halb voll. Er beleuchtete die vereinzelten Schönwetterwölkchen von oben, sodass sie wie schwerelose Flocken aus silberner Wolle aussahen, und wies Blanche den Weg, bis sie so müde war, dass sie von Calliopes ungesatteltem Rücken zu rutschen drohte.

»Carmarthen«, murmelte sie schläfrig, als sie sich ins taufeuchte Gras legte. Sie hatte gehört, dass Edmund Tudor eine Burg namens Carmarthen eingenommen hatte, als sie Thomas und seinen Bruder Walter vor ein paar Wochen bei einem ihrer abendlichen Männergespräche belauscht hatte. Dort wollte sie hin. Edmund würde sie aufnehmen, da war sie sicher, ganz gleich, was sie verbrochen hatte. Und vielleicht wusste er Rat.

Für einen der Adler, die Blanche am Himmel über Wales sah, wäre der Weg von der Grenze nach Carmarthen nur fünfzig Meilen weit gewesen – etwa die Strecke, die ein erfahrener Reiter mit einem ausdauernden Pferd auf guten Straßen an einem Tag bewältigen konnte. Doch Blanche und Calliope irrten drei Tage und vier Nächte durch Wales. Das Land war dünn besiedelt. Nur schmale Pfade schlängelten sich durch die dichten Wälder und verzweigten sich häufig, sodass sie mehrmals die Orientierung verlor. Das Gelände war hügelig, wurde steiler und schwieriger, je weiter sie nach Westen vordrang. Am zweiten Tag schlug das Wetter um, wurde nass und ungemütlich, und nachts fror Blanche bitterlich in ihrem dünnen, zerrissenen Kleid. Wenn sie gelegentlich zu einem Dorf kam, fand sie die Menschen freundlich und hilfsbereit. Sie gaben ihr zu essen, einmal bekam sie gar Hafer für Calliope. Nur verstand sie kein Sterbenswort von dem, was die Bauern zu ihr sagten, und es beschämte sie, dass sie ihnen nicht einmal in ihrer Sprache für ihre Gaben danken konnte.

»Carmarthen?«, fragte sie, wenn sie wieder aufbrach.

Die Leute zeigten nach Westen.

Am vierten Vormittag endlich kam sie über einen Hügelkamm und entdeckte im Tal ein Dorf, das offenbar vor kurzem einer Feuersbrunst zum Opfer gefallen war, und auf einem weiteren, steilen Hügel erhob sich eine eherne Festung.

»Das muss es sein, Calliope«, sagte sie voller Erleichterung. Ihr Magen knurrte. Am Morgen des vorherigen Tages hatte sie zum letzten Mal etwas gegessen, und es war nur ein altbackener Kanten Brot gewesen. Sie war nass bis auf die Haut, durchfroren und erschöpft, doch die Vorstellung, bald hinter sicheren Mauern und in der Gesellschaft von Freunden zu sein, mobilisierte ihre Reserven. Sanft stieß sie Calliope die Fersen in die Seiten. »Komm schon. Es ist nicht mehr weit.«

Sie hatte ihr Hemd in Streifen gerissen und daraus ein notdürftiges Zaumzeug geknüpft, doch als es im leichten Galopp hügelabwärts ging, nahm Blanche sicherheitshalber eine Hand vom Zügel und hielt sich an Calliopes dunkler Mähne fest. Seit ihrer Kindheit war sie nicht mehr ohne Sattel geritten, und sie hatte keinen besonders guten Halt auf dem regenfeuchten Fell. Sie war so damit beschäftigt, nicht herunterzupurzeln, dass sie den Hufschlag hinter sich erst mit einiger Verspätung wahrnahm.

Blanche spürte, wie ihre Nackenhaare sich sträubten, und riskierte einen Blick über die Schulter. Keine zwanzig Längen hinter ihr kamen drei Reiter den Pfad hinab. Der vordere trug eine teure Rüstung. Eine *englische* Rüstung, erkannte sie.

Sie krallte auch die zweite Hand in die Mähne. »Lauf, Calliope. Um Himmels willen, lauf!«

»Blanche of Waringham?«, hörte sie jemanden hinter sich rufen. Aber sie schaute nicht noch einmal zurück. Sie beugte sich vor, schmiegte sich an Calliopes Hals und spürte ihre treue Stute schneller werden.

Auch der Hufschlag hinter ihr hatte sich beschleunigt. Blanche kniff die Augen zu und betete. Ich weiß, dass du mir nach meiner schrecklichen Sünde deine Hilfe wahrscheinlich versagen wirst, Gott, aber lass sie mich nicht kriegen. *Lass sie mich nicht kriegen, ich flehe dich an …*

Nach gut hundert Schritten gabelte sich der Pfad. Der rechte führte in das niedergebrannte Dorf, der linke zur Burg hinauf. Zu spät merkte Blanche, dass Calliope den falschen Weg einschlug – Pferde liefen immer bergab, wenn sie keine anderslautende Order bekamen. Blanche packte den provisorischen Zügel mit beiden Händen und wollte Calliope herumreißen. Stattdessen war es der Zügel, der riss. Sie verlor das Gleichgewicht, rutschte nach rechts weg, landete hart auf der steinigen Erde, und Schmerz durchzuckte ihren Fußknöchel. Sie stöhnte, rollte sich auf den Bauch, legte die Arme um den Kopf und gab sich geschlagen.

Ein Pferd wurde neben ihr zum Stehen gebracht. Ein schwer gerüsteter Mann landete federnd auf beiden Füßen und kam unter leisem Scheppern näher. »Seid Ihr Blanche of Waringham?«

Na los, heb den Kopf, befahl sie sich. Nimm dich zusammen. Und fang ja nicht an zu heulen. Aber sie rührte sich nicht. Sie wusste nicht, wie sie dem ins Auge sehen sollte, was nun kommen würde.

Plötzlich lagen zwei Hände auf ihren Schultern.

Blanche stieß einen halb unterdrückten Laut des Schreckens

aus und fuhr herum. »Finger weg! Gott *verflucht*, mein Fuß ...«
Sie klammerte die Linke um den rechten Knöchel.

Der Ritter kniete vor ihr. »Ist er gebrochen? Lasst mich mal sehen.«

»Ich sagte, Ihr sollt Eure Finger bei Euch behalten, Sir«, fuhr sie ihn scharf an.

»Bitte, wie Ihr wünscht.« Er nahm den Helm ab. »Aber vielleicht wollt Ihr mir erklären, was Ihr hier verloren habt, ganz allein im tiefsten Wales, warum Ihr ausseht wie eine entlaufene Hörige und wieso ihr ein blaues Auge habt.«

»*Jasper Tudor*?«

Er deutete eine Verbeugung an. »Zu Diensten, Madam.«

»Oh Gott ...« Blanche legte die Hände vors Gesicht und wandte den Kopf ab. Ihre Hände zitterten. »Oh Gott. Und ich dachte, sie hätten mich geschnappt ...«

Jasper runzelte verwundert die Stirn. »Wer verfolgt Euch? Um Himmels willen, was ist Euch geschehen, Blanche?«

»Ich ...« Sie ließ die Hände sinken und rang um Fassung. Als sie sie wiedergefunden hatte, sah sie ihn an. »Das ist eine lange, unerfreuliche Geschichte, Mylord. Ich bin auf der Flucht. Vor dem englischen Gesetz, wenn Ihr es genau wissen wollt.«

Seiner Miene war nicht anzusehen, was er davon hielt. »Dann seid Ihr in Wales genau richtig«, war alles, was er sagte.

Blanche lächelte müde und nickte. »Ich will nach Carmarthen.« Sie wies auf die Burg. »Zu Eurem Bruder.«

»Leider ist Edmund nicht auf Carmarthen. Jedenfalls behauptet Walter Devereux das.«

Der Name fuhr Blanche durch Mark und Bein. »*Devereux*?« Ihr unversehrtes Auge wurde groß und starr, und die Panik wollte sie wieder überfallen.

Jasper sah ihr einen Moment ins Gesicht. Nach einem winzigen Zögern streifte er die Handschuhe ab und ergriff Blanches zitternde, eiskalte Rechte mit beiden Händen. »Nur die Ruhe, Lady Blanche. Was immer Euch geschehen ist, jetzt seid Ihr in Wales und steht unter meinem Schutz. Wenn Ihr gestattet, bringe ich Euch auf meine Burg in Pembroke, und dort seid Ihr sicher.«

Schon von seinen Worten fühlte sie sich besser. Die Stimme klang warm und tief, er sprach bedächtig, und sein walisischer Akzent hatte etwas tröstlich Bodenständiges. »Ich glaube, ehe Ihr mir Euren Schutz gewährt, solltet Ihr erfahren, was ich getan habe, Mylord«, antwortete sie untypisch kleinlaut.

Er schüttelte den Kopf. »Meinen Schutz gibt es heute gratis«, erwiderte er, und beinah lächelte er dabei. »Ohne Bedingungen, meine ich. Da Ihr offensichtlich mit den Devereux aneinandergeraten seid, stehen wir ohnehin auf derselben Seite. Ich schlage vor, wir verschwinden jetzt von hier. Es ist ungemütlich, und es muss ja nicht sein, dass wir mit einer von Devereux' Patrouillen zusammenstoßen.«

»Nein, wirklich nicht«, stimmte Blanche zu.

Jasper pfiff leise durch die Zähne, und als seine beiden Begleiter daraufhin aufschauten, winkte er sie näher. »Madog, fang den Gaul der Dame ein und bring ihn her. Und du reitest ein Stück den Burghügel hinauf, Lionel, und vergewisserst dich, dass es am Tor ruhig ist.«

Mit einem »Ja, Mylord« verschwanden sie.

»Ein Waliser und ein Engländer?«, fragte Blanche erstaunt.

Jasper nickte. »Das ist in Pembrokeshire nichts Ungewöhnliches. Nirgendwo leben Waliser und Engländer so friedlich zusammen wie dort. Vermutlich gefällt meine Grafschaft mir deswegen so gut. Darf ich mir Euren Fuß ansehen, Lady Blanche, oder werdet Ihr mich dann wieder anfahren?«

Blanche verbiss sich mit Mühe ein Lachen. »Ich hab Euch doch hoffentlich keine Angst gemacht, Mylord?« Einladend wies sie auf ihren Knöchel. »Er pocht nur noch ein bisschen.«

Doch als Jasper behutsam ihren derben Schuh aufschnürte, flammte der Schmerz wieder auf, und Blanche hielt die Luft an.

Er sah ihr kurz ins Gesicht und nickte. Vorsichtig streifte er den Schuh ab und befühlte den Knöchel. »Glatt durch, würde ich sagen. Keine große Sache. Aber wir müssen ihn bandagieren. Ich brauche Euren Unterrock, fürchte ich, Madam.«

»Mein Unterrock ist schon zweckentfremdet«, erklärte sie ungeniert. »Hier.« Sie wickelte das verhasste Tuch von ihrem Kopf und drückte es ihm in die Finger. »Ich glaube, das brauche ich vorläufig nicht mehr.« Zum ersten Mal seit einem Jahr spürte sie Wind auf der Kopfhaut. Es war ein köstliches Gefühl. Selbst der Regen war ihr plötzlich willkommen.

Jasper zerriss das Tuch und bandagierte ihr mit den Streifen den Fuß.

»Was soll das heißen, Edmund ist nicht in Carmarthen?«, fragte sie. »Ich habe etwas anderes gehört.«

»Vor einem Monat haben zwei Marcher Lords meinem Bruder diese Burg abgenommen.« Er wies kurz über die Schulter. »Sie haben Edmund gefangen genommen, aber nach ein paar Tagen laufen lassen, heißt es. Nur seltsam, dass Edmund aus Carmarthen verschwunden sein soll, ohne im Kloster vorbeigeschaut zu haben. Das sieht ihm nicht ähnlich. Er ist spurlos verschwunden, genau wie …« Er brach abrupt ab.

Blanche schaute auf. »Genau wie wer? Mein Bruder?«

Sie bekam keine Antwort.

»Habt die Güte und seht mich an, Sir! Ist Julian zusammen mit Edmund verschwunden?«

Jasper schaute von seinem Verband auf und nickte. »Es tut mir leid. Schlechte Nachrichten sind gewiss das Letzte, was Ihr im Moment gebrauchen könnt.«

»Denkt Ihr … Denkt Ihr, sie haben sie …«

»Nein, nein«, antwortete er scheinbar gelassen. »York hat seine Marcher-Bluthunde hergeschickt, damit sie ihm ein möglichst großes Stück vom walisischen Kuchen sichern. Aber wenn dabei der Bruder des Königs oder sonstige Lancastrianer draufgingen, wäre Henry gewiss ziemlich verstimmt, und York könnte sein kostbares Protektorat verlieren. *Noch* ist nämlich Henry König von England.«

»Wenn das so ist, warum belagert Ihr Carmarthen dann nicht und holt unsere Brüder heraus?«

»Weil ich nicht glaube, dass sie dort sind. Devereux schwört das Gegenteil, und ich habe keinerlei Veranlassung, sein

Ehrenwort in Zweifel zu ziehen – mal abgesehen davon, dass ich ihn nicht ausstehen kann. Es gibt einfach keinen vernünftigen Grund, warum er meinen Bruder festsetzen sollte. Oder Euren.«

Er zerteilte das Ende des Verbands der Länge nach, wickelte die beiden Hälften entgegengesetzt um ihren Fuß und machte eine kleine Schleife. Erstaunlich geschickt für so große Männerhände.

»Die Devereux sind nicht so ehrenhaft, wie viele glauben, Sir«, warnte Blanche.

»Und woher wollt ausgerechnet Ihr das wissen?«

»Ich bin mit einem von ihnen verheiratet. Oder vielleicht bin ich inzwischen auch verwitwet – keine Ahnung.«

Jasper betrachtete sie, den Kopf leicht zur Seite geneigt. Der Blick seiner dunklen Augen war offen, nur ein kleiner Funken Spott glitzerte darin. Er forderte sie heraus, dieser Blick. Also erzählte sie ihm, was sie mit Thomas Devereux getan hatte.

»Allmächtiger«, murmelte Jasper, als sie geendet hatte. »Wenn Ihr das nächste Mal sagt, ich soll die Finger von Euch lassen, werd ich auf Euch hören, Madam.«

Blanche lachte, plötzlich eigentümlich unbeschwert.

Er stand auf und verneigte sich leicht. »Aber Ihr gestattet, dass ich Euch auf Euer Pferd setze, damit wir endlich von hier verschwinden können?«

»Ich bitte darum, Sir«, erwiderte sie artig.

Er schob einen Arm unter ihre Knie, legte den anderen um ihre Schultern und hob sie hoch. Blanche fühlte sich im wahrsten Sinne des Wortes gut aufgehoben, und es beschämte sie ein wenig, dass seine Nähe ihr nicht unangenehmer war. Doch ehe sie erröten konnte, hatte er sie schon auf Calliopes Rücken verfrachtet. Er holte die Decke, die zusammengerollt vor seinem Sattel lag, und reichte sie ihr. »Hier. Nicht ganz makellos nach drei Tagen in der walisischen Wildnis, fürchte ich, aber es sind dreißig Meilen bis nach Pembroke, und das Wetter wird nicht besser.«

Dankbar schlang Blanche sich die Decke um die Schultern.

»Ihr habt nicht zufällig auch noch etwas zu essen in diesen großen Satteltaschen?«

Er ging wieder zu seinem Pferd, kramte eine Weile in den
Taschen und kehrte mit einem kleinen Leinenbündel zurück,
das er ihr wortlos reichte.

»Danke.« Blanche wickelte es gierig aus und enthüllte ein
weiches Früchtebrot. Sie biss heißhungrig hinein. Es war würzig und saftig. »Hm. Wunderbar.« Jasper wandte sich ab und
saß auf, und sie nutzte den Moment, um noch einen unbeschei-
denen Bissen zu nehmen. Sie konnte sich nicht erinnern, je so
hungrig gewesen zu sein. »Werden wir heute noch in Pembroke
ankommen?«, fragte sie, als Jasper neben sie ritt.

»Das hängt davon ab, wie schnell Ihr reitet.«

»Ich werde Euch bestimmt nicht aufhalten«, entgegnete sie
ein wenig spitz.

»Gut. Megan bringt sich fast um vor Sorge um Edmund,
und ich will sie nicht länger als nötig allein lassen.«

»Megan? Sie ist dort?« Blanche schnalzte Calliope zu und
ritt an, ohne auf Jasper zu warten.

Carmarthen, Oktober 1456

»Ich fass es nicht, Edmund. Seit über zwei Monaten kle-
ben wir jetzt hier fest. Und langsam wird es verdammt
frisch hier unten.« Julian rückte den Hocker näher ans Kohlebecken und schlang die Arme um den Oberkörper.

Edmund Tudor saß über eine Bibel gebeugt am Tisch und
schaute nicht auf. »Hör auf zu jammern, Waringham. Wenn
du dich nicht so dämlich aufgeführt hättest, bräuchtest du gar
nicht hier zu sein.«

Da hat er Recht, musste Julian einräumen. Er sagte nichts
mehr, griff nach dem kleinen Schnitzmesser und begann, an
einem Schiffsrumpf zu arbeiten.

Ihre Gefangenschaft war alles andere als unerträglich. Einige Tage nach dem Fall der Burg, als die Gemüter sich wieder beruhigt hatten, hatte Walter Devereux angeordnet, ihnen die Ketten abzunehmen und sie zuvorkommend zu behandeln. Die Wachen waren höflich und erfüllten ihnen beinah jeden Wunsch. Sie hatten genügend Decken, Licht, bekamen anständige Verpflegung und Wasser, um sich zu waschen. Edmund hatte eine Bibel erbeten und bekommen, und als Julian versprach, jedem der Wachsoldaten ein Holzspielzeug anzufertigen, das sie ihren Kindern oder kleinen Geschwistern zu Neujahr schenken konnten, hatte er gar Holz und ein Schnitzmesser bekommen. Die Klinge war zu kurz, um jemandem ernstlich damit zu schaden, und die Wachen hielten die beiden Gefangenen auch nicht für besonders gefährlich. Tudor und Waringham waren in den politischen Wirren eben hier gestrandet, aber irgendwann, das wussten sie alle, mussten die Marcher Lords sie wieder gehen lassen.

Trotzdem wurde Edmund Tudor von Tag zu Tag reizbarer, und Julian ging es nicht anders. Seit zehn Wochen waren sie hier zusammen eingepfercht – es war kein Wunder, dass sie anfingen, sich auf die Nerven zu gehen.

»Lies ein Stück vor«, bat Julian.

»Wozu? Ich denke, du kannst kein Latein.«

»Jedenfalls nicht viel. Aber das macht nichts. Es beruhigt.«

Edmund hob den Kopf und runzelte die Stirn. »Soll ich dir vielleicht ein Wiegenlied singen?«

Julian warf Messer und Holzblock auf den Tisch. »Nein, danke. Es reicht völlig, wenn du aufhörst, auf mir rumzuhacken. Ich bin nach Carmarthen gekommen, weil du nach mir geschickt hast …«

»Was nicht mehr als deine Pflicht und Schuldigkeit war.«

»… und habe elf Männer für dich getötet.«

»*Elf?* Ich bin schwer beeindruckt.«

»Ja, du findest das vielleicht wenig, aber für mich ist es neu, und es macht mir zu schaffen. Ich habe meine Pflicht getan, genau wie du sagst, und darum wäre ich dankbar, wenn du deine miserable Laune nicht an mir auslassen würdest.«

»Aber wenn du Devereux nicht an die Kehle gegangen wärst, müsste keiner von uns mehr hier sein, du verfluchter hitzköpfiger Narr!«

»Du hast wirklich gut reden. Es war nicht deine Schwester, über die er Zoten gerissen hat«, gab Julian wütend zurück. »Und da wir gerade bei Schuldzuweisungen sind, sag ich dir noch was, Edmund: Wenn du es verstanden hättest, dich der Treue deines kleinen Bruders zu versichern, hätte er uns nicht an Devereux verkauft, und die Burg wäre nie gefallen.«

Edmund stand auf. »Nur weiter, Julian.« Er musste ein wenig den Kopf einziehen – keiner von ihnen konnte in diesem Gewölbekeller aufrecht stehen –, aber das machte ihn nicht weniger gefährlich.

»Er ist doch dein Bruder, oder?«, setzte Julian nach. »Jedenfalls ist er deinem Vater wie aus dem Gesicht geschnitten. Und *ap Owain* bedeutet ›Sohn von Owen‹. Dein Vater. Owen Tudor. Richtig?«

»Ganz recht. Rhys ap Owain ist mein Bruder. Und?«

Julian hob ungeduldig die Schultern. »Gar nichts. Es kommt mir nur seltsam vor, dass wir noch keinmal über ihn gesprochen haben. Schließlich hat er uns das hier eingebrockt, nicht ich. Wenn du meinst, du musst mir aufs Maul hauen, weil ich das gesagt habe, bitte. Aber es ist nur die Wahrheit.«

Edmund ließ sich auf die Tischkante sinken und rieb sich kurz mit beiden Händen übers Gesicht. »Tja. Ich sag's ungern, aber du hast Recht. Übe Nachsicht mit mir, Julian. Langsam macht es mich mürbe, hier eingesperrt zu sein, während meine Frau allein und schwanger in Pembroke hockt.«

»Denk nicht, ich könnte das nicht verstehen.« Julian nahm Messer und Holzklotz wieder auf. »Aber irgendetwas muss sich doch bald tun. Du bist des Königs Bruder. Er wird Fragen stellen, oder? Sie müssen uns laufen lassen, und wenn sie's nicht tun, wird Jasper uns hier rausholen.«

»Dafür müsste er wissen, wo wir sind. Und weder er noch Henry können im Moment viel tun. York ist Lord Protector. Warwick ist Befehlshaber der Garnison von Calais – der einzigen stehenden Truppe, über die die Krone noch verfügt. Und du sagst, Warwick gehört York mit Haut und Haar.«

Julian nickte düster. »Verlass dich drauf.«

»*Sie* haben die Macht. Henry hat nichts mehr in der Hand. Er ist König von Yorks Gnaden.«

Julian schüttelte ungläubig den Kopf. »Aber noch gibt es ein paar mächtige königstreue Kronvasallen in England.«

»Von denen Yorks Marcher Lords gerade zwei in Wales als Geiseln halten, hast du darüber schon mal nachgedacht?« Edmund schüttelte den Kopf. »Nein, Julian. Ich glaube nicht, dass sie uns bald laufen lassen.«

Julian sah einen Moment auf seine Hände hinab. »Süßer Jesus«, murmelte er. »Trübe Aussichten.«

Edmund kehrte auf seinen Schemel zurück. »Allerdings.«

Eine Zeit lang war nichts zu hören als das Schaben von Klinge auf Holz und das gelegentliche Rascheln, wenn Edmund eine der großen Pergamentseiten umblätterte. Doch schließlich schob er die Bibel ein Stück von sich, streckte das Kreuz und rieb sich die Augen mit Daumen und Zeigefinger der Rechten.

»Du verdirbst dir noch die Augen, wenn du immerzu liest bei dem schlechten Licht«, schalt Julian.

»Gott, Waringham, du hörst dich an wie meine Amme.« Es klang halb amüsiert, halb grantig. Edmund stand auf, trat in die Ecke, die am weitesten vom Tisch entfernt war, stieß mit der Fußspitze geübt den Deckel vom Eimer und pinkelte hinein.

Mag sein, dachte Julian und beobachtete ihn verstohlen. Aber es blieb eine Tatsache, dass Edmund sich von der Kopfverletzung, die er beim Fall der Burg davongetragen hatte, immer noch nicht richtig erholt hatte, und heute kam er ihm blasser vor als in den vergangenen Tagen.

Mit einem unwilligen Brummen deckte Edmund den übelriechenden Eimer wieder ab und kehrte an den Tisch zurück.

»Mein Vater hat lange nichts von Rhys' Existenz gewusst«, begann er unvermittelt, als er sich wieder hingesetzt hatte. Nervös ergriff er eines der fertigen Holzpferdchen, die auf dem Tisch standen, und drehte es zwischen den Händen.

»Nachdem meine Mutter gestorben war ...« Edmund brach ab, dann schaute er plötzlich auf. »Mein Vater war vollkommen besessen von meiner Mutter, weißt du. Ich habe so etwas nie bei einem anderen Mann erlebt. Ich war sieben, als sie starb, aber selbst damals war mir klar, dass es das Ende für meinen Vater ist. Ich war absolut sicher, er würde ihren Verlust nicht überleben, und ich weiß noch, dass ich überlegt habe, wie ich allein zurechtkommen sollte mit meinen beiden kleinen Brüdern.« Er lächelte flüchtig und senkte den Blick wieder auf das Holzspielzeug. »Na ja, es kam irgendwie anders. Er lebte weiter, obwohl er nicht wollte. Jasper, Owen und ich kamen nach Barking ins Kloster, und er ist ein paar Jahre wie ein rastloser Geist durch England und Wales gezogen. Er hat noch ein Stück Land oben in Anglesey – das Einzige, was von dem gewaltigen Besitz meiner Ahnen geblieben ist –, wo er sich manchmal verkroch. Eines Tages kam er hin und traf ein Bauernmädchen, das meiner Mutter ähnlich sah. In England und Frankreich sagte man früher, meine Mutter sei die schönste Frau der Welt, aber vermutlich haben sie in Wales nicht nachgeschaut. Hier gibt es viele bildschöne Mädchen. Und dieses eine sah ihr eben ähnlich. Verblüffend, sagte er. Sie verbrachten ein paar stürmische Wochen zusammen, aber natürlich ging es nicht gut. Egal wie groß die äußerliche Ähnlichkeit, meine Mutter war eine Königin, dies ein walisisches Bauernmädchen. Es machte ihn völlig verrückt, dass er sie wiederhatte und doch nicht wiederhatte. Er verschwand, ehe er erfuhr, dass sie schwanger war. Letztes Jahr kam er zum ersten Mal wieder hin und fand einen zwölfjährigen Sohn vor. Rhys. Natürlich plagte meinen Vater sein Gewissen, und er schickte mir den Jungen, damit ich etwas aus ihm mache. Aber wie du dir vorstellen kannst, war Rhys auf seinen Vater und dessen Familie nicht sonderlich gut zu sprechen. Ein Bastard ist in Wales keine solche Katastrophe wie in England, aber mein Vater hatte seine Mutter sitzen lassen. Außerdem hält Rhys uns für Verräter, die das walisische Volk an den englischen König verkaufen. Er ist ein Hitzkopf wie mein Vater. Tja, was soll ich sagen, es ist eben passiert. Ich bin sicher, er war überzeugt, das Richtige für sein Volk zu tun, als er uns an Devereux verriet. Und das ist kein Wunder, Julian.« Er hob den Zeigefinger. »Seit der erste König Edward Wales erobert hat, haben die Engländer die Menschen dieses Landes mit Füßen getreten, ihnen ihr Land und ihre Rechte genommen. Waliser dürfen keine englischen Frauen heiraten und umgekehrt, als fürchteten die Engländer, walisisches Blut sei minderwertig. Und es ist gerade einmal fünfzig Jahre her, dass das englische Parlament alle Waliser als ›barfüßige Schurken‹ bezeichnet hat!«

Julian sah zu seiner Überraschung, dass der Finger seines Freundes bebte. »Edmund, ich habe ehrlich nicht gewusst, dass du so ein glühender walisischer Patriot bist«, erwiderte er verwundert. »Dabei kenne ich dich praktisch mein ganzes Leben lang.«

»Es ist nicht gerade mein Lieblingsthema«, räumte Edmund unwillig ein. »Jasper, Owen und ich stecken in der kuriosen Klemme, dass wir gleich gute Gründe haben, für England, Wales und obendrein für Frankreich patriotische Gefühle zu hegen. Doch mit Rhys ist es etwas völlig anderes. Wenn man gerecht sein will, muss man ihm zubilligen, dass er für seine Tat gute Gründe hatte. Und man kann ihm kaum verübeln, wenn er denkt, dass er uns Tudors nichts schuldig ist, nicht wahr?«

»Nein«, stimmte Julian beklommen zu. Diese Geschichte trug nicht gerade dazu bei, seine gedrückte Stimmung zu heben, aber er hatte es ja unbedingt hören wollen.

»Die Sache ist nur die, Julian: Wenn mein Vater oder Jasper erfahren, was Rhys hier angestellt hat, werden sie ihn verstoßen, ihn bestrafen, wenn sie ihn finden, und noch unglücklicher sein wegen dieser ganzen unseligen Angelegenheit. Das würde ich allen Beteiligten gerne ersparen, verstehst du. Rhys hat einen schweren Fehler gemacht, aber er ist ein guter Junge. Er braucht einfach mehr Zeit, uns kennen zu lernen und zu verstehen. Genau wie umgekehrt. Worauf ich hinaus will …«

»Ich soll niemandem sagen, dass es dein kleiner Bruder war, der uns in die Pfanne gehauen hat?«

»So ist es.«

Julian schnaubte. »Das heißt, er soll einfach davonkommen?«

»Das habe ich nicht gesagt. Aber *ich* werde das mit ihm ausmachen. Auf meine Art, und vor allem diskret. Also?«

»Meinetwegen«, knurrte Julian.

»Schwöre.«

Julian seufzte, führte den Siegelring am linken Zeigefinger kurz an die Lippen und hob die Rechte. »Ich schwöre bei meinem Namen.«

»Gut.« Edmund nickte zufrieden, rieb sich mit einer Hand die Kehle und schenkte sich das restliche Ale aus dem Krug auf dem Tisch ein. »Verflucht, ich krieg Halsschmerzen. Das kommt davon, wenn man so viel redet ...«

»Das ist keine Entschuldigung, mir das letzte Bier wegzutrinken.«

»In spätestens einer halben Stunde gibt es neues, zusammen mit dem Nachtmahl.«

Edmund hatte sich nicht getäuscht. Julian staunte immer wieder, wie gut das Zeitgefühl seines Freundes hier unten funktionierte, wo man doch weder Sonne noch Mond oder Sterne sehen konnte, geschweige denn eine Kirchenuhr schlagen hörte, wie sie in den Städten jetzt immer verbreiteter wurden. Nicht lange, und die schwere Tür zu ihrem Verlies öffnete sich. Zwei der jungen Wachen traten ein, brachten ihnen Brot, kalten Braten, heiße Suppe und Bier, und sie flachsten ein Weilchen herum, während die Wachen die Fackel und den Eimer austauschten, der immer Gegenstand ihrer derbsten Späße war.

Die beiden Gefangenen aßen, tranken einen Becher, löschten bald darauf das Öllicht und rollten sich in ihre Decken, wie sie es immer taten. Die Tage des Nichtstuns kamen ihnen schon endlos lang und eintönig vor. Abends wussten sie einfach nichts mehr mit sich anzufangen, darum gingen sie früh schlafen.

Julian träumte von seiner Schwester. Es waren wirre, düstere Bilder, die er sah: Blanche hatte Blut an den Händen. Gerade lichtete sich der Traum, und er sah sie mit wehenden, offenen Haaren auf einem ungesattelten Pferd einen Hügel hinabgaloppieren, als ein Geräusch ihn weckte. Unwillig schlug er die Augen auf und lauschte. Meist waren es Ratten oder Mäuse, die sie nachts um den Schlaf brachten. Doch er merkte schnell, dass es sich heute um einen anderen Störenfried handelte, als er ein halb unterdrücktes Würgen hörte.

Er setzte sich auf. »Edmund?«

»Verflucht, das fehlte noch«, kam die matte Antwort aus der Dunkelheit. Wieder ein Würgen. »Schlaf weiter.«

Das war leichter gesagt als getan. Julian hatte noch nie jemanden so diskret kotzen hören, dennoch fand er es unmöglich, bei dieser Untermalung wieder einzuschlummern. Die Suppe *hatte* einen etwas merkwürdigen Beigeschmack gehabt, erinnerte er sich jetzt. Ergeben wartete er darauf, dass ihm auch schlecht wurde, aber noch spürte er nichts. Er überlegte, ob Devereux oder Herbert wohl niederträchtig genug wären, um sie zu vergiften, doch fiel ihm kein vernünftiger Grund ein, warum sie so etwas tun sollten.

Schließlich hörte er den Deckel des Eimers. Drei, vier langsame Schritte. Das Knarren des Holzschemels. Dann Stille.

Julian setzte sich auf. »Alles in Ordnung?«

Er bekam keine Antwort.

Er schälte sich aus der Decke und kam auf die Füße. »Edmund?«

Im Schein der Fackel, die in einem Ring neben der Tür steckte, sah er Edmund Tudor mit nacktem Oberkörper zurückgelehnt vor dem Tisch sitzen, die Ellbogen auf die Platte gestützt. Er wirkte vollkommen entspannt, aber Schweiß glänzte auf seinem Gesicht und der Brust, und die dunklen Augen hatten einen unnatürlichen Glanz.

»Du hast Fieber«, mutmaßte Julian.

Edmund nickte. Er sah Julian unverwandt in die Augen – es war ein merkwürdiger Blick, unmöglich zu deuten. Dann hob er den rechten Arm und legte die Hand in den Nacken. Eine Beule von der Größe einer Kinderfaust hatte sich in der Achselhöhle gebildet, und im schwachen Licht wirkte sie schwärzlich.

Julian fühlte ein Durchsacken in der Magengegend, so als sei er plötzlich ins Leere getreten. Er sah Edmund wieder ins Gesicht und fand nichts zu sagen. Er verspürte Angst um sein eigenes Leben, aber im ersten Moment war es vor allem der Schmerz, der ihn zu überwältigen drohte. Er würde diesen Freund verlieren. Edmund Tudor war ein toter Mann.

»Tja«, sagte der und ließ den Arm sinken. »Sie macht einen sprachlos, die Pest, nicht wahr?«

Julian räusperte sich mühsam und nickte.

»Was ist mit dir?«

Julian brauchte nicht nachzuschauen. Er wusste, dass man das Brennen der Beulen fühlte, noch ehe man sie sehen konnte. »Noch nichts.«

Edmund rieb sich mit dem muskulösen Unterarm über die Stirn. »Vielleicht verschont sie dich.«

Und vielleicht auch nicht, fuhr es Julian durch den Kopf. Gewiss, die Pest war nicht mehr so wie vor hundert Jahren, als sie wie ein Sturm über das Land hereingebrochen war und binnen weniger Tage ganze Städte entvölkert hatte. Heutzutage suchte sie sich ihre Opfer einzeln aus, holte mal hier, mal dort eines und verschwand so lautlos, wie sie sich angeschlichen hatte. Doch wusste jedermann, dass die Ansteckungsgefahr bei dieser tückischen, widerwärtigen Krankheit sehr hoch war.

»Wann hast du's gemerkt?«, fragte Julian. Als ob es eine Rolle spielte.

»Dass ich krank werde, am späten Nachmittag. Dass ich sterbe und woran, vor ungefähr zwei Stunden.« Er klang gefasst, aber das war er nicht. Julian kannte Edmund Tudor gut. Er sah das Grauen und den Zorn in dessen fiebrigen schwarzen Augen, aber er wusste, Tudor würde sich vor ihm nicht gehen lassen, solange er noch Herr seiner Sinne war. »Ich weiß nicht, wie es morgen früh um mich steht, wenn die Wachen kommen, Julian, aber du sorgst dafür, dass sie einen Priester holen, nicht wahr?« Die Arme begannen zu zittern. Manchen ihrer Auserwählten bescherte die Pest Muskelkrämpfe, und offenbar gehörte Edmund dazu.

»Natürlich. Ich kümmere mich um alles.« Julian rang einen Moment mit sich, dann machte er einen Schritt auf ihn zu und nahm behutsam seinen Ellbogen. »Komm. Besser, du legst dich hin.«

Edmund stieß ihn weg. »Fass mich nicht an, du verfluchter Narr, denk an …«

»Edmund, ich schlage vor, du hörst jetzt auf zu fluchen«, fiel Julian ihm ins Wort. Er war selbst verwundert, wie souverän und streng er klang, war ihm in Wahrheit doch danach, sich in einer Ecke zusammenzurollen und zu heulen. Er zog den Kranken auf die Füße und führte ihn zu seinem Lager im Stroh. »Besinn dich auf Gott, denn wir sind alle in seiner Hand, ich genauso wie du.« Sie hausten hier so dicht aufeinander wie Finger und Handschuh, ohne jede Möglichkeit, auf Distanz zu gehen. Julian wusste, nur ein Wunder konnte verhindern, dass er sich ansteckte, und dabei spielte es gewiss keine Rolle, ob er Edmund anfasste oder nicht. »Hier, leg dich hin.«

Halb fiel, halb legte Edmund sich ins Stroh, rollte sich auf die Seite und lag still. Die Krämpfe hielten immer noch an. Sein Gesicht verzerrte sich, und er atmete stoßweise. Bis sie schließlich abebbten. Julian sah, wie der Körper des Kranken sich ein wenig entspannte.

»Du hast Recht, Julian. Wir sind in Gottes Hand, und mir bleibt nur, mich seiner Gnade zu empfehlen. Aber es fällt mir … schwer. Ich würde ihm lieber das Dach über dem Kopf anzünden, wenn ich könnte.«

»Schsch, Edmund!«, mahnte Julian erschrocken.

»Dass er mich mit sechsundzwanzig abberuft, ist in Ordnung. Dagegen … hab ich keine Einwände. Aber dass meine Megan mit dreizehn Jahren Witwe wird und mein Kind als Waise zur Welt kommt, das ist … das ist …« Er schloss die Augen. »Warum trifft Gottes Strafe immer die Falschen?«

»Ich weiß es wirklich nicht.«

Das Zittern des Kranken hatte sich wieder verschlimmert.

Als Julian aufging, dass es dieses Mal von Schüttelfrost rührte, deckte er ihn zu und holte ihm auch noch seine eigene Decke. »Wir fragen ihn, wenn wir ihn sehen.«

Als die Wachen am nächsten Morgen kamen und Edmund Tudor sahen, ergriffen sie entsetzt die Flucht.

»Holt Devereux oder Herbert«, brüllte Julian ihnen nach. »Und einen Priester!«

Er war nicht sicher, ob sie ihn gehört hatten. Doch es verging kaum eine Viertelstunde, bis der schwere Riegel wieder zurückgezogen wurde und die Tür aufschwang. Sir Walter Devereux stand auf der Schwelle, trat aber nicht ein. Mit ausdrucksloser Miene sah er auf den todkranken Mann im Stroh hinab.

Edmund hatte so hohes Fieber, dass er der Welt schon entrückt schien. Er warf sich unruhig hin und her, und sein Atem ging rasselnd. Ein fleckiger Ausschlag entstellte sein Gesicht und bedeckte auch den restlichen Körper unter der Decke.

»Heiliger Antonius, steh uns bei«, murmelte Devereux.

Julian machte wütend einen Schritt auf ihn zu. »Möge der heilige Antonius Euch seinen Schutz verwehren und die Pest über Euch und Euer Haus kommen, Devereux! Das hier habt Ihr zu verantworten.«

Devereux wich unauffällig einen Schritt zurück. »Wie könnt Ihr das sagen? Gott bestimmt, wie viel Zeit uns zugemessen ist, niemand sonst.« Er bekreuzigte sich.

Seine Frömmelei widerte Julian an. Er wandte sich ab. »Verschwindet, und holt uns einen Priester.«

»Nein, Söhnchen. *Ihr* werdet verschwinden. Und zwar mitsamt der Pestbeule.«

Julian sah ihn ungläubig an. »Ausgerechnet jetzt setzt Ihr uns vor die Tür? Wie soll ich ihn hier wegschaffen in seinem Zustand?«

Devereux hob die Schultern. »Ihr könnt Euch nicht vorstellen, wie gleichgültig mir das ist.«

»Aber ... aber wo soll ich hin?«

»Runter von dieser Burg. Ehe hier eine Epidemie ausbricht.

Ich lasse Euch einen Wagen bereitstellen. Lebt wohl, Waringham.« Er lächelte schmallippig. »Ihr seid ein freier Mann.«

»Oh, das ist ... großartig. Wird irgendwer mir helfen, ihn nach oben zu schaffen?«

»Das kann ich mir nicht vorstellen.« Devereux ging ohne Eile davon. Die Tür ließ er offen.

Julian starrte ihm ungläubig nach. Dann kniete er sich neben Edmund ins Stroh und legte ihm die Hand auf die Schulter. Sein Freund nahm ihn überhaupt nicht wahr. Die Augen blieben geschlossen. Er hustete schwach, und aus einem Nasenloch rann ein dünner Blutfaden.

»Heiliger Antonius«, sagte auch Julian. »Heiliger Adrian, heiliger Franziskus und heiliger Edmund.« Er überlegte einen Moment. Es wusste, es gab mindestens zwei Dutzend Pestheilige, aber kein weiterer fiel ihm ein. »Helft mir. Macht meine Arme stark, damit ich meinen kranken Freund tragen kann, und vor allem mein Herz, damit ich ihn nicht hier allein verrecken lasse und die Flucht ergreife ...«

Er schloss die Augen, betete eine Weile stumm, und tatsächlich wurde es besser. Die Verzweiflung, die ihn hatte übermannen wollen, wich einer grimmigen Entschlossenheit. Mit der rechten Hand nahm er Edmunds linken Arm, richtete den Kranken auf und zog ihn sich über die Schultern. Ein wenig schwankend kam er auf die Füße. Edmund war so groß wie er selbst, und Julian war überzeugt, sein Kreuz werde durchbrechen, ehe er den Burghof erreichte, aber noch hielt es. Er trug ihn aus dem Verlies, stützte sich an der Wand ab und arbeitete sich langsam zur Treppe vor.

Als er ins Freie trat, war er nassgeschwitzt und keuchte. Aber weder seine Knie noch sein Kreuz hatten größeren Schaden genommen, und gleich vor der Tür des gedrungenen Turms stand ein offener Karren, vor den ein hübsches, stämmiges Pferd gespannt war. Irgendein guter Geist hatte den Karren mit Decken ausgelegt. Sie waren löchrig und schmutzig, aber Julian war nicht wählerisch.

Unsanfter als beabsichtigt ließ er Edmund auf die Ladefläche gleiten. Der Kranke regte sich, hustete erstickt und murmelte: »Megan.«

Julian deckte ihn zu. Dann sah er sich um. Ein bitterkalter Wind wehte ihm mit Schnee vermischten Regen in die Augen. Im Burghof war weit und breit niemand zu sehen. Offenbar hatte sich die Nachricht wie ein Lauffeuer verbreitet, dass einer der Gefangenen die Pest hatte. Alle hatten sich in Sicherheit gebracht.

»Wo soll ich nur hin?«, murmelte Julian ratlos, nahm das Pferd am Zügel, strich ihm beiläufig über die Nüstern und machte sich auf den Weg. Die Torwachen hielten sich einen Ärmel vor Mund und Nase und sahen ihm schweigend nach, die Gesichter verfroren, die Augen feindselig.

Der Pfad hügelabwärts war schlammig und glitschig. Halb fuhr, halb rutschte der Karren dem Tal entgegen. Das Dorf lag voraus zur Linken, aber nur bei zwei Häusern stieg Rauch aus dem Kamin, und kein Mensch war zu sehen. Vielleicht waren die meisten fortgezogen, nachdem Devereux und Herbert ihre Hütten niedergebrannt hatten. Einen Steinwurf von den ersten Ruinen entfernt blieb Julian stehen und wischte sich den Regen aus den Augen. »Jesus, hilf mir doch. Ich brauche einen Priester.«

Hinter einem der verkohlten Gerippe kam ein Mann mit einer äußerst störrischen Ziege an einer Leine zum Vorschein. Er war groß und hager und in einen grauen Mantel mit Kapuze gehüllt. Diese schlug er nun zurück, blieb stehen und sagte: »Ihr habt einen gefunden.«

Als er näherkommen wollte, hob Julian warnend die Hand. »Ich habe einen Pestkranken hier, Vater.«

Der Geistliche beschleunigte seine Schritte und zerrte die meckernde Ziege achtlos hinter sich her. Er streifte Julian mit einem anerkennenden Blick, dann beugte er sich über den Karren. »Oh, heilige Maria voll der Gnaden. Es ist Edmund Tudor.«

Julian nickte wortlos. Plötzlich war er unfähig, sich länger zusammenzunehmen, und Tränen rannen über sein Gesicht. Er hoffte, der Priester werde sie nicht vom Regen unterscheiden können.

»Kommt, mein junger Freund. Wir sollten ihn schnellstens ins Trockene schaffen. Wie ist Euer Name?«

»Julian of Waringham, Vater. Aber wo sollen wir ihn hinbringen?«

»Ins Kloster. Es ist nicht weit. Ich komme von dort.« Er band die Ziege hinten an den Karren. Dann nahm er ohne das geringste Zögern den Mantel ab und breitete ihn über Edmund, der erbärmlich schlotterte. »Ich bin Bruder Nicholas, und vor knapp einer Woche habe ich die Priesterweihe empfangen.« Er lächelte Julian an. »Die letzten drei Monate hatten wir keinen in unserem Haus. Priester, meine ich. Ist es nicht ein Wunder, wie der Herr es eingerichtet hat, dass ich nun hier bin, um diesem guten Mann den Weg ins Jenseits zu ebnen?«

»Ich würde es ein Wunder nennen, wenn er ihn leben ließe«, entgegnete Julian bitter.

Bruder Nicholas legte ihm kurz die Hand auf den Arm. »Ich weiß, es ist schwer, die gehen zu lassen, die wir lieben. Aber einen Priester habt Ihr Euch gewünscht, und einen Priester habt Ihr bekommen. Also preiset den Herrn, Julian of Waringham.«

So viel Güte lag in seinem Blick, dass Julian wegsehen musste, um nicht zu einem Häuflein Elend zusammenzufallen. Er senkte den Kopf. »Gepriesen sei der Herr, dass ich ausgerechnet Euch gefunden habe, Vater Nicholas.«

Das Franziskanerkloster von Carmarthen war ein schlichtes, aber gepflegtes Haus mit etwa zwanzig Fratres. Einige sprachen Englisch so wie Vater Nicholas, die meisten nur Walisisch, und es war das erste Mal, dass Julian mehr als nur ein paar Wortfetzen dieser Sprache hörte. Ihr melodiöser Klang gefiel ihm, auch wenn er keine Silbe verstand.

Die Brüder kamen ihm vor wie Engel der Barmherzigkeit. Sie sahen es offenbar als persönliche Verpflichtung an, dass ihr

Ordensgründer einer der Pestheiligen war. Furchtlos nahmen sie sich des Kranken an, brachten ihn in eine warme, helle Kammer, wuschen ihn, legten ihn in ein Bett mit reinen Laken und taten, was in ihrer Macht stand, um sein Leiden zu lindern. Der Prior ging hinauf auf die Burg, drohte Devereux und Herbert ewiges Höllenfeuer an und kehrte mit Edmunds und Julians Pferden, Waffen und übrigen Habseligkeiten zurück. Bruder Nicholas drängte Julian, sich auszuruhen, damit er wieder zu Kräften kam und keine leichte Beute für die Pest wurde, doch der junge Waringham hörte nicht auf ihn und gönnte sich nur hin und wieder ein paar Stunden auf einem Strohsack in einer der schlichten Mönchszellen, ehe er zu seinem sterbenden Dienstherrn zurückkehrte.

»Welcher Tag ist heute?«

Julian schreckte aus einem leichten Schlaf auf und fuhr sich über die blonden Bartstoppeln, während er überlegte. »Der erste November«, antwortete er dann.

Edmund blinzelte langsam. »Allerheiligen ...« Er konnte nur flüstern. Sein Atem war ein so mühevolles Röcheln, dass man kaum ertrug, es mit anzuhören. Jeder einzelne Zug war ein Kampf.

»Ja.«

»Danke, Julian, dass du ...«

»Schsch. Schon gut. Du hättest für mich das Gleiche getan. Streng dich nicht so an.« Er stand von seinem Sessel auf, setzte sich auf die Bettkante und legte dem Sterbenden die Hand auf die Stirn. Sie war heiß und trocken.

»Bist du nicht krank?«

Julian schüttelte den Kopf.

Edmunds Gesicht waren keine Empfindungen mehr anzusehen. Julian konnte nur spekulieren, was sein Freund davon hielt, dass er sterben musste und Julian weiterleben durfte.

»Hab ich gebeichtet?«

»Das hast du.« Es war gewiss keine sehr vollständige, zusammenhängende Beichte gewesen, aber Vater Nicholas hatte

Edmund die Absolution und die Sterbesakramente erteilt. »Mach dir keine Sorgen. Es ist alles erledigt, alles bereit. Die Brüder haben Lewys Glyn Cothi geholt.« Er war ein berühmter walisischer Dichter, der Edmunds Totenklage halten sollte. So war es üblich in diesem rätselhaften, fremden Land.

»Sag ihnen meinen Dank. Ich hab … kein Testament gemacht. Ich will, dass die Brüder hier …« Er brach ab, versuchte zu schlucken und konnte nicht.

»Zwanzig Pfund im Jahr?«, schlug Julian vor.

»Gut.«

Julian hielt seine Hand und wartete. Er spürte, dass es jetzt so weit war, und er haderte nicht mehr. Er wollte, dass dies hier ein Ende nahm. Dass Edmund sich nicht länger quälen musste.

Plötzlich sahen die dunklen Augen ihn direkt an, klarer und wacher als in den letzten drei Tagen. »Julian, ich übertrage dir die Sorge um mein Kind.«

»In Ordnung.«

»Die Welt wird dunkel … Nicht nur für mich. Auch für euch. Dieses Kind … wird ein Lancaster sein. Aber Yorks Macht wächst, und er hat keine Gnade mit denen … die er fürchtet.«

»Sei beruhigt. Ich werde mich um dein Kind kümmern.«

»Wie um dein eigenes.«

Wie um dein eigenes. Was für ein Versprechen. Was für eine Verpflichtung. Was für eine Bürde. Aber es war ihm gleich. Er wollte, dass Edmund in Frieden starb. In diesem Moment schien es ihm das Einzige zu sein, das zählte, wichtiger, vor allem realer als die Zukunft eines Ungeborenen. »Ja. Wie um mein eigenes. Ich schwöre es dir.«

Edmund lächelte. »Gut. Sag ihr … Wenn es ein Junge wird, sag ihr, sie soll ihn nach meinem Bruder benennen.«

»Jasper?«, fragte Julian. »Owen? Etwa Rhys?«

»Henry.«

Der Blick brach.

»*Gawain hob die Axt hoch über den Kopf und führte einen raschen Streich, sodass die Klinge den Hals mitsamt Knochen durchtrennte. Da fiel der Kopf, schlug auf die Erde und rollte ein Stück. Das rote Blut schoss aus dem grünen Leib, doch weder wankte noch fiel der Recke, sondern schritt aus auf seinen langen Beinen, beugte sich vor, hob seinen schönen Kopf vom Boden auf und stieg in den Sattel. Er drehte den Kopf unter seinem Arm zur hohen Tafel, und der Mund sprach: Haltet Wort, Sir Gawain. Heute in einem Jahr erwarte ich Euch an der Grünen Kapelle. Kommt, um meinen Gegenschlag zu empfangen, oder seid auf ewig als Feigling gebrandmarkt…*« Megan brach ab, sah mit großen Augen in die Runde und zog das wollene Tuch fester um die Schultern. »Mir wird immer ganz seltsam bei dieser Szene. Sie ist so schaurig.«

»Warum liest du es dann?«, fragte Jasper. Seine Miene war nachsichtig, aber ein Hauch von Ungeduld schwang in seiner Stimme. »Nicht, dass du Albträume bekommst. Das wäre gewiss nicht gut für euren Stammhalter.«

Sie legte die Linke auf ihren beachtlichen Bauch, während sie mit dem Zeigefinger der Rechten die Zeile in ihrem Buch markiert hielt. »Ich werde todsicher Albträume bekommen«, mutmaßte sie. »Immer wenn ich es lese, sehe ich nachts im Traum seinen Kopf auf mich zurollen.«

Blanche bemühte sich nach Kräften, nicht an Thomas Devereux' Hand zu denken. »Na ja, aber es geht doch am Ende alles gut aus«, gab sie zu bedenken. »Darum ist es nicht so schlimm, dass der Anfang gruselig ist, oder?«

Megan nickte. »Im Übrigen kann es dir ja nie gruselig genug sein, nicht wahr? Du bist genau wie Julian. Die blutrünstigsten Geschichten waren euch doch immer die liebsten.«

Blanche war sich nicht sicher, ob das immer noch der Fall war. Aber da sie Megan nicht erzählt hatte, was ihr passiert war, konnte sie nicht einwenden, dass man den Geschmack an Schauergeschichten verlor, wenn man selbst eine erlebt hatte.

»Jedenfalls ist mir Sir Gawain der liebste aller Ritter aus der englischen Geschichte«, räumte sie ein.

»Streng genommen war er Schotte«, bemerkte Jasper.

»Wie bitte?«, fragten die beiden jungen Damen wie aus einem Munde und lachten ungläubig.

Aber Jasper nickte nachdrücklich. »Glaubt mir, es ist so. Und alle Geschichten von König Artus und seinen Rittern stammen ursprünglich aus Wales. Die Engländer haben sie … wie wollen wir es nennen? Geliehen?«

»Also was bist du nun eigentlich, Jasper Tudor«, fragte Megan streng. »Engländer oder Waliser?«

»Wenn ich es herausfinde, wirst du es als Erste erfahren«, versprach er. »Lies weiter.«

Megan senkte den Kopf wieder über das Buch – eifrig, wie sie immer die Nase in Bücher steckte – und setzte ihren Vortrag fort. Sie war eine begabte Vorleserin, und nicht nur Blanche und Jasper lauschten gebannt, sondern auch der junge Rhys, wenngleich er noch nicht alle englischen Wörter verstehen konnte. Er hatte den Sessel verschmäht und saß zu Megans Füßen im Stroh, mit dem Rücken zum Kamin. Er sieht eher aus wie ein Bauernlümmel als wie ein Tudor, fuhr es Blanche durch den Kopf. Aber wenigstens schien Rhys heute ausnahmsweise einmal versöhnt mit dem Leben. Natürlich war es Megan, die dieses Wunder vollbracht hatte. Der Junge war ihr bedingungslos ergeben.

Eine Zeit lang konnte die Geschichte von Sir Gawain und dem Grünen Ritter Blanche fesseln, doch die innere Unruhe, die neuerdings ihre ständige Begleiterin war, machte es schwer, sich zu konzentrieren. Sie legte ihr Strickzeug beiseite, stand lautlos auf und trat ans Fenster.

Pembroke Castle – eine gewaltige Festung, die selbst Carmarthen in den Schatten stellte – erhob sich auf einer Klippe über der See, umschlossen von zwei flussgleichen Meeresarmen, die aus der Klippe eine Halbinsel machten. Durch die hellgrauen Butzenscheiben sah man das vom Wind aufgewühlte Meer unten schäumen, und das Rauschen der Brandung begleitete die Burgbewohner Tag und Nacht. Jetzt im November war die See abweisend und wild, aber Blanche empfand ihr ewiges Lied als Balsam für die Seele. Megan beklagte sich gelegentlich, sie fühle sich in Pembroke lebendig begraben. Blanche hingegen war der Magie dieses Ortes vom ersten Augenblick erlegen.

»Ich bitte um Verzeihung, Mylord«, sagte der junge Madog von der Tür. »Ihr habt einen Besucher. Der Earl of Waringham.«

»Julian!«, jubelte Blanche und durchquerte den kleinen, einigermaßen behaglichen Raum mit wenigen Schritten. »Wo ist er?«

Sie hörte seinen Schritt auf der Treppe, untypisch schleppend. Auf ein Nicken von Jasper öffnete Madog die Tür weit, und Julian trat ein. Sein Blick fiel auf seine Schwester. »Blanche ...«

Sie schlang die Arme um seinen Hals. »Oh, Gott sei Dank.«

»Was in aller Welt tust du hier?« Aber es klang zerstreut. Er drückte sie einen Moment an sich, machte sich von ihr los und ging weiter auf den Tisch zu. »Jasper.«

»Julian. Willkommen in Pembroke.« Eine verhaltene, fast argwöhnische Begrüßung.

Julian nickte. Als sein Blick auf Rhys fiel, geschah etwas Seltsames mit seinem Gesicht. Ein Ausdruck von Feindseligkeit huschte darüber, wie Blanche ihn noch nie bei ihrem Bruder gesehen hatte, nicht einmal, wenn er früher mit Robert aneinandergeraten war. Dann stand Julian vor Megan. Einen Moment sah er reglos auf sie hinab, schien völlig versunken in die Betrachtung ihres gewölbten Leibs. Es war geradezu unanständig, wie er darauf starrte. Schließlich hob er den Blick und schaute ihr ins Gesicht. Dann kniete er sich vor ihr ins Stroh.

Sie erwiderte seinen Blick stumm. Ihre großen Augen schimmerten, dann rannen zwei Tränen ihre Wangen hinab.

Julian nahm ihre filigranen Hände in seine. »Er ist tot, Megan. Es tut mir leid.«

Sie fuhr leicht zusammen. Immer noch schweigend sah sie ihn an, und ein flehender Ausdruck stand in ihren braunen Augen, als wolle sie ihn bitten, die Worte zurückzunehmen.

Julian senkte den Kopf. »Es tut mir leid«, wiederholte er. Es klang heiser.

Jasper trat hinzu. »Mein Bruder ist tot?«

Julian räusperte sich. »Ja.«

Megan befreite ihre Hände aus seinen, bekreuzigte sich, dann krümmte sie sich zusammen und legte die Hände über Kreuz auf die Schultern. Sacht wiegte sie den Oberkörper vor und zurück und gab keinen Laut von sich. Beinah wünschte Blanche, sie würde schreien und dem Schicksal mit den Fäusten drohen. Diese stumme Verzweiflung war kaum mit anzusehen.

Jasper hatte ihnen den Rücken zugewandt. Er hatte die Hände links und rechts neben dem Fenster an die Mauer gestützt, stand leicht vorgebeugt und regte sich nicht. Blanche verspürte ein eigentümliches Bedürfnis, zu ihm zu gehen und ihn zu berühren. Sie fand es ein bisschen befremdlich, um nicht zu sagen schäbig, dass ihr Mitgefühl nicht in erster Linie Megan galt, die ihre Cousine, ihre Freundin und nun plötzlich eine blutjunge, schwangere Witwe war. Aber Megan, wusste sie, hatte keine echte Verwendung für irdischen Trost. Sie machte immer alles allein mit Gott aus, ganz gleich, was für grausame Spiele Fortuna mit ihr trieb. Jasper Tudors Einsamkeit hingegen war weder selbst erwählt noch etwas Heiliges. Sie war ihm irgendwann aufgebürdet worden, so kam es ihr vor, wie eine unbequeme, schwere Rüstung, aber inzwischen hatte er sich so daran gewöhnt, dass er sie gar nicht mehr spürte.

Er wandte sich um. Seine Augen waren gerötet, aber trocken. »Was ist passiert? Ist er gefallen?«

»Vielleicht sag ich dir das besser unter vier Augen«, schlug Julian vor.

»Nein«, entgegnete Megan, ohne aufzusehen. »Ich will es hören. Steckt York dahinter? Wer hat ihn umgebracht?«

»Der Schwarze Tod, Megan«, antwortete Julian. Seltsamerweise war es Rhys, den er ansah, während er das sagte. Mit einem heiseren Laut, wie ihn nur Knaben im Stimmbruch hervorbringen können, sprang der Junge aus dem Stroh auf und rannte hinaus.

Julian wandte sich wieder an Jasper. »Nach dem Fall von Carmarthen Mitte August haben Devereux und Herbert uns dort festgehalten …«

»Diese verfluchten Bastarde haben geleugnet, dass Edmund dort ist!«, unterbrach Jasper, und etwas in seinen Augen brachte Blanche auf den Gedanken, dass sie mit keinem der beiden Marcher Lords tauschen wollte, wenn sie Jasper Tudor in die Hände fielen.

»Jasper«, bat Megan leise.

Er stieß die Luft aus und hob kurz die Linke. »Entschuldige.« Sie wussten alle, dass Fluchen Megan zu schaffen machte, und sie alle vermieden es in ihrer Gegenwart für gewöhnlich, sogar Blanche.

»Edmund hatte eine Kopfverletzung. Vielleicht hat ihn das geschwächt und zur leichten Beute gemacht, ich weiß es nicht.« So knapp wie möglich erzählte Julian, wie es gewesen war. Nur die Güte und Freundlichkeit der Franziskaner beschrieb er mit einiger Ausführlichkeit, um Megan Trost zu spenden. »Er starb an Allerheiligen und wurde am selben Tag dort begraben.«

»Aber … aber warum hast du ihn nicht mitgebracht?«, fragte die Witwe.

Julian schüttelte den Kopf. »Es ging nicht.«

»Wieso nicht?«

Und weil keiner der Männer antwortete, erklärte Blanche: »Pestopfer müssen immer so schnell wie möglich beerdigt werden, Megan. Selbst aus ihren Särgen können die giftigen Dämpfe dringen, die die Krankheit verbreiten.«

»Oh. Verstehe.« Sie sah ihren Schwager an. »Ich will dorthin, Jasper. Und es besteht keine Veranlassung, mich darauf hinzuweisen, dass ich hochschwanger bin, denn das weiß ich selbst.«

Jasper nickte. »Morgen früh.« Er bedeutete Julian mit einer Geste, in einem der Sessel am Tisch Platz zu nehmen, und schenkte ihm einen Becher lauwarmen Würzwein ein. »Allerheiligen war vor vier Tagen«, bemerkte er. Kein Vorwurf war seiner Stimme anzuhören.

Julian trank einen tiefen Zug, ehe er antwortete: »Die Fratres haben mich überredet, dort zu warten, bis ich sicher sein konnte, dass ich mich nicht angesteckt habe. Damit ich euch nicht zu der schlechten Nachricht auch noch den Schwarzen Tod bringe.«

Megan stand auf. Sie hatte Mühe, sich aus dem Sessel hochzustemmen. »Entschuldigt mich.«

Julian schaute schuldbewusst zu ihr hinüber, als fürchte er, er habe etwas Falsches gesagt.

Blanche trat zu ihr. »Ich begleite dich.«

»Nein.« Megan schüttelte den Kopf, hob mit der Linken leicht ihren Rock an und schritt zur Tür. »Danke, Blanche. Aber ich muss ein Weilchen allein sein.«

»Natürlich. Wie du willst.«

Ohne ein weiteres Wort ging Megan hinaus.

Bei scheußlichem Wetter waren Jasper und die junge Witwe aufgebrochen. Es war kalt, und der Wind, der von der See kam, brachte Graupel. Doch hatte Edmund für die Reise seiner jungen Frau von England nach Wales letztes Jahr eins dieser neumodischen Gefährte angeschafft, Kutschen genannt, die gefederte Aufhängungen und wetterdichte Planen hatten, sodass Megan die unangenehmsten Begleiterscheinungen des Reisens erspart blieben. Ein hübsches Fuchsgespann zog die Kutsche, und Lionel, einer von Jaspers englischen Rittern, saß auf dem Bock. Jasper selbst hatte angemerkt, dass er lebend keinen Fuß in etwas so Lächerliches wie eine Kutsche zu setzen gedenke, und folgte dem Wagen auf seinem kostbaren Waringham-Ross.

Julian stand im Schutz des äußeren Torhauses – das es an Größe und Wehrhaftigkeit mühelos mit dem Bergfried von Waringham aufgenommen hätte – und schaute ihnen nach, bis sie hinter dem nächsten Hügel verschwunden waren. Dann schlang er den Mantel fester um sich, den der Wind ihm von den Schultern reißen wollte, und stapfte durch den schlammigen Hof zurück zu dem dicken, ehernen Turm, den Jasper und der innere Kreis seines beträchtlichen Haushalts bewohnten. Eine

Außentreppe führte zum Hauptgeschoss hinauf. Julian betrat die menschenleere Halle, und seine Schritte beschleunigten sich, als er sie durchquerte. Seine Wut und Verbitterung waren so mächtig, dass er das Gefühl hatte, er werde in tausend Stücke zerspringen, wenn er ihnen nicht auf der Stelle Luft machte.

Eine Wendeltreppe am entlegenen Ende der Halle führte hinauf zu den Wohngemächern und hinunter in die Küche. Julian lief abwärts und stieß krachend die Tür auf. Dampf, Rauch und der Duft nach gerösteten Zwiebeln erfüllten die geräumige Küche. Die Köchin, zwei Mägde und ein Küchenjunge waren emsig bei der Arbeit, und eine fünfte Person schlüpfte in die angrenzende Vorratskammer, als Julian hereinstürmte. Er folgte und bekam Rhys ap Owain am linken Ohr zu fassen. »Hast du im Ernst geglaubt, dass ich dich hier unten nicht finde?«

Er bekam keine Antwort. Rhys ließ sich scheinbar zahm zurück in die Küche zerren, doch noch ehe sie die Tür erreicht hatten, trat er Julian vors Schienbein und riss sich los. Um ein Haar wäre er entkommen, aber Julian erwischte ihn gerade noch am Kragen, packte ihn am roten Lockenschopf und rammte seinen Kopf gegen die massive Eichentür. »Nur weiter so, Bübchen«, knurrte er. Sein Schienbein schmerzte höllisch, und er fühlte Blut daran hinablaufen. »Du wirst ja sehen, was du davon hast.«

Die Köchin, eine hübsche Frau um die dreißig mit einem blütenweißen Kopftuch, stellte sich ihm in den Weg, fuchtelte ihm mit einem Holzlöffel vor der Nase herum und sagte etwas, das nicht so klang, als wünsche sie ihm Gottes Segen und ein langes Leben.

Julian winkte ab. »Ich verstehe kein Wort, Frau.«

»Sie sagt, Ihr habt kein Recht, den Bruder seiner Lordschaft so zu behandeln«, übersetzte Rhys hilfsbereit.

»Ah ja? Vielleicht willst du ihr erklären, was es mit unserer kleinen Rechnung auf sich hat? Nein? Dann lass uns gehen.«

Er nickte der Köchin knapp zu, zog die Tür auf und schob den Jungen vor sich her. Der Oberarm, den er umklammert hielt, war hart von Muskeln.

In der Halle oben war es kalt, der mannshohe Kamin leer. Heulend zog der Wind durch die bleiverglasten Fenster, und von unten hörte man das Brüllen der See. Julian konnte sich keinen weniger einladenden Ort vorstellen. »Ich schätze, hier sind wir ungestört.«

»Ich bin verwundert, dass Ihr es nicht unten im Hof tut, wo es garantiert jeder sieht«, gab Rhys verächtlich zurück. Sein Englisch war sehr viel besser geworden, erkannte Julian. Zweifellos Megans Verdienst.

»Was genau meinst du denn, das ich vorhabe? Du glaubst nicht im Ernst, dass du mit einer Tracht Prügel davonkommst, oder?«

Zum ersten Mal verriet Rhys' Miene Angst, und auf einmal sah er sehr viel jünger aus. »Hat er mich verflucht, ehe er gestorben ist?«

Julian schüttelte den Kopf, zerrte den Jungen ans Fenster und öffnete mit der freien Hand beide Flügel weit. »Nein. Im Gegenteil. Er hat mir den Schwur abgenommen, dass ich keiner Menschenseele erzähle, was du getan hast. Das heißt, ich bin der Einzige, der dich für deinen widerwärtigen Verrat zur Rechenschaft ziehen kann, und bei Gott, das werd ich jetzt tun.« Er wies mit einer einladenden Geste aus dem Fenster. »Du kannst freiwillig springen, wenn du willst. Wenn nicht, bin ich dir behilflich.«

Rhys versuchte zurückzuweichen, das blanke Entsetzen in den Augen. »Aber ... das könnt Ihr nicht ...«

»Nein? Und warum nicht?« Er zerrte ihn näher ans Fenster, dessen Sims Julian bis an den Oberschenkel und Rhys etwa bis zur Hüfte reichte. Die Fenster der Halle blickten aufs Meer hinaus. Der Turm stand am Rand der Klippe. Julian riskierte einen Blick nach unten und sah in der Tiefe schwarze, kantige Felsen und die schäumende See. Kein schöner Anblick. »Was du getan hast, war kein Lausebengelstreich, Rhys«, eröffnete er dem Jungen. »Es war das Verbrechen eines Mannes, und darum musst du wie ein Mann bestraft werden. Wie jeder hergelaufene Verräter. Also, runter mit dir.« Er schlang den freien

Arm um Rhys und wollte ihn anheben, aber irgendwie gelang es dem Jungen, sich dem Arm zu entwinden.

»Das könnt Ihr nicht!«, keuchte er, offenbar drohte die Panik ihm die Luft abzuschnüren. »Die Köchin ... Sie hat Euch gesehen! Sie wird es wissen!«

»Na und? Wer wird ihr glauben, wenn mein Wort gegen ihres steht?«

»Jeder Waliser!«

Julian zuckte gleichgültig mit den Schultern. »Aber Jasper nicht. Wenn du tot bist, bindet mich mein Schwur nicht mehr. Ich werde ihm erzählen, was du getan hast, und er wird glauben, du habest dich aus dem Fenster gestürzt, weil du nicht mit deiner Schande leben konntest. Was du auch tätest, hättest du nur einen Funken Anstand im Leib. Also dann.«

Er packte wieder zu, hob den Jungen hoch und hievte ihn aus dem Fenster. Rhys schrie, krallte die Hände in den Rahmen und versuchte, um sich zu treten. Julian hielt ihn unbarmherzig gepackt und schob ihn eine Handbreit weiter hinaus. Er wusste ganz genau, wie der Junge sich jetzt fühlte. Seine Begegnung mit dem Duke of York auf dem Dach des alten Turms von Windsor war Julian in lebhafter Erinnerung. Das Brausen in den Ohren, der Schwindel in der Magengrube, so als falle man bereits, das Entsetzen angesichts des Abgrunds – er erinnerte sich gut.

»Hast du der Welt noch irgendetwas Lohnendes zu sagen?«

Rhys heulte und wehrte sich noch ein wenig heftiger. Er hatte jetzt Übergewicht nach vorn, und Julian lockerte seinen Griff für die Dauer eines Lidschlages, sodass Rhys zu stürzen begann. Der Junge stieß einen markerschütternden Schrei aus und verlor die Kontrolle über Blase und Darm.

Julian zog ihn zurück, stellte ihn auf die Füße und ließ ihn los. Während er in aller Seelenruhe das Fenster schloss, sank Rhys auf die Knie, fiel zur Seite, vergrub den Kopf in den Armen und schluchzte.

Julian sah unbewegt auf ihn hinab. Das war es, was er gewollt hatte. Das war das Mindestmaß an Rache, das ihm für den toten Freund zustehen musste – eine viel zu milde Strafe, wenn man es genau betrachtete. Doch als ihm bewusst wurde, dass ihm der Anblick des weinenden, gedemütigten Knaben Genugtuung bereitete, wurde ihm unbehaglich. Einen Schwächeren zu drangsalieren und Vergnügen an dessen Not zu finden war immer Roberts bevorzugter Zeitvertreib gewesen.

Du bist eine Schande für dein Haus, Julian. Schlimmer als Robert ...

»Ich werd Euch töten«, stieß der Junge undeutlich hervor. »Eines Tages töte ich Euch.«

Julian verschränkte die Arme und lehnte sich an die Tischkante. »Es steht dir frei, das zu versuchen. Ich muss die Folgen meiner Taten tragen, genau wie jedermann, genau wie du.«

»Es wäre besser gewesen, Ihr hättet mich wirklich runtergeworfen. Besser für Euch!«

Viel Kampfgeist für einen Bengel mit vollen Hosen, musste Julian unwillig anerkennen. »Tja, wer weiß. Aber da Edmund nicht wollte, dass diese Geschichte dein Leben zerstört, stand es mir nicht zu, anders zu entscheiden.« Plötzlich überkam ihn der Kummer um Edmund mit solcher Macht, dass er ganz weiche Knie davon bekam. »Edmund Tudor besaß eine Art von Anstand, die ein tumber Bauernlümmel wie du überhaupt nicht begreifen kann. Er hat dich nicht einmal gehasst, als er wusste, dass du ihn umgebracht hast ...«

»Ich hab ihn nicht umgebracht!«

»Aber so gut wie! Du trägst die Verantwortung dafür. Gott allein weiß, was nun aus Megan und ihrem Kind wird, und auch dafür trägst du die Verantwortung. Du kommst viel zu billig davon, und ich ersticke fast an meinem Schwur.«

Er sah einen Moment auf den Jungen hinab, der immer noch im Stroh lag, die Arme um den Kopf geschlungen. Dann wandte Julian sich abrupt ab.

Er stieg die Wendeltreppe hinauf und betrat Jaspers Privatgemach, wo der Burgherr und seine Gäste auch am Vortag geses-

sen hatten, als er angekommen war. Blanche hockte mutterseelenallein auf einem Schemel am Tisch. Sie sah auf, als die
Tür knarrte. »Julian. Irgendwer hat geschrien, hast du's auch
gehört?«

Er schloss die Tür und nickte. »Rhys.« Es hatte nicht viel
Zweck, sie anzulügen; sie merkte es ja doch immer sofort. »Ich
hatte ein Hühnchen mit ihm zu rupfen.«

»Hm, ich hab gestern schon gemerkt, dass du nicht gut auf
ihn zu sprechen bist und er Angst vor dir hat. Warum?«

Julian schüttelte den Kopf. »Das kann ich dir nicht sagen.
Du hast ja auch deine kleinen Geheimnisse, nicht wahr? Oder
willst du leugnen, dass du weißt, was es mit Edmunds und
Megans plötzlicher Heirat auf sich hatte?«

»Nein.« Es klang schuldbewusst.

»Und du warst von der Todesnachricht so wenig überrascht
wie Megan, nicht wahr? Du hättest mich vorwarnen können.
Ihr hättet *ihn* vorwarnen können, verflucht noch mal! Sei versichert, er hat seinen Tod nicht vorausgeahnt. Und es hat ihm
schwer zu schaffen gemacht, dass er nicht besser darauf vorbereitet war und nicht …«

»Was redest du da?«, fiel sie ihm ins Wort. »Julian, um
Himmels willen, was ist in dich gefahren?« Sie stand auf, trat
zu ihm, nahm ihn bei den Händen und sah ihm ins Gesicht.
»Weder Megan noch ich hatten die geringste Ahnung, dass das
passieren würde. Woher denn auch? Ich bin überzeugt, es war
furchtbar, Edmund sterben zu sehen, aber du hast kein Recht,
so zu tun, als treffe es dich härter als alle anderen.«

Er machte sich ungeduldig los. »Wie deine schwesterlichen
Ermahnungen mir gefehlt haben …«

Es war einen Moment still. Zorn, Trauer, Vorwürfe und
Geheimnisse drohten sich plötzlich zu einer Mauer aufzutür-
men, so hoch, dass Julian fürchtete, seine Schwester aus den
Augen zu verlieren. Aber das wollte er nicht. Er nahm sich
zusammen und setzte sich an den Tisch, auf welchem Brot,
kaltes Pökelfleisch und warmer Cider standen. Julian füllte
sich einen Teller, um zu beweisen, wie gelassen er war. Hunger

verspürte er nicht. »Wie zum Henker kommst du überhaupt hierher, Blanche?«

»Das ist noch eine traurige Geschichte«, warnte sie.

»Aber wo ist dein Mann?«

»In Lydminster, nehme ich an. Auf seinem Gut, wenn er Glück gehabt hat, auf dem Friedhof, wenn nicht.«

»Heiliger Georg ...« Julian wurde von den schlimmsten Befürchtungen beschlichen. »Was hast du getan?«

Sie setzte sich zu ihm, nahm ihr Strickzeug auf den Schoß, und während er frühstückte, erzählte sie ihm eine Schauergeschichte, die selbst für Blanches Verhältnisse haarsträubend war.

Sein ohnehin matter Appetit verließ ihn bald, aber er hatte einen Becher starken Cider geleert, bis sie zu der Stelle kam, als sie ihrem Gemahl die Hand abgehackt hatte.

Julian schenkte sich nach.

Schockiert betrachtete er seine Schwester. Die Erkenntnis, dass selbst der vertrauteste Mensch plötzlich ein völlig Fremder sein konnte, war neu für ihn, und sie machte ihm zu schaffen. Scheinbar seelenruhig saß Blanche auf ihrem Hocker an seiner Seite, werkelte mit vier Nadeln und einem Knäuel ungefärbten Garns an etwas herum, das aussah, als wolle es eine wollene Konfektschale werden, und beschrieb ihm, wie die Kralle auf dem festgestampften Lehmboden des Stalls ausgesehen hatte.

Sie schaute nicht auf, als sie geendet hatte, sondern strickte unbeirrt weiter. Julian ahnte, dass sie sich schämte.

Dutzende Gedanken schossen ihm durch den Kopf; er hatte das Gefühl, alles breche auseinander. Egal ob Thomas Devereux gestorben war oder nicht, sowohl der König als auch der Duke of York würden fuchsteufelswild sein, wenn sie von dieser Geschichte erfuhren. Vermutlich hatten sie das längst, ging ihm auf. Seine ohnehin prekäre Lage in England hatte sich nicht gerade gebessert.

Seit Julian der Earl of Waringham geworden war, lastete die Familienehre auf ihm wie ein Joch. Früher war er sich kaum bewusst gewesen, dass es sie gab. Heute bestimmte sie zu einem nicht geringen Teil sein Handeln, und Blanche hatte sie mit Füßen getreten. Das nahm er ihr übel. Aber gleichzeitig wusste er, dass seine Missbilligung selbstsüchtig war. Er kannte seine Schwester gut genug, um zu wissen, dass Thomas Devereux ihr Furchtbares angetan haben musste, um sie so weit zu treiben. Und da er in Carmarthen den Bruder seines Schwagers kennen gelernt hatte, konnte er das mühelos glauben. Wie verzweifelt sie gewesen sein musste. Und wie allein. Die Vorstellung lag wie ein Bleigewicht auf seiner Brust.

»Sag mal, Blanche, was machst du da eigentlich?«

Sie schaute auf und hielt ihm ihr Strickzeug zur Begutachtung hin. »Eine Mütze für Megans Baby. Es ist jetzt schon so kalt hier. Das Kind kommt aber erst im Winter. Jedenfalls glauben wir das – Megan ist sich nicht sicher. Sie ... wusste vor ihrer Hochzeitsnacht nicht, wie die Kinder in die Welt kommen, und sie weiß immer noch nicht viel darüber. Nicht genug, um zurückzurechnen. Jedenfalls wird es hier eisig sein, wenn das Kind kommt, und da hab ich gedacht ...« Sie wies vage auf ihr Machwerk.

Julian lächelte flüchtig. Dann sagte er: »Nur gut, dass *du* nicht schwanger geworden bist.«

»Ja.« Sie schnitt eine kleine Grimasse. »Das einzige Schnippchen, das ich Devereux geschlagen habe.«

»Hm. Wenn wir mal von seiner Hand absehen.«

Blanche sah auf, und sie tauschten ein schuldbewusstes Verschwörerlächeln. Genau wie früher.

»Warum hast du mir in deinen Briefen nicht die Wahrheit geschrieben?«, fragte er. »Hat Devereux sie kontrolliert?«

»Natürlich. Er hat sie sich zeigen lassen, ehe ich sie versiegelte. Einmal habe ich versucht, den Brief, den er genehmigt hatte, gegen einen anderen auszutauschen, den ich heimlich nachts vorbereitet hatte. Aber er hat mich an seiner Satteltasche erwischt und ... Na ja. Ich hab es kein zweites Mal versucht.«

Julian reichte ihr den Becher. »Und was soll nun aus dir werden?«

Sie trank, und als sie ihm den Pokal zurückgab, antwortete

sie: »Ich bleibe hier. Ich kann von Glück sagen, dass ich Jasper in die Arme gelaufen bin. Er hat mir Asyl gewährt, und hier bin ich gut aufgehoben.«

»Ja, aber das kann doch keine Dauerlösung sein. Du willst doch nicht den Rest deiner Tage in der walisischen Wildnis verbringen.«

»Ich möchte den Rest meiner Tage vor allem in Freiheit verbringen, Julian. So weit weg wie möglich von Thomas Devereux.«

»Hm.« Er brummte. »Wenn ich nach Hause reite, rede ich mit dem König. Mal sehen, ob sich nicht mit der Zeit die Wogen glätten.«

Sie nahm ihre Nadeln wieder auf. »Bist du überhaupt nicht wütend auf mich? Ich hatte mit Vorwürfen gerechnet.«

»Ah. Das zeigt mir wieder einmal, welch hohe Meinung du von mir hast.«

»Du hättest jedes Recht dazu. Ich mache dir das Leben mal wieder schwer. Wie üblich.«

Er winkte ab. »Ich bin sicher, du hast getan, was du tun musstest. Und es tut mir leid, Blanche.«

»Was?«

Er hob ratlos die Schultern. »Dass ich deine Heirat mit Thomas Devereux nicht verhindert habe.«

»Wenn ich Devereux nicht gewollt hätte, wäre ich zu dir gekommen und hätte dich um Hilfe gebeten. Du bist nicht verantwortlich für das, was passiert ist, sondern ich allein.«

»Ich würde sagen, *er* ist dafür verantwortlich«, sagte Julian. Mit einiger Verspätung verspürte er Zorn auf Devereux, der seine Schwester unglücklich gemacht hatte. »Was ... was hat er dir getan, dass du keinen anderen Ausweg gesehen hast?«, fragte er zaghaft.

»Wenn du erlaubst, würde ich darüber lieber nicht sprechen.«

»Natürlich«, sagte er hastig. Er glaubte ohnehin, er könne es sich vorstellen, und er war keineswegs sicher, dass er es hören wollte. Er ergriff die Hand seiner Schwester und führte sie an die Lippen. »Ich hoffe, das Schwein ist elend an Wundbrand krepiert.«

Sie sah auf und lächelte ihn an. Eine so große Erleichterung war in diesem Lächeln, dass ihm klar wurde: Blanche hatte sich vor seiner Reaktion gefürchtet. Die Erkenntnis beschämte ihn.

»Das wäre die einfachste Lösung«, räumte sie ein. »Aber genau darum habe ich Mühe, daran zu glauben.«

Rhys blieb verschwunden, bis Jasper und Megan nach vier Tagen aus Carmarthen zurückkehrten. Blanche und Julian hatten es genossen, ungestört zu sein. Sie hatten Schach gespielt, sich gegenseitig aus Megans dickem Buch mit Artus-Geschichten vorgelesen, und auf Blanches Drängen hatte Julian ihr ausführlich erzählt, was im Laufe des vergangenen Jahres in Waringham geschehen war und wie viel sich dort verändert hatte.

Doch sie waren beide erleichtert, als Jasper ihre junge Cousine wohlbehalten zurück nach Pembroke brachte. Megans Augen waren rot verweint, doch sie wirkte gefasst, beinah versöhnt.

»Du hattest Recht, Julian, die Fratres in Carmarthen sind ein Segen. Sie waren so gütig zu mir. Und ich bin froh, dass Edmund bei ihnen begraben liegt. Sie werden sich um ihn kümmern, wie es sich gehört.«

Blanche brachte ihr einen kleinen Becher erhitzten Rotwein, in den ein rohes Ei geschlagen war. »Hier, trink das.«

Megan rümpfte angewidert die Nase. »Nein, lieber nicht.«

Blanche hielt ihr den Becher unbeirrt hin. »Aber die Hebamme hat es gesagt.«

»Die Hebamme spricht walisisch, folglich kannst du sie überhaupt nicht verstehen.«

Blanche lebte seit zwei Monaten in Pembroke und hatte das eine oder andere Wort inzwischen aufgeschnappt. Außerdem beherrschte die Hebamme beredte Gesten. »Sie hat auf den Becher gezeigt und einen dicken Bauch angedeutet. Da ich nicht annehme, dass sie den Trank für den fetten Captain der Wache gemacht hat, kann sie nur dich gemeint haben.«

Mit einer kleinen Grimasse des Unwillens nahm Megan den

Zinnbecher und trank vorsichtig. »Hm. Besser, als ich gedacht habe.«

»Wir müssen überlegen, wie es jetzt weitergehen soll«, sagte Jasper und setzte sich zu den jungen Frauen an den Tisch.

Julian folgte seinem Beispiel. »Was hast du mit Walter Devereux und Black Will Herbert vor?«

»Im Augenblick gar nichts. Es gibt Dringenderes zu tun. Und ehe ich mit dem König gesprochen habe, weiß ich nicht, was ich mir mit den beiden erlauben kann. Wenn der richtige Zeitpunkt gekommen ist, werde ich sie schon finden. Aber jetzt muss ich erst einmal nach England. Ich breche morgen früh auf. Vor allem, um mit meinem Vater zu sprechen. Er weiß noch nicht, dass Edmund gestorben ist, und ich will nicht, dass er irgendein Gerücht hört, bevor ich ihn erreiche.« Er sah zu Julian. »Wenn es nicht zu viel verlangt ist, wäre ich froh, wenn du mitkommst. Er wird von dir hören wollen, wie es war.«

Julian fand die Vorstellung nicht gerade erhebend, dem alten Tudor vom Tod seines Erstgeborenen zu berichten, aber natürlich konnte er nicht ablehnen. »Sicher, Jasper.«

Der verschränkte die kräftigen Hände auf der Tischplatte und schaute zu Megan und Blanche, die ihnen gegenüber saßen. »Und ihr, Ladys?«

»Ich kann jetzt nicht mehr nach England reisen«, antwortete Megan. »Wenn du keine Einwände hast, würde ich gern hierbleiben, bis das Kind geboren ist.«

»Du kannst hierbleiben, solange du willst«, erwiderte Jasper. »Es ist vernünftig, kein Risiko einzugehen.«

Sie nickte und legte die Hände auf ihren Bauch.

Blanche betrachtete sie und fragte sich, wie es sich wohl anfühlte, wenn ein ungeborenes Kind das Einzige war, was einem von einem geliebten Mann blieb. Ein Band, das so leicht zerreißen konnte wie ein Spinnenfaden. Alles Mögliche konnte schiefgehen. Jede Geburt war ein Abenteuer, und so viele Kinder starben in den ersten Lebensmonaten.

Impulsiv ergriff sie Megans Linke und küsste sie. »Ich

bleibe bei dir und geb auf dich Acht. Auf dich und dein Kind, wenn es da ist.«

»Dann brauchen wir uns ja keine Sorgen zu machen«, spöttelte Jasper, wurde aber gleich wieder ernst. »Ich lasse euch ein halbes Dutzend meiner Männer hier und natürlich die Wache. Ihr könntet nirgendwo in Wales oder England sicherer sein als in Pembroke.« Er schaute auf Rhys hinab, der wie so oft zu Megans Füßen im Stroh saß und sie verstohlen anhimmelte. »Und was machen wir mit dir, Brüderchen? Willst du hierbleiben oder mit nach England kommen?«

»Hierbleiben«, antwortete der Junge ohne das geringste Zögern.

Jasper brummte. »Ich weiß, alles an England ist dir suspekt und verhasst, aber das sollte es nicht. Du musst kennen, was du verurteilst, Rhys. Ich schätze, unser alter Herr würde nichts davon halten, dass du dich lieber hier verkriechst.«

»Macht mit mir, was Ihr wollt, Mylord, von mir aus schleift mich nach England. Aber ich will nicht da sein, wo *er* ist.« Er zeigte rüde mit dem Finger auf Julian.

»Was fällt dir ein, Flegel?«, fuhr sein Bruder ihn an. »Mit welchem Recht sagst du …«

»Schon gut, Jasper«, unterbrach Julian. »Rhys und ich hatten eine kleine Meinungsverschiedenheit über den Fall von Carmarthen.«

»Ah ja?«, fragte Jasper ohne großes Interesse. »Vielleicht sollte ich dir den Bengel als Knappen geben, damit ihr sie in Ruhe austragen könnt. Er ist noch ein ziemlich ungeschliffenes Juwel und braucht jemanden, der ihm Manieren beibringt.«

Das Entsetzen in Rhys' Augen war unmissverständlich.

»Wollt ihr wohl aufhören«, schalt Megan und legte ihm eine Hand auf den feurigen Schopf. »Rhys bleibt bei mir, ich bestehe darauf.« Der Blick, mit dem sie die beiden Männer bedachte, war eindeutig. *Ich* bin hier diejenige von königlichem Geblüt, sagte er, und darum werdet ihr tun, was *ich* will. Es kam nur höchst selten vor, dass sie diese besondere Art von Autorität in die Waagschale warf, und darum erzielte sie meist die gewünschte

Wirkung. Auch jetzt erhob niemand Einwände, und sie fuhr fort: »Er wird lesen lernen, das hat er mir versprochen, und größere Fortschritte machen, als wenn ihr ihn kreuz und quer durch England schleppt. Ihr bringt ihm ja doch nichts anderes bei, als sich zu schlagen. Im Übrigen hat er einen Bruder verloren genau wie du, Jasper, und du hast kein Recht, auf ihm herumzutrampeln, nur weil er noch so jung ist.«

Mit einem seligen Lächeln legte Rhys den Kopf an ihr Knie.

»Also schön«, grollte Jasper. Und dem Jungen befahl er: »Setz dich wenigstens auf einen Stuhl wie ein Gentleman und zeig ein bisschen Respekt vor den Damen.«

Trotzig, betont langsam stand Rhys aus dem Stroh auf und flegelte sich auf einen freien Stuhl neben Megan.

Ehe sein Bruder diesen kleinen Akt der Rebellion ahnden konnte, trat eine der Mägde ein und servierte das schlichte Nachtmahl, sodass die Anspannung im Raum verflog. Aber Blanche ertappte sich bei dem Gedanken, dass sie erleichtert sein würde, wenn Jasper und Julian fort waren, obschon sie sie beide vermissen würde.

Bald nach dem Essen verabschiedeten sich die zwei Männer, um in der Halle mit Jaspers Rittern und seinem Steward ihren Aufbruch nach England zu besprechen. Blanche brachte Megan zu ihrer Kammer und half ihr, sich für die Nacht zurechtzumachen. Eigentlich hatte Megan für diese Dinge eine eigene Magd, doch hatte sie Blanche in einem schwachen Moment gestanden, dass sie sich von dem Bauernmädchen mit den grobschlächtigen Händen nicht gern anfassen ließ. Also war Blanche ihr beim Entkleiden behilflich, brachte sie zu Bett und vergewisserte sich, dass ein heißer Stein am Fußende lag. Es machte ihr überhaupt nichts aus, diese Dinge für Megan zu tun. Beinah war es, als bringe man eine Puppe zu Bett, und Blanche entwickelte eine behutsame Umsicht, die sie bislang nicht an sich gekannt hatte. Auch den jüngsten ihrer Stiefsöhne hatte sie nicht annähernd so liebevoll behandelt.

Sie blieb nicht wie sonst meist auf einen kleinen Schwatz,

da Megan schon die Augen zufielen. Blanche wünschte ihrer Cousine eine gute Nacht, holte sich den Mantel aus ihrer Kammer und stieg auf das Dach des Turms hinauf. Das Wetter hatte sich gebessert. Es war immer noch kalt, aber der Schneeregen hatte aufgehört, und die steife Brise hatte den Himmel leergefegt. Ein glitzerndes Sternenzelt spannte sich über Pembroke Castle und das hügelige Umland und ließ die Schaumkronen der rastlosen See silbern funkeln.

Blanche stützte die Hände auf die Zinnen und schaute hinunter. Dann atmete sie tief durch. »Gott, manchmal will mir scheinen, dass die Krone deiner Schöpfung allerhand zu wünschen übrig lässt, aber das Meer und die Sterne sind dir wirklich hervorragend gelungen. Und Wales.«

Hinter ihr erhob sich ein verstohlenes Rascheln. »Er wird entzückt sein, dein Urteil zu hören.«

Blanche wandte den Kopf. »Jasper ...«

»Tut mir leid, ich wollte dich nicht stören. Ich wusste nicht, dass du hier oben bist.«

Sie hatte das Gefühl, dass er sie anlog. »Und willst du mir etwa widersprechen in meinem Urteil über die göttliche Schöpfung?«

Er schüttelte den Kopf, stützte neben ihr die Unterarme auf die steinerne Bekränzung des Turms und schaute aufs Meer hinab, genau wie sie. »Was tust du hier?«

»Ich denke an meine Stiefsöhne.«

»Fehlen sie dir?«

»Kein bisschen. Das ist ja das Schlimme.«

»Du solltest einen Schlussstrich unter die ganze Geschichte ziehen«, riet Jasper. »Devereux ist ein widerwärtiger Hurensohn und hat nur bekommen, was er verdiente.«

»Woher willst du das wissen?«

»Ich habe dich gesehen.«

»Eine abgehackte Hand für ein blaues Auge? Also, ich weiß nicht, Jasper ...«

»Ich meinte mehr das, was ich in deinem anderen Auge gesehen habe.«

»Nichts hast du gesehen!«, fuhr sie ihn plötzlich an. »Bilde dir ja nicht ein, zu wissen, wie es in mir aussieht. Das tust du nicht. Hast du verstanden?«

Er lehnte sich mit dem Rücken an die Brüstung, betrachtete Blanche einen Moment mit verschränkten Armen und nickte dann.

Blanche wünschte, sie könnte seine Züge besser erkennen. »Entschuldige, Jasper.« Sie seufzte. »Ich wollte nicht ... Gott, ich hasse es, an Devereux zu denken oder über ihn zu reden. Aber *ich* habe davon angefangen, und du wolltest nur freundlich sein.«

»Welch denkwürdige Gelegenheit. Ich bin nicht gerade das, was man einen freundlichen Mann nennen könnte.«

»Nein, das ist mir aufgefallen. Eher so etwas wie ein Finsterling. Außer zu Megan und mir.«

»Es hat große Vorzüge, ein Finsterling zu sein.«

»Wirklich? Nenn mir einen einzigen.«

»Jeder überlegt es sich zweimal, ob er dich erzürnt, hintergeht oder demütigt.«

»Oder ins Herz schließt.«

»Richtig. Und auch das erspart einem allerhand.«

»Oh, ich verstehe. Und wenn doch einmal etwas aus dem Ruder läuft, zieht man ›einen Schlussstrich darunter‹, ja? Unter einen toten Bruder, zum Beispiel? Hauptsache, es ist alles unter Kontrolle.«

Er richtete sich auf – so ruckartig, dass Blanche unwillkürlich einen Schritt zurückwich. Doch er verneigte sich lediglich vor ihr. »Zumindest heißt es, dass nicht ich derjenige sein werde, der heute Nacht wachliegt und wünscht, er könnte seine Worte zurücknehmen. Leb wohl, Blanche.« Er wandte sich ab, und im nächsten Moment war er durch die Tür zur Treppe verschwunden.

Er hatte sich nicht getäuscht. Blanche wälzte sich die halbe Nacht in ihrem Bett hin und her, verfluchte Jasper Tudor und sich selbst und vor allem ihre lose Zunge. Es war lange nach Mitternacht, als sie endlich Schlaf fand.

Beim ersten Tageslicht war sie wieder auf den Beinen, zog sich hastig an, fuhr sich mit dem Kamm durch die wirren Locken und ließ sie offen, um so schnell wie möglich in den Hof hinunterzukommen. Aber es war zu spät. Julian, Jasper und sein Gefolge waren schon fort.

Waringham, Dezember 1456

Seit zwei Tagen und Nächten hatte es fast ohne Unterlass geschneit, und ganz Kent war unter einer weichen weißen Decke verschwunden, die so hoch lag, dass selbst vertrauteste Konturen unkenntlich waren.

Julian hatte Mühe gehabt, nach Hause zu finden, und Dädalus hatte seinerseits Mühe, den Burghügel hinaufzukommen. Doch schließlich ritten sie über die Zugbrücke – freigefegt und mit Sand bestreut, wie Julian zufrieden feststellte.

»Willkommen zu Hause, Mylord!«, riefen die Torwachen.

Er nickte ihnen zu. »Piers. Tom. Frohe Weihnachten.«

Im Innenhof saß er ab. Niemand kam herbeigeeilt, um sein Pferd zu versorgen. Damit hatte er auch kaum gerechnet. Es war bitterkalt und obendrein Weihnachten, niemand hielt sich draußen auf, den nicht Dienstpflicht oder dringende Besorgungen dazu zwangen. Julian nahm Dädalus am Zügel und führte ihn in den Stall. Das schlichte Holzgebäude war neu, etwas größer als das alte und genau nach seinen Anweisungen errichtet worden, sah er. Gut so.

Im Innern des hell gekalkten Gebäudes traf er auf den kleinen Melvin, der mit der Hand Pferdeäpfel aufhob und in einen Eimer steckte.

Julian schnalzte mit der Zunge. »Was treibst du denn da, Junge?«

Melvin sah ihn mit großen Augen an. Furchtsam. »Emily hat gesagt, Pferdemist sammeln«, verteidigte er sich.

Julian wusste, dass die Bauern oft mit Mist heizten, wenn

das Holz knapp wurde. Und er wusste auch, dass sie keine so großen Stücke auf saubere Hände hielten wie Edelleute. Aber er glaubte nicht, dass Emily sich das *so* vorgestellt hatte. Er wies auf die kleine Sattelkammer. »Da drin findest du eine Schaufel. Nimm die zum Einsammeln, in Ordnung? Aber vorher wäschst du dir die Hände. Und bring mir Hafer für den Gaul.«

Melvin stierte ihn wieder an. Sein Gesicht war seltsam ausdruckslos, der Mund leicht geöffnet. Julian erkannte, dass er ihn mit seinen Anweisungen überfordert hatte. *Schwachsinnig*, dachte er. Schwachsinnig, weil sein Vater sein Onkel war …

Mit der vertrauten Mischung aus Mitgefühl und Gewissensbissen fuhr er dem Kleinen über den Schopf. »Wasch dir die Hände, ja?«

Melvin nickte, steckte die Hände in den Wassereimer, der eigentlich zum Abwaschen der Trensen gedacht war, und wischte sie an seinem Hosenboden trocken. Dann machte er Anstalten, den nächsten Pferdeapfel mit den Fingern aufzuheben.

»Halt, halt.« Julian musste lachen.

Melvin sah ihn verdutzt an und lächelte unsicher.

Julian seufzte verstohlen. »Pass auf, ich zeig's dir.«

Und so kam es, dass der Earl of Waringham die erste Viertelstunde nach seiner Heimkehr damit zubrachte, mit einer Schaufel Pferdemist zu sammeln. Schließlich überreichte er Melvin den gefüllten Eimer. »Hier. Und das nächste Mal machst du's genauso, ja?«

Melvin nickte, aber Julian hatte irgendwie wenig Hoffnung, dass der Kleine den guten Rat beherzigen würde. »Jetzt lauf.«

Melvin war schon an der Tür, als Julian sich fragte, was der Junge hier oben überhaupt verloren hatte. Weder seine Geschwister noch seine Mutter arbeiteten mehr auf der Burg. »Halt, warte.«

Melvin blieb folgsam stehen und wandte sich wieder um.

»Wo willst du denn eigentlich hin mit deiner Ausbeute?«

Melvin hob die Schultern. »Hause.« Es klang, als meinte er: Was fragst du so dämlich?

Julian betrachtete ihn unsicher. Melvin war schmächtig für

243

einen Achtjährigen. Und der Schnee auf dem Mönchskopf lag zwei Ellen hoch. »Nein, ich glaube, das ist keine gute Idee, Melvin. Komm, ich bring dich.«

Jetzt war es an Melvin, unsicher zu ihm aufzuschauen. Doch die Furcht war aus seinem Blick verschwunden. Julian packte ihn kurzerhand unter den Achseln und setzte Melvin – mitsamt Eimer – in Dädalus' Sattel. Dann saß er hinter ihm auf und ritt hinaus in den Burghof.

»Mylord?«, fragte eine der Torwachen ungläubig. »Wo wollt Ihr denn …«

»Bin gleich zurück. Es dauert nicht lange. Schickt jemanden in die Halle, sagt, dass ich zurück bin und es ausgesprochen erfreulich fände, wenn ich meinen Gaul nicht selbst absatteln müsste.«

Sogar hoch zu Ross war der Weg über den Mönchskopf tückisch. Julian ließ Dädalus im Schritt gehen und legte einen Arm um Melvins magere Brust, damit der Junge nicht herunterfiel, sollte das Pferd ins Schlittern geraten.

Noch bevor sie die Holzbrücke über den Tain erreichten, kam ihnen ein halbes Dutzend Männer aus dem Dorf entgegen, Adam vorneweg. Sie blieben stehen, als sie Julian kommen sahen, und zogen höflich die Kappen.

Dann entdeckte Adam seinen kleinen Bruder vor Julian im Sattel. »Mel!« Er stieß hörbar die Luft aus und fluchte leise.

Der Earl lachte. »Habt ihr ihn etwa schon vermisst?«

Adam nickte. »Wir suchen seit über einer Stunde nach ihm, statt uns am Feuer zu wärmen und über den Weihnachtsschmaus herzumachen. Emily und Mutter sind außer sich vor Sorge. Na warte, Brüderchen. Komm du mir nach Hause …«

»Nichts da«, widersprach Julian entschieden, hob Melvin hoch und reichte ihn Adam herunter. »Er hat nur getan, was seine Schwester ihm aufgetragen hat.«

Adam sah seinen kleinen Bruder skeptisch an. »Was hast du getrieben?«

»Pferdeäpfel sammeln«, antwortete Melvin und lächelte ihn treuherzig an. »Burg.«

Adam stieß eine gewaltige weiße Dampfwolke aus. »Das war vorgestern, Mel. Vorgestern hat Emily gesagt, du sollst Mist sammeln gehen, und zwar in unserem Stall.«

Die Männer aus dem Dorf lachten und machten ein paar derbe Witze über Melvins Verstandesleistung. Adam winkte grinsend ab und schien es nicht übel zu nehmen, so als wisse er, dass sie es nicht böse meinten. Dann besann er sich der Regeln der Höflichkeit. »Habt Dank, Mylord. Wir waren wirklich in Sorge. Willkommen daheim und gesegnete Weihnachten.«

»Gesegnete Weihnachten«, wünschte auch Julian, nickte in die Runde und fügte hinzu: »Euch und den Euren ebenfalls.«

Die Männer murmelten Segenswünsche und traten von einem Fuß auf den anderen. Es war kalt, und sie wollten nach Hause.

»Ein Schluck Wassail, Mylord?«, schlug Adam vor. »Etwas Heißes, eh Ihr Euch auf den Heimweg macht?«

Auch Julian wollte nach Hause. Er hatte die halbe Nacht bei der Christmette in der Kapelle des königlichen Palastes zu Eltham verbracht und den halben Tag im Sattel. Er war müde, durchfroren und hungrig, und das Letzte, wonach ihm der Sinn stand, war eine Bauernweihnacht. Aber er lächelte. »Danke, Adam. Sehr gern.« Er staunte, wie überzeugend das geklungen hatte. Offenbar lernte er allmählich, was sein Vater ihm immer vergeblich beizubringen versucht hatte: standesgemäße Höflichkeit. »Wie steht es, Melvin, möchtest du bis nach Hause reiten?«

Der kleine Junge nickte mit leuchtenden Augen. Lachend reichte Adam ihn wieder nach oben und folgte notgedrungen mit dem Misteimer.

Adam hatte sich ein neues Haus in Waringham gebaut, und er war nicht der Einzige, stellte Julian auf dem Ritt durch das tief verschneite Dorf fest. Seine Bodenreform, erkannte er zufrieden, trug erste Früchte. Die Wheelers – früher immer die ärmsten und kinderreichsten Bauern von Waringham – hatten sich gegenüber der Kirche eine Wohnstatt errichtet, so groß wie anderer Leute Scheune. Adams neues Heim lag unweit der

Schmiede am Tain, ein Fachwerkhaus mit reichlich Platz für Mensch und Vieh und umgeben von einem Garten, der groß genug war, um im Sommer Obst, Gemüse und Kräuter anzubauen.

»Ich muss schon sagen, Adam ...«, bemerkte Julian anerkennend.

Der junge Bauer lächelte stolz. »Stimmt, Ihr habt es ja noch gar nicht gesehen.« Er hob seinen Bruder vom Pferd und setzte ihn auf seinen Arm. Dann wartete er, bis Julian abgesessen war und ihm zur Tür folgte. »Ich hatte kein übles Jahr, Mylord. Es ist ... Es kommt mir immer noch wie ein Wunder vor. Was alles möglich ist, wenn man nur eine Chance bekommt. Na ja, alle hatten eine gute Ernte. Und ich spare jeden Penny, um nächstes Frühjahr zusätzliche Schafe zu kaufen.«

»Ja, das täte ich auch gern«, vertraute Julian ihm seufzend an. »Sei dankbar, dass dir niemand einen Schuldenberg vererbt hat ...«

Ein Mistelzweig mit einer Schleife aus Stroh hing an der Tür. Es sah hübsch aus.

Adam öffnete und ließ Julian den Vortritt.

Der nahm den eleganten Samthut ab. »Alys. Emily. Ich will nicht lange stören ...«

Stürmisch begrüßten die beiden Frauen den kleinen Melvin, überschütteten ihn mit Vorwürfen ebenso wie mit Küssen.

Derweil sah Julian sich diskret um. Er stand in einer geräumigen Küche. Es war ein behaglicher Raum mit einem guten Rauchabzug über dem Herd. Ein schmiedeeiserner Kessel hing über dem Feuer, und ein verführerischer Duft nach Hammelfleisch und Kräutern erfüllte die Küche.

Alys wandte sich ihm zu, und ein Lächeln erhellte ihr feistes Gesicht. »Gott zum Gruße, mein Ju... Mylord.«

Emily nickte scheu in seine Richtung und zündete die Weihnachtskerze auf dem Tisch an. Sie trug ein neues, hellbraunes Kleid, bemerkte Julian. Kein Zweifel, Adam hatte es in nur einem Jahr in der Tat schon zu allerhand gebracht. Und seiner Schwester trotz seiner ehrgeizigen Pläne ein Kleid spendiert. Julian musste lächeln. Er wusste, er hätte vermutlich das Gleiche getan.

Sie wünschten einander ein frohes Christfest, und der junge Herr des Hauses brachte Julian einen Zinnkrug mit Wassail – einem Würzbier, das die kleinen Leute zu Weihnachten aus Ale, Honig und Kräutern zusammenbrauten.

Nachdem die Frauen gehört hatten, was Julian an diesem hohen Feiertag ins Dorf verschlagen hatte, sagte Alys: »Es war so gut von Euch, unseren Melvin heimzubringen. Ich kann mir denken, dass Ihr lieber in Eurer Halle am Julfeuer säßet.«

Es war Julian peinlich, dass sie ihn so mühelos durchschaut hatte. Er trank einen Schluck, um nicht antworten zu müssen. Der Wassail war warm und süß. Es durchrieselte ihn wohlig. »Hm! Gut.«

Seine Gastgeber lachten verschmitzt.

»Essen ist gleich so weit«, verkündete Alys. »Wollt Ihr vielleicht …?«

Julian hob abwehrend die Linke. »Danke, Alys. Aber meine Mutter weiß noch nicht einmal, dass ich zurück bin. Ich muss mich gleich auf den Weg machen.«

Alys und Emily wechselten einen Blick. »Natürlich, Mylord«, sagte die ältere der Frauen. »Sie wird so froh sein, Euch zu sehen.«

Er stellte den Becher ab und sah zu ihr hoch. »Gibt es etwas, das ich wissen sollte?«

Alys schüttelte den Kopf, rührte in ihrem Topf und ließ den Sud vom Löffel tropfen, um festzustellen, wie sämig er war. Dann sah sie Julian wieder an. »Sie ist im Herbst krank geworden. Es geht ihr besser, aber so richtig will sie mir nicht gefallen. Sie vergeht, Mylord. Sie vermisst Euren Vater zu sehr.«

Ich weiß, dachte er. Er erhob sich. »Habt Dank für den Wassail. Und nun will ich euch nicht länger von eurem Julschmaus abhalten.«

Auf dem Weg zur Tür zwickte er Melvin in die Nase. »Denk das nächste Mal an die Schaufel, Bübchen.«

Melvin kicherte.

Adam begleitete Julian hinaus. »Ihr solltet nicht auf das hören, was meine Mutter sagt«, murmelte er, als sie bei Dädalus ankamen. »Seit sie sie aufgeknüpft haben, erscheint ihr die Welt noch düsterer als zuvor. Wenn Ihr mich fragt: Lady Juliana hat sich tadellos erholt.«

Julian nickte. »Danke, Adam.« Er saß auf.

Seine Mutter kam ihm am Eingang zur Halle entgegen. Lächelnd streckte sie die Hände aus. »Willkommen zu Hause, mein Sohn.«

»Mutter. Gesegnetes Christfest.« Er nahm ihre Hände, die sich heiß und trocken anfühlten. Fast erschrocken ließ er sie los. Ihre Hände erinnerten ihn an Edmunds.

»Du bist gewachsen«, bemerkte Lady Juliana.

Julian verdrehte die Augen. »Wann wirst du aufhören, das zu mir zu sagen?«

»Wenn du aufhörst zu wachsen, natürlich.«

Er reichte ihr den Arm und führte sie zur hohen Tafel. Die Halle war festlich mit Mistel- und Stechpalmzweigen geschmückt, in beiden Kaminen prasselten Feuer, und die Luft war erfüllt von Weihnachtsdüften: Bratäpfel, Zimt und Schwanenbraten.

Julians Magen grummelte. »Ich sterbe vor Hunger ...«

»Dann lass uns zu Tisch gehen. Wir haben nur auf dich gewartet.«

Julians Cousin Daniel und seine Ritter Lucas Durham, Algernon Fitzroy und Frederic of Harley sorgten wie üblich für Trubel und Heiterkeit in der Halle: Sie überfielen die Mägde, sobald diese unachtsam genug waren, unter einem Mistelzweig stehen zu bleiben, und gaben vor, sie leidenschaftlich küssen zu wollen. Die Mägde kreischten und sträubten sich, ließen sich jedoch immer wieder erwischen. Lucas und Algernon brachten den Knappen und den jungen Knechten Weihnachtslieder bei, von denen manche höchst unanständige Texte hatten. Vater Michael, der heute zu Gast auf der Burg war, schüttelte missbilligend das Haupt, aber er protestierte nicht. Er sei zu alt und weise, um gegen das Unvermeidliche ins Feld zu ziehen, erklärte er Julian später.

Als Daniel und die jungen Ritter den Earl entdeckten, begrüßten sie ihn stürmisch.

Julian schüttelte ihnen die Hände und ließ es über sich ergehen, dass einer nach dem anderen ihm auf die Schulter drosch. »Daniel. Noch hier, sehe ich.«

Der alte Haudegen lächelte verschämt. »Es ist so richtig heimelig ohne Robert, diese Höllenbrut.«

»Von ihm wollen wir heute nicht sprechen«, mahnte Vater Michael mit erhobenem Zeigefinger.

»Kommt, lasst uns endlich essen, ehe der arme Schwan auseinanderfällt«, schlug Lady Juliana vor.

Der Schwan war köstlich. Herrschaft, Knappen und Gesinde schmausten und feierten in Eintracht und bester Laune, und Julian spürte, dass es ihm wohl tat, hier zu sein. Er hätte nie damit gerechnet, dass ausgerechnet Waringham seine Traurigkeit lindern würde, aber dennoch war es so, und der ansteckende Frohsinn der drei jungen Ritter war allein keine ausreichende Erklärung dafür.

Nach dem Essen schickte Lady Juliana nach ihrer Harfe und spielte für die Festgemeinde, während die Mägde dafür sorgten, dass die Becher nicht leer wurden.

Erst als es dämmerte, löste die Feier sich allmählich auf, und Julian begab sich mit seinen Rittern, Daniel und Lady Juliana in das Wohngemach über dem Rosengarten, um Neuigkeiten auszutauschen.

»Wo ist Geoffrey?«, fragte er. »Er war sonst zu Weihnachten immer in der Halle.«

»Tja, du wirst es nicht glauben, Julian«, antwortete Daniel. »Unser Geoff hat sich deine Schwester endlich aus dem Kopf geschlagen und geheiratet.«

Julian spürte einen Stich. Er wusste, es war illusorisch zu hoffen, dass Blanche in absehbarer Zeit heimkehren konnte, aber er ahnte, dass es sie hart treffen würde, wenn sie das erfuhr. »Geheiratet? Wen?«

»Meine Cousine Giselle«, antwortete Lucas Durham mit einem breiten Lächeln. »Die schönste Jungfrau von London, sagten manche.«

»Das heißt nichts«, warf Algernon ein. »Denn davon gibt es in London nicht viele.«

»Gentlemen …«, schalt Lady Juliana, und die jungen Flegel senkten die Köpfe, um Reue vorzutäuschen.

In Waringham standen die Dinge so gut, wie man hoffen konnte, erfuhr Julian. Die reiche Ernte hatte ihnen zu einer Atempause verholfen. Julian lauschte dem Bericht seiner Mutter aufmerksam und hörte zwischen den Zeilen, dass nicht sie die Verwaltung der Baronie geleitet hatte, sondern Daniel und Frederic. Und sie hatten ihre Sache hervorragend gemacht, merkte er bald. Er beschloss, einen von beiden zum Steward zu ernennen, ob sie nun wollten oder nicht. Algernon, der ein besonderes Interesse für die Pferdezucht entwickelt hatte, erzählte, wie gut es mit der Erweiterung des Gestüts voranging, und Lucas, der in den vergangenen Monaten mehrmals bei seinen Verwandten in London gewesen war, deutete taktvoll an, dass die Banken an der Lombard Street unter Umständen wieder gewillt seien, dem Earl of Waringham Geld zu leihen.

»Das ist sehr ermutigend«, befand Julian. »Aber neue Schulden zu machen kann nicht die Lösung sein. Ich werd es nur tun, wenn uns andernfalls wirkliche Not droht.«

Alle nickten zustimmend.

Nach einem längeren Schweigen sagte Algernon: »Wir haben ein Gerücht gehört, Julian. Ist es wahr? Edmund Tudor?«

»Ist tot, ja«, antwortete Julian.

»Oh Jesus«, murmelte Lady Juliana. »Arme Megan.«

»Sie hält sich tapfer. Besser als ich zuerst«, gestand er offen.

»Megan kommt auf ihren Vater«, gab Lady Juliana zu bedenken. »Genau wie er verbirgt sie die Düsternis ihrer Seele hinter einem strahlenden Lächeln.«

»Du kennst sie schlecht, wenn du das glaubst«, entgegnete Julian eine Spur schroff. »In Megans Seele ist ein Licht, das keine irdische Düsternis wirklich verdunkeln kann. Nicht auf Dauer, jedenfalls. Wer sagt, sie sei nicht so ganz von dieser Welt, hat schon irgendwie Recht. Sie ist erschüttert über Edmunds Tod, keine Frage. Sie trauert. Aber sie ist nicht untröstlich.«

»Erzähl uns von Edmund«, bat seine Mutter. »Wenn du kannst.«

Und so berichtete Julian. Nur Blanche erwähnte er mit keinem Wort. »An St. Rufus kamen wir nach Windsor. Der König war dort und Owen Tudor ebenfalls.« Er brach ab.

»Es muss sie beide hart getroffen haben«, murmelte Daniel unbehaglich. »Armer Tudor. So ein Mordskerl. So viel Unglück im Leben ...«

Julian nickte. Es hatte sie in der Tat hart getroffen, und vor allem für Jasper war es schwer gewesen, die Trauer seines Vaters und seines Halbbruders mitanzusehen. Der König hatte geheult wie ein Bengel. Julian hatte sich wieder einmal für ihn geschämt und ihn gleichzeitig bedauert.

»York war auch dort«, fuhr er fort. »Und er hat König Henry und den Tudors mit solcher Wärme seine Anteilnahme ausgedrückt, dass ich drauf und dran war, ihm mein Frühstück vor die Füße zu spucken. So als wäre er nicht froh, dass Edmund aus dem Weg ist. Ein einflussreicher Lord auf Henrys Seite weniger. Als hätte er Devereux und Herbert nicht nach Carmarthen geschickt, um es zu nehmen, koste es, was es wolle. Für seinen verfluchten *Ehrgeiz* ...« Er ballte die Faust auf dem Knie und nahm sich zusammen. »Aber niemand bei Hof schien so erschüttert über Edmunds Tod wie die Königin.«

»Oh nein, hat Marguerite etwa wieder eine Szene gemacht?«, fragte Algernon.

Julian nickte. »Man hätte meinen können, es sei ihr Liebster gewesen, den die Pest geholt hat.«

Lucas fuhr sich mit der Linken versonnen durch die schwarzen Locken. »Ich sag euch ganz ehrlich: Als es damals hieß, die Königin sei guter Hoffnung, habe ich mich im ersten Moment gefragt ...« Er brach diskret ab.

»Junge, was du da redest, ist Hochverrat«, warnte Algernon.

Lucas lächelte ihn unschuldig an. »Darum sag ich's ja nicht.«

Julien schüttelte den Kopf. Er erinnerte sich, im vergangenen Sommer hatte ihn einmal der gleiche Verdacht beschlichen, dass Edmund Tudor womöglich der Vater des kleinen Prinzen Edouard sein könne. »Ihr könnt ganz beruhigt sein. Der Prinz hat sich im Lauf der letzten Monate sehr verändert, und auf einmal sieht er aus wie eine Miniatur des Königs.«

»Der Edmund Tudors Halbbruder ist«, gab Lucas zu bedenken.

»Doch es bestand keine große Ähnlichkeit, oder?« Julian schüttelte den Kopf. »Auch wenn es noch so sehr verwundern mag: Offenbar hat Henry es zumindest einmal geschafft, seine Marguerite …« Im letzten Moment erinnerte er sich daran, dass seine Mutter im Raum war. Er biss sich auf die Zunge und spürte seine Ohren heiß werden.

In der plötzlichen Stille hörte man das Quietschen des Griffels auf Frederics Schiefertafel, die er Julian schließlich reichte.

»*Dann lasst uns hoffen, dass der König seinem Sohn das schöne Antlitz vererbt hat und sonst nichts*«, las Julian vor und nickte. »Ja. An Entschlossenheit, Tatkraft und Leidenschaft hat seine Mutter mehr zu vererben, das steht mal fest. Sogar der Duke of York hat Respekt vor Königin Marguerites Temperament.«

»Zumindest erweckt er glaubhaft den Anschein«, schränkte Algernon ein.

Julian genoss die friedlichen Weihnachtstage in Waringham, auch wenn seine Gedanken oft nach Pembroke zurückkehrten. Er wusste, dass Megans Kind nun bald kommen musste, und die Vorstellung beunruhigte ihn auf eine Weise, die so eigentümlich war, dass er sie lieber nicht genauer erforschen wollte. Stattdessen ging er ins Gestüt, lernte Geoffreys junge Frau kennen – die in der Tat eine Schönheit war – und besprach mit dem Stallmeister die Pläne für das Frühjahr. Er ritt mit seinen Rittern in den winterlichen Wald, ließ sich von der Köchin mit Leckereien verwöhnen, kürte am Tag der unschuldigen Kindlein seinen Knappen Alexander Neville zum »Bischof von Waringham«, und alle Erwachsenen unterwarfen sich für diesen einen Tag Alexanders Herrschaft, wie es Tradition war. Alexander erkor die anderen Knappen zu seinen Prälaten und Diakonen, die einen Esel in die Halle hinaufbugsierten, ihren Bischof daraufsetzten und im Kreis durch den großen Saal reiten ließen. Sie trieben allerhand Unfug und Schabernack und ließen sich von den Erwachsenen bedienen, aber Alexander hielt das rechte Maß. Im Gegensatz zu manch anderem Kinderbischof hatte er nicht vergessen, dass seine Macht auf einen Tag begrenzt war und die Welt am nächsten Morgen wieder die alte sein würde.

In der zweiten Januarwoche verzogen sich die Schneewolken. Der Himmel wurde blau, aber es war bitter kalt, und Julian verbrachte viel Zeit in dem behaglichen Wohngemach, welches der wärmste Raum der ganzen Burg war. Dort hockte er nach dem Frühstück über den Büchern, als seine Mutter eintrat.

»Entschuldige, dass ich dich störe, mein Sohn ...«

Er hob den Kopf und lächelte. »Ich bin für jede Ablenkung dankbar.«

Lady Juliana setzte sich auf die gepolsterte Fensterbank, wenngleich das im Winter immer ein zugiger Platz war. »Ich habe etwas mit dir zu besprechen.«

Sie klang so ernst, dass Julian überzeugt war, sie wolle ihm irgendwelche Vorhaltungen machen. Er sagte nichts. Ihm war über die Weihnachtstage aufgefallen, dass sie offenbar an allem, was er tat, etwas zu bemängeln fand, auch wenn sie ihre Kritik selten aussprach.

»Ich werde Waringham verlassen, Julian«, eröffnete sie ihm unvermittelt. »Ich gehe nach Havering ins Kloster.«

Julian saß da wie vom Donner gerührt. Er wusste, dass seine Mutter immer für eine Überraschung gut war. Damit hätte er indessen niemals gerechnet. »Aber ... aber warum? Du hasst Stille und Abgeschiedenheit«, wandte er ein. »Du hast uns erzählt, du wärst beinah eingegangen, als dein Vater dich ins Kloster zu stecken versucht hat.«

Sie nickte. »Das ist sehr lange her. Menschen verändern sich, weißt du. Damals hatte ich einen Hunger nach Leben, der so stark war, dass er sich nicht unterdrücken ließ. Heute dürstet mich nach Einkehr. Und nach Frieden, auch wenn ich nicht sicher bin, ob ich ihn dort finden kann. Jedenfalls ist es nicht so trübsinnig in Havering, wie du vielleicht annimmst. Viele adlige Witwen gehen dorthin. Ich werde alte Freundinnen wiedertreffen. Es ist ein komfortables Haus mit einer berühmten Küche.«

Julian hörte ihr aufmerksam zu, aber hätte seine Mutter plötzlich arabisch gesprochen, hätte er kaum weniger verstehen können. »Wieso willst du fort aus Waringham?« Ihm kam ein Gedanke. »Hat dich jemand gekränkt? Ich weiß, Daniel hegt eine alte Schwäche für dich, hat er etwa …«

»Ach, um Himmels willen, nein.« Lady Juliana winkte ab, und zum ersten Mal lächelte sie. Doch sie wurde sogleich wieder ernst. »Ich kann nicht hier bleiben, Julian. Ich habe versucht, meine Schwermut zu überwinden, aber es will mir nicht gelingen. Jeden Tag bin ich länger am Grab deines Vaters als am Tag zuvor, lebe in der Vergangenheit und sehne sie zurück. Das macht mich bitter und neidisch auf diejenigen, die noch besitzen oder gar noch vor sich haben, was ich verloren habe. Auf dich, zum Beispiel. Eines Tages wirst du eine junge Braut nach Waringham bringen, und ich würde hier sitzen wie eine schwarze Spinne in ihrem Netz, jeden ihrer Schritte mit Missgunst verfolgen und mein Möglichstes tun, um ihr das Leben zur Hölle zu machen.«

»Als ob du das jemals tun würdest«, protestierte Julian.

»Es passiert«, gab sie zurück. »Ich habe früher manchmal Witwen gesehen, wie ich heute eine bin, Witwen, die wirklich trauern, und ich habe gedacht: Wie könnt ihr so gemein und selbstsüchtig sein, dass ihr euer Unglück unbedingt euren Kindern aufbürden müsst? Das will ich nicht.«

Er ging zu ihr, setzte sich neben sie und ergriff impulsiv ihre Hände. »Sagst du mir auch die Wahrheit? Es hat nichts damit zu tun, dass du krank warst? Du willst nicht zum Sterben ins Kloster?«

Sie befreite ihre Linke und legte sie lächelnd an seine Wange. »Mein armer Julian. Wie erwachsen diese paar Monate in Wales dich gemacht haben.« Sie ließ die Hand in den Schoß sinken. »Es hat nichts damit zu tun, dass ich krank war«, versicherte sie, aber Julian entging nicht, dass sie seine letzte Frage nicht beantwortet hatte.

»Wann willst du aufbrechen?«, fragte er hilflos. Er hatte das Gefühl, er hätte etwas anderes sagen sollen, aber ihm fiel einfach nicht ein, was.

»Sobald du die Zeit findest, mich hinzubringen. Ich habe der Mutter Oberin einen Brief geschickt, und sie hat geantwortet, dass ich jederzeit willkommen sei.« Mit einem schalkhaften Lächeln, das sie für einen flüchtigen Moment in die Frau von einst zurückverwandelte, fügte sie hinzu: »Was blieb ihr anderes übrig? Mein Vater hat dem Kloster ein Vermögen hinterlassen. Sie hat gar keine andere Wahl, als mich zu nehmen.«

Julian hob kurz die Schultern. »Wann immer du willst. Wir könnten …« Er brach ab, weil krachend die Tür aufflog.

»Sir, Ihr könnt nicht …«, hörte er seinen Knappen Alexander erschrocken ausrufen, und im nächsten Moment kam der Junge förmlich hereingeflogen und landete schlitternd auf den Steinfliesen. Seine Nase blutete wie ein sprudelnder Quell, doch er sprang sogleich wieder auf, verneigte sich hastig vor Julian und sagte: »Vergebt mir, Mylord.«

Ehe Julian eine Erklärung verlangen konnte, trat Thomas Devereux über die Schwelle. »Raus mit dir, Bengel«, knurrte er in Alexanders Richtung.

Der Junge sah unsicher zu Julian, der ihm zunickte.

Nachdem die Tür sich geschlossen hatte, stand er auf und trat Devereux ohne Eile entgegen. »Willkommen in Waringham, Schwager. Welch stürmische Begrüßung.«

Devereux ignorierte die dargebotene Hand ebenso wie Lady Julianas Anwesenheit. »Wo ist sie?«, fragte er. Es klang drohend.

Julian verschränkte die Arme und zog eine Braue hoch. »Wen in aller Welt könnt Ihr meinen, Sir?«

»Eure Schwester, diese verfluchte Teufelin!«

»Ich muss Euch bitten, Euch in Anwesenheit meiner Mutter zu mäßigen, Devereux«, entgegnete Julian scharf. »Darf ich schließen, dass Euch Eure Gemahlin abhanden gekommen ist? Wie unachtsam.«

»Davongelaufen ist sie! Lasst Euch sagen, Waringham, Eure Schwester ist eine Schande für Euer Haus!«

Dann sind wir schon zwei, fuhr es Julian durch den Kopf. Mit einer Mischung aus Abscheu und Faszination starrte er auf das, was einmal Thomas Devereux' rechte Hand gewesen war. Devereux hatte den Arm gehoben, als wolle er ihm mit dem Zeigefinger drohen, doch statt einer Hand aus Fleisch und Blut trug er eine aus glänzendem geschwärztem Stahl. Sie war einer natürlichen Hand so ähnlich, dass man auf den ersten Blick meinen konnte, er trage lediglich einen Panzerhandschuh an der Rechten. Doch standen Daumen und Finger verräterisch starr. Sie verfügten über kleine, perfekt gearbeitete Gelenke, erkannte Julian verblüfft, doch natürlich hätte Devereux die Linke zur Hilfe nehmen müssen, um die mechanischen Finger zu bewegen.

Julian betrachtete dieses Meisterwerk der Schmiedekunst kopfschüttelnd und schnalzte mit der Zunge. »Eure rechte Hand habt Ihr *auch* verloren? Grundgütiger, Sir Thomas. Man könnte glauben, Fortuna meine es im Moment nicht gut mit Euch.«

Devereux winkte mit der Stahlhand ab, als verscheuche er eine Stechmücke. »Wo ist sie? Ich weiß genau, dass Ihr sie versteckt haltet. Gebt sie mir!«

Julian sah seine Mutter aus dem Augenwinkel. Als er den Kopf wandte, stand sie neben ihm. »Vielleicht ist es besser, ich setze diese bizarre Unterhaltung mit Sir Thomas allein fort, Mutter«, schlug er vor. Er war nervös. Er wollte nicht, dass sie auf diesem Weg erfuhr, was in Lydminster vorgefallen war.

Lady Juliana hob das Kinn. »Um keinen Preis möchte ich das

hier versäumen. Habe ich Euch recht verstanden, Devereux? Ihr habt meine Tochter eine Teufelin genannt?«

»Wie würdet Ihr ein Weibsstück nennen, das seinem Gemahl und Herrn die Hand abhackt?«, fuhr er sie an. Kleine Speicheltröpfchen flogen von seinen Lippen.

Nur ein fast unmerkliches Blinzeln verriet, dass Lady Juliana schockiert war. »Verzweifelt?«, schlug sie vor. »Was habt Ihr ihr angetan, Ihr Schuft?«

»*Ich ihr?*« Devereux verschlug die Empörung für einen Moment die Sprache. Dann packte er Juliana mit der Linken am Oberarm und hielt ihr die Klaue vors Gesicht. »Wollt Ihr hören …«

Julian stürzte sich von der Seite auf ihn und riss ihn mit sich zu Boden. »Sie hat genug gehört«, knurrte er. Er schlug Devereux die Faust ins Gesicht und spürte im selben Moment die stählerne Hand in der Magengrube. Sie rangelten ein Weilchen, dann gewann Julian die Oberhand, presste die Knie auf Devereux' Arme und sah ihm ins Gesicht. »Was fällt Euch ein, meine Mutter anzurühren, Ihr ungehobelter Bauer? Was immer meine Schwester getan hat, ich kann mir vorstellen, es war der einzige Ausweg, der ihr blieb, denn Ihr besitzt keinerlei Beherrschung, nicht wahr? Mich schaudert, wenn ich denke, was sie mit Euch ausgestanden hat. Wenn Ihr kein Krüppel wärt, würde ich Euch töten, wie ich es Euch am Tag Eurer Hochzeit versprochen habe.« Er sprang behände auf. »Packt Euch, Devereux. Und lasst Euch nie wieder hier blicken.«

Thomas Devereux kam kaum weniger agil auf die Füße. Seine linke Hand umschloss den Griff seines Dolchs, als er Algernon Fitzroy und Frederic of Harley in der Tür entdeckte.

»Möchte Sir Thomas uns verlassen, Mylord?«, fragte Algernon Julian.

Der nickte. »Und zwar schleunigst.«

Die beiden Ritter traten über die Schwelle und nahmen links und rechts des unwillkommenen Gastes Aufstellung, rührten ihn aber vorerst nicht an. Verstohlen, jedoch alles andere als unauffällig starrten sie seine Stahlhand an.

»Was immer Ihr denkt, Ihr habt kein Recht, sie vor mir zu

verstecken, Waringham«, schnauzte Devereux. »Sie muss für ihre Tat büßen. Also, wo ist sie?«

»Ich habe keine Ahnung. Ich war monatelang in Wales und hatte das Missvergnügen, die Gastfreundschaft Eures Bruders auf Carmarthen zu genießen. Also selbst wenn Blanche nach Waringham geflohen wäre, ich wäre gar nicht hier gewesen, um ihr zu helfen.«

»Ganz, wie Ihr wollt«, entgegnete Devereux und wandte sich zur Tür. »Dann werde ich den Fall dem König und dem Duke of York vortragen.«

Julian gab sich keinerlei Mühe, ein Grinsen zu verhehlen. »Mich wundert, dass Ihr das nicht längst getan habt. Oder habt Ihr etwa befürchtet, Euch zum Gespött zu machen? Ich könnte das verstehen, wirklich. Ich höre das schallende Gelächter bei Hofe schon bis hierher. Über den furchtlosen Ritter, dem kein Drache, kein Franzose und kein Heide die Hand gestohlen hat, sondern die eigene Frau ...«

Algernons und Frederics unzureichend unterdrückte Heiterkeit war ein anschaulicher Vorgeschmack.

Thomas Devereux machte einen Schritt auf Julian zu, und der junge Earl sah, womit seine Schwester es aufgenommen hatte: Etwas Abwesendes, beinah Irres trat in Devereux' Blick. »Ich kriege sie. Und dich auch, Bürschchen. Und dann gnade euch Gott ...«

Ohne auf Julians Aufforderung zu warten, packten Algernon und Frederic ihn jeder bei einem Arm und führten ihn nicht roh, aber bestimmt hinaus.

»Vergewissert euch, dass er verschwindet«, rief Julian ihnen nach und schloss die Tür.

»Oh, Julian ...« Lady Juliana hatte die gefalteten Hände an die Lippen gedrückt und flüsterte, als könne Devereux sie selbst jetzt noch hören. »Wo mag sie nur sein?«

»Schsch«, machte er beruhigend. »Sie ist in Pembroke. Jasper hat ihr Asyl gewährt, und sie will bei Megan bleiben, bis das Kind kommt. Danach sehen wir weiter. Sei unbesorgt. Es geht ihr gut.«

»Aber wenn Jasper erfährt, was sie getan hat, was dann? Er ist so ein strenger, unnachsichtiger Mann. So ganz anders als sein Vater ...«

Julian nickte und zuckte gleichzeitig die Schultern. »Er weiß es längst. Sie hat es ihm gesagt, als er ihr seinen Schutz anbot. Du weißt ja, unsere Blanche ist ein echter Ehrenmann. Jedenfalls, wenn sie nicht gerade ihren Gemahl in Stücke hackt ...«

»Julian!«, schalt Lady Juliana erschrocken, aber ihre Mundwinkel zuckten.

»Hätte mich vorher jemand gefragt, hätte ich gewettet, dass Jasper sie nach England verfrachten und dem Sheriff von Herefordshire ausliefern würde. Aber es scheint, er hat andere Pläne mit ihr.«

»Was soll das heißen?«

»Tja. Um ehrlich zu sein: Ich würde ruhiger schlafen, wenn ich das wüsste.«

Pembroke, Januar 1457

 Megan schrie, die Augen fest zugekniffen. »Oh, Blanche ...«, flüsterte sie dann. »Es ist so furchtbar.«

Blanche nahm ihre Hand und wischte ihr mit einem warmen, feuchten Tuch die Stirn.

»Adlige Frauen«, brummte eine der Hebammen. »Die halten nichts aus.«

Blanche war nicht ganz sicher, ob sie die Waliserin richtig verstanden hatte, doch ein Blick in das Gesicht, das an einen runzeligen roten Apfel erinnerte, bestätigte ihren Argwohn.

»Das ist nicht wahr!«, fuhr sie die Hebamme an. Und sie hätte noch eine Menge mehr zu sagen gehabt, nur fehlten ihr in der fremden Sprache noch zu viele Worte. Megan Beaufort war kein verhätscheltes Zierpflänzchen. Ihre Mutter hatte streng darauf geachtet, dass sie nicht verzärtelt wurde, und Megan war vor allem immer hart gegen sich selbst gewesen. »Wenn sie sagt, es ist furchtbar, *ist* es furchtbar«, erklärte sie der Hebamme.

»Unsinn«, knurrte die Alte. Sie zog Megan das verschwitzte Hemd über die Schultern herab, entblößte ihre Brüste und befingerte sie. Nicht roh, mit erfahrenen Bewegungen und konzentrierter Miene, aber ohne jedes Mitgefühl. »Sie sind fest und prall von Milch. Das heißt, Euer Kind lebt. Also strengt Euch an, Mylady.«

Megan nickte und biss sich auf die Unterlippe. Blanche sah, dass ihre junge Cousine sich ihrer Blöße schämte. Sie zog das Hemd wieder zurecht und streichelte Megan unauffällig über die Schulter.

Die Hebamme schob Blanche rüde beiseite und wies eine ihrer Helferinnen an: »Halt ihr den Pfeffer unter die Nase. Wenn sie ordentlich niesen muss, kommt das Kind schneller.«

Blanche lauschte ihr stirnrunzelnd, die Hände in die Seiten gestemmt. Dann traf sie eine blitzschnelle Entscheidung. »Das reicht«, bekundete sie der Alten, ging zur Tür und öffnete sie. »Raus.«

Megan schrie wieder.

Die alte Hebamme lachte verdutzt. »Wer soll es denn machen, Herzchen? Ihr vielleicht?«

»Mehr herumpfuschen als du könnte ich kaum. Jetzt geh.«

»Auf keinen Fall«, gab die Alte zurück. »Seine Lordschaft hat mich ausdrücklich angewiesen …«

»Und dir reichen Lohn versprochen, darauf wette ich. Aber daraus wird nichts. Raus.« Sie schob die voluminöse Frau zur Tür hinaus.

»Was fällt Euch ein, Ihr habt kein Recht …«, protestierte diese. »Wenn dem Kind etwas zustößt, ist es Eure Schuld, und Ihr werdet …«

»Halt den Mund«, fiel Blanche ihr ins Wort. »Rhys!« Die Erleichterung war ihr anzuhören, als sie den verschlossenen Jungen gegenüber der Tür auf der eiskalten Erde sitzen sah. »Hör auf zu heulen und tu etwas Nützliches: Sorg dafür, dass diese Frau nicht mehr in die Kammer gelangt. Am besten siehst du zu, dass jemand sie von der Burg geleitet. Tust du das für mich?«

»Verlasst Euch drauf.« Rhys sprang auf, fuhr sich mit dem Ärmel über die Augen und schaute die Hebamme herausfordernd an.

Die alte Gevatterin war außer sich vor Empörung über den völligen Mangel an Respekt, mit dem sie es hier zu tun hatte. Sie schüttelte den Zeigefinger vor Blanches Nase. »Das hat ein Nachspiel, Ihr eingebildetes englisches …«

Blanche schloss die Tür. Sie wusste, Rhys würde seinen Auftrag gewissenhaft erledigen.

Am Fußende des Bettes blieb sie einen Moment stehen und fuhr sich mit dem Ärmel über die Stirn. Die kleine Kammer in der sonst immer so eisigen, zugigen Burg war geheizt worden, bis es hier heiß wie in einer Esse war.

»Ich hoffe, ich hab das Richtige getan«, murmelte Blanche.

»Oh, das habt Ihr, Madam, seid versichert«, erwiderte eine der jungen Hebammen, die bislang nicht den Mund zu öffnen gewagt hatte.

Blanche sah sie hoffnungsvoll an. »Du weißt, was zu tun ist?«

»Ja. Und was wir hier bestimmt nicht brauchen, sind Pfeffer und heidnische Amulette.« Sie zog einen eigentümlich geformten Stein an einer Lederschnur unter dem Bett hervor und hielt ihn Blanche zur Begutachtung hin. »Alles fauler Zauber.«

Hastig schloss Blanche die Hand um den seltsamen Talisman und ließ ihn hinter sich zu Boden fallen. Megan machte genug durch, es war wirklich nicht nötig, dass sie dieses unheimliche Ding sah. »Wie ist dein Name?«, fragte sie die Hebamme.

»Meredith, Madam.«

Blanche nahm sie beim Arm und führte sie ans Fenster. »Glaubst du, das Kind liegt falsch herum?«, flüsterte sie.

»Wie kommt Ihr darauf?«, fragte Meredith interessiert und begann, sich die Ärmel aufzukrempeln.

»Ich habe viele Stuten fohlen sehen. Wenn es bei ihnen so

lange dauert und so schwer ist, dann meist, weil das Fohlen sich nicht richtig gedreht hat.«

»Es könnte sein«, räumte Meredith ebenso gedämpft ein. »Vielleicht liegt es aber auch nur daran, dass sie so schmal ist. Gleich kann ich Euch mehr sagen.«

Sie trat an die Kommode, wusch sich gründlich die Hände in einer Schüssel mit warmem Wasser, ölte die Rechte ein und kniete sich ans Fußende des Bettes. Behutsam legte sie der Wöchnerin die linke Hand auf den Bauch und streichelte sacht darüber. »Ganz ruhig, Lady Megan. Versucht, Euch zu entspannen. Umso leichter macht Ihr es für Euch und Euer Kind.«

Megan schluchzte. »Blanche ... Blanche, was tun sie mit mir ...«

Blanche setzte sich auf die Bettkante und ergriff Megans Hände. »Schsch, hab keine Angst. Die alte Vettel hab ich fortgeschickt. Meredith ist eine gute Hebamme, du wirst sehen.«

»Oh Gott ... Oh Gott ...« Megan keuchte. »Wenn ich nicht an dieser Geburt sterbe, dann vor Scham. Es ist so ...« Ihr fiel kein Wort ein, das die Monstrosität dessen, was hier mit ihr geschah, ausdrücken konnte.

»Das ist es nicht«, widersprach Blanche und strich ihr die Haare aus der Stirn. »Es ist nichts Anstößiges daran. Jeder von uns kommt so auf die Welt. Sogar Jesus Christus ist so auf die Welt gekommen. Du brauchst dich nicht zu schämen. Im Gegenteil. Du solltest stolz sein.«

»Bete mit mir, Blanche«, bat Megan. »Lass uns die Heilige Jungfrau anrufen, wenn du wirklich meinst, dass es sie nicht beleidigt.«

Blanche hielt ihre Hand, betete das *Ave Maria*, und Megan schrie.

»Alles in Ordnung«, meldete Meredith vom anderen Ende des Bettes. »Es ist jetzt bald so weit. Sorgt dafür, dass sie die Luft anhält, wenn ich Euch ein Zeichen gebe, Lady Blanche, und weiteratmet, wenn ich es sage. Atmet mit ihr, dann geht es besser.«

Blanche tat, was in ihrer Macht stand, aber sie konnte nicht feststellen, dass es viel nützte. Megan litt Höllenqualen, und nach drei weiteren Stunden war Blanche überzeugt, ihre junge Cousine sterben zu sehen. Megans Gesicht wurde bleich, der Schweiß kalt, und selbst Meredith konnte nicht länger so tun, als bereite der Blutverlust ihr keine Sorgen. Dann endlich verkündete die Hebamme, sie sehe den Kopf kommen.

Oh, gepriesen sei die Jungfrau, dachte Blanche, nun ist es beinah geschafft.

Aber sie täuschte sich. Megans Martyrium zog sich noch einmal eine Stunde hin. Sie blutete und blutete, und das Kind steckte fest.

»Zu eng«, hörte Blanche die Hebamme und die Mägde murmeln, und schließlich fasste Meredith mit Daumen und Zeigefingern beherzt die winzigen Schultern und zog.

Was sie schließlich in Händen hielt, war unvorstellbar klein und blutverschmiert. Meredith band die Nabelschnur auf einem halben Spann Länge ab und durchtrennte sie dann mit einem scharfen Messer, das zuvor in Weihwasser getaucht worden war. Das Neugeborene regte sich, gab jedoch kaum mehr als ein klägliches Wimmern von sich.

»Ein Junge«, sagte Meredith, aber keine Freude schwang in ihrer Stimme.

Blanche ignorierte den Tonfall. »Megan, hast du gehört? Es ist ein Sohn.« Sie bekam keine Antwort. »Megan?« Sie rüttelte die junge Mutter zaghaft an der Schulter. Nichts.

»Oh, Jesus, Maria und Josef, bitte nicht«, flüsterte sie. Furchtsam legte sie Megan die Hand aufs Herz. Es schlug. Langsam und schwach, so schien es ihr, aber es schlug. »Sie ist bewusstlos, Meredith.«

Die Hebamme überreichte das Neugeborene einer ihrer Helferinnen. »Hier. Badet ihn und seht zu, dass ihr Mund und Nasenlöcher säubert, hört ihr?« Dann trat sie neben Blanche und beugte sich über Megan, ergriff die schlaffe Linke und fühlte ihren Puls. »Hm. Das gefällt mir nicht. Ich habe noch nie erlebt, dass eine Mutter ausgerechnet in diesem Moment ohnmächtig wird.«

Blanche hatte das Gefühl, sie müsse Megan in Schutz nehmen. »Es hat ihr zu viel abverlangt. Sie ist ... sie ist erst dreizehn.«

Meredith hob kurz die Schultern, und für einen Moment war ihr Gesicht so abweisend wie das der alten Hebamme vorhin. »Mit dreizehn hatte ich schon zwei.«

»Ist das wahr?«, fragte Blanche. Es interessierte sie im Augenblick nicht wirklich, aber sie war verblüfft, weil sie immer geglaubt hatte, dass die einfachen Frauen nicht so früh verheiratet wurden wie adlige Damen.

»Meinem Verlobten war eine Sau verendet, und er konnte nicht länger auf die Mitgift warten. Er hat mich eines Sonntags aus der Kirche geführt, als niemand hinschaute. Er wolle mir etwas zeigen, hat er gesagt. Na ja, das hat er dann auch getan. Hinter dem Stall des Pfarrhauses, zwischen Misthaufen und Hühnerhaus. Da war ich elf. Mein Vater war wütend, aber er musste ja froh sein, dass mein Verlobter mich noch nahm, nicht wahr?« Sie beugte sich wieder über Megan und rieb ihr die Hände. »Sie wird's schon schaffen, Lady Blanche. Der Damm ist ziemlich weit gerissen, aber ich werd ihn mit Butter und Wein salben und dann nähen. Ich hab extra einen Seidenfaden dafür bereitliegen.«

Blanche unterdrückte ein Schaudern, aber ihrer Stimme war der Schrecken nicht anzuhören, als sie bat: »Tu es, solange sie noch ohnmächtig ist.«

Meredith nickte. »Es ist der Junge, um den ich mich sorge. Wenn Ihr mir einen Gefallen tun wollt, tragt ihn in die Kapelle und findet einen Priester, der ihn tauft. Ich bin ehrlich nicht sicher, wie lange er leben wird.«

Blanche spürte eine eigentümliche Kälte in ihrem Innern, die sie noch nicht kannte. Wie Raureif auf ihrer Seele. »Du glaubst, er stirbt?«

Meredith antwortete nicht direkt. »Wisst Ihr, wie er heißen soll?«

»Ja.« Julian hatte es ihr gesagt.

»Dann geht, Mylady. Je eher, desto besser.«

Es war sehr still auf Pembroke Castle geworden, seit Jasper und Julian es verlassen hatten. Viele der Ritter hatten sie begleitet, und das übliche Hofvolk aus Schreibern, Mönchen, Musikern, Gauklern, Bittstellern und Tagedieben, das es in Wales ebenso zu geben schien wie in England, hatte sich zerstreut. Auf dem Weg über den windgepeitschten Burghof traf Blanche keine Menschenseele. Der Sonnenuntergang war nicht mehr fern, und sie spürte, wie die Kälte sich durch den dünnen Stoff ihres Kleides biss. Es würde wieder eine bitterkalte Nacht geben, ahnte sie.

Erst auf der Treppe zur Kapelle begegnete sie dem jungen Rhys. »Oh, Gott sei gepriesen. Hier, schau nur, Rhys, das ist dein Neffe.«

Er streifte das kleine Bündel in ihren Händen nur mit einem kurzen Blick. »Wie geht es Lady Megan?«, fragte er furchtsam.

»Gut, sagt die Hebamme.«

»Kann ich zu ihr?«

»Nein, ich fürchte, vorläufig nicht. Weißt du, wo Vater Petrus ist?«

Der Junge nickte. »Im Dorf. Die Müllerin liegt im Sterben.«

»Ist sonst irgendein Priester hier? Oder ein Mönch?«

»Nicht, dass ich wüsste.«

Blanche überlegte einen Moment. »Also schön. Dann muss ich ihn eben selbst taufen.«

»Ihr?«, entfuhr es Rhys. »Aber Ihr seid nicht mal ein Mann.«

»Was du nicht sagst. Aber Hebammen dürfen es im Notfall auch, also wieso nicht ich? Und jetzt halt mir die Tür auf.«

Rhys drückte die schwere Tür zur Kapelle nach innen und ließ Blanche eintreten, folgte ihr aber nicht. Während die Tür langsam wieder zuschwang, legte Blanche das Baby behutsam in ihren linken Arm, ergriff mit der Rechten eine Fackel aus einem Wandring, trug sie zum ewigen Licht am Altar und zündete sie an.

Der Taufstein stand am Westende des kleinen Gotteshauses. Langsam trat sie darauf zu und schaute einen Moment unschlüssig auf die dunkle Eisschicht, die das geheiligte Wasser bedeckte.

»Also, lieber nicht trödeln«, murmelte Blanche vor sich hin. Sie steckte die Fackel wieder in den Ring und drückte das Neugeborene behutsam an sich. Große blaue Augen schienen sie direkt anzusehen. Das runzelige Gesichtchen hatte ebenfalls eine bläuliche Tönung angenommen, und das Kind war geradezu unheimlich still. Selbst Blanche, die über keinerlei Erfahrung mit Säuglingen verfügte, wusste, dass das kein gutes Zeichen war. Hastig betete sie ein *Paternoster*, dann zerschlug sie das Eis im Taufstein mit der Faust. Es ging leicht, denn die Schicht war nicht dick, trotzdem hatte sie kein gutes Gefühl dabei, das heilige Eis so rüde zu zertrümmern. Sie konnte nur hoffen, dass es kein Sakrileg war, und schöpfte mit der hohlen Hand Wasser aus dem Taufbecken. »Im Namen des Vaters, des Sohnes und des Heiligen Geistes taufe ich dich auf den Namen Henry.« Sie hatte keine Ahnung, was sie sonst noch hätte sagen müssen, also träufelte sie das Wasser behutsam auf den dunklen Schopf.

Es waren nur wenige Tropfen, aber sie waren so kalt, dass sie den Säugling aus seiner unnatürlichen Lethargie rissen. Kein kräftiges Gebrüll stimmte er an, lediglich ein jammervolles Wimmern, aber Blanche war erleichtert. Vage erinnerte sie sich an die eine oder andere Taufe, der sie beigewohnt hatte, und murmelte: »Da sonst niemand hier ist, muss ich wohl auch deine Patin sein. Also entsage ich dem Satan und seinen Versuchungen und gelobe, dich, solange ich lebe, vor seiner Tücke zu beschützen, dich im rechten Glauben zu erziehen und für dein Wohlergehen Sorge zu tragen.« Sie wiegte das jammernde Kind sacht in den Armen und sah in sein Gesicht hinab, das ihr noch bläulicher vorkam als eben. »Hast du gehört, Henry Tudor?«, flüsterte sie. »Ich sorge für dich. Du brauchst nicht zu weinen, auch wenn du ein armes, vaterloses Würmchen bist. Alles wird gut. Nur stirb nicht. Du bist der Earl of Richmond, du kannst dir gar nicht erlauben zu sterben, hörst du …«

»Blanche?«

Sie hob den Kopf. Im Halbdunkel erahnte sie zwei Männer an der Tür, einer trug eine Fackel. Eilig traten sie zu ihr, und sie erkannte Jasper und seinen Vater.

»Was in aller Welt tust du hier?«, fragte der alte Tudor, und ehe sie antworten konnte, fügte er hinzu: »Ist das mein Enkel?«

Blanche nickte und streckte ihm das kleine Bündel entgegen. »Henry.«

Er riss es ihr förmlich aus den Händen. »Heiliger David … Bist du noch bei Sinnen, Blanche? Soll er erfrieren?« Owen Tudor, der Kindernarr, der ein hingebungsvoller Vater und verlässlicher Verbündeter einer ganzen Kindergeneration bei Hofe gewesen war, sah auf einen Blick, was hier nicht stimmte. Eilig nahm er den Mantel ab und wickelte sein weinendes Enkelkind hinein.

»Es tut mir leid«, stammelte Blanche. »Ich wusste nicht … Die Hebamme hat gesagt, ich solle ihn herbringen und taufen, weil er vielleicht nicht lange lebt.«

»Und da hast du gedacht, es kommt nicht mehr darauf an?«, fragte er sarkastisch. »Hat er wenigstens ordentlich getrunken?«

Blanche geriet in echte Nöte. »Ich …« Hilflos hob sie die Hände. »Nein. Er hat überhaupt noch nicht getrunken, Sir.«

»Du glaubst, ein Säugling braucht den Schutz der Kirche dringender als Milch, ja? Wo ist seine Amme?«

»Ich weiß es nicht.«

»Nein? Kannst du mir wenigstens sagen, wo seine Mutter ist, oder weißt du auch das nicht?«

Plötzlich stand Jasper neben Blanche. »Ich glaube, das ist genug«, knurrte er. Nie zuvor hatte Blanche gehört, dass ein Sohn so mit seinem Vater sprach. Es schockierte sie ein wenig. Doch die Tudors schienen beide nichts Besonderes daran zu finden. »Megan ist in ihrer Kammer im Westturm«, fügte Jasper hinzu, »und ich schätze, die Frauen haben inzwischen nach der Amme geschickt.«

Owen Tudor wandte sich schnaubend ab. Liebevoll, geradezu ehrfürchtig, so als halte er den Heiligen Gral in Händen, trug er seinen Enkel zur Tür der Kapelle und verschwand mit ihm in der Abenddämmerung.

Blanche wandte Jasper den Rücken zu und wischte sich mit dem Handballen verstohlen die Tränen weg. »Er hat Recht«, murmelte sie vor sich hin. »Ich bin ein Schaf. Aber ich verstehe nichts von Säuglingen, und die Hebamme, die du ausgesucht hattest, war so ein schrecklicher Drachen, dass ich sie weggejagt habe. Sie hat Megan so zugesetzt, ich konnte das nicht mit ansehen. Aber vielleicht war es ein Fehler. Sie hätte bestimmt dafür gesorgt, dass ...«

»Unsinn«, unterbrach er sie schroff. »Mein Vater ist so verzweifelt über Edmunds Tod, dass er für jeden Sündenbock dankbar ist, an dem er es auslassen kann. Das ist alles. Du hast nichts falsch gemacht.«

Sie warf ihm über die Schulter einen Blick zu. »Woher willst du das wissen? Du verstehst nicht mehr davon als ich.«

»Nein«, räumte er mit diesem Beinah-Lächeln ein, das so typisch für ihn war. Es verzog seine Mundwinkel für einen winzigen Moment nach oben und ließ seine dunklen Augen funkeln, aber es verging so schnell wie ein Wetterleuchten. »Komm, lass uns hier verschwinden. Es ist kalt.«

Er hielt ihr die Tür auf, und Blanche trat willig vor ihm in den Burghof. »Besser, ich gehe zurück zu Megan.«

»Wie ist es ihr ergangen?«, fragte Jasper ohne erkennbare Verlegenheit.

»Fürchterlich. Du weißt ja, wie sie ist. Sie lässt sich nicht so leicht gehen, aber es war ... ein bisschen mehr, als sie aushalten konnte. Ein paar Mal habe ich gedacht, sie stirbt. Zwischendurch hat sie geschworen, sie werde nie wieder heiraten und ein ewiges Keuschheitsgelübde ablegen ... Aber wahrscheinlich sollte ich dir so etwas nicht erzählen, nicht wahr?«, fügte sie hinzu.

»Warum nicht?«

»Es gehört sich nicht.« Sie machte eine vage Geste. »Frauenangelegenheiten.«

»Ah.« Jasper nickte, nahm den Mantel ab und legte ihn ihr um die Schultern. »Nun, niemand kann sie hindern, ein Keuschheitsgelübde abzulegen, aber wenn sie sich und ihren Sohn schützen will, wird sie wieder heiraten müssen.«

Blanche zitterte vor Kälte, trotz seines Mantels. »Lass uns abwarten, ob Henry am Leben bleibt, ehe wir uns um seine Zukunft sorgen.«

Henry Tudor war es bestimmt, die Welt um sich herum manches Mal in Atem zu halten, und er fing gleich am ersten Tag seines Lebens damit an. Eine Woche lang bangten seine Mutter, sein Onkel, sein Großvater, seine Patin und der ganze Haushalt um ihn. Er wirkte so vergänglich wie eine Schneeflocke im Feuer, und er trank lustlos. Er sei viel zu klein und zu leicht, hatte Meredith ihnen unverblümt eröffnet. Aber er starb nicht. Mit einer grimmigen Entschlossenheit, die Blanche an seinen Onkel Jasper erinnerte, klammerte der Winzling sich an sein Leben, und kurz nach Mariä Lichtmess begann er endlich zuzunehmen. Das werde auch Zeit, konnte man Jaspers junge Ritter in der Halle munkeln hören, denn sie alle beneideten den kleinen Henry um das Privileg, an den Brüsten der jungen Amme saugen zu dürfen, und hatten gelegentlich darüber gefrotzelt, dass so viel Schönheit an einen so jungen Mann völlig verschwendet sei.

»Fragt sich nur, wie lange uns die Dienste der schönen Generys erhalten bleiben«, unkte Owen Tudor.

Jasper sah stirnrunzelnd von dem dampfenden Weinbecher auf, über dem er seit mindestens einer Viertelstunde schweigend brütete. »Wieso?«

Sein Vater zog die Brauen hoch. »Weil sie sich mit jedem auf dieser Burg einlässt, der nicht rechtzeitig die Flucht ergreift, und das tun nicht sehr viele. Die wenigsten Männer sind so gegen die Lockungen weiblicher Schönheit gefeit wie du, mein Sohn.«

Jasper brummte. »Mir ist gleich, was sie treibt, solange sie den Jungen nicht vernachlässigt. Und ich bin nicht sicher, ob es schicklich ist, diese Sache vor Blanche zu erörtern. Dabei bist du doch derjenige, der mich so gern einen unhöfischen Klotz nennt.«

Blanche seufzte unüberhörbar. Sie hatte nie zuvor zwei Männer gesehen, die offenbar so großes Vergnügen daran fanden, miteinander zu streiten. Wenn Jasper und sein Vater im selben Raum waren, gingen sie sich an die Gurgel, ehe man »Pax vobiscum« sagen konnte, aber dennoch suchten sie ständig die Gesellschaft des anderen.

»Macht euch meinetwegen nur keine Umstände«, sagte sie spitz, den Blick auf ihr neues Strickzeug gerichtet: den ersten eines Paars wollener Strümpfe. Sie waren eigentlich für Henry gedacht gewesen, doch langsam beschlich Blanche der Verdacht, dass die Größe eher dessen bärbeißigem Onkel Jasper passen werde. Blieb die Frage, wie der zu dem kunstvoll eingestrickten Röschenmuster stand. »Es ist lange her, dass ich eine schamhafte, zimperliche Jungfrau war.«

»Schamhaft und zimperlich?«, wiederholte Jasper, offenbar wider Willen amüsiert. »Das muss *verdammt* lange her sein.«

»Wie dem auch sei, dein Vater hat Recht, Jasper: Wenn Generys so weitermacht, wird sie im Handumdrehen wieder schwanger, und dann ist es aus mit ihrer Milch.«

»Dann suchen wir uns eben eine andere Amme«, gab er zurück.

»Gute Ammen sind nicht leicht zu finden«, widersprach sein Vater. »Generys hat reichlich Milch, und gute Milch obendrein, sonst wäre der Junge keine Woche alt geworden. Das solltest du nicht leichtfertig aufs Spiel setzen.«

»Was soll ich tun?«, entgegnete Jasper aufgebracht. »Sie einsperren?« Er beugte sich vor und hob einen Zeigefinger. »Ihr Mann ist in Carmarthen für Edmund gefallen, und Weihnachten ist ihr das Kind gestorben. Ich werde ihr nicht verbieten, ein bisschen Freude zu suchen, hast du verstanden?«

»Ja, du meine Güte, Jasper … Sollte es möglich sein, dass du ein Herz hast?«, fragte sein Vater überrascht. »Oder nicht so unempfänglich für Generys' Reize bist, wie ich dachte?«

»Du nimmst den Mund ziemlich voll«, gab Jasper zurück. »Nicht ich habe Wales mit Bastarden bevölkert.«

»Bevölkert?« Owen Tudor erhob sich abrupt. »*Bevölkert?* Denkst du nicht, das ist ein bisschen übertrieben? Ich jedenfalls weiß nur von einem. Und wenn du deinen Bruder noch einmal einen Bastard nennst, dann …«

»Dann was?« Jasper stand ebenfalls auf. »Dies ist *mein* Haus, und ich werde hier die Wahrheit aussprechen, wann immer es mir gefällt. Wer sie nicht hören will, dem steht die ganze Welt offen.«

»Du bist Rhys ein erbärmlicher Bruder!«

»Und du bist ihm ein erbärmlicher Vater!«

»Es wird dir nicht gelingen, mich aus Pembroke zu vergraulen, mach dir keine Hoffnungen. Ich werde nicht zulassen, dass Henry hier ohne Liebe und Zuwendung aufwächst.«

»Bitte. Bleib, solang es dir Spaß macht, das ist mir völlig gleich. Aber sei so gut und misch dich nicht in die Angelegenheiten meines Haushaltes ein.«

»Ich werde mich in alles einmischen, was das Wohlergehen meines Enkels betrifft, verlass dich drauf.«

»Auf einmal so voller Fürsorge? Hast du vielleicht ein schlechtes Gewissen? Deinen Enkel willst du nicht im Stich lassen und in ein verfluchtes Kloster abschieben, im Gegensatz zu deinen Söhnen, ja?«

»Was soll das heißen?«, fragte der alte Tudor, es klang gefährlich leise. »Wärst du lieber Humphrey of Gloucester in die Hände gefallen und auf Nimmerwiedersehen verschwunden? Hat es dir an irgendetwas gemangelt in der Obhut der Nonnen? Hast du einen einzigen Tag Not gelitten, je um dein Leben bangen müssen? Edmund jedenfalls hat immer gesagt …«

»Oh ja, Edmund. Natürlich. Edmund war glücklich im Kloster. Edmund konnte sich überall einfügen. Wo Edmund war, ging die Sonne auf. Immer wieder kommen wir bei ihm aus, nicht wahr?«

Owen Tudor musste mit einem Mal verdächtig blinzeln. »Du verfluchter, undankbarer …«

»Schluss!« Blanche hatte keine bewusste Erinnerung daran, aufgestanden zu sein, aber plötzlich stand sie zwischen Vater und Sohn und sah von einem zum anderen und wieder zurück, wie in einem Tennishof. »Hört sofort auf damit. Ihr solltet euch schämen, Edmund zum Vorwand für eure unseligen Streitereien zu nehmen, denn ihr wisst genau, dass er das niemals gebilligt hätte. Und eins sag ich euch: Ihr werdet seinen Sohn nicht missbrauchen, um alte Rechnungen zu begleichen, ist das klar? Ich werde jedenfalls nicht tatenlos zusehen, wie er zwischen eure Fronten gerät. Und ist euch eigentlich nicht aufgefallen, wie selten Megan sich nur noch hier blicken lässt? Sie ist einsam und unglücklich, und ihr treibt sie mit eurem Unfrieden aus unserer Mitte. Sie ist Edmunds Witwe und Henrys Mutter. Wollt ihr denn wirklich gar nichts tun, um ihr Trost zu spenden?«

Owen Tudors Miene, die eben noch so finster gewesen war, hellte sich plötzlich auf. Lächelnd legte er ihr für einen Moment die Hand an die Wange. »Gott segne dich, Blanche. Man kann merken, dass du die Tochter deiner Mutter bist.« Ohne Jasper noch eines Blickes zu würdigen, wandte er sich ab und ging hinaus.

Blanche kehrte zu ihrem Sessel zurück, wickelte das abgerollte Garn hastig und unordentlich um den angefangenen Strumpf und wollte sich ebenfalls zur Tür wenden.

»Wo willst du denn hin?«, fragte Jasper.

»Ein Stück reiten. Ich muss an die Luft.«

»Dann mach einen Spaziergang im Burghof. Du kannst nicht ausreiten, es gibt einen Sturm.«

»Frühestens in einer Stunde. Und wenn ich jemanden wollte, der mir sagt, was ich tun und nicht tun kann, wäre ich bei Devereux geblieben«, entgegnete sie scharf.

»Natürlich. Also dann: Hals- und Beinbruch.«

Seine Stimme klang seltsam belegt. Fast hätte man meinen können, der Streit mit seinem Vater habe ihn ausnahmsweise einmal erschüttert.

Wider Willen wandte Blanche sich noch einmal um. Jasper

stand mit dem Rücken zu ihr am Fenster und sah in das noch lustlose Schneetreiben hinaus.

»Du ... du bist selbst schuld, Jasper«, sagte sie hilflos.

Er nickte, ohne sie anzusehen.

Langsam, ein wenig unschlüssig ging Blanche zur Tür, aber ehe sie sie erreicht hatte, schloss sich plötzlich seine Linke um ihren Oberarm und riss sie herum.

Blanche betrachtete die Finger auf dem rostbraunen Stoff ihres Ärmels: kurz, breit, ungeheuer kräftig. Sie spürte ihre Wärme auf der Haut, und es war kein unangenehmes Gefühl, aber trotzdem richteten sich ihre Nackenhaare auf. »Lass mich los.«

»Geh nicht.«

»Lass mich los, Jasper.«

Er sah in die Augen der Frau, die in der Lage war, die Hand, die sie ihrer Freiheit berauben wollte, mit dem Schwert abzuschlagen. Schleunigst gab er ihren Arm frei, schob mit der Rechten aber gleichzeitig den Riegel vor die Tür und lehnte sich mit dem Rücken dagegen.

»Was soll das werden?«, fragte sie.

»Ich lasse dich nicht gehen«, erklärte er überflüssigerweise und verschränkte die Arme.

Sie brachte einen Schritt Abstand zwischen sie und betrachtete ihn kopfschüttelnd. »Ich fürchte, du hast den Verstand verloren. Aber weit kann er noch nicht sein. Also sollten wir uns auf die Suche machen, was denkst du?«

»Du hast schon ganz Recht, ich bin selbst schuld. Aber ich konnte bislang auch nicht viel dagegen tun, dass alle nach und nach aus meinem Leben verschwanden, die mir teuer waren. In deinem Fall hingegen ...«

»Herrgott noch mal, Jasper, ich will nur ausreiten. Ich komm schon wieder, keine Bange. Darüber hinaus wirst du feststellen, wenn du in dich gehst, dass ich nicht zu den Menschen zähle, die dir teuer sind. Denkst du, ich bin blind? Du gehörst zu Megans Jüngerschar. Willst du mich beleidigen, indem du mir unterstellst, ich sei zu dämlich, um das zu sehen? Du betest sie an, genau wie Edmund, genau wie mein Bruder. Und wenn du glaubst, dass ich langsam genug davon habe, mir das anzusehen, und eifersüchtig auf sie bin, obwohl ich sie mindestens so liebe wie jeder von euch, dann hast du verflucht Recht! Es ist nichts, worauf ich stolz bin! Aber ich will verdammt sein, ehe ich dein Lückenbüßer werde, bis ihr Trauerjahr um ist und du sie endlich …«

Ohne Hast, als wolle er vermeiden, sie wieder zu erschrecken, hob er die Hand und legte zwei Finger auf ihre Lippen. Blanche verstummte notgedrungen. Dabei hatte sie ihm noch eine Menge zu sagen.

Einen Moment standen sie so da und sahen sich in die Augen, die seinen eine Schattierung dunkler als ihre.

Blanche spürte ihr Herz rasen. Sie war einer Panik nah. Sag nichts, sag nichts, sag nichts, dachte sie flehentlich, lieber Gott, mach, dass er nichts sagt …

Aber Gott war offenbar anderweitig beschäftigt. »Du irrst dich, Blanche«, sagte Jasper leise.

Seine tiefe, raue Stimme und seine Nähe lösten ein Gefühl in ihrem Unterleib aus, das gleichzeitig schmerzhaft und herrlich war. Sie kannte es von früher, wenn sie ihren zurückhaltenden Cousin Geoffrey gelegentlich dazu überlistet hatte, sie anzufassen. Aber inzwischen wusste sie, wie irreführend, wie brandgefährlich dieses Sehnen war. Thomas Devereux hatte sie den Unterschied zwischen Traum und Wirklichkeit gelehrt, und sie hatte sich geschworen, dieses Gefühl nie wieder zuzulassen. »Jasper …« Aber sie wusste nicht so recht weiter.

»Möchtest du mir weismachen, du weißt nicht, dass ich dich will, obwohl ich dir das seit einem halben Jahr zu zeigen versuche?«, fragte er. Wieder umfasste er ihre Arme, behutsam dieses Mal, und zog sie ein wenig näher.

»Vielleicht hättest du mal etwas sagen können«, murmelte sie nervös. »Sprechenden Menschen kann geholfen werden … Das heißt, in diesem Fall vielleicht doch nicht, weil ich …«

Er legte die Lippen auf ihre. Die seinen fühlten sich verblüffend weich an. Er roch wie alle Männer, die sie kannte, nach Rauch, Schweiß, Leder, Pferd und Eisen. Sie hatte diese Mischung immer als angenehm empfunden, aber an Jasper hatte sie eine ganz eigene Note, die Blanche so betörend und wohltuend fand, dass sie unwillkürlich die Augen schloss und tief durchatmete.

Als er jedoch die Arme um sie legte und sie seine Zungenspitze an ihren Lippen fühlte, befreite sie sich, stieß ihn weg und wich gleichzeitig zwei Schritte zurück. Mit hochgezogenen Schultern sah sie ihn an und schüttelte den Kopf. »Es geht nicht. Ich will das nicht.«

Jasper rührte sich nicht vom Fleck. »Warum nicht?«

»Es hat doch alles keinen Sinn«, entgegnete sie ungehalten. »Ich bin eine verheiratete Frau und du …«

»Nein, das ist nicht der Grund«, fiel er ihr ins Wort und betrachtete sie aufmerksam, den Kopf leicht zur Seite geneigt. »Sollte es am Ende doch irgendetwas geben, das der furchtlosen Blanche of Waringham Angst einjagen kann?«, fragte er schließlich.

»Darauf kannst du wetten, und ich habe verdammt gute Gründe.«

Er nickte, als könne er das ohne Mühe glauben. »Aber ich weiß, dass du eine Spielernatur bist, Blanche. Wenn du es nie wieder mit einem Kerl riskierst, wirst du nie erfahren, ob du nicht vielleicht doch etwas Lohnendes versäumst.«

Sie lachte verblüfft. Das Argument gefiel ihr. »Ich hatte mit Beteuerungen und Versprechen gerechnet.«

»Oh nein. Ich gebe keine Versprechen ab, die ich nicht halten kann, und ich weiß genau, wenn du mich einmal anfangen ließest, würde ich nicht wieder aufhören, egal, was du sagst, weil du das wundersamste und zauberhafteste Wesen bist, das mir jemals unter die Augen gekommen ist, und ich mich nach dir verzehre, seit ich dich auf Edmunds und Megans Hochzeit zum ersten Mal gesehen habe. Das ist eine lange Zeit für einen ungeduldigen Mann wie mich. Also, spring oder bleib an Bord. Dazwischen ist nichts.«

Sie sah ihn noch einen Moment an, und auf einmal war es

ganz leicht. Die Angst fiel einfach von ihr ab. Und das lag nicht daran, dass seine Wangen leicht gerötet waren, die blonden Bartstoppeln im Kerzenlicht glitzerten und er mit einem Mal absolut unwiderstehlich aussah. Oder zumindest lag es nicht *nur* daran. Sie wusste einfach, dass sie den Sprung nicht bereuen würde.

Ohne den Blick von seinem Gesicht abzuwenden, hob sie die Hände und löste die Schleifen, die von der Taille bis zum Kragen ihr Überkleid verschlossen. Keine Regung ihrer schlanken Finger entging seinen Augen. Als die letzte Schleife geöffnet war, trat er zu ihr, streifte ihr das schwere Überkleid von den Schultern, legte die Arme um sie und presste sie an sich. Sein Kuss war gierig, aber gleichzeitig scheu, seine Zunge schien Haschen mit der ihren zu spielen. Er ließ die Hände über ihren Rücken abwärts gleiten, umfasste ihr Gesäß und gab einen kehligen Laut des Wohlbehagens von sich.

Ohne den Kuss zu unterbrechen, raffte er ihren Rock und schob eine Hand zwischen ihre Beine, reizte und spielte mit seinen kräftigen Fingern. Blanche spürte ihre Knie schwach werden und öffnete die Schenkel ein wenig, damit er freie Bahn hatte. Er hörte nicht auf, bis die Hitze in ihrem Unterleib sich zu einem kleinen Ball zusammenzuziehen schien und sich dann in Wallungen puren Entzückens entlud, wie sie es nie zuvor verspürt hatte. Sie stöhnte, die Augen fest geschlossen, und für einen Augenblick verlor sie das Gleichgewicht. Aber er hielt sie, hob sie dann hoch und trug sie zum Kamin, vor dem ein paar Hirschfelle am Boden ausgebreitet lagen. Behutsam setzte er sie darauf ab, kniete sich neben sie und zog sich das Surkot über den Kopf. »Gar nicht schlecht für den Anfang, hm?«, murmelte er.

»Ich hatte ja keine Ahnung«, antwortete sie.

»Nein, das scheint mir auch so.«

Sie kuschelte sich auf dem Fell zurecht und sah zu, wie er sich auszog. Seine Bewegungen waren präzise und sparsam. Die helle Haut schimmerte im flackernden Schein des Kaminfeuers, und Blanche hätte stundenlang dem Spiel seiner Muskeln zuschauen können, die sie an den Schmied von Waringham erinnerten. Sie entdeckte eine schmale, quer verlaufende Narbe oberhalb seines Bauchnabels und fuhr sacht mit dem Finger darüber. »Was ist das?«

Er hatte die Augen geschlossen, den Kopf in den Nacken gelegt und ergab sich ihren sacht tastenden Fingern. Aber dann umschloss er ihre Hand mit seiner. »Das erzähl ich dir später. Vielleicht. Jetzt hab ich anderes im Sinn.«

Blanche streckte ihm die Arme entgegen. »Dann komm her.«

Er nahm ihre Hände, richtete sie auf und zog ihr Kotte und Hemd aus, löste ihr das Haar und drapierte die hüftlangen schwarzen Locken mit Sorgfalt. Einen Moment betrachtete er ihren weißen Leib, die festen, üppigen Brüste, und seine Augen leuchteten. Dann schob er sich auf sie und drang in sie ein, gierig und voller Ungeduld.

Die Hände auf ihren Brüsten waren rau, seine Stöße hart und fordernd, aber an seiner Ungeduld war nichts Bedrohliches. Blanche fühlte sich weder unterworfen noch gedemütigt, wie sie erwartet hatte. Im Gegenteil, Jasper steckte sie an mit seiner Wildheit und seiner Lust, die ihr so seltsam unschuldig vorkam, so arglos, dass sie überhaupt nicht zu ihm zu passen schien, und als er zu keuchen begann, ihre Schultern umklammerte und schneller wurde, schlang sie die Beine um seine Hüften und überließ sich bedenkenlos ihrem Geliebten und diesem neuen Gefühl von Ekstase, das er ihr geschenkt hatte.

Als er sich schließlich hochstemmte und von ihr lösen wollte, verschränkte sie für einen Augenblick die Arme in seinem Nacken und presste sich an ihn. Aber dann ließ sie ihn los. Um sich zu beweisen, dass sie es konnte.

Jasper stand vom Boden auf und holte seinen Mantel, der zum Trocknen über einer Stuhllehne gehangen hatte, um Blanche damit zuzudecken.

Sie schüttelte lachend den Kopf. »Das ist nicht nötig. Du kannst dir nicht vorstellen, wie warm mir ist.«

Trotzdem breitete er den Mantel über sie. »Es ist Winter,

und das hier ist Pembroke Castle«, erklärte er und streckte sich wieder an ihrer Seite aus. »Die Schwindsucht lauert in jedem Winkel auf die Unachtsamen. Aber dich soll sie nicht kriegen.«

Es rührte sie, dass er um sie besorgt war, und damit er es nicht merkte, ergriff sie seine Hand und legte sie auf ihre linke Brust.

Jasper seufzte zufrieden und umkreiste mit dem Zeigefinger den Hof. »Du hattest ein moosgrünes Kleid an auf Edmunds Hochzeit. Es hatte einen von diesen raffinierten eckigen Ausschnitten, die alles verheißen und nichts verraten.«

»Der König fand es unzüchtig.«

Er schnaubte leise, zog ihren Kopf an seine Schulter und erwiderte: »Nun, ich fand es wunderbar. Ich habe den ganzen Abend auf dein Dekolleté gestarrt wie ein liebeskranker Jüngling und hatte die größte Mühe, meiner Unterhaltung mit dem Bischof von Winchester zu folgen.«

Blanche erinnerte sich lebhaft an den Abend, da der Duke of York um ein Haar ihren Bruder umgebracht hätte. Und sie erinnerte sich auch an Jasper Tudors Blicke. Sie seufzte. »Es ist schade, dass du es dabei hast bewenden lassen. Wenn du mich geheiratet hättest, wäre mir allerhand erspart geblieben. Und Thomas Devereux auch«, musste sie der Gerechtigkeit halber hinzufügen.

»Ich wollte«, eröffnete Jasper ihr unerwartet. »Ich bin noch am selben Abend zu meinem Bruder, dem König, gegangen und habe ihn gefragt. Aber er sagte, York habe dich bereits einem Marcher Lord versprochen.«

»York.« Blanche spie das Wort regelrecht aus. »Was findet er nur an uns, dass er das Leben eines jeden Waringham vernichten will?«

»Die Ehre habt ihr nicht allein. Er hat es ebenso auf jeden Tudor und jeden Lancaster abgesehen und wer immer sonst zwischen ihm und Englands Thron steht. Ich habe Henry an dem Abend gesagt, er müsse ihn verhaften. Ich habe ihm erzählt, was Julian um ein Haar passiert wäre.«

»Und?«

Er schüttelte den Kopf. »Er hat mir gar nicht richtig zuge-hört. Wie immer, wenn man ihm etwas sagt, das er nicht wahr-haben will, wurde er abwesend und vage.«

»Aber irgendetwas muss passieren, Jasper. So viele gute Männer sind Yorks Verrat schon zum Opfer gefallen. Mein Vater. Dein Bruder. Megans Vater und Onkel. Wenn ihn nicht bald jemand erschlägt, wird irgendwann keiner von uns mehr übrig sein.«

»Das hat die Königin auch gesagt«, erwiderte Jasper. »Ich glaube, Marguerite könnte unser Trumpf in diesem Spiel wer-den, Blanche. Denn York unterschätzt sie, hat kaum zur Kennt-nis genommen, dass es sie gibt. Dabei ist sie eine sehr gefähr-liche Frau.« Er griff mit der Rechten in ihre üppigen Locken und ließ sie langsam durch die Finger gleiten. »Genau wie du.«

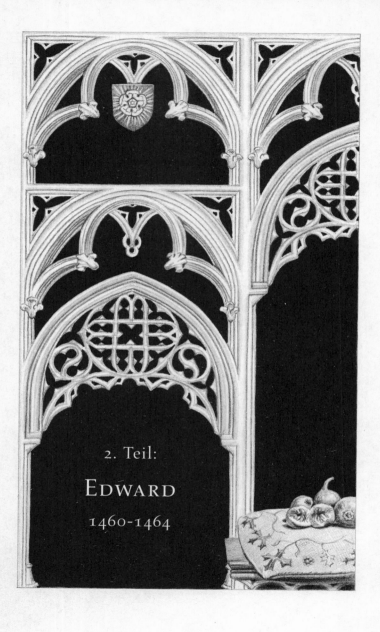

2. Teil:

EDWARD

1460–1464

Kenilworth Castle, Juli 1460

»Was soll das heißen, sie sind zurückgekommen?« Königin Marguerite schlug mit der Faust auf den Tisch – heftig genug, dass die Weinbecher erzitterten und die Lords leicht zusammenzuckten. »Das können sie nicht! Sie sind verurteilte Verräter! Wieso habt Ihr sie nicht verhaftet und ihnen die Köpfe abgeschlagen?«

Julian fragte sich, ob die Faust sie nicht schmerzte. Eine so zarte Frauenhand schien kaum dafür geschaffen, auf Tische zu schlagen. Aber wenn es der Fall war, ließ die Königin sich zumindest nichts anmerken.

Der Duke of Somerset räusperte sich verlegen. »Madam, dazu fehlten uns die Kräfte. Warwick und der junge Edward of March ... Sie sind mit zweitausend Mann aus Calais gekommen.«

»*Zweitausend?*«, wiederholte sie ungläubig. »Woher in aller Welt haben sie die?«

»Es sind Männer der Garnison von Calais«, antwortete Julian. »Sie sind Warwick ganz und gar ergeben, weil er, seit er ihr Kommandant ist, pünktlich den Sold bezahlt. Aus der eigenen Schatulle.«

»Verstehe«, murmelte sie bitter. »Sie verraten ihren König und küssen die Hand, die sie füttert.«

Sie hat Recht, musste Julian einräumen. Und er erinnerte sie nicht daran, dass die Krone es jahrelang versäumt hatte, die Männer von Calais regelmäßig für ihre Dienste zu entlohnen oder auch nur ausreichend mit Lebensmitteln zu versorgen. Es hätte Marguerite bloß noch zorniger gemacht, und im Augenblick schien es ihm das Wichtigste, dass sie alle einen kühlen Kopf behielten.

Es war nicht lange gut gegangen mit dem Protektorat des Duke of York. Zu groß waren das Misstrauen und die Abneigung der beiden rivalisierenden Fraktionen, der Lancastrianer und Yorkisten, und Königin Marguerite hörte nie auf zu argwöhnen, dass York den kleinen Prinzen Edouard aus der Thronfolge drängen wollte. Vor vier Jahren war sie daher mit dem Prinzen und ihrem Haushalt nach Kenilworth, unweit von Coventry, übersiedelt, hatte Adlige und Bischöfe aus dem Kernland der Lancaster in den Rat des kleinen Prinzen berufen und eine Leibwache für ihren Sohn gegründet, die wegen ihrer Livree die Schwanengarde genannt wurde und Marguerites allseits gefürchtete Privatarmee war. Als die Königin ihren Gemahl nach wenigen Monaten überredet hatte, ihr nach Kenilworth zu folgen, war der Duke of York mit leeren Händen in Westminster zurückgeblieben. Und noch ehe der ehrgeizige Herzog ganz begriffen hatte, wohin die Macht entschwunden war, die ihm so mir nichts, dir nichts durch die Finger geschlüpft war, hatte Marguerite in Coventry ein Parlament einberufen – unter Ausschluss des Duke of York, des Earl of Warwick und einiger weiterer Yorkisten –, und dieses Parlament hatte York und seine Anhänger als Verräter verurteilt.

Doch York hatte beschlossen, nicht tatenlos abzuwarten, bis er verhaftet wurde. Er sammelte seine Truppen, und bei Ludlow war es im vergangenen Oktober zur Schlacht gekommen. Anders als vier Jahre zuvor in St. Albans war Yorks Rechnung dieses Mal indes nicht aufgegangen. Viele seiner Männer hatten sich geweigert, Waffen gegen den gesalbten König zu führen, und waren in Scharen zu den Lancaster-Truppen übergelaufen. Die Yorkisten hatten die Schlacht verloren, und die Herzogin von York war mit ihren jüngeren Kindern den Feinden ihres Gemahls in die Hände gefallen. York selbst war nach Irland geflohen, sein ältester Sohn Edward of March und der Earl of Warwick nach Calais. Dort hatten sie gewartet und neue Kräfte gesammelt. Und nun hatten sie offenbar beschlossen, die Zeit sei reif.

»Auf dem Marsch nach London sind ihre Reihen angeschwollen«, setzte Algernon Fitzroy den unerfreulichen Bericht tapfer fort. »Im ganzen Süden sind sie ihnen zugelaufen: Bauern, kleine Handwerker, Ritter. Und die Stadtväter von London haben ihnen die Tore geöffnet.«

»London?« Zum ersten Mal lag ein Anflug von Furcht in Marguerites Stimme. »London hat uns den Rücken gekehrt?« Vorwurfsvoll wandte sie sich an Lucas Durham, dessen Onkel einer der reichsten Kaufherren der großen Metropole war und der deswegen immer wieder in die Verlegenheit geriet, der Königin die unergründliche Londoner Seele erklären zu müssen.

»Sie sind nicht gerade entzückt von Richard of York«, antwortete Lucas. »Aber sie lieben seinen Sohn, den jungen Edward of March. London hatte schon immer eine Schwäche für schöne junge Ritter, Madam. Und die Londoner sind grantig, dass der Hof nicht mehr in Westminster ist, die Parlamente nicht mehr dort stattfinden und die guten Geschäfte der Stadt deshalb entgehen. Wenn Ihr Euch eines Tages entschließen solltet …«

»Ich gedenke nicht, meine politischen Entscheidungen von der unstillbaren Geldgier der Londoner Pfeffersäcke abhängig zu machen«, beschied sie frostig.

Lucas Durham nickte. »Gewiss, Madam.« Julian sah, wie hart sein Freund die Zähne aufeinanderbiss. Marguerite hatte Lucas beleidigt, erkannte er. Dafür hatte sie ein unfehlbares Talent.

»Am zweiten Juli sind March und Warwick jedenfalls in die Stadt einmarschiert«, fuhr Algernon fort, und um der Königin ihre schroffen Worte an Lucas heimzuzahlen, fügte er hinzu: »Die Londoner säumten die Straßen und jubelten.«

Die Königin schüttelte den Kopf, ausnahmsweise einmal sprachlos, so schien es.

»Ich fürchte, wir müssen den Dingen ins Auge sehen, Majesté«, sagte Somerset ernst. »Der Süden ist den Yorkisten wie eine reife Frucht in den Schoß gefallen. Wir müssen verhandeln, es bleibt uns nichts anderes übrig.«

»Wirklich nicht?«, fragte sie. Es klang gefährlich.

Aber Somerset brachte sie so leicht nicht aus der Fassung. Sein Vater war Edmund Beaufort gewesen, Megans Onkel, der bei St. Albans gefallen war. Zusammen mit Julians Vater und dem Duke of Suffolk war er König Henrys verlässlichster Freund und Ratgeber gewesen, und ganz im Gegensatz zu Julian war der junge Somerset von dem Ehrgeiz beseelt, in seines Vaters Fußstapfen zu treten. Die Königin schätzte ihn sehr und hörte gelegentlich sogar auf seinen Rat. Und Somerset wusste, sie erwartete von ihm, dass er ihr schonungslos die Wahrheit sagte, auch wenn sie ihn zum Dank dafür oft genug abkanzelte. »Was sonst könnten wir tun?«, entgegnete er achselzuckend.

Ein Funkeln trat in ihre blauen Augen, sodass diese Julian für einen Moment an eine Schwertklinge im Sonnenschein erinnerten. Doch dann winkte die Königin ab und ließ sich seufzend in ihren Sessel sinken. »Ich muss darüber nachdenken. Habt Dank, Gentlemen. Wenigstens auf Euch ist noch Verlass. Aber nun müsst Ihr mich entschuldigen. Es wird Zeit, dass ich nach dem König sehe. Und da seine Krone wieder einmal auf dem Spiel steht, sollte ich ihm vielleicht ausnahmsweise einmal sagen, was vorgeht, nicht wahr?«

Die Lords und Ritter tauschten unbehagliche Blicke. Dann verneigten sie sich vor der Königin und machten kehrt. Sie hatten die Tür schon fast erreicht, als ihr noch etwas einfiel: »Ach, Waringham, seid so gut und bleibt noch einen Augenblick.«

Julian hielt inne. *Zu früh gefreut*, fuhr es ihm durch den Kopf. Er wandte sich um. »Gewiss, Madam«, sagte er, schloss die Tür hinter seinen Gefährten und trat wieder zu ihr an den Tisch. »Was wünscht meine Königin?«, fragte er höflich.

Sie schien ihn kaum zu hören. »York sitzt in seinem irischen Exil wie die Spinne im Netz«, bemerkte sie. Es klang beinah amüsiert. »Er lässt seinen Welpen und Warwick hier die Drecksarbeit für ihn erledigen und stellt sich wohl vor, im Triumph nach England zurückzukehren, wenn der Boden bereitet ist. Hat er vergessen, dass seine Gemahlin und seine jüngeren Kinder meine Geiseln sind?«

Julian hob die Schultern. »Vielleicht ist es ihm gleich.«

»Meint Ihr wirklich? Ob es ihm auch gleich wäre, wenn wir ihm ihre Köpfe nach Irland schickten?«

Julian sah auf sie hinab. Er setzte alles daran, sich nicht anmerken zu lassen, wie sehr ihn manchmal entsetzte, was sie sagte. Was sie tat, erst recht. »Die Duchess of York und ihre Kinder befinden sich in der Obhut des Erzbischofs von Canterbury, Majesté«, erinnerte er sie. »Ich habe Zweifel, dass er sich für diese Idee sonderlich erwärmen könnte.«

Sie zog die schmalen, dunklen Brauen in die Höhe. »Eure Illusionen sind ja so rührend, Waringham. Aber der Erzbischof hat ein paar dunkle Geheimnisse wie wir alle. Außerdem hat er einen jüngeren Bruder, der unbedingt Bischof von Durham werden und bei Hofe Karriere machen will. Ich denke, es ist alles eine Verhandlungsfrage, meint Ihr nicht?«

Ihre Überheblichkeit machte ihn wütend. Er wusste, dass genau das ihre Absicht war, aber trotzdem ging er ihr auf den Leim. »Fragt mich lieber nicht nach meiner Meinung.«

Marguerite lachte in sich hinein, erhob sich und lehnte sich an die Tischkante. »Aber ich bin brennend daran interessiert, Mylord. Also seid so gut und sagt mir, was Ihr denkt.«

Julian trat noch einen Schritt näher an sie heran, sodass kaum mehr eine Handbreit Platz zwischen ihnen war. »Ihr seid eine Viper«, eröffnete er ihr.

»Tatsächlich?«, erwiderte sie. »Sonst noch etwas?«

Er hob die Hand, zögerte einen winzigen Moment, dann legte er die Rechte um ihren Oberarm und packte hart zu. Es war das, was sie wollte. Er tat immer nur, was sie wollte. »Ein treuloses Weib. Und ein verruchtes Luder.«

»Und mit so etwas lasst Ihr Euch ein?« Mit geschickten Fingern schnürte sie seine Hosen auf. Sie brauchte nicht einmal hinzuschauen, sah ihm stattdessen unverwandt in die Augen. »Was Euer armer Vater wohl davon halten würde?«

Sie erkannte, dass sie ihn getroffen hatte, und ihre Lippen

verzogen sich für einen Lidschlag nach oben. Sie setzte sich auf den Tisch, legte die Hände auf seine Hüften und zog ihn zwischen ihre Schenkel. Julian drang hart und schnell in sie ein, so wie sie es gern hatte. Sie stöhnte hemmungslos, was ihn dankbar für die dicken Mauern und Türen von Kenilworth machte. Marguerite stemmte sich seinen Stößen entgegen, umklammerte seine Oberarme und lehnte sich weiter zurück. Keuchend beugte er sich über sie, drückte ihren Oberkörper auf die dunkel gebeizte Tischplatte hinab und hielt sie nieder, so als habe er hier das Sagen. Dabei war es *ihr* Spiel; sie ganz allein bestimmte die Regeln. Es machte ihr am meisten Spaß, wenn es ihr gelang, ihn in Rage zu bringen, aber Julian ließ sich niemals verleiten, zu weit zu gehen. Irgendetwas zu tun, das über ihre Wünsche hinausging. Denn er wollte gern noch ein bisschen weiterleben – selbst wenn er sich manchmal fragte, was an einem Dasein als Marguerites Lustknabe so erstrebenswert war.

Sie schlug die langen, sorgfältig manikürten Nägel in seinen Unterarm. Julian stieß zischend die Luft aus, zerrte ihr die Hände auf den Rücken und fesselte sie mit dem veilchenblauen Seidenschal, der scheinbar zufällig auf dem Tisch gelegen hatte. Die Königin nahm die Unterlippe zwischen die Zähne, was ihrem Gesicht einen schelmischen Ausdruck verlieh, drängte sich ihm entgegen und schloss halb die Lider, als sie kam. Es war nicht das letzte Mal. Marguerite war eine Geliebte mit königlichen Ansprüchen. Sie verlangte nicht nur die wortgetreue Befolgung ihrer Wünsche, sondern ebenso Ausdauer und Stehvermögen.

Als sie Julian schließlich bedeutete, dass er seiner Vasallenpflicht Genüge getan habe, lagen sie beide halb nackt am Boden. Strohhalme klebten an ihren schweißfeuchten Leibern, und die Sommerhitze in Verbindung mit dem schweren Geruch von Körpersäften drohte Julian die Kehle zuzuschnüren.

Er stand auf, zog seine Hosen an, schenkte sich einen Becher Wein ein und leerte ihn in wenigen großen Schlucken. Der Wein war schon lange nicht mehr kühl. Aber er schmeckte herb und erdig und tat ihm wohl. Als Julian absetzte, keuchte er. Er fuhr sich mit dem Handrücken über die Lippen, wandte sich um, lehnte sich an den schweren Tisch und kreuzte die Knöchel.

Gefesselt, mit entblößten Brüsten und aufgelösten Haaren lag Marguerite im Stroh, die Augen geschlossen, ein schläfriges Lächeln auf den Lippen. Wie eine läufige Schäferstochter, dachte er. Aber er dachte es mehr verwundert als angewidert. Ihre Schönheit konnte ihn immer noch rühren. Das Grübchen an ihrem Kinn. Die schmalen Schultern, die zerbrechlich wirkenden Schlüsselbeine. Das seidige, dunkle Haar, die langen, schmalen Finger. Er wusste nicht, was mit ihr passiert war, wie sie zu dem geworden war, was da zu seinen Füßen im Stroh lag, aber manchmal kam ihm der Gedanke, dass all das ein tragischer Irrtum sein musste. Dass Gott sie nicht so erschaffen hatte.

Als sie die Augen aufschlug, verging ihm der leise Anflug von Mitgefühl. Etwas ganz und gar Erbarmungsloses war in diesem Stahlblau.

»Hilf mir auf und bind mich los«, befahl sie.

Er rührte sich nicht sofort. »Was wohl wäre, wenn ich dich so hier liegen ließe …«, überlegte er halblaut, obwohl er wusste, dass sie ihn allein für diese Worte früher oder später würde büßen lassen.

Sie schnaubte. »Das kann ich dir genau sagen: Du würdest einen sehr langsamen Verrätertod sterben, weil ich dich beschuldigen würde, dich mir unsittlich genähert zu haben, und in schätzungsweise drei Tagen wären englische Soldaten in Wales, um deine Schwester zu verhaften und ihrem sehnsüchtig wartenden Gemahl zu bringen.«

Julian nickte, schenkte sich nach und trank. Nichts rührte sich in seinem Gesicht. Ihre Drohungen waren ihm alles andere als neu.

Es hatte angefangen, als er kurz nach seinem zwanzigsten Geburtstag auf Befehl der Königin nach Kenilworth gekommen war, um ihr bei der Eintreibung der Steuern und Pachten behilflich zu sein, die der Krone aus dem Herzogtum Lancaster und dem Prince of Wales aus seinen Besitzungen zustanden. Auf dass sie sich rüsten und gegen die Machenschaften des Duke of York zur Wehr setzen konnten. Julian hatte jedoch bald gemerkt, dass Marguerite ihn nicht wegen seiner Qualitäten als Soldat an ihren Hof geholt hatte. Als sie ihm zu verstehen gegeben hatte, was es war, das sie von ihm wollte, war er nicht wenig geschmeichelt, vor allem jedoch schockiert gewesen, und ihre Avancen hatten ihm Angst gemacht. Er hatte versucht, ihr möglichst höflich auszuweichen, und da hatte sie ihm zum ersten Mal vor Augen geführt, welche Macht sie über ihn und die Seinen besaß. Dass sie nur mit den Fingern zu schnipsen brauchte, um sein Leben zu zerstören. Oder das seiner Schwester.

»Du solltest nicht vergessen, dass Wales unter englischer Herrschaft steht. Jasper Tudor mag dort ein mächtiger Mann sein und seine schützende Hand über deine Schwester halten, doch ist er ein englischer Kronvasall. Und unser Gesetz gilt dort ebenso wie hier. Also …«

Julian machte einen Schritt auf sie zu, beugte sich vor, zog sie unsanft auf die Füße und löste den Knoten des Schals, der ihre Hände gefesselt hatte. »Schon gut. Es ist wirklich nicht nötig, das immer wieder zu betonen.«

»Mir scheint hingegen, man kann dich gar nicht oft genug daran erinnern.« Marguerite zog ihr Unterkleid zurecht und schloss die Haken und Ösen. Ohne Hast oder Scham. Selbst nach den ausgefallensten Eskapaden war Marguerite niemals verlegen, sondern strahlte Überlegenheit und äußerste Gelassenheit aus. Und wie eh und je kam Julian nicht umhin, sie für ihren Schneid zu bewundern.

Sie trat zu ihm, sah ihm in die Augen, stahl ihm den Becher aus der Hand und trank. Konzentriert ließ sie den Wein über die Zunge rollen, schluckte und nickte. »Passabel. Genau wie du, Julian.«

Die Sommerhitze in den Midlands war feucht und drückend. Doch als Julian ins Freie trat, spürte er wenigstens einen Lufthauch, der vom Wasser her wehte. Kenilworth war eine ebenso wehrhafte wie schöne Burg aus einem rötlichen Stein, der in der Nachmittagssonne manchmal einen wundervollen matten Kupferglanz hatte, und die Burganlage war umgeben von einem See, der liebevoll »das Große Meer« genannt wurde. Außerhalb der trutzigen Burgmauern am jenseitigen Ufer hatte König Henrys Vater, der ruhmreiche Harry, vor rund vierzig Jahren ein komfortables Haus errichten lassen, wohin er sich vom Trubel des Hofes zurückziehen konnte. Dieses abgelegene, geradezu verschwiegene Refugium hatte die Königin als ihr Domizil gewählt, und Julian musste mit einem Ruderboot über das Große Meer paddeln, um die eigentliche Burg zu erreichen. Trotz der Hitze kam ihm die Bootsfahrt gelegen. Karpfen dümpelten knapp unter der Oberfläche des stillen Wassers, und im Uferschilf sangen Grillen. Es war friedvoll. Die gleichmäßigen Ruderschläge beruhigten ihn, und als er etwa die Hälfte des Sees überquert hatte, zog er die Riemen ein und schaute über das Wasser und auf die grünen Felder hinaus.

Die Gegend um Kenilworth war ganz anders als Kent. Das Land war flacher und dichter besiedelt. Die Wälder hier waren nicht so weitläufig. Trotzdem fühlte Julian sich von der Weite des Himmels an zu Hause erinnert, und er fand sein Gleichgewicht wieder in der majestätischen Stille auf dem See.

Es war früher Nachmittag – bei diesem Wetter meist eine Tageszeit schläfriger Ruhe –, und er hoffte, ungesehen zu seinem Quartier in dem alten Bergfried zu gelangen, denn er wollte nicht, dass seine Freunde merkten, wie lange er bei Marguerite gewesen war.

Als er durch das mächtige Torhaus in den Hof kam, war er erleichtert, diesen fast völlig verwaist zu finden. Er sah kein vertrautes Gesicht auf dem Weg zum Hauptgebäude. Verstohlen wie ein Dieb schlüpfte er ins kühle Halbdunkel des alten Gemäuers und die Treppe hinauf.

In seinem Quartier fand er seinen Knappen Alexander vor, der am Tisch saß, sich die Langeweile mit dem Würfelbecher vertrieb und sehnsüchtig aus dem kleinen Fenster schaute.

»Tut mir leid, dass du so lange warten musstest, Junge«, sagte Julian.

Alexander zuckte die Schultern und unterdrückte ein Gähnen. »Macht nichts, Sir. Allein zu würfeln hat den Vorzug, dass man immer gewinnt.«

Julian grinste vor sich hin. Kaum ein Tag verging, ohne dass er Gott für diesen umsichtigen und höflichen Jungen dankte, der immer aufmerksam war und dem anscheinend nichts die Laune verderben konnte. »Sei so gut und hol mir einen Eimer Wasser. Danach kannst du von mir aus verschwinden. Deine Freunde baden im Großen Meer.«

»Ich hab's gesehen«, erwiderte Alexander ohne sonderliche Begeisterung. »Aber ich kann nicht schwimmen.«

Julian zog Surkot und Wams über den Kopf, und als sein Gesicht wieder zum Vorschein kam, zeigte es Verwunderung. »Ist das wahr? Warum hast du das nie gesagt? Ich kann es dir beibringen.«

»Ich schätze, es war mir peinlich.«

»Unsinn«, widersprach Julian. »Sobald wir wieder mal für ein paar Wochen nach Waringham kommen, kriegst du Schwimmunterricht. Von mir höchstpersönlich. Wir müssen es ja nicht an die große Glocke hängen, wenn es dir unangenehm ist. Ein Ritter, der auf sich hält, muss schwimmen können.«

»Wozu?«, fragte Alexander. »Ein Ritter, der über Bord fällt, ersäuft so oder so, weil seine Rüstung ihn in die Tiefe zieht.«

»Na ja, da hast du Recht«, musste Julian einräumen. »Denkst du, es wird heute noch was mit dem Eimer Wasser?«

Schleunigst sprang Alexander von dem lederbespannten Schemel auf, ging hinaus und kam in Windeseile mit einem Eimer zurück. Das Gefäß war randvoll und schwer, aber Alexander trug es ohne erkennbare Mühe. Das rief Julian ins Gedächtnis, dass sein Knappe schon siebzehn und kein Knabe mehr war. Julian dachte nicht gern an den Tag, da er ihn verlieren würde, doch dieser Tag rückte unaufhaltsam näher.

Alexander gab Wasser aus dem Eimer in die Schüssel auf

dem Tisch und legte Rasiermesser, ein Handtuch, sogar einen kleinen Klumpen Seife bereit.

Vermutlich kann man auf zehn Schritte Entfernung riechen, wie nötig ich es habe, dachte Julian verdrossen. »Danke. Jetzt verschwinde.«

»Kann ich Euch vorher noch was fragen, Sir?«

Julian seufzte. Er wollte allein sein. Er wollte nachdenken, sich einreden, es sei alles nicht seine Schuld und er könne nichts dafür, dass er den König auf so schändliche Weise betrog, und vor allem wollte er sich waschen.

»Ich könnte Euch rasieren«, erbot sich der Junge.

Julian zog die linke Braue hoch. »Was hast du denn auf dem Herzen, dass du mir so unwiderstehliche Angebote machst? Also schön, meinetwegen.«

Er wusch sich Gesicht und Hände, dann setzte er sich auf den Schemel und reichte Alexander das Messer.

Der Knappe stellte sich hinter ihn, hob mit einem Finger sein Kinn an und machte sich behutsam ans Werk.

»Für jeden Schnitt eine Ohrfeige«, drohte Julian.

Alexander grinste über den nervösen Tonfall. »Ich pass schon auf«, versprach er.

»Also?«

Für ein paar Herzschläge war nichts zu hören als nur das Schaben der Klinge. Dann fragte Alexander: »Werden wir gegen die Yorkisten in die Schlacht ziehen?«

Julian blinzelte gegen das Sonnenlicht, das ihm direkt in die Augen fiel. »Ich schätze schon. Die Königin scheint nicht in der Stimmung, mit Warwick zu verhandeln. Aber sei unbesorgt. Wir werden wieder gewinnen. Wir setzen den König einfach auf einen Gepäckwagen und nehmen ihn mit, und dann werden die Soldaten der Yorkisten glauben, sie kommen in die Hölle, wenn sie gegen uns kämpfen. Das hat bei Ludlow auch funktioniert.«

Alexander drehte Julians Kopf ein wenig und rasierte ihm die linke Wange. »Was habt Ihr mit Eurem Arm gemacht?«, fragte er plötzlich.

Ein wenig zu hastig drehte Julian den rechten Unterarm um, sodass die Handfläche nach oben zeigte und die Spuren von Marguerites Nägeln verdeckt waren. »Was weiß ich. Irgendwo in die Rosen geraten oder so.«

»Es blutet.«

»Rosen haben Dornen, Alexander«, belehrte Julian ihn trocken.

»Nein, ich meine, es läuft richtig.«

Sein Dienstherr seufzte ungeduldig. »Ich glaube trotzdem, wir kriegen mich noch mal durch.«

»Waren es weiße oder rote?«, wollte Alexander wissen.

»Was?«, fragte Julian entgeistert.

»Die Rosen, Sir. Weiß oder rot?«

»Oh, keine Ahnung. Warum willst du das wissen?«

»Einer von Somersets Bogenschützen hat mir erzählt, es bringt Unglück, wenn man sich an weißen Rosen verletzt. Es entzündet sich viel schneller als bei roten.«

»Wirklich?«, fragte Julian belustigt. »Ich schätze, das liegt daran, dass der Bogenschütze des Duke of Somerset Lancastrianer ist, Alexander. Bei den Yorkisten erzählen sie sich vermutlich das Gegenteil.«

»Tja. Kann sein«, murmelte der Knappe nachdenklich und rasierte die gefährliche Partie unter dem Kinn. »Und wenn Ihr Recht habt und wir schlagen die Yorkisten dieses Mal wieder, Sir, was passiert dann mit dem Earl of Warwick?«

Julian deutete ein Schulterzucken an. »Wenn wir ihn erwischen, verliert er den Kopf. Dafür wird die Königin sorgen.«

Alexander antwortete nicht. Er ließ das Messer sinken, und Julian warf ihm über die Schulter einen Blick zu. »Wie kommt es, dass du dir ausgerechnet über Warwick Gedanken machst?«

»Er ist mein Cousin.«

»Na und? Meiner auch. Trotzdem ist er ein Verräter.«

Die Augen des Jungen waren kummervoll. »Es kommt mir nur so widersinnig vor, Sir. Das ist … ein Bruderkrieg. Ich kann nicht glauben, dass Gott es gutheißt. Und wir werden alle so enden wie Kain und Abel: Verdammt oder tot.«

Julian nickte. »Oder beides.«

Alexander wandte sich ab. »Ihr macht Euch über mich lustig«, murmelte er vorwurfsvoll, spülte das Messer in der Waschschüssel ab und räumte es sorgsam weg.

»Nein.« Julian beschloss kurzerhand, dem Jungen reinen Wein einzuschenken und den Schutzschild seiner Flapsigkeit wenigstens für einen kurzen Moment zu senken. »Du hast vollkommen Recht. Es ist ein gottloser Bruderkrieg, und ich weiß oft selbst nicht, was ich denken soll. Der Earl of Warwick hat mich ausgebildet und war mir oft ein guter Freund. Es hat mir … ziemlich zu schaffen gemacht, dass unsere Wege uns in verfeindete Lager geführt haben. Und der König ist nicht gerade ein Mann, der Ergebenheit in einem weckt, nicht wahr? Man fragt sich manchmal, ob es sich wirklich lohnt, für ihn ins Feld zu ziehen.«

»Mylord!«, rief Alexander erschrocken aus.

Julian fuhr unbeirrt fort. »Aber der Duke of York ist nur auf den ersten Blick die bessere Wahl. Glaub mir, ich hatte das zweifelhafte Vergnügen, sein wahres Gesicht zu sehen, und es war kein schöner Anblick. Er würde England ganz sicher nicht mehr Glück bringen als der fromme Henry, so unfähig und umnachtet der König auch sei. Und unser Cousin Warwick, der ruhmreiche Richard Neville, hat sich zu Yorks Geschöpf machen lassen. Er ist nicht besser als er. Wir alle müssen eine Entscheidung treffen, Alexander. Jeder von uns. Und sie ist für keinen leicht, für einen Neville schon gar nicht. Aber jeder Mann von Stand in England hat Verwandte und Freunde in beiden Lagern. Wer sich nicht entscheidet, der wird zerrissen. Also, triff deine Wahl. Wirf eine Münze. Tu irgendwas. Aber entscheide dich, sonst gehst du vor die Hunde.«

Alexander stand mit gesenktem Kopf vor ihm und schluckte sichtlich. Doch als er aufschaute, war ein kleines Lächeln in seinen Mundwinkeln. »Danke, Mylord, dass Ihr so offen wart. Ich habe gedacht … ich sei der Einzige, der es schwierig findet, sich zu entscheiden.«

»Das bist du todsicher nicht«, sagte Julian. »Ich schätze, es geht viel mehr Männern so, als wir ahnen, nur machen die meisten ein Geheimnis daraus. Und das sollten wir auch wieder tun, sobald diese Unterhaltung vorüber ist. Königin Marguerite sind halbherzige Anhänger verhasster als Feinde. Die Männer ihrer Schwanengarde sind überall, sie sehen alles, und sie hören alles. Man ist gut beraten, seine Gefühle vor ihnen und der Königin zu verbergen. Möglichst tief.« Und das, befand er, war das weiseste Wort, das er heute gesprochen hatte, und ein guter Rat, den vor allem er selbst beherzigen sollte.

Die wundervolle Halle von Kenilworth war durchflutet von warmem Nachmittagslicht. John of Gaunt, der große Duke of Lancaster, hatte sie vor langer Zeit für seine legendären Hoffeste bauen lassen, und seine Sucht nach verschwenderisch großen Glasfenstern und anderem Prunk hatte dafür gesorgt, dass sie zu den schönsten und lichtesten in ganz England zählte.

Julian entdeckte Algernon Fitzroy, Lucas Durham und Frederic of Harley im Schatten der Galerie, wo sie mit Somerset und einigen anderen jungen Lords zusammenstanden, doch ehe er sich ihnen anschließen konnte, sagte eine vertraute Stimme: »Was habe ich verbrochen, dass du mich mit Verachtung strafst, Julian of Waringham?«

Er wandte sich um. »Megan!«

Sie saß am Ende einer Bank mit dem Rücken zur Tafel, einen leichten Reisemantel auf dem Schoß. Mantel, Kleidersaum und Schuhe waren voller Staub.

»Gerade angekommen?«, tippte Julian und nahm die Hände, die sie ihm entgegenstreckte. Für einen Moment spürte er das Herz in der Kehle, als er sie berührte, und ließ sie beinah hastig wieder los.

Megan nickte. »Wir waren in Chester. Als wir gehört haben, was passiert ist, wollte Hal umgehend herkommen, um Marguerite ... den König seiner Unterstützung zu versichern.«

»Hal?«, fragte Julian verwirrt.

»Henry Stafford, Julian, mein Gemahl«, erinnerte sie ihn trocken.

»Oh, natürlich.« Er setzte sich neben sie, aber er sah sie nicht an. Megan hatte kaum das Trauerjahr abgewartet, bevor sie wieder geheiratet hatte. Julian wusste, sie hatte wenig Einfluss auf diese Entscheidung gehabt. Ihr Schwager Jasper hatte sie im Frühjahr nach Edmunds Tod in ihre Kutsche gesetzt und war wie ein Gaukler mit ihr kreuz und quer durch England gezogen, auf der Suche nach einem geeigneten Heiratskandidaten. Jasper hatte es zu Megans Sicherheit und der ihres kleinen Sohnes getan, denn je größer Yorks Macht in England geworden war, desto unsicherer wurde ihre Lage. Und mit Hal Stafford hatte er eine ausgezeichnete Wahl getroffen. Stafford war der Sohn des Duke of Buckingham, ein begüterter Edelmann von untadeligem Ruf und beinah so etwas wie ein Gelehrter. Vermutlich hatte er Megan mehr zu bieten als nur Sicherheit. Aber Julian war das alles ein bisschen zu schnell gegangen.

Als könne Megan seine Gedanken lesen, sagte sie leise: »Ich merke, du hast mir immer noch nicht verziehen. Aber es war das Einzige, was ich tun konnte, Julian. Und Hal ist ein wunderbarer Mann. Das heißt jedoch nicht, dass ich Edmund vergessen hätte.«

Er sah verlegen auf. »Megan ... es steht mir überhaupt nicht an, dir etwas übel zu nehmen. Natürlich war es das Einzige, was du tun konntest. Ich bin einfach ein unbelehrbarer Tor und wünschte, Edmund wäre nicht gestorben, das ist alles.«

»Es vergeht kein Tag, da ich nicht das Gleiche wünsche«, erwiderte sie nüchtern.

Dieses Eingeständnis versöhnte ihn ein wenig. Das verstand er nicht so recht, denn er wollte doch gar nicht, dass Trauer ihr Leben verdüsterte. Er wollte, dass sie glücklich war. Wenn ein Mensch auf der Welt das verdiente, dann Megan Beaufort, denn er kannte niemanden sonst, der die göttlichen Gebote der Nächstenliebe und Frömmigkeit mit solcher Hingabe befolgte wie sie. Aber leider bekamen die wenigsten hier auf Erden, was sie verdienten – die Schurken ebenso wie die Heiligen. Zumindest das hatte er gelernt.

Er lehnte sich zurück, stützte die Ellbogen auf den Tisch

und betrachtete seine Cousine zum ersten Mal eingehend. Mit siebzehn war Megan kein blutjunges Mädchen mehr, doch sie wirkte so filigran und unirdisch wie eh und je. Die Taille in dem züchtigen dunklen Kleid war so schmal, dass es Julian vorkam, als könne er sie mit einer Hand umfassen. Es war ihm immer noch unbegreiflich, wie dieses spinnwebenzarte Wesen ein Kind zur Welt gebracht haben sollte, und das eine Mal, da seine Schwester versucht hatte, ihm zu erzählen, wie es gewesen war, hatte er hastig das Thema gewechselt.

»Du sagst, ihr kommt aus Chester? Wart ihr in Wales?«

Megan nickte und sah sich verstohlen um. »Im Mai hab ich sie zuletzt gesehen. Es geht ihr gut.«

Es waren noch nicht viele Menschen in der Halle, aber wenn sie nicht allein waren, erwähnten sie Blanche niemals namentlich. Keine Absprache war darüber getroffen worden, doch sie hatten es sich beide zur Gewohnheit gemacht, und Julian war Megan dankbar für ihre Diskretion. Es war ein schwerer Schlag für ihn gewesen, als die Königin ihm offenbart hatte, dass sie Blanches dunkles Geheimnis kannte und wusste, wo seine Schwester sich versteckt hielt. Seit jenem Tag lebte Julian mit der Angst, dass Thomas Devereux oder jeder andere Yorkist es genauso herausfinden könnte wie Marguerite. Es gab nicht viel, was er dagegen tun konnte, außer selber jede Unachtsamkeit zu vermeiden.

»Sie kümmert sich rührend um meinen Sohn«, fuhr Megan gedämpft fort. »Ich weiß wirklich nicht, was ich täte, wenn ich sie nicht hätte.«

Das war noch eine Sache, die Julian schwer zu verstehen fand: Megan holte ihren kleinen Sohn nie zu sich nach England. Der Junge lebte bei Blanche in Pembroke oder wo immer seine Schwester und Jasper Tudor sich auch in Wales herumtreiben mochten. Julian glaubte nicht, dass es ernsthaften Anlass gab, in England um die Sicherheit des Jungen zu fürchten. Jetzt gewiss nicht mehr, da Megan so machtvollen Schutz geheiratet hatte. Ob ihr Gemahl den kleinen Tudor nicht im Haus haben wollte? In seinem Stiefsohn nur dessen Vater sah, seinen – Staffords – Vorgänger in Megan Beauforts Bett? Gut möglich, befand Julian.

»Jasper ist äußerst umtriebig in Wales«, erzählte Megan.

Julian nickte. »Ich hab's gehört. Vor ein paar Monaten hat er zu guter Letzt auch noch Denbigh eingenommen. Jetzt hat der Duke of York in Wales praktisch kein Fleckchen Land mehr, auf das er seinen Fuß setzen könnte. Jasper hat ein Wunder für den König gewirkt.«

»*Gott* wirkt Wunder, Julian«, verbesserte Megan ihn aus alter Gewohnheit. »Trotzdem hast du Recht. König Henry kann sich glücklich schätzen, einen solchen Bruder zu haben.«

Julian fragte sich, wie viel Blanche über die letzten drei Jahre überhaupt von Jasper gesehen hatte, während der Wales Stück um Stück für die Krone zurückeroberte. Ob er sie mitnahm auf seine Feldzüge? Und wenn nicht, ob sie einsam war? Doch Julian konnte Megan diese Fragen nicht stellen, weil er nicht wusste, ob sie die geringste Ahnung von dem skandalösen Verhältnis zwischen Jasper und Blanche hatte.

Und so fiel er aus allen Wolken, als Megan ihm fast beiläufig eröffnete: »Sie ist übrigens guter Hoffnung.«

Vor Schreck verstieß Julian gegen ihr ungeschriebenes Gesetz. »*Blanche?*«

»Schsch«, mahnte seine Cousine. »Man konnte es kaum sehen, aber als ich sie gefragt habe, hat sie es mir gesagt.«

Er stützte die Stirn in die Hand. »Oh, Schande. Was für ein Malheur.«

»Damit war früher oder später zu rechnen, nicht wahr?«, entgegnete sie ungerührt.

Julian sah sie neugierig an. »Bist du überhaupt nicht schockiert?«

»Nein.«

»Befremdet?«

»Nein.«

»Wütend?«

»Auch nicht. Es bekümmert mich, dass sie in Sünde leben, das gebe ich zu. Aber es ist allein Gottes Sache, über sie zu richten, nicht meine. Hältst du mich für so bigott, Julian, dass du glaubst, ich breche den Stab über zwei Menschen, die so gut zu mir und meinem Sohn waren?«

Er betrachtete sie einen Moment nachdenklich, den Kopf zur Seite geneigt. »Bigott? Nein, ich glaube nicht. Aber das Ausmaß deiner Frömmigkeit hat uns allen immer ein bisschen Angst gemacht. Wenn du einen Raum betrittst, hat man gleich auf Verdacht ein schlechtes Gewissen, verstehst du.«

»Nein«, gab sie ein wenig verdrossen zurück. »Das verstehe ich nun wirklich nicht. Wenn ich euch Vorhaltungen gemacht habe, dann doch nur, weil ich um euch besorgt war. Ihr wart solche Flegel, Edmund und du. Manchmal konnte man wirklich um euer Seelenheil bangen.«

Lachend küsste Julian ihre Hand. »Oh, sei mir nicht gram, Megan. Und mach kein so strenges Gesicht, das steht dir nicht. Ich bin überzeugt, wir waren nie so schlimm, wie es dir vorkam.«

»Nein?«, fragte sie. Mit einem Mal war sie wütend, aber sie besaß genügend Beherrschung, um die Stimme zu einem tonlosen Flüstern zu senken. »Und was, wenn ich dir sagte, dass Edmund der Königin ins Netz gegangen ist? Wie würdest du das nennen? Einen Lausbubenstreich?«

Julian spürte, wie das Blut aus seinem Gesicht wich, und er brachte kein Wort heraus. Er fand einfach nichts zu sagen. Nicht genug, dass er hier eine seiner finstersten Befürchtungen bestätigt bekam. Aber dass ausgerechnet Megan Beaufort ihm dieses brandgefährliche Geheimnis enthüllte, machte ihn vollends sprachlos.

»Ich … ich würde sagen, das ist wirklich das Letzte, was wir hier erörtern sollten«, brachte er schließlich mühsam hervor.

Megan sah ihn an. Er wusste, wie bleich er geworden war, wie schlecht er es immer noch verstand, zu verbergen, was er dachte und fühlte. Er wollte den Kopf abwenden, aber es war zu spät. Sie hatte die Wahrheit längst erkannt. Federleicht legte sie ihm die Hand auf den Arm. »Dann lass uns für einen Moment in die Kapelle gehen.«

»Ein noch unpassenderer Ort für solch ein Thema.«

»Der einzige Ort, wohin du und ich allein gehen können, ohne Argwohn zu erregen.«

»Ich habe dir nichts zu sagen, Megan.«

»Dann wirst du mir einfach zuhören.«

»Meine Mutter hat mir erzählt, was für ein reizendes, unschuldiges Kind Marguerite d'Anjou war, als Suffolk sie nach England brachte«, begann Megan.

Julian fuhr nervös mit dem Finger über die Bleifassungen des vielfarbigen Fensters. Sie standen nebeneinander ans Sims gelehnt, den Altar ebenso im Blick wie die ausgebleichte Eichentür zu der kleinen, dämmrigen Kapelle.

»Ja, das Gleiche hat meine Mutter auch gesagt«, bemerkte er.

»Nun, sie haben sich beide getäuscht. Er war ihr erster Liebhaber.«

»Der Duke of Suffolk?«, fragte er entgeistert.

Megan nickte.

»Woher in aller Welt weißt du das?«

»Ich war mit seinem Sohn verlobt«, erinnerte sie ihn. »John de la Pole. Er hat es mir anvertraut.«

»Aber ... aber Suffolk war des Königs engster Vertrauter«, protestierte Julian.

»Edmund war des Königs Bruder. Je näher sie Henry stehen, desto mehr Vergnügen findet Marguerite daran. Du bist die Ausnahme, die diese Regel bestätigt.«

Julian räusperte sich. »Megan, wozu erzählst du mir das? Warum sind wir hier?«

»Aus zwei Gründen, Cousin. Erstens, um dir die Augen zu öffnen, damit du endlich siehst, dass ich schon lange nicht mehr das weltfremde Kind von einst bin und dass ich darüber hinaus nie so ein schutzbedürftiges Pflänzchen war, wie du immer glauben wolltest. Nicht Edmund hat mich vor John de la Pole errettet, sondern ich ihn vor Marguerite. Es kam uns beiden gut zupass, denn wir waren schrecklich verliebt, aber die Tatsache bleibt. Dir hingegen kann ich nicht auf diese Weise helfen, denn ich bin zufällig gerade mit Hal Stafford verheiratet, und darüber hinaus würde wohl selbst der König Verdacht schöpfen, wenn ich ihm ein zweites Mal eine rührselige Heiligengeschichte auftischte.«

Julian hob flehend die Hand. »Augenblick, Augenblick. Sag nicht, es war erfunden? Ich weiß nicht, ob ich es verkrafte, so viele Illusionen auf einmal zu verlieren. Das viel diskutierte Geheimnis, das sich um die Auflösung deiner Verlobung mit de la Pole und dein neues Verlöbnis mit Edmund Tudor rankte? Eine Lügengeschichte?«

»Mir ist selten im Leben etwas schwerer gefallen, aber es musste sein. Marguerite hätte Edmund zugrunde gerichtet. So hat es letztlich die Pest getan, aber das konnten wir ja nicht ahnen. Wenigstens hatten wir ein Jahr zusammen, und er ist als Ehrenmann gestorben. Ich denke, kaum jemand weiß so gut wie du, wie wichtig ihm das war.«

Er nickte. »Und der zweite Grund, warum wir hier sind?«

»Um dein Mitgefühl für Marguerite zu wecken.«

»Dann können wir jetzt gehen, Megan. Es wird ohnehin bald Zeit zum Essen, und ich bin hungrig wie ein …«

»Julian, hör mir zu.«

»Nein. Du verschwendest deine Zeit. Ich kenne eine Marguerite, für die kein Mensch, der auch nur einen Funken Anstand besitzt, Mitgefühl empfinden könnte.«

»Aber es gibt auch noch eine andere. Die Marguerite, die mit dem König von England verheiratet wurde und ihre Heimat verlassen musste, ohne dass irgendwer Rücksicht auf ihre Wünsche genommen hätte. Die Marguerite, der das englische Volk vom ersten Tag an nichts als Hass und Missgunst entgegengebracht hat, weil sie uns das Maine gekostet hat – eine Entscheidung, die mein Vater und dein Großvater getroffen und zu verantworten hatten, nicht sie. Die Marguerite, die nur den einen bescheidenen Wunsch hatte: einen Prinzen, um die Einsamkeit und die Kälte zu lindern.«

»Nun, den hat sie ja jetzt«, warf er ein, »auch wenn vermutlich nie ein Prinz mehr Väter hatte.«

»Ja, dieser Wunsch ist in Erfüllung gegangen. Und nun stehen wir vor einem Krieg, Julian, den Marguerite mit unerbittlicher Härte und Grausamkeit führen wird, um das Erbe ihres Sohnes zu verteidigen. Vielleicht bist du der Meinung, dass sie ihn genau so führen sollte, weil das Recht auf unserer Seite ist, aber dies wird ein Bruderkrieg sein.«

»Das höre ich heute schon zum zweiten Mal. Aber ich weiß auch nicht, was ich dagegen tun soll …«

Sie fuhr fort, als hätte er sie nicht unterbrochen. »Männer, die das gleiche Blut in den Adern haben, werden sich gegenseitig erschlagen. Du hast vermutlich Recht, ich wüsste auch nicht, was irgendwer von uns noch tun könnte, um das zu verhindern. Aber es wäre viel gewonnen, wenn irgendwer Marguerites Verbitterung lindern und ihr Herz erweichen könnte.«

»Oh, Megan, da bist du bei mir wirklich ganz falsch. Du überschätzt meinen Einfluss, glaub mir. Selbst wenn ich wollte, die Königin hätte nicht mehr Interesse an meiner Freundschaft als an der der Ratten im Bodenstroh. Sie benutzt mich, und sie demütigt mich, wenn sie kann. Das ist alles, was sie von mir will.«

»Vielleicht, weil das das Einzige ist, was du ihr gibst.«

»Ich glaube eher, es liegt daran, dass sie ein verkommenes Miststück ist, wenn du meine Offenheit verzeihst. Und ehrlich gesagt, ist mir unbegreiflich, wie ausgerechnet du sie in Schutz nehmen kannst. Immerhin ist der König dein Cousin.«

»Deiner auch«, gab sie zurück. »Und nicht ich bin derjenige, der ihn betrügt.«

Julian versuchte blinzelnd, durch die bunten Scheiben zu erkennen, wie weit der Nachmittag draußen fortgeschritten war. »Ja, nur zu, streu Salz in meine Wunden. Du weißt vermutlich, dass ich keine besonders großen Stücke auf ihn halte, aber ich schäme mich trotzdem, denn ganz gleich, was du denkst, ich habe so etwas wie ein Gewissen. Aber ich weiß nicht, was ich machen soll.«

»Sie erpresst dich, weil die Erfahrung sie gelehrt hat, dass das der einzige Weg für sie ist, ein bisschen Zuwendung zu bekommen.«

Julian wandte sich zu ihr um und verschränkte die Arme. »Es ist nicht Zuwendung, die sie will. Sie erpresst mich, weil sie es kann. Macht ist das Einzige, was sie will. Ich habe so etwas noch nie erlebt. Und ich finde es richtig unanständig für eine Frau, so machtgierig zu sein. Das ist nicht natürlich.«

»Julian ...«

»Nein, Megan, bitte. Lass uns aufhören. Du sagst, du willst mir beweisen, dass du kein weltfremdes Kind mehr bist. Das ist dir gelungen. Gründlich. Aber glaub mir, es gibt Abgründe, von denen du keine Ahnung hast. Weil du gut und heil und unverdorben bist. Mehr wie ein Engel, als dir vielleicht lieb ist«, fügte er mit einem unfreiwilligen Lächeln hinzu. »Können wir es nicht dabei belassen? Kannst du nicht einfach gut und heil und unverdorben bleiben? Es ist etwas so Kostbares in dieser unvollkommenen Welt. Halt dich von der Königin fern und am besten auch von mir, und bleib, wie du bist. Es wäre mir ein großer Trost, ehrlich.«

Ehe Megan darauf etwas erwidern konnte, ging unter vernehmlichem Quietschen die Tür zur Kapelle auf, und ein Mann trat über die Schwelle, der nicht viel älter als Julian sein konnte, dessen Haar aber schon völlig ergraut war. »Ah. Wusste ich doch, dass ich dich hier finde«, sagte er lächelnd zu Megan.

Julian sah aus dem Augenwinkel, wie ihr Gesicht erstrahlte. »Hal! Entschuldige, dass ich einfach verschwunden bin. Hier, dies ist mein Cousin, Julian of Waringham. Julian: Hal Stafford, mein Gemahl.«

Sie gaben sich die Hand. Stafford brach Julian beinah die Finger, und Julian schoss durch den Kopf, was sein Vater früher gelegentlich gesagt hatte: Trau niemals einem Mann mit einem zu festen Händedruck, denn er hat etwas zu verbergen. Hastig verscheuchte er den Gedanken. »Stafford. Eine Ehre«, sagte er ein wenig steif.

»Sie ist ganz auf meiner Seite, Sir«, erwiderte Hal im gleichen Tonfall.

Mit einem spöttischen Lächeln sah Megan von einem zum anderen. Dann fragte sie ihren Mann: »Hat der König nach uns geschickt?«

Er schüttelte den Kopf. »Aber ich habe mit der Königin und Somerset gesprochen. Eben ist ein Bote eingetroffen. Warwick und March ziehen mit ihren Truppen nach Norden. Wir müssen uns schleunigst bereit machen.«

»Wann rücken wir aus?«, fragte Julian.

»Morgen.«

Northampton, Juli 1460

Mit rund zweieinhalbtausend Mann waren die Königin, der König und die Lords, die zu ihnen standen, den Yorkisten entgegengezogen, und während des ganzen Marschs hatte es unablässig geschüttet – Tag und Nacht. König Henry hatte sich ständig über die beschwerliche Reise beklagt, und wenn er ausnahmsweise einmal nicht jammerte, sah er sich verwirrt um und fragte seine langjährigen Vertrauten nach ihren Namen. All das war der Truppe nicht verborgen geblieben, und Julian sorgte sich um die Moral der Männer.

Vor den Toren von Northampton hatten sie die feindlichen Banner schließlich gesichtet und ihr Lager aufgeschlagen, und am Morgen des zehnten Juli zogen die königstreuen Lancastrianer gegen die abtrünnigen Yorkisten in die Schlacht.

»Der Earl of Warwick hat Befehl gegeben, den König zu schonen, aber all seine Lords zu töten, Gentlemen«, eröffnete der Duke of Buckingham, der das Kommando führte, den Männern, die sich im Zelt der Königin zu einer letzten Lagebesprechung eingefunden hatten. Der Regen prasselte aufs Zeltdach, und wahre Sturzbäche plätscherten durch die undichten Stellen. Einer ergoss sich beständig auf Lucas Durhams linke Schulter und entlockte seiner Rüstung ein lustiges Klimpern.

»Erst musst du mich kriegen, Warwick, du Hurensohn«, murmelte der Begossene grimmig.

Julian nahm ihn beim Arm und zog ihn aus dem Regen, sagte aber nichts. Er wusste selbst, es war albern, schockiert zu sein. Sein Cousin Warwick, sein einstiger Lehrmeister und Mentor, hatte ihm schon einmal in jener schicksalhaften Nacht in Windsor bewiesen, dass er bereit war, Julians Leben im Kampf um die Macht in England zu opfern. Und dennoch konnte Julian kaum glauben, dass Warwick einen solchen Befehl ausgegeben haben sollte. Beinah jeder Mann, der sich hier in Margueriтes Zelt eingefunden hatte, war mit Warwick verwandt oder verschwägert.

Und Julian war offenbar nicht der einzige Ungläubige. »Wer sagt das?«, fragte der Duke of Somerset skeptisch.

»Mein Sohn«, antwortete Buckingham und wies auf Megans Gemahl. »Er hat sich in falscher Rüstung unter Warwicks Männer gemischt und sie ausspioniert. Gegen mein ausdrückliches Verbot, möchte ich hinzufügen«, schloss er. Es klang säuerlich, aber in seinen Augen leuchtete der Stolz auf den unerschrockenen Sohn.

Hal Stafford sah verlegen zu Boden, nickte aber: »Er hat es gesagt, Sirs, seid versichert.«

»Das sollte allen unter uns, die noch wanken, endgültig beweisen, dass die Männer dort drüben jenseits dieser Weide unsere Feinde sind«, sagte Buckingham eindringlich. »Vergesst ihre Namen, die in Euren Stammbäumen stehen mögen, vergesst die Freundschaft, die Ihr einmal für diesen oder jenen gehegt habt. Vom heutigen Tage an sind sie unsere Todfeinde, und wenn wir sie nicht bekämpfen, als wären es Franzosen oder Osmanen, dann werden wir sterben.«

Er sah sich um, und alle erwiderten seinen Blick mit bekümmerten Mienen, aber sie nickten. Sie waren entschlossen.

»Gut«, sagte Buckingham. »Lord Grey, Ihr führt die Vorhut, wie besprochen. Und zwar gegen Edward of March, Sir, nicht gegen Warwick.«

»Gegen Yorks Welpen?«, fragte Lord Grey, der ein alter Haudegen mit langjähriger Kriegserfahrung in Frankreich war, wo, so hatte Lucas Julian einmal erzählt, sein linker Arm auf einem Friedhof außerhalb von Castillon begraben lag. »Aber er muss noch ein Bengel sein.«

»Er ist am Tag vor St. Georg achtzehn Jahre alt geworden, Grey«, widersprach Buckingham. »Nicht nur wir werden älter, mein Freund, sondern auch die Söhne unserer Feinde. Unterschätzt ihn nicht, das ist mein Rat. Warwick versteht sich auf Intrigen und die Macht von Worten, aber der Feind, der uns heute auf dem Feld gefährlich werden könnte, ist Edward of March. Also zieht ihm entgegen, lehrt ihn das Fürchten, nehmt ihn gefangen, wenn Ihr könnt, aber schont sein Leben.«

»Tötet ihn«, widersprach Marguerite. Es war das erste Mal, dass sie sich zu Wort meldete, und alle Blicke richteten sich auf sie. Die Königin wirkte ernst und würdevoll. Sie legte Buckingham für einen Moment die Hand auf den Arm. »Ihr gebt den Lords guten Rat, mein Freund, nur seid Ihr selbst zu barmherzig, um ihn zu befolgen. Aber ich fürchte, das können wir uns nicht leisten. Sie sind unsere Todfeinde, wie Ihr sagtet. Auch Edward of March. Also, Lord Grey: Tötet ihn, wenn Ihr könnt.«

Der einarmige Veteran trat vor sie, sank auf ein Knie nieder und küsste Marguerite die Hand. »Für England, König Henry und St. Georg, Madam«, versprach er. »Und für Euch, meine Königin.«

Sie belohnte ihn mit einem Lächeln, das umso schöner war, als zwei Tränen in ihren Wimpern schimmerten.

Julian musste den Blick abwenden, damit ihm nicht schlecht wurde. Er wusste genau, die Tränen waren Teil der Komödie, die Marguerite hier spielte. Die Königin empfand nicht den Hauch von Betrübnis über den Riss, der mit einem Mal durch England ging. Sie gierte nach Warwicks Blut und auch nach dem des jungen Earl of March.

Buckingham breitete kurz die Arme aus. »Also, Gentlemen, macht Euch bereit. Gott sei mit uns allen.«

Vor dem Zelt warteten die Knappen mit den Pferden. Julian und seine drei Ritter saßen auf, stülpten die Helme über und ritten auf die rechte Flanke des kleinen Heeres, wo sie Buckinghams direktem Befehl unterstanden.

Wortlos beobachteten sie, wie die Yorkisten ihnen über die große, regendurchtränkte Weide entgegenkamen, genau wie sie selbst in dreigeteilter Schlachtaufstellung. Edward of March ritt an der Spitze, und er führte das Wappen seines Vaters, des Duke of York.

»Damit bei uns keine Zweifel aufkommen, für wen er hier ist«, spöttelte Lucas.

Lord Grey und die berittene Vorhut setzten sich in Bewegung. Erst langsam. Dann galoppierten sie an, und die Reiterei der Yorkisten kam ihnen entgegen.

Julian versuchte erfolglos, den Regen wegzublinzeln, der ihm in den Helm rann. »Mir scheint, sie haben mehr Männer als wir.«

Algernon nickte. »Was nicht zuletzt daran liegt, dass unsere Truppe in jeder der letzten Nächte geschwunden ist. Ich schätze, an die zweihundert Mann sind zu ihnen übergelaufen.«

Das war Julian nicht verborgen geblieben. Es hatte ihn erzürnt, und er hatte seinen dreißig Bogenschützen, die er aus Waringham mitgebracht hatte, gesagt, wer von ihnen zu den Yorkisten wechseln wolle, den könne er nicht hindern, aber der sei gut beraten, sich nie wieder in Waringham blicken zu lassen.

Keiner war gegangen.

»Dafür haben wir mehr Geschütze als sie«, fuhr Algernon zuversichtlich fort.

Aber Lucas schüttelte den behelmten Kopf. »Unsere Geschütze versinken im Morast, Algernon. Ich wette mit dir, hier wird heute keine einzige Kanone abgefeuert.«

Julian sah ihn erschrocken an. »Wie in aller Welt sollen wir dann ...« Er brach ab, als Frederics Hand schwer auf seinen Arm fiel. Der stumme Ritter wies nach Südosten.

»Oh, heiliger Georg!«, stieß Lucas hervor.

Lord Grey und die siebenhundert Mann der Vorhut hatten Edward of March erreicht. Doch statt des typischen Gegeneinanderbrandens, das man sonst sah, wenn zwei Reitereien zusammenprallten, teilte Greys Vorhut sich wie das Rote Meer vor dem Volke Israel, ließ March und seine Männer durch und floss hinter ihnen wieder zusammen.

»Sie laufen über.« Algernons Stimme bröckelte wie die eines Greises. »Jesus Christus, erbarme dich, sie laufen über ...«

Mit einem Mal war die feindliche Vorhut auf das Doppelte angeschwollen, und sie preschte ihnen entgegen.

»Und was machen wir jetzt?«, fragte Lucas.

Julian zog sein Schwert. »Ich nehme an, wir verlieren die Schlacht.«

Er stieß Dädalus die Fersen in die Seiten, ritt Edward of March entgegen, und seine drei Ritter folgten ihm.

Die Schlacht von Northampton währte nicht einmal eine halbe Stunde. Die Schnelligkeit und Leichtigkeit des Sieges der Yorkisten machte die Niederlage umso bitterer, würdigte sie zu etwas Beiläufigem herab. Doch selbst in der Kürze der Zeit erlitten die königlichen Truppen herbe Verluste: Weinend trug Hal Stafford seinen toten Vater vom Feld. Der Earl of Shrewsbury war ebenso gefallen und viele Soldaten.

Julian hatte seine liebe Mühe, in dem großen Durcheinander auf der morastigen Wiese seine Männer wiederzufinden. Frederic of Harley war der erste, den er entdeckte – unversehrt und in Begleitung eines guten Dutzends von Julians Bogenschützen.

Der Earl of Waringham nahm den Helm ab, damit Frederic seine Lippen lesen konnte. »Gut gemacht, Mann.« Dann wandte er sich an den Anführer seiner Bogenschützen: »Wie steht es, Davey? Haben wir Verluste?«

Davey Wheeler nickte und fuhr sich mit dem Ärmel über die Stirn. Er war außer Atem, und Blut tropfte von seinem Schwert, einem schartigem Relikt, das sein Vater bei Agincourt geführt hatte. »Mein Schwager Jocelyn ist gefallen,

Mylord. Ein paar andere haben auch was abgekriegt, aber sie kommen durch.«

»Dann bring sie nach Hause.«

»Aber Mylord ...«

Julian hob die Hand, um ihn zum Schweigen zu bringen. »Für euch ist der Krieg vorbei, Davey. Vielleicht für uns alle, ich weiß es nicht. Auf jeden Fall kehrt ihr nach Hause zurück und bringt die Ernte ein. Ich will verdammt sein, wenn Waringham hungert, weil die Lords um Englands Krone raufen wie Straßenköter um einen Knochen.«

»Was du tust, ist ebenso Verrat wie das, was du da redest«, warnte Lucas, der unbemerkt zu ihnen getreten war, und Frederic nickte nachdrücklich.

Julian fuhr sich mit der Linken über das regennasse Gesicht. Ohne auf den Vorwurf einzugehen, sagte er zu Frederic: »In deiner Eigenschaft als Steward von Waringham ersuche ich dich, die Männer nach Hause zu führen und dich um die Ernte zu kümmern. Wirst du's tun, ja oder nein?«

Frederic blickte einen Moment über das verwüstete Schlachtfeld, auf dem tote Pferde und Männer verstreut lagen wie Herbstlaub. Sein Gesicht zeigte Bitterkeit. Aber schließlich schaute er Julian wieder an und nickte.

»Und was wirst du tun?«, fragte Lucas.

»Ich schätze, ich sollte nach dem König und der Königin sehen. Irgendwer muss sie hier wegschaffen, und zwar schleunigst. Aber erst, wenn ich Algernon gefunden habe.«

Lucas wies nach Westen. »Er liegt da vorn. Du kannst ihn kaum verfehlen, eine abgebrochene Lanze ragt aus seiner Brust.« Sein Tonfall war sarkastisch, aber in seinen Augen standen Tränen.

Julian senkte den Kopf und bekreuzigte sich. Dann steckte er das Schwert ein und ging über die zertrampelte Wiese in die Richtung, die Lucas ihm gewiesen hatte. Seine beiden Ritter folgten ihm mit den Pferden.

Algernon lag auf dem Rücken, die Arme ausgebreitet wie ein Gekreuzigter. Der unablässige Regen fiel in seine Augen, die blicklos in den grauen Himmel starrten. Er hatte eine blutige Schramme auf der Wange, seine Rüstung war zerbeult, und der Kopf der Lanze hatte den Brustpanzer durchstoßen.

Julian kniete sich neben seinen Ritter in den Schlamm, strich ihm mit der Rechten über die Augen und schloss ihm die Lider. Dann beugte er sich über ihn und küsste ihm die Stirn. »Ruh in Frieden, Cousin.«

Er betete einen Moment, drückte dann das Knie auf den zerbeulten Brustpanzer, packte den abgebrochenen Schaft der Lanze und zog. Er musste seine ganze Kraft aufbieten, und er hatte ein schlechtes Gewissen, dass er die Ruhe des Toten so rüde störte, aber er wollte nicht, dass Algernon mit der Klinge in der Brust nach Hause zurückkehrte. Als Lucas und Frederic ihm zu Hilfe kamen und den Toten an den Schultern festhielten, ging es leichter. Mit einem letzten Ruck zog Julian die abgebrochene Waffe aus der Rüstung und schleuderte sie von sich. »Hat einer von euch zufällig gesehen, wer es getan hat?«, fragte er seine Ritter.

»Julian, das hier war eine Schlacht«, rief Lucas ihm in Erinnerung. »Du kannst keinen Mann dafür verantwortlich machen, was …«

»Hast du's gesehen?«, unterbrach Julian.

Lucas sah ihm einen Moment in die Augen und nickte dann. »Yorks Welpe.«

Edward of March, der mir einmal das Leben gerettet hat, fuhr es Julian durch den Kopf. Er faltete dem toten Ritter die Hände auf der Brust. Frederic hatte Algernons Schwert gefunden und steckte es in die Scheide.

Julian stand auf und sah sich suchend nach etwas um, woraus sie eine Trage machen konnten, als der Duke of Somerset mit einer Schar Männer auf ihn zugepprescht kam. »Julian! Warwick und March haben den König. Ich weiß nicht, wie, aber er ist ihnen in die Hände gefallen. Ich reite ihnen nach. Du musst die Königin in Sicherheit bringen!« Und damit war er fort.

»Er hat Recht, Julian«, drängte Lucas. »Reite zu ihr. Ich kümmere mich um Algernon.«

»Ich muss ihn nach Burton bringen«, protestierte Julian. »Das ist wohl das Mindeste, was ich ihm schuldig bin.«

Frederic und Lucas schüttelten die Köpfe, und Letzterer sagte: »Wenn du ihm eine letzte Ehre erweisen willst, dann sieh zu, dass nicht alles verloren geht, wofür er gestorben ist.«

Julian zauderte noch einen Augenblick, aber dann sah er die Yorkisten in kleinen Gruppen auf das königliche Zeltlager zustreben, und er wusste, er durfte keine Zeit mehr verlieren. »Gottverflucht … ihr habt Recht«, antwortete er und schwang sich wieder in den Sattel.

Er hielt auf die kleine Schar Feinde zu, die dem königlichen Pavillon am nächsten war, um ihr den Weg abzuschneiden. Die Reiter waren so auf ihr Ziel konzentriert, dass sie ihn nicht kommen sahen, und Julian zog das Schwert wieder und hieb dem vorderen der Yorkisten den Kopf ab, ohne dass Dädalus sein Tempo merklich verlangsamte. Das war ein gewagtes Manöver, und die meisten, die es je versucht hatten, landeten entwaffnet und mit gebrochenen Knochen am Boden. »Es geht einfach nichts über eine wirklich gute Klinge und einen Gaul wie dich«, raunte Julian Dädalus zu und riskierte einen Blick über die Schulter. Der kopflose Yorkist war erwartungsgemäß vom Pferd gestürzt. Drei weitere Tiere hatten gescheut und ihre Reiter abgeworfen, aber zwei saßen noch im Sattel, drohten ihm wütend mit den Fäusten und preschten ihm nach.

Julian lenkte Dädalus hinter das Zelt der Königin. Er fand Marguerite dort mutterseelenallein, und sie war dabei, einem sehr nervösen Pferd einen Sattel aufzulegen.

Er hielt an und streckte ihr die Rechte entgegen. »Schnell.«

Ohne zu zögern, nahm sie seine Hand, stellte den Fuß auf den seinen im Steigbügel und glitt hinter ihn. »Aber sie werden uns einholen, wenn dein Pferd zwei Reiter trägt.«

»Das werden wir ja sehen«, erwiderte er. Er galoppierte aus dem Stand an, und Marguerite legte hastig die Arme um seine Taille und verschränkte die Finger.

Ein Wurfspieß flog von hinten heran und verfehlte Julians Kopf so knapp, dass er den Luftzug deutlich spürte. Er sah sich nicht um, sondern hielt auf den Wald zu, der keine halbe Meile entfernt lag und ihre einzige Hoffnung darstellte. Erst als sie die ersten Bäume fast erreicht hatten, warf er einen Blick über die Schulter und sah, dass ihre Verfolger von hinten angegriffen und niedergemacht wurden. »Die Schwanengarde«, sagte er erleichtert.

Auch die Königin schaute zurück. »Das wurde ja wohl auch Zeit«, bemerkte sie.

Julian folgte dem Pfad etwa eine Viertelmeile weit in den Wald. Dann saß er ab, führte Dädalus zwischen die Bäume und wartete. Marguerite blieb im Sattel sitzen, und sie lauschten beide angestrengt. Die ersten Reiter, die in Sicht kamen, waren keine neuerlichen Yorkisten, sondern die Angehörigen von Marguerites berüchtigter Privatarmee. Julian trat mit Dädalus am Zügel wieder auf den Pfad, und die Gardisten hielten an und bildeten einen Kreis um ihn.

»Gute Arbeit, Sergeant Wood«, sagte die Königin. »Wenn ich mich auf Euch hätte verlassen müssen, wäre ich jetzt gefangen oder tot.«

Der Anführer ihrer Gardisten saß ab und sank vor ihr auf die Knie nieder. »Wir sind gekommen, so schnell wir konnten, Madam. Aber Ihr habt Recht, es ist unverzeihlich.« Schweigend, den Kopf reumütig gebeugt, wartete er auf ihr Urteil.

Ohne Marguerites Befehl abzuwarten, trat Julian zu dem Mann und zog ihn unsanft auf die Füße. »Wir haben jetzt keine Zeit für diesen Unsinn. Wo ist der Prinz?«, fragte er an die Königin gewandt.

»Auf einem Gut zwei Meilen südlich von Northampton. Es gehört einem absolut vertrauenswürdigen Ritter, Sir Gordon Ballerton.«

Für absolut vertrauenswürdig haben wir alle auch Lord Grey und seine Vorhut gehalten, fuhr es Julian durch den Kopf. »Wir sollten ihn trotzdem schleunigst dort wegholen. Ehe die Yorkisten es tun.«

»Es ist zu gefährlich, nach Süden zu reiten«, wandte der Sergeant ein. »Das ist der Weg nach London, und ...«

Wieder erklang Hufschlag.

Julian nahm der Königin die Zügel aus der Hand und saß vor ihr auf. Das war gar nicht so einfach, ohne ihr einen unfreiwilligen Fußtritt zu verpassen, aber sie bog geistesgegenwärtig den Oberköper zurück.

»Haltet sie auf, solange es geht«, befahl die Königin ihrer Garde zum Abschied. »Wir treffen uns eine Stunde nach Einbruch der Dunkelheit am vereinbarten Ort.«

»Wo ist der König?«, fragte Prinz Edouard. Es waren die ersten Worte, die der knapp Siebenjährige sprach, seit seine Mutter ihn aus dem Bett in dem fremden Haus geholt und hinter einem seiner beiden Leibwächter aufs Pferd gesetzt hatte.

»Der Earl of March hat deinen Vater gefangen genommen«, antwortete seine Mutter. »Er bringt ihn nach London, nehme ich an.« Sie saß immer noch hinter Julian, der neben dem Leibwächter den schmalen Pfad entlangritt. Der zweite Schwanengardist bildete die Nachhut, lauschte und sah allenthalben zurück.

»Wer ist der Earl of March?«, fragte der Prinz unsicher.

»Der älteste Sohn des Duke of York. Ein Ungeheuer, mit anderen Worten.«

»Und ... wird er den König töten, Mutter?« Es sollte tapfer klingen, aber die Kinderstimme wurde brüchig.

»Weiß der ...«, begann die Königin. Julian kniff ihr unauffällig in den Oberschenkel. Sie verstummte vor Verblüffung über seine Unverschämtheit, und er nutzte ihr Schweigen, um zu sagen: »Natürlich nicht, mein Prinz. March ist ein Verräter, weil er gegen deinen Vater rebelliert, aber er ist nicht verrückt. Er wird den König höflich und zuvorkommend behandeln, wie es ihm zusteht, und mit ihm über politische Fragen verhandeln. Nichts weiter.«

Marguerite bohrte ihm eine Faust in die Nieren und flüsterte ihm ins Ohr: »Was soll es dem armen Jungen nützen, dass du ihn anlügst?«

Doch Julian hatte nur ausgesprochen, wovon er überzeugt war. Niemand konnte wissen, was jetzt geschehen würde, aber dass die Yorkisten bereit wären, einen gesalbten König von Gottes Gnaden zu ermorden, hielt er für undenkbar. Es war eine zu grauenvolle Sünde.

»Und können wir nicht nach London reiten und den König befreien, Mylord?«, fragte der Prinz ihn.

Julian sah ihn an. Das letzte Licht des verregneten Julitages schwand jetzt schnell, aber er konnte den Jungen gut genug sehen, um sein dunkelblond bis hellbraun schattiertes Haar und seine braunen Lancaster-Augen zu erkennen. Es stimmte, was er einmal zu Lucas Durham gesagt hatte: Edouard war König Henry wie aus dem Gesicht geschnitten. Und Julian schämte sich, dass er noch vor wenigen Tagen Megan gegenüber Zweifel an dessen Vaterschaft geäußert hatte. Nicht weil er Henry oder Marguerite, sondern vor allem dem Jungen damit unrecht getan hatte. Er lächelte ihm zu. »Der Duke of Somerset ist losgeritten, um das zu tun, Edouard. Wir müssen jetzt vor allem daran denken, dich und deine Mutter in Sicherheit zu bringen.«

»Und wohin?« Furchtsam sah der kleine Kerl sich um, und Julian konnte sich vorstellen, wie feindselig und fremd die Welt dem Knaben erscheinen musste. Gewiss war er noch nie bei Einbruch der Dunkelheit und Dauerregen im Wald gewesen.

»Ich habe schon eine Idee, mein Prinz.«

Julian wusste, er hätte niemals tun können, was sein Vater einst getan hatte: sein Leben der Erziehung und dem Wohlergehen eines zukünftigen Königs widmen. Julian war viel zu ungeduldig und rastlos für solch eine Aufgabe, und er hatte für Kinder nicht sonderlich viel übrig. Aber der Blick dieser dunklen Augen ließ ihn nicht unberührt. Nicht die Furcht darin machte ihm zu schaffen, sondern die Zuversicht. Edouard, erkannte Julian, ahnte schon, dass die Welt oft ein Jammertal war und schlimme Dinge geschehen konnten. So klein er auch war, spürte er natürlich, dass seine Mutter und er selbst, vor allem sein Vater in einer bedrohlichen Lage waren. Aber noch glaubte er daran, dass sich am Ende immer alles zum Guten wendete. Julian hoffte, dass der Prinz nicht gar zu bald erfahren musste, wie gründlich er sich irrte.

»Reiten wir auf Eure Burg, Mylord?«, fragte Edouard.

Julian schüttelte den Kopf. »Waringham ist zu weit weg. Ich denke, wir …« Er unterbrach sich und lauschte. Dann wechselte er einen Blick mit dem Leibwächter.

Der nickte. »Wir werden verfolgt.«

»Vielleicht ist es Sergeant Wood mit seinen Männern«, sagte die Königin. »Es kann nicht mehr weit sein zu der Kapelle, die als Sammelpunkt vereinbart wurde.«

»Hm. Aber Wood kommt von Osten, die Verfolger von Süden.«

Wieder lenkten sie die Pferde zwischen die Bäume, wo es bereits fast völlig dunkel war. So lautlos wie möglich saßen sie ab. Der Earl of Waringham und die beiden Gardisten verständigten sich mit Blicken, dann führte Julian Marguerite und ihren Sohn nach rechts, einer der Soldaten die Pferde nach links – eine Vorsichtsmaßnahme für den Fall, dass eines der Tiere in einem ungeeigneten Moment auf die Idee kam zu schnauben.

Zwischen dem Laub des Unterholzes erahnte Julian sechs Reiter mit Fackeln auf dem Pfad, aber es mochten durchaus noch mehr sein.

»Mutter …«, begann der Prinz gedämpft, und Marguerite hielt ihm mit der Linken den Mund zu, während sie ihm mit der Rechten übers Haar strich.

Die Reiter hatten angehalten. »Es wird zu dunkel, um die Hufabdrücke zu erkennen, Sir Thomas«, sagte einer mit einem ausgeprägten West-Midlands-Akzent. »Kann gut sein, dass sie den Pfad hier verlassen haben – im Schlamm kann ich es nicht richtig ausmachen.«

»Dann machen wir hier Halt und suchen morgen früh weiter, sobald es hell wird«, antwortete eine dunklere Stimme.

»Gott verflucht, das ist Thomas Devereux«, wisperte Julian. Das war nicht gut. Wenn sie Devereux in die Hände fielen, würde die persönliche Fehde zwischen Julian und dem Marcher Lord die prekäre Lage für Marguerite und ihren Jungen noch verschlimmern. Julian dachte einen Moment nach. Dann hockte er sich vor den Prinzen. »Ich werde dich auf meine Schultern setzen, wenn du gestattest, mein Prinz«, sagte er tonlos. »Wir müssen sofort von hier verschwinden, schnell und lautlos. Du darfst kein Wort sprechen und musst mit deinen Händen dafür sorgen, dass dir keine Zweige ins Gesicht peitschen, hast du mich verstanden?«

Edouard nickte, ohne den Blick der großen Augen von ihm abzuwenden.

Julian hob ihn hoch, nahm ihn auf die Schultern, ergriff Marguerites Hand und legte einen Finger an die Lippen. Sie nickte knapp und unternahm keinen Versuch, sich von seinem Griff zu befreien. Sie hielt sich kerzengerade wie bei einem Festbankett, ihre Miene zeigte nichts als Gleichmut, aber Julian wusste, sie hatte Angst. Sie wäre eine Närrin gewesen, sich nicht zu fürchten, doch bei allem, was man der Königin nachsagen konnte – eine Närrin war sie nicht.

»Passt auf, wo Ihr hintretet«, flüsterte er ihr zu und bahnte sich dann einen Weg durch die Bäume und dichtes Unterholz. Es war fast undurchdringlich. Viele der Büsche hatten Dornen, die mit den Yorkisten gemeinsame Sache zu machen schienen und die Fliehenden aufzuhalten suchten. Quälend langsam bewegten sie sich von den Verfolgern und dem Licht ihrer Fackeln weg. Als sie die Leibwächter mit den Pferden fanden, nahm das Prasseln des Regens wieder zu.

Die Königin gab einen gedämpften Laut des Unmuts von sich.

Aber Julian raunte ihr zu: »Das ist gut. Sie werden uns nicht hören.«

»Können wir reiten?«, fragte sie ebenso leise.

»Noch nicht. Vielleicht noch zweihundert Schritte, dann stoßen wir auf einen Bach. Am anderen Ufer wird der Wald älter und lichter. Dort sitzen wir auf und reiten, was das Zeug hält.«

»Woher wollt Ihr wissen, dass wir an einen Bach kommen?«, fragte sie skeptisch.

»Weil wir auf dem Weg nach Northampton auch durch diesen Wald geritten sind.«

»Und deswegen erkennt Ihr bei Regen und Dunkelheit jeden Baum und Strauch wieder? Wer in aller Welt hat Euch das gelehrt? Eure Wildhüter in Waringham?«

Julian wandte den Kopf und schenkte ihr ein geisterhaftes Lächeln. »Der Earl of Warwick, Madam.«

Sein einstiger Dienstherr war der beste Jäger, den Julian kannte: Ausdauernd, furchtlos, vor allem listenreich, und er wusste immer genau, wo er sich befand. Warwick war es auch gewesen, der Julian die Parallelen zwischen der Jagd und der Politik offenbart hatte. Nur hätte der junge Waringham sich damals nie träumen lassen, dass Warwick eines Tages seinen Kopf als Trophäe begehren könnte.

Die einsame Kapelle lag an einer Wegkreuzung unweit eines öden Marktfleckens namens Stratford-upon-Avon. Es war beinah Mitternacht, als sie ankamen. Zwei Dutzend Angehörige der Schwanengarde warteten dort auf ihre Königin und den Prinzen, und sie waren sehr erleichtert, sie zu sehen.

»Und was machen wir nun, Sirs?«, fragte die Königin.

Die Männer hatten auf dem Lehmboden des Kirchleins ein Feuer entzündet, und Marguerite setzte sich auf eine Decke und wärmte sich die Hände. Edouard ließ sich an ihrer Seite nieder und folgte ihrem Beispiel. Er war bleich und blinzelte vor Müdigkeit. Aber er beklagte sich so wenig wie seine Mutter. Großartiger Junge, fuhr es Julian durch den Kopf. Kein Jammerlappen wie sein alter Herr …

»Wir müssen spätestens beim ersten Tageslicht wieder aufbrechen, denn das tun unsere Verfolger auch«, sagte er.

»Aber sie können im Wald unmöglich unsere Spur finden«, entgegnete einer der Leibwächter des Prinzen, ein stämmiger, blonder Jüngling namens Bran. »Der Boden ist aufgeweicht, und alles dort war voller Farn und Gras.«

»Seid nicht so sicher«, warnte Julian. »Ich wette, der Kerl, den Devereux dabeihatte, war ein Fährtenleser. Wenn er gut ist, werden sie hinter uns her sein wie der Teufel hinter der armen Seele, und unsere einzige Hoffnung ist Schnelligkeit.«

»Der Prinz muss rasten«, erklärte die Königin.

»Nein, Mutter, ich kann ...«, begann Edouard, doch sie hob gebieterisch die Hand, und er verstummte.

»Außerdem zählen wir alle zusammen siebenundzwanzig Köpfe und haben nur dreiundzwanzig Pferde«, gab Bran zu bedenken. »Wir werden sie niemals abhängen.«

Julian stand mit verschränkten Armen, sah ins Feuer und dachte nach.

»Mutter, ich bin so hungrig.« Der Prinz flüsterte, aber seine Stimme hallte in dem leeren Kirchlein.

Marguerite legte einen Arm um seine Schultern und zog ihn an sich. »Wir haben nichts, mein Sohn. Du musst dich gedulden.«

Doch drei oder vier der Gardisten erhoben sich vom Boden, klopften ihre Wämser ab oder öffneten die Beutel am Gürtel und förderten allerlei Gaumenfreuden wie angebissene Äpfel oder steinhartes Brot zutage und brachten diese ihrem Prinzen. Julian beobachtete sie mit einer Mischung aus Abscheu und Belustigung. Diese Männer waren Halunken, übles Gesindel, das bedenkenlos Angst und Schrecken verbreitete, wenn die Königin mit dem kleinen Finger winkte. Die Schwanengarde hatte die Menschen in den Midlands drangsaliert, bis man ihren Namen nur noch flüsternd aussprach. Aber ihrem Prinzen gegenüber verhielten sie sich wie gutmütige Onkel und gaben ihm buchstäblich ihren letzten Kanten Brot. Edouard wusste die Gaben offenbar zu schätzen. Er bedankte sich und aß klaglos, was sie ihm brachten.

Als er alles vertilgt hatte, stand Julians Plan fest. »Wir rasten hier drei Stunden. Dann trennen wir uns. Ich reite mit der Königin und dem Prinzen nach Norden. Ihr anderen wendet euch nach Süden. Reitet mindestens bis Oxford und hinterlasst eine möglichst breite Spur.«

»Wir sollen sie ablenken?«, fragte Sergeant Wood. »Aber wenn sie einen so guten Fährtenleser haben, wird ihnen nicht verborgen bleiben, dass drei Pferde Richtung Coventry geritten sind, Mylord.«

Julian nickte. »Nur wird es so aussehen, als seien sie von dort gekommen.«

Er hatte so etwas noch nie gemacht, und er war nicht sicher, dass es funktionieren würde. Zusammen mit Bran war er in die Nacht hinausgegangen und begutachtete im Schein einer Fackel Dädalus' linken Vorderhuf von unten.

»Wie meint Ihr das, die Eisen umdrehen?«, fragte Bran. Es klang grantig. Der Regen hatte zwar nachgelassen, aber es tröpfelte ihm gewiss in den Nacken, denn er stand gebeugt und hielt die Fackel.

»Wie ich's sage. Wir drehen sie um, und es wird aussehen, als seien die Pferde aus der Richtung gekommen, in die sie tatsächlich laufen.«

»Schwachsinn ...« Bran spuckte ins Gras.

Julian ließ den Huf los und richtete sich auf. »Habt Ihr eine bessere Idee, Sir Bran?« Es klang schneidend.

»Nein, Mylord.«

»Und könnt Ihr ahnen, was sie mit dem Jungen tun werden, wenn sie ihn hier allein in der Wildnis erwischen?«

»Aber er ist der Prinz!«, entgegnete Bran entrüstet, ebenso naiv, wie Julian selbst einmal gedacht hatte.

»Ich möchte nicht seinen Kopf darauf verwetten, dass sie das abhalten wird, denn er steht zwischen York und dem Thron. Ihr und ich müssten auf jeden Fall dran glauben, und das wollen wir doch wohl lieber vermeiden, oder?« Zumal Thomas Devereux mich gewiss nicht töten wird, ohne mir zuvor zu entlocken, wo seine so lang entbehrte Gemahlin steckt, fügte Julian in Gedanken hinzu und schauderte.

»Ihr habt Recht, Mylord.« Bran klang lächerlich kleinlaut für einen Schwanengardisten.

»Dann wäre ich dankbar, wenn Ihr mir Eure Bedenken erspart und Euch stattdessen nützlich machtet.«

Sie hatten nicht einmal vernünftiges Werkzeug. Mit Geduld,

Ausdauer und einem stabilen Speisemesser als Hebel lösten sie Dädalus und Brans Pferd die Hufeisen, setzten sie verkehrt herum wieder auf, sodass die Rundung der Eisen unter der Hufwand hervorschaute und die Enden Strahl und Ballen nicht verletzen konnten, und schlugen die noch brauchbaren Nägel notdürftig wieder ein. Julian wusste, es würde nicht lange halten. Aber schon ein paar hundert Yards würden ja ausreichen, um die Verfolger zu verwirren und in die falsche Richtung zu schicken.

Julian klopfte seinem Pferd den Hals. »Danke für deinen Langmut, alter Freund.«

Als sie eine gute Stunde später aufbrachen, ließen Julian und Bran die Tiere im Schritt gehen. Unsicher staksten die Pferde auf den ungewohnten Schuhen durch die Dunkelheit, und Julian hatte ein schlechtes Gewissen. Er wusste, seine Schwester würde ihm den Hals umdrehen, wenn sie hiervon erführe. Er war dankbar für den weichen Boden, der die Verletzungsgefahr für die Hufe beträchtlich verringerte.

Wie schon am Tag zuvor saß die Königin hinter ihm, hatte die Arme nun lose um seine Taille und den Kopf an seine Schulter gelegt. Er nahm an, sie schlief, genau wie der Prinz, den Bran vor sich in den Sattel gesetzt hatte und mit dem linken Arm sorgsam festhielt.

Der Anblick des schlafenden kleinen Jungen machte Julian bewusst, wie ungewiss, wie düster ihre Lage war: Die Schlacht verloren, der König in den Händen der Yorkisten, die Königin und dieses zerbrechliche Knäblein auf der Flucht. In der kalten Stunde vor dem Morgengrauen verließ Julian alle Zuversicht. Doch als es hell wurde, hörte er keine Verfolger. Es schien, als habe seine List Thomas Devereux tatsächlich in die Irre geführt. Wenigstens vorläufig.

»Du bist doch wahrhaftig ein schlauer Fuchs, Julian of Waringham«, murmelte Marguerite ihm schläfrig ins Ohr. »Nicht übel.«

Er nickte knapp. »Passabel, sagte kürzlich irgendwer.«

Liebste Megan, schrieb Blanche, *sei so gut und richte Hal unsere aufrichtige Anteilnahme aus. Buckinghams Tod ist ein schmerzlicher Verlust für England und den König, aber gewiss ist der Kummer für niemanden größer als für seine Söhne.*

Als die Nachrichten von Northampton uns erreichten, ist Jasper umgehend zu seinem Vater geritten (wie üblich vermeide ich alle Ortsangaben, falls dieser Brief in falsche Hände gerät), um mit ihm zu beraten, was zu tun ist. Natürlich ist Jasper in größter Sorge um seinen Bruder, den König, und mir geht es nicht anders. Wo immer der König jetzt auch sein mag, ich hoffe, Edward of March besitzt genügend Barmherzigkeit, ihm geistlichen Beistand zu gewähren. Denn mir scheint, in diesem Punkt gleicht unser königlicher Cousin dir: Er kann alles ertragen, solange er sich Gott nahe fühlt.

Jasper hat mir berichtet, March und Warwick haben einen Kardinal vom Kontinent mit nach England gebracht, der im Auftrag des Papstes zwischen den verfeindeten Lords vermitteln solle, in Wahrheit aber auf Yorks Seite stehe, weil Rom sich von ihm einen großzügigen finanziellen Beitrag zum Kampf gegen die Türken erhofft. Ich bin sicher, der Krieg gegen die Türken ist Gott ein großes Anliegen, aber ganz unter uns: Ich finde es abscheulich, dass der Papst sich gegen den frömmsten König stellt, den England seit Edward dem Bekenner hatte, und mit seinem Widersacher York, der Gottes Ordnung der Welt in Frage stellt und vermutlich ein Diener Satans ist, paktiert. Irgendwie haben die Lollarden schon ganz Recht mit ihrer schlechten Meinung über die Päpste.

Eh du meinen Brief ob dieser ketzerischen Worte nun entsetzt ins Feuer wirfst, lass mich noch rasch dies berichten: Deinem Sohn geht es prächtig. Endlich hat sich das Wetter gebessert, und heute morgen haben dein kleiner Henry – den inzwischen übrigens alle Richmond nennen, sodass ich mich frage, was Männer nur daran finden, selbst Knäblein schon

mit ihren Titeln anzureden, so als seien sie keine menschlichen
Wesen, sondern allein die Verkörperung von Landbesitz und
Macht. Aber ich schweife wieder einmal ab. Also: Der kleine
Richmond, Rhys und ich haben einen langen Ausritt gemacht,
und nun liegt dein Sohn zusammengerollt auf dem Fenstersitz
und schläft wie ein Engel. Er hat …

Die Tür ging auf, und Blanche schaute von ihrem Brief hoch.
Sie lächelte, als sie Jasper über die Schwelle treten sah, hob aber
einen warnenden Finger an die Lippen und wies auf das schlafende Kind am Fenster. Dann legte sie den Federkiel beiseite,
stand auf, ging ihm entgegen, und er schloss sie in die Arme
und drückte sie untypisch behutsam an sich. Auch sein Kuss
war eher flüchtig, aber die dunklen Augen lächelten.

Blanche nahm ihn bei der Hand und führte ihn durch die
Tür in der Südmauer der kleinen Halle auf den Söller hinaus. Erst vor gut zwei Monaten hatte Jasper Denbigh Castle
eingenommen und seinen Haushalt hergebracht, aber Blanche
fühlte sich schon heimisch. Sie war es gewöhnt, sich ständig
in einem neuen Zuhause zurechtfinden zu müssen, denn
es waren rastlose Jahre gewesen, die sie an Jasper Tudors
Seite verbracht hatte. Sie wusste, ihm wäre es lieber gewesen, sie wäre in Pembroke geblieben, während er Wales
nach und nach für den König zurückgewann, aber Blanche
hatte sich nicht darauf eingelassen, sondern ihn auf die
meisten seiner Eroberungszüge begleitet. Wenige der einge-
nommenen Burgen hatten es ihr so angetan wie Denbigh,
denn nur Denbigh hatte einen Söller. Der Blick nach Südwesten bot eine herrliche Aussicht auf das nordwalisische
Hügelland.

Sie setzten sich auf eine steinerne Bank in die Sonne.

»Wie geht es deinem Vater?«, fragte Blanche.

Jasper nickte. »Gut. Er ist ein alter Narr und redet immerzu von früher. Aber die Neuigkeiten haben ihn zurück in die
Gegenwart geholt. Er stellt eine Truppe auf. Und das werde ich
auch tun.«

»Und was dann?«, wollte sie wissen.

»Dann kann Richard of York sich den Schädel einrennen, wenn er versucht, nach Wales hineinzukommen.«

»Noch sitzt Richard of York in Irland und rührt sich nicht«, erinnerte sie ihn.

»Aber sobald er hört, dass March und Warwick den Boden bereitet haben, wird er zurückkommen, sei versichert. Und dieses Mal wird er aufs Ganze gehen.«

»Das denke ich auch. Mit König Henry als Geisel kann er die Bedingungen diktieren und braucht sich nicht mit einem Protektorat abspeisen zu lassen.«

Jasper verschränkte rastlos die Finger ineinander. »Fragt sich nur, wie sich das Parlament verhalten wird. Die Commons würden meinen Bruder lieber heute als morgen gegen York austauschen, so viel steht fest.«

»Aber mit den Lords ist es nicht so einfach.«

»Nein.« Er legte die Linke auf ihr Bein. »Hast du irgendetwas von Julian gehört?«

Blanche nahm seine Hand in ihre und schüttelte den Kopf. Niemand wusste, was nach Northampton aus ihrem Bruder geworden war.

»Nun gräm dich nicht so, Blanche«, schalt Jasper ein wenig ungeduldig. »Er wird schon wieder auftauchen. Es kann dir nicht gut tun, dich ständig zu sorgen. In deinem … Zustand.«

Blanche runzelte die Stirn. »Du sagst es immer so, als hätte ich irgendeine anstößige Krankheit. Aber ich bekomme nur ein Kind, Jasper. Es ist ein Wunder, dass es so lange gedauert hat, und es passiert jeden Tag, überall auf der Welt, weißt du. Ich verstehe nicht, was dir daran so zu schaffen macht.«

Er befreite seine Hand, stand auf, ging bis an die Brüstung und drehte sich dann wieder zu ihr um. »Wirklich nicht? Solltest du vergessen haben, dass wir nicht verheiratet sind?«

Sie hob gleichmütig die Schultern. »Meinst du nicht, es ist ein bisschen heuchlerisch, sich ausgerechnet jetzt darüber den Kopf zu zerbrechen? Außerdem sind wir in Wales. Hier macht es nicht so viel aus, oder?«

»Auch in Wales haben die Zeiten sich geändert«, murmelte er verdrossen.

Blanche stand auf. »Und wenn schon! Was ist los mit dir? Möchtest du, dass ich zur Hebamme in Denbigh gehe und es wegmachen lasse? Wäre dir das genehmer, ja?«

»Hör auf zu keifen, Frau. Du wirst den Jungen noch aufwecken mit deinem gottlosen Gerede.«

»Und bekomme ich auch eine Antwort?«

Er verschränkte abweisend die Arme vor der breiten Brust. »Nein, es wäre mir nicht genehmer«, beschied er unwirsch. »Jetzt ist es passiert, also müssen wir damit leben. Aber es gibt kein Gesetz, das mich verpflichtet, darüber glücklich zu sein, oder?«

»Herrgott noch mal! Du bist der Earl of Pembroke und des Königs Bruder. Wer genau, denkst du, sollte es wagen, uns irgendwelche Schwierigkeiten zu machen?«

»Es sind nicht Schwierigkeiten, die ich fürchte.«

»Sondern was?« Sie ging einen Schritt näher auf ihn zu.

Er winkte ab. »Blanche, lass uns aufhören, ja? Ich …«

»Sondern was? Ich will es jetzt *endlich* wissen. Seit dem Tag, da ich es dir gesagt habe, bist du distanziert. Du siehst mich kaum noch an und bleibst meinem Bett fern. Warum? Was ist los? Ist es eine andere Frau? Willst du heiraten? Dann hab die Güte und sag es mir. Erweise mir so viel Respekt, ehrlich zu sein und …«

Er schloss die Lücke zwischen ihnen, nahm sie bei den Oberarmen und rüttelte sie leicht. »Was redest du da? Ich will keine andere Frau. Wie um Himmels willen kommst du auf so einen Unsinn?«

»Es schien nicht so weit hergeholt«, entgegnete sie frostig.

Jasper legte die Hände auf ihr Gesicht, sah ihr einen Moment in die Augen, ließ sie dann los und wandte ihr den Rücken zu. »Ich wollte niemals Vater werden«, eröffnete er der steinernen Balustrade.

»Zu schade, dass dir nie jemand erklärt hat, wie das eine zum anderen führt.«

Jasper lachte leise, blieb aber mit dem Rücken zu ihr stehen, sodass sie sein Gesicht nicht sehen konnte. Das tat er absichtlich, wusste Blanche. Er ließ sie nie gern sein Gesicht sehen, wenn eine Sache ihm Sorgen machte.

»Also, erklär es mir, Mylord of Pembroke. Warum nicht? Vater werden ist erheblich leichter als Mutter werden. Woher kommt es, dass du dich mehr fürchtest als ich?«

»Mein Großvater, der alte König von Frankreich, Blanche ...«

»Ja? Was ist mit ihm?«

»Er war schwachsinnig. Wusstest du das?«

»Ich hab mal so etwas gehört. Und?«

»Meine Mutter starb in geistiger Umnachtung. Mein Bruder, der König, verliert gelegentlich den Verstand. Nicht gerade eine Linie, die fortzusetzen sich empfiehlt, oder?«

Blanche zwängte sich zwischen ihn und die Balustrade, sodass ihm nichts anderes übrig blieb, als sie anzuschauen. »Aber deine anderen Brüder und du, ihr seid alle gesund«, wandte sie ein.

»Wenn wir einmal von der Tatsache absehen, dass Edmund tot ist, ja. Owen und ich sind gesund. Noch.«

»Unser Kind wird nur einen kleinen Tropfen dieses schwachen Valois-Blutes in den Adern haben. Doch das Tudor-Blut ist stark und gesund, und das meiner Familie auch. Es gibt keine Fälle von Verrücktheit in der Geschichte der Waringham.«

»Nein? Ich habe hingegen schon gelegentlich gehört, alle Waringham seien verrückt.«

Sie bohrte ihm einen spitzen Finger in die Seite an der Stelle, wo er kitzelig war. »Du weißt genau, was ich meine. Weich mir nicht aus. Ich will, dass du auf der Stelle aufhörst, dir so düstere Gedanken zu machen.«

»Ich werd's versuchen«, versprach er. Es klang nicht sehr überzeugend.

Es stellte sie nicht zufrieden. »Nimm dir ein Beispiel an Edmund. Er hat Megan geheiratet und einen Sohn gezeugt, ohne ...«

»Edmund hat sich genau die gleichen Gedanken gemacht wie ich«, unterbrach er. »Das hat er mir vor der Hochzeit gesagt.«

»Aber seine Sorgen waren so unbegründet wie deine. Der kleine Richmond ist kerngesund.«

»Er ist vier Jahre alt. Es ist noch zu früh, um aufzuatmen.«

»Jasper.« Sie verschränkte die Hände in seinem Nacken. »Das alles liegt in Gottes Hand. Ich weiß, dass du den Sohn deines Bruders liebst, ich sehe das jeden Tag. Wenn dieser aufgeweckte Knabe sich morgen in einen hilflosen Schwachkopf verwandelte, würde das irgendetwas daran ändern?«

Er überlegte einen Moment. »Ich glaube nicht, nein«, antwortete er. Es klang verblüfft.

»Siehst du? Und ebenso werden wir unser Kind lieben, ganz gleich, wie Gott in seiner Weisheit es erschafft. Also lass uns abwarten und beten und das Beste hoffen, und derweil untersteh dich, so abweisend zu mir zu sein, hast du verstanden?«

Er legte die Arme um sie, küsste ihr die Stirn, und dann zog er sie an sich. »Du bist eine ziemlich kluge Frau, Blanche of Waringham.«

Sie seufzte. »Wie beglückend, dass dies wenigstens hin und wieder jemand anerkennt.«

Sie hob das Gesicht, und er küsste sie mit der eingeforderten Hingabe, bis an der Tür ein spöttisches Räuspern ertönte.

Zögernd ließ Jasper von ihr ab, und sie wandten die Köpfe.

»Tut mir leid«, sagte der junge Rhys. »Aber Ihr habt Besuch, Mylord.«

»Ah ja? Und wen?«, fragte Jasper. Selten sprach er anders als ungehalten mit seinem jungen Bruder, der ihm heute immer noch ein so unwilliger Knappe war wie einst seinem Bruder Edmund.

»Madog behauptet, sie sei die Königin von England.«

Rhys hatte kaum ausgesprochen, als Marguerite mit wehenden Röcken auf den Söller hinausgefegt kam.

Jasper und Blanche fuhren auseinander und beugten das Knie vor der Königin.

Marguerite weidete sich unübersehbar daran, ihren hochmütigen Schwager vor sich knien zu haben. Blanche wusste sehr wohl, dass Jasper und Marguerite einander nicht sonderlich mochten. Aber dann vollführte die Königin eine huldvolle Geste. »Erhebt Euch, treuer Pembroke, Lady Blanche.«

Blanche richtete sich auf und entdeckte hinter der Schulter der Königin ihren Bruder. Erleichterung durchrieselte sie, und sie trat mit ausgestreckten Armen auf ihn zu. »Julian! Gott sei gepriesen. Der Bote konnte uns nicht sagen, was aus dir geworden war.«

Er nahm ihre Hände und küsste sie auf die Stirn. »Blanche.« Sein Lächeln war matt.

Sie sah tiefe Erschöpfung und Kummer in seinen Augen. »Haben wir jemanden verloren?«, fragte sie leise.

»Algernon.«

Blanche senkte den Kopf und bekreuzigte sich. Sie hatte nie Gelegenheit gehabt, die Ritter ihres Bruders gut kennen zu lernen, aber die Regennacht, da Algernon, Lucas und Frederic sie und Julian sicher von Windsor nach Waringham gebracht hatten, war ihr in lebhafter Erinnerung geblieben.

»Pembroke, ich brauche eine Armee«, hörte sie die Königin sagen und wandte sich um.

»Mit Verlaub, Majesté, was habt Ihr mit der gemacht, die Ihr nach Northampton geführt habt?«, fragte Jasper.

Marguerite winkte ungeduldig ab. »Sie hat sich zerstreut. Nachdem die Vorhut übergelaufen war, brach ein Chaos aus.«

Blanche sah an Jaspers sturmumwölkter Miene, dass er geneigt war, der Königin eine Abfuhr zu erteilen, und so sagte sie hastig: »Erlaubt mir, nach Wein und Speisen zu schicken, Madam. Ihr müsst hungrig sein nach Eurem langen Ritt.«

»Das kannst du laut sagen«, bestätigte ihr Bruder. »Vor allem der Prinz.«

»Edouard? Ihr habt ihn mitgebracht? Wo steckt er?«, fragte Jasper.

Der Junge kam auf den Söller hinaus, blinzelte einen Augenblick in die Sonne und verneigte sich dann vor Blanche und Jasper. »Madam. Mylord. Ihr müsst mein Onkel Pembroke sein.«

Jasper legte ihm kurz die Hände auf die Schultern. »Der bin ich, mein Prinz. Willkommen in Denbigh und in Wales, deinem Fürstentum.«

»Danke, Mylord. Wisst Ihr, dass die Yorkisten den König gefangen und verschleppt haben?«, fragte Edouard.

Jasper nickte. »Wir haben es vor zwei Tagen erfahren.«

»Und wenn ... wenn Somerset sie eingeholt und den König befreit hätte, dann hättet Ihr auch das erfahren, nicht wahr?« Edouard rang sichtlich um Haltung.

Jasper schüttelte den Kopf. »Somerset hat es nicht geschafft, Edouard. Er hat mir Nachricht aus Corfe geschickt. Er ist dorthin zurückgekehrt, um im Südwesten Englands neue Truppen auszuheben. Aber du hast keinen Grund, um deinen Vater in Sorge zu sein. Die Yorkisten haben ihn nach London in den Tower gebracht, aber sie haben nicht die Absicht, ihm ein Leid zuzufügen.«

»Das hat Lord Waringham auch gesagt«, antwortete der Junge.

Jasper tauschte einen kurzen Blick mit Julian, ehe er dem Prinzen zunickte. »Lord Waringham weiß aus eigener Erfahrung, dass der Earl of March ein Ehrenmann ist ...«

Die Königin schnaubte unüberhörbar.

»... selbst wenn er Yorks Sohn ist.«

»Aber wie bekommen wir den König zurück, Mylord? Und wann?«

»Wie ich sagte, Pembroke: Ich brauche eine Armee«, warf die Königin ein. »Und mit ihr holen wir deinen Vater zurück, mein Sohn.«

»Ich kann mir keine Armee aus den Rippen schneiden, Madam«, fuhr Jasper sie barsch an.

»Ihr habt ganz Wales hinter Euch«, widersprach sie unbeeindruckt.

»Und ich werde es nicht entblößen, auf dass es Black Will Herbert in die Hände falle, der mir hier seit Jahren jeden Zoll Boden streitig zu machen versucht, den ich gewinne.«

Black Will Herbert war der walisische Marcher Lord, der

mit Walter Devereux zusammen Carmarthen eingenommen und Edmund Tudor dort eingekerkert hatte, bis die Pest ihn holte. Jaspers Hass auf Herbert war unversöhnlich, und es verbitterte ihn, dass es ihm bis heute nicht gelungen war, seinen Feind persönlich zu stellen, obwohl sie seit drei Jahren Krieg gegeneinander führten.

»Dann werdet Ihr eben in die Bretagne segeln und dort Truppen ausheben«, schlug Marguerite vor. »Mir ist gleich, wo Ihr sie herholt, nur tut es, und zwar schnell.«

»Madam, bei allem gebotenen Respekt ...«

»Ihr habt keinen Respekt vor Eurer Königin, den hattet Ihr noch nie. Aber Ihr werdet mir trotzdem gehorchen, da Ihr Eurem Bruder treu ergeben seid, das weiß ich. Darum verzichte ich auf Euren geheuchelten Respekt, Mylord.«

Jasper wurde bleich. Er stemmte die Hände in die Seiten, und der Blick, mit dem er die Königin maß, verhieß nichts Gutes.

Blanche sah, dass der Streit den Prinzen ängstigte, und sie streckte ihm die Hand entgegen. »Hast du eigentlich schon deinen kleinen Cousin Richmond kennen gelernt, Edouard? Komm, ich mache euch bekannt, und dann gehen wir alle zusammen in die Küche hinunter und stibitzen irgendetwas Gutes, was hältst du davon?«

Der Prinz zögerte.

»Ich komme mit«, verkündete Julian, der ebenfalls nicht erpicht darauf schien, Marguerites und Jaspers Wortgefecht beizuwohnen.

Beruhigt und mit einem erleichterten Lächeln nahm der Junge Blanches Hand, und zügig verließen sie das Schlachtfeld.

»Wann warst du zuletzt zu Hause?«, fragte Blanche, als sie in der Abendsonne allein mit Julian durch den Burghof schlenderte. Edouard und Richmond waren zu Bett gebracht worden, und die Königin und Jasper Tudor waren nach wie vor damit beschäftigt, ihr weiteres Vorgehen zu erörtern und sich bei der Gelegenheit alles an den Kopf zu werfen, was sie sich seit fünfzehn Jahren immer schon einmal hatten sagen wollen.

So muss es sein, wenn Titanen streiten, dachte Julian mit einem Grinsen.

»Zur Auktion«, antwortete er seiner Schwester und berichtete, wie sich diese altehrwürdige Veranstaltung verändert hatte: Etwa die Hälfte aller Tiere, die sie dieses Jahr versteigert hatten, waren wertvolle Reitpferde, keine Schlachtrösser gewesen. So waren nicht nur Adlige und Ritter, sondern auch reiche Kaufleute aus London und Canterbury zur Auktion gekommen, die erstmalig über zwei Tage gegangen war, weil die gestiegene Zahl der Tiere dies erforderlich machte. »Im Gegensatz zu den Lords waren die Kaufherren sich nicht zu fein, auch den Jahrmarkt im Dorf zu besuchen. Jack Saddler hat daraufhin sofort seine Werkstatt geöffnet und zwanzig Aufträge für neue Sättel an Land gezogen. Nächstes Jahr, hat er mir gesagt, will er Sättel auf Vorrat herstellen und auf dem Markt anbieten. Und Adam hat den Gentlemen seinen gesamten Käse verkauft und ein Vermögen gemacht.«

»Adam?«, fragte Blanche erstaunt. »Alys' Sohn?«

Julian nickte. »Adam ist auf dem besten Wege, der reichste Bauer von Waringham zu werden, Blanche. Er hat inzwischen zwei Knechte und einen Schäfer, kannst du dir das vorstellen? Er ist wie alle Bauern gierig nach immer noch mehr Land, aber er konzentriert sich auf die Zucht von Schafen und Rindern. Und dabei hat er weiß Gott eine glückliche Hand. Er verkauft seine Wolle Lucas' Bruder in Sevenelms, der ihm eine Abnahmegarantie gegeben hat. Es herrscht überhaupt viel Kommen und Gehen zwischen dem Tuchmacherstädtchen und Waringham. Adam hat eine Weberstochter aus Sevenelms geheiratet, eine junge Hebamme, und zwei ihrer Brüder sind als Pächter nach Waringham gekommen. Die züchten jetzt natürlich auch Schafe.«

Blanche war stehen geblieben und sah ihren Zwillingsbruder lächelnd an. »Das klingt, als käme Waringham allmählich wieder zu Wohlstand.«

»Na ja, die Bauern schneller als ich. Wegen all der Schulden, weißt du. Aber wir hatten eine gute Auktion, also will ich mich nicht beklagen. Und natürlich haben wir gute Pachteinnahmen, viel besser als zu Roberts Zeiten, weil es den Bauern besser geht und wir neue Pächter gewonnen haben. Auch das hilft uns weiter. Nur leider stellt die Königin sich vor, dass ich jeden Penny, den ich verdiene, in die Ausrüstung und den Sold für immer noch mehr Soldaten stecke, und darum werde ich vorläufig todsicher kein reicher Mann.«

»Sie tut es für Henry, und es ist deine Vasallenpflicht, Bruder«, rief sie ihm ins Gedächtnis.

»Sie tut es für sich selbst und vielleicht für Edouard«, widersprach er. »Aber du hast trotzdem Recht. Es ist meine Pflicht, das ist der Grund, warum ich ihr folge. Nicht aus Liebe zu meinem König, wie du weißt.«

Er breitete seinen Mantel im Gras aus, und sie setzten sich nebeneinander darauf.

Blanche zog ihr allgegenwärtiges Strickzeug aus dem Beutel, der mit dem großen Schlüsselbund an ihrem Gürtel hing. »Der arme Henry, was er wohl aussteht.«

»Ich bin überzeugt, er findet Trost im Gebet.«

»Julian …«, schalt sie, obwohl sie in ihrem Brief an Megan das Gleiche gesagt hatte. Nur nicht so höhnisch.

Julian wechselte das Thema. »Ich höre, du bist schwanger?«

»Wie untypisch indiskret von Megan«, bemerkte Blanche.

»Du wolltest nicht, dass ich es erfahre? Warum nicht?« Es klang verwundert.

Blanche hob unbehaglich die Schultern. »Ich weiß nicht. Ein bisschen peinlich ist es schon, einen Bastard zu kriegen. Ich meine, ich bin immerhin eine Waringham, keine liederliche Gänsemagd. Ich schäme mich, dass ich unseren Namen in Verruf bringe.«

Julian dachte einen Moment darüber nach und kam zu dem Schluss, dass er sich nicht schämte, solange in England niemand davon erfuhr. Was die Leute in Wales dachten, war ihm gleich.

Als könne sie seine Gedanken lesen, sagte Blanche: »Hoffe lieber nicht darauf, dass es ein Geheimnis bleibt. Früher oder später erfahren die Marcher Lords alles, was in Wales vor sich geht, und was die Marcher Lords wissen, weiß bald darauf ganz England.«

»Wenn das wirklich stimmt, werden wir ganz andere Sorgen haben als einen Skandal. Es war Thomas Devereux, der die Königin von Northampton bis nach Stratford verfolgt hat, Blanche. Wie so viele Marcher Lords steht er in Yorks Diensten. Und wenn er wirklich weiß, wo du steckst, und York zurückkehrt und die Macht an sich reißt …«

»Bedeutet das noch lange nicht, dass Jasper Tudor die Herrschaft über Wales verliert.«

»Nein«, musste er einräumen. Trotzdem beunruhigte ihn die Vorstellung, dass Blanches geschmähter, rachsüchtiger Gemahl durch den Duke of York zu mehr Macht und Einfluss kommen könnte, als er bislang besessen hatte. »Wenn Devereux erfahren sollte, dass du ein Kind von Jasper bekommst …« Er brach ab und schüttelte den Kopf. »Es war ein verdammt ungünstiger Zeitpunkt, um schwanger zu werden.«

Sie nickte. »Aber wir sind dreiundzwanzig Jahre alt, Julian. Ich konnte nicht mehr ewig warten, verstehst du. Es ist mir eine große Freude, Mutterstelle an dem kleinen Richmond zu vertreten, er ist so ein goldiges Kerlchen. Aber es reicht mir nicht. Ich wollte ein eigenes Kind. Also habe ich aufgehört, diesen widerlichen Petersilienwurzeltee zu trinken.«

»Herrgott noch mal, Blanche, du bist *absichtlich* …«

»Ja. Und ich wäre dir dankbar, wenn du die Stimme gesenkt hieltest, denn ich hab es ohne Jaspers Wissen getan, und ich habe das Gefühl, heute ist nicht der allerbeste Tag, es ihm zu beichten.«

»Kaum«, räumte er ein. Jasper Tudor war ihm seit jeher ein bisschen unheimlich gewesen mit seinen düsteren Launen und dem Zorn auf die Welt, der immer unter der Oberfläche zu schwelen schien. »Ich kann nicht behaupten, dass ich dich verstehe, aber auf meine Verschwiegenheit kannst du dich verlassen.«

»Wie eh und je«, gab sie mit einem Lächeln zurück. Als Kinder hatten sie zusammengehalten wie Pech und Schwefel, jeden

Unfug gedeckt, den der andere anstellte, und oft eine undurchdringliche Front gegen Eltern, Lehrer und Amme gebildet. Als ihr Vater einmal vorgeschlagen hatte, sie für ein Jahr in die Klosterschule zu stecken – Julian in St. Thomas und Blanche in Havering –, damit sie lernten, dass jeder von ihnen ein eigenständiger Mensch und nicht die Hälfte eines Ganzen sei, hatten sie ihm seinen Siegelring gestohlen und versteckt und erst gegen das heilige Versprechen wieder herausgegeben, von dem Vorhaben abzurücken.

»Hast du etwas von Mutter gehört?«, fragte Blanche schließlich.

»Ostern habe ich sie besucht.« Julian pflückte ein Gänseblümchen und drehte es zwischen Daumen und Mittelfinger der Rechten. »Sie hat nach dir gefragt, und mir hat sie zugesetzt, weil ich noch nicht verheiratet bin. Aber sie war nicht wirklich mit dem Herzen dabei, schien es mir. Es war, als erfülle sie eine lästige Pflicht. Mir kam es vor, als sei es in Wahrheit nur die Vergangenheit, die sie interessiert, nicht die Gegenwart oder die Zukunft. Vor allem von Politik wollte sie nichts hören, ganz im Gegensatz zu früher. Ich fand sie blass und dünn, dabei ist Havering nun wahrhaftig kein Ort der Askese. Aber sie behauptet, es gehe ihr gut, sie habe ihren Frieden gefunden. Sie … hat sich verändert.«

»Sie fehlt mir. Ich würde sie so furchtbar gern noch einmal wiedersehen, ehe sie diese Welt verlässt. Ach, es ist zu vertrackt, Julian. Ich wünschte, der Schlag träfe Thomas Devereux und ich könnte endlich zurück nach England.«

»Sollte ich ihm auf dem Schlachtfeld begegnen, werde ich sehen, was sich machen lässt«, versprach ihr Bruder.

Blanche fand das offenbar nicht komisch. Sie sah von ihrem Strickzeug auf, die Stirn gerunzelt. »Denkst du wirklich, es wird zu weiteren Kämpfen kommen?«

»Das hängt davon ab, was York vorhat, würde ich sagen. Und du hast Marguerite gehört. Sie ist noch lange nicht bereit, sich geschlagen zu geben.«

Der Duke of York ließ England nicht lange im Zweifel über seine Absichten. Im September war er aus seinem Exil in Irland zurückgekehrt und unweit von Chester gelandet. Er marschierte durch Ludlow und Hereford, gefolgt von einer stetig wachsenden Schar von Anhängern, von denen nicht wenige hofften, der mächtige York sei heimgekehrt, um Frieden zwischen den Seinen und den Lancastrianern zu stiften und dem Land Ruhe und Ordnung zurückzubringen. Doch als er Abingdon erreichte, hatte er seine Trompeter mit neuen Wimpeln für ihre Instrumente ausgestattet, die das Wappen des Königs von England zeigten.

Der Earl of Warwick und der junge Edward of March hatten für Anfang Oktober ein Parlament einberufen, und da sie den König als Geisel hielten, hatte kaum ein Lord gewagt, sich ihrer Ladung zu widersetzen.

Eine goldene Oktobersonne strahlte auf Westminster herab und bescherte England einen herrlichen Altweibersommer, doch in Westminster Hall war die Stimmung frostig.

»Sire, wir wüssten es wirklich zu schätzen, wenn Ihr der Absetzung Eures Lord Chamberlain nun endgültig zustimmen wolltet«, sagte Warwick. Seine Worte waren höflich, aber seine Miene verächtlich und sein Tonfall schneidend. »Wir werden hier keinen Schritt weiterkommen, wenn Ihr die Ergebnisse eines Tages am nächsten Morgen gleich wieder in Frage stellt.«

Ihm gegenüber erhob sich der Earl of Wiltshire von der Bank. »Habt die Güte und besinnt Euch darauf, mit wem Ihr sprecht, Warwick«, schnauzte er.

König Henry, der seit einer guten halben Stunde in seinen Schoß gestiert hatte, hob die Linke zu einer matten Geste. »Ihr wollt Uns nun entschuldigen, Mylords«, murmelte er. »Wir sind erschöpft.«

Er stand von dem großen Thronsessel auf, der den König kleiner und schmächtiger machte, als er in Wirklichkeit war.

Als Henry stand, wankte er leicht, und Thomas Bourchier, der Erzbischof von Canterbury, eilte herbei und nahm ihn behutsam beim Arm.

Henry sah kurz auf und schenkte ihm dieses unendlich traurige Lächeln, das Julian so verabscheute. »Habt Dank, guter Freund. Aber es geht schon.« Ohne die Lords links und rechts auch nur anzuschauen, schlurfte Henry Richtung Tür. Zwei Leibwächter und drei junge Ritter des Lord Chamberlain warteten draußen auf ihn, nahmen ihn unter ihre Fittiche und führten ihn in die Gemächer der Königin, die er seinen eigenen, pompöseren vorzog.

Julian rieb sich die Stirn. »Gott ... was für ein Abgang.«

»Da, hörst du das?«, raunte ihm der Earl of Burton zu, der sein Sitznachbar war. Er war Julians Cousin und der älteste Bruder von Algernon Fitzroy.

Julian lauschte. »Marschierende Schritte.«

»Und zwar nicht wenige. Rat mal, wer da kommt.« Burton klang bitter.

Vor der Halle schmetterten Trompeten.

Edward of March und der Earl of Warwick tauschten einen Blick und nickten sich zu.

Mit dreihundert Bewaffneten war Richard of York in den königlichen Palast einmarschiert, erfuhr Julian später. Der Herzog ritt geradewegs bis vor die Halle, saß ab, und als er eintrat, ging ihm voraus ein junger Mann, der mit feierlicher Miene ein blankes Schwert vor sich her trug.

Ein Raunen erhob sich unter den Lords. Manche klangen erbost, andere bewundernd, und alle waren sie überrascht. Nur der König von England betrat Westminster Hall für gewöhnlich auf diese Weise.

»Dieser gottverfluchte Thronräuber«, grollte Burton. »Sieh ihn dir an, Julian. Ist das zu fassen?«

»Schsch«, mahnte der jüngere Cousin. Sie saßen auf einer der hinteren Bänke, wo man es sich erlauben konnte, zwischendurch ein Schwätzchen oder auch ein Nickerchen zu halten, ohne aufzufallen. Aber jetzt war es so still in der Halle geworden, dass man eine Feder hätte fallen hören. »Ist es sein Sohn, der das Schwert trägt?«, fragte Julian leise. Die Ähnlichkeit zwischen York und dem Jüngling war nicht zu übersehen.

Burton nickte. »Edmund, Earl of Rutland.«

»Und ich dachte, all seine Welpen außer March seien unsere Geiseln.«

»Rutland nicht. Er war mit seinem alten Herrn in Irland, heißt es.«

Der Herzog von York nickte fast unmerklich, einmal nach links, einmal nach rechts, grüßte weder den Erzbischof noch sonstige Würdenträger oder seinen Erstgeborenen, sondern ging gemessenen Schrittes auf den prunkvollen Marmorthron zu. Davor angekommen, drehte er sich um, sah einigen seiner Feinde in die Augen, hob bedächtig die Rechte und legte sie auf die goldverzierte Rückenlehne des Thronsessels.

March und Warwick, die nebeneinander in vorderster Reihe saßen, wechselten wieder einen Blick. Beide sahen verwirrt und alles andere als glücklich aus. Kein Zweifel, erkannte Julian, diese anmaßende Geste, die einer Inbesitznahme des Thrones fast gleichkam, war nicht abgesprochen gewesen. Yorks Sohn und sein mächtigster Verbündeter waren ebenso überrumpelt wie jeder andere Lord in der Halle.

Warwicks Vater, der Earl of Salisbury, sah nervös in die Runde und hob die Hände aus dem Schoß. Dann ließ er sie einen Spann breit über den Oberschenkeln schweben, als habe er sie vergessen.

»Wenn auch nur einer anfängt zu klatschen, ist es aus«, murmelte Burton. »Dann ist Henry of Lancaster nicht mehr König von England.«

Julian spürte sein Herz bis in die Kehle, und seine Hände wurden feucht. Es war etwas Ungeheuerliches, was sich hier vor seinen Augen abspielte. Er hatte noch nicht viel Erfahrung mit Politik und Parlamenten, aber er spürte, dass Yorks Unverfrorenheit etwas darstellte, das es nie zuvor gegeben hatte. »Das kann er nicht tun«, sagte er vor sich hin. »Das können sie einfach nicht machen.«

Er wollte aufstehen, aber Burton packte seinen Arm und hielt ihn auf der Bank. »Nein, nicht du, Julian. Dich würde es den Kopf kosten.« Er wies auf den Erzbischof von Canterbury. »Er kann mehr ausrichten als du und riskiert obendrein nichts.«

Der hohe Kirchenfürst hatte genauso schreckensstarr verharrt wie alle anderen Lords im Saal. Doch je länger das Schweigen sich hinzog, je offensichtlicher wurde, dass nicht einmal die Standhaftesten unter den Yorkisten bereit waren, York zu beklatschen und somit quasi per Akklamation zum König zu machen, desto deutlicher breitete sich ein Lächeln auf Bourchiers zerfurchtem Gesicht aus, das mehr mit Hohn zu tun hatte als mit christlicher Nächstenliebe.

Er trat zu York. »Willkommen in der Heimat, mein Sohn. Wollt Ihr nicht gehen und dem König Eure Aufwartung machen?«

Falls York über den ausbleibenden Beifall erzürnt oder bestürzt war, verstand er es hervorragend, sich zu beherrschen. Seine Miene zeigte nichts als Konzentration und Gleichmut. Der Blick seiner scharfen blauen Augen glitt geruhsam durch die prächtige Halle, ehe er zu Bourchier zurückkehrte. »Wahrlich, Mylord of Canterbury, ich wüsste keinen Mann in diesem Land, dem es nicht geziemte, zu mir zu kommen und mich aufzusuchen, statt ich ihn.«

Der Erzbischof wurde blass. Er bedachte den Prätendenten mit einem Blick, von dem einem das Blut gefrieren konnte, und sagte dann: »Ich werde mich nun zurückziehen und dem König Eure Worte übermitteln, Mylord of York.«

York zog amüsiert die blonden Brauen in die Höhe, erwiderte aber nichts.

Kaum hatte Bourchier die Halle verlassen, brach ein Tumult los. Alle redeten durcheinander, und alle mit erhobenen Stimmen. Manche klangen empört, andere erregt. Der Erzbischof von York war auf die Füße gesprungen und redete wild gestikulierend auf den Abt von St. Albans ein. Der Bischof von London hatte es so eilig, sich zu ihnen zu gesellen, dass er beinah gestolpert wäre, als er über die Bank stieg. Die Earls of Wiltshire und Northumberland stürmten unter vernehmlichem Protest aus der Halle, und in einer Ecke standen Salisbury und Westmoreland und tuschelten.

Lords der Welt und der Kirche debattierten aufgeregt und wortreich, und Richard of York stand in all dem Getöse still wie ein Fels in einem reißenden Fluss. Julian beobachtete, wie Edward of March zu seinem Vater trat, dicht gefolgt von Warwick. Der Herzog begrüßte sie, anscheinend mit wenigen Worten und ohne zu lächeln.

Stirnrunzelnd sagte March etwas zu seinem Vater, was ihm einen finsteren Blick von seinem jüngeren Bruder Rutland eintrug.

»Sie sind uneins«, bemerkte Burton.

Julian nickte.

»Diese Posse kann Warwick und dem jungen March nicht recht gewesen sein«, fuhr sein Cousin fort. »Bei jedem Brief, jeder Verlautbarung, die sie aus Calais geschickt haben, haben sie wieder und wieder beteuert, dass ihre Klagen und ihre Unzufriedenheit sich gegen die ›schlechten Ratgeber‹ des Königs richten, sie aber nicht Henrys königliche Autorität anzweifeln. York ist da offenbar ganz anderer Meinung.«

»Und der einzige Mensch, der vielleicht noch in der Lage ist, ihn aufzuhalten, ist ausgerechnet Marguerite«, gab Julian zurück. »Gott steh uns allen bei.«

»Ihr habt es lange ausgehalten im Parlament heute, Mylord«, bemerkte Alexander, der Julian im Hof seines Hauses begrüßte und ihm das Pferd abnahm.

»Es war auch nicht so langweilig wie sonst«, gab Julian mit einer angewiderten Grimasse zurück. »Komm in die Halle, wenn du Dädalus weggebracht hast, dann erzähle ich euch, was passiert ist.«

»In der Stadt hört man, der Duke of York sei mit großem Gefolge nach Westminster geritten. Und unter dem Wappen des Königs. Heißt das, dass er sich besonnen und dem König wieder unterstellt hat?«

Julian schüttelte den Kopf. »Nein, Alexander. Ich fürchte, das heißt es nicht.«

Er bedeutete einem Diener, das Tor zu versperren, und überquerte den Hof.

Das Haus, das er von Robert geerbt hatte, lag außerhalb der Stadtmauern in Farringdon. Als Julian es vor fünf Jahren zum ersten Mal in Augenschein genommen hatte, war es verkommen und verlassen gewesen, und im Keller hatte er neben ein paar Weinfässern einen seltsamen Altar mit einem Pentagramm und Überresten schwarzer Kerzen gefunden. Er hatte den Pfarrer der nahe gelegenen St.-Bride-Kirche aufgesucht und ihm den Keller beschrieben. Vater Graham war nicht sonderlich überrascht gewesen. Ganz Farringdon habe gemunkelt, dass Lord Waringham ein Teufelsanbeter gewesen sei, hatte er Julian eröffnet, hatte ihn zu seinem Haus begleitet, und zusammen hatten sie die Überreste des lästerlichen Treibens fortgeschafft. Anschließend hatte Vater Graham das ganze Haus neu eingesegnet und Julian versichert, er könne es bedenkenlos bewohnen und brauche weder böse Geister noch Gottes Zorn zu fürchten.

Im Rahmen seiner bescheidenen Möglichkeiten hatte Julian das alte Fachwerkgebäude instand gesetzt, denn es wäre Verschwendung gewesen, es weiter verfallen und ungenutzt zu lassen. Wohn- und Werkstätten in London waren begehrt und wertvoll. Er hatte die Fenster des Haupthauses verglasen lassen und die hölzernen Nebengebäude an einen Bäcker und einen Goldschmied verpachtet. Wann immer er nun in seinen Hof ritt, hieß ihn der Duft von frisch gebackenem Brot willkommen. Es war keine vornehme Stadtvilla, wie es für einen Mann seines Standes angemessen gewesen wäre, aber Julian gefiel es. Die Bäckersfrau sah im Haus nach dem Rechten, wenn er nicht dort war, und fand in Windeseile ein paar Mägde, die ihn bekochten und umsorgten, wenn er mit seinem kleinen Gefolge gelegentlich nach London kam.

Als er die Halle im ersten Obergeschoss betrat, stellte er fest, dass einer dieser dienstbaren Geister schon Feuer gemacht hatte, denn abends merkte man, dass Herbst geworden war, und kaum hatte er sich in einen der bequemen Sessel am Tisch sinken lassen, kam eines der Mädchen und brachte ihm einen Becher Ale.

»Oh, wunderbar. Vielen Dank ... Anne?«

»Anabelle, Mylord.« Sie lächelte ohne Scheu. Keck waren sie, diese Stadtmädchen. Ganz anders als die Frauen auf dem Land oder die adligen Damen, die er kannte. Nicht so schüchtern wie die einen, nicht so hochmütig und distanziert sittsam wie die anderen. Tatsächlich erinnerten sie ihn an seine Schwester.

»Anabelle. Sei so gut, sag Sir Lucas und Sir Tristan, dass ich zurück bin.«

»Sie sind in die Ropery geritten, um Sir Lucas' Onkel einen Besuch abzustatten, Mylord. Aber sie wollten bei Einbruch der Dunkelheit zurück sein, haben sie gesagt.«

»In Ordnung. Dann kannst du das Essen auftragen, sobald sie da sind.«

Tristan Fitzalan entstammte einer Familie, die schon seit Generationen im Dienste derer von Waringham stand. Wie einige andere alteingesessene Ritter hatte sein Vater Waringham fluchtartig verlassen, als Robert es erbte, doch nach und nach waren ihre Söhne zu Julian zurückgekehrt, und Tristan begleitete seinen Dienstherrn fast immer, wohin er auch ritt, genau wie Lucas Durham.

Julian wärmte sich die Hände am Feuer und trank in Ruhe sein Bier. Alexander gesellte sich bald zu ihm. Während er umherging und in der Halle ein paar Kerzen anzündete, hörten sie unten die Haustür, dann Schritte und die gedämpften Stimmen der beiden Ritter auf der Treppe.

»Das wurde auch Zeit, Gentlemen«, sagte Julian zur Begrüßung. »Man kann glatt verhungern, wenn man mit dem Essen auf euch wartet.«

»Ja, er sieht schon richtig abgemagert aus, oder was meinst du, Lucas«, frotzelte Tristan.

»Ich hoffe, du kannst uns noch einmal vergeben«, bat Lucas seinen Dienstherrn. »Mein Onkel Philip sitzt für London bei den Commons, wie du vermutlich weißt, und er hat uns berichtet, was heute im Parlament passiert ist. Darüber haben wir die Zeit vergessen.«

Ein junges Mädchen, das vermutlich Anabelles Schwester war, kam mit einer Wasserschüssel herein, und die vier jungen Männer wuschen sich die Hände, ehe sie sich zu Tisch setzten. Anabelle brachte einen Eintopf mit Muscheln und Zwiebeln und dazu frisches weißes Brot von Master Fairbanks unten im Hof.

Nach dem Tischgebet fielen sie heißhungrig darüber her, und Julian sprach gelegentlich mit vollem Mund, während er auch seinen Knappen über die unerhörten Ereignisse des Tages ins Bild setzte.

»Und ich bin nicht sicher, was ich jetzt tun soll«, gestand er, als er geendet hatte. »Soll ich zur Königin reiten und ihr berichten, was passiert ist? Oder soll ich noch abwarten?«

»Weißt du denn, wo sie ist?«, fragte Tristan Fitzalan. »Niemand scheint das zu wissen.«

Julian zögerte nicht. Wenn es auf der Welt drei Männer gab, denen er traute, dann waren es die, welche hier mit ihm am Tisch saßen. Trotzdem senkte er die Stimme. Es war ein gar zu brisantes Geheimnis: »Sie ist in Schottland. Die Königinmutter dort, Marie von Geldern, ist die Regentin ihres kleinen Sohnes James. Sie hat Marguerite Hilfe in Aussicht gestellt. Ich schätze, Marguerite verdankt ihrer französischen Herkunft die Freundschaft der Königin von Schottland, und außerdem kann man wohl sagen, dass die beiden viel gemeinsam haben.«

»Ich denke, es wäre besser, du wartest ab«, meinte Lucas. »Noch weiß niemand, wie diese Sache ausgeht. Ob Richard of York mit eingeklemmten Schwanz zurück nach Irland flieht, nachdem weder Lords noch Commons große Lust gezeigt haben, ihn zum König auszurufen, oder ob er versucht, die Macht mit Gewalt an sich zu reißen. Was wolltest du Marguerite zum jetzigen Zeitpunkt berichten?«

»Außerdem, wenn du jetzt verschwindest, wird das den Yorkisten nicht verborgen bleiben«, gab Tristan zu bedenken. »Entweder sie schicken dir ein paar Spione hinterher, um zu erfahren, wo die Königin ist, oder ein paar Mordbuben, damit deine Neuigkeiten sie nicht erreichen. So oder so würdest du ihr einen Bärendienst erweisen. Und dir selbst auch.«

Julian nickte versonnen. »Trotzdem habe ich das Gefühl, die Zeit drängt. Jeder Tag ist kostbar. Was immer in den nächsten Wochen geschieht, entscheidend wird sein, wer die Initiative hat.« Er tunkte ein Stück Brot in den Sud am Tellerboden, biss aber nicht ab. Im Grunde wusste er, was er zu tun hatte, ging ihm auf. Allein, ihm graute davor, was es bedeuten konnte. Was möglicherweise entfesselt würde, wenn Marguerite d'Anjou und Richard of York gegeneinander in den Krieg zogen.

Anabelle betrat lautlos die Halle und riss ihn aus seinen Gedanken: »Vergebt mir, Mylord, aber Ihr habt einen Besucher.«

Julian schaute auf. »Wen?«

Sie hob die Schultern. »Er schien zu erwarten, dass ich ihn erkenne, und sagte lediglich, er wünsche seinen Cousin Waringham zu sprechen.«

Die Ritter am Tisch lachten leise, und Alexander erklärte: »Es muss an die fünfzig Männer in England geben, die ihn so nennen könnten. Sogar ich zähle dazu.«

Die Magd lächelte unsicher. »Ein goldener Bär und ein komischer weißer Stock auf Rot«, sagte sie.

Die Gesichter am Tisch wurden schlagartig ernst. Dieses Wappen war ihnen allen bekannt.

»Er ist der Earl of Warwick, Anabelle«, sagte Julian. »Führ ihn herauf, sei so gut.«

Anabelle sah einen Moment so aus, als wolle sie beeindruckt durch die Zähne pfeifen, besann sich aber, strich sich den Rock und das Haar glatt, nahm die Schultern zurück und verließ die Halle.

Keiner sagte etwas, bis Warwick eintrat. Er nickte höflich in die Runde. »Gentlemen.« Sein verbindliches Lächeln war eine seiner gefährlichsten Waffen, hatte Julian inzwischen erkannt.

»Richard«, grüßte er kühl. »Du kennst Lucas Durham und Tristan Fitzalan? Und das ist Alexander Neville, mein Knappe.

Alexander: Richard Neville, der Earl of Warwick. Wie genau ihr miteinander verwandt seid, wollt ihr bitte selbst entwirren.«

»Unsere Großväter waren Brüder«, sagten sie wie aus einem Munde, doch wenngleich der Moment komisch war, lachte niemand. Alexander warf Warwick mit gesenktem Kopf einen verstohlenen Blick zu.

Warwick bedachte ihn mit einem zerstreuten Lächeln, ehe er Julian bat: »Könnte ich dich unter vier Augen sprechen?«

»Nein.«

»Ach, nun komm schon, Cousin ...«

Julian hob abwehrend die Hand. »Es ist ein paar Jahre her, dass ich zuletzt auf die Masche hereingefallen bin, Richard. Nimm Platz. Trink einen Becher mit uns. Sag, was du zu sagen hast, aber nicht ohne Zeugen.«

Warwick betrachtete ihn, seine Miene eine Mischung aus Spott und Anerkennung. »Na schön«, erwiderte er dann und setzte sich auf einen freien Sessel Julian gegenüber. In Alexanders Richtung befahl er: »Schließ die Tür und bring mir Wein.«

Der junge Mann erhob sich willig und gehorchte. Julian gefiel es nicht, dass Warwick seinen Knappen herumscheuchte, aber er gab keinen Kommentar ab.

Alexander schloss die schwere Eichentür der Halle, holte einen kostbaren Glaspokal aus einem Schrank an der Wand und füllte ihn aus dem Krug auf dem Tisch. Mit einer formvollendeten Verbeugung stellte er ihn vor Warwick ab und kehrte an seinen Platz zurück.

»Wir sind gespannt, Richard«, bekannte Julian. »Was mag es sein, das dich herführt? Wenn du Männer suchst, die dir helfen, Richard of York auf Englands Thron zu hieven, bist du hier wirklich ganz falsch.«

»Dazu brauche ich keine Hilfe«, gab Warwick gleichmütig zurück. Er ließ entspannt einen Arm über die Rückenlehne des Sessels baumeln, führte den Becher an die Lippen und trank genüsslich. Nachdem er den guten Burgunder eine angemessene Zeit über die Zunge hatte rollen lassen, fuhr er fort: »Es wird geschehen, Julian. Weder du noch Somerset oder dieser gottverfluchte Tudor drüben in Wales kann irgendetwas tun, um es zu verhindern. Wir haben den ganzen Nachmittag in kleinem Kreis mit dem König verhandelt und einen Kompromiss gefunden.«

»Mit dem König verhandelt?«, wiederholte Julian. »Aber er ist …«, *wieder einmal völlig weggetreten*, hatte ihm auf der Zunge gelegen, doch er schluckte es gerade noch rechtzeitig herunter und sagte stattdessen: »Der König ist sehr niedergeschlagen seit der Schlacht von Northampton. Ich glaube nicht, dass er derzeit in der geeigneten Verfassung ist, Kompromisse auszuhandeln.«

»Glücklicherweise steht dir diesbezüglich aber kein Urteil zu, nicht wahr«, gab Warwick zurück. »Er hat zugestimmt und uns auf seine Zustimmung Brief und Siegel gegeben.«

Julian schwieg einen Moment betroffen, als ihm klar wurde, dass York und Warwick den König und das Parlament übertölpelt und sie alle vor vollendete Tatsachen gestellt hatten. Er wappnete sich für das Schlimmste: »Und wie soll dieser Kompromiss aussehen?«

»Henry bleibt bis zu seinem Tode dem Titel nach König von England, aber York wird Regent. Marguerites Sohn wird enterbt. Nach Henrys Tod folgt der Duke of York ihm als König von England, die Thronfolge geht auf sein Haus über, und dann werden die Dinge endlich so sein, wie sie von Rechts wegen sein sollten.«

Julian und seine Ritter tauschten entsetzte Blicke. »Ihr schließt Edouard von der Thronfolge aus, beraubt ihn seines Erbes und behauptet dann auch noch, ihr stelltet das *Recht* wieder her? Das ist grotesk.«

»Ach, komm schon.« Warwick winkte ungeduldig ab. »Es bestehen berechtigte Zweifel an der Vaterschaft des Bengels. *Dir* muss ich ja wohl nicht erzählen, was für ein läufiges Luder Marguerite d'Anjou ist.«

Julian stand auf. »Der Prinz ist des Königs Sohn. Wer etwas anderes behaupten will, ist entweder blind oder ein Lügner. Ich kann nur hoffen, dass ihr Henrys Düsternis nicht verschlimmert habt, indem ihr das ihm gegenüber in Zweifel gezogen habt.«

Warwicks mokantes Lächeln verriet, dass genau das die Waffe ihrer Wahl gewesen war. »Es ist höchst verdächtig, wie vehement du plötzlich den König verteidigst, für den du früher nichts als Spott und Hohn übrig hattest.«

»Wie in so vielen anderen Dingen habe ich auch darin dir nachgeeifert, Richard.«

»Früher hattest du den Mut, ehrlich zu sein. Jetzt bist du ein gehorsamer Lancastrianer, der die Augen vor der Wirklichkeit verschließt, genau wie dein Vater.«

»Du irrst dich. Ich verschließe die Augen nicht, und das hat auch mein Vater nicht getan. Aber die Krone gehört von Rechts wegen nun einmal Lancaster, nicht York.«

»Früher einmal hast du anders gedacht.«

»Ich habe das gedacht, was du wolltest. Was du mir vorgebetet hast. Inzwischen habe ich mich mit den Fakten vertraut gemacht. Mit den Fakten, die das Parlament geschaffen hat.«

Warwick winkte ab. »Nichts als lahme Rechtfertigungen für einen Thronraub.«

»Darüber könnten wir streiten, bis die Hölle gefriert, schätze ich. Aber ich baue auf Lancasters Zukunft, und die heißt Edouard. Wenn Richard of York die Krone an sich reißt, ist er ein Usurpator, nichts weiter. Und ich sage dir: Nicht jeder in England wird das tatenlos mit ansehen.«

»Es wird ihnen nichts anderes übrig bleiben, denn es ist beschlossene Sache. Es ist der Wille des Königs.«

»Aber todsicher nicht der Wille der Königin«, entgegnete Julian. »Mir scheint, ihr habt eure Rechnung ohne Marguerite gemacht. Das ist nicht sehr klug, weißt du.«

»Ich glaube nicht, dass der Gedanke mir den Schlaf rauben wird.«

Es war einen Augenblick still. Dann sagte Julian: »Ich will nicht unhöflich erscheinen, aber ich wäre dir dankbar, wenn du uns sagtest, was dich hergeführt hat.«

346

Warwick trank noch einen Schluck, stellte den Becher dann auf den Tisch und sah ihn an. »Du weißt, wo sie ist, oder?«

»Vielleicht.« Julian hatte nicht wieder Platz genommen. Er war zu rastlos, um still zu sitzen. »Und wenn es so wäre?«

»Wir hatten gehofft, du würdest zu ihr reiten und bei ihr für unseren Kompromiss werben. Auf dich würde sie möglicherweise hören. Immerhin bist du ein Waringham. Wenn du sie überzeugen könntest, sich zu fügen, würdest du England vielleicht allerhand ersparen.«

Julian schüttelte ungläubig den Kopf. »Du kannst es dir schenken, an mein Gewissen zu appellieren. Die Königin würde diesem faulen Kompromiss zu Lasten ihres Sohnes niemals zustimmen, ganz gleich, wer ihn ihr anträgt. Und ich werde es mit Sicherheit nicht sein, denn ich kann ihr kaum schmackhaft machen, woran ich selbst nicht glaube.«

»Es ist die einzige Lösung«, beharrte Warwick.

»Es ist ein Thronraub mit einem durchsichtigen Anstrich der Legitimität.«

»Ich würde mir an deiner Stelle gut überlegen, ob du dich wirklich weigern willst. Der zukünftige König wüsste ein Zeichen des Einlenkens von dir gewiss zu schätzen. Und er wird nicht vergessen, wie du dich in dieser Sache verhältst, sei versichert.«

»Ich nehme deine Drohung mit Gelassenheit zur Kenntnis, Richard.« Julian hinderte sich nur mit Mühe daran, die Fäuste zu ballen. Er war alles andere als gelassen.

Warwick ließ ihn nicht aus den Augen. »Wo ist sie?«, fragte er.

Julian lachte. »Hast du Exeters Tochter mit hergebracht, oder wie gedenkst du mir die Antwort zu entlocken?«

»Ich brauche dir nur folgen zu lassen, um es herauszubekommen, nicht wahr?«

Julian, Lucas und Tristan verständigten sich mit Blicken. Dann nickte der junge Waringham seinem Cousin höflich zu. »*Bonne Chance*, Richard. Und leb wohl.« Er wandte sich zur Tür und sagte zu Alexander: »Komm mit.«

Warwick sprang auf die Füße. »Was fällt dir ein, du verfluchter Flegel? Du kannst mich hier nicht einfach stehen lassen ...«

»Oh doch, ich kann«, gab Julian über die Schulter zurück und öffnete die Tür. Aus dem Augenwinkel sah er seine beiden Ritter vor Warwick Aufstellung nehmen. Sie hatten die Schwerter nicht gezogen, aber die Rechte am Heft.

»Nehmt wieder Platz, Mylord«, hörte Julian Lucas sagen. »Erfreut uns noch ein, zwei Stündchen mit Eurer Gesellschaft. Esst von den Muscheln, Ihr werdet es nicht bereuen. Die Magd kann sie aufwärmen und ...«

»Lasst mich vorbei, ihr Strolche.«

»Ich glaube nicht, Mylord«, antwortete Tristan Fitzalan grimmig.

Mit einem leisen Lachen ging Julian hinaus und schloss die Tür. Er wusste, er konnte sich darauf verlassen, dass er London weit hinter sich gelassen hatte, ehe seine Ritter Warwick laufen ließen.

»Beeil dich«, wies er Alexander an. »Wir haben keine Zeit zu verlieren.«

Alexander hastete neben ihm her. »Wer ist Exeters Tochter, Mylord?«, fragte er. »Was hat sie mit dieser verfluchten Geschichte zu tun?«

»Du hast nicht davon gehört? Es ist ein neumodisches Folterinstrument, das der Keeper des Tower erfunden hat. Eine Streckbank, die die armen Sünder in die Länge zieht, bis die Sehnen reißen und die Knochen brechen. Die Wachen im Tower haben sie nach Exeters Tochter benannt, weil das arme Mädchen viel zu lang geraten ist.«

Alexander prustete, bis ihm der Ernst der Lage wieder einfiel, und schuldbewusst schlug er die Hand vor den Mund. »Welches Pferd soll ich für mich satteln, Mylord?«, fragte er dann.

»Gar keins. Du bleibst hier.«

»Aber ...«

»Keine Widerrede. Sattel Dädalus und hol mir Proviant aus der Küche.«

»Was wird mit Eurer Rüstung?«

Julian dachte einen Augenblick nach. Er wollte sich nicht damit belasten, denn Schnelligkeit war jetzt sein oberstes Anliegen. »Schick sie zu deinem Vater«, sagte er schließlich. »Wo immer es auch zur Schlacht kommt, wird er sein. Richte ihm aus, er soll sie mir mitbringen.«

»In Ordnung.« Alexander eilte in die Küche, um bei Anabelle den Proviant in Auftrag zu geben, während Julian Schwert, Mantel und Börse aus seinem Gemach holte. Letztere wog er einen Moment in der Hand. »Verdammt, warum musst du immer so leer sein?«, schalt er sie. Er hatte einen weiten Weg vor sich. Man wusste nie, was einem auf der Reise alles widerfuhr, da konnte ein bisschen Geld nicht schaden. Aber er besann sich auf seinen Großvater, der mit ebenso magerer Barschaft aus England geflohen und nach Frankreich in den Krieg gezogen war. »Ihr wart zu beneiden, Großvater«, murmelte er vor sich hin. »Ihr habt euren Krieg auf dem Kontinent geführt. Wir Narren haben ihn nach England geholt.«

Edinburgh, Januar 1461

Edouard hatte bitterlich geweint, als er hörte, dass er nicht mehr Prince of Wales sei.

»York hat mir mein Fürstentum weggenommen? Aber es war so schön dort! Darf er das denn einfach so, Mutter?«

Marguerite hatte vor ihm gekniet, ihn in die Arme geschlossen und gewiegt. »Schsch. Schon gut, mein kleiner Liebling. Natürlich darf er das nicht. Wir holen es dir zurück, mein Sohn. Ich verspreche es dir.«

Ich hoffe, du versprichst nichts, was du nicht halten kannst, hatte Julian unbehaglich gedacht. Vom breiten Fenstersitz in ihrem Gemach hatte er die Szene verfolgt, und wann immer Marguerites Zorn, ihre Tiraden gegen York und ihre blutigen Racheschwüre ihm über die folgenden Wochen so unheimlich geworden waren, dass er am liebsten zurück nach England geflüchtet wäre, rief er sich das anrührende Bild von der Königin und dem weinenden, betrogenen kleinen Prinzen ins Gedächtnis. Marguerite in aufgebrachtem Zustand war nicht leicht zu ertragen. Wie die meisten Menschen machte die Wut auch sie nicht liebenswerter. Aber Julian kam nicht umhin, sich an die Dinge zu erinnern, die Megan ihm in der Kapelle in Kenilworth gesagt hatte: Marguerite verteidigte das Recht ihres Sohnes, und sie war gewillt, das mit Klauen und Zähnen zu tun. Das war vermutlich etwas, das man jeder Mutter zubilligen musste.

Die Engländer hatten Marguerite nie gemocht. Weil sie Französin war – eine Feindin. Selbst Julians Vater, der alles für König Henry getan hätte, hatte dessen Königin verabscheut. Wie alle Männer, die im Krieg gewesen waren. Und auch viele, die niemals auf einem blutgetränkten Schlachtfeld auf französischem Boden gestanden, den Hass auf alle Franzosen aber mit der Muttermilch eingesogen hatten.

Julian gehörte nicht dazu. Fast hinter dem Rücken seines Vaters hatte seine Mutter ihn und Blanche gelehrt, dass es Unrecht und obendrein unsinnig war, ein ganzes Volk zu hassen. Kein Franzose hatte ihm je ein Leid zugefügt. Außer Marguerite kannte er auch kaum einen. Sie waren ihm gleichgültig. Doch Marguerites Ehe mit König Henry hatte England die Grafschaft Maine gekostet, und viele glaubten, das sei der Anfang vom Ende gewesen. Der Stein, der die Lawine ausgelöst hatte, welche die Engländer auf dem Kontinent überrollt und zum endgültigen Verlust aller französischen Territorien geführt hatte. Der Krieg, den die Engländer im Laufe eines Jahrhunderts so viele Male um ein Haar gewonnen hätten, war verloren. Es war eine Schmach, die auch Julian fühlte. Und Marguerite, glaubten die Engländer, war schuld.

Julian hatte inzwischen eingesehen, dass das nicht stimmte. Als man sie mit dem König verheiratete, hatte niemand die Höflichkeit besessen, ihr auch nur zu sagen, dass England im Tausch gegen die französische Prinzessin das Maine einbüßte. Marguerite war damals fünfzehn Jahre alt gewesen, eine Schachfigur wie jede andere junge Frau von königlichem Geblüt, keine Intrigantin für die französische Sache am englischen Hof. Der beträchtliche Ehrgeiz, den sie entwickelt hatte, hatte erst dem König und dann dem Prinzen gegolten, niemals Frankreich. Sie hatte sich immer bemüht, England eine gute Königin zu sein. England hatte ihr zum Dank seit jeher die kalte Schulter gezeigt. Ihr Gemahl hatte sich als Schwächling erwiesen und verlor den Verstand, wann immer die Lage brenzlig zu werden drohte, und ihrem Sohn hatte man sein Erbrecht streitig gemacht. Konnte man ihr wirklich einen Vorwurf daraus machen, dass sie eine Furie geworden war?

»Wir müssen auf Jasper Tudor und Somerset warten, Majesté«, sagte Julian beschwichtigend. Er sagte es nicht zum ersten Mal. »Es wäre Leichtsinn, einfach zurück über die Grenze zu stürmen und York zu stellen. Die schottischen Soldaten, die die Königin Euch leiht, reichen dafür einfach nicht.«

Marguerite unterbrach ihren rastlosen Marsch durch ihr Gemach und blieb vor ihm stehen. Trotz des munteren Feuers im Kamin bildete ihr Atem weiße Dampfwolken. Julian hatte nicht geahnt, dass es irgendwo auf der Welt so bitterkalt sein konnte wie zur Weihnachtszeit in Edinburgh. »Hättet Ihr ihn nicht nach Norden gelockt, säße ich hier nicht wie ein Hase in der Falle!«, fuhr sie ihn an.

Julian hatte Mühe, sich ein Grinsen zu verkneifen. »Mir fällt auf Anhieb niemand ein, der weniger Ähnlichkeit mit einem gefangenen Hasen hat, meine Königin.«

Sie brummte missfällig. »Oh, erspart mir die schönen Reden. Sagt mir lieber, wer der Judas in Eurem Dienst ist, Sir.«

»Niemand«, entgegnete Julian. Es klang ungehalten. Auch diese Debatte führten sie nicht zum ersten Mal.

»Nein? Richard of York ist rein zufällig mit sechstausend Mann nach Norden gezogen und lauert in Sandal Castle darauf, dass ich mich rühre? Woher konnte er wissen, wo ich bin, wenn nicht von einem Eurer Männer? Euer Knappe ist ein Neville, oder nicht?«

»Ich lege für ihn und für jeden anderen Mann in meinem Dienst die Hand ins Feuer.«

»Bitte.« Marguerite machte eine einladende Geste Richtung Kamin. »Nur zu.«

»Alexander Neville ist der Sohn meiner Schwester. Sein Vater war jahrzehntelang der Leibwächter Eures Gemahls. Glaubt mir, der Junge ist vollkommen vertrauenswürdig.«

»Also? Wie dann hat York herausbekommen, wo der Prinz und ich uns befinden?«, verlangte sie zu wissen.

Julian trat an den Tisch und schenkte zwei Becher Ipogras aus dem Krug ein. Der Wein duftete nach Zimt und Nelken, war aber längst nicht mehr so heiß, wie er sein sollte. Einen Becher reichte Julian der Königin, an dem anderen versuchte er vergeblich, sich die Hände zu wärmen. »Inzwischen halte ich es für durchaus denkbar, dass Warwick nahe dem Tor meines Hauses einen Spion postiert hatte, der mir gefolgt ist. Dass er an dem Abend nur zu mir gekommen ist, um mich aufzuscheuchen, damit ich ihn zu Euch führe. Es hätte mir verdächtig vorkommen müssen, dass er ohne Gefolge gekommen ist. Abgesehen davon, Madam, war ich nicht der Einzige, der wusste, dass Ihr in Schottland seid.«

»Sieh an.« Marguerite lächelte boshaft. »Ihr wollt Eurem Freund Jasper Tudor die Schuld in die Schuhe schieben? Vielleicht andeuten, er sei ein Verräter? Obwohl er der ... wie wollen wir es nennen? *Beschützer* Eurer Schwester ist? Welch ein hinterhältiger Bastard Ihr doch sein könnt, Sir.«

Julian spürte sein Gesicht heiß werden. »Unsinn. Jasper würde sich eher in sein Schwert stürzen, als den König zu verraten. Aber wollt Ihr ernsthaft behaupten, dass Ihr jedem Einzelnen in Eurem Gefolge, jedem Angehörigen der Schwanengarde blind vertraut? Jeder von ihnen könnte York Euren Aufenthaltsort preisgegeben haben.«

»Wenn es nicht doch Euer Knappe war.« Sie stellte ihren Becher auf das Kaminsims, setzte sich auf den Tisch, nahm

Julians Handgelenk und zog ihn näher. Er sträubte sich nicht. Das hatte er noch nie getan. Auf eine merkwürdige Weise wäre es ihm ungehörig vorgekommen, sie zurückzuweisen, denn sie war doch die Königin. Er wusste, das war ziemlich krank – so wie ihr ganzes vertracktes Verhältnis –, denn nicht seine Zurückweisung, sondern seine willige Bereitschaft, ihr gefügig zu sein, machte ihn zum Verräter. Seiner Miene war indessen wohl anzusehen, dass er es nicht sonderlich schätzte, wenn sie ihn einen »hinterhältigen Bastard« nannte.

Beinah reumütig lächelte sie ihn an. »Sei mir nicht gram, Julian.« Ihre Stimme konnte so einschmeichelnd sein, wenn es ihren Absichten diente. Und so eine Verlockung. Marguerite umschloss seine Beine mit den Schenkeln und verschränkte die Finger in seinem Nacken, sodass er gefangen war. »Ich kann es nicht aushalten, hier untätig herumzusitzen, das musst du doch verstehen.«

Es hatte mehr Ähnlichkeit mit einer Entschuldigung als alles, was sie je zuvor zu ihm gesagt hatte. Fast amüsiert zog Julian eine Braue in die Höhe. »So zahm, meine Königin?«

»Nur für den Moment«, erwiderte sie warnend, und sie lachten leise.

Julian legte die Hände um ihre Taille und ließ sie zu den Brüsten hochgleiten, als es vernehmlich klopfte.

Noch während Julian erschrocken zurückfuhr, sprang Marguerite vom Tisch, nahm ihren Becher vom Kaminsims und rief: »Herein!«

Lady Elizabeth Woodville, eine ihrer vertrautesten Damen, trat auf leisen Sohlen ein. Sie neigte den Kopf, und Julian dachte nicht zum ersten Mal, dass sie ein bezauberndes, anrührend scheues Lächeln hatte. »Ein englischer Bote, Madame«, meldete sie.

Marguerite nickte. Auf ein Zeichen der Hofdame trat Lucas Durham über die Schwelle, durchquerte den großzügigen Raum, warf Julian einen kurzen Blick zu, ohne zu lächeln, und sank vor Marguerite auf die Knie. »Meine Königin. Ich bringe Nachrichten von Somerset.«

Sie betrachtete ihn mit unbewegter Miene. Der sonst immer so kostbar gekleidete und makellos gepflegte Durham bot einen abenteuerlichen Anblick. Er trug volle Rüstung, aber den Helm hatte er offenbar im Vorraum gelassen, und sein Haar war verschwitzt und zerzaust, seine Wange zierte eine blutige Schramme. Schlammspritzer besudelten die Beinschienen, Blut seinen Brustpanzer.

»Keine guten Nachrichten, nehme ich an?«, fragte die Königin schließlich. »Also heraus damit. Hat York ihn überrannt?«

Lucas schüttelte den Kopf. »Im Gegenteil, Madame. York hat uns nicht überrannt und wird auch in Zukunft niemanden mehr überrennen oder um seinen Thron betrügen. Er ist gefallen, Madame. Richard of York ist tot.«

Ein Lächeln hatte sich auf Marguerites Gesicht ausgebreitet, das ungläubiges Staunen und Glückseligkeit zu gleichen Teilen auszudrücken schien. »Tot«, wiederholte sie leise.

Lucas blickte zu Boden und nickte.

Julian konnte sehen, dass sein Ritter alles andere als glücklich war, und schloss, dass es noch mehr Neuigkeiten gab. Es gelang ihm kaum, seine Neugierde zu zügeln. Er wollte Lucas mit Fragen bestürmen, aber das konnte er vor der Königin natürlich nicht tun.

Sie tat es schließlich für ihn. »Erhebt Euch, Sir Lucas. Seid Uns willkommen in Edinburgh. Berichtet Uns alles, und wärmt Euch am Feuer.«

Lucas stand auf und sah für einen Moment abwesend zum Kamin hinüber, als wisse er nicht, welchem Zweck die Flammen dienten. Er blieb, wo er war, und Julian erkannte mit sinkendem Herzen, wie schwer es seinem Freund fiel, der Königin in die Augen zu schauen.

»Als der Duke of Somerset hörte, dass York gen Norden gezogen war, um die schottische Grenze zu bewachen, folgte er ihm mit allen verfügbaren Männern und bezog Stellung in Pontefract. Das ist nicht weit von Yorks Burg in Sandal, wie Ihr sicher wisst. Ich kam mit Julians ... mit Lord Waringhams

Bogenschützen ebenfalls nach Pontefract. Alle Lancastrianer im Norden sammelten sich dort. Vor drei Tagen kam ein Späher zu Somerset und berichtete, dass York und seine Männer ausgerückt und nach Wakefield gezogen seien, um Proviant aufzutreiben. Wir sind sofort losgeritten. Der Duke of York ...« Er unterbrach sich und fuhr sich mit der Zunge über die Lippen. »Vergebt ein offenes Wort, Madam: Der Duke of York war ein beherzter Mann. Er sah uns kommen, und wir waren deutlich in der Überzahl, aber statt sich zurückzuziehen, stellte er sich.«

Marguerite nickte feierlich. Ihre große Freude stimmte sie beinah milde. »Ein beherzter Narr«, bemerkte sie. »Und jetzt ein toter Narr obendrein.«

Lucas schluckte sichtlich. »Er fiel als einer der Ersten. Er und an die zweitausend seiner Männer, darunter Sir Thomas Neville, Salisburys Sohn.«

Und Warwicks Bruder, fügte Julian in Gedanken hinzu.

»Auch ... auch Yorks Sohn, der junge Edmund of Rutland war mit seinem Vater ausgerückt, Madam«, fuhr Lucas fort, und dann geriet er ins Stocken.

Julian spürte einen heißen Stich im Magen. Er wusste, was kommen würde, und diese Unabwendbarkeit der Katastrophe erfüllte ihn mit Schrecken.

»Als Rutland sah, was geschah, floh er zurück Richtung Burg. An der Brücke von Wakefield holte Lord Clifford ihn ein und erschlug ihn.«

Marguerite schnalzte, als habe ihr jemand erzählt, sein Pferd habe sich ein Bein gebrochen. »Wie alt war der Junge?«, fragte sie.

Lucas schüttelte den Kopf. »Ich weiß es nicht.«

Julian räusperte sich. »Siebzehn.«

Die Königin warf ihm einen kurzen, rätselhaften Blick zu. Dann forderte sie Lucas auf: »Nur weiter, Durham. Was geschah dann?«

»Die Yorkisten zerstreuten sich und suchten ihr Heil in der Flucht. Auch der Earl of Salisbury war auf der Flucht, zweifellos entsetzt über Yorks Tod. Sir Andrew Trollopes Leute holten ihn ein, brachten ihn nach Pontefract, und dort wurde er am nächsten Morgen als verurteilter Verräter hingerichtet. York, Rutland, Salisbury, seinem Sohn Thomas und vielen anderen gefallenen Yorkisten schlugen sie die Köpfe ab und pflanzten sie über den Stadttoren von York auf, und dem Duke of York setzten sie eine Papierkrone auf, Madam.«

Marguerite gluckste. »Na bitte, Cousin York. Du hast die Krone also noch bekommen, nach der es dich so gelüstete.« Sie trat auf Lucas zu und legte ihm für einen kurzen Moment die Hand auf den Arm. »Habt Dank, treuer Durham. Ich sehe, das Schicksal des jungen Rutland schmerzt Euch, und Ihr habt Recht. Aber es war der Verrat seines Vaters, der ihn das Leben gekostet hat, nicht das Haus Lancaster.«

»Ich bin sicher, Warwick und March werden das anders sehen«, murmelte Julian.

Marguerite trank und hob dabei die schmalen Schultern. »Ich kann nicht behaupten, dass ihre Ansicht mich sonderlich interessiert.«

»Aber das sollte sie«, entgegnete er unverblümt, zu erschüttert über die Nachrichten, um Vorsicht walten zu lassen. »Was immer in der Vergangenheit vorgefallen sein mag, ganz gleich, wie niederträchtig und verräterisch Yorks Handeln war, niemand hatte das Recht, seinen Sohn auf der Flucht zu erschlagen. Das war Mord. Und seid versichert, Edward of March wird es nicht vergessen.«

Marguerite hatte stirnrunzelnd gelauscht. »Ich muss gestehen, ich finde Eure unverhohlene Sympathie für Edward of March ebenso unpassend wie widerwärtig, Mylord.«

Julian war sich keineswegs darüber im Klaren, wie er zu March stand, der ihm einmal das Leben gerettet, der aber bei der Schlacht von Northampton Algernon Fitzroy erschlagen hatte und ein Feind des Hauses Lancaster war. »Und ich finde es ermüdend, dass Ihr jedes Mal meine Loyalität in Zweifel zieht, wenn ich etwas sage, das Euch nicht genehm ist, Madam«, entgegnete er. Aus dem Augenwinkel fing er Lucas' warnenden Blick auf und fuhr in gemäßigterem Ton fort: »York hat bekommen, was er verdiente, und sein Tod ist weiß Gott kein Verlust. Aber er war nur ein Symbol, in Wahrheit üben Edward of March und der Earl of Warwick die Macht der Yorkisten in England aus. Beide haben bei Wakefield den Vater und einen Bruder verloren. Ihr könnt darauf wetten, dass sie auf Rache aus sind. Und wenn sie diesen Krieg fortan weiterführen, ohne die Gebote von Ehre und Anstand zu befolgen, können wir nicht einmal behaupten, sie hätten damit angefangen, nicht wahr?«

Marguerite nickte nachdenklich. »Dann wird es Zeit, dass wir den König aus ihren Klauen befreien, denkt Ihr nicht?«

Julian und Lucas wechselten einen verwunderten Blick. »Aber wie …«, begann Letzterer.

Die Königin schnitt ihm mit einer Geste das Wort ab. »Wir haben lange genug müßig hier herumgesessen. Teilt der Truppe mit, dass wir umgehend nach England zurückkehren, Sirs. Wir vereinigen uns in Pontefract mit Somerset, und Gott helfe Jasper Tudor, wenn er sich uns mit seiner Armee nicht anschließt, ehe wir London erreichen.«

Denbigh, Januar 1461

Das war in der Tat Jaspers Absicht. Sobald die Nachrichten von den Ereignissen bei Wakefield sie erreicht hatten, waren er und sein Vater mit allen verfügbaren Männern aufgebrochen, darunter auch die Söldner, die Jasper wie versprochen für Marguerite in der Bretagne und in Irland angeheuert hatte. Mehr als achttausend Mann führten sie nach Osten.

Blanche stand am Tor, den vierjährigen Richmond an der Hand, und sah ihnen nach, bis selbst der letzte Trosswagen zwischen den Hügeln verschwunden war und nur die breite, zertrampelte Spur im Schnee zurückblieb.

Richmond zog zaghaft an ihrer Hand. »Wohin reiten denn mein Onkel und Großvater, Blanche?«

Sie schaute auf den kleinen Kerl hinab, der den Kopf in den

Nacken gelegt hatte und ihren Blick mit großen, wachen Augen erwiderte.

»Nach England«, antwortete sie.

»Zu meiner Mutter?«, fragte er.

Für Richmond war England ein geheimnisvoller, ferner Ort. Das Einzige, was er darüber wusste, war, dass seine Mutter dort lebte, die er zuletzt vor einem halben Jahr gesehen und an die er bestenfalls verschwommene Erinnerungen hatte. Einmal hatte er seinen Onkel gefragt, ob ein böser Drache seine Mutter in England gefangen halte, sodass sie dort bleiben müsse, statt hier in Wales bei ihrem Sohn zu sein, und Jasper hatte ihm ein wenig zu ruppig über den Kopf gestrichen und versichert, in England gebe es keine Drachen, nur in Wales.

Blanche sah sich ebenso wenig wie Jasper imstande, dem Jungen zu erklären, warum seine Mutter nur ein ferner Traum war, warum es Megan zu riskant erschien, ihren Sohn zu sich zu holen. »Wer weiß«, antwortete sie nun mit einem gezwungenen Lächeln. »Vielleicht finden sie wirklich Gelegenheit, sie zu besuchen.«

Richmond schien das Interesse an ihrer Unterhaltung zu verlieren. Er löste sich von ihrem Griff, hockte sich hin, schob mit den Händen Schnee zusammen und formte eine Kugel daraus.

Blanche sah noch einmal auf die Spuren im Schnee. Ihr Herz war bleischwer. Sie konnte sich nicht erinnern, dass ihr je im Leben etwas schwerer gefallen war, als Jasper ohne Tränen und unwürdiges Flehen ziehen zu lassen. Es war mit Mühe geglückt, und sie war stolz auf sich, darauf, dass sie es geschafft hatte, sich zu benehmen, wie man es von einer Waringham erwarten durfte. Aber das änderte nichts an ihrem Kummer, ihrer Furcht und dem Gefühl der Verlassenheit. Alle zogen in den Krieg. Sogar seinen jungen Bruder Rhys hatte Jasper mitgenommen. Nur sie nicht.

Dieses Mal hatte Blanche allerdings ganz von selbst eingesehen, dass es unmöglich war, ihn zu begleiten. Sie war jetzt hochschwanger und wusste, dass es nicht mehr lange dauern würde, bis ihr Kind kam. Gewiss, sie wäre nicht die erste Dame gewesen, die im Zeltlager einer Armee niederkam – selbst bei Königinnen war das schon vorgekommen. Doch der Feldzug, zu dem Jasper aufgebrochen war, führte ins Ungewisse. Die Tudors waren nicht einmal sicher gewesen, wer sich ihnen zur Schlacht stellen würde, geschweige denn, wo. Blanche wäre nur eine zusätzliche Last gewesen, und das war das Letzte, was sie für Jasper Tudor sein wollte. Also hatte sie sich zusammengenommen, ihm zum Abschied ein Lächeln geschenkt, das er so schnell nicht vergessen würde, und ihre Furcht um ihn, ihren Bruder und all die anderen ebenso tief verborgen wie die Angst vor dem Alleinsein und der bevorstehenden Entbindung ohne einen einzigen vertrauten Menschen in der Nähe.

Richmond warf Schneebälle gegen die Burgmauer. Er konnte noch nicht besonders gut zielen, und seine Würfe hatten noch keine Kraft, aber die weißen Flecken, die seine Geschosse auf dem grauen Stein hinterließen, erfreuten ihn offenbar.

»Mach mit, Blanche«, forderte er sie auf.

Sie schüttelte bedauernd den Kopf. »Es geht nicht, Engel. Ich bin schwerfällig wie ein alter Ochse.« Sie fing den nervösen Blick der Torwache auf. Denbigh Castle war beinah vollkommen entblößt, und der Mann wollte schleunigst das Tor schließen. Blanche nickte ihm zu und streckte die Hand nach Richmond aus. »Komm jetzt. Es ist zu kalt für uns beide hier draußen.«

Richmond hörte keineswegs immer auf das, was sie oder sonst irgendwer ihm sagte. Er hatte einen eigenen Kopf – wie sein Onkel Jasper – und war kein sehr folgsames Kind. Aber heute hatte Blanche Glück. Er war seines Schneeballspiels schon überdrüssig, kam zu ihr gelaufen und legte seine kleine, kalte Hand in ihre.

Blanche führte ihn über den tief verschneiten Hof zurück zu dem gedrungenen Bergfried mit dem Söller, der sie im Sommer so erfreut hatte. Jetzt hingegen war sie dankbar für den Schutz der dicken Mauern gegen den eisigen Wind, und sie betrat mit Richmond die kleine Kammer im zweiten Obergeschoss, die als Kinderstube diente, denn sie war der wärmste Raum der Burg.

Richmonds Amme saß am Feuer, den Kopf über ihr Spinnrad gesenkt.

Blanche seufzte. »Nun hör schon auf zu heulen, Generys. Du wirst sehen, in zwei Wochen kommen sie heim, siegreich und mit stolzgeschwellter Brust, darauf möchte ich wetten.«

»Und was, wenn nicht?«, entgegnete das junge Mädchen, ohne aufzuschauen. Sie fuhr sich mit dem Ärmel übers Gesicht und schniefte.

Blanche fragte sich, wer es wohl sein mochte, um den Generys bangte. Sie tippte auf Rhys. Er war ein stattlicher junger Mann geworden, und wenn er gelegentlich einmal nicht dreinschaute, als wollte er am liebsten der ganzen Welt die Kehle durchschneiden, sah er gut aus.

»Na ja, ich schätze, es bleibt uns nichts anderes übrig, als daran zu glauben«, entgegnete Blanche.

Richmond zupfte seine Amme am Rock. »Spielst du Ball mit mir, Generys? Blanche kann nicht, sie ist schwerfällig wie ein alter Ochse, weil das Baby in ihrem Bauch so groß geworden ist.«

Die beiden Frauen schmunzelten über den altklugen kleinen Kerl. Generys nahm sich zusammen und widmete sich ihrem Schützling. Richmond war kein ängstliches Kind, aber gewiss beunruhigte es ihn, dass alle Männer plötzlich aus Denbigh verschwunden waren. Sie wusste, sie durfte ihn mit ihrer Trauermiene nicht noch weiter verunsichern.

Blanche setzte sich mit ihrem Strickzeug ans Fenster und sah dem wilden Ballspiel zu. Ausgelassen und lautstark tobten Amme und Kind durch das kleine Gemach – aus dem längst alle zerbrechlichen Gegenstände entfernt worden waren –, während es draußen vor dem Fenster wieder zu schneien begann. Erst fielen einzelne dicke Flocken, verdichteten sich allmählich, steigerten sich zu einem lautlosen Schauer, und Blanche stellte sich vor, wie er Jaspers Brustpanzer und Schultern weiß puderte, wie Männer und Pferde sich durch die erbarmungslose Kälte und den knietiefen Schnee kämpften, während die neuen Flocken die Spuren zudeckten, die sie eben erst gemacht hatten.

Mehr als eine Woche verging, ohne dass sie Nachrichten hörten, und am letzten Tag des Monats hatte ein Schneesturm eingesetzt, der gewiss jeden Botenritt unmöglich machte. Zum ersten Mal, seit Blanche nach Wales gekommen war, bedrückten sie ihr Exil und die Abgeschiedenheit dieses Ortes, die Tatsache, dass sie so furchtbar weit weg von allen politischen Ereignissen war, von England und von zu Hause.

In der dritten Sturmnacht setzten die Wehen ein. Blanche erwachte aus einem Albtraum, ihr Unterkiefer völlig verkrampft, als hätte sie längere Zeit die Zähne zusammengebissen. Als sie den ziehenden Schmerz spürte, wusste sie sofort, was er zu bedeuten hatte. Sie fragte sich, ob er schon länger da war und ihr den grauenvollen Traum beschert hatte. Mit weit geöffneten Augen lag sie in der Dunkelheit auf dem Rücken, strich mit den Händen über ihren gewölbten Leib und versuchte ohne großen Erfolg, das Traumbild zu verscheuchen. Blut im Schnee. Viel Blut, so als habe jemand aus einiger Höhe einen Krug auf die verschneite Erde entleert. Es war Jaspers Blut und doch nicht Jaspers. *Jaspers Blut und doch nicht Jaspers.* Der Gedanke war ebenso hartnäckig wie unsinnig. Blanche hatte keine Ahnung, was das bedeutete, aber sie wusste, Jasper war nicht tot. Noch nicht. Und ehe sie versuchen konnte, das Rätsel zu entwirren, wurde sie mit Nachdruck daran erinnert, dass Jaspers Kind hinaus ans Licht der Welt wollte.

Die einzige Geburt, der sie je beigewohnt hatte, war Richmonds gewesen. Doch die ganze Schwangerschaft hindurch war es ihr geglückt, den Schrecken dieser Erinnerung auf Armeslänge von sich fernzuhalten. Sie wollte ihrem Kind nicht mit der albernen und obendrein sinnlosen Furcht vor der Niederkunft schaden. Also hatte sie sich wieder und wieder vorgebetet, dass sie nicht so zart war wie Megan. Blanche hatte sich selbst immer als robust und stark betrachtet. Sie hatte einen Gutteil ihrer Kindheit unter dem weiten freien Himmel von Kent verbracht, im Sattel zumeist. Sie war mit ihrem Bruder auf Bäume geklettert und hatte mit ihm gerauft, wenn man sie ließ. Sie war alles andere als ein zartes Pflänzchen, und sie fürchtete sich nicht vor den Schmerzen einer Geburt. Und dennoch. In der Stille der eisigen Winternacht und unter dem Schatten des beunruhigenden Traums drohte der Mut sie zu verlassen.

Sie setzte sich behutsam auf, tastete nach dem Mantel, der am Fußende ihres Bettes lag, und schob den Vorhang zurück. Die stürmische Nacht draußen war finster, und im Zimmer war es ebenso dunkel wie hinter den Bettvorhängen, aber für einen Moment war es Blanche, als sehe sie unten im Hof ein Licht aufflackern. »Blödsinn«, murmelte sie vor sich hin. »Du fantasierst, Blanche of Waringham.«

Sie wickelte sich in ihren Mantel, tastete sich zur Tür, und dort kam die nächste Wehe. Blanche hielt inne, die Hand auf dem Türriegel, und wartete, bis der Schmerz verebbte.

Als sie auf den Gang hinaustrat, hörte sie schwere Schritte und Männerstimmen aus der Halle unten. Freude durchzuckte sie. Jasper! Sie waren endlich nach Hause gekommen …

»Wo ist der Offizier der Wache?«, verlangte jemand zu wissen. Ein Grenzländer, hörte Blanche. »Was ist das hier für eine Sauwirtschaft? Gibt es irgendwen, der dieses jämmerliche Häuflein befehligt?«

Blanche lehnte sich mit dem Rücken an die Wand und presste die Hände links und rechts an die kalte Mauer. Das war keineswegs Jasper. Fremde waren nach Denbigh gekommen und in die Burg eingedrungen. Feinde. Was immer mit Jasper geschehen war, er hatte nicht verhindern können, dass die Yorkisten nach Wales kamen. Sie musste fliehen. Sie musste Richmond von hier fortbringen, und zwar auf der Stelle.

Aber sie konnte nicht. Die nächste Wehe kündigte sich an. Ihr Kind war eigensinnig wie sein Vater – es hatte sich den denkbar unpassendsten Moment ausgesucht, um der Welt seine Aufwartung zu machen.

»Wir haben alle Türme und Nebengebäude durchsucht, Mylord«, war von unten eine zweite Stimme zu vernehmen. »Niemand hier außer dem Gesinde und der kleinen Wachmannschaft. Das hier scheint das einzig bewohnte Gebäude zu sein.«

Als sei sie daran festgefroren, stand Blanche reglos an die

Mauer gepresst, die Augen vor Entsetzen geweitet. Sie kannte diese Stimme.

»Dann durchsucht jede Kammer vom Dach bis zum Keller, Sir Thomas«, befahl der andere. »Wenn Tudor sich hier verkrochen hat, will ich ihn haben. Lebend, habt Ihr gehört?«

»Gewiss, Mylord«, sagte Blanches Gemahl beflissen. »Du, du und du. Kommt mit mir. Wir fangen oben an …«

Blanche hätte nicht gedacht, dass sie sich noch so schnell bewegen konnte. Doch sie hatte die Tür zur Kinderstube erreicht und war hindurchgeschlüpft, noch ehe der erste Stiefel auf der steinernen Treppe zu hören war. Lautlos zog sie die Tür hinter sich zu, und die Wehe, die jetzt kam, war so heftig, dass sie weiche Knie bekam. Ein wenig unsicher ging sie zum Bett hinüber. Etwas Glut war noch im Kamin, sodass sie Umrisse erkennen konnte. Die Amme und der kleine Richmond lagen dicht aneinandergeschmiegt und schliefen selig.

Blanche legte der jungen Frau die Hand auf den Arm und rüttelte zaghaft. »Generys«, wisperte sie eindringlich. »Wach auf. Wir müssen verschwinden. Sofort …« Sie konnte nicht weitersprechen, und ihr Körper krümmte sich, obwohl sie ihm das strikt untersagte.

Wie die meisten Frauen, denen die Sorge um kleine Kinder oblag, war Generys auf einen Schlag hellwach. »Was ist passiert?«

»Irgendetwas muss schiefgelaufen sein. Die Yorkisten sind hier. Hier in der Burg. Wir müssen den Jungen fortschaffen, und zwar schnell.«

Generys betrachtete sie kurz und schwang die Beine aus dem Bett. »Ihr könnt nirgendwohin gehen, Lady Blanche. Euer Kind kommt.«

»Was du nicht sagst … Aber einer der Marcher Lords da unten in der Halle ist mein Gemahl, verstehst du? Sie durchsuchen den Bergfried nach Jasper, sie werden jeden Augenblick hier sein, und wenn er mich findet, dann …«

»Oh mein Gott«, murmelte Generys, und für einen Moment sah sie so aus, als wolle sie einfach davonlaufen wie ein aufgeschrecktes Fohlen. Aber dann nahm sie sich zusammen. Sie ergriff Blanches Hand. Die ihre war trocken und wunderbar warm. »Er wird Euch nicht finden und den Jungen auch nicht. Ich habe eine Idee.«

Generys hüllte das schlafende Kind in eine Decke, hob es hoch und trug es zur Tür. Diese öffnete sie lautlos einen Spalt breit und spähte hinaus. »Die Luft ist rein, Lady Blanche. Schafft Ihr's bis zur Treppe?«

»Ich denke schon. Aber da unten sind die Marcher Lords.«

»Darum gehen wir nach oben. Zu den Gesindekammern. Ihr werdet einfach irgendeine Magd sein, die ausgerechnet heute Nacht ihr Kind bekommt, und das wird keinen Lord genug interessieren, um auch nur einen müden Blick auf Euch zu werfen.«

Wortlos folgte Blanche ihr zur Tür. Sie musste ihren ganzen Mut zusammennehmen, um die trügerische Sicherheit des halbdunklen Gemachs zu verlassen. Aber natürlich wusste sie, dass Generys' Plan, so unsicher er auch sein mochte, ihre einzige Hoffnung war, Thomas Devereux nicht in die Hände ... in die Hand zu fallen.

Vom anderen Ende des Ganges drang Fackelschein aus einer offenen Tür. Leise Stimmen waren dort zu hören.

Mit gesenkten Köpfen huschten die beiden Frauen zur Treppe und verschwanden nach wenigen Stufen im gewendelten Schatten. Zwei Stockwerke weiter oben klopfte Generys verhalten an eine Tür. Blanche lehnte neben ihr an der Wand und atmete stoßweise. Die Abstände zwischen den Wehen wurden jetzt merklich kürzer.

Die Tür öffnete sich. »Was ist los?«, fragte eine brummelige Frauenstimme auf Walisisch. Die Köchin, erkannte Blanche.

»Du musst uns helfen, Mabilia«, sagte Generys eindringlich. »Marcher Lords sind in die Burg eingedrungen. Sie suchen Lord Jasper.«

»Gott steh uns bei, er hat die Schlacht verloren ...«, murmelte die Köchin.

Blanche schloss die Augen, und zwei Tränen stahlen sich

unter den Lidern hervor. Bis zu diesem Augenblick hatte sie sich den Gedanken nicht gestattet, aber Mabilia hatte natürlich Recht.

»Es sieht danach aus«, stimmte Generys zu. »Einer der Marcher Lords ist Lady Blanches Mann.«

»Ach du Schreck«, sagte die Köchin, wenngleich sie ziemlich gelassen klang. »Stimmt es, dass Ihr ihm weggelaufen seid?«, fragte sie Blanche.

Nicht nur das, dachte Blanche, nickte aber lediglich.

»Wir müssen sie verstecken«, drängte Generys. »Er darf sie nicht finden. Und den Jungen auch nicht, verstehst du? Aber die Wehen haben eingesetzt.«

Ohne ein weiteres Wort öffnete Mabilia die Tür ganz, zog die Amme mit dem schlafenden Kind über die Schwelle und nickte auch Blanche einladend zu. Zögernd löste Blanche sich von der Wand, und als sie die Kammer betrat, legte die Köchin einen Arm um ihre Taille und führte sie zu ihrem Bett. Es war nur ein Strohsack am Boden mit zwei, drei rauen Wolldecken. Aber Blanche war dankbar, nicht länger auf ihren wackligen Beinen stehen zu müssen, und die Decken waren noch warm.

Mabilia breitete eine davon über ihr aus. »Weck die übrigen Mädchen, Generys. Eine soll den Jungen zu sich ins Bett nehmen. Die anderen schickst du runter in die Küche. Wir brauchen warmes Wasser, Leinen, ein scharfes Messer und vor allem Licht. Und sag Gladys, sie soll den Engländern etwas Heißes kochen. Vielleicht benehmen sie sich anständig, wenn wir höflich sind. Jetzt lauf, beeil dich.«

Generys verschwand, und Blanche sah auf den dunklen Umriss der Tür. Was sollte sie tun, wenn Thomas Devereux mit einer Fackel in der Hand hereinstürmte? Er würde sie erkennen. Wehen oder keine Wehen, er würde sie töten. Oder zurück nach Lydminster bringen, um lange Rache zu nehmen.

»Gott, mir ist so schlecht …«

»Schsch«, machte die Köchin. »Ihr müsst Euch beruhigen, Kindchen.« Aus einer Truhe holte sie ein grauverwaschenes Tuch, wie die einfachen Frauen es trugen, kniete sich neben

Blanche und band es ihr um den Kopf. »Da. Nichts mehr zu sehen von der schwarzen Lockenpracht. Und Euren kostbaren Mantel verstecken wir. Euer Gemahl wird Euch nicht erkennen, weil er hier nicht mit Euch rechnet. Und er hat Euch jahrelang nicht gesehen, oder?«

»Vier«, stimmte sie zu, doch sie war nicht beruhigt. »Mabilia, wenn Richmond ihm in die Hände fällt, ist Jasper erpressbar. Falls er überhaupt noch lebt. Und außerdem ...«

»Nein, lasst gut sein, Kind«, unterbrach die Köchin energisch, aber sanft. »Wenn sie ihn suchen, heißt das, dass er noch lebt. Damit müsst Ihr Euch trösten. Und nun habt Ihr erst einmal ein Kind zu gebären. Ihr dürft Euch jetzt um nichts anderes Gedanken machen.« Sie nahm ihre Hand und drückte sie leicht. »Ihr seid nicht allein. Habt keine Angst. Ich hole die Hebamme aus dem Dorf, wenn es nötig wird, aber das erregt Aufsehen. Wir versuchen es erst einmal so. Ich habe neun Kinder geboren. Glaubt mir, ich weiß, was zu tun ist.«

Ihre Worte machten Blanche ein wenig Mut. »Und ich dachte immer, du kannst mich nicht ausstehen, Mabilia.«

Die Köchin lächelte. »Ihr habt Euch getäuscht, wie es aussieht. Für eine Engländerin seid Ihr gar nicht mal übel. Jetzt seid still und hört auf das, was Euer Körper von Euch will.«

»Aber wenn Devereux hier hereinkommt ...«

»Dann dreht den Kopf zur Wand und schreit. Männer haben Angst vor Frauen im Kindbett. Er wird die Flucht ergreifen. Schreit einfach, so laut Ihr könnt.«

»Ich glaube, das wird mir nicht schwerfallen.«

Drei Mägde und die Köchin drängten sich in dem engen, schwach erleuchteten Raum um die Wöchnerin, als die Tür rüde aufgestoßen wurde.

»Was geht hier vor?«, fragte eine Stimme auf Englisch. Nicht Devereux. Jünger.

Blanche drehte trotzdem den Kopf zur Wand und schrie. Das tat sie seit gut einer Stunde.

»Wonach sieht es denn aus?«, entgegnete Mabilia. Ihr Englisch war gebrochen, doch ihr verdrossener Tonfall unmissverständlich. »Stör uns nicht.«

»Ach, du meine Güte …«, hörte Blanche den jungen Mann kleinlaut murmeln, und seine Stimme entfernte sich, als weiche er von der Tür zurück. »Wisst ihr, wo Jasper Tudor steckt?«, fragte er.

»Nein. Der war seit Weihnachten nicht hier. Willst du zwischen ihren Beinen nachsehen, ob ich dich anlüge?«, bekam er zur Antwort.

Der wackere Soldat trat den Rückzug an.

Zwei der Mägde kicherten, aber Blanche hatte nicht einmal genug Luft, um Mabilia zu danken. Sie krallte die Hände ins Stroh, starrte auf das hölzerne Kruzifix neben der Tür und betete. Sie betete um Mut. Sie betete um Jaspers Sicherheit, um ihre eigene und um Richmonds. Und sie betete, es möge bald vorüber sein.

Der Himmel hatte ein Einsehen. Nicht einmal eine Stunde später brachte Blanche ihren Sohn zur Welt.

»Das ging hurtig fürs erste Mal«, sagte Mabilia anerkennend, als sie ihr das gewaschene Neugeborene in den Arm legte. »Mir scheint, Ihr seid wie geschaffen fürs Kinderkriegen.«

»Vielen Dank, vorerst reicht's mir«, gab Blanche matt zurück, aber als das winzige Menschenkind in ihrem Arm sich regte, spürte sie eine Art von Liebe, die sie noch nicht kannte, die sie dem Kind in ihrem Leib – dieser bloßen Idee eines Kindes –, nicht hatte entgegenbringen können. Die Macht dieses Gefühls erschreckte sie ein wenig, aber sie hielt sich nicht damit auf, es zu erforschen. Es war gut, es war richtig, es war etwas, das Gott allen Müttern einhauchte, nahm sie an. Sie küsste ihrem Sohn behutsam die Stirn, schob die Brustwarze zwischen die unglaublich winzigen Lippen und konzentrierte sich mit gefurchter Stirn auf diese neue, eigentümliche Empfindung.

»Engländer.« Mabilia seufzte und schüttelte den Kopf. »Keine Glückstränen, kein Freudentaumel, kein Zorn, kein gar Nichts. Was seid ihr nur für ein kaltschnäuziges Volk, ihr Angelsachsen.«

Blanche hob den Kopf. »Meine Vorfahren waren Normannen, keine Angelsachsen. Und zu Hause sagte man mir nach,
dass ich nie ein Geheimnis aus meinen Empfindungen mache
und das Herz zu sehr auf der Zunge trage.«

»Herrje, wie muss dann erst der Rest von euch sein.«

Blanche strich ihrem Sohn mit dem kleinen Finger über
den Kopf. Er hatte blondes Haar wie sein Vater, aber weitere
Ähnlichkeiten zwischen den beiden konnte sie nicht entdecken.
Sie wäre gern allein mit ihm gewesen. Um ihn zu betrachten,
kennen zu lernen, sich mit dem Gedanken vertraut zu machen,
dass es ihn gab.

»Wie soll er heißen?«, fragte Mabilia. »Sobald es hell ist,
bring ich ihn ins Dorf, damit Vater Hugh ihn tauft.«

Blanche schüttelte den Kopf. »Ich kann nicht bleiben, bis es
hell wird. Ich … ich muss sofort von hier verschwinden. Das
Gleiche gilt für den kleinen Richmond.«

Mabilia strich ihr die Schulter. »Schsch. Wie soll er heißen,
Kindchen?«

»Owen.« Und damit schlief sie ein.

»… sind mit zwanzig Männern hergekommen, allesamt englische Soldaten«, hörte sie Generys wispern. »Sie sind über die
Mauer gestiegen und haben die Torwache überwältigt. Einen
haben sie erschlagen, aber sonst tun sie niemandem etwas.«

Blanche schlug die Augen auf. Es war Tag geworden – graues
Winterlicht fiel durch das schmale, unverglaste Fenster in die
Kammer der Köchin. »Wo ist mein Sohn?«, fragte sie.

Generys hockte sich zu ihr und reichte ihr ein Bündel, das
Blanche auf den ersten Blick für ihren Mantel hielt, auf den
zweiten aber den Säugling enthielt. »Hier«, sagte die Amme
mit einem Lächeln. »Ordentlich getauft, und er hat gebrüllt
wie ein Löwe. Jetzt schläft er.«

Die Frauen hatten den kleinen Owen vom Hals bis zu den
Füßen in feste Tücher gewickelt. Blanche wusste natürlich, dass
man es so machen musste, damit die kleinen Glieder gerade
wuchsen, aber sie fragte sich dennoch, was ihr Sohn wohl davon

hielt, sich so gar nicht rühren zu können. Sie nahm ihn und wiegte ihn sacht, ohne es zu merken. Sie fühlte sich kräftiger, nicht mehr so zerschlagen, aber immer noch erschöpft.

»Habt ihr irgendetwas über Lord Jasper erfahren?«, fragte sie die walisischen Mägde.

»Nichts«, erwiderte Generys mit einem Kopfschütteln. »Wie gesagt, ich verstehe nicht, was die Engländer reden. Der Anführer, der Schwarzbärtige in der kostbaren Rüstung, ist ein walisischer Marcher Lord, und der Engländer mit der eisernen Hand versteht unsere Sprache auch, aber natürlich sagen sie uns nichts. Ich weiß nur, dass sie auf der Suche nach Lord Jasper sind. Aus irgendeinem Grund scheinen sie zu glauben, dass er nach Wales zurückgekehrt ist.«

Blanche richtete sich auf. »Wir müssen verschwinden. Generys, hol Richmond. Schärf ihm ein, dass er nur Walisisch sprechen und niemandem seinen Namen sagen darf.«

»Aber Lady Blanche, Ihr könnt unmöglich ...«, wandte Generys unsicher ein.

»Oh doch, ich kann. Du wirst sehen. Helft mir auf die Füße.«

Mit zweifelnden Mienen zogen sie sie hoch. Blanche wurde schwarz vor Augen, aber es wurde gleich wieder besser. Es würde gehen, erkannte sie erleichtert. Vielleicht nicht besonders gut, aber das spielte keine Rolle.

Während Generys hinausschlüpfte, fragte die Köchin: »Wo wollt Ihr denn hin, Lady Blanche? Solltet Ihr das vergessen haben: Es ist Winter da draußen. Und ein Säugling fällt ihm schnell zum Opfer.«

Blanche schauderte. Aber sie erwiderte entschlossen: »Nach Pembroke.«

Mabilia sah sie an, als zweifle sie an ihrem Verstand. »Das müssen zweihundert Meilen sein.«

»Aber der einzige Ort, wo wir sicher sind. Würdest du uns ein wenig Proviant zusammenpacken?«

Die Köchin zögerte noch. »Lord Jasper wird es mir nicht danken, wenn ich seinen Neffen, seinen Sohn und seine Frau ins Verderben rennen lasse.«

»Ich bin nicht seine Frau«, entgegnete Blanche ungeduldig. »Sondern die des Ungeheuers mit der eisernen Hand dort unten. Wenn er mich entdeckt, wird er mich und mein Kind töten, verstehst du? Und Gott allein weiß, was sie mit Richmond täten. Ich habe keine Wahl.«

Mabilia gab schweren Herzens nach. »Also gut. Ich packe Euch Proviant zusammen.«

Ohne verdächtige Hast überquerten sie den Burghof. Blanche hielt den kleinen Owen im Arm, Generys führte Richmond an der Hand, der nur unwillig in den ungewohnten Holzschuhen neben ihr her stapfte und allenthalben über die Schulter zurückschaute. Sie hatten ihn ebenso in schlichte, bäuerliche Gewänder gekleidet wie Blanche, die Mabilia ihren Mantel geschenkt und sich dafür den ihren geborgt hatte. Außerdem trug sie das Kopftuch jetzt so gebunden, dass es tief in die Stirn gezogen war und ihr Kinn bedeckte, genau wie Generys es tat. Sie sahen aus wie Schwestern.

»Meine Füße sind kalt«, quengelte Richmond.

»Schsch«, machte Blanche eindringlich. »Nimm dir ein Beispiel an deinem Vater und sei tapfer. Und jetzt halt den Mund.«

Sie kamen ans Tor. Zwei der englischen Soldaten, die die Marcher Lords mitgebracht hatten, standen auf Wache.

Die kleine Gruppe ging an ihnen vorbei, ohne sie anzuschauen, aber einer der Männer glitt vor sie und breitete die Arme aus. »Halt, halt! Wo soll's denn hingehen, ihr Hübschen? Ihr könnt hier doch nicht einfach so rausspazieren.«

Blanche hielt ihm mit ausgestreckten Armen das Neugeborene hin. »Mein Kind«, stammelte sie und bemühte sich um einen walisischen Akzent. »Taufe. Bitte?«

»Ach so«, sagte der Soldat gutmütig. »Na, dann mal los und Gottes Segen.«

Blanche und Generys knicksten hastig, durchschritten das Tor von Denbigh Castle mit klopfendem Herzen und schlugen den Weg hügelabwärts zum Dorf ein. Sie kamen nur quälend langsam voran. Der Schnee lag beinah eine Elle hoch. Noch ehe sie die ersten Häuser erreicht hatten, fing der kleine Richmond an zu weinen, weil ihm so furchtbar kalt war, und Generys hob ihn auf den Arm und trug ihn.

Sie tauschte einen besorgten Blick mit Blanche. »Das waren zweihundert Yards«, bemerkte sie. »Wie wollen wir zweihundert Meilen schaffen?«

»Wir laufen, bis es dunkel wird«, antwortete Blanche und schlang den Mantel der Köchin fester um ihr schlummerndes Kind. »Sobald wir weit genug weg sind von Denbigh, stehle ich uns zwei Pferde.«

Die Amme zog erschrocken die Luft ein. »Aber Lady Blanche ...«, protestierte sie.

»Ja, ja«, knurrte Blanche. »Es geht nun einmal nicht anders.« Sie betete, dass sie lange genug durchhalten werde, um Gelegenheit zu dieser Freveltat zu bekommen. Kalter Schweiß hatte sich auf Stirn und Nacken gebildet, und sie spürte, dass sie blutete.

Der Pfad, der für walisische Verhältnisse schon einer königlichen Hauptstraße gleichkam, führte nach Osten, ihr fernes Ziel indessen lag ganz im Süden von Wales. Doch es wäre Selbstmord gewesen, in diesem tief verschneiten, unzugänglichen Gelände den Weg zu verlassen und zu versuchen, sich durch die Wildnis nach Süden zu kämpfen. Ihnen blieb nur zu hoffen, dass bald ein Pfad in ihre Richtung abzweigen würde. Wenigstens konnte Generys sich orientieren und geriet nicht ständig mit den Himmelsrichtungen durcheinander, wie es Blanche so oft passierte.

Sie waren vielleicht zwei Stunden unterwegs, als vor ihnen endlich die erhoffte Kreuzung auftauchte.

»Gott sei Dank«, murmelte Blanche erleichtert. Der Pfad zur Rechten tauchte nach vielleicht einer Viertelmeile in ein Waldstück ein, sah sie. Dort würden sie rasten. Richmond brauchte eine Pause, und sie selbst erst recht.

»He da, macht Platz, ihr Gesindel!«, rief eine barsche Stimme hinter ihnen. »Runter von der Straße!« Es war eine englische Stimme.

Sie hatten die Reiter im Schnee nicht kommen hören. Generys fuhr erschrocken herum, aber Blanche packte ihren Arm, zerrte sie zum Wegesrand und hielt den Kopf tief gesenkt. Sie war nicht schnell genug. Die beiden vorderen Reiter preschten an ihnen vorbei, noch ehe sie sich ganz in Sicherheit gebracht hatten. Eine Pferdeschulter streifte Generys, sodass sie mit dem Gesicht in den Schnee geschleudert wurde.

Die drei nachfolgenden Reiter galoppierten vorbei, ohne die kleine Gruppe eines Blickes zu würdigen.

»Was fällt euch ein, ihr Halunken!«, rief Richmond ihnen im Brustton der Entrüstung nach.

»Nein«, zischte Blanche, hockte sich zu ihm hinunter und hielt ihm mit der freien Hand den Mund zu. »Nur Walisisch, Richmond, hast du's schon vergessen?«

Es war zu spät. Der Anführer der Reiterschar hatte angehalten und sein Pferd gewendet. Matt funkelte die Wintersonne auf seiner schwarzen Eisenhand. Im Schritt kam er zu ihnen zurückgeritten, seine Männer folgten ihm.

Vor den beiden Frauen glitt Thomas Devereux aus dem Sattel. »Was hast du gesagt, Junge?«

Richmond antwortete nicht. Blanche kniete neben ihm, starrte in den Schnee und konnte vor Furcht kaum atmen. Sie sah seinen feinen braunen Lederstiefel, das eng geschnittene dunkelgrüne Hosenbein, welches aus dem Schaft ragte. Wann würde ihm auffallen, dass die Magd mit dem Säugling im Arm den Kopf so starr gesenkt hielt?

»Wie ist dein Name, Söhnchen?«, fragte Devereux den kleinen Richmond. Als er keine Antwort bekam, ohrfeigte er den Jungen. Richmond fiel in den Schnee und begann leise zu weinen.

Generys hob ihn auf, drückte ihn an sich und sah flehentlich zu Devereux auf. »Bitte, Mylord, tut ihm nichts«, bat sie auf Walisisch.

»Wie heißt er?«, entgegnete Devereux barsch in derselben Sprache.

»Ithel ap Cadugan, Mylord«, antwortete die Amme.

»Ach wirklich? Ein Bastard von Cadugan of Powys, hm?«

Blanche glaubte nicht, dass Generys wusste, wer Cadugan of Powys war. Die Amme hatte einfach den erstbesten Namen gesagt, der ihr in den Sinn kam. Dennoch nickte sie nachdrücklich.

Thomas Devereux lächelte auf sie hinab, und dieses Mal war Generys diejenige, die er mit einer seiner unvergesslichen Ohrfeigen zu Fall brachte. »Es gibt keinen Cadugan of Powys, du durchtriebenes Luder. Und ich erkenne einen Tudor, wenn ich ihn vor mir habe.« Finster sah er auf den kleinen Jungen hinab, der furchtsam immer näher an Blanche heranrückte. »Zum letzten Mal, Bengel, wie ist dein Name?«

Verstohlen ergriff Blanche seine Hand, um ihm Mut zu geben, aber der Junge war erst vier Jahre alt. Zu klein, um einem Finstermann mit einer eisernen Hand die Stirn zu bieten. »Henry ap Edmund«, gestand er. »Ich bin der Earl of Richmond, Mylord.« Er versuchte, es mit Stolz zu sagen, aber es klang doch ziemlich eingeschüchtert.

Devereux sah abschätzig auf ihn hinab. »So, so. Als ob ich's geahnt hätte.« Ohne Vorwarnung packte er Blanches Arm und zerrte sie auf die Füße. »Und ihr zwei wolltet es auf euch nehmen, den kleinen Lord Richmond vor den Klauen der bösen Yorkisten zu bewahren, und habt ihn aus Denbigh herausgeschmuggelt, ja?« schnauzte er sie an. Der kleine Owen wachte auf und begann zu schreien. Devereux hob die Stimme: »Sieh mich gefälligst an, wenn ich mit dir rede!«

Blanche hatte keine Wahl. Langsam hob sie den Kopf, sah ihrem Gemahl für einen winzigen Moment in die Augen und blickte dann gleich wieder weg. »Wir sind seine Ammen, Mylord«, sagte sie auf Walisisch und bemühte sich um einen unterwürfigen Tonfall. »Wir müssen ihn doch beschützen ...«

Devereux schnaubte. »Und zu dem Zweck verschleppt ihr ihn in die Wildnis? Was glaubt ihr denn, was wir mit dem Bübchen vorhaben? Hat Jasper Tudor euch erzählt, die Yorkisten fressen kleine Kinder? Oder steht ihr vielleicht insgeheim in Kontakt mit ihm und wolltet ihm seinen Neffen bringen, he?«

Blanche war fassungslos. Thomas hatte sie nicht erkannt. Er hatte dem kleinen Richmond die Ähnlichkeit mit dessen Vater angesehen, aber seine eigene Frau erkannte er nicht. Weil sie so unbedeutend für ihn war. Doch sie wagte noch nicht zu hoffen, dass seine Geringschätzung ihre Rettung sein sollte.

Generys schüttelte emsig den Kopf. »Nein, Mylord«, beteuerte sie und wiederholte die Lüge, die die Köchin in der vergangenen Nacht schon vorgebracht hatte: »Wir haben ihn seit Weihnachten nicht gesehen.«

»Wie sonderbar«, gab Devereux sarkastisch zurück. »Wissen wir doch genau, dass er Ende Januar von Denbigh losmarschiert ist. Ich bin versucht, dir das Lügen auszutreiben, aber dazu fehlt uns die Zeit.« Unvermittelt packte er Richmond unter den Achseln und reichte ihn einem seiner Männer. »Hier, Davies. Bring ihn Lord Herbert, mit den besten Empfehlungen. Ich muss zurück nach Hereford.« Er trat zu seinem Pferd und nickte den beiden jungen Frauen im Vorbeigehen zu. »Ihr könnt verschwinden oder ihm zurück nach Denbigh folgen, wenn er euch wirklich so teuer ist. Mir ist es gleich.«

Richmond wand sich in den Armen des fremden Mannes. »Lass mich!« Er war zu Tode verängstigt. »Generys! Generys, hilf mir! Blanche! Lasst mich nicht allein!«

Devereux' Kopf fuhr herum. Blanche hatte sich schon halb abgewandt, sah aus dem Augenwinkel, wie er den Fuß aus dem Steigbügel nahm, von dem weinenden kleinen Jungen zu ihr schaute, und dann machte er zwei langsame Schritte auf sie zu. »Lass mich dich noch mal ansehen, Mädchen.« Er sprach langsam. Ungläubig. »Wie ist dein Name?«

Wäre das weinende Kind in ihrem Arm nicht gewesen, die elende Schwäche, das Blut, das ihre Beine hinabbrann – sie wäre gerannt. In diesem Augenblick nackter Angst war sie überzeugt, ein Pfeil in den Rücken wäre allem anderen vorzuziehen. Aber sie konnte nicht rennen. Sie konnte kaum noch stehen. Also hob sie den Kopf und sah Thomas Devereux in die Augen. »Ich bin verwundert, dass du ihn noch weißt.«

Er blieb vor ihr stehen. Seine Brust hob und senkte sich

sichtlich, und er stieß gewaltige Atemwolken aus. »Teufel noch mal«, murmelte er kopfschüttelnd. »Teufel noch mal.« Langsam hob er die eiserne Rechte, hakte den Daumen an der Schläfe unter ihr Kopftuch und riss es herunter. Er war verblüffend geschickt, und er tat ihr auch nicht weh, aber Blanche erstarrte, als sie den kalten Finger auf der Haut spürte.

Als sie mit offenen Haaren vor ihm stand, leuchteten seine Augen. »Du kannst dir ja nicht vorstellen, wie ich dich vermisst habe.«

Blanche regte sich nicht. Ihr war, als könne sie sich gar nicht mehr rühren, selbst ihr Gesicht schien versteinert. Was wird er mit meinem Kind tun?, war der einzige Gedanke, dessen sie fähig war. Was wird er mit meinem Kind tun?

Thomas Devereux, der doch so große Stücke auf die Wahrung des Scheins hielt, besann sich, dass er nicht allein mit seiner Gemahlin war. Er wandte sich an seine Männer. »Du und du«, sagte er zu dem, der den strampelnden Richmond gepackt hielt, und dessen Nebenmann. »Ihr bringt den Bengel zurück. Nehmt meinethalben die Amme mit. Wir reiten weiter«, bekundete er den anderen beiden. »Und sie wird uns begleiten.« Sein Finger zeigte auf Blanche. »Sie ist eine englische Verräterin, mit der ich noch eine ganz persönliche Rechnung offen habe.«

Auf sein Zeichen fesselte einer der Männer Blanches rechtes Handgelenk mit einem dünnen Lederriemen an Devereux' Steigbügel. Als Thomas den Fuß in das Eisen stellte, tropften Schneematsch und Schlamm auf ihre Hand hinab. Dann schwang er sich in den Sattel. »Sorg dafür, dass dieses Geplärr aufhört«, fuhr er sie an, ohne den Säugling anzusehen.

»Ich weiß nicht, wie«, gestand sie verzweifelt. »Ich hab ihn erst seit letzter Nacht. Vermutlich müsste ich ihn stillen.«

»Ich könnte ihm auch einfach die Kehle durchschneiden, das geht schneller«, gab er zurück. Er sagte es nicht einmal mit besonderem Nachdruck oder zornig. Aber Blanche spürte seinen Hass.

»Thomas …«, begann sie, aber sie konnte nicht weitersprechen. Furcht und Schwäche schnürten ihr buchstäblich die Kehle zu. Ihr Blickfeld hatte sich merklich verkleinert, die Ränder waren verschwommen und gingen in Schwärze über. Schwäche kroch ihre Beine hinauf, sodass sie hilflos torkelte, als Devereux anritt. Aber sie wurde nicht ohnmächtig. Offenbar hatte ihr Gemahl doch nicht die Absicht – oder das notwendige Ausmaß an Grausamkeit – ihr Kind hier und jetzt zu töten, aber sie wusste, wenn sie es verlöre, würde er nicht anhalten, damit sie es wieder aufheben konnte. Er würde sie weiterzerren, notfalls schleifen, während Owen im tiefen Schnee der walisischen Hügel zurückblieb und erfror. Blanche wusste nicht, wie sie verhindern sollte, dass das geschah, denn sie konnte sich kaum auf den Beinen halten. Also betete sie. Zu den Heiligen Dorothea und Monika, die die Schutzpatroninnen der Wöchnerinnen und Mütter waren, und als sie keine zusammenhängenden Sätze mehr denken konnte, betete sie das *Ave Maria*, wieder und wieder, konzentrierte all ihre Gedanken auf die schönen lateinischen Worte, machte ihren Rhythmus zum Takt ihrer Schritte, damit sie nur ja nicht aufhörte, einen Fuß vor den anderen zu setzen.

Die Erinnerung an diesen Marsch durch den Schnee kam ihr später traumartig vor. Unwirklich. Große Stücke fehlten ihr. Sie versuchte auch nicht, die Lücken zu schließen. Blanche gehörte nicht zu den Geplagten, die dazu neigten, in der Erinnerung wieder und wieder zu ihren schwärzesten Stunden zurückzukehren.

Bei Dämmerung hielten sie an einem einsamen Gehöft, und Blanche kehrte allmählich aus ihrem eigentümlichen Dämmerzustand zurück. Es war still. Grauen überkam sie, und für einen Augenblick brachte sie es nicht fertig, auf ihren gefühllosen linken Arm hinabzuschauen. Als sie sich schließlich dazu zwang, stellte sie fest, dass sie Owen nicht verloren hatte. Reglos lag er in seine Decke gehüllt in ihrer Armbeuge. Nur die Nasenspitze und ein geschlossenes Äuglein waren zu sehen. Er war eingeschlafen oder tot.

Thomas Devereux saß ab, streifte Blanche mit einem Blick, der schwer zu deuten war, und band mit der Linken ihre Hand los, während seine beiden Männer aus dem Haus kamen und den Bauern, sein Weib und seine beiden Kinder vor sich her trieben.

»Ihr müsst die Nacht in der Scheune verbringen«, eröffnete Devereux den verängstigten Menschen. »Morgen früh ziehen wir weiter. Wenn ihr uns keinen Ärger macht, wird euch nichts geschehen.«

Der Bauer nickte, legte einen Arm um seine Frau, die andere Hand auf die Schulter seines Jüngsten und führte sie über den Hof.

Thomas Devereux packte Blanche am Ellbogen und stieß sie vor sich her ins Haus. Es war eine einfache Bauernkate, aber im Herd brannte ein ordentliches Feuer. Ein Kessel hing darüber, dem Hammelgeruch entstieg. Devereux schien jedoch kein Interesse an Wärme und Eintopf zu haben. Er brachte Blanche zu einer Tür, die in die Schlafkammer führte, spähte in den Raum und stieß sie dann hinein. »Mach dich hübsch für mich«, knurrte er. »Ich komm gleich zu dir, Täubchen.«

Blanche sank auf das alte, aber liebevoll gezimmerte Holzbett hinab, legte Owen neben sich und wickelte ihn weit genug aus der Decke, um nach seinem Herzschlag zu tasten. Doch das war gar nicht nötig. Das kleine Gesicht verzog sich zu einer Grimasse des Unwillens, die ihr niedlich erschien und sie gleichzeitig auf den Gedanken brachte, dass der Junge doch mehr Ähnlichkeit mit seinem Vater hatte, als sie letzte Nacht hatte erkennen können. Dann öffnete ihr Sohn die Augen und fing an zu wimmern. Blanche hüllte sie beide in die Decken, die die bedauernswerte Bauernfamilie heute Nacht sicher schmerzlich vermissen würde, schnürte ihr Kleid auf, legte den Säugling an und schlief ein.

Als sie die Augen aufschlug, stand Devereux über ihr, ein Talglicht in der Hand, und sah auf sie hinab. Wie lange schon?, fragte sie sich furchtsam. Halb lag, halb saß sie auf dem Bett, ein dünnes Kissen im Nacken. Sie wagte nicht, auf Owen hinabzuschauen, aber sie spürte den kleinen, warmen Körper auf der Brust. Sie betete, dass er wieder eingeschlafen war. Dass er nicht anfing zu schreien, Devereux keinen Grund geben würde, ihn aus dem niedrigen Fenster zu werfen.

»Wer ist denn der glückliche Vater?«, fragte Devereux, stellte einen Stiefel auf die hölzerne Bettkante und beugte sich weiter über sie. »Oder weißt du's nicht, du gottloses, lasterhaftes Stück Dreck?«

Seine Beleidigungen kränkten sie nicht mehr, stellte Blanche fest. Wenigstens in der Hinsicht konnte er sie nicht mehr berühren und ihr nicht mehr wehtun.

Er stellte das Lämpchen auf die Truhe neben dem Bett, packte mit der frei gewordenen Hand Blanches Arm und riss sie zu sich hoch. Es gelang ihr irgendwie, das schlafende Kind auf das Kissen gleiten zu lassen, ehe sie aus dem Bett fiel und hart auf dem Boden landete.

Mit konzentrierter Miene sah Devereux auf sie hinab und schnürte ohne Hast seine Hosen auf. Erstaunlich geschickt.

»Ich glaube, wenn du das tust, bringst du mich um«, eröffnete sie ihm so ruhig, wie sie konnte. »Nur für den Fall, dass es dich kümmert.«

»Warum in aller Welt sollte es das?« Er ließ sich auf sie fallen und versetzte ihr mit der eisernen Hand einen Schlag gegen die Schläfe, dass sie glaubte, ihr Kopf werde in tausend Scherben zerspringen. Tränen schossen ihr in die Augen, sodass sie die schwarze Klaue nur verschwommen erkannte, die er ihr vor die Augen hielt.

»Hast du nicht in Kauf genommen, dass du mich umbringen würdest?« Die Frage brachte Blanche in ziemliche Verlegenheit, aber Devereux wollte gar keine Antwort. »Glaubst du etwa im Ernst, ich wollte dich zurück, nachdem du dich in so unaussprechlicher Weise gegen deinen Herrn und Meister versündigt, dich jahrelang in anderen Betten rumgetrieben und einen Bastard geworfen hast, he?« Er schob ihre Röcke hoch, zwängte ein Knie zwischen ihre Beine und hakte den Daumen der Kralle in den bereits geöffneten Halsausschnitt ihres schlichten Kleides, um ihn weiter aufzureißen. »Wenn du krepierst, hat der Sheriff von Herefordshire einen Strick gespart, das ist alles.«

Die Eisenfinger, die ihre Brust streiften, waren eiskalt. Blanche war nicht sicher, ob die Gänsehaut, die sie auf Armen und Beinen spürte, daher rührte oder von ihrem Entsetzen. Aber sie hörte nicht auf, sich zu wehren, selbst wenn ihr Widerstand erbärmlich und matt war, weil ihr die Kräfte schwanden. »Da du nicht verblutet bist, wirst du den Sheriff schwerlich überreden können, mich aufzuhängen«, brachte sie hinter zusammengebissenen Zähnen hervor.

Devereux schlug sie noch einmal mit der Klaue, um sie gefügig zu machen, und sein schmallippiger Mund lächelte. »Sei versichert, das wird mir nicht schwerfallen. *Ich* bin der Sheriff von Herefordshire.«

»Glückwunsch, Devereux«, sagte eine leise Stimme hinter ihnen.

Thomas' Kopf fuhr herum, sodass Blanche freie Sicht auf das Fenster der Schlafkammer hatte. Ein Mann hockte seitlich auf dem niedrigen Sims, seine Haltung scheinbar völlig entspannt, wie ein verwegener junger Bursche, der seiner Liebsten an einem Sommerabend einen heimlichen Besuch abstattet. Das Licht der Öllampe erreichte ihn nicht, aber das war auch nicht nötig. Blanche hatte ihn an der Stimme erkannt.

Sie schaute schnell wieder zu Devereux und sah, dass er im Begriff war, nach Verstärkung zu brüllen. Blanche hob die Hände, krallte die Rechte in seine Haare und drückte ihm den Handballen der Linken vor den Mund.

»Er hat zwei Mann draußen in der Küche«, warnte sie gedämpft.

»Ich weiß«, antwortete Jasper ebenso leise. Ohne ein Geräusch zu verursachen, stieg er vom Fensterbrett und glitt wie ein Schatten zu ihnen herüber. Er hielt das blanke Schwert in der Rechten. »Lass ihn los«, sagte er, und als Blanche es tat, packte er Devereux seinerseits bei den Haaren, zerrte ihn rüde auf die Knie und setzte ihm die Klinge an die Kehle.

Ein wenig mühsam stemmte Blanche sich hoch. Ihre linke

Seite schmerzte, und sie fragte sich, ob Devereux ihr mit seinem Gewicht eine Rippe gebrochen hatte. Sie stand auf, hob das Kind vom Bett und stellte sich mit dem Rücken an die Wand.

Jaspers Blick war unverwandt auf sie gerichtet. Jetzt, da er dem Licht näher war, konnte sie ihn besser erkennen, und sie sah, was die letzten Wochen ihm abverlangt hatten, selbst wenn sie immer noch nicht wusste, was passiert war.

Thomas Devereux versuchte, über die Schulter zu sehen, obwohl die scharfe Klinge nur eine Haaresbreite von seinem Hals entfernt war. Offenbar fand er es unerträglich, nicht zu wissen, wer ihn bei seinem lange überfälligen Tête-à-Tête mit seiner Frau so rüde gestört hatte.

Jasper rammte ihm das Knie zwischen die Schulterblätter und setzte die Klinge unter dem Kinn an, dass man meinen konnte, er wolle Devereux rasieren. »Du blutest am Kopf«, sagte er zu Blanche.

Sie berührte mit den Fingerspitzen die Schläfe, wo sie eine warme, klebrige Nässe spürte. »Ich glaube, es ist nicht schlimm.«

»Das Kind?«

»Es geht ihm gut.« Sie lächelte. Allem zum Trotz, was geschehen war, ihr selbst und ihm offenbar auch, lächelte sie ihn an, als sie mit unzureichend verborgenem Stolz sagte: »Es ist ein Junge, Jasper.«

Sie sah seine Augen aufleuchten, oder zumindest bildete sie sich das ein. Vielleicht war es auch nur das Flackern des Öllichts, das sich darin spiegelte. Sein Gesicht arbeitete, der volle Mund wurde zu einem schmalen Strich zusammengepresst, und dann hatte er sich wieder unter Kontrolle.

Thomas Devereux hingegen gab einen Laut von sich, als drohe er zu ersticken. All seine Fragen waren auf einen Schlag beantwortet worden, und es sah aus, als machten die gewonnenen Erkenntnisse ihn nicht glücklicher. Er öffnete die Faust und tastete nach dem Dolch an seinem Gürtel. Jasper trat ihn in die Nieren und stellte dann den Stiefel auf die Hand. Devereux stöhnte.

»Was soll ich tun, Blanche?«, fragte Jasper Tudor. »Es wäre mir eine Freude, dieser erbärmlichen Kreatur die Kehle durchzuschneiden, aber die Entscheidung liegt bei dir.«

Tu es, war die Antwort, zu der es sie drängte. So mächtig war dieser Drang, dass sie für einen Augenblick nicht sicher war, ob sie es nicht vielleicht laut ausgesprochen hatte. Aber beide Männer sahen sie unverwandt an, warteten auf ihr Urteil. Sie wollte, dass Thomas Devereux vom Angesicht der Erde verschwand. Sie wollte frei von der Furcht vor ihm sein. Sie wollte Rache für alles, was er ihr angetan hatte, heute und in dem Jahr, das sie als Frau an seiner Seite verbracht hatte. Er hatte Strafe verdient, weiß Gott. Aber eine hartnäckige Stimme in ihrem Kopf entgegnete, dass sie ihm schon übel genug mitgespielt hatte. Er hatte gebüßt, und eine Hand war ein hoher Preis.

»Denkst du, du entscheidest dich heute noch, Weib?«, fragte Devereux verächtlich.

»Noch ein Wort, und ich fälle die Entscheidung für sie«, drohte Jasper. Seine Stimme bebte vor unterdrücktem Zorn, und er verlagerte noch ein wenig mehr Gewicht auf den Stiefel, unter dem Devereux' Hand gefangen war.

Blanche schaute auf ihren Sohn hinab. Dann sah sie ihrem vor Gott angetrauten Gemahl in die Augen, und sie wusste, dass sie an einem Scheideweg stand. Die Wahl, die sie jetzt traf, würde ihr ganzes weiteres Leben beeinflussen. Und sie erkannte, dass sie seinen Tod nicht wirklich aus Rachsucht oder aus Furcht wollte, sondern nur, damit er aus dem Weg war. Auf dass Jasper Tudor sie heiraten, ihrem Kind seinen Namen und ihr die verlorene Ehre zurückgeben konnte, die verlorene Stellung, Sicherheit, Normalität. Und das war kein guter Grund. Forderte sie Jasper jetzt auf, Thomas Devereux zu töten, dann war sie eine Mörderin. Und das würde bedeuten, dass sie zwar vielleicht Sicherheit und den äußern Anschein von Ehre zurückgewönne, aber sich selbst würde sie verlieren. Blanche of Waringham, wie sie sie bislang gekannt hatte, würde nicht mehr sein. Und das wollte sie nicht.

Sie wandte den Blick ab und murmelte widerwillig: »Lass ihn leben.«

Jasper stieß hörbar die Luft aus, aber er zögerte nicht. Er hob eine Hand voll Stroh vom Boden auf, stopfte es Devereux in den Mund und knebelte ihn mit einem Stoffstreifen, den Blanche vom Bettlaken riss. Dann band er ihm die Arme oberhalb der Ellbogen zusammen, denn er fürchtete, wenn er ihm die Handgelenke fesselte, könne Devereux einfach seine Eisenhand abstreifen und sich befreien, und befestigte das lose Ende am Bettpfosten. Schließlich beugte er sich über ihn. »Süße Träume, du Ungeheuer«, zischte er und schlug ihn mit einem sparsamen, gezielten Fausthieb bewusstlos. Erst danach steckte er sein Schwert ein.

Blanche beobachtete ihn beklommen. Sie hatte Jasper noch niemals solche Dinge tun sehen. Nicht *dass* er sie tat, machte ihr zu schaffen, sondern seine leidenschaftslose Präzision.

Doch als er zu ihr trat, fiel die Maske kühler Gleichgültigkeit. Er legte die Hände auf ihr Gesicht, schaute ihr einen Moment in die Augen, dann zog er sie behutsam an sich. »Es tut mir leid«, murmelte er. »Es tut mir leid, dass ich das nicht verhindert habe.« Seine Stimme drohte zu kippen.

»Schsch.« Es kostete sie Mühe, den freien Arm zu heben und in seinen Nacken zu legen. Blanche musste feststellen, dass ihr Pulver nun endgültig verschossen war. »Selbst Jasper Tudor kann nicht an zwei Orten gleichzeitig sein.«

»Nicht dass ich dort, wo ich war, irgendetwas ausgerichtet hätte«, erwiderte er voller Bitterkeit. »Im Gegenteil.«

Sie löste sich von ihm und hielt ihm das Kind hin. »Hier, schau dir an, was wir zuwege gebracht haben. Ich habe ihn Owen genannt.«

Jaspers Kopf ruckte hoch. »Owen? Nach meinem Vater?«

Sie nickte. »Ich dachte, das sei in Wales ebenso üblich wie in England.«

»Das ist es.« Seine Stimme klang seltsam. Er nahm ihr den Säugling ab, behutsam, aber nicht zögerlich. »Gott segne dich, Owen ap Jasper«, flüsterte er auf Walisisch, und für einen

Moment glaubte Blanche, sie sehe Tränen in seinen Augen funkeln. Dann gab er ihr das Kind zurück. »Wir sollten schleunigst von hier verschwinden.«

Sie nickte. »Wo sind dein Vater und Rhys? Und Lionel und Madog?«

»Später.« Er wandte sich ab, öffnete die Truhe, durchwühlte sie hastig, klaubte ein paar Decken und Tücher zusammen und legte sie auf die Bettdecke, aus der er ein unordentliches Bündel knüpfte. Damit stieg er aus dem Fenster und winkte Blanche, ihm zu folgen. Er nahm ihr das Kind wieder ab, damit sie die Hände zum Klettern frei hatte. Trotzdem ging es nur langsam und schmerzhaft vonstatten. Das blieb Jasper nicht verborgen. »Blanche, wann genau ist Owen zur Welt gekommen?«

»Letzte Nacht.« Sie war ein wenig erschrocken darüber, wie erschöpft sie mit einem Mal klang.

Jasper fluchte – untypisch wortreich. »Hättest du mir doch erlaubt, Devereux die Kehle durchzuschneiden. Noch ist es nicht zu spät, weißt du …«

Sie legte die Hand auf seinen Arm. »Aber er hat unser Kind am Leben gelassen. Und mich auch. Das ist mehr, als ich heute Mittag zu hoffen gewagt habe. Vergiss Thomas Devereux. Lass uns von hier verschwinden, ehe seine Männer ihn finden.«

Jasper schwankte noch einen Moment. Dann nickte er knapp, legte einen Arm um ihre Taille und führte sie in den Stall.

Dort warteten nicht nur sein Pferd und die Bauersleute, sondern ebenso Generys und Richmond.

»Oh, Gott und alle Heiligen seien gepriesen«, jubelte Blanche gedämpft und schloss die Amme mitsamt dem schlafenden Jungen in die Arme. »Geht es euch gut?«

Generys nickte. Auch sie war erschöpft nach all den Schrecken der vergangenen Nacht und dieses langen Tages, aber sie lächelte und wies verstohlen auf Jasper. »Er kam uns entgegen.« Leise berichtete sie, wie Jasper die beiden Soldaten aus dem Sattel befördert und entwaffnet hatte. Er hatte sie nicht getötet, um dem kleinen Richmond einen solchen Anblick zu ersparen, aber Rücken an Rücken gefesselt, sodass es eine Weile dauern würde, bis sie sich befreien konnten. Ihre Pferde hatten sie mitgenommen.

Jasper gab derweil den Bauernkindern die Decken und unterhielt sich gedämpft mit deren Vater, während die Mutter eines der Tücher ergriff und Blanche beibrachte, wie man ein Kind wickelte. Jetzt begriff Blanche, zu welchem Zweck Jasper das Leinen aus der Truhe geholt hatte, und sie war verblüfft über seine Geistesgegenwart.

Sie dankte der Bäuerin, ebenso erleichtert wie beschämt. Owen war vollkommen durchnässt gewesen, und abgesehen davon, dass er nicht sonderlich gut gerochen hatte, war sie besorgt gewesen, er werde sich erkälten. »Was sonst muss ich tun? Ich hab ihn erst seit gestern. Er ist mein Erstes, und niemand hat mir je erklärt ... Ich meine ...« Was sie meinte, war, dass eine Frau ihres Standes für gewöhnlich eine Amme hatte, die die Säuglingspflege übernahm. Aber sie schämte sich, das einzugestehen.

Die Waliserin lächelte ihr aufmunternd zu. Sie war nicht viel älter als Blanche, hatte jedoch schon ein paar Zahnlücken und war krumm von zu viel harter Arbeit, aber sie hatte schöne dunkle Augen, und die Hand, die sich auf Blanches legte, war warm, schwielig und tröstlich. »Haltet ihn warm und gebt ihm die Brust, wenn er schreit. Es ist gar nicht so schwierig, glaubt mir. Nehmt die Windeln nur mit, meine Kinder sind aus dem Alter heraus, der Herr sei gepriesen. Vor allem: Ruht Euch aus. Ihr habt Fieber.« Sie sprach zu Blanche, aber es war Jasper, den sie ansah, als sie hinzufügte: »Sechs Fuß unter der Erde werdet Ihr Eurem Sohn nichts nützen, Madam.«

Nur zwei Meilen von dem einsamen Gehöft entfernt lag in einer Talmulde versteckt ein Dorf. Jasper klopfte an die Tür, zu welcher der Bauer ihn geschickt hatte, und nach wenigen Augenblicken wurde ihnen geöffnet. Es war das Haus des Dorfschmieds, der sie mit unaufdringlicher Herzlichkeit aufnahm. Blanche hatte schon vor langer Zeit gelernt, dass die Waliser ein gastfreundliches Volk waren, und Jasper Tudor blieb in ganz Wales keine Tür versperrt. Die Menschen wussten, dass ihre Geschicke ihm am Herzen lagen, dass er der Fürsprecher des walisischen Volkes am Hof des englischen Königs war, und sie verehrten ihn auf ihre ganz eigene Weise – ohne Unterwürfigkeit, aber fanatisch.

Der Schmied weckte seine Schwiegertochter, die ihm das Haus führte. Sie lud Generys ein, sich mit Richmond neben dem Herd in der Küche niederzulegen, und brachte ihr eine Decke. Dann richtete sie dem hohen Gast in Windeseile eine Kammer her. Jasper bat sie um ein Kohlebecken und warmes Wasser. Mit der ihm eigenen stillen Umsicht brachte er Blanche zu Bett, wusch ihr das getrocknete Blut von den Beinen, vergewisserte sich, dass die Blutung aufgehört hatte, ehe er sie zudeckte, und als sie schlief, nahm er ihr das Kind aus dem Arm, legte es auf seine Knie und betrachtete es mit einer Mischung aus Hingabe und Eifersucht.

Am nächsten Morgen ging es Blanche viel besser. Das Fieber war verschwunden. Sie fühlte sich immer noch erschöpft, es hämmerte in ihren Schläfen, und die Partie über dem linken Jochbein schmerzte. Sie nahm an, sie hatte ein blaues Auge. Weiß Gott nicht das erste, das Thomas Devereux ihr beschert hatte. Aber sie spürte, dass ihre Kräfte wiederkehren würden, und sie war ausgehungert. Mit unfeiner Gier verschlang sie alles, was die Schwiegertochter des Schmieds ihr brachte, versorgte ihren Sohn und wartete geduldig darauf, dass Jasper sein Schweigen brach. Er saß auf einem Schemel, den Rücken an die Wand gelehnt, den Blick auf Blanche oder seinen Sohn gerichtet und schien in Gedanken doch an einem ganz anderen Ort zu sein.

»Wie hast du uns gefunden?«, fragte sie schließlich. Es war nicht ihre brennendste Frage, aber sie wusste, wenn sie ihn bedrängte, ehe er bereit war, würde er aufstehen und hinausgehen.

»Das war nicht schwierig. Ich bin am späten Vormittag nach Denbigh gekommen. Die Leute im Dorf haben mir erzählt, was passiert ist. Ich bin Devereux' Spuren im Schnee gefolgt, und nach einer halben Stunde kamen seine beiden Helden mir mit Richmond entgegen. Generys hatte gehört, Devereux wolle dich nach Hereford bringen. Also habe ich eine Abkürzung durch die Hügel genommen.«

»Und bist nicht einen Augenblick zu früh gekommen. Wieso warst du allein? Wo sind deine Männer?«

»Tot.« Er sah ihr in die Augen, als er das sagte. Es klang wütend, herausfordernd gar, als wolle er, dass sie die Vorwürfe aussprach, mit denen er sich quälte.

Aber Blanche dachte nicht daran. Sie setzte sich ihm gegenüber auf die Bettkante, nah genug, dass ihre Knie sich beinah berührten, aber sie fasste ihn nicht an. »Alle?«

Er senkte den Blick. »Die meisten. Tot oder auf und davon. Mein Bruder Rhys lebt noch. Und Madog. Lionel ist in der Schlacht gefallen. Wir hatten keine Chance. Es war aussichtslos, Blanche. Edward of March hat uns mit dreißigtausend Mann den Weg abgeschnitten. Und er ... er kannte keine Gnade. Warum auch, nach dem, was an der Brücke in Wakefield geschehen ist, nicht wahr?«

Bei Mortimer's Cross hatte Edward, der Sohn und Erbe des Duke of York, ihnen mit seinem gewaltigen Heer aufgelauert. Es war ein kalter, verhangener Wintermorgen gewesen, doch kurz bevor die Schlacht begann, rissen die Wolken auf, bildeten drei eigentümlich runde Lücken, durch welche messingfarbenes Licht fiel, sodass es aussah, als schienen drei Sonnen am Himmel. Während Edwards Männer jubelten, als sie das himmlische Zeichen sahen, erfüllte es Jaspers hoffnungslos unterlegene Achttausend mit Entsetzen. Viele der bretonischen Söldner waren geflohen, ehe die Schlacht noch begonnen hatte. Jasper hatte getan, was in seiner Macht stand, um seine Männer zusammenzuhalten und ihnen Mut zu machen, aber schließlich fand er sich nahezu allein inmitten einer Ödnis aus blutigen Pfützen und toten Leibern. Madog und Rhys hatten ihm sein Pferd gebracht, und sie waren mit knapper Not der Gefangennahme entgangen.

»Im Gegensatz zu meinem Vater«, fügte Jasper hinzu.

»Die Yorkisten haben deinen Vater gefangen genommen?«, fragte Blanche beklommen. »Wo haben sie ihn hingebracht?«

»Nach Hereford.« Er brach ab, und er schwieg so lange, dass Blanche wusste, was kommen würde.

»Oh, mein Gott«, murmelte sie und ergriff seine Hand. »Jasper, das kann doch nicht …«

»Doch. Black Will Herbert hat alle Gefangenen hinrichten lassen. Auf dem Marktplatz von Hereford, vor einer beachtlichen Zuschauermenge.«

»Du warst dort?«, fragte sie fassungslos. »Du hast … zugesehen?«

Er drückte ihre Hand kurz, ließ sie dann los, stand auf und trat ans Fenster. »Es war das Einzige, was ich noch für ihn tun konnte, Blanche.«

Tränen rannen über ihr Gesicht, während sie seinem Bericht lauschte. »Er war gefasst, als sie ihn zum Richtblock führten, die Ruhe selbst. Er sprach noch einen Moment mit dem Priester, der ihn begleitet hatte, und küsste das Kruzifix, das er ihm hinhielt. Ich glaube … er fürchtete sich nicht. Edmund hat immer behauptet, Vater habe nicht mehr sonderlich am Leben gehangen, nachdem unsere Mutter gestorben war. Vielleicht hatte er Recht. Oder vielleicht war mein Vater auch einfach ein mutiger Mann, der seine Furcht zu beherrschen wusste. Als sie ihm den Kragen vom Wams rissen, verlor Rhys die Nerven. Es war seltsam. Der Junge hat immer so glaubhaft den Anschein erweckt, als hasse er unseren Vater, aber in dem Moment hat er wohl erkannt, dass das nicht ganz der Wahrheit entsprach. Er wollte losstürmen, sich nach vorn drängen, irgendetwas Törichtes tun. Madog und ich konnten ihn kaum bändigen.« Er verstummte für einen Moment, räusperte sich und fuhr dann fort. »Während der Henker ihm die Hände band, sah Vater zu Black Will Herbert und … und er lächelte. ›Der Kopf, den Ihr auf den Block legt, hat ungezählte Male in Königin Katherines Schoß gelegen‹ sagte er. ›Und nichts, was Ihr tut, kann daran etwas ändern.‹ Dann hat er sich vor den

Block gekniet, und der Henker erwies ihm so viel Respekt, ihn nicht warten zu lassen.«

Blanche stand auf, trat zu ihm, schlang von hinten die Arme um seine Brust und legte den Kopf an seinen Rücken. »Es tut mir leid, Liebster.«

»Sie pflanzten seinen Kopf auf einer Lanze über dem Marktkreuz auf.«

Blanche fragte sich, ob er so lange geblieben war und ihr all dies in solcher Ausführlichkeit erzählte, um sich dafür zu bestrafen, dass er es nicht hatte verhindern können.

»Als es dämmerte und Herbert mit seinen Männern abgezogen war, kam eine alte Frau. Eine Verrückte, sagten die Leute. Sie hat Vater das Blut vom Gesicht gewaschen und das Haar gekämmt und eine Unzahl von Kerzen um das Kreuz herum aufgestellt. Es war ... sehr merkwürdig. Ich schätze, es hätte ihm gefallen – er war selbst ein ziemlich merkwürdiger Mann.«

»Und dann?«

»Wir haben uns bei den Franziskanern verborgen, und nachts haben wir Vater geholt und auf ihrem Friedhof begraben. Ich meine ... ich konnte meinen Vater schwerlich in zwei Teilen auf dem Markt von Hereford zurücklassen, nicht wahr? Aber auf diese Art und Weise hatte Black Will Herbert zwölf Stunden Vorsprung, ehe ich die Verfolgung aufgenommen habe, und das hätte meinen Neffen um ein Haar als Geisel in seine Hände gebracht und dich und Owen beinah das Leben gekostet. Was hab ich nur verbrochen, dass jede Entscheidung, die ich treffe, sich als verhängnisvoll erweist?«

Sie nahm seinen Arm und drehte ihn zu sich um. »Das ist Unsinn, Jasper.«

»Ah ja? Ist meine Armee nicht aufgerieben, sodass Marguerite vergeblich auf sie warten wird? Ist mein Vater nicht tot? Herbert nicht in Denbigh? Hätte Devereux dich nicht um ein Haar ...«

»Du hast in jedem einzelnen Fall das Richtige getan. Das Einzige, was dir übrig blieb.«

»Das ist, was ich sage: Ich tue, was ich tun muss, und stehe anschließend vor einem Scherbenhaufen. Vermutlich ist das der Preis, den Gott dafür verlangt, dass ich mir die Frau eines anderen genommen habe. Genau wie mein Vater. Wohl das Einzige, was er und ich je gemeinsam hatten ...« Unerwartet schlang er die Arme um Blanche und presste sie an sich. Sogleich besann er sich, lockerte seine Umklammerung ein wenig und küsste ihre Schläfe, während die Finger der Linken hinter ihr Ohr fuhren und nach den kleinen, weichen Löckchen tasteten, die dort wuchsen. »Wenn es so ist, muss ich diesen Preis eben bezahlen«, murmelte er.

Es mag durchaus sein, dass er Recht hat, fuhr es Blanche durch den Kopf. Dass ihre Sünde sie beide – und womöglich ihr Kind – teuer zu stehen kommen könnte. Aber da sie einfach nicht wusste, was sie dagegen hätte tun können, scheuchte sie den Gedanken fort, wie sie es immer tat. Sie hüllte sich in Jasper Tudors Gegenwart, seinen Geruch, das Gefühl seiner Lippen und seiner liebkosenden Finger auf ihrer Haut, und sie dachte genau das, was Owen Tudor zu seinen Henkern gesagt hatte: Dies hier kann mir niemand mehr wegnehmen. Dieser Moment ist mir gewiss.

Als er sich schließlich von ihr löste, zog er ein silbernes Kreuz, das er an einer Lederschnur um den Hals trug, unter der Kleidung hervor und nahm es ab.

Blanche erkannte es auf den ersten Blick. »Das hat dein Vater immer getragen.«

Jasper nickte und drückte es ihr in die Finger. »Es lag im Staub. Es ist heruntergefallen, als ...« Er brach ab, fuhr sich mit der Hand über die müden Augen und sagte dann: »Er hatte es von seiner Mutter. Ich glaube, es hat ihm viel bedeutet. Ich will, dass Richmond es trägt, sobald er alt genug ist, es nicht zu verlieren. Wirst du es derweil hüten?«

»Warum trägst du es nicht bis dahin?«

Er hob die Schultern, als sei die Antwort offensichtlich. »Weil es gut sein kann, dass ich der nächste Tudor bin, der den Kopf verliert, nicht wahr? Ich will nicht, dass es verloren geht.«

Blanche schauderte innerlich, aber sie ließ ihn nicht merken, mit welchem Schrecken seine Worte sie erfüllten. Stattdessen fragte sie: »Und was machen wir jetzt? Wo sind Rhys und Madog?«

»Madog habe ich nach Westminster geschickt. Mein Bruder Owen ist dort im Kloster – er muss erfahren, was mit Vater geschehen ist. Rhys ist mit dem traurigen Häuflein, das von meiner Armee übrig ist, unterwegs nach Pembroke, und wir folgen ihnen. Das Wichtigste ist jetzt, dass wir Richmond in Sicherheit bringen. Ich weiß nicht, was passiert, wenn Edward of March über England hereinbricht. Ich fürchte um den Thron meines Bruders, Blanche. Edward ist so … stark. Er ist sich seiner selbst so vollkommen sicher. Entschlossen war ich auch – zumindest dachte ich das –, aber ich hatte ihm nichts entgegenzusetzen. Er hat all das, was seinem Vater fehlte. Und wenn wir ehrlich sein wollen: Er hat auch all das, was meinem Bruder fehlt.« Er schwieg einen Moment, suchte nach Worten. Schließlich hob er hilflos die Linke und schloss: »Edward of March erinnert mich an die großen englischen Könige von einst.«

Blanche band Owen in einem festen wollenen Tuch vor ihre Brust, damit sie zum Reiten beide Hände frei hatte. »Dann gnade uns Gott«, sagte sie. »Aber was hat das alles mit Richmond zu tun?«

Jasper hob ungeduldig die Schultern. »Liegt das nicht auf der Hand? Richmond steht nach Prinz Edouard an zweiter Stelle in der Thronfolge des Hauses Lancaster.«

St. Albans, Februar 1461

In gewaltigen Eilmärschen zog Königin Marguerite südwärts, und ihre an die zwanzigtausend Mann starke Truppe verbreitete in den Midlands Angst und Schrecken. Die Männer führten sich auf, als befänden sie sich in Feindesland – sie fielen in johlenden Horden über die Dörfer und Weiler her, raubten die Scheunen aus, vergewaltigten die Frauen und steckten Häuser in Brand, aus keinem anderen Grund als allein dem, dass die Königin es nicht verboten hatte. Sie zogen eine beinah dreißig Meilen breite Schneise der Verwüstung durch England, und die Menschen in den Midlands nannten diese Heimsuchung den »Wirbelwind aus dem Norden«. Genau wie die anderen Lords in ihrem Gefolge hatte auch Julian seinen zwei Dutzend Soldaten aus Waringham verboten, sich an diesem gottlosen Treiben zu beteiligen, doch seine Proteste fielen bei Marguerite auf taube Ohren. Das Schicksal der schwer geprüften Menschen war ihr vollkommen gleichgültig, stellte er fassungslos fest. Wenn es ihre Truppen bei Laune hielt, die Bauern zu drangsalieren, dann war es der Königin recht – Hauptsache, sie gelangten rechtzeitig nach London, um den König zu befreien, ehe Edward of March sich nach seinem gänzlich unerwarteten Sieg über die Tudors mit dem Earl of Warwick vereinen konnte.

Dies gelang dank ihrer Schnelligkeit. Bevor Edward of March aus den Grenzmarken zurückgekehrt war, hatte der Earl of Warwick seine Armee nach St. Albans geführt, um die Königin dort gebührend zu empfangen. Die Wahl dieses Ortes war gewiss kein Zufall, dachte Julian, hatten die Yorkisten bei St. Albans doch ihren ersten Sieg über die Lancastrianer errungen.

Gegen das ausdrückliche Verbot der Königin und vornehmlich, um sich zu beweisen, dass er es noch wagte, ihr die Stirn zu bieten, war Julian mit Lucas und Tristan als Späher ausgeritten und hatte Warwicks Truppen in St. Albans entdeckt. Die Yorkisten hatten ihre Stellung mit allerhand neumodischem Zeug befestigt – engmaschigen, mit Nägeln bewehrten Netzen, die sie wie Schutzwälle aufgerichtet hatten, und mannshohen Schilden, die auf einem ausklappbaren Fuß standen, weil kein Mann sie tragen konnte.

»Ich nehme an, das haben die Burgunder mitgebracht, die Warwick angeheuert hat«, mutmaßte die Königin, als Julian ihr nach seiner Rückkehr Bericht erstattete. Sie verlor kein

Wort über seinen Ungehorsam. Vorerst. »Die Burgunder sind bekannt für ihre Vorliebe für solch unsinnigen Firlefanz.«

Julian nickte. »Und sie haben seltsame Waffen, wie ich sie nie zuvor gesehen habe. Wie verkleinerte Kanonen sehen sie aus. Klein genug, dass ein Mann sie in der Hand halten kann.«

»Deswegen nennt man sie Handfeuerwaffen, Mylord«, eröffnete Marguerite ihm in einem beinah gelangweilten Tonfall, der ihm andeuten sollte, dass sie über die Neuentwicklungen der Waffentechnik weit besser informiert war als er.

Handfeuerwaffen, wiederholte Julian in Gedanken. Es war ein eigenartiges Wort, fand er. »Das heißt, sie spucken Feuer?«, fragte er und bemühte sich nach Kräften, sein Unbehagen ob dieser Vorstellung vor Marguerite zu verbergen.

Sie hob die Schultern. »Ich weiß nicht genau, was sie alles können«, musste sie einräumen. »Die, von denen ich gehört habe, spucken Bleikugeln oder lange Pfeile, beide mit teuflischer Schussgeschwindigkeit, sodass sie großen Schaden anrichten können. Zumindest in den seltenen Fällen, da diese kleinen Kanonen den Schützen nicht beim Abfeuern um die Ohren fliegen.«

Julian musste grinsen. »Nun, wie dem auch sei. Warwick hat seine gesamte Befestigung und seine Truppen auf einen Angriff von Norden ausgerichtet, Madame. Das heißt, wenn wir von hier aus Richtung Dunstable reiten, können wir ihn von Westen an der weichen Flanke angreifen.«

»Also, worauf warten wir?«

Richard Neville, der Earl of Warwick, hatte seine Gegner unterschätzt, weil eine Frau sie anführte. Er geriet zwischen seinen neumodischen Befestigungen und dem Sturmangriff der Lancastrianer in die Enge, und als es dunkel wurde, liefen die Männer von Kent zu Marguerite über. Sie hatten genug von der unfähigen Regentschaft und der Misswirtschaft unter König Henry gehabt und sich deswegen auf die Seite der Yorkisten geschlagen, aber womit sie nicht gerechnet hatten, war, den Earl of Waringham – einen der Ihren – im gegnerischen Lager zu finden. Da wurde ihnen mulmig. Verschämt und klammheimlich schlichen sie hinüber, mischten sich möglichst unauffällig unter Marguerites Truppen und besiegelten Warwicks Schicksal.

Als die Schlacht gewonnen war, fand Julian sich wieder unverletzt – genau wie nach Northampton. Flüchtig fragte er sich, wie lange sein Glück noch anhalten werde. Aber keine der Parteien hatte in dieser Schlacht hohe Verluste zu beklagen. Wie die Königin vorausgesagt hatte, waren einige der Handfeuerwaffen in den Händen der Schützen explodiert, andere hatten ein Ziel gefunden und mit ihrer enormen Durchschlagskraft mehr Schaden angerichtet als herkömmliche Schusswaffen – Bogen und Armbrust – es vermochten. Aber Warwick hatte schnell erkannt, dass er einen fatalen taktischen Fehler begangen hatte, und als seine Vorhut sich in Auflösung befand, war er abgezogen, ehe ein allgemeines Gemetzel beginnen konnte. Marguerite nannte ihn feige. Julian wusste, dass das nicht stimmte. Warwick war kein Feigling, sondern ein sehr kühler Rechner. Er setzte vermutlich darauf, dass bessere Gelegenheiten kommen würden. Und Julian war insgeheim dankbar für den Realitätssinn seines Cousins. Nur wenige Tote und Schwerverletzte lagen auf dem Feld im Westen des Städtchens, und nicht ein einziger Edelmann war darunter.

Julian winkte Lucas und Tristan zu sich und durchkämmte mit ihnen die Häuser. Einige lagen verlassen, weil die Bewohner Schutz im Kloster gesucht hatten. Dort, wo Licht herausschien, schlichen sie sich an und spähten durchs Fenster. Am nördlichen Stadtrand, wo Warwicks Verteidigung am stärksten gewesen war, kamen sie schließlich zu einer etwas abseits gelegenen Kate, in welcher sie den fanden, den sie ohne allzu große Hoffnung gesucht hatten: Von drei Rittern bewacht saß König Henry in der Küche des bescheidenen Häuschens.

»Gott sei gepriesen«, flüsterte Tristan Fitzalan tonlos. »Warwick, dieser Hornochse, hat ihn tatsächlich mit hergebracht.«

Julian nickte und murmelte angewidert: »Nun seht ihn euch an.«

Der König saß breitbeinig auf einem Schemel, die Brust seines schlichten Gewandes wie so häufig mit Flecken und Krümeln übersät. Gänzlich unüblich war hingegen, dass er mit seinen Bewachern würfelte, und noch während die drei Ritter durch die Ritzen im Fensterladen spähten, hob Henry einen Becher an die Lippen, legte den Kopf zurück und trank. Ein ordentlicher Schwall Wein rann sein Kinn hinab, und er kicherte, als er absetzte. Der König war heillos betrunken, erkannten sie, und das ließ ihn hinfälliger und greisenhafter wirken denn je.

»Sie haben ihn abgefüllt, um ihn von der Schlacht abzulenken, nehm ich an«, sagte Lucas unbehaglich.

Julian hörte, dass sein Freund sich für den König schämte, genau wie er selbst. »Tja«, murmelte er und straffte die Schultern. »Ich schätze, es ist zu spät, die Seiten zu wechseln – Warwick ist längst über alle Berge. Also: Du den Rechten, Tristan. Lucas, du nimmst den Linken.«

Die beiden Ritter nickten. Alle drei hielten sie die Schwerter noch in der Rechten. Sie stürmten die Kate, stürzten sich auf die drei Bewacher des Königs und machten sie nieder, ehe die Trunkenbolde auch nur auf die Füße gekommen waren.

König Henry schrie: »Bei allen Heiligen, was tut Ihr!«

Julian riss sich den Helm vom Kopf und verneigte sich hastig. »Wir befreien Euch aus der Hand Eurer Feinde, Sire. Und wenn Ihr nun so gut sein wollt, uns zu begleiten …«

»Wer seid Ihr?«, fragte Henry und wich angstvoll vor ihm zurück.

Grundgütiger, ist das zu fassen?, dachte Julian, antwortete aber scheinbar geduldig: »Der Earl of Waringham, mein König.«

»Oh …« Es war ein Laut der Verunsicherung. Der Name flößte dem König offenbar Vertrauen ein, aber es ängstigte ihn, dass er in der Verwirrung seines Geistes das Gesicht nicht erkannte.

Einzig Tristan schien in der Lage, den König zu bedauern. Er kniete vor ihm nieder, wie es sich gehörte, und sagte respektvoll: »Tristan Fitzalan, Euer Gnaden, zu Euren Diensten. Wenn Ihr die Güte haben wollt, uns zu begleiten, bringen wir Euch zu Eurer Gemahlin, die Euch mit großer Sehnsucht erwartet.«

Henrys Mundwinkel, in denen getrockneter Speichel klebte, verzogen sich für einen Lidschlag nach oben, und dann nickte er zögernd. »Dann seid so gut und gebt mir Euren Arm, Sir Tristan. Mich schwindelt so«, fügte er weinerlich hinzu.

Kein Wunder, so abgefüllt wie du bist, dachte Julian.

»Die frische Luft wird Euch gewiss beleben«, antwortete Tristan tröstend, erhob sich, nahm den König behutsam beim Arm und führte ihn ins Freie.

Julian und Lucas tauschten einen Blick und verdrehten die Augen, ehe sie ihnen folgten.

Die Kampfhandlungen waren eingestellt, die Yorkisten geflohen. Hier und da loderten Brände in der Stadt, und man hörte das Johlen der Sieger.

Aus dem Schatten einer Stallwand trat eine Gestalt ins helle Mondlicht. Erschrocken legte Julian wieder die Hand ans Heft, doch dann sah er, dass es sich um einen unbewaffneten Mann in schlichten Kleidern handelte. Ein Handwerksgeselle, tippte Julian.

»Kann ich jetzt zurück in mein Haus, Mylord?«, fragte der Mann. Er sah ihm nicht in die Augen und schien alles daran zu setzen, jeden Ausdruck aus seinem Gesicht fernzuhalten. Er war wütend, dass man ihn in einer Winternacht einfach aus seinem Heim gejagt hatte, nahm Julian an. Und das war kein Wunder.

»Ja, du kannst zurück«, antwortete er. »Ich fürchte allerdings, drei tote Yorkisten liegen in deiner Küche.«

Der Mann nickte ungerührt.

Julian wollte sich abwenden, dann zögerte er. »Hast du eine Frau? Kinder?«

Der Geselle war schlagartig misstrauisch. »Und wenn es so wäre?«

»Wenn es so wäre, würde ich sie an deiner Stelle auf dem

schnellsten Weg aus der Stadt schaffen, bis die Truppen der Königin abziehen«, riet Julian und folgte seinen Freunden und dem leicht torkelnden König, ohne eine Antwort abzuwarten.

Niemand war Zeuge des Wiedersehens zwischen Henry und Marguerite. Julian dachte bei sich, dass der König nicht zu beneiden war und sich gewiss allerhand von seiner Gemahlin anhören musste: Nicht nur, dass er nach einem halben Jahr der Trennung und Ungewissheit heillos betrunken vor sie trat, sondern gewiss vor allem dafür, dass er bei dem schändlichen »Kompromiss« während des Parlaments im Oktober das Geburtsrecht seines Sohnes verschenkt hatte.

Doch der kleine Edouard zumindest hegte keinen Groll gegen seinen Vater. Überglücklich, den König wohlbehalten zurück im Kreis der Familie zu wissen, saß er am nächsten Tag an dessen Seite an der hohen Tafel der Halle im Gästehaus des Klosters. Der Abt hatte Henry, Marguerite und die Lords zum Festessen geladen, und dienstbare Geister trugen eine Gaumenfreude nach der anderen auf, während die Truppen der Königin immer noch in der Stadt wüteten. Die große Klosteranlage lag an deren Südrand hinter einer schützenden Mauer, sodass die Gäste von den Schreien und dem Brandgeruch nicht behelligt wurden.

»Gott sei gepriesen, dass er die Ordnung in diesem Land wiederhergestellt hat und Ihr Euch und den Euren nun eine Weile Ruhe gönnen könnt, Madame«, sagte der Abt, hob seinen Pokal und rief: »Auf die Königin, die unerschrocken und kämpferisch wie Judith ihren Feinden entgegentrat und den Sieg der Gerechten erstritt!«

Julian und die übrigen Lords an der Tafel erhoben ihre Becher und nahmen den Trinkspruch auf, doch sie alle dachten, was die Königin sagte: »Habt Dank für Eure schönen Worte, Mylord. Aber von Ruhe werden wir noch ein Weilchen länger träumen müssen. Morgen marschieren wir auf London. Wir müssen die Stadt zurückgewinnen, solange unter unseren Feinden Verwirrung herrscht.«

»Gewiss, meine Königin«, pflichtete der Abt ihr bei. »Doch jetzt, da Gott so deutlich gesprochen, den Duke of York vom Angesicht der Erde gefegt und Euren Truppen den Sieg geschenkt hat, wer sollte da noch wagen, gegen die Herrschaft des rechtmäßigen Königs aufzubegehren?«

»Da gebe ich Euch völlig Recht, Vater«, pflichtete der König ihm hastig bei, dem es offenbar peinlich war, dass seine Gemahlin dem Abt widersprochen hatte.

Marguerite bedachte ihn mit einem Blick unzureichend verborgener Verachtung, verspeiste ein eingelegtes Wachtelei und gab zu bedenken: »Wir mögen bei St. Albans gesiegt haben, aber bedauerlicherweise nicht bei Mortimer's Cross, Sire. Und mag Gott uns auch von Richard of York erlöst haben, so doch nicht von dessen Sohn, der den Titel, die Herrschsucht und das verräterische Herz seines Vaters geerbt hat. Und weil all das so ist, müssen wir in London einmarschieren, ehe er es tut, *mon ami*.«

Der König machte ein unglückliches Gesicht, widersprach ihr aber nicht. Sein leicht abwesender Ausdruck deutete darauf hin, dass er seiner Gemahlin nicht so recht hatte folgen können.

Julian erhaschte eine Bewegung an der Seitentür zur Halle, welche die Dienerschaft benutzte, um die Speisen aufzutragen. Jetzt stand indessen sein Knappe Alexander Neville auf der Schwelle, und als ihre Blicke sich trafen, nickte er Julian ernst zu.

Julian stand auf, entschuldigte sich bei seinen Tischnachbarn und ging außen um das Hufeisen der Tische herum, bis er den jungen Mann erreicht hatte. Er wusste, dass Alexander nicht aus einer Laune heraus gegen seinen Befehl verstoßen und Waringham verlassen hätte, und als er seinem Neffen in die Augen sah, wappnete er sich für schlechte Neuigkeiten.

Er legte Alexander zum Gruß kurz die Hand auf die Schulter. »Sind die Yorkisten in Waringham eingefallen?«

»Nein, Mylord.« Der Knappe schlug für einen Moment die Augen nieder, dann nahm er sich zusammen und sah wieder auf. »Es ... es tut mir leid, Sir. Eure Mutter ist gestorben.«

Es traf Julian härter, als er es für möglich gehalten hätte. Er hatte seine Mutter in den vergangenen zehn Jahren kaum jemals gesehen, und er hatte ihr lange Zeit verübelt, dass sie in seinem Streit mit dem Vater nicht Partei für ihn ergriffen hatte. Doch als er nun auf dem tief verschneiten Friedhof hinter der Burgkapelle stand, wo die Knechte die gefrorene Erde mit Spitzhacken hatten aufbrechen müssen, um neben dem Grab seines Vater unter der Linde eine neue Grube auszuheben, kämpfte er mit den Tränen. Nicht einmal, weil er der Versuchung nachgegeben hätte, sich in rührseligen, verklärten Kindheitserinnerungen zu ergehen, sondern eher, weil seine Mutter nicht mehr da war. Sie hinter den Klostermauern von Havering zu wissen war eine Art Anker für ihn gewesen, ein Ruhepol in der Rastlosigkeit der vergangenen Jahre. Nicht, dass er seine Mutter dort oft besucht hätte. Aber sie war eben *da* gewesen. Jetzt nicht mehr, und zu spät ging ihm auf, dass er ihr noch ein paar wichtige Dinge hatte sagen wollen.

Dass seine Schwester Kate neben ihm stand und ihrem Kummer freien Lauf ließ, machte es auch nicht leichter. Julian belauerte sie aus dem Augenwinkel, hin- und hergerissen zwischen Groll und Verlegenheit, und war dankbar, als sein Schwager Simon ihr einen tröstenden Arm um die Schultern legte, sodass er es nicht tun musste. Er kannte Kate überhaupt nicht. Und es war ihm so gruselig, wie ähnlich sie seiner Mutter sah, dass er sich scheute, sie anzufassen. Er wünschte, Blanche wäre hier.

Der scharfe Wind, der kleine Schneewolken aufstäuben ließ, schien Vater Michael nichts anhaben zu können. Der Dorfpfarrer betete lange und mit der ihm eigenen unaufdringlichen Feierlichkeit für die Verstorbene, besprengte den Sarg in der Grube mit geheiligtem Wasser, und Julian fand die tiefe Stimme und den Klang der lateinischen Worte tröstlich.

Als der letzte Segen gesprochen, das letzte Kreuzzeichen geschlagen war, führte Julian seinen Haushalt und die Gäste zurück zum Bergfried. Der Leichenschmaus wurde in der großen Halle gehalten, denn auch viele Leute aus dem Dorf und vom Gestüt hatten das Bedürfnis verspürt, Lady Juliana das letzte Geleit zu geben. Doch sobald die Gebote von Anstand und Höflichkeit es zuließen, zog Julian sich mit der engsten Familie in das Privatgemach ein Stockwerk höher zurück.

Kate, Simon und Alexander setzten sich an den Tisch, Daniel auf den Fenstersitz. Der alte Haudegen war ungewöhnlich still. Julian hatte immer geahnt, dass Daniel eine heimliche Schwäche für seine Mutter gehegt hatte, und der verräterische Glanz in den blauen Waringham-Augen schien diesen Verdacht zu bestätigen.

»Hier, Cousin«, sagte Julian ein wenig brüsk und drückte Daniel einen gefüllten Becher in die Hand. »Trink einen Schluck.«

»Danke.« Es klang dünn. Daniel stierte auf den tiefroten Wein hinab.

Julian gesellte sich zu den anderen, während Alexander auch ihnen einschenkte, und griff dankbar nach dem länglichen Stück Holz und dem Schnitzmesser, die auf dem Tisch lagen. Das frische, weißliche Fichtenholz hatte einen dicken Harztropfen auf der Tischplatte hinterlassen. Julian ertappte sich bei dem Gedanken, dass seine Mutter ihn dafür gescholten hätte. Er hingegen begann zu werkeln, ohne den Fleck zu beachten. Kate beugte sich vor, träufelte aus der Lampe auf dem Tisch ein wenig Öl auf den Fleck und ergriff eine Hand voll Stroh vom Boden, um ihm zu Leibe zu rücken.

Julian zog eine Braue in die Höhe. »Ich bin sicher, meine Mägde wissen es zu schätzen, dass du ihnen die Arbeit abnimmst, Schwester.«

Kate zeigte ein kleines Lächeln. »Entschuldige. Ich dachte nur, was Mutter zu dem Fleck gesagt hätte.«

Vom Fenstersitz kam ein verhaltenes Schniefen.

Simon Neville sah stirnrunzelnd zu seinem alten Freund hinüber. »Du meine Güte, nimm dich ein bisschen zusammen,

Daniel. Komm lieber herüber zu uns und lass uns auf ihr Andenken anstoßen.«

Aber Daniel winkte ab, das Gesicht zum Fenster gewandt.

»Hast du Blanche einen Boten geschickt?«, fragte Kate ihren Bruder schließlich.

Julian nickte und wies auf Alexander. »Er wollte gehen. Aber ich hielt das für keine besonders gute Idee.«

»Nein«, raunte der Achtzehnjährige in seinen Weinbecher. »So wie Ihr mich auch nicht mit nach Schottland genommen habt. Ich schätze, als Nächstes packt Ihr mich in Wolle und verstaut mich in einer Truhe, damit ich nur ja keinen Kratzer abbekomme.«

Sein Vater und Julian tauschten ein mattes Grinsen, aber Kate sagte nachdrücklich: »Du solltest deinem Onkel dankbar sein für seine Umsicht. Der Duke of Somerset hat seit der Schlacht von Northampton drei Knappen verloren. Dieser Krieg ist kein Spiel, mein Sohn.«

»Trotzdem muss irgendwer hingehen, oder?«, konterte Alexander.

»Nun, lasst uns hoffen, dass der Krieg vorüber ist«, warf Simon ein. »Man kann über Marguerite denken, was man will, aber sie hat ein Wunder vollbracht bei St. Albans.«

Julian dachte mit Beklommenheit an die Schlacht und die anschließende Plünderung von St. Albans und kam auf Kates ursprüngliche Frage zurück: »Tristan Fitzalan ist nach Wales geritten, um sich auf die Suche nach Blanche zu machen. Ich hoffe, er findet sie in Pembroke. Ich bin in ziemlicher Sorge um sie. Das Einzige, was einigermaßen sicher scheint, ist, dass Jasper Tudor das Schlachtfeld von Mortimer's Cross lebend verlassen hat. Aber Black Will Herbert und einige andere Marcher Lords dringen nach Wales vor. Ich weiß nicht, ob Jasper es halten kann. So wenig wie ich weiß, ob Blanche bei ihm ist oder der kleine Richmond. Auch um das herauszufinden, habe ich Tristan hingeschickt. Ich bin sicher, Megan bringt sich um vor Angst um ihr Kind. Vielleicht findet er etwas heraus, was sie beruhigt.«

»Stimmt es, dass Blanche ein Kind von Jasper Tudor erwartet?«, fragte Kate. Ihr war keine Verlegenheit anzumerken, aber ihr Mann sah kopfschüttelnd zur Decke, Alexander wandte errötend den Blick ab, und Julian war leicht zusammengeschreckt. »Woher weißt du das?«, fragte er argwöhnisch.

»Mutter hat es mir erzählt, als ich sie zuletzt besucht habe. Kurz vor Weihnachten, als wir ...«

»Und woher zum Henker wusste *sie* davon?«, unterbrach Julian.

»Von Megan Beaufort, die sie ebenfalls regelmäßig besucht hat. Worüber regst du dich auf, Julian? Ich bin eure Schwester, warum soll ich es nicht wissen?«

»Na ja, da hast du Recht«, musste er einräumen. »Ich hoffe nur, dass du normalerweise ein bisschen diskreter bist als gerade eben. Es ist ein brisantes Geheimnis, Kate. Und peinlich obendrein.«

Das tat sie mit einem Achselzucken ab. »Mir nicht, und Mutter erst recht nicht. Sie hat gestrahlt, als sie davon sprach. Dabei ging es ihr schon so schlecht. Sie war zu schwach, um das Bett noch zu verlassen. Der Gedanke an dieses Enkelkind war ihr gewiss ein Trost, als das Ende kam, also solltet ihr nicht die Nase darüber rümpfen«, schalt sie ihren Bruder, Gemahl und Sohn.

Julian fand, dass die sentimentale Sichtweise seiner sterbenden Mutter kaum maßgeblich war, denn Blanches Kind, so es denn lebte, war ein Verstoß gegen die Gebote der Kirche, ein Affront gegen alle Regeln von Anstand und Moral und obendrein ein politisches Malheur. Aber das sagte er nicht. Kate sollte nicht glauben, er wolle das Andenken ihrer Mutter verletzen, die ja selbst ein Bastard gewesen war – genau wie Daniel, der immer noch am Fenster saß und verstohlen in seinen Pokal heulte. Julian sah mit verengten Augen auf seine Schnitzerei hinab, in der sich allmählich ein drolliger Hundekopf erkennen ließ, und kürzte das linke der Schlappohren ein wenig. Winzige Holzspäne fielen ihm in den Schoß. »Ich rümpfe nicht die Nase über Blanche oder ihr Kind«, stellte er schließlich klar. »Ich bete zu Gott, dass sie beide wohlauf und in Sicherheit sind.« Er hörte selbst, wie sehnsüchtig das klang, und er schalt sich einen Narren, dass er sich die eine Schwester herbeiwünschte, die nicht hier sein konnte, statt sich der Gesellschaft der anderen zu erfreuen, die an seiner Seite saß. Er hob den Kopf und sah Kate an. »Wie lange kannst du bleiben? Es muss Ewigkeiten her sein, seit du zuletzt in Waringham warst.«

Sie seufzte. »Zu Vaters Begräbnis war das letzte Mal. Es ist eine abscheuliche Angewohnheit, nur zu Beerdigungen nach Hause zu kommen.«

»Du hast Mutter in Havering besucht, das keine drei Stunden von hier entfernt liegt, ohne in Waringham Halt zu machen?«, fragte Julian verständnislos.

»Du warst ja nie hier«, gab Kate zurück. »Und Havering liegt näher an London, wo wir ein Haus haben. Waringham … ist mir fremd geworden, Bruder, wenn du die Wahrheit wissen willst.«

Julian nickte. »Umso mehr würde ich mich freuen, wenn du dieses Mal ein paar Tage bliebest. Du hast das Gestüt noch gar nicht gesehen, seit wir die Zucht erweitert haben, nicht wahr? Es hat sich so verändert – du wirst staunen.«

Kate legte die Hand auf seine. »Danke. Ich freu mich darauf. Lass uns nur hoffen, dass dir auch ein paar ruhige Tage zu Hause vergönnt sind.«

Da war Julian zuversichtlich. Marguerite wollte ihren wiedererbeuteten Gemahl nach London führen, dann weiter nach Westminster und ihn dort demonstrativ auf seinen Thron setzen. Dazu brauchte sie Julians Hilfe und seine Männer nicht. Ehe er St. Albans verlassen hatte, war eine Delegation der Londoner Stadtväter im Kloster eingetroffen, die den König der unveränderten Loyalität der großen Stadt versicherten – vorausgesetzt, die Königin versprach, ihren Truppen eine Plünderung Londons zu verbieten. Der Ruf des »Wirbelsturms aus dem Norden« war ihnen offensichtlich vorausgeeilt. Aber die Königin hatte sich gnädig und verständnisvoll für die Sorge der Stadtväter gezeigt und ihr Wort gegeben.

Simon Neville sagte, was Julian dachte: »Wenn Marguerite in London einzieht, ist die Rebellion der Yorkisten so tot wie ihr papiergekrönter Herzog.«

Sie verbrachten ein paar beschauliche Tage in Waringham. Die erhabene Stille des tief verschneiten Hügellandes verbreitete eine heilsame Melancholie, und schließlich überwand auch Daniel seine Schwermut weit genug, um mit Julian, Alexander, dem taubstummen Steward Frederic of Harley und Kates Gemahl auf die Jagd zu reiten.

Julian führte seine Schwester und seinen Schwager durch das Gestüt, und sie blieben zum Essen bei ihrem Cousin Geoffrey, dem Stallmeister. Vor allem nutzte Julian die unerwartete Gelegenheit jedoch, um sich mit seinem Steward zurückzuziehen, einen Kassensturz zu machen und Pläne zu schmieden. Waringham gedieh, stellte er mit großer Zufriedenheit fest. Der Krieg und die politischen Unruhen, die ihn genau wie jeden anderen Edelmann in England während der letzten zwei Jahre so in Atem gehalten hatten, waren hier nicht spürbar gewesen.

»Wir haben natürlich von Northampton gehört und davon, dass der Duke of York aus Irland zurückgekehrt war, aber das kam uns alles vor wie Geschichten aus der Fremde, Mylord«, gestand Adam, als Julian ihn eines Abends besuchte.

»Ich bin froh, Adam«, erwiderte Julian. »Es sollte nicht die Sorge der Bauern sein, wenn Herzöge und Könige streiten. Oder Königinnen, um genauer zu sein.«

Adam reichte ihm mit einem schiefen Lächeln einen Becher Ale. »Aber meist schlachten die einen die Bauern der anderen ab, um sie wütend zu machen.«

»Nur zu wahr«, brummte Julian. Und natürlich hatte Marguerite ihren »Wirbelsturm aus dem Norden« vor allem da entfesselt, wo die Ländereien Yorkisten gehörten.

Adam setzte sich zu ihm an den gescheuerten Küchentisch, sie tranken ihr Ale und fachsimpelten über die Schafzucht.

Adam hatte seine Herde im Lauf der vergangenen zwei Jahre fast verdoppeln können, denn die Abnahmegarantie, die Lucas Durhams Bruder ihm gegeben hatte, gewährte ihm Planungssicherheit. Adam selbst, sein Haus und jeder Gegenstand darin rochen nach Schafen, und ein Hauch von Ziege verschärfte diesen allgegenwärtigen Duft noch, denn nach dem großen Erfolg ihres Käseverkaufs auf dem vergangenen Jahrmarkt hatte Adams Frau beschlossen, ihre Produktion an Ziegenkäse zu steigern, der besonders reißenden Absatz gefunden hatte. Sie hatte ihren Mann überredet, zwei weitere Ziegen anzuschaffen, die in einem Verschlag gleich neben dem Wohnhaus untergebracht waren. Getrocknete Kräuter hingen an den rußgeschwärzten Deckenbalken der Küche, die Möbel waren mit mehr Hingabe als Fertigkeit gezimmert. Es war ein anheimelndes Haus. Julian sah sich anerkennend um. »Adam, du bist zu beneiden.«

Der junge Schafzüchter brach nicht in ungläubiges Gelächter aus. Er folgte Julians Blick, sah seine Küche vielleicht zum ersten Mal seit langer Zeit wieder mit offenen Augen und lächelte zufrieden. Dann erwiderte er achselzuckend: »Ich glaube, das Leben eines anderen kommt einem oft leichter vor als das eigene, weil man es nur von außen sieht, Mylord.«

»Ich wusste gar nicht, dass ein Philosoph in dir steckt.«

Adam ging über die spöttische Bemerkung hinweg. »Ich sag Euch, nicht eine große Schafherde ist es, die einen Mann zufrieden machen kann, sondern eine gute Frau und Kinder. Möglichst viele. Bei uns ist das zweite unterwegs, wusstet Ihr das? Aber Ihr seid spät dran für einen Edelmann, oder? Wann heiratet Ihr endlich?«

Julian hob abwehrend die Hände. Er nahm an, vor dieser Gefahr war er so lange sicher, wie Marguerite ihn noch in ihrem Bett wollte. Aber wenn sie seiner eines Tages überdrüssig wurde, dann würde ihn nichts mehr retten. »Wenn der König mich zwingt und keinen Tag eher«, antwortete er grimmig.

Adam schüttelte lachend den Kopf, aber bevor er etwas einwenden konnte, öffnete sich die Tür, und seine Frau trat ein. Erschrocken blieb sie an der Tür stehen und knickste. »Mylord.« Sie hielt ein schlafendes, vielleicht einjähriges Kind in den Armen, und man konnte sehen, dass sie wieder eines erwartete.

»Meine Frau Bessy, Mylord«, stellte Adam höflich vor. »Elisabetha, um genau zu sein. Das ist unser Walt, den sie auf dem Arm hat. Ah, und hier kommt Melvin. Ihr erinnert Euch an meinen Bruder?«

»Natürlich.« Julian zwinkerte dem Jungen zu. Melvin war ein schlaksiger Zwölfjähriger geworden, aber das Gesicht schien den Babyspeck noch nicht verloren zu haben. Er betrachtete Julian mit leicht geöffneten Lippen, und seine Augen verdrehten sich für einen Moment nach oben.

Julian unterdrückte ein Schaudern. Diese verdrehten Augen erfüllten ihn immer noch mit Schrecken. Aber wie seit jeher plagte ihn sein Gewissen beim Anblick des Jungen, und er öffnete den Beutel an seinem Gürtel und förderte den kleinen schlappohrigen Hund hervor, den er einige Tage zuvor geschnitzt hatte. »Hier, Melvin, ich hab dir etwas mitgebracht.«

Ein Strahlen trat in die gruseligen Augen, und für einen kurzen Moment wirkten sie völlig normal, wie die Augen eines jeden Kindes, dem eine Freude bereitet wird. Melvin trat näher, streckte die Hand aus und besann sich dann. Fragend sah er zu seinem großen Bruder. Erst als Adam ihm zunickte, nahm der Junge Julian die Figur aus der Hand, drückte sie an die Brust, setzte sich damit ins Bodenstroh und bellte leise.

Bessy beobachtete ihn mit verschlossener Miene, aber Adam schaute lächelnd auf den Jungen hinab. Dann sah er Julian an. »Gut von Euch, Mylord. Danke.«

Der Earl of Waringham winkte ab. »Ich schätze, so besonders viel Freude hat euer Melvin nicht im Leben, was?«

»Das frag ich mich oft«, antwortete Adam. »Manchmal denk ich, mehr als wir anderen.«

»Aber die Kinder im Dorf werfen mit Tannenzapfen nach ihm oder Schlimmeres. Viele Erwachsene sind kaum besser.«

Unfreiwillig glitt sein Blick in Bessys Richtung, die mit dem Rücken zu ihnen am Herd stand und einen offensichtlich schweren Kessel an den Haken über dem Feuer hängte.

Adam nickte. »Aber er hat niemals Sorgen, scheint mir. Und er nimmt alles im Leben so, wie es kommt.« Er streckte die Hand aus und zerzauste seinem kleinen Bruder die Haare. »Stimmt's nicht, Mel? Du bist ein Schwachkopf und doch klüger als wir alle.«

Melvin schaute zu ihm hoch, strahlte ihn vertrauensvoll an und nickte.

»Wo sind eigentlich deine Mutter und deine Schwester?«, wollte Julian wissen.

»Emily hat letztes Frühjahr Davey Wheeler geheiratet, kurz bevor er mit Euch in die Schlacht von Northampton gezogen ist. Ich kann Euch sagen, sie war vielleicht froh, als er nach Hause kam. Und meine Mutter ist tot, Gott hab sie selig. An St. Swithun. Einfach nicht aufgewacht.«

Julian bekreuzigte sich, auch wenn er insgeheim dachte, dass Waringham ohne die alte Alys vermutlich ein fröhlicherer Ort war. »Mein Beileid, Adam.«

»Tja. Danke gleichfalls, Mylord.«

»Esst Ihr eine Schale Hammelbohnen mit uns, Mylord?«, fragte Bessy über die Schulter.

Julian wusste, es war als höflicher Rauswurf gemeint, aber er streckte die Beine unter dem Tisch aus und antwortete: »Danke, Bessy. Sehr gern.« Er liebte die schlichten, deftigen Eintöpfe, die die Bauersfrauen kochten, und er hatte in den letzten knapp drei Jahren selten Gelegenheit gefunden, sie zu essen, weil Marguerite nichts an England so tief verabscheute wie seine traditionelle Küche.

»Melvin, hol die Schalen«, wies Bessy ihren jungen Schwager an, der aber so in sein Spiel mit dem Hund vertieft war, dass er sie nicht hörte. Also erhob Adam sich, trat an das Wandbord neben dem Herd und nahm vier irdene Schalen herunter, die er auf dem Tisch abstellte. Dann holte er einen halben Brotlaib aus einem Steinguttopf.

Kaum hatte der Hausherr sich wieder auf die Bank gesetzt und das Brot zwischen die Knie geklemmt, um ordentliche Scheiben abzuschneiden, als sich ohne Vorwarnung die Tür öffnete.

Alle schauten auf.

»Sir Frederic«, grüßte Adam. »Nur hereinspaziert. Ein Becher Ale?«

Frederic hob ablehnend die Hand, aber seine ausdrucksstarke Mimik bekundete sein Bedauern. Dann nickte er Julian zu und forderte ihn mit einer Geste auf, ihn nach draußen zu begleiten.

Julian versäumte den Eintopf nur ungern, aber er erhob keine Einwände. Er verabschiedete sich eilig, folgte seinem Steward in den dämmrigen Winternachmittag und die Kälte hinaus und sah ihn fragend an. »Also?«

Frederic reichte ihm eines seiner zahllosen Schiefertäfelchen. *Nachricht von Lucas*, stand darauf.

»Was für Nachrichten? Gute oder schlechte?«, fragte Julian.

Frederic breitete die Arme zu einer Geste aus, die Hilflosigkeit ebenso ausdrückte wie Ungeduld. Woher soll ich das wissen, schien sie zu sagen. Und: Je eher du mitkommst, desto schneller wissen wir es.

In der Halle wartete ein Fremder auf Julian, eine abgerissene Gestalt in schäbigen Kleidern und einem löchrigen Mantel. Er saß tief über eine Schale Suppe gebeugt und löffelte gierig. Die Bewohner von Waringham Castle hielten argwöhnisch Abstand, das Gesinde ebenso wie die Ritter und ihre Familien. Julian konnte es ihnen nicht verübeln. Der Fremde hatte etwas unbestimmt Finsteres an sich.

»Mein Steward sagt, du hast eine Nachricht von Sir Lucas Durham für mich?«, fragte er.

Der Mann sah mit mäßigem Interesse hoch. »Seid Ihr Lord Waringham?«

Julian nickte.

Der Geselle förderte einen gefalteten, versiegelten Bogen

unter dem Mantel hervor, doch als Julian danach greifen wollte, zog er die Hand zurück. »Erst gebt mir einen Schilling dafür!«

Empörtes Gemurmel erhob sich in der Halle.

Verblüfft schaute Julian auf den unverschämten Boten hinab, streckte dann blitzschnell die Linke aus, packte ihn am Kragen und zog ihn mit einem Ruck von der Bank hoch, ehe er ihm den Brief aus den Fingern riss. »Wärmsten Dank.« Dann wandte er sich an den Steward. »Lass ihn nicht aus den Augen.«

Frederic nickte und stellte sich mit verschränkten Armen hinter den Boten, der sich auf seinem Platz zusammenkauerte und beinah verstohlen weiteraß.

Julian erbrach das Siegel, welches keine Prägung trug und nur aus ein paar Tropfen Kerzenwachs zu bestehen schien.

Das offenbar hastig gekritzelte Schreiben begann mit der ungewöhnlichen Begrüßung: *Ehe du meinen Boten gehen lässt, vergewissere dich, dass du deine Börse noch hast, denn er ist ein Dieb.*

Darunter ging es förmlicher weiter:

Lucas Durham of Sevenelms an Julian, Earl of Waringham, Grüße. Du glaubst nicht, wie peinlich es mir ist, dies zu schreiben, aber ich bin eingesperrt, Julian. Schuldlos, wie ich betonen möchte, aber dazu später mehr. Das Wichtigste und Schlimmste zuerst: Die Yorkisten sind in London einmarschiert.

»Oh, mein Gott …«, murmelte Julian. Er sank ein gutes Stück von dem Boten entfernt auf die Bank nieder und schaute in Frederics besorgtes Gesicht. »Anscheinend geht es ihm gut«, erklärte er. »Aber irgendwer hat ihn eingesperrt. Die Yorkisten sind in London, schreibt er.«

Mit einem Mal war es still in der Halle. Jeder hatte seine letzten Worte gehört, und alle schauten ihn verständnislos an, manche auch vorwurfsvoll. Und das war kein Wunder. Er war es gewesen, der den Menschen hier gesagt hatte, Marguerite und Henry stünden vor London und es könne nichts mehr schiefgehen.

Die Londoner haben sich einfach über die Befehle des Lord

Mayor und des Stadtrats hinweggesetzt und der Königin die Stadttore vor der Nase zugeschlagen. Zu groß war die Angst vor Marguerites Truppen. Die Leute trauten ihrem Plünderungsverbot nicht. Na ja, du weißt ja – die Londoner haben unsere Königin nie ins Herz geschlossen. Ganz im Gegensatz zu Edward of March. Der vereinte sich mit Warwick in Chipping Norton – einem gottverlassenen Nest in den Cotswolds –, marschierte auf London und zog mitsamt seiner Armee am 27. im Triumph in die Stadt ein. Die Londoner säumten die Straßen und jubelten dem jungen March zu. Es gab einfach nichts, was der Lord Mayor und die Aldermen hätten tun können – die ganze Stadt befand sich in einem gottlosen Rausch, wie es gelegentlich vorkommt, wenn sie sich ihrer Macht bewusst wird. Um aber sicherzugehen, dass der Stadtrat keine Gegenmaßnahmen ergreift, sperrten die Rädelsführer der Yorkisten unter der Stadtbevölkerung ein paar Verwandte der mächtigsten Stadtväter in die Londoner Gefängnisse. Darunter auch mich, um die Duldung meines Onkels Philip zu erpressen. So kommt es, dass ich meine Tage mit Dieben und Halsabschneidern im Fleet-Gefängnis verbringe, was nicht weiter schlimm ist, denn aufgrund eines uralten Familiengeheimnisses, auf welches ich hier nicht näher eingehen kann, stehen die Durham mit diesem Gelichter auf gutem Fuße (nur deswegen kann ich dir diesen Brief schreiben und einen langfingrigen Boten schicken). Mach dir um mich also keine Gedanken – sie werden mich schon laufen lassen, ehe das Ungeziefer oder der Kummer über den beklagenswerten Zustand meiner Garderobe mich umbringen.

Viel schlimmer ist dies, Julian: Edward of March hat alle Masken fallen lassen und erhebt Anspruch auf die Krone ...

Julian hatte einen eigentümlichen, metallischen Geschmack im Mund und plötzlich Mühe, die Lektüre fortzusetzen. Die Tinte auf dem Papierbogen schien vor seinen Augen zu zerfließen.

Kate setzte sich neben ihn, ihr Ausdruck besorgt. »Julian, was ist passiert? Ist dein Ritter in Schwierigkeiten?«

»Nicht schlimmer als sonst«, antwortete er abwesend.

Frederic stieß ihn unsanft an die Schulter, und als Julian aufschaute, forderte der taubstumme Steward ihn mit einer ungeduldigen Geste auf, sich ein wenig deutlicher auszudrücken.

Julian nickte geistesabwesend. Dann nahm er sich zusammen und stand auf. An den zwielichtigen Boten gewandt fragte er: »Hast du aufgegessen? Dann geh mit Gott. Hier.« Er fischte einen Schilling aus der Tasche. Eigentlich ein zu großzügiger Botenlohn für solch eine Gestalt, aber der Weg von London war weit und die Straße verschneit.

Der Londoner Beutelschneider ließ die Münze in seinen Lumpen verschwinden, verneigte sich übertrieben vor Julian und wandte sich zur Tür.

»Geleite den Boten zum Tor und vergewissere dich, dass er gut auf den Weg kommt«, wies Julian seinen Knappen an.

Alexander erhob sich, und als er an Julian vorbeikam, raunte der ihm zu: »Gib Acht, dass er nichts mitgehen lässt und dich nicht ausnimmt.«

Julian wartete, bis die Schritte auf der ausgetretenen, steinernen Treppe verklungen waren. Dann ging er an seinen Platz an der hohen Tafel, setzte sich aber nicht. Alle Blicke waren auf ihn gerichtet, manche gespannt, andere furchtsam.

»Wie es aussieht, habe ich mich getäuscht. Der Krieg ist noch nicht vorbei. Edward of March, der Erbe des Duke of York, hat sich in London zum König ausrufen lassen. Der Bischof von Exeter – das ist mein Vetter George Neville, Warwicks Bruder – hat die Zeremonie überwacht, also können wir davon ausgehen, dass sie keine Formfehler aufwies. Ein hastig zusammengeschusterter ›Kronrat‹ aus Yorkisten hat beschlossen und verkündet, dass Edward König Henry ablösen soll. Am vergangenen Mittwoch ist Edward of March nach Westminster geritten und hat …« Julian musste sich unterbrechen. Sein Herz schlug bis in die Kehle, und er wollte nicht, dass seine Stimme bebte bei dem, was er zu sagen hatte. Er sammelte sich einen Augenblick, sah in die vertrauten Gesichter in seiner Halle und fuhr dann fort: »Er hat sich Henrys Staatsroben unter den Nagel gerissen, die in den königlichen Gemächern im Palast verwahrt werden, hat sie angelegt und auf dem Thron in der Halle Platz genommen. Er nennt sich Edward IV. von England.«

Die Versammelten sprangen auf die Füße und protestierten. Empörung, Zorn, Unglauben sah Julian in ihren Mienen. Und Furcht. Es war ein getreulicher Spiegel seiner eigenen Empfindungen: Empörung und Zorn über diese dreiste Machtergreifung; Unglaube, dass dies hatte passieren können, nachdem sie die Yorkisten bei St. Albans doch geschlagen hatten; und Furcht vor dem Abgrund, der mit einem Mal wieder vor ihren Füßen gähnte.

Aber er war Lord Waringham und stand am Platz des Burgherrn in der Halle seiner Väter. Also bewahrte er die Fassung und ließ sich nicht anmerken, wie es in ihm aussah. Das fiel ihm nicht einmal so schwer, wie er angenommen hätte. Er hatte auch keine Zweifel mehr, dass er die Rolle füllen konnte, die ihm zugefallen war, weil er gelernt hatte, dass man in die Rollen hineinwuchs, die Gott einem zuteilte. Das bescherte ihm keine traumwandlerische Sicherheit, keine Garantien, dass alles, was er fortan tat, zu einem guten Ende führen würde, aber doch immerhin die tröstliche Erkenntnis, dass das, was war, sein sollte. Und ihm kam die Frage in den Sinn, ob der noch nicht einmal zwanzigjährige Edward of March diesen unerhörten Schritt vielleicht gewagt hatte, weil er genau das Gleiche empfand.

Die Menschen in der Halle beruhigten sich allmählich wieder, und schließlich fragte Simon Neville: »Was wirst du jetzt tun?«

Julian hielt den Brief hoch. »Lucas schreibt, die Königin zieht nach Norden, um neue Truppen auszuheben. Ich nehme an, Edward wird ihr folgen. Das täte ich jedenfalls an seiner Stelle. Er wird die Entscheidung suchen, denn ehe sie nicht gefallen ist, bleibt sein Anspruch auf den Thron eine leere Drohung. Ich schätze, dass nicht viel Zeit ist, also brechen wir morgen früh auf. Daniel?« Er sah sich suchend in der dämmrigen Halle um.

»Hier bin ich, Vetter.« Der altgediente Soldat trat vor, und ein erwartungsvolles Funkeln lag in seinen Augen.

»Geh ins Dorf. Ich denke, ich kann dreißig Männern Sold zahlen. Klopf nur bei denen an, die kampferfahren sind und brauchbare Waffen besitzen. Sag ihnen, ich zwinge niemanden, aber ich bin dankbar für jeden Freiwilligen. Sag ihnen aber auch, dass wir wahrscheinlich nicht alle heimkehren werden. Edward of March ist ein hervorragender Kommandant, und der Winter im Norden ist gnadenlos. Das wird kein Spaziergang.«

»Und *das* soll ich ihnen sagen?«, fragte Daniel skeptisch.

Julian nickte knapp. »Sie sollen wissen, worauf sie sich einlassen.« Er trug Daniel nicht auf, an die Königstreue der Bauern zu appellieren. Er wusste, dass er das eigentlich hätte tun müssen, doch er konnte nicht einfordern, was er selbst nur unter so großer Mühe aufzubringen vermochte: Loyalität für Henry of Lancaster.

Er wandte sich an die Ritter in der Halle: »Das gilt auch für jeden von euch. Entscheidet euch und dann trefft eure Vorbereitungen. Wir marschieren bei Tagesanbruch.«

Alle Männer erhoben sich von den Bänken, auch Alexander. Doch Julian und Simon sagten wie aus einem Munde zu ihm: »Du bleibst hier.«

Der junge Mann presste die Lippen zusammen und ballte die Fäuste. »Das *kann* nicht euer Ernst sein …«

»Wir werden nicht darüber debattieren«, beschied Julian. Er wies auf Frederic, der ebenso wie die anderen aus der Halle strebte, um seine Rüstung zusammenzusuchen. »Du musst hier nach dem Rechten sehen, während der Steward und ich fort sind, Alexander.«

»Aber das kann der Reeve ebenso gut!«

Julian wandte sich ab. »Dafür habe ich jetzt wirklich keine Zeit, Bübchen«, knurrte er. »Geh und schärf mein Schwert, wenn du dem Hause Lancaster einen Dienst erweisen willst.«

Kate, die auf ihrem Platz geblieben war, sah die Tränen der Enttäuschung, die ihr Sohn so verbissen wegzublinzeln suchte, und sie bedauerte ihn. Trotzdem war sie dankbar für Julians

Entscheidung. Sie blickte ihrem Mann und ihrem Bruder nach, die in großer Eile zusammen die Halle verließen, und wusste, dass ihr schlaflose Nächte bevorstanden. Es war ein Trost, dass sie wenigstens um ihren Sohn nicht würde bangen müssen.

Towton, März 1461

»Also dann, Mylords«, sagte die Königin. »Ihr wisst, was Ihr zu tun habt. Gott wird mit Euch sein, ich weiß es.«

Marguerite war ein erhebender Anblick, fand Julian. Sie trug einen Mantel aus einem silbrigen Pelz, der wie eingefangenes Mondlicht schimmerte. Der hochgestellte Kragen umspielte ihr schönes Gesicht, und der neumodisch kegelförmige Hut mit dem langen schleierartigen Tuch, welches von der Spitze herabflatterte, verlieh ihr eine besondere Grazie. Julian dachte bei sich, dass es nicht einfach sein konnte, ein solches Gebilde wie diesen Hut unbeschadet in ein Feldlager mitten im Nirgendwo zu schaffen, und er fragte sich, ob Marguerite sich die Mühe gemacht hatte, um die Moral ihrer Truppe zu heben.

Der Duke of Somerset hatte trotz seiner Jugend das Oberkommando. Er wandte sich an Lord Clifford. »Nehmt Eure Männer, reitet zum Fluss hinab und bewacht die Brücke.«

»Was denn, jetzt?«, fragte Clifford entsetzt. Es war dunkel, und es schneite so heftig, dass man draußen die Hand vor Augen nicht sehen konnte. »Aber wir haben die Brücke doch zerstört, wozu sie bewachen?«

»Weil die Yorkisten versuchen könnten, sie zu reparieren, und ich will nicht, dass Edward den Fluss bei Ferrybridge überquert«, antwortete Somerset.

»Aber bei diesem Schneegestöber …«, wandte Clifford skeptisch ein.

»Es wird aufhören zu schneien«, unterbrach Julians Cousin, der Earl of Burton, der nicht weit von hier in Lancashire lebte und die Kapriolen des Winters in dieser Gegend darum genauestens kannte. »In ein oder zwei Stunden. Aber morgen gibt es neuen Schnee.«

Somerset nahm diese Prognose mit gerunzelter Stirn auf. Die Aussicht auf Schnee während der Schlacht schien ihm nicht zu behagen. Aber er sagte lediglich: »Nun, das Wetter liegt nicht in unserer Macht. Unsere Taktik hingegen schon. Also, Clifford, die Brücke.«

Der Angesprochene nickte grimmig. »Seid ganz beruhigt, Mylord. Kein Yorkist wird einen Fuß auf die Brücke setzen.«

»Gut«, beschied die Königin. »Ich denke, damit wäre alles gesagt.« Sie breitete die Arme aus. Die Lords verstanden den Hinweis und begaben sich zum Ausgang ihres Zeltes. Marguerite war souveräner geworden, stellte Julian fest. Allmählich hatte sie sich an ihre eigentümliche Feldherrenrolle gewöhnt. Sie beherrschte den Jargon und die Gesten eines Kommandanten, und obwohl viele der Lords ihr misstrauten, schien niemand mehr ihren Führungsanspruch in Frage zu stellen.

Julian legte die Hand auf die Brust und verneigte sich zum Abschied vor ihr. »Gute Nacht, meine Königin.«

Sie nickte huldvoll. Zwei ihrer vertrautesten Damen und ihre Leibwache – ein halbes Dutzend Schwanengardisten – machten sich im Zelt zu schaffen. Zu viele Zeugen für ein vertrauliches Wort, selbst wenn Julian argwöhnte, dass keinem von ihnen sein skandalöses Verhältnis mit der Königin verborgen geblieben war. Sie alle übten Diskretion und begegneten ihm höflich, weil sie die Königin verehrten. Aber sie alle, wusste Julian, hatten Macht über ihn.

Marguerite reichte ihm mit einem müden Lächeln die Hand.

Julian führte diese kurz an die Lippen und richtete sich wieder auf. Er wollte gehen, aber die Königin ließ ihn nicht sofort los.

»Wo sind der König und der Prinz?«, fragte er, um das Schweigen zu brechen, das ihn nervös machte.

»In York«, antwortete Marguerite. »Ich hielt es für das Vernünftigste, meine beiden Lämmchen in Sicherheit zu bringen.«

Sie gab sich immer weniger Mühe, ihre Geringschätzung für den König zu verbergen, fiel ihm auf. Das war kein Wunder – es musste sie verbittern, dass ihr neben den Pflichten einer Königin auch die des Königs aufgebürdet worden waren –, aber unklug und gefährlich war es dennoch.

»Der König wird für uns beten, falls es ihm nicht entfällt, dass hier morgen die entscheidende Schlacht um seine Krone ausgefochten wird«, fügte sie hinzu.

Julian nickte. »Nun, ich bin überzeugt, dem Prinzen wird es nicht entfallen, Madame.«

Ihre Züge wurden milde, als sie an ihren Sohn dachte. »Da habt Ihr Recht, Sir. Mögen seine Gebete die Herzen aller königstreuen Engländer mit Mut und Entschlossenheit erfüllen.«

An Mut und Entschlossenheit mangelte es den Lancastrianern jedenfalls nicht, als der Tag anbrach, und sie hatten ein gewaltiges Heer aufgeboten: An die vierzigtausend Mann standen entlang eines Hügelkamms aufgereiht. Weder zur linken noch zur rechten Seite konnte Julian das Ende der Schlachtreihe ausmachen. Niemand kannte die Stärke der Gegner, aber es ging ein Gerücht, dass die Lancaster-treuen Truppen in der Überzahl seien.

»So ein Gerücht gibt es immer«, bemerkte Daniel unbeeindruckt, der neben Julian stand und das Visier seines Helmes einige Male auf- und abbewegte, damit es nicht festfror. Es war Palmsonntag – man schrieb den neunundzwanzigsten März –, und dennoch herrschte in Yorkshire tiefster Winter. Der Schnee reichte den Männern bis an die Waden, und mit Tagesanbruch hatte sich ein schneidender Wind erhoben, der ihnen geradewegs ins Gesicht blies.

Frederic of Harley wies nach Süden, wo eine Schar Reiter wie braune Tupfen in der weißen Ebene auftauchten.

Julian kniff die Augen zusammen, aber er konnte keine Wappen erkennen. »Das muss Clifford sein. Wird auch Zeit. Edward wird nicht ewig brauchen, um flussaufwärts eine andere Brücke oder Furt zu finden. Es ist zu riskant, zwischen Fluss und Yorkisten zu geraten.« Noch während er sprach, kam hinter der Reiterschar eine zweite, größere in Sicht, die rasch aufholte. »Gottverflucht, was hab ich gesagt? Jetzt steckt Clifford in Schwierigkeiten. Frederic, schnell, lass uns die Pferde holen und …«

»Ihr bleibt, wo ihr seid«, unterbrach Somerset, den Blick unverwandt auf die Reiter gerichtet. »Wenn wir vorrücken, dann in geschlossener Linie, und zwar auf mein Kommando. Ist das klar?« Erst jetzt wandte er den Kopf und sah Julian an.

»Aber Somerset … schau doch hin, sie werden sie niedermachen!«

Somersets Miene blieb unbewegt. »Vielleicht soll es so sein. Clifford hat den jungen Rutland an der Brücke von Wakefield ermordet, nun wird die Brücke von Towton ihm zum Verhängnis.«

Julian war fassungslos. »Du opferst ihn, um ihn zu bestrafen? Bist du sicher, dass wir uns das leisten können?«

»Noch ein Wort, und ich lasse dich wegen Befehlsverweigerung in Ketten legen, Julian.«

Julian klappte den Mund zu und nickte knapp. Dann verschränkte er scheppernd die Arme, sah ins Tal hinab und wurde Zeuge, wie die Yorkisten Lord Clifford und seine Männer einen nach dem anderen abschlachteten.

»Das ist widerlich«, murmelte Daniel an seiner Seite.

Aber es war die richtige Entscheidung gewesen, denn noch ehe das grausige Werk getan war, tauchte die Haupstreitmacht der Yorkisten auf dem gegenüberliegenden Hügelkamm auf, kaum weniger langgezogen als die Lancastrianer.

»Wenn ihre Zahl geringer ist als unsere, dann nur um ein paar hundert«, bemerkte Simon, der an Daniels Seite stand.

Daniel nickte und sah auf die reglosen braunen Tupfen, die einmal Lord Clifford und seine Männer gewesen waren. »Und wie es aussieht, machen sie keine Gefangenen.«

Noch während die Yorkisten Stellung bezogen, öffnete der Himmel seine Schleusen. Der Schnee schlug den Lancastrianern fast waagerecht entgegen und war so dicht, dass er eine beinah undurchsichtige Wand bildete. Julian merkte erst, dass sie unter Beschuss waren, als er die Pfeile zusammen mit den Flocken auf sich zufliegen sah. Er duckte sich rechtzeitig, aber eines der Geschosse streifte Frederics stahlgepanzerten Arm und traf einen Mann in der zweiten Reihe. Julian hörte seinen Schrei – sehen konnte er ihn nicht.

Somerset befahl ihre Bogenschützen nicht nach vorne. Sie alle wussten, dass sie gegen diesen Sturmwind nichts ausrichten konnten, der aber den Pfeilen ihrer Gegner mehr Schnelligkeit und größere Reichweite verlieh. Nachdem der zweite Hagel herübergekommen war, gab Somerset Befehl, in geschlossener Linie vorzurücken. »Wir müssen einen nach dem anderen von Hand erledigen«, erklärte er grimmig. »Es bleibt uns nichts anderes übrig.«

Die Schlacht von Towton währte von Sonnenaufgang bis zum späten Nachmittag, und selbst die Veteranen der letzten Frankreichfeldzüge sagten später, dass sie niemals ein so grauenvolles Gemetzel erlebt hätten. Auf beiden Seiten gab es zu viel Zorn, zu viel berechtigten Groll, um dem Feind Gnade zu zeigen, und die bittere Kälte und der heulende Wind machten die Männer erbarmungslos. Gegen Mittag hatten die Lancastrianer ihre Feinde bis zurück über den Fluss gedrängt und so viele von ihnen niedergemacht, dass sie über ein Bollwerk aus Leichen klettern mussten, um die Frontlinie wieder zu erreichen. Julian spürte seine Beine schwer werden davon, denn die Kletterei in Rüstung war eine elende Schinderei. Aber er achtete nicht auf das Ziehen in Waden und Oberschenkeln, so wenig wie auf das Blut, das ihm von einer Platzwunde an der Stirn ins Auge lief. Er sah nicht einmal den Pfeil, der seinen Cousin Daniel in den Hals traf und zu Fall brachte, denn der Wind und der Schnee hatten Julians Welt zu einem winzigen Kämmerlein schrumpfen lassen, dessen weiße Wände kaum einen Schritt auseinander lagen, und wann immer eine Gestalt durch diese weiße, flimmernde Wand brach und eine Waffe auf ihn richtete, machte er sie nieder. Er hörte das Heulen des Windes, aber er hörte auch Waffenlärm und Schreie, und dann *Norfolk*, immer wieder diesen Namen, *Der Duke of Norfolk ist endlich gekommen*.

Mit einem Mal kam nicht ein Feind durch die Schneemauer, sondern zwei. Julian griff mit der linken Hand nach dem Dolch, doch der war in der Scheide festgefroren. Also blieb ihm nichts weiter übrig, als beide Gegner mit dem Schwert abzuwehren. Das gelang schließlich, doch ehe sie fielen, hatten sie ihn drei, vier Schritte zurückgedrängt. Wenig später fand er sich wieder zwei Feinden gleichzeitig gegenüber, wieder musste er ein Stück zurückweichen, und ihm kam der Gedanke, dass die Verstärkung, die Norfolk dem jungen Edward of March gebracht hatte, gewaltig sein musste.

Der Druck von vorn wurde immer mächtiger, wie eine allmählich ansteigende Flut. Und dann begannen die Dämme zu brechen: Hier und da löste sich die Front der Lancastrianer auf, die Männer machten kehrt und flohen.

»Das dürft ihr nicht!«, brüllte Julian ihnen nach. »Die Linie muss halten, sonst sind wir verloren!« Er sah sich kurz um, doch hinter ihm war niemand mehr, nur ein flacher Hügel aus reglosen Leibern, den der Schnee allmählich zudeckte. Fluchend wandte Julian sich wieder nach vorn, aber er sah den Pfeil nicht kommen. Er spürte nur plötzlich einen gewaltigen Schlag vor die linke Brust, beinah wie ein Fausthieb. Die Wucht schleuderte ihn nach hinten. Mit ausgebreiteten Armen prallte er rückwärts gegen die ungleichmäßige, weiche Wand aus Leichen und rutschte daran entlang in den Schnee.

Er hielt das Schwert noch in der Hand. Also schloss er die Finger fest darum und stand wieder auf. Er wusste, dass ein Pfeil in seiner Brust steckte, aber er spürte ihn kaum. Jedenfalls noch nicht. Und solange das so blieb, würde er weiterkämpfen. Doch kaum stand er sicher auf den Beinen, rannten zwei Fliehende ihn wieder über den Haufen. Ohne seinen Verwünschungen die geringste Beachtung zu schenken, kletterten sie in panischer Hast den schaurigen Hügel hinauf. Bevor sie die

Kuppe erreicht hatten, fielen sie beide, der eine von einem Pfeil, der andere von einem Wurfspieß niedergestreckt.

Julian lag wieder im Schnee und fluchte. Vielleicht hatte der Zusammenstoß den Pfeil tiefer in sein Fleisch getrieben. Jedenfalls tat es mit einem Mal mörderisch weh. Keuchend wälzte er sich auf die Seite, und sein Blick fiel auf seinen Knappen.

Alexander lag auf dem Rücken, den Kopf auf den Brustpanzer eines Toten gebettet. Er sah fast aus wie ein Reisender, der sich am Wegesrand zur Ruhe legt und seinen Sattel als Kissen benutzt. Doch dort, wo einmal Alexanders rechter Arm gewesen war, hatte sich eine hellrote Pfütze im Schnee gebildet, und immer noch strömte Blut aus der Schulter.

Julian kniff die Augen zu, schüttelte kurz den Kopf und schlug die Lider wieder auf, aber das grauenvolle Bild war geblieben.

»Alexander ...« Es klang tonlos. Julian stellte fest, dass er die Stimme verloren hatte, und das Atmen wurde schwerer. Er wusste, der Pfeil steckte in der Lunge.

»Tut mir leid, Sir«, murmelte der Knappe. »Ich musste es tun.«

Julian ließ sein Schwert los, riss dem nächstbesten Leichnam mit der rechten Hand den Wappenrock herunter, knüllte ihn ungeschickt zusammen und robbte näher an Alexander heran, um den Stoff auf die sprudelnde Wunde zu drücken.

»Das hat doch keinen Zweck«, brummte der Knappe ungehalten.

Julian wusste, das stimmte. Das Gesicht des Jungen zeigte bereits die eigentümlich gräuliche Blässe der Verbluteten.

Julian nahm mit einiger Mühe den Helm ab, ließ ihn achtlos in den Schnee rollen und sah auf den sterbenden Jüngling hinab. Er bekam nicht genug Luft, um ihn zu beschimpfen oder ihm Fragen zu stellen. Er wusste es ja ohnehin. Alexander hatte ihnen vermutlich einen halben Tag Vorsprung gelassen und war ihnen dann heimlich gefolgt. Es war ja nicht gerade schwierig, eine Gruppe von über vierzig Mann zu verfolgen, die sich nicht einmal bemühte, ihre Spur zu verwischen. Und

nachdem Julian und die Seinen sich dem großen Heer angeschlossen hatten, brauchte Alexander nur noch in der Masse
unterzutauchen.

Julian schloss die Rechte um die eine Hand, die seinem
Knappen geblieben war. »Hast du gebeichtet?«, fragte er.

Alexanders Lider flatterten. »Vor der Schlacht, wie alle
anderen auch«, murmelte er. »Mit Gott bin ich im Reinen.
Werdet Ihr mir auch vergeben, Mylord? Ich konnte ... nicht
länger warten. Die Königin hätte ewig an mir gezweifelt. Weil
ich doch ... ein Neville bin. Vergebt Ihr mir?«

Julian nickte. Nur ob er sich selbst vergeben konnte, dessen
war er nicht sicher. Ich hätte es kommen sehen müssen, dachte
er. Ich hätte es verhindern müssen.

Alexander lag still, seine Züge entspannt. Julian glaubte,
er sei bewusstlos geworden, aber dann schlug der Knappe die
Augen noch einmal auf. »Es ist komisch. Es tut ... fast gar nicht
weh«, sagte er und starb.

Es kostete Julian Mühe, die Hand zu heben, um ihm die
Lider zu schließen, aber es kam ihm wichtig vor, das zu tun.
Schneeflocken hatten sich in den Wimpern des Jungen verfan-
gen und fielen auf sein Gesicht, dessen Wärme sie noch zum
Schmelzen brachte.

Immer mehr fliehende Lancastrianer hasteten vorbei, kletterten in Todesangst über ihn und Alexander und den Leichen-
berg hinweg, ohne den toten Jungen und seinen schwer verwundeten Dienstherrn auch nur wahrzunehmen. Yorkisten
verfolgten sie in Gruppen zu zweit, zu dritt oder ein halbes
Dutzend stark, holten sie ein und machten sie nieder. Sie taten
es schweigend – ohne Triumphgeheul oder Verwünschungen –,
grimmig und vor allem systematisch.

Halb saß, halb lag Julian im Schnee und wartete, dass einer
der Feinde ihn sah und feststellte, dass er noch atmete – zumindest in kleinen, mühsamen und schmerzhaften Zügen. Die Zeit
wurde ihm lang. Das Tageslicht begann zu schwinden, die
Schneeflocken wurden größer und weniger dicht. Julian fror,
schwitzte und fror wieder. Ganz allmählich spürte er seine

Lebenskraft schwinden. Seine Glieder waren längst steif vor Kälte und vom Gewicht der Rüstung, und zu dieser Steifheit gesellte sich ein Lähmungsgefühl. Er ließ den Kopf zurücksinken und sah ein Heer von Krähen. Nie hätte er gedacht, dass es in England so viele Krähen gab; der Himmel war schwarz davon. Julian schloss die Augen und glitt hinüber in einen seltsamen Dämmerzustand.

Als er daraus erwachte, war er fast vollständig eingeschneit. Er fand sein Blickfeld von zwei leicht gespreizten, gerüsteten Beinen ausgefüllt. Schmerz war in seiner Brust aufgeflammt, und er musste erstickt husten, woraus er schloss, dass der Mann ihn in die Rippen getreten hatte, um ihn aufzuwecken.

Der Verdacht bestätigte sich, als die hohe Gestalt über ihm sagte: »Du sollst es merken, wenn du krepierst.«

Julian schaute blinzelnd hoch. Er konnte nicht mehr richtig sehen, sein Blick war getrübt, aber die schwarzen Vögel waren immer noch da. Er hörte ihr gieriges Krächzen. Sie würden fette Beute machen. Er erahnte an der Körperhaltung, dass der Mann vor ihm das Schwert mit beiden Händen über den Kopf gehoben hatte, um ihm entweder den Kopf abzuschlagen oder das Herz zu durchbohren.

Immer noch hustend starrte Julian nach oben, betete ein *Pater Noster*, sah vor seinem geistigen Auge eine wirre Abfolge von Bildern aus seiner Erinnerung, verspürte Todesangst und Erleichterung darüber, dass er seiner Schwester Kate nicht unter die Augen treten und vom Tod ihres Sohnes berichten musste, und als die Klinge endlich niederfuhr, fiel jemand seinem Schlächter in den Arm und riss ihn zurück, sodass das Schwert sein Ziel weit verfehlte.

»Nein, ihn nicht, treuer Hastings«, befahl eine junge Stimme.

Edward of March, sagte Julians Verstand, der sich doch eigentlich schon verabschiedet zu haben schien. Und trotzdem erkannte er diesen Mann. Edward hatte eine Präsenz, die man nicht vergaß.

Julian mobilisierte seine letzten Reserven. »Lasst ihn zustoßen. Ich sterbe sowieso. Ich bin es satt, darauf zu warten.«

Er war nicht einmal sicher, ob er die Worte herausgebracht hatte. Falls ja, dann gewiss nur als tonloses Wispern.

Doch Edward of March erwiderte: »Ich will aber, dass Ihr weiterlebt, Waringham. Ich befehle es. Als Euer König.«

»Der Ihr nicht seid, und darum könnt Ihr mir gar nichts befehlen«, gab Julian trotzig zurück.

Hastings, der Mann, der ihn eben noch von seinen Qualen hatte erlösen wollen, tippte mit der Schuhspitze an die Befiederung des Pfeils, der aus Julians Brustpanzer ragte.

Julian stockte das letzte bisschen Atem, das ihm geblieben war. Es fühlte sich an, als stecke kein Pfeil, sondern eine weißglühende Schwertklinge in seiner Brust. Er sackte zur Seite, und das Letzte, was er wahrnahm, war eine kalte Hand unter seiner Wange. *Alexander, warte auf mich ...*

Woran er sich später vor allem erinnerte, war das Gefühl zu ersticken. Wann immer er zu sich kam, war er in quälender Atemnot und zu schwach, um sich zu rühren. Aber er nahm gelegentlich auch wahr, was um ihn herum geschah, bruchstückhaft, in einzelnen Bildern, Geräuschen und Gerüchen. Kälte, Gestank und Schreie – ein Lazarettzelt. Dann ein Gefühl, als schwanke die Erde unter ihm, ein Rumpeln und Mahlen und Pferdegeruch – ein Karren. Schließlich Stille, Licht hinter Butzenscheiben und ein unbestimmter Geruch, der ihm vertraut war. Zu Hause, dachte er einmal, und doch nicht zu Hause. Manchmal vernahm er Stimmen, aber er begriff nicht, was sie sagten. Er verstand Worte, war aber nicht in der Lage, sie zusammenzufügen, sodass sie einen Sinn ergeben hätten. Das war ihm gleich. Er wollte nichts hören, nichts verstehen, nichts wissen. Er wollte nur atmen. Mit der Zeit wurde es ihm unvorstellbar, dass das Atmen etwas Selbstverständliches sein konnte, was man Tag und Nacht tat, ohne je darüber nachzudenken. Es wurde sein einziges Streben, der Mittelpunkt seiner Existenz.

An dem Ort der Stille und des Lichts, der ihm so eigentümlich vertraut war, erholte er sich allmählich. Die Zeiträume, da er bei Bewusstsein war, schienen ihm länger zu werden. Das

Atmen, immer noch mühevoll, wurde weniger quälend. Er spürte Durst. Er nahm wahr, dass er meist allein war, nur gelegentlich fühlte er geschickte, kalte Hände. Manchmal erkannte er das Gesicht einer alten Frau. Sie gab ihm zu trinken, irgendwann auch Suppe, aber sie sprach niemals mit ihm, und in ihren Augen lag Gleichgültigkeit.

Dann wachte er auf – die Tönung des Lichts und die Vogelstimmen sagten ihm, dass es früher Morgen war – und hatte zum ersten Mal das Gefühl, wieder ganz bei sich zu sein. Der graue Schleier, der zwischen ihm und seiner Wahrnehmung gehangen hatte, war verschwunden. *Alexander ist tot*, dachte er. *Die verfluchten Yorkisten haben ihm den Schwertarm abgehackt, und er ist verblutet.* Der Gedanke erfüllte ihn mit Trauer und Schuld, aber gleichzeitig rückte er die Welt wieder zurecht. Julian erinnerte sich. An die Schlacht im Schnee, die fliehenden Scharen der Lancastrianer, die Krähen. Wir haben diese Schlacht verloren, ging ihm auf. Er fragte sich, wie viele gefallen waren. Wie viele der Flüchtenden die Yorkisten eingeholt und abgeschlachtet hatten. Wer von denen, die mit ihm aus Waringham nach Norden gezogen waren, lebte noch? Wo waren sie? Und apropos: Wo war *er* eigentlich?

Julian schlug die Decke zurück, richtete sich auf, stellte die Füße auf die kalten Steinfliesen und stand auf, nur um sofort wieder umzufallen. Schwärze war vor seinen Augen und ein surrendes Geräusch in seinem Kopf. Mit geschlossenen Lidern wartete er auf die Rückkehr von Atemnot und Schmerz, aber sie blieben aus.

Langsam kniete er sich hin, rutschte zum Fenster, legte die Hände aufs Sims und hangelte sich vorsichtig hoch. Es ging. Ihn schwindelte, am ganzen Körper brach ihm der Schweiß aus, und seine Knie waren weich, aber sie knickten nicht ein. Mit einer mageren, lächerlich kraftlosen Hand entriegelte er den linken Fensterflügel und stieß ihn auf. Er befand sich ziemlich hoch oben, im dritten oder vierten Stockwerk, nahm er an, im Eckturm einer Burganlage, deren gelblicher Sandstein in der Sonne fast gleißend schimmerte. Sein Fenster bot ihm einen

Blick auf den weitläufigen Innenhof und das turmbewehrte Torhaus. Julian war nicht überrascht. Ein Teil von ihm hatte es längst gewusst: Er war in Warwick Castle.

Es war Frühling geworden. Kaum zu fassen, dass das helle Grün der Rasenflächen und dieser strahlend blaue Himmel derselben Welt angehören sollten wie die leichenübersäte Schneewüste von Towton. Er fragte sich, wie lange das her war. Tage? Wochen?

Auf unsicheren Beinen, die ihn kaum noch trugen, kehrte er zu dem breiten, komfortablen Bett zurück, setzte sich auf die hohe Kante und nahm sich selbst in Augenschein. Etwas, das mehr Ähnlichkeit mit Windeln als Beinlingen hatte, bedeckte seine Blöße, stellte er fest. Seine Brust und die linke Schulter waren bandagiert. Unterhalb des Verbands malten sich seine Rippen deutlich ab. Er glaubte sich zu erinnern, dass das früher auch der Fall gewesen war, aber er hatte eindeutig Gewicht verloren. Unfähig, seine Neugier zu bezähmen, fing er an, den Verband um seine Brust und Schulter abzuwickeln, und als er die letzte Lage mit einem Ruck entfernte, zog er scharf die Luft ein. Die Wunde, die der Pfeil hinterlassen hatte – kreisrund und fingerdick –, war gut abgeheilt, aber noch gerötet. Und empfindlich, stellte er fest, als er mit den Fingern der Rechten darüberstrich. »Autsch.«

»Geschieht Euch recht«, kam eine barsche Stimme von der Tür. »Was fällt Euch ein, meinen schönen Verband abzunehmen? Wollt Ihr Euch umbringen nach all der Mühe, die Ihr mir gemacht habt?«

Es war die Alte, deren Gesicht Julian aus wirren Fieberträumen kannte. Er nahm an, sie war die Kräuterfrau aus der Stadt unten. Ihr Blick war so unfreundlich, dass er keine Lust verspürte, sich zu entschuldigen. »Seit wann bin ich hier?«, fragte er und hielt ihr die unordentlich aufgewickelte Binde hin.

Sie trat näher, nahm sie ihm ab und legte ihm den Verband wieder an, mit mehr Ungeduld als Feingefühl. »Zwei Wochen«, antwortete sie.

»Ich muss sagen, ich bin froh, dass ich den Großteil deiner

Behandlung verschlafen habe«, bemerkte er mit zusammengebissenen Zähnen.

»Ah ja? Wenn es nach mir gegangen wär, hätten sie Euch
verrecken lassen.«

»Das glaub ich aufs Wort.«

Sie trat einen Schritt zurück und bedachte ihn mit einem
giftigen Blick. »Zwei meiner Enkel sind bei Towton gefallen.
Wer weiß, vielleicht von Eurer Hand.«

Julian hatte nicht die Absicht, eine Rechnung mit ihr auf-
zumachen. Und er wollte nicht an Towton denken. Jedenfalls
noch nicht. »Dann entbinde ich dich von der Pflicht, dich meiner weiterhin anzunehmen«, antwortete er kühl. »Ich danke
dir für alles, was du für mich getan hast, aber du brauchst nicht
wiederzukommen.«

Sie ging grußlos hinaus.

Erschöpft ließ Julian sich in die Kissen sinken und schlief
fast augenblicklich wieder ein.

Am nächsten Morgen fühlte er sich schon ein wenig kräftiger.
Er fand einen Teller mit Brot, welches in Milch eingeweicht
worden war, und aß so viel davon, wie er herunterbrachte. Den
Becher Wein leerte er vollständig, denn er hatte immer noch
fürchterlichen Durst. Dann sah er sich in der Kammer um. Er
wusste, er befand sich im Caesar's Tower, jenem Gebäude, das
auch der Earl of Warwick mit seiner Familie bewohnte, wenn er
hier weilte und nicht auf seiner bevorzugten Burg in Middleham.
Als Knappe hatte Julian selten Anlass gehabt, eins dieser vornehmen Gemächer zu betreten, sondern mit den anderen Jungen in einer zugigen Kammer in einem Nebengebäude gehaust.
Er setzte sich auf die Fensterbank, lehnte die hämmernde Stirn
gegen das kühle Glas und dachte an jene Zeit zurück. Er musste
feststellen, dass seine Erinnerungen verblasst waren, selbst an
seinen großen Schmerz über seine unglückliche Liebe zu Warwicks Gemahlin. Er wusste, dass all diese Dinge geschehen und
dass sein Kummer und die Schmach so unerträglich gewesen
waren, dass er hatte sterben wollen. Aber er konnte sich nicht

mehr wirklich entsinnen, wie es sich angefühlt hatte, so als seien es die Erinnerungen eines anderen.

Langsam, immer noch mit wackligen Knien erhob er sich und fand seine Kleider und sogar seine Waffen in einer Truhe neben der Tür. Erleichtert zog er sich an. Wams und Schecke waren ausgebessert und gewaschen worden, aber man konnte noch deutlich sehen, wo sein Blut sie durchtränkt hatte. Er legte den Schwertgürtel um, verließ die Kammer, ging die Treppen hinunter und trat in den Burghof. Es war noch früh, die Mauer warf lange Schatten, aber eine Schar Knappen hatte sich bereits um einen Waffenmeister gruppiert und lauschte seinen Ausführungen. Julian nahm den Lehrer verstohlen in Augenschein, als er sie passierte. Es war nicht mehr derselbe Mann wie früher.

Julian überquerte den Burghof, ließ die alte, steile Motte linkerhand liegen und wollte die Anlage durch die Pforte verlassen, die zur Turnierwiese führte, doch die Wachen versperrten ihm den Weg.

»Tut mir leid, Sir«, sagte einer der Männer hochnäsig. »Anweisung von seiner Lordschaft.«

Julian stand einen Moment ratlos und fröstelnd vor ihm. Es war kühl im Schatten und der Wind noch frisch. »Ich will nur bis zum Fluss«, sagte er. »Seid beruhigt, ich lauf Euch schon nicht davon.«

»Seid Ihr taub, Mann? Ich sagte, wir haben Anweisung von …«

Julian zog seine Klinge. »Muss ich dich wirklich erschlagen, um einen Schluck Wasser zu bekommen?«

Die Wachen tauschten unbehagliche Blicke. Der Gefangene sah so aus, als sei er zu schwach, um einen Grashalm umzumähen, aber das Schwert war schneller aus der Scheide gefahren, als das Auge zu folgen vermochte, und außerdem war der Kerl ein Waringham.

Der Hochnäsige trat beiseite. »Na schön. Aber wir haben Euch im Auge«, warnte er.

Im Gehen steckte Julian seine Waffe wieder ein und legte

dann die linke Hand auf das kostbar verzierte Heft. Die vertraute Form hatte etwas Beruhigendes. Er schlenderte außen an der Burgmauer entlang Richtung Avon und beachtete die Wachen nicht, die ihm in höflichem Abstand folgten. Als er an den Fluss gelangte, legte er sich am Ufer auf den Bauch, schöpfte mit beiden Händen und trank. Zu schnell und zu viel, sodass das Hämmern in den Schläfen sich verschlimmerte, aber er hörte trotzdem erst auf, als der quälende Durst endlich gestillt war. Dann setzte er sich ins hohe Gras und schaute zur Mühle hinüber. Gab es die dicke, lasterhafte Müllerin noch, fragte er sich, an die er wie jeder andere Knappe von Warwick seine Unschuld verloren hatte?

Aber er stand nicht auf, um hinzugehen und es herauszufinden. Es interessierte ihn nicht wirklich. Gar nichts interessierte ihn sonderlich, stellte er fest. Er fühlte sich dumpf und matt.

»Hab ich's doch gewusst«, hörte er Warwicks Stimme in seinem Rücken. »Hierhin hast du dich früher schon verkrochen.«

Julian wandte ohne Hast den Kopf. »Richard.«

Der Earl of Warwick kam näher und schaute besorgt auf ihn hinab. »Du siehst furchtbar aus, Cousin. Und du fieberst.«

»Ja. Ich hatte einen Pfeil in der Lunge, also was erwartest du? Es ist ein Wunder, dass ich noch lebe.«

»Der Leibarzt des Königs hat ihn herausgeholt.«

»Ich nehme an, du meinst Edward of Marchs Leibarzt«, gab Julian zurück. »Denn der Leibarzt des Königs ist ein halbblinder, zahnloser Benediktiner, der noch niemals eine Pfeilwunde behandelt hat, dafür aber lehrreiche Abhandlungen über die vier Körpersäfte verfasst.«

Warwick zwinkerte verschmitzt. »Ich kenne ihn. Henry of Lancaster muss ein zäherer Bursche sein, als viele glauben, dass er die Behandlung des alten Quacksalbers so lange überlebt hat.«

Julian schnaubte leise und wandte den Blick ab. Warwicks Verschwörerlächeln bereitete ihm Übelkeit. Damit wollte er wirklich nichts zu schaffen haben.

Es war eine Weile still, und er lauschte dem Murmeln des eiligen Flusses. Es war ein schöner, melodischer Klang. Schließlich gab Julian sich einen Ruck. Den Blick immer noch auf das grüne Wasser des Avon und die liebliche Flussinsel in seiner Mitte gerichtet, fragte er: »Wie viele sind tot?«

Warwick kam noch einen Schritt näher, sodass Julian aus dem Augenwinkel seine Schuhe im Gras sah. Feine, blank polierte Stiefel. »Es war unmöglich, sie zu zählen«, antwortete der ältere Cousin. »Mein gelehrter bischöflicher Bruder schätzt, achtundzwanzigtausend. Die meisten davon Lancastrianer.«

Julian schwieg. Offenbar war sein Innerstes doch nicht ganz so taub und gefühllos geworden, wie es ihm eben noch vorgekommen war, denn er empfand Entsetzen. »Ich ... habe noch nie von solchen Verlusten gehört«, sagte er langsam.

»Das hat niemand. Solch eine Schlacht hat es nie zuvor gegeben.«

»Wo Engländer fliehende Engländer verfolgen und von hinten niedermetzeln, meinst du, ja? Ich gebe dir Recht, so etwas hat es noch nie gegeben. Und auf diesen ehrenvollen Triumph gründet Edward of March nun die Macht Yorks. Und falls Gott seine Herrschaft nicht segnen sollte, hält er es notfalls auch mit dem Satan, nicht wahr? Sag mir, hat er aus den Schädeln seiner getöteten Feinde einen Hügel aufgeschüttet und darauf seinen Krönungsstuhl gestellt wie die heidnischen Könige von einst?«

»Die Krönung findet erst in acht Wochen statt«, entgegnete Warwick ruhig. Man hätte seinen Tonfall für nachsichtig halten können, aber Julian hörte den unterschwelligen Zorn. Gut so. Er hatte kein Interesse an Warwicks Nachsicht. »Mit dem Segen Gottes und seiner Kirche, wie es sich gehört.«

»Natürlich. Praktischerweise hat York sich ja rechtzeitig einen Kardinal gekauft.«

»Schluss jetzt, Julian«, fuhr Warwick ihn plötzlich an. »Du führst dich auf wie ein schmollender Bengel, statt dich den Tatsachen zu stellen wie ein vernünftiger Mann.«

»Du meinst, so wie du, ja?«, erwiderte Julian. »Du hast wirklich ein unfehlbares Talent dafür, dich mit den Tatsachen zu arrangieren. Gewiss kann man das Vernunft nennen. Oder auch Opportunismus.«

Für einen kleinen Moment trat etwas in Warwicks Miene, das Julian nie zuvor dort gesehen hatte – Hass oder Niedertracht, er war nicht ganz sicher. Doch Warwick beherrschte sich sofort wieder, und sein Ausdruck zeigte nichts als distanzierte Höflichkeit. »Ich bin nicht hergekommen, um mit dir zu streiten, Cousin«, sagte er.

»Sondern wozu?«

»Ich bin ehrlich nicht ganz sicher. Um dir in einer dunklen Stunde beizustehen oder irgendetwas in der Art.«

»Das war seit jeher deine Stärke«, bemerkte Julian ohne Hohn. Dann fuhr er kopfschüttelnd fort: »Ich weiß deine Freundlichkeit zu schätzen, Richard, aber du hast mir eben vorgehalten, ich müsse mich den Tatsachen stellen. Eine davon ist doch gewiss diese: Du und ich sind Feinde. Ganz gleich, was früher einmal war.«

»Aber das müssen wir nicht sein«, wandte Warwick ein, und er klang beinah beschwörend. »Alles hat sich geändert, verstehst du das denn nicht? Marguerite ist mit Henry und ihrem Jungen nach Schottland geflohen. Sie hat aufgegeben, und …«

»Marguerite d'Anjou wird niemals aufgeben, solange noch ein Funken Leben in ihr ist«, unterbrach Julian. »Wann werdet ihr das endlich begreifen?«

»Nun, wie dem auch sei. Sie ist geschlagen. Ihre Armee ist vernichtet. Das Haus York hat diesen unseligen Bruderkrieg gewonnen, Julian, und jetzt ist er vorüber. Henry ist außer Landes geflohen. Edward ist de facto schon König von England, die Krönung eine reine Formsache. Und ich sage dir, er wird ein guter König sein. Besser als sein Vater je hätte werden können. Zu den vielen Gaben, die Edward auszeichnen, gehört königliche Großmut. Er ist bereit, dir Pardon zu gewähren.«

»Pardon?«, wiederholte Julian ungläubig. Die Kopfschmerzen, die beim Aufwachen noch unterschwellig gewesen waren, hatten sich verschlimmert. Er fühlte sich fiebrig und elendig schwach. Aber er wollte verdammt sein, wenn er sich das jetzt anmerken ließ. »Wofür genau? Dass ich dem rechtmäßigen König gedient habe – zugegebenermaßen nur zähneknirschend – und meine Vasallenpflicht erfüllt? Du hast Recht, das ist ausgesprochen großmütig. Leider kann ich es mit Edwards Großmut nicht aufnehmen und ihm vergeben, dass er meinen Cousin Algernon Fitzroy erschlagen hat. Dass seine Schlächter meinen Knappen niedergemetzelt haben und Gott weiß wie viele weitere meiner Männer.«

»Aber dich hat er geschont.«

»Ich habe ihn nicht darum gebeten.«

»Nein, ich weiß. Er glaubt, er schulde dir etwas. Weil sein Vater sich dir gegenüber unehrenhaft verhalten hat und dich als unbequemen Gegner aus dem Weg räumen wollte.«

»Tatsächlich, Richard? Und ich dachte, du warst so überzeugt davon, er wolle mir nur einen Schreck einjagen.«

Warwick bewies zumindest so viel Anstand, einen Augenblick verlegen zu wirken. Dann fuhr er fort: »Wie ich sagte, Edward ist anders als sein Vater. Sprich mit ihm, dann wirst du es merken.«

»Ich weiß, dass er anders ist. Er ist …« Es wollte nicht so ohne weiteres heraus, aber Julian zwang sich, es zu sagen. »Er ist ein anständiger Kerl. Aber leider ein Thronräuber. Darum wird er auf mich verzichten müssen.«

Warwick seufzte und betrachtete ihn kopfschüttelnd. »Dir ist klar, was das bedeutet, oder?« Er stand auf.

»Oh, aber gewiss doch, Cousin.« Julian erhob sich ebenfalls. Er war sich der beiden Wachen nur zu bewusst, spürte ihre Blicke wie Dolche im Rücken. Und Warwick stand zwischen ihm und der Brücke. Also löste er die Schnallen seines Schwertgürtels und reichte ihn seinem Cousin. »Wirst du mich umquartieren? Ich erinnere mich an deine Verliese unter der Rüstkammer; wir haben als Knaben dort gespielt.« Nur in die Oublietten hatte er sich nie gewagt, denn sie waren so winzige Löcher, dass er als Vierzehnjähriger schon nicht gewusst hätte, wie er sich hineinzwängen sollte. Er hoffte inständig, dass sein Cousin nicht beabsichtigte, seine Lancaster-Treue dort auf die Probe zu stellen.

Fast ein wenig hastig nahm Warwick ihm das dargebotene Schwert ab. »Ich schlage vor, du kehrst in dein Quartier zurück. Du kannst dich ja kaum auf den Beinen halten. Bis der König uns seine Wünsche wissen lässt, stehst du unter Arrest. Du wirst die Burgmauern nicht verlassen, und wenn du zu fliehen versuchst, dann *werde* ich dich umquartieren.«

Julian verzog höhnisch den Mund und nickte.

Warwick wies auf den Pfad, der zur Burg zurückführte. »Nach dir, Julian.«

Anfang Mai war Julian vollständig genesen, und mit seiner Gesundheit kehrte auch der Lebensmut zurück. Seine ungewisse Situation machte ihm zu schaffen. Er lag nachts wach und fragte sich, was aus ihm und aus Waringham werden sollte, wenn Edward of March sich zum König krönen ließ. Die Trauer um Alexander und die Sorge um alle anderen, die mit ihm bei Towton gekämpft hatten, lasteten schwer auf ihm, aber er hatte festgestellt, dass er froh war, noch am Leben zu sein, und das war ein Anfang.

Der Frühling in den Midlands zeigte sich sonnig und mild, und oft stand Julian auf der hohen Burgmauer und ergötzte sich an der Schönheit der Flussebene. Nicht selten überkam ihn bei dem Anblick Heimweh, dessen Heftigkeit ihn verblüffte, und manches Mal haderte er mit seiner Unfreiheit, doch gerade sie war es, die ihn gelehrt hatte, die kleinen Freuden des Lebens wieder zu würdigen: ein schmackhaftes, deftiges Mahl, ein kühles Bier in der warmen Mittagssonne und die Befriedigung harter Arbeit. Nachdem Warwick und seine Ritter abgezogen waren, um sich Edward of March wieder anzuschließen, war es auf Warwick Castle still geworden, und um nicht vor Langeweile einzugehen, hatte Julian dem Stallmeister – der auch seinen treuen Dädalus in seiner Obhut hatte – seine Dienste angeboten. Der alte Mann erinnerte sich an Julian und hatte bereitwillig zugestimmt. Es gab in England keinen Pferdenarren, der den Namen Waringham nicht in hohen Ehren hielt.

So schuftete Julian meist von Sonnenaufgang bis Sonnenuntergang in den Stallungen, mistete und fütterte gemeinsam mit den drei jungen Stallburschen, die ihn zuerst ehrfürchtig bestaunten und ihm schließlich die Ehre erwiesen, ihn als einen der ihren anzusehen, und er schulte Warwicks Rösser und gewöhnte ihnen ein paar Unarten ab. Nicht, dass es ihn gedrängt hätte, seinem Cousin eine Gefälligkeit zu erweisen. Im Gegenteil, wäre es nach ihm gegangen, hätte Warwick sich lieber heute als morgen beim Reiten den Hals brechen können. Aber die Arbeit mit den Tieren verschaffte ihm Zufriedenheit. Sie brachte ihn wieder ins Lot. Und sie vertrieb seine Appetitlosigkeit so gründlich, dass die Köchin irgendwann die Befürchtung äußerte, er habe beschlossen, dem Earl of Warwick die Haare vom Kopf zu fressen und ihn an den Bettelstab zu bringen.

»Das ist eine hervorragende Idee, Caroline«, stimmte Julian mit vollem Mund zu, stibitzte noch ein Ingwerplätzchen aus der Schale, die sie gerade auf ein Tablett gestellt hatte, und war verdattert, als er einen Klaps auf die Finger erntete. Das war ihm verdammt lange nicht mehr passiert. Er steckte das erbeutete Plätzchen zwischen die Zähne und zeigte auf die Schale. »Besuch?«

Caroline schüttelte den Kopf. »Vorhin kam ein Bote. Die Countess of Warwick und ihre Töchter werden vor Einbruch der Dunkelheit eintreffen.«

Julians übermütige Laune verging auf einen Schlag. Warwicks Gemahlin war der letzte Mensch, dem er hier begegnen wollte. »Verstehe. Großes Gefolge?«, fragte er scheinbar beiläufig.

Sie hob die Schultern. »Essen für zehn, hat der Steward mir gesagt. Mit Euch dann wohl elf.«

Er hob abwehrend die Hände, die, wie er erst jetzt sah, nur mäßig sauber waren. »Nein, vielen Dank. Ich esse mit den Stallburschen, wie üblich.« Da er den Steward und dessen Frau nicht ausstehen konnte, hatte er von Anfang an darauf verzichtet, an ihren Mahlzeiten teilzunehmen und so in den Genuss der feineren Speisen zu kommen, die ihnen aufgetragen wurden und auf die Julian als adliger Gefangener ein Anrecht gehabt hätte.

»Aber Mylord, Ihr müsst Lady Anne doch Eure Aufwartung machen«, gab die Köchin zu bedenken. »Sie könnte beleidigt sein, wenn Ihr Euch einfach so verdrückt.«

Er zwinkerte ihr zu. »Ich bin zuversichtlich, dass sie darüber hinwegkommt.« Auf dem Weg nach draußen stahl er noch ein Ingwerplätzchen, aber so beiläufig und so geschickt, dass die Köchin es nicht merkte.

Er verbarg sich auf dem Heuboden, bis er die Gesellschaft ankommen und aus dem Hof verschwinden gehört hatte. Er wusste selber nicht so genau, was er damit bezweckte, Lady Anne aus dem Wege zu gehen, denn früher oder später würden sie sich zwangsläufig begegnen. Doch er wollte es lieber noch ein bisschen vor sich herschieben. Ihr Blick würde voller Hohn sein, das wusste er. *In was für eine unmögliche, demütigende Lage bist du nur jetzt wieder geraten, Julian of Waringham*, würde dieser Blick ihn fragen. *Genau wie damals, nicht wahr? Ich habe nämlich nichts vergessen, weißt du. Nicht das kleinste Detail …*

Er musste sich belächeln, dass er sich selbst nach zehn Jahren immer noch vor ihrem Spott fürchtete, aber es war so. Vor allem jetzt, da er wieder hier war. Als Gefangener obendrein, machtlos und besiegt.

Also blieb er in seinem Versteck, bis es im Hof längst still geworden war und das schwindende Licht auf dem Heuboden ihm anzeigte, dass es dämmerte. Er wollte gerade die Leiter hinabsteigen, um zum Abendessen zu gehen, doch kaum hatte er beide Füße auf der ersten Sprosse, hörte er Gegenverkehr. Also stieg er wieder durch die Luke, drehte sich um und stellte verwundert fest, dass es ein sehr kleines blondes Mädchen war, das die Leiter zum Heuboden erklomm, ohne das geringste Zögern und mit einigem Geschick. Als sie den Mann an der Luke entdeckte, hielt sie nicht inne und erschrak auch nicht, sondern lächelte zu ihm auf.

Julian erkannte sie sofort. »Lady Anne?«

Das Kind nickte, kletterte von der Leiter, blieb vor ihm stehen und sah zu ihm hoch. Sie war die jüngere von Warwicks zwei Töchtern und trug den Namen ihrer Mutter, deren Ebenbild sie war. Nur war das Lächeln der kleinen Anne noch ganz ohne Arg. »Und wer bist du?«

»Julian …« Er schluckte den Rest im letzten Moment herunter. Er wollte nicht, dass sie ihrer Mutter erzählte, dass sie ihn auf dem Heuboden angetroffen hatte. »Was treibst du denn hier, Anne?«, fragte er verwundert. »Eine junge Dame hat hier doch gewiss nichts verloren. Leitern sind gefährlich, weißt du.«

Sie tat die Warnung mit einem Schulterzucken höchster Gelassenheit ab. »Als wir zuletzt in Warwick waren, hatte die Katze hier oben ihre Jungen bekommen. Ich wollte nachschauen, ob sie noch da sind.«

Er wies auf eine Stelle links des hölzernen Stützpfeilers. »Vermutlich nicht mehr dieselben, aber dort liegt ein Wurf. Drei Wochen alt.«

Eifrig ging Anne hinüber, fand das Versteck im Heu auf Anhieb und beugte sich darüber. Julian sah mit Interesse, dass sie keinen Versuch unternahm, die winzigen Kätzchen anzufassen, deren Niedlichkeit selbst er fast unwiderstehlich fand.

Er trat näher und sah über ihre Schulter. Es waren vier Junge, gewöhnliche gescheckte Hofkatzen. Zwei hatten sich zu kleinen Fellknäueln zusammengerollt und schliefen, zwei tranken. Die Mutter lag auf der Seite, betrachtete die beiden Eindringlinge scheinbar seelenruhig, aber ihre Schwanzspitze bewegte sich hin und her.

»Sind es Jungen oder Mädchen?«, fragte die Kleine.

»Es ist noch zu früh, um den Unterschied zu sehen«, antwortete Julian.

»Woran kann man den Unterschied denn erkennen?«, wollte sie wissen.

Ach du meine Güte, dachte Julian und spürte sein Gesicht heiß werden. »Tja, weißt du, Anne … Na ja, wie soll ich sagen …«

»Es wäre besser, du würdest Lady Anne zu mir sagen«, ermahnte sie ihn nicht unfreundlich.

»Ehrlich?«, fragte er und stürzte sich dankbar auf den Themenwechsel. »Warum?«

»Weil ich eine Dame bin und du ein Stallknecht, und es gehört sich so, dass du mir Respekt erweist.«

»Du … Ihr kennt Euch schon ziemlich gut aus, was? Wie alt seid Ihr denn, Lady Anne?«

»Fünf.« Sie sagte es, als fände sie das ziemlich alt.

Julian zeigte sich gebührend beeindruckt. »Schon? Alle Achtung.«

»Seit Ostern bekomme ich Schulunterricht, und Schwester Isadora, die meine Schwester und mich unterrichtet, hat gesagt, ich müsse mehr auf meine Stellung achten. Deswegen hab ich gesagt, du musst mich Lady Anne nennen.«

»Verstehe, Lady Anne.«

»Schwester Isadora sagt auch, es ist wichtig, dass jeder genau weiß, welchen Rang Gott ihm in der Welt zugewiesen hat. Damit jeder lernen kann, mit seinem Platz zufrieden zu sein.«

»Eure Schwester Isadora hat Recht, denke ich. Es ist nur nicht immer so einfach, wie es klingt.«

»Warum nicht?«

»Nun ja, weil …«

»Anne?«, erscholl eine besorgte Stimme aus dem Stall unten. »Anne, bist du hier?«

Die Kleine stieß einen Laut des Missfallens aus und verdrehte die Augen, rief aber artig: »Hier, Lady Janet.« Und Julian raunte sie zu: »Meine Gouvernante.«

»Was hast du denn da oben verloren, du schreckliches Kind?«, rief die Gouvernante, deren Tonfall bekundete, dass ihre Duldsamkeit auf eine zu harte Probe gestellt wurde. »Komm auf der Stelle herunter, na los.«

»Na gut, ich komm ja schon«, antwortete Anne gleichermaßen gereizt. Unwillig ging sie zur Luke zurück, legte eine Hand auf die Leiter, blickte nach unten und zögerte.

»Warte.« Hastig trat Julian zu ihr und verneigte sich höflich, die Hand auf der Brust. »Lady Anne, würdet Ihr mir wohl gestatten, Euch auf den Arm zu nehmen und sicher nach unten zu geleiten?«

Sie nickte erleichtert. Julian hob sie hoch, setzte sie auf seinen linken Arm, und sie schlang ihre beiden vertrauensvoll um seinen Nacken und kniff die Augen zu.

Nur mit Hilfe der Rechten machte er sich langsam an den Abstieg. »Euch schwindelt auf Leitern?«, fragte er sie ungläubig.

Sie nickte, die Augen fest zugekniffen. »Nur beim Runterklettern«, schränkte sie ein.

Er lachte. »Aber früher oder später muss man immer wieder nach unten, Lady Anne.«

»Ja, ich weiß«, räumte sie unwillig ein.

Sicher gelangten sie herunter, Julian stellte Anne auf die Füße und schob sie zu ihrer Gouvernante.

Diese zog das Kind hastig an sich und beäugte den Mann mit unverhohlenem Argwohn. »Wer bist du?«, fuhr sie ihn an »Was hattest du dort oben mit ihr verloren?« Sie konnte selbst nicht viel älter als sechzehn oder siebzehn sein, aber sie trug ein schwarzes Kleid und das Haar bedeckt – eine Witwe. Wir haben verdammt viele Frauen zu Witwen gemacht in den letzten zwei Jahren, fuhr es Julian durch den Kopf.

Er verneigte sich auch vor ihr. »Julian, Earl of Waringham, Madam, zu Euren Diensten. Vergebt mir, dass ich wie ein Stallbursche daherkomme. Es ist sozusagen eine alte Familientradition, wisst Ihr.«

Sie glaubte ihm auf der Stelle, dass er der war, für den er sich ausgab, denn kein Stallknecht auf der Welt konnte so reden. Sie lächelte erleichtert. »Janet Bellcote, Mylord.«

Es gab ein paar Bettelritter dieses Namens in Shropshire und Herefordshire, wusste Julian. »*Enchanté*, Lady Janet.«

Sie war hübsch, fand er. Die Wangenknochen vielleicht eine Spur zu breit, die Brust unter dem schwarzen Satin eine Spur zu üppig für eine Dame, aber sie hatte herrliche meergraue Augen, dunkler als die seinen. Wikingerblut, fuhr es ihm durch den Kopf. Er nickte auf die kleine Anne hinab. »Wir haben uns über standesgemäßes Betragen und die göttliche Weltordnung unterhalten, Madam.«

Die Gouvernante seufzte in komischer Verzweiflung. »Was standesgemäßes Betragen angeht, hat diese junge Dame noch eine Menge zu lernen.«

Anne zeigte ihr verstohlen eine lange Nase.

Julian wahrte mit Mühe ein ernstes Gesicht, schaute dann an sich hinab und erwiderte: »Das Gleiche könnte man von mir behaupten, nicht wahr?«

Lady Janet lächelte unsicher. »Man sieht jedenfalls nicht auf den ersten Blick, wer oder was Ihr seid, Mylord«, antwortete sie diplomatisch.

»Es liegt daran, dass er ein Waringham ist«, verkündete Anne unerwartet. »Das hat Vater gesagt. ›Alle Waringham treiben sich lieber in Pferdeställen herum als in Palästen und verstehen mehr von Gäulen als von Politik.‹«

»Sonst noch was?«, erkundigte Julian sich spöttisch, auch wenn er wusste, dass es leichtsinnig war.

Sie schüttelte den Kopf, schaute aber unverwandt zu ihm hoch. »Seid Ihr der Waringham, von dem Vater gesprochen hat?«

»Ich nehme es an, denn außer mir gibt es keinen mehr.«

»Dann seid Ihr der Lord, den der König gefangen genommen hat? Müsstest Ihr dann nicht eingesperrt sein?«

Er zwinkerte ihr zu. »Nur wenn ich nicht folgsam bin, Anne. Ich schätze, in dem Punkt geht es uns beiden gleich.«

»Und wieso …«, begann sie, doch ihre Gouvernante fiel ihr ins Wort.

»Ihr seid Lancastrianer?«, fragte Lady Janet. Sie sprach das Wort zögernd aus, als bringe es Unglück oder Schaden wie der Name eines Verdammten.

Julian sah ihr in die Augen und nickte. »So ist es, Madam.«

Sie schlug ihn ins Gesicht. Er sah es kommen und tat nichts, aber wenn er gewusst hätte, was für einen Mordsschlag sie hatte, wäre er wenigstens ausgewichen. Es fühlte sich an, als zerspringe seine linke Gesichtshälfte, und er musste einen Ausfallschritt zur Seite machen, um nicht ins Taumeln zu geraten.

»Verflucht sollt Ihr sein«, sagte sie leise, nahm die kleine Anne bei der Hand und zerrte sie zur Tür.

Julian überprüfte mit der Zunge die Vollständigkeit seiner Zähne und wartete, bis die beiden jungen Damen verschwunden waren, ehe er erwiderte: »Danke gleichfalls, du yorkistische Furie.«

Ihr Mann war bei Wakefield gefallen, erfuhr Julian von der Köchin. Wobei ›gefallen‹ nicht das richtige Wort war. Jeremy Bellcote war einer der Leibwächter des jungen Earl of Rutland gewesen und mit dem Jungen zusammen auf der Brücke abgeschlachtet worden. »Und außerdem ist sie Hastings' Schwester«, fügte Caroline hinzu.

»Wer zum Henker ist Hastings?«, fragte Julian verdrossen.

Sie warf ihm einen seltsamen Blick zu, schaute dann auf den Teig, den ihre großen Hände kneteten, und sagte: »Es wird erzählt, er hätte Euch gefunden. Mehr tot als lebendig. Er wollte Euch den Rest geben, aber der König hat es verhindert. Der neue König, mein ich.«

»Ach ja.« Julian erinnerte sich. *Du sollst es merken, wenn du krepierst.* »Ein ziemlich finsterer Geselle.«

»Seid Ihr das nicht alle in der Schlacht?«, gab sie zurück.

Er machte eine unbestimmte Geste. »Es gibt Unterschiede. Aber im Grunde hast du wahrscheinlich Recht.«

»Jedenfalls steht er hoch in des Königs Gunst. Früher war er Yorks Wildhüter in Shropshire oder so was, aber der König hat ihn noch auf dem Schlachtfeld von Towton zum Ritter geschlagen.«

»Für treue Schlächterdienste, da bin ich sicher«, bemerkte Julian bitter.

Caroline sah nicht von ihrer Arbeit auf, aber ihre Stimme klang abweisend, als sie sagte: »Wenn das alles war, wär ich dankbar, wenn Ihr aus meiner Küche verschwindet, Mylord.«

Julian trollte sich folgsam. Dieses Mal ließ er keine Leckerei, sondern ein kleines, scharfes Küchenmesser mitgehen. Damit setzte er sich in seiner Kammer aufs Fenstersims und schnitzte an dem Holzspielzeug, das er tags zuvor begonnen hatte. Bislang hatte er nur mit dem Speisemesser arbeiten können – das einzige, was er derzeit besaß –, und das Ergebnis hatte ihn nicht zufriedengestellt. Mit der erbeuteten Klinge ging es besser, und es dauerte nicht lange, bis er ein schlafendes Katzenjunges auf dem Handteller hielt, welches so echt aussah, dass man meinte, man bräuchte es nur hinter den Ohren zu kitzeln, um es zu wecken. Zufrieden steckte Julian sein Werk in den Beutel am Gürtel, wickelte das Messer in einen Lappen und verbarg es im Hosenbund.

Schläfrige Mittagsstille lag über der Burg, als er den Caesar's Tower verließ und sich gemächlich auf den Weg zum Pferdestall machte. Die Wachen an der Rüstkammer und dem Haupttor erwiderten seinen Gruß höflich. Sie hatten sich an seinen Anblick gewöhnt und hegten keinen besonderen Groll gegen ihn.

Vor dem Stall erwartete ihn indessen eine unangenehme Überraschung: Die Countess of Warwick hatte sich ein Pferd satteln lassen und war im Begriff aufzusitzen.

Julian konzentrierte sich darauf, dass sein Gesicht nichts als ein höfliches Lächeln zeigte. Er hatte ja gewusst, dass er dieser Begegnung nicht ewig aus dem Wege gehen konnte. Er trat zu ihr und verneigte sich höflich. »Lady Anne. Es ist eine große Freude, Euch zu sehen.«

»Tatsächlich?« Auch sie verzog die Mundwinkel der guten Form halber nach oben. »Wie untypisch lange Ihr Euch diese Freude versagt habt, Mylord. Ich hatte beinah schon den Eindruck, Ihr meidet mich.« Nicht der erwartete Spott stand in ihren Augen, sondern Feindseligkeit.

»Wie unverzeihlich von mir, Madam.«

»Ihr werdet in der Einsamkeit Eurer Gefangenschaft doch hoffentlich nicht allmählich zum Eigenbrötler?«

»Ich glaube nicht. Aber ich ziehe das Alleinsein Eurer Gehässigkeit vor.«

Ihr gekünsteltes Lächeln verschwand wie weggewischt. »Ihr seid noch derselbe Flegel wie eh und je. Dabei solltet Ihr dankbar sein, dass Ihr es hier so komfortabel angetroffen habt. Mein Gemahl ist viel zu nachsichtig mit Euch unbelehrbaren Lancastrianern!«

»Unbelehrbare Lancastrianer?«, wiederholte er ungläubig. »Darf ich Euch daran erinnern, dass Euer Vater dem Haus Lancaster sein ganzes Leben lang in großer Ergebenheit gedient hat? Ist es nicht ein wenig lächerlich, wenn gerade Ihr so tut, als sei dieser Konflikt etwas Persönliches für Euch?«

»Ich bin genau wie mein Gemahl seit jeher der Ansicht, dass das Haus York den begründeteren Anspruch auf die Krone hat!«

Er winkte angewidert ab. »Mir wird ganz schlecht, wenn ich mir vorstelle, wie viele Edelleute in England das auf einmal behaupten. Weil sie ihr Mäntelchen nach dem Wind hängen. In Wahrheit habt Ihr Euch doch nur auf die Seite geschlagen, wo Ihr die fettere Beute gewittert habt, Madam, Ihr ebenso wie Euer Gemahl.«

Sie hob die Hand, um ihn zu ohrfeigen, aber Julian fing sie ab. Er hatte gründlich genug von schlagkräftigen Yorkistinnen. Sofort ließ er ihr Handgelenk wieder los, trat einen Schritt zurück und machte einen verächtlichen kleinen Diener. »Guten Tag, Lady Anne.«

Sie wartete vergeblich darauf, dass er die Hände verschränkte und ihr beim Aufsitzen half, also winkte sie ungeduldig den Stallburschen herbei, der in der Nähe gestanden hatte, ihr willig seine Hände als Trittleiter darbot und sie mit einem gekonnten Schwung in den Damensattel beförderte.

Lady Anne nahm die Zügel auf und schaute mit halb geschlossenen Lidern auf Julian hinab. »Haltet Euch von meinen Töchtern fern, Sir. Falls nicht, sorge ich dafür, dass man Euch einkerkert, wie Ihr's verdient hättet.« Und mit dieser fürchterlichen Drohung ritt sie zum Tor, wo ihre Eskorte sie erwartete.

Julian stieß hörbar die Luft aus und verschränkte die Arme. »Ich weiß nicht, Jack«, sagte er seufzend zu dem Stallburschen. »Ich hab einfach kein Glück mit den Frauen.«

Jack grinste vor sich hin. »Tja, unsere Lady Anne ist schon ein harter Brocken.«

Du kennst die Königin nicht, lag Julian auf der Zunge, aber er schluckte es lieber hinunter. Auch wenn Marguerite außer Landes geflohen war und bald offiziell nicht mehr Königin sein würde, war Julian sehr daran gelegen, dass ihr brisantes Geheimnis genau das blieb: ein Geheimnis. Vielleicht würden die Yorkisten eines Tages nach einem triftigen Grund suchen, um ihn aufzuhängen, zu vierteilen oder auszuweiden, und den wollte er ihnen nicht auf dem Präsentierteller liefern.

»Harter Brocken kommt hin«, antwortete er stattdessen.

»Ihr wart auch nicht gerade besonders höflich, Mylord, wenn ich das mal so offen sagen darf.«

»Da hast du Recht. Ich muss dringend an meiner Taktik arbeiten. Und ich denke, ich fange mit einer ganz kleinen Dame als Übungsobjekt an.«

Jack sah aus, als werde ihm mulmig. »Ihr solltet lieber auf sie hören, Sir. Sie meint, was sie sagt.«

»Oh ja, darauf wette ich. Ich vertraue auf deine Verschwiegenheit.«

Er fand die kleine Anne wieder bei den Katzen auf dem Heuboden. Er hatte gesehen, dass ihre Gouvernante und ihre ältere Schwester Isabel die Countess auf ihren Ausritt begleiteten, und inständig gehofft, dass Anne die Gelegenheit nutzen würde, um alle Verbote zu missachten und das zu tun, was sie wollte. Das hätte seine Schwester gewiss getan, wusste er, und die treuherzige kleine Anne hatte ihn auf Anhieb an den Wildfang erinnert, der Blanche früher gewesen – oder eigentlich bis auf den heutigen Tag war.

Sie sah auf, als sie ihn kommen hörte, und lächelte ihm verschwörerisch zu. »Ihr werdet mich doch nicht verpetzen, oder, Mylord?«

Julian schüttelte inbrünstig den Kopf, trat zu ihr und hockte sich neben sie. Die Katzenjungen waren jetzt alle vier wach und balgten miteinander. Ihre Mutter schaute ihnen träge blinzelnd zu.

Anne kicherte. »Sind sie nicht wunderbar?«

»Das sind sie.«

»Seid Ihr wirklich ein Schurke, Mylord?«, erkundigte sie sich, eher neugierig als ängstlich, ohne den Blick von den Katzen abzuwenden.

»Hat deine Mutter das gesagt?«

Sie schüttelte den Kopf. »Lady Janet.«

»Verstehe.« Julian überlegte einen Moment. »Weißt du, Anne, ich glaube nicht. Aber das Merkwürdige an Schurken ist, dass sie sich selbst meistens nicht als besonders böse ansehen. Darum rate ich dir, ein bisschen vorsichtiger zu werden und in Zukunft lieber auf das zu hören, was deine Gouvernante dir sagt. Aber in meinem Fall darfst du eine Ausnahme machen«, fügte er grinsend hinzu. »Ich bin nämlich dein Cousin, weißt du. Ziemlich entfernt, aber immerhin.«

»Ist das wahr?« Der Gedanke schien ihr zu gefallen, und sie wandte den Kopf, um ihn anzusehen.

Er legte die Hand aufs Herz. »Ehrenwort.«

»Ich wusste gar nicht, dass ich einen so großen Cousin hab. Bisher kannte ich nur kleine.«

Du hast ein paar Dutzend großer Cousins, armes Kind, die sich gerade alle paar Monate treffen, um sich gegenseitig abzuschlachten. »Doch, es ist so«, versicherte er.

»Das sag ich Lady Janet«, versprach sie. »Dann wird sie mir bestimmt nicht mehr verbieten, mit Euch zu sprechen.«

»Da wär ich nicht so sicher.« Er sah auf den gesenkten blonden Schopf hinab und fragte sich, ob er wirklich wagen konnte, was er sich überlegt hatte. Sie war zu klein, um eine zuverlässige Komplizin zu sein. Und unter gar keinen Umständen wollte er sie in Schwierigkeiten bringen. Nur gab es niemanden außer ihr. Er musste es riskieren.

»Anne, wenn ich dich um etwas bitte, wirst du's tun?«

»Krieg ich Schläge dafür, wenn es herauskommt?«

Er schüttelte den Kopf. »Aber es ist besser, du sagst keinem etwas davon, dass es verabredet war. Zumal Lady Janet dir ja verboten hat, mit mir zu sprechen, nicht wahr?«

»Was soll ich machen?«

»Kannst du bis vier zählen?«

»Natürlich. Sogar bis fünf, weil ich doch fünf Jahre alt bin. Eins, zwei, drei, vier, fünf«, trug sie vor.

»Großartig. Hörst du die Glocke der Kapelle in deiner Kammer?«

»Die hört man doch überall.« Irgendwann nach Beendigung von Julians Knappenzeit hier hatte das Türmchen der Kapelle eine Uhr mit einem Schlagwerk bekommen. Ganz Warwick – Stadt und Burg – war stolz darauf.

»Wenn du sie viermal schlagen hörst, lauf hinunter in die Kapelle.«

»Ja? Und dann?«

»Das ist alles.«

»Aber was ist in der Kapelle, wenn es vier Uhr schlägt?«

»Du wirst schon sehen.«

Wie allen Kindern fiel es ihr leicht, das Ungewöhnliche zu akzeptieren. »Einverstanden.«

»Du wirst es nicht vergessen? Es ist wichtig.«

»Ich vergess es nicht«, versprach das kleine Mädchen feierlich.

Julian war zufrieden. Er nahm an, die Sache war zumindest nicht völlig aussichtslos. »Hier. Ich hab etwas für dich.« Er griff in seinen Beutel und zog das geschnitzte Kätzchen hervor.

Sie nahm es in ihre rundlichen Hände und jauchzte. »Oh, Julian … Ich meine, Mylord, es ist wunderschön. Genau wie die echten! Und das ist für mich?«

Er nickte.

»Ihr meint, ich darf es richtig behalten? Für immer?«

»Für immer.«

Sie drehte es hin und her, hielt es zum Vergleich neben die balgenden Katzenbabys, begutachtete es von allen Seiten und drückte es dann an die Brust. »Es ist so schön.«

Julian betrachtete sie mit einem Lächeln. Sie war hinreißend und ihre große Freude mehr als reichlicher Lohn für seine Arbeit. Fast bedauerte er, dass es ein Abschiedsgeschenk war. Und er hatte ein schlechtes Gewissen, dass er dieses arglose Geschöpf bestach. Vielleicht hatte Janet Bellcote ja doch nicht so falsch gelegen, was die Einschätzung seines Charakters betraf. Sein Vater jedenfalls hätte ihr vermutlich Recht gegeben ...

Er stand auf. »Ich hab noch allerhand zu erledigen, Anne. Was denkst du, wollen wir die Leiter wieder zusammen runter-klettern?«

Sie stand bereitwillig auf und streckte ihm die Arme ent-gegen. Er hob sie hoch wie am Tag zuvor, und sie küsste ihn auf die Wange.

Ein wenig erschrocken sah er sie an.

Sie hob lächelnd die Schultern. »Weil Ihr doch mein Cousin seid.«

Er hielt sie behutsam fest und brachte sie sicher hinunter.

Julian stand mit Dädalus am Zügel hinter dem Stall und zählte die Glockenschläge. Zwei. Drei. Vier. Er hielt es nicht länger aus, nichts zu sehen, und riskierte einen Blick um die Ecke. Und tatsäch-lich, da kam sie: Ohne große Eile trat Anne aus dem Guy's Tower, hüpfte an der Mauer entlang zur Kapelle und öffnete die Tür.

Ihr Schrei war von höchst befriedigender Stimmgewalt, ein unartikulierter Laut des Schreckens, der Julians Gewissens-bisse verschlimmerte. Er kniff die Augen zusammen und ver-wünschte sich, weil ihm nichts Besseres eingefallen war.

»Es brennt!«, schrie Anne und kam auf den Hof hinaus-gerannt. »Ein Feuer in der Kapelle! Hier brennt es!«

Dicker Rauch quoll hinter ihr aus der Tür. Julian hatte das Stroh nass gemacht, damit es ordentlich qualmte, aber das dort war mehr, als er gedacht hätte. Er hatte absichtlich die Kapelle für sein kleines Ablenkungsmanöver gewählt, weil dort nicht viel war, das Feuer fangen konnte, und die Gefahr, dass War-wick Castle bis auf die Grundmauern niederbrannte, somit einigermaßen begrenzt blieb. Er konnte nur hoffen, dass seine Rechnung aufging.

Augenblicklich öffneten sich Türen; von überall strömten Menschen herbei. Die umsichtige Caroline brachte gleich einen Eimer mit. Julian sah sie nur aus dem Augenwinkel, sein Blick war aufs Torhaus gerichtet. Und es geschah tatsächlich, was er gehofft hatte: Die Wachen am Tor und der Rüstkammer verließen ihre Posten, um beim Löschen zu helfen.

»Jungs, ihr werdet ganz schön was zu hören kriegen«, murmelte Julian nicht ohne Schadenfreude und schwang sich in den Sattel. Als die Wachen der Kapelle näher als dem Tor waren, galoppierte er aus dem Stand an und hielt auf das Tor zu.

»He da, was ...?«, rief eine verwirrte junge Stimme.

»Morris, Morris, der Kerl will fliehen!«, rief eine zweite.

»Halt! Waringham, anhalten, Ihr Schuft!«, brüllte der Wachoffizier.

Julian schaute nicht nach links oder rechts. Er stand in den Steigbügeln, hatte sich nach vorn gelehnt, betete, dass er nicht ausgerechnet Anne über den Haufen reiten werde und hielt den Blick aufs Tor gerichtet. Menschen brachten sich vor ihm in Sicherheit, wichen zu beiden Seiten wie aufspritzendes Wasser vor dem Bug eines schnellen Bootes. Nur ein Wagemutiger versuchte, ihn aufzuhalten, sprang ihn von der Seite an und klammerte sich an den Steigbügel, aber Julian schüttelte ihn mit einem Tritt ab. Dann tauchte er in den langgezogenen Tunnel des Torhauses. Das Trommeln der galoppierenden Hufe wurde von den steinernen Wänden dröhnend zurückgeworfen, und schon war er hindurch, kam zurück in die Sonne, ritt wie der Teufel hügelabwärts und schaute sich keinmal um.

Pembroke, Juni 1461

Richmond weinte. Eigentümlich still für einen so kleinen Jungen; er heulte nicht und schluchzte nicht, nur Tränen rannen über seine blassen Wangen, und als er merkte, dass sein Onkel sie sah, wandte er den Kopf ab. Blanche beobachtete ihn beklommen. Hatte die Welt je zuvor von einem vierjährigen Knaben gehört, der sich seiner Tränen schämte? »Was ist denn, mein Engel?«, fragte sie und strich ihm die dunklen Haare aus der Stirn. Fieber hatte er jedenfalls keins.

Richmond antwortete nicht.

»Was soll schon sein«, sagte Rhys an seiner Stelle. »Er hat Hunger. Wie wir alle. Und wenn er nicht bald etwas Vernünftiges zu essen bekommt, wird er krank. Aber die Hauptsache ist ja, wir bieten Black Will Herbert die Stirn. Selbst wenn es überhaupt keinen Sinn mehr hat. Das ist egal. Prinzipien sind Prinzipien. Nicht wahr, Mylord?«

Jasper ließ die bitteren Worte seines Bruders in scheinbarer Gelassenheit von sich abperlen, wie üblich. »So voller Sorge um deinen Neffen?«, fragte er lediglich. »Oder ist es dein eigener leerer Bauch, der dir in Wahrheit zu schaffen macht? Hunger ist ein schlechter Ratgeber, Rhys.«

Der Jüngere sprang auf die Füße. Blanche wunderte sich, wie viel Energie er noch hatte. »Wenn Ihr mir Feigheit unterstellen wollt, dann sagt es offen!«

»Wenn ich das wollte, hätte ich es getan, sei beruhigt.«

Rhys setzte sich ihm gegenüber auf die Fensterbank und hob beschwörend die Hände. »Wir sind am Ende. Wir haben keinen Pfeil mehr, den wir auf die Belagerer abschießen, kein Pech mehr, mit dem wir sie begießen könnten, und wenn wir morgen etwas essen wollen, müssen wir auf Rattenjagd gehen.«

Jasper fuhr sich mit der Hand über Kinn und Wange und richtete sich auf. »Ja, vielen Dank, Rhys, all das ist mir bekannt.«

Aber Rhys war noch nicht fertig. »Die Männer sind zu schwach für einen Ausfall, abgesehen davon, dass wir zu wenige sind. Wir müssen kapitulieren. Wir haben einfach keine andere Wahl mehr.«

»Kapitulieren?«, wiederholte Jasper und lachte leise. »Darf ich dich daran erinnern, was unserem Vater passiert ist, nachdem er Black Will Herbert in die Hände fiel? Dir mag es ja gleich sein, zumal du den Kopf schon verloren hast, aber ganz so weit bin ich noch nicht.«

»Dann bin ich gespannt, was Ihr stattdessen tun wollt. Falls Ihr glauben solltet …«

»Schluss damit, Rhys«, fiel Blanche ihm ins Wort. Sie wusste, dass Jasper am Ende seiner Weisheit war, und sie wollte vermeiden, dass Rhys ihn zwang, das einzugestehen. In den fünf Jahren, die sie an Jasper Tudors Seite verbracht hatte, hatte sie nie erlebt, dass er die Beherrschung verlor – eine Wohltat nach einem Jahr mit dem ewigen Wüterich Devereux –, doch sie hatte den Verdacht, dass Jasper nicht mehr lange an seiner äußerlichen Ruhe festhalten konnte, die ihm doch so kostbar war. »Sei so gut, nimm Richmond und bring ihn zu Generys. Sag gute Nacht zu deinem Onkel und geh mit Rhys, Engel.«

Der kleine Junge stand von seinem Platz nahe dem Kamin auf und trat zu Jasper. Seine Bewegungen wirkten matt, und er war mager. »Gute Nacht, Mylord.«

Jasper hob ihn zu sich hoch und küsste ihm die Stirn. »Denkst du, du wirst ein bisschen schlafen können, wenn Generys für dich singt?«

»Weiß nicht.«

»Versuch es, ja? Versprich es mir. Schlaf bringt einem hungrigen Krieger neue Kräfte.«

Richmond lächelte. Er hatte ein wunderschönes, strahlendes Lächeln, das jeden betörte und selbst jetzt nicht versagte.

Jasper drückte ihn kurz an sich und kniff für einen Moment die Augen zu. »Gute Nacht, Henry Tudor. Mögen alle Engel über dich wachen.«

Er reichte den Jungen zu Rhys hinüber, der ihn auf seinen linken Arm setzte. Zutraulich bettete Richmond den Kopf an seine Schulter und steckte den Daumen in den Mund. Blanche hatte seit dem Winter versucht, ihm das abzugewöhnen, aber sie brachte es heute Abend nicht übers Herz, ihn zu schelten.

Als die Tür sich hinter Onkel und Neffen geschlossen hatte, stand sie von ihrem Sessel auf und beugte sich kurz über die Wiege. Owen schlief selig. Blanche ging weiter zum Fenster.

»Vorsicht«, warnte Jasper. Black Will Herberts Truppen hatten sich für heute zur Ruhe gebettet, aber das würde eine

Nachtwache nicht davon abhalten, über die Mauer hinweg einen Pfeil auf ein beleuchtetes Fenster abzuschießen. Auf gut Glück.

Blanche nickte, durchschritt die kleine Halle und öffnete den rechten Flügel am gegenüberliegenden Fenster, das aufs Meer hinauszeigte. Die See war ruhig, denn das frühsommerliche Wetter hielt an. Doch wie immer an dieser Küste war die Brandung stark. Die Wellen brachen sich gischtschäumend, mit majestätischer Langsamkeit an den Felsen.

Jasper trat zu ihr, legte einen Arm um ihre Schultern und schaute genau wie Blanche aufs Meer hinab. »Alles ist mir unter den Händen zerronnen«, murmelte er. »Ganz Wales hatte ich für meinen Bruder eingenommen, jedes yorkistische Schlupfloch dichtgemacht. Jetzt ist mein Bruder im Exil, Richard of Yorks Welpe hat sich des Throns bemächtigt, und seine Truppen haben Wales überrannt.«

»Ja. Fortuna treibt grausame Scherze mit uns«, stimmte Blanche zu.

Jasper wiegte den Kopf hin und her. »Ich schätze, es wäre ein bisschen zu einfach, ihr die Schuld zu geben.«

»Ich habe geahnt, dass du das sagen würdest. Du meinst, die ganze Schuld liegt bei dir. Aber das ist nicht wahr. Nenn mir nur einen einzigen Fehler, den du gemacht hast.«

»Ich habe bei Mortimer's Cross eine Schlacht gegen Edward of March verloren«, antwortete er prompt. »Das war der Anfang vom Ende.«

»Aber du hattest einfach nicht genug Männer. Was hättest du tun sollen?«

»Hätte ich auf Marguerite gehört, hätte ich mehr Männer in Irland angeheuert. Sie hatte Recht, ich hatte Unrecht, so einfach ist das. Und ich habe mich gesträubt, auf sie zu hören, weil ich sie nicht ausstehen kann. Das ist ein verdammt schlechter Grund, Blanche. Ich kann sie nicht ausstehen, weil sie grausam und herrschsüchtig ist und viele andere Dinge, die eine Frau nicht sein dürfte. Sie hat meinen Bruder ungezählte Male betrogen. Sie hat ihn beherrscht und zum Gespött gemacht, dachte ich. Aber Tatsache ist, dass sie alles getan hat, um seine

Krone zu retten. Für Edouard. Doch ich habe mich von meiner persönlichen Abneigung leiten lassen und bin verdientermaßen in die Grube getappt, die ich ihr gegraben habe.«

Blanche drehte den Kopf und sah ihn an. »Es ist dein gutes Recht, verbittert zu sein, aber ich finde es unsinnig, dass du dich mit solchen Vorwürfen quälst. Ganz gleich, wie du zur Königin stehen magst, du hast für deinen Bruder alles getan, was in deiner Macht stand.«

»Tja.« Er fuhr sich kurz mit der Hand über die Stirn, wo ein hässlicher Kratzer gerade zu verheilen begann. »Ich wünschte, ich könnte mir dessen so sicher sein wie du. Jetzt habe ich jedenfalls alles an Land und Macht und Reichtümern verloren, was ich je hatte, und ich sage dir, es ist mir gleich. Mir war nie bewusst, wie wenig diese Dinge mir bedeuten. Aber Pembroke …«

Er sprach nicht weiter. Das war auch nicht nötig. Blanche wusste, es würde ihn bis ins Mark treffen, Pembroke zu verlieren. Es war mehr als eine Grafschaft, ein Städtchen, eine Burg am Meer. Pembroke war der einzige Ort, wo Jasper Tudor wirklich sein konnte. Der einzige Ort, wo Waliser und Engländer in Eintracht lebten. Jaspers Schöpfung, sein Reich und sein sicherer Hafen.

Ihr selbst erging es kaum anders. Pembroke war ihr Zuhause geworden. Das, was heute ihr Leben war, hatte hier seinen Anfang genommen, gewissermaßen in diesem Raum. Unwillkürlich sah sie zum kalten Kamin hinüber. Ein beachtliches Feuer hatte darin gebrannt, als sie sich zum ersten Mal geliebt hatten. Blanche glaubte jetzt noch, die Hitze auf der Haut zu spüren, sah das kupferfarbene Glitzern in Jaspers Bartstoppeln.

Er räusperte sich. »Nun, wie dem auch sei. Rhys hat Recht. Wir können nicht länger aushalten. Du hast nicht mehr genügend Milch für unseren Owen …«

»Woher weißt du das?«, fragte sie, ebenso scharf wie verwundert.

»Woher? Weil er fortwährend schreit, wenn er nicht vor

Erschöpfung einschläft, und weil du heimlich die Heilige Jungfrau um Hilfe anflehst, wenn du denkst, ich schlafe.«

»Gott ...« Blanche schnalzte unwillig mit der Zunge. »Entschuldige. Ich wollte dir das nicht auch noch aufbürden.«

Er zog sie an sich. »Es würde alles noch viel schlimmer, wenn wir die Augen vor den Tatsachen verschlössen. Und Tatsache ist: Owen und Richmond werden die Ersten sein, die sterben.«

Blanche biss sich auf die Zunge, um nicht in Tränen auszubrechen. Seit zwei Wochen litt sie Hunger – schlimmer als je zuvor in ihrem einst so wohl behüteten Leben –, und sie hatte angewidert festgestellt, dass der Hunger sie weinerlich machte. »Aber was wird aus ihnen, wenn wir uns Black Will Herbert ergeben? Denkst du, du kannst freien Abzug mit ihm aushandeln?«

Jasper schüttelte den Kopf. »Ich werde nicht mit ihm verhandeln. Ich könnte ja doch nicht glauben, dass er sein Wort hält.«

»Also was dann?« Die bange Frage war heraus, ehe sie es verhindern konnte. Die Angst vor dem unausweichlichen Moment ihrer Kapitulation begleitete sie seit Wochen auf Schritt und Tritt. Sie glaubte zu wissen, was passieren würde. Wahrscheinlich würde Herbert sie alle töten. Jasper, Rhys und den kleinen Richmond ganz gewiss, denn sie waren Tudors. Das Beste, was Blanche selbst zu erhoffen hatte, war ihre Rückkehr zu Thomas Devereux. Sie hob den Kopf und schaute Jasper in die Augen. »Ist das hier das Ende, Jasper? Ist es das, was du mir zu sagen versuchst? Wird dies hier unsere letzte Nacht sein, ehe wir Black Will Herbert morgen früh die Tore öffnen?«

Jasper legte die Hände auf ihr Gesicht. »Nein.« Er strich mit den Daumen über ihre Schläfen und lächelte. »Kampflos aufzugeben ist vollkommen unwalisisch, weißt du.«

Blanche stöhnte. »Mir ist nicht nach Scherzen zumute«, teilte sie ihm verdrossen mit. »Noch einer, und ich trete dich dahin, wo es richtig wehtut.«

Er brachte einen halben Schritt Sicherheitsabstand zwischen sie, ehe er erwiderte: »Das ist allemal besser als eine abgehackte Hand.« Mit einem kleinen Ruck drehte er sie um, ehe sie ihre fürchterliche Drohung wahrmachen konnte, sodass Blanche wieder mit dem Gesicht zum Fenster stand. Jasper legte von hinten einen Arm um sie und wies mit der anderen Hand auf die See hinab. »Wir warten, bis die Ebbe einsetzt. Dann verschwinden wir aus Pembroke. Unbemerkt, will ich hoffen.«

»Aber wie wollen wir durchs Tor kommen, ohne dass die Wachen uns sehen?«

»Wir gehen nicht durchs Tor. Es gibt einen Verbindungsgang zwischen dem Keller dieses Turms und einer Grotte. Es ist eine elend lange, gefährliche Kletterei in der Dunkelheit. Aber in der Grotte liegt ein Boot. Zumindest hoffe ich, dass es noch da liegt.«

»Wir fliehen übers Meer?«, fragte Blanche ungläubig. »Das heißt, wir müssen die Pferde zurücklassen?«

Jasper sah sie nur an und sagte nichts.

Blanche verstand. »Oh, Jesus … Ihr habt meine Calliope geschlachtet.« Sie hatte nie gefragt, auch nicht, als sie wusste, dass es Pferdefleisch war, das sie aßen. Sie hatte verstanden, dass es das Einzige war, was ihnen zu tun übrig blieb, wenn sie weiterleben wollten. Und das wollte Blanche genauso wie alle anderen auf dieser Burg. Dennoch war Calliope mehr für sie gewesen als irgendein Reittier: ihre Vertraute in den finsteren Monaten in Lydminster, ihre verlässliche Komplizin bei der Flucht von dort, eine treue Freundin.

Tränen schossen Blanche in die Augen. Sie befreite sich von Jasper und ging langsam zum Tisch hinüber. »Warum konnten wir nicht von hier verschwinden, ehe Herbert uns ausgehungert hat? Weil sich das nicht gehört?«, fragte sie bitter.

»Weil ich bis zuletzt gehofft habe, dass Somerset uns zu Hilfe kommt. Ich hätte es an seiner Stelle getan, denn es wäre sinnvoll gewesen, den Widerstand gegen den Thronräuber hier zu bündeln und von hier aus zu lenken. Aber wie es scheint, hat Somerset andere Pläne.«

Blanche nickte, setzte sich auf einen der kostbaren Sessel, verschränkte die Arme auf der Tischplatte und legte den Kopf darauf.

»Es ... tut mir leid, Blanche.«

Sie hörte, dass er dicht hinter ihr stand. Und sie hörte auch, wie mutlos und erschöpft er klang. Und das war kein Wunder. Seit zwei Monaten hatte er jeden Tag von Sonnenaufgang bis zum Einbruch der Dunkelheit auf der Brustwehr und dem Torhaus seiner Burg gestanden und sie gegen die Belagerer verteidigt, und als die Vorräte knapp wurden, hatte er weniger gegessen als alle anderen. Blanche wusste, er hatte sich alles abverlangt, was er hatte.

Sie nahm sich zusammen, richtete sich wieder auf und fuhr sich verstohlen mit dem Ärmel über die Nase. »Ich wette, ich bin nicht die Einzige, die den Verlust eines Pferdes betrauert. Du hast an Hippolitus kaum weniger gehangen.«

»Das stimmt nicht. Kein normaler Mensch kann so an einem Gaul hängen wie ein Waringham. Trotzdem ist es mir schwergefallen. Hippolitus war übrigens der erste, den wir geschlachtet haben. Du fandest ihn ... Ich glaube, ›schmackhaft‹ war das Wort, welches du gewählt hast.«

»Hurensohn«, murmelte sie.

Jasper lachte leise und legte ihr die Hände auf die Schultern. »Meine Mutter, Madam, war Königin von England. Ich muss also sehr bitten.«

Blanche spürte die Wärme seiner Hände durch den Stoff ihres Kleides. Es war ein schönes Gefühl. Sie drehte den Kopf, küsste die kurzen, kräftigen Finger der Linken und biss dann in den Daumen. Aber eher sanft als ernsthaft.

Jasper zog sie auf die Füße. »Pack nur das Allernötigste zusammen. Weck Generys. Sie soll sich und den Jungen bereit machen. Ich gehe und rede mit den Männern.«

Blanche nickte. »Wie viele finden Platz auf dem Boot?«

»Ein gutes Dutzend, wenn wir zusammenrücken. Aber mehr werden auch gar nicht mitkommen wollen, wenn sie hören, wohin wir segeln.«

»Und zwar?«

»Sorg dafür, dass in einer Stunde alle bereit zum Aufbruch sind.«

»Aber Jasper, wohin …«

Er hob die Hand zu einer abwehrenden Geste und ging zur Tür. »Du weißt doch: Die Zeit und die Flut warten auf niemanden.« Und damit war er verschwunden.

Blanche trug Owen in einem Tuch vor der Brust, damit sie beide Hände frei hatte. Rhys hatte Richmond huckepack genommen und mit einem Stück Seil an sich festgebunden. Generys trug eine kleine Weidenkiepe mit dem Nötigsten für die Kinder auf dem Rücken. Jasper und sein treuer walisischer Ritter, Madog ap Llewelyn, hielten jeder eine Fackel. Sie hatten ihre Waffen angelegt, die Rüstungen aber zurückgelassen. Wie Jasper vorhergesagt hatte, waren nur acht der vierzig Mann starken Garnison gewillt, mit ihm zu segeln. Die anderen wollten Black Will Herbert am nächsten Morgen die Tore öffnen und hofften auf seine Barmherzigkeit. Herbert war ein Marcher Lord, und deswegen misstrauten sie ihm, aber er war auch Waliser. Sie glaubten nicht, dass er einfache Soldaten, die sich in seine Hände begaben, abschlachten oder für ihre Treue zu ihrem Lord bestrafen würde. Und Jasper teilte diese Zuversicht.

Er gab Madog seine Fackel, zog das Schwert aus der Scheide, steckte es in den Spalt zwischen zwei der großen, steinernen Bodenplatten im Keller des Turms und hebelte. Mühelos ließ die Platte sich anheben. Zwei der Soldaten nahmen sie auf und wollten sie beiseitewerfen, aber Jasper hielt sie zurück. »Wir verschließen die Luke hinter uns wieder. Ich will vermeiden, dass Black Will Herbert oder sonst irgendwer von diesem geheimen Gang erfährt.«

Blanche erkannte, dass Jasper die Hoffnung noch nicht aufgegeben hatte, Pembroke eines Tages zurückzubekommen, und die Erkenntnis tröstete sie und machte ihr Mut.

Madog leuchtete mit der Fackel in die Schwärze hinab. Eine sehr steile Treppe mit winzigen Stufen führte abwärts.

»Ich gehe voraus«, beschied Jasper. »Es gibt ein paar tückische Stellen. Ich schätze, ich werde mich rechtzeitig an sie erinnern, eh ich in die Tiefe stürze.« Er schnitt eine kleine Grimasse. Dann sah er seine Gefährten nacheinander an. »Es geht die ganze Zeit abwärts. Manchmal in Treppenform, meist ist es ein sehr steiler Weg. Der Fels ist uneben, es gibt ein paar Erdspalten, und die Stufen sind bröckelig. Also seht euch vor. Ach ja, und es gibt Ratten. Sie sind … ähm, ziemlich groß. Aber sie fürchten sich vor dem Licht und verschwinden, wenn man sich ihnen nähert. Jedenfalls meistens. Bereit?«

Blanche und Generys wechselten einen entsetzten Blick. Sie waren alles andere als bereit für die feuchte Dunkelheit und vor allem die Ratten, aber sie protestierten nicht.

Jasper befahl, eine dritte Fackel zu entzünden. Der Mann in der Mitte sollte sie tragen. Mehr Licht hätte den Abstieg leichter gemacht, aber sie hatten nur noch zwei frische Fackeln und mussten diese aufsparen, damit sie nicht im Dunkeln standen, bevor sie ihr Ziel erreichten.

Blanche folgte Jasper die steilen Stufen hinab. Als der letzte Mann durch die Luke war, verschloss er sie von innen wieder mit der Steinplatte. Kein Lichtstrahl war aus dem Keller in den Tunnel gefallen, doch als Blanche die Platte an ihren Platz rutschen hörte, überkam sie ein Gefühl würgender Enge. Im Dunkeln eingesperrt zu sein war seit jeher ihr Albtraum, und für einen Moment lähmte sie eine solche Furcht, dass sie glaubte zu erstarren. Schweiß trat ihr auf die Stirn, und ihre Hände, mit denen sie an den unebenen Wänden nach Halt suchte, wurden feucht. Trotzdem ging sie weiter. Sie bot ihren gesamten – nicht unbeträchtlichen – Willen auf, um einen Fuß vor den anderen zu setzen, weil sie wusste, dass sie der Finsternis und der Enge nur so entkommen konnte.

Am Fuß der Treppe machte der Tunnel eine scharfe Biegung, und ein schmaler Pfad führte weiter abwärts. Blanche richtete den Blick fest auf Jaspers breiten Rücken und folgte ihm. Hin und wieder hörte sie ihn leise fluchen, und dann senkte er die Fackel, schwenkte sie hin und her, und Schatten, die Blanche groß wie Ferkel erschienen, huschten fiepend davon. Jedes Mal überlief es sie eiskalt, und sie legte einen schützenden Arm um ihr Kind. Owen schlummerte selig, genau wie Richmond. Sie hatten den beiden Kindern den letzten Schluck Bier eingeflößt, den sie besaßen, damit sie möglichst viel von ihrer Flucht verschliefen.

In der Dunkelheit im Innern des Felsens wurde Zeit bedeutungslos. Blanche wäre unfähig gewesen, zu sagen, ob eine Viertelstunde oder eine Stunde vergangen war, als sie wieder an eine Treppe kamen. Sie überlegte, wer diesen Tunnel wohl in den Stein gehauen hatte. Wie viele Männer hatten wie lange gebraucht, um das zu bewerkstelligen? Und wie war es ihnen nur gelungen, an der richtigen Stelle herauszukommen?

Sie bekam eine teilweise Erklärung, als Jasper über die Schulter sagte: »Das Schwierigste haben wir hinter uns. Hier fängt eine natürliche Höhle an. Sie reicht bis tief ins Innere der Felsen und führt zur Grotte. Rückt enger zusammen. Macht mehr Licht. Der Boden ist hier tückischer.«

Blanche rückte zu ihm auf, und im flackernden Fackelschein entdeckte sie eine Spinne auf ihrem Arm: fett und schwarz, die angewinkelten Beine behaart, und Blanche war überzeugt, das Tier müsse größer als ihr Handteller sein. Mit einem kleinen Schreckensschrei fegte sie es weg. »Von denen hast du nichts gesagt«, zischte sie Jasper wütend zu.

Es funkelte verräterisch in seinen Augen, aber seine Miene blieb wie so oft unbewegt. »Du hättest keinen Fuß in den Tunnel gesetzt.«

»Verdammt richtig.«

Er nahm ihre Hand. »Komm. Wir haben es bald geschafft.«

Das war nicht gelogen. Nach vielleicht fünfzig Schritten hörte Blanche das Rauschen der See, und schließlich gelangten sie in eine Höhle, die ihr so hoch und weitläufig erschien wie eine Kathedrale. Immer noch fiel der Boden steil ab, und nach etwa einem Drittel tauchte er ins Wasser. Nur kleine Wellen schwappten auf das felsige Ufer; hier in der Grotte schien das Meer gezähmt.

Ein solides Segelboot, das Blanches ungeschultem Blick eher wie ein kleines Schiff vorkam, lag an einer langen Kette, die in einem Eisenring endete, welcher in den felsigen Boden getrieben worden war.

»Ah«, machte Jasper zufrieden. »Da ist sie ja. Willkommen auf der *Katherine*, Ladys und Gentlemen.«

Blanche entging sein erleichtertes Aufatmen nicht. Er gab ihr die Fackel und kletterte an Bord – erstaunlich geschickt für eine Landratte. Dann schob er eine schmale Planke hinüber. Madog und einer der Soldaten wollten Blanche hinüberhelfen, aber sie verschmähte die hilfreich ausgestreckten Hände und lief behände über den engen Steg.

Jasper empfing sie mit einem anerkennenden Nicken.

»Und wirst du mir jetzt endlich verraten, wohin die Reise geht, Seemann?«

»Nach England.« Er packte Rhys am Ellbogen, der durch das schlafende Kind auf seinem Rücken Mühe hatte, sein Gleichgewicht zu halten, und zog ihn sicher auf die Planken.

»Hast du den Verstand verloren?«, erkundigte Blanche sich höflich.

Jasper drückte ihr eine Leine in die Finger. »Hier. Zieh daran, wenn ich es dir sage. Nicht eher, hörst du.«

»Jasper, würdest du …«

Er richtete sich auf und sah ihr in die Augen. »Ich muss Richmond zu seiner Mutter bringen. Er ist in Wales nicht mehr sicher.«

»Aber in England erst recht nicht. So wenig wie wir alle. Warum nicht Irland? Warum nicht Frankreich?«

»Weil es Megans Wunsch ist.«

»Wie bitte?«

Er nickte. »Sie hat mir gleich nach der Schlacht von Towton einen Boten geschickt und gebeten, ihr den Jungen zu bringen. Ich habe ihre Bitte ignoriert, weil ich glaubte, Richmond sei in Wales sicherer. Nun, das war einmal. Aber ich kann ihn nicht gegen den Willen seiner Mutter ins Ausland verschleppen, Blanche.«

»Nein?« Sie kreuzte die Arme und legte fröstelnd die Hände auf die Schultern. »Dann bleibt mir nur zu hoffen, dass Megans so plötzlich wiederentdeckte Mutterliebe uns nicht alle noch teuer zu stehen kommt.«

Julian hatte drei Tage gebraucht. Da er nicht wusste, ob er noch Lord Waringham war oder Yorkisten seine Burg besetzt hielten, ritt er zuerst ins Gestüt.

Er fand seinen Cousin Geoffrey an der Box einer Stute, wo er dabei war, einem Stallburschen die Leviten zu lesen: »Das nennst du einen sauberen Eimer? Wie kommt es dann, dass das Wasser trüb ist? Und sind das Strohhalme, die darauf schwimmen, ja oder nein? Wie oft musst du hören, dass Pferde reinliche Tiere sind und kein unsauberes Wasser trinken, bis du es lernst, du Lump? Was denkst du dir eigentlich, du … Oh, mein Gott.« Er starrte plötzlich an dem gemaßregelten Knaben vorbei nach draußen, dann legte er die Hand an den Mund. »Julian.«

Der Earl of Waringham saß ab. »Erzähl mir nicht, keiner hat euch gesagt, wo ich bin.«

Geoffrey trat kopfschüttelnd aus der Box, Stute und Übeltäter vergessen. »Wir dachten, du bist tot. Frederic hat gesehen, wie ein Pfeil dich traf.«

»Ich hatte Glück. Und war zwei Monate unfreiwillig zu Gast in Warwick.«

Der sonst so reservierte Stallmeister strahlte plötzlich und drückte seinen totgeglaubten Cousin an die Brust. »Gott sei gepriesen. Oh, Julian, Gott sei gepriesen!«

Ein wenig verlegen befreite Julian sich aus der Umarmung, aber Geoffreys unverhohlene Freude rührte ihn. »Das heißt, Frederic ist nach Haus gekommen, ja?«

Geoffrey nickte, und plötzlich ergriff sein Blick vor Julians die Flucht.

Julian legte eine Hand auf Dädalus' warmen Hals und wappnete sich. »Sag es mir. Wer ist nicht heimgekommen?«

»Unser Vetter Daniel. Dein Schwager Simon Neville. Beide Söhne deines Vasallen Roger of Hetfield. William Aimhurst und sein Schwager Finley. Von den drei Wheeler-Brüdern hat allein Davey überlebt, und er hat ein Auge verloren. Der Jüngste von Matthew dem Schmied ist auch gefallen. Und da ist noch etwas, das du erfahren musst, Julian. Dein Knappe Alexander …«

»Ich weiß«, unterbrach Julian. Seine Stimme klang rau. »Ich war bei ihm, als er starb.«

»Dann sei Gott auch für diese kleine Gnade gepriesen«, erwiderte Geoffrey. »Es wird deiner Schwester Trost spenden, das zu hören.«

Falls irgendetwas einer Frau Trost spenden kann, die Mann und Sohn auf einen Schlag verloren hat, dachte Julian. »Was ist mit Lucas Durham?«

»Es geht ihm gut. Als die Nachrichten von Towton London erreichten, haben die Yorkisten ihn laufen lassen.«

»Und sind sie alle auf der Burg, oder sind die Yorkisten in Waringham eingefallen?«

»Nein, nein. Hier ist es bislang völlig ruhig geblieben.« Geoffrey wartete, bis der Stallbursche mit dem beanstandeten Eimer Richtung Brunnen verschwunden war, ehe er hinzufügte: »Frederic hat die Wachen verdoppelt und einen Notfallplan aufgestellt, um die Leute aus Dorf und Gestüt auf der Burg aufzunehmen, wenn es zum Schlimmsten kommt. Vorräte angelegt und so weiter. Nur für unsere Gäule ist dort oben kein Platz.«

Julian nickte, aber er hörte nicht richtig zu. »Jesus … Von den acht Rittern, die ich mitgenommen habe, sind nur zwei zurückgekommen.« Er trauerte um seinen draufgängerischen Cousin Daniel und um den Gemahl seiner Schwester und die anderen Männer, die in seinem Dienst gestanden hatten, seit er Earl of Waringham geworden war. Aber es war nicht Trauer allein, die ihm zu schaffen machte.

Geoffrey sprach unerwartet aus, was er empfand: »Man fragt sich, was aus England werden soll, wenn das so weitergeht, nicht wahr? Adel und Ritterschaft sich allmählich gegenseitig aufreiben.«

Julian nickte. »Aber was können wir tun? In einem Konflikt wie diesem muss jeder Mann von Stand Stellung beziehen. Ich wünschte bei Gott, es wäre anders.«

Der Stallmeister verriegelte die Tür der Box sorgsam, drehte sich dann ganz zu seinem Cousin um und verschränkte die Arme. »Ich nehme an, in dieser Bemerkung verbirgt sich die Frage, warum ich nicht mit dir nach Towton gezogen bin, nicht wahr? Oder letzten Sommer nach Northampton.« Geoffrey sprach ruhig wie immer, keine Herausforderung lag in seiner Stimme.

Aber Julian erkannte sie in der Körperhaltung seines Cousins. Beschwichtigend erwiderte er: »*Du* hast dich bei Castillon der französischen Artillerie entgegengeworfen, nicht ich. Ich habe also keine Veranlassung, an deiner Tapferkeit oder deinem Mut zu zweifeln. Und das tu ich auch nicht.«

Geoffrey entspannte sich sichtlich. »Dann ist es ja gut«, brummte er mit einem etwas verschämten Lächeln.

Julian überlegte, ob er noch etwas sagen sollte, entschied sich aber dagegen. Er nahm die Zügel in die Linke. »Also dann. Ich reite auf die Burg. Wir sehen uns später.«

Geoffrey nickte und befingerte Dädalus' Schabracke. Dann hob er plötzlich den Blick. »Du sagst, in einem Konflikt wie diesem müsse jeder Mann von Stand Stellung beziehen, Julian, und ich verstehe, warum du das glaubst. Aber wie könnte ich das? Du bist mein Cousin und mein Kompagnon. Aber … ich bin an Salisburys Seite nach Frankreich gezogen. Er war mein Dienstherr, viele Jahre lang, und ich habe ihn immer verehrt. Natürlich hat er geprägt, was ich über Königtum denke. Und auch wenn Somerset ihm nach der Schlacht von Wakefield den Kopf abgeschlagen hat, ändert das nichts an der Gültigkeit dessen, was er mich gelehrt hat. Verstehst du, ich bin …«

»Yorkist«, beendete Julian den Satz für ihn, seine Miene mit einem Mal sehr finster.

Geoffrey atmete hörbar tief durch. »Ich bemühe mich, genau das nicht zu sein. Aus Loyalität dir gegenüber bemühe ich mich, Neutralität zu wahren. Aber das ist alles, was ich zu bieten habe.«

Julian saß auf. »Gott steh uns allen bei, Geoffrey«, murmelte er. Er war erschüttert. »Was soll nur aus uns werden?«

Er ritt im Schritt über den Mönchskopf. Nicht nur weil er und sein Pferd todmüde waren, sondern weil er sich sammeln musste, ehe er seine Bürde wieder schultern und seiner Schwester Kate in die Augen sehen konnte.

Die Torwachen starrten ihn genauso fassungslos an, wie Geoffrey es getan hatte.

»Warum ist die Zugbrücke unten?«, fragte Julian zur Begrüßung.

»Mylord ... Ihr ... Wie ...«, stammelte der alte Piers. »Ihr lebt!«

»Wie du siehst. Also? Die Brücke?«

Piers hielt ihm freudestrahlend den Steigbügel. »Gelobt sei der Herr für Eure Heimkehr, Mylord. Und Sir Frederic hat gesagt, wir sollen die Brücke herunterlassen, weil doch heute Gerichtstag ist.«

Auch das noch, dachte Julian mit sinkendem Herzen. Er saß ab. »Verstehe. Aber ich nehme an, inzwischen sind alle eingetrudelt, oder? Also zieht die Brücke ein, bis die Versammlung vorüber ist und alle heimgehen.«

»Wird gemacht, Mylord.« Piers winkte einen Knappen herbei, der Dädalus am Zügel nahm und zum Stall führte.

Julian ging ohne Eile zum Bergfried hinüber und schaute sich bei der Gelegenheit im Innenhof um. Es war still, wie so oft nachmittags, und die sonst meist zertrampelte Rasenfläche leuchtete saftig grün in der warmen Junisonne. Im Schatten der Birke nahe dem Sandplatz hockten ein paar Knäblein von unterschiedlichem Stand dicht beieinander und heckten offenbar irgendeinen Unfug aus. Zwei Mägde standen vor dem Backhaus zusammen und tratschten. Als sie ihn erkannten, verstummten sie jäh und bestaunten ihn mit offenen Mündern. Julian nickte ihnen mit gestrenger Miene zu, und sie stoben schuldbewusst auseinander, um sich an die vernachlässigte Arbeit zu begeben. Er grinste vor sich hin und verspürte einen kurzen Moment der Leichtigkeit. Er war froh, wieder zu Hause zu sein, erkannte er. Waringham Castle mochte nicht so stark sein wie die Burgen in Wales und nicht so anmutig wie Warwick, doch hier kam ihm der Boden unter seinen Füßen fester vor als andernorts. Und er konnte sich nicht so recht vorstellen, wie er zurechtkommen sollte, wenn er Waringham verlor.

Der Gerichtstag hatte heute nicht mehr die gleiche Bedeutung wie vor hundert Jahren, denn die richterlichen Befugnisse der Lords über ihre Bauern waren im Laufe der Zeit geschrumpft, und seit Julian die Hörigen seiner Baronie den freien Pächtern gleichgestellt hatte, konnte jeder Mann sich in einem Rechtsstreit an einen der königlichen Richter wenden, die das Land bereisten, oder sich gar auf den Weg nach Westminster machen und sein Anliegen einem der königlichen Gerichte vortragen.

Dennoch versammelten sich die Pächter des Earl of Waringham alle sechs Wochen auf der Burg, um vor seinem Steward Nachbarschaftsstreitigkeiten zu verhandeln, die Nutzung der Gemeinschaftsweiden oder des Backhauses, das Mähen der Dorfwiesen, die Organisation des Jahrmarktes und des Erntefestes und alle anderen Belange des Gemeinwesens zu regeln.

Julian blieb vor dem Eingang zur Halle einen Augenblick stehen und spionierte ungeniert. Frederic of Harley und Vater Michael saßen mit dem Bailiff und dem Reeve an der hohen Tafel. Davey Wheeler und einer der neuen Pächter, dessen Name Julian entfallen war, standen vor ihnen und bezichtigten einander des Schweinediebstahls. Es war eine alte Geschichte, erinnerte sich Julian. Im vergangenen Herbst hatte jeder der Männer eine Sau in den Forst von Waringham getrieben, wo sie nach Eicheln und anderem nahrhaften Futter wühlen konnten. Die meisten Bauern verfuhren so. Aber eins der Schweine war auf Nimmerwiedersehen verschwunden – weggelaufen, einem Wilderer zum Opfer gefallen, oder der Henker mochte wissen, was ihm zugestoßen war –, und seither erhoben beide Männer Anspruch auf die verbliebene Sau.

Julian beobachtete fasziniert, wie Frederic seine Fragen auf eins seiner Täfelchen schrieb und seinem Knappen reichte, der sie getreulich vorlas. Diese Verzögerung brachte Ruhe in den Disput. Statt sich anzubrüllen und die Fäuste zu schütteln, wie es eigentlich üblich war, lauschten die beiden Kontrahenten den vorgetragenen Fragen und Kommentaren höflich und dachten nach, ehe sie antworteten. Eine einvernehmliche Lösung war freilich nicht in Sicht, zumal beide Parteien ein Dutzend Zeugen benannten, die beschwören könnten, das Schwein gehöre diesem oder jenem.

Als Frederics Miene bekundete, dass er allmählich gründlich genug von dieser anhaltenden Schweinerei hatte, betrat Julian seine Halle und sagte: »Lass gut sein, Davey. Gib die Sau deinem Nachbarn, und ich kauf dir eine neue. Das ist das Mindeste, was ich dir für dein Auge schulde, nicht wahr?«

Alle fuhren zu ihm herum, die vier Männer an der Tafel waren aufgesprungen, und jetzt standen sie allesamt reglos da und gafften ihn an, als sei er von den Toten auferstanden. Julian hatte diesen Blick gründlich satt.

Er ging hinter die Tafel, umarmte seinen Steward kurz, schüttelte Pfarrer, Bailiff und Reeve die Hand und wandte sich dann an die versammelten Dörfler. »Ich war verwundet und in Gefangenschaft. Vor drei Tagen konnte ich entkommen, aber ich fürchte, das ändert nicht viel an unseren Problemen. Ihr habt sicher alle gehört, dass König Henry, die Königin und der Prinz außer Landes geflohen sind und der Erbe des Duke of York, Edward of March, sich in London zum König hat ausrufen lassen. Dazu hatte er kein Recht, aber nach Lage der Dinge gibt es nichts, was wir derzeit dagegen tun können. Ich nehme an, dass in den nächsten Tagen seine Männer hier aufkreuzen werden, um mich zu holen, und dass es bald einen neuen Earl of Waringham geben wird.«

Ein Raunen erhob sich in der Halle. Die Männer tauschten unsichere Blicke, und aus dem Raunen wurde bald ein unheilvolles Murren. Dann trat der Schmied vor. Er drehte nervös den Filzhut in den Händen und schaute den jungen Earl besorgt an. »Aber was wird aus Euch, Mylord?«

Julian zuckte die Schultern. »Ich habe keine Ahnung, Matthew.«

»Wir wollen aber keinen fremden Lord«, erklärte Davey Wheeler. Das verbliebene Auge war vor Entrüstung weit geöffnet, und Julian fragte sich flüchtig, warum der Mann keine Binde über der schauerlichen leeren Höhle trug.

Allgemeine Zustimmung war zu vernehmen.

Julian hob kurz die Hände, um die Versammlung zur Ruhe zu bringen. »Ich weiß. Und ich weiß auch eure Loyalität zu schätzen. Dennoch kann ich euch im Augenblick nur raten, euch zu fügen und nicht mit ihm anzulegen. Das hier war nie euer Krieg, und ihr solltet ihn nicht zu eurem machen.«

Er sah in ein paar Gesichter und erkannte, dass die Empörung sich zumindest bei manchen in Nachdenklichkeit verwandelt hatte. Vor allem bei denen, die zählten: dem Schmied, dem Müller, bei Adam und einigen anderen Bauern, auf die die Leute hörten. Ein wenig beruhigt wandte er sich an seinen Steward. »Ist meine Schwester noch hier?«, fragte er leise.

Frederic nickte und zeigte mit dem Daumen auf die hohe Decke. Dann kritzelte er auf eine seiner Tafeln: *Sie hat ihre übrigen Kinder hergeholt, um abzuwarten, was geschieht. Ich danke Gott, dass du noch lebst, Julian. Ich habe den Pfeil gesehen, der dich traf. Der Herr muss ein Wunder gewirkt haben.*

Julian nickte. »Er und Edward of March«, bemerkte er trocken. Auf Frederics verständnislosen Blick fügte er hinzu: »Ich erzähl's euch später. Jetzt will ich zu meiner Schwester, ehe mich der Mut verlässt.«

Kate wusste es schon. Die Neuigkeit von Julians Heimkehr hatte sich auf der Burg wie üblich mit der Geschwindigkeit eines Blitzschlags verbreitet, und eine der Mägde war zu Kate gelaufen und hatte es ihr gesagt.

Julian fand seine Schwester in Gesellschaft eines halbwüchsigen Knaben und zweier kleiner Mädchen im Wohngemach. Als er eintrat, erhob sie sich vom Fenstersitz und trat mit ausgestreckten Armen auf ihn zu. Sie lächelte, und Tränen rannen über ihr Gesicht. »Ich bin so froh, Bruder.«

Es klang erstaunlich aufrichtig, aber Julian ahnte trotzdem, dass es eine Lüge war. Wie sollte sie froh darüber sein, dass ihr Mann und ihr Erstgeborener tot waren, der fremde Bruder aber weiterleben durfte? Immerhin war er dankbar, dass sie ihn offenbar nicht hasste. »Kate.« Er nahm ihre Hände und wollte die Linke an die Lippen führen, aber Kate befreite sich und schlang die Arme um seinen Hals.

Ein wenig unbeholfen hielt er sie. »Es tut mir leid«, sagte er leise. Es war die Wahrheit, und es gab nicht viel, was er sonst hätte sagen können. Trotzdem fand er die Worte leer und förmlich, und er versuchte es noch einmal. »Wenn ich geahnt hätte, was er vorhat, hätte ich ihn hier eingesperrt. Ich ... Kate, es tut mir leid, dass ich nicht besser auf deinen Jungen Acht gegeben habe.«

Für ein paar Herzschläge vergrub sie das Gesicht an seiner Schulter, doch als sie sich von ihm löste, hatte sie sich gefasst. »Er war achtzehn Jahre alt, Julian. So alt wie du, als du mit Edmund Tudor in Wales gekämpft hast. Vater war mit sechzehn bei Agincourt. Alexander hatte Recht, er war ... alt genug.« Ihre Stimme wollte nicht gehorchen, aber Kate presste die Lippen zusammen und zwang sich weiterzusprechen. »Es war nicht deine Schuld. Und ich will nicht, dass du dir Vorwürfe machst. Edward of March hat Alexander und Simon auf dem Gewissen, nicht du.«

»Ich bin anderer Ansicht«, bekundete der Jüngling am Tisch.

Julian wandte den Kopf und sah ihn zum ersten Mal richtig an.

»Das ist Roland, unser Zweitältester«, stellte Kate vor, und Julian hörte eine leise Nervosität in ihrer Stimme, als wolle sie sich im Voraus für Roland entschuldigen. »Und Martha und Agnes, unsere beiden Kleinen. Ihre große Schwester Joanna ist mit Sir Walter Hungerford verheiratet.«

Die beiden Mädchen waren vielleicht acht und zehn Jahre alt, schätzte Julian. Sie waren aufgestanden und knicksten höflich, die Gesichter blass und spitz vor Traurigkeit. Julians Brust zog sich zusammen. Er zwinkerte ihnen zu. »Willkommen in Waringham, Martha, Agnes. Ich freue mich, euch kennen zu lernen.« Er sah zu dem Jungen. »Das gilt auch für dich, Roland. Obwohl ich es vorziehen würde, wenn du aufstehst, während deine Mutter uns bekannt macht.«

Roland streckte demonstrativ die Beine vor sich aus und kreuzte die Arme. »Tatsächlich?«

»Roland, bitte …«, schalt seine Mutter müde. Es klang, als sage sie es zum tausendsten Mal.

Julian schaute dem aufsässigen Knaben in die Augen, und er sah dort Schmerz, Zorn und Enttäuschung. Die ersten beiden Empfindungen konnte er verstehen, für die letzte brauchte er einen Moment. Dann ging ihm ein Licht auf. »Kopf hoch, Junge«, sagte er kühl. »Ich bedaure, dass meine unverhoffte Rückkehr von den Toten deine Pläne durchkreuzt, aber du wärst so oder so nicht Earl of Waringham geworden. Selbst wenn dein Vater kein Lancastrianer gewesen wäre, gibt es in Burton und in Fernbrook noch ein paar ältere Cousins, deren Anspruch auf den Titel mindestens so gut wäre wie deiner.«

Roland errötete bis in die Haarwurzeln und schlug den Blick nieder.

»Geh mit deinen Schwestern hinunter in den Garten«, befahl Julian. »Ich habe mit deiner Mutter zu reden.«

Der Junge machte immer noch keine Anstalten, sich zu erheben. »Danke, Onkel, aber mir ist gerade nicht danach, mich in Eurem blöden Garten zu ergehen. Ich würde viel lieber hören, wie Ihr Euch herausredet und erklärt, warum mein Vater und Bruder tot sind und Ihr noch lebt.«

Martha und Agnes zogen erschrocken die Luft ein, tauschten einen Blick und gingen zur Tür, um sich von der Unverschämtheit ihres Bruders zu distanzieren.

Julian kam die Frage in den Sinn, ob er mit vierzehn, fünfzehn auch so eine Pestbeule gewesen war. Sein Vater hätte die

Frage wahrscheinlich bejaht, und zum ersten Mal konnte Julian verstehen, warum. Er erkannte sich selbst in diesem zornigen Flegel, und er war sich durchaus bewusst, dass das der Grund war, warum er ihn nicht mochte. Niemand hat es gern, wenn ihm ein Spiegel vorgehalten wird, der ihn hässlich erscheinen lässt, dachte er.

»Hör zu, Roland: Du bist herzlich eingeladen, dich mit mir anzulegen, wenn es dich erleichtert. Aber was hättest du erreicht, wenn du mich zwingst, dich am Kragen vor die Tür zu setzen? Denkst du nicht, deine Mutter macht genug durch? Also, wie wär's, wenn du ihr die Szene einfach ersparst? Aufgeschoben ist ja nicht aufgehoben.«

Roland schwankte noch einen Augenblick. Dann erhob er sich und schlenderte zur Tür. Er verstand es vortrefflich, mit der Haltung seiner Schultern Verachtung auszudrücken. Julian kam kaum umhin, ihn dafür zu bewundern. Dann schloss sich die Tür.

»Eine Spur zu laut vielleicht, aber immerhin zu«, bemerkte Julian und setzte sich neben Kate auf die tiefe gepolsterte Fensterbank.

»Ich glaube nicht, dass das bisher je irgendwem gelungen ist«, sagte sie verwundert.

»Was?«

»Roland mit einem Appell an sein Gewissen zu überzeugen. Dabei hat er durchaus eins. Aber für gewöhnlich macht er ein Geheimnis daraus.«

Julian nickte zerstreut. Er hatte Wichtigeres auf dem Herzen. »Seid ihr enteignet?«, fragte er.

Kate schüttelte den Kopf. »Warwick hat unsere Güter der Verwaltung seines Stewards unterstellt, aber es war keine Rede davon, dass sie an die Krone fallen.«

»Es könnte noch kommen«, warnte Julian. »Es wird ein paar Monate dauern, ehe unser neuer, selbsternannter König die Zeit findet, sich um solche Kleinigkeiten zu kümmern, wie treue Lancastrianer posthum als Verräter zu verurteilen.«

»Ich weiß.« Es war einen Augenblick still. Vogelstimmen

schollen vom Garten herauf, und ab und zu trug die Brise einen Hauch von Rosenduft durchs Fenster herein. »Und wie steht es mit dir und Waringham?«, fragte Kate schließlich.

»Nicht gut, schätze ich.« Er wiederholte, was er schon den Männern in der Halle gesagt hatte. »Auch wenn Edward of March mir bei Towton das Leben gerettet hat, kann ich mir schwerlich vorstellen, dass er mir mein Land und meinen Titel lässt. Ich an seiner Stelle täte das todsicher nicht.«

»Er hat dir das Leben gerettet?«, fragte sie ungläubig.

Julian nickte, stellte den Absatz auf die Sitzbank und verschränkte die langen Finger um das angewinkelte Knie. »Ich war bei deinem Sohn, als er starb, Kate.«

Sie kniff die Augen zu. »Oh, Gott sei gepriesen. Er ist ... er ist nicht mutterseelenallein im Schnee gestorben.«

»Nein. Willst du's hören oder lieber nicht?«

Sie nickte und schlug die Augen wieder auf. »Erzähl mir alles, Bruder.« Dann ergriff sie seine Hand und hielt sie fest.

Julian sah erstaunt darauf hinab. Das Gleiche hatte Blanche früher auch oft getan. Er lehnte den Kopf zurück gegen die Mauer, sah in den sonnendurchfluteten Rosengarten hinab und ließ das grauenvolle Gemetzel im Schnee vor seinem geistigen Auge noch einmal stattfinden. Doch er erzählte Kate nur, was sie wissen musste. Er log nicht, aber er bemühte sich, ihre Trauer mit seinen Worten zu lindern und nicht zu vermehren. »Er hat kaum gelitten«, schloss er. »Er sagte, er spüre beinah keinen Schmerz. Und er war so gefasst, Kate. Sehr tapfer. Ich ...« Julian stieß hörbar die Luft aus. »Gottverflucht, es ist so eine furchtbare, sinnlose Verschwendung. Er war so ein guter Mann. Besser als ich. Manchmal denke ich, er hat mir mehr beigebracht als umgekehrt. Und wenn ich daran denke, dass er sein Leben weggeworfen hat, um ausgerechnet Marguerites Anerkennung zu gewinnen, dann könnte ich die Fäuste gen Himmel schütteln, denn das Opfer ist sie nicht wert. Aber er ist in Frieden gestorben.«

Seine Schwester weinte, während sie ihm lauschte, aber wann immer er innehielt, forderte sie ihn mit einer Geste auf fortzufahren. Und das tat er, weil er wusste, dass sie diese Dinge hören musste. Sie kamen sich nahe in dieser Stunde der Erinnerung und Trauer. Trotz des großen Altersunterschiedes, der zwischen ihnen klaffte, hatte Julian zum ersten Mal wirklich das Gefühl, dass es seine Schwester war, deren Hand er hier hielt.

Es dämmerte, als er die geräumige Kammer betrat, die seine Eltern bewohnt hatten, um sich das Schwert seines Vaters zu holen. Er öffnete die Truhe, kramte es hervor und stieß dabei auf allerlei Erinnerungsstücke aus seiner Kindheit. Einen cremefarbenen Glacéhandschuh seiner Mutter. Der König hatte sie ihr geschenkt, und in Waringham war die ganze Burg tagelang in heller Aufregung gewesen, weil eines der kostbaren Stücke verloren gegangen war. Es war nie wieder aufgetaucht, soweit Julian wusste. Und er fand eine versteinerte Muschel, die er einmal gefunden und seinem Vater geschenkt hatte. Er hätte nie geglaubt, dass der strenge, unnahbare John of Waringham sentimental genug gewesen wäre, um sie aufzuheben. Versonnen wärmte Julian den kleinen Gesteinsbrocken zwischen den Handflächen und rätselte, wie es kam, dass er heute ständig zu neuen Einsichten über seinen Vater gelangte.

Entschlossen ließ er den Stein zurück in die Truhe fallen, klappte den Deckel zu und legte das Schwert um. Er umfasste das Heft mit der Rechten und zog die Klinge langsam aus der Scheide. Es war nicht so kostbar und reich verziert wie das alte Waringham-Schwert – das Edward of March oder der Earl of Warwick jetzt vermutlich als geschätztes Beutestück in ihrer Waffensammlung aufbewahrten –, aber eine gute, solide gearbeitete Waffe. »Bescheiden und zuverlässig«, murmelte Julian spöttisch vor sich hin. »Genau wie du, Vater.« Er befühlte die Klinge mit dem Daumen der Linken und ritzte sich prompt die Haut ein. Den Blick zur Decke gerichtet, nickte er. »Vielen Dank auch, Sir.«

Lucas, der gerade erst von einem kurzen Besuch in Sevenelms zurückgekehrt war, klopfte Julian mit leuchtenden Augen die Schulter. »Waringham, alter Haudegen. Immer für eine Überraschung gut. Willkommen im Diesseits. Und willkommen zu Hause, solange es das noch ist.«

Grinsend fegte Julian die Pranke von seiner Schulter. »Nimm die Hände von mir.«

Frederic schenkte Wein in drei Zinnbecher, zückte dann seine Tafel, schrieb und reichte sie Julian: *Die schöne, junge Witwe deines Wildhüters, mit der er es treibt, hat ihn kaltgestellt, also sieh dich vor. Er ist derzeit nicht wählerisch.*

Sie flachsten eine Weile, unbeschwert und derb, wie sie es gern taten, und Julian spürte die Anspannung der letzten Wochen allmählich von sich abgleiten. Er wusste, die frohe Laune und die Flegelhaftigkeit, die seine Freunde an den Tag legten, hatten so wenig mit ihren wahren Gefühlen zu tun wie seine, aber wie gut tat es, wenigstens für ein Weilchen so zu tun, als sei Lucas' Pech in der Liebe ihre größte Sorge.

Er setzte sich mit ihnen an den Tisch, und sie tauschten Neuigkeiten aus. Lucas berichtete von den Unruhen in London, Frederic von seiner abenteuerlichen Heimkehr nach der Schlacht im Norden und vom märchenhaften Erfolg der diesjährigen Pferdeauktion und des Jahrmarktes.

Julian konnte die Vorstellung kaum aushalten, dass es bald ein anderer sein würde, der die Früchte all ihrer Mühen erntete, der seinen Anteil am Gestüt und das Marktrecht bekommen würde. Aber noch war der Zeitpunkt nicht gekommen, darüber zu sprechen. Stattdessen beantwortete er die neugierigen Fragen seiner Freunde über seine Verwundung, Genesung, Gefangenschaft und Flucht.

Schließlich klopfte Lucas nachdenklich und langsam mit dem leeren Becher auf den Tisch, und es war eine Weile still. Als er aufschaute, war seine Miene ernst geworden. »In einer Woche lässt er sich krönen. Machen wir uns nichts vor: Niemand wird das mehr verhindern. Marguerite wird sich an ihren Cousin, den König von Frankreich, wenden und ihn um Hilfe bitten. Aber wie es damit steht, wissen wir nicht. Somerset ist irgendwo in den Midlands, heißt es. Wenn Marguerite zu irgendwem Kontakt hält, dann zu ihm. Aber niemand hat ihn in London oder Westminster gesehen seit Towton.«

»Und wie steht es in Wales?«, fragte Julian.

»Schlecht«, antwortete Lucas ernst. »Tristan kam kurz vor Ostern von dort zurück. Deine Schwester, Jasper Tudor und der kleine Richmond waren wohlauf, berichtete er. Jasper hatte die Absicht, in Pembrokeshire eine neue Truppe aufzustellen, aber letzte Woche haben wir erfahren, dass Black Will Herbert Pembroke belagert und eingenommen hat. Mehr wissen wir nicht.«

»Gott schütze dich, Blanche«, murmelte Julian.

De facto hat Edward of March jetzt die Macht in England und in Wales, schrieb Frederic. *Und wir sind der Meinung, dass du fliehen solltest.*

Julian runzelte die Stirn, als er es las. »Das könnt ihr euch aus dem Kopf schlagen.«

Aber was willst du tun?

Julian dachte darüber nach. Dann traf er seine Entscheidung. »Ich reite nach Westminster.«

»Was?«

Bist du noch bei Trost?

»Ich glaub schon. Das ist besser, als hier zu warten, bis Edward of March seine Finstermänner nach Waringham schickt, um mich zu verhaften. Außerdem wollte ich immer schon mal eine Krönung sehen.«

Westminster, Juni 1461

Die Krönung, die aus dem neunzehnjährigen Earl of March König Edward IV. von England machte, war wohl die prächtigste, die London und Westminster je gesehen hatten, denn sie sollte jedem, der Zeuge wurde, beweisen, dass dieser

Mann und kein anderer Englands König von Gottes Gnaden war. Als Edward am Freitag, dem sechsundzwanzigsten Juni, in die Stadt einzog, begrüßten ihn der Lord Mayor und die Aldermen von London, alle in scharlachroten Gewändern, und eine Abordnung von vierhundert Bürgern der Stadt, grün gekleidet und allesamt hoch zu Ross. Die große Handelsmetropole, die noch vor vier Monaten zerrissen gewesen war und teilweise blutig über die Frage gestritten hatte, ob die Krone Lancaster oder York gehören sollte, hatte zu ihrem Pragmatismus zurückgefunden, der ebenso berühmt wie berüchtigt war: Der Lancaster-König war mitsamt der herrschsüchtigen französischen Furie, die hier ohnehin niemand ausstehen konnte, geflohen. Die Yorkisten hatten den Krieg gewonnen. Edward of March hatte ein offenes Ohr für die Belange der Stadt und die Interessen ihrer führenden Kaufherren auf dem Kontinent, und außerdem sah er viel königlicher aus als der umnachtete Jämmerling Henry. Also war ihnen die Wahl letztlich nicht schwergefallen.

In einem festlichen Zug geleiteten sie Edward zum Tower, wo die Krönungsfeierlichkeiten damit begannen, dass er achtundzwanzig junge Männer in den Bath-Orden aufnahm – darunter seine beiden jungen Brüder George of Clarence und Richard of Gloucester.

Am Sonntag schließlich fand die eigentliche Krönungszeremonie in der Abteikirche zu Westminster statt, wo die beiden englischen Erzbischöfe gemeinsam Edward die wundervolle Krone seines angelsächsischen Vorgängers und Namensvetters aufs Haupt setzten.

Julian nahm als Zaungast an den Festlichkeiten teil. Er hatte sich unters Volk gemischt, angetan mit einem schlichten dunklen Mantel und einer Kapuze, die er tief ins Gesicht gezogen trug, sodass er in Westminster zweimal von der Leibgarde des neuen Königs angehalten und kontrolliert wurde, weil er vermummt und finster aussah – wie ein potenzieller Königsmörder. Doch niemand erkannte ihn, und er blieb unbehelligt. So hatte er drei Tage lang Gelegenheit, zu beobachten und nachzudenken. Was er sah, beunruhigte ihn. Was er dachte, noch mehr. Und als er am Montagabend bei Einbruch der Dämmerung zu seinem Haus in Farringdon kam, erwartete ihn ein halbes Dutzend furchteinflößender Hünen, die bis an die Zähne bewaffnet waren und alle eine eingestickte weiße Rose am Mantel trugen. Julian sah sie von weitem und hätte mühelos kehrtmachen können, um im Gewirr der kleinen Straßen und Gassen zu verschwinden. Aber das tat er nicht. Er wusste, die Zeit war gekommen.

Vor seinem Tor hielt er an und schlug die Kapuze zurück. »Gentlemen? Kann ich Euch behilflich sein?«

Der Anführer der Hünen nahm den Helm ab, und Julian fuhr der Schreck in die Glieder. Es war der Mann, der ihn bei Towton um ein Haar getötet hatte. Julian musste einen Augenblick überlegen, dann fiel ihm der Name ein. »Ah, William Hastings, nicht wahr?«

»*Sir* William, um genau zu sein«, erwiderte Hastings. Er sagte es weder hochnäsig noch sonderlich erfreut, stellte lediglich eine Tatsache fest. Ein nüchterner, geradliniger Mann um die dreißig.

Julian nickte knapp. »Entschuldigung.«

»Der König bittet Euch zu sich, Mylord«, erklärte Hastings.

»Und für den Fall, dass Bitten nichts nützt, habt Ihr eine kleine Armee mitgebracht?«

»Das könnt Ihr sehen, wie Ihr wollt«, bekam er zur Antwort. »Nicht zuletzt dient die Eskorte Eurem Schutz. Lancastrianer sind in London und Westminster nicht mehr gern gesehen, wisst Ihr.«

Julian zuckte die Schultern. »Dennoch bin ich bislang ohne Euren Schutz ausgekommen, Sir William.«

»Kein Wunder, wenn Ihr Euer Wappen ablegt und als Kaufmann verkleidet daherkommt. Woll'n wir?«

Wortlos wendete Julian Dädalus und ritt zurück zur Fleet Street. Er schaute sich nicht um, aber er hörte, dass die Männer ihm folgten.

Innerhalb der Palastanlage in Westminster war es ruhiger geworden. Es war noch voll – yorkistische Lords der Welt und der Kirche standen hier und da in der lauen Abendluft beisammen und plauderten, tratschten oder schmiedeten Ränke. Ritter, Knappen, Mönche und livrierte Diener liefen geschäftig umher – aber das unglaubliche Gewimmel und Durcheinander der Krönung war vorüber. Der Alltag war nach Westminster zurückgekehrt, und die Erkenntnis schockierte Julian. Der König war ein anderer – der Alltag war der gleiche. Etwas Ungeheuerliches war geschehen, und Westminster tat, als sei alles in bester Ordnung.

Auf ein Zeichen von Hastings saß er ab und überließ Dädalus der Obhut eines Knappen. Dann folgte er dem treuen Ritter des neuen Königs in das prachtvolle, moderne Gebäude mit den großen Glasfenstern, wo die königlichen Gemächer sich befanden. Hastings führte ihn zwei Treppen hinauf, einen Flur entlang, dessen Wände wundervolle Tapisserien schmückten, und zu einer getäfelten Doppeltür, vor der zwei Wachen standen.

Sie ließen Hastings passieren, der polternd anklopfte, dann die Tür öffnete und Julian mit einem schroffen Wink bedeutete, vorauszugehen.

Entschlossener, als ihm zumute war, trat Julian ein. Eher vage und aus dem Augenwinkel nahm er einen hohen, kostbar eingerichteten Raum wahr: Seidentapeten mit matten Goldranken, bequeme, schwere Sitzmöbel aus dunklem Holz und Leder, Bilder flämischer Malkunst an den Wänden. An einem der Fenster saßen zwei Knaben über einen kleinen Tisch gebeugt, dessen intarsienverzierte Platte ein Schachbrett war, und spielten eine Partie Dame.

Über dem mannshohen Kamin bedeckte ein großes Banner die Wand: Die drei Sonnen von York – Edwards bevorzugtes neues Wappen. Der junge König selbst stand davor an den schweren Eichentisch gelehnt, die Arme lässig vor der Brust gekreuzt, und sah ihm lächelnd entgegen. »Ich war gespannt, ob Ihr kommt. Seid mir willkommen, Waringham.«

Julian blieb ein paar Schritte vor ihm stehen und neigte höflich den Kopf. »Mylord.«

Er hatte Hastings nicht hinter sich eintreten hören, aber plötzlich trafen ihn zwei Fäuste in die Nierengegend, sodass Julian taumelte und auf den Knien landete.

»Wie wär's mit ein bisschen Respekt für Euren König, Ihr Lump«, knurrte Hastings.

Die beiden Knaben am Spieltisch – die Brüder des Königs – hatten sich umgewandt. Der knapp neunjährige Gloucester betrachtete den gefällten Edelmann am Boden mit distanziertem Interesse, und der Größere, Clarence, lächelte. Es war ein hübsches, spitzbübisches Lächeln, aber unmöglich zu deuten. Julian wusste nicht, ab der Knabe ihn auslachte oder ihm in argloser Freundlichkeit zulächelte.

»Nein, Hastings, bitte«, sagte der junge König. »Das ist nicht nötig.«

Julian stand auf. Er streifte den übereifrigen Ritter mit einem verächtlichen Blick. »Wie wär's, wenn wir es das nächste Mal versuchen, ohne dass mir ein Pfeil in der Brust steckt oder Ihr Euch von hinten anschleicht?«, fragte er wütend, und an Edward gewandt fügte er hinzu: »Kommt er nachts an die Kette?«

Hastings zeigte überhaupt keine Regung. Dass Julians Worte ihn beleidigt hatten, versuchte er hinter halb gesenkten Lidern zu verbergen.

Der König legte seinem Ritter die Hand auf den Arm. »Habt Dank, mein Freund. Seid so gut und lasst mich allein mit meinem Gast. Clarence, Gloucester, geht mit Sir William.«

»Aber Sire, Ihr habt versprochen ...«, wollte der kleinere der Brüder protestieren.

Der König schnitt ihm mit einer Geste das Wort ab. »Später. Ich hab's nicht vergessen, Richard. Du hast mein Wort.«

Folgsam gingen die Jungen mit dem Ritter hinaus.

Als die Tür sich geschlossen hatte, bemerkte Edward mit einem Schulterzucken: »Sie kennen mich kaum. Sie waren mit meinem Vater in Irland oder mit meiner Mutter in Geiselhaft und auf der Flucht, während ich auf dem Kontinent war oder Gott weiß wo sonst. Sie sind verwirrt über alles, was passiert ist. Der Vater gefallen, der eine Bruder ermordet, der andere Bruder plötzlich König. Ich wünschte, ich hätte mehr Zeit für sie.«

Julian wusste beim besten Willen nicht, was er darauf antworten sollte. Dieser Mann war ein Thronräuber und eigentlich sein Todfeind – auch wenn er sich ständig weigerte, sich entsprechend zu benehmen – und vertraute nun ausgerechnet ihm seine familiären Sorgen an.

»Habt Ihr Geschwister, Waringham?«, fragte Edward.

»Wollt Ihr mir ernsthaft weismachen, dass Ihr mich nicht habt herbringen lassen, um mir mit Drohungen gegen meine Schwester irgendwelche Zugeständnisse abzupressen?«, entgegnete Julian. Es klang bitterer, als er beabsichtigt hatte, und er schärfte sich ein, sich besser zu beherrschen.

Edward schien ehrlich erstaunt. Und neugierig. »Ihr habt eine Schwester, die Euch erpressbar macht? Das klingt hochinteressant. Erzählt mir von ihr.«

Julian zog eine Braue in die Höhe und wies aufs Fenster. »Soll ich mich nicht vielleicht lieber gleich hinausstürzen? Das erspart uns beiden Zeit und Mühe.«

Edward lachte. Er war ein ausgelassenes, sorgloses Jungenlachen. »Oh, kommt schon, Waringham. Erzählt mir von ihr. Ist sie älter oder jünger als Ihr?«

»Eine Viertelstunde älter.«

»Ah, eine Zwillingsschwester. Und was hat sie angestellt?«

Er würde es ja doch herausfinden, wusste Julian. »Sie ist mit einem Marcher Lord verheiratet, Sir Thomas Devereux. Aber er ist ein Halunke. Sie …« Julian rieb sich verlegen die Nasenwurzel, dann sah er Edward ins Gesicht. »Sie hat ihm die Schwerthand abgehackt und ist nach Wales geflohen.«

»Heiliger Georg!« Edward pfiff unfein durch die Zähne, und sein Lächeln war eine Mischung aus Schadenfreude für Devereux und Hochachtung für Blanche.

Um dem Risiko zu begegnen, dass sich zwischen ihnen ein

unwillkommenes Band knüpfte, fügte Julian hinzu: »Dort lebt sie seit fünf Jahren an der Seite des Earl of Pembroke.«

Edwards Lächeln verschwand erwartungsgemäß. »Dieser verdammte Tudor ...«

»Eben jener«, bestätigte Julian.

Ratlos sahen sie sich an – zwei junge Männer von ähnlichem Gemüt, die ein paar unvergessliche Augenblicke verbanden und die so leicht Freunde hätten werden können, aber jeder auf einer Seite eines tiefen Grabens standen.

König Edward brach schließlich den Blickkontakt, schenkte Wein aus einem vergoldeten Krug in zwei Glaspokale und reichte Julian einen davon.

Der Gast schüttelte bedauernd den Kopf. »Ich kann nicht mit Euch trinken, Mylord.«

»Aber warum nicht?«, fragte Edward verständnislos. »Ich weiß, dass Ihr Grund hattet, meinem Vater zu grollen und zu misstrauen. Aber mir?«

»Es ist ... zu viel Blut geflossen«, antwortete Julian. Es klang hilflos. Er wusste selbst, es war nicht der wahre Grund.

Edwards Miene verfinsterte sich. »Das meines Bruders, zum Beispiel. Er war siebzehn Jahre alt und wurde bei Wakefield feige ermordet, Sir.«

»Ja, ich weiß. Und mein Neffe Alexander Neville – er war mein Knappe – verblutete bei Towton. Er war nur ein Jahr älter. Ich ... bedaure den Tod Eures Bruders, Mylord. Und ich meine, was ich sage. Aber diese Unterredung würde Jahre dauern, wenn wir einander unsere Toten vorwerfen wollten. Von den achtundzwanzigtausend, die bei Towton gefallen sind, waren sechsundzwanzigtausend Lancastrianer. Und sie wurden abgeschlachtet. Auf der Flucht erschlagen. Im Übrigen war eines der ersten Opfer dieses unseligen Krieges mein Vater, der so feige ermordet wurde wie Euer Bruder ...« Er brach ab, weil er merkte, dass er sich in Rage redete. Und genau das wollte er nicht.

Edward nickte. »Dann helft mir, Waringham. Um Himmels willen, helft mir. Der Krieg ist vorbei. Ihr und ich haben es in der Hand, die Wunden zu heilen.« Er klang beschwörend.

Aber Julian schüttelte den Kopf. »Ich kann nicht.«

Es war ein paar Atemzüge lang still. Dann sagte der junge König scheinbar leichthin: »Ich habe Euch bei meiner Krönung vermisst.«

»Ich war aber dort.«

»Doch nicht beim Festbankett in Westminster Hall.«

»Nein. Ich bin überzeugt, ich habe unvergessliche Gaumenfreuden versäumt. Aber ich kann Euch keinen Lehnseid schwören, wie die Lords es dort getan haben. Es ... geht einfach nicht.«

»Aber warum nicht, Herrgott noch mal? Ihr seid beinah so jung wie ich, und Ihr seid ein kluger Mann, ich weiß es, Waringham. Warum wollt Ihr mir nicht helfen, in England ein neues Zeitalter des Friedens und des Wohlstands zu beginnen? Denn das kann ich, wisst Ihr.«

Ja, dachte Julian, ich schätze, das kannst du wirklich. »Ich habe keine Zweifel, dass Ihr die Krone mit Würde tragen werdet. Dass Ihr ihr mehr Ehre macht als ... mancher König der Vergangenheit. Aber sie gehört Euch nicht.«

Edward hob mit einem Laut der Ungeduld beide Hände. »Ihr wisst genau, dass ich einen Anspruch auf diese Krone habe, der mindestens so gut ist wie Henry of Lancasters. Doch darüber zu streiten könnte noch länger dauern, als uns gegenseitig unsere Toten vorzuwerfen, und wäre ebenso sinnlos. Unser Cousin Lancaster hat die Krone gehabt und verspielt. Jetzt habe ich sie. So einfach ist es im Grunde. Und nur ein Narr könnte wünschen, die Regierung läge weiterhin in Lancasters unfähigen Händen.«

»Ah, ich verstehe. Ein König kann also vom Thron gestoßen werden, nur weil er keine glückliche Hand bei der Führung der Regierungsgeschäfte hat? Ganz gleich, dass er einen Sohn und Erben hat, der es eines Tages besser machen könnte als er, und eine äußerst fähige Gemahlin, deren Mut es mit jedem Kerl aufnehmen kann und die die Regierungsgeschäfte bis dahin führen könnte? Erbrecht und Gottesgnadentum gelten auf einmal so wenig in England? Dann bleibt mir nur, Euch Glück zu wünschen, *mein König*. Denn was mag passieren, wenn sich das nächste Mal eine Hand voll Lords zusammenrottet, die mit der Regentschaft des Königs unzufrieden sind? Werden sie Euch stürzen? Und wer soll dann König werden? Wie wär's mit unserem Cousin Warwick? Machthungrig genug wär er allemal. Oder Buckingham? Westmoreland? Oder warum eigentlich nicht Julian of Waringham? Denn wir alle stammen in direkter Linie von dem großen Edward III. ab, nicht wahr? Aber wie sollen wir nur entscheiden? Per Los vielleicht?«

»Das ist genug!«, donnerte Edward. Er hatte ein beachtliches Organ, stellte Julian fest – gewiss sehr nützlich auf dem Schlachtfeld. Doch der König mäßigte sich sogleich wieder, ehe er fortfuhr: »Wenn Ihr wirklich so denkt, Waringham, dann erklärt mir eins: Wieso seid Ihr hier und nicht in Schottland bei Henry und Marguerite?«

»Ich bin erst vor wenigen Tagen der Gastfreundschaft unseres Vetters Warwick entkommen und habe in Waringham noch allerhand zu regeln, ehe Ihr mich enteignet.«

»Ich glaube eher, Ihr seid noch hier, weil Ihr froh seid, Marguerites Klauen entronnen zu sein.«

Du hast ja so Recht, dachte Julian, sogar im wahrsten Sinne des Wortes. Doch was er sagte, war: »Dann scheint mir, dass Ihr lieber glaubt, was Ihr glauben wollt, als das, was Ihr glauben solltet. Sehr gefährlich für einen König, denkt Ihr nicht?«

Edward betrachtete ihn versonnen. »Warum legt Ihr es darauf an, dass ich Euch in den Tower schicke?«, fragte er langsam.

»Das will ich nicht. Im Gegenteil, es ist Eure Freundschaft, die ich will.«

Und das war die reine Wahrheit, wusste Julian. Der Duke of York hatte ihn gewollt, um einen Waringham in seinen Reihen zu haben und andere Lancastrianer so zum Seitenwechsel zu bewegen. Aber Edward war anders. Julian hob ratlos die Schultern. »Das ehrt mich, Mylord. Aber ich kann sie Euch nicht geben, obwohl ich es gern täte.«

»Warum nicht?« Die Stimme klang jetzt leise, aber drängend. »Erklärt es mir, damit ich es wenigstens verstehen kann.«

Julian war nicht in der Absicht nach Westminster gekommen, dem Thronräuber sein Innerstes zu offenbaren, aber nun tat er es irgendwie trotzdem: »Ich habe ... verdammt lange gebraucht, um herauszufinden, wer ich bin. Es war eine teuer erkaufte Erkenntnis, und sie ist mir dementsprechend kostbar. Neben anderen Dingen bin ich Lancastrianer, so wie jeder Waringham vor mir. Mein Großvater hat für das Haus Lancaster ungezählte Male Kopf und Kragen riskiert, mein Vater ist dafür gestorben. Und ich schätze, sie hatten oft Zweifel an dem, was sie taten, oder an den Männern, in deren Dienst sie sich gestellt hatten. Aber sie haben weitergemacht, weil sie an alte Tugenden wie Eidtreue und die Unverbrüchlichkeit eingegangener Verpflichtungen glaubten. Und das tue ich auch, denn diese Dinge sind wertvoll. Und wenn ich sie aufgebe, dann ... na ja, dann gebe ich mich in gewisser Weise selbst auf. Darum kann ich nicht Yorkist werden, solange das Haus Lancaster fortbesteht. Welchen Wert hätte mein Lehnseid denn auch für Euch, wenn ich damit doch den bräche, den ich Henry geleistet habe?«

Edward nickte versonnen und ließ ihn nicht aus den Augen. Dann trank er aus einem der beiden unberührten Pokale, drehte ihn zwischen den Händen und bemerkte: »Es gibt einen Haufen Lords, die sich mit dieser letzten Frage weitaus weniger schwer tun als Ihr.«

Julian schüttelte den Kopf. »Das ist allein ihre Angelegenheit.«

»Das ist wohl so«, stimmte der junge König zu, stellte den Becher ab, löste sich vom Tisch und trat auf Julian zu. »Ich bin Euch dankbar für Eure Offenheit und Aufrichtigkeit, Waringham. Nicht viele Männer hätten den Mut dazu gehabt. Umso mehr bedaure ich Eure Entscheidung. Aber ich werde Euch nicht enteignen, solange Ihr mich nicht zwingt.«

»Wieso nicht?«, fragte Julian, ebenso verständnislos wie argwöhnisch. »Ich kann nur hoffen, Ihr erwartet nicht, mit Eurer Milde meine stillschweigende Duldung zu erreichen.«

»Nein.« Ein Lächeln huschte über das gut aussehende Gesicht. »Ich erreiche Eure stillschweigende Duldung auf anderem Wege.«

»Ah ja?« Julian verschränkte bockig die Arme. »Und zwar?«

»Das werdet Ihr bald genug herausfinden. Und dann grollt mir nicht gar zu sehr. Mir geht es genau wie Euch, Waringham: Ich tue, was ich tun muss.«

Es war fast dunkel, als Julian nach Farringdon zurückkam. In der Hornschnitzerwerkstatt, die seinem Tor gegenüberlag, brannte noch Licht, ansonsten waren die Läden längst geschlossen.

Julian ritt in seinen Hof, wo ihn wie üblich der verlockende Duft nach frischem Brot empfing, und der Älteste des Bäckers kam herbeigelaufen und schloss das Tor.

Julian saß ab. »Wenn du mein Pferd absattelst und fütterst, bekommst du einen halben Penny, Bill«, bot er dem Jungen an.

Bill strahlte und hielt die Hand auf. »Einverstanden, Mylord.« Er ließ die Münze in seinem Beutel verschwinden und fragte diensteifrig: »Kann ich sonst noch was für Euch tun?«

Julian schüttelte grinsend den Kopf. »Ich schätze, aus dir wird einmal ein guter Geschäftsmann.«

»Das sagt Vater auch«, erzählte der vielleicht zehnjährige Knabe stolz, nahm das große Pferd furchtlos und fachmännisch am Zügel und führte es zum Stall hinüber. Dädalus, der es für gewöhnlich überhaupt nicht schätzte, von fremder Hand geführt zu werden, ging anstandslos mit.

Julian betrat sein Stadthaus, und schon am Fuß der Treppe kam ihm die hübsche Anabelle entgegen.

»Was gibt es denn?«, fragte Julian ein wenig unwirsch. Er wollte seine Ruhe. Er hatte über eine Menge Dinge nachzudenken.

Die Magd knickste. »Ihr habt Besuch, Mylord.«

»Wirklich? Aber ich habe niemandem verraten, dass ich hier bin.« Was ihn zu der Frage brachte, wie dieser Hastings ihn eigentlich gefunden hatte. »Kein netter Besuch, he?«

»Ich weiß nicht.« Anabelle, sonst immer so unerschütterlich, verknotete nervös die Finger. »Drei Gentlemen und zwei

Damen. Und ich glaube, die Gentlemen wollen sich gegenseitig umbringen.«

Julian reichte ihr Mantel und Kapuze und zog sein Schwert. »Na, dann wollen wir sie uns mal anschauen, diese Gentlemen.«

Lautlos ging er die Treppe hinauf und über die Galerie zu der kleinen, behaglichen Halle. Die Tür war angelehnt.

»Sag, dass das nicht wahr ist, Hal, verflucht sollst du sein!«

»Jasper, um der Liebe Christi willen ...« Das war Megan, erkannte Julian erstaunt. Und sie hatte Angst.

Er steckte seine Waffe wieder ein und schob die Tür auf. »Darf ich erfahren, wer wen warum in meinem Haus verflucht?«, erkundigte er sich.

Seine Gäste waren eigentümlich reglos. Sie wandten lediglich die Köpfe in seine Richtung, ansonsten blieb ein jeder, wo er war: Megan auf der Fensterbank, die Schultern hochgezogen und den Kopf gesenkt wie ein verschrecktes Vögelchen. Blanche neben ihr an die Wand gelehnt, die Arme verschränkt, ihre Miene abweisend. Megans Gemahl Hal Stafford und Jasper Tudor standen vor dem Kamin, und Jaspers Hand hatte sich zum Heft seines Schwerts verirrt. Einen Schritt zu seiner Rechten, nahe dem Tisch, stand sein Bruder Rhys und schüttelte unablässig den Kopf. Eine Träne lief über seine Wange.

Julian bekam auf seine Frage keine Antwort. Er trat in die Halle, ging zu seiner Schwester und schloss sie in die Arme. Einen Augenblick blieb sie starr, dann löste sich irgendetwas in ihr. »Julian. Oh Gott, bin ich froh, dass du da bist.«

Er ließ sie los, wandte sich zu Megan, nahm ihre Hände und küsste sie nacheinander. Sie tauschten einen Blick und sprachen nicht. Kummer stand in Megans Augen, aber auch diese unerschütterliche Entschlossenheit, die ihr zu eigen war und die normalen Sterblichen Angst einjagen konnte. Sie hatte wieder einmal etwas Unerhörtes getan, erkannte er, auf ihre stille, unaufdringliche Art. Irgendetwas, das Jasper, Blanche und Rhys missfiel, aber Megan war wie üblich zutiefst von der Richtigkeit ihres Weges überzeugt. Wie eine Märtyrerin.

Julian ging zum Kamin hinüber, legte ihrem Mann die Linke auf die Schulter und ergriff seine Rechte. »Hal.«

Der Gast schüttelte seine Hand teilnahmslos, wie ein aufgezogenes Spielzeug.

Julian stellte sich zwischen ihn und Jasper und sah zu Letzterem. »Denkst du nicht, es ist ein bisschen verrückt, nach England zu kommen und obendrein Blanche mitzubringen?«, fragte er.

Jasper erwachte aus diesem merkwürdigen Trancezustand, schaute ihn zum ersten Mal richtig an, schüttelte die dargebotene Hand und nickte grimmig. »Du wirst feststellen, dass ich nicht der Verrückteste in dieser Halle bin.«

Julian streifte Rhys mit einem kurzen, ausdruckslosen Blick und ignorierte ihn dann. Seit er Wales in jenem bitteren Winter nach Edmunds Tod vor fünf Jahren verlassen hatte, waren sie sich nie wieder begegnet. Aber keiner von ihnen hatte irgendetwas vergessen.

»Wie kommt es, dass du in London bist?«, fragte Hal. »Es hieß, du seiest in Warwick gefangen.«

»Hm, war ich auch.«

»Und schwer verwundet, hat Burton mir erzählt.«

Julian setzte sich an seinen bevorzugten Platz – einen bequemen Sessel am Tisch mit dem Rücken zum Kamin und dem Blick zu den beiden Fenstern. »Wie du siehst, bin ich beides nicht mehr. Was treibt euch her, wenn ihr nicht wusstet, dass ich hier bin?«

»Wenn du keine Einwände hast, würden Blanche, Owen und ich uns hier gern ein paar Tage verstecken«, sagte Jasper.

»Wer ist Owen?«

»Unser Sohn.«

Julian machte eine einladende Geste. »Natürlich. Ich habe allerdings Zweifel, dass dieses Haus ein besonders sicheres Versteck ist. Hastings, dieser Bluthund, hat mich hier heute Nachmittag schon aufgestöbert. Das Sicherste wäre, ihr kehrtet auf kürzestem Weg nach Wales zurück.«

»Um dort was genau zu tun?«, fragte Blanche bitter. »Wir haben in Wales kein Dach mehr über dem Kopf, und nach dem, was Megan getan hat, können wir es uns auch nicht wieder zurückholen.«

Julian zog verwundert eine Braue in die Höhe und sagte erst einmal gar nichts. Er bedauerte, dass Blanche in solch eine ungewisse Lage geraten war, aber die Querelen jenseits der walisischen Grenze waren nun wirklich nicht seine Angelegenheit. Wie dumm sie gewesen war, sich darin verwickeln zu lassen. Und es war ja nicht so, als liefe sie Gefahr, hungrig und mittellos unter einer Flussbrücke Obdach suchen zu müssen. Wenn gar nichts anderes blieb, konnten sie und Jasper immer noch zu Henry und Marguerite nach Schottland fliehen.

»Warum setzt ihr euch nicht hin wie zivilisierte Christenmenschen und erzählt der Reihe nach?«, schlug er schließlich vor.

Hal, Blanche und Megan folgten seiner Einladung. Auch Jasper kam an den Tisch, blieb aber hinter einem der Sessel stehen und stützte die Hände auf die Rückenlehne, als sei er zu rastlos, um Platz zu nehmen.

Julian schaute in die Runde. Als er erkannte, wie bleich Megan war, sagte er über die Schulter zu Rhys: »Geh hinunter in die Küche und sag der Magd, sie soll einen Krug Wein heraufbringen.«

»Geht doch selbst«, bekam er zur Antwort. Rhys als Einziger hatte sich nicht gerührt.

Ehe Julian darauf etwas erwidern konnte, knurrte Jasper: »Dieser Mann nimmt uns in sein Haus auf, Rhys, also wirst du gefälligst tun, worum er dich bittet.«

»Nein.« Rhys ging mit langen Schritten zur Tür. »Ich reite zu Madog und den anderen zurück und warte dort auf Nachricht. Ich bleibe nicht hier.« Und damit war er verschwunden.

Jasper schüttelte ungeduldig den Kopf. »Entschuldige, Julian.«

Das Problem der Weinbeschaffung löste sich von selbst. Anabelle hatte gehört, dass in der Halle nicht mehr lautstark gestritten wurde, und kam von ganz allein auf die Idee, heraufzukommen, die Kerzen anzuzünden und sich nach eventuellen Wünschen zu erkundigen. Als sie den Burgunder gebracht hatte und wieder verschwunden war, schenkte Julian ein und schob Megan den ersten Becher zu. »Hier, trink das.«

Sie faltete die Hände im Schoß. »Danke, ich will nichts.«

»Tu's trotzdem. Du kippst gleich vom Stuhl, Cousinchen.«

»Ich glaube, deine Besorgnis ist unbegründet«, grollte Jasper. »Megan ist absolut Herr der Lage. In jeder Beziehung.«

Hals Stuhl fuhr polternd zurück. »Tudor, wenn du noch ein Wort ...«

»Es reicht!«, fuhr Julian sie an. Er sah zu seiner Schwester und schob ihr den nächsten Becher zu. »Was ist passiert?«

Blanche schloss die Hände darum. »Megan hat ihren Sohn dem Thronräuber ausgeliefert.« Sie klang fassungslos.

Julian fuhr zusammen, sodass ein guter Schwall Wein über den Rand des Bechers schwappte. Er hörte auf zu schütten und sah Megan an. »Das ... das kann nicht wahr sein.«

»Oh doch«, grollte Jasper. »Es ist wahr. Nach Mortimer's Cross und Towton schwammen uns in Wales die Felle davon, Julian. Megan schickte mir einen Boten mit der Bitte, ihr Richmond zu bringen, und als ich Pembroke nicht mehr halten konnte, habe ich eingesehen, dass sie Recht hatte. Der Junge war in Wales nicht mehr sicher. Ich war zuversichtlich, dass sie ihn in England oder Frankreich an einem geheimen Ort verstecken würde – sie hat ja weiß Gott die besten Beziehungen. Vor gut einer Woche haben wir ihr den Jungen gebracht. Heute Abend bestellt sie uns hierher, um das weitere Vorgehen zu erörtern. Oder zumindest dachten wir das. Stattdessen eröffnet sie uns, dass sie ihn ... dass sie meinen Neffen an Edward of March ausgeliefert hat. Den sie interessanterweise den König nennt.«

»Jasper, sprich nicht von mir, als wäre ich eine Verräterin«, sagte Megan. Es klang eher nachsichtig als gekränkt.

Das brachte Jasper natürlich nur noch mehr in Rage. »Wofür sonst sollen wir dich halten?«

Hal schlug mit der Faust auf den Tisch. »Ich lasse nicht zu, dass du so mit meiner Frau sprichst, Tudor. Dazu hast du überhaupt kein Recht! Wir haben lange und reiflich überlegt ...«

»Ja, dessen bin ich sicher. Schon dein Vater war ein wankelmütiger Lancastrianer, nicht wahr? Und nun seid ihr endgültig umgefallen.« Jasper griff nach dem Becher, den Julian vor ihn gestellt hatte, und trank einen untypisch langen Zug.

Hal erhob sich. »Lass uns vor die Tür gehen, Jasper«, bat er höflich. Es klang, als lade er ihn zu einem Spaziergang ein.

Julian packte ihn mit einem ungeduldigen Seufzer am Ärmel und zog ihn wieder herunter. »Warum?«, fragte er seine Cousine. »Megan, um Himmels willen, *warum*?«

»Damit ihr aufhört mit diesem gottlosen und unsinnigen Blutvergießen«, antwortete sie. Sie bemühte sich, mit fester Stimme zu sprechen, aber man konnte sehen, dass Jaspers Feindseligkeit ihr zu schaffen machte. »Schon vor Northampton habe ich dich gebeten, auf Marguerite einzuwirken, damit sie den Krieg beendet, Julian«, erinnerte sie ihn. »Und du hast mir nicht einmal richtig zugehört.«

»Das stimmt nicht. Aber Marguerite hat nur getan, was sie tun musste, und selbst wenn ich anderer Meinung gewesen wäre, hätte sie niemals auf mich gehört.«

»Siehst du? Du warst gar nicht gewillt, dich von diesem Bruderkrieg abzuwenden, obwohl er dich mit jedem Tag weiter von Gott entfernt.«

»Megan, ich konnte doch nicht …«

»Doch, du kannst. Ich habe einen Weg gefunden, wie du und Jasper und auch ich selbst und Hal diesem Krieg entsagen können.«

»Indem du deinen *vierjährigen* Sohn unseren Feinden als Geisel auslieferst?«, fragte Julian.

»Edward ist nicht unser Feind, Julian. Ich kenne ihn schon lange und besser als jeder von euch. Ich weiß, dass er England ein kluger, entschlossener und gerechter König sein wird, ganz gleich, ob sein Anspruch auf die Krone gut oder schlecht ist. Er strebt nach Versöhnung. Hat er dir vielleicht keine Hand gereicht?«

»Oh doch«, gab Julian bitter zurück. »Und dabei hat er gesagt, er habe einen Weg gefunden, sich meiner stillschweigenden Duldung zu versichern. Jetzt weiß ich, was er meinte.«

»Und das Schlimmste weißt du noch gar nicht«, sagte Jasper. »Edward, dieser edelmütige König von nobler Gesinnung, schickt den Jungen Black Will Herbert als Mündel. Dem Mann, der für den Tod meines Vaters und meines Bruders die Verantwortung trägt. Verstehst du, zwei Tudors hat Herbert schon aus dem Wege geräumt. Jetzt fällt ihm der dritte einfach so in die Hände, ein schutzloser vierjähriger Knabe.«

Julian stand auf. »Das dürfen wir nicht zulassen.«

»Es ist zu spät«, eröffnete Jasper ihm. »Sie hat uns vor ein *Fait accompli* gestellt. Der Junge ist seit drei Tagen unterwegs. Mit einer Eskorte yorkistischer Finstermänner in der walisischen Wildnis, und die Amme sein einziger Schutz und der einzige vertraute Mensch.« Für einen Augenblick sah es so aus, als werde der allseits gefürchtete Jasper Tudor in Tränen ausbrechen. Stattdessen leerte er seinen Becher mit einem zweiten Zug und starrte dann zum Fenster. »Ich schwöre bei Gott, Megan, ich weiß kaum, wie ich mich hindern soll, dir den Hals umzudrehen.«

Julian erging es nicht anders, und das erschütterte ihn. Er hatte für Megan Beaufort immer eine fast zärtliche Zuneigung empfunden, die irgendwo zwischen Brüderlichkeit, Heiligenverehrung und einer dritten Regung lag, die genauer zu erforschen er sich stets geweigert hatte. Er war nicht wirklich eifersüchtig gewesen, als Edmund Tudor sie geheiratet hatte. Aber keinem Mann als ihm, seinem besten Freund, hätte er sie gegönnt. Jetzt hatte sie etwas Furchtbares, Unbegreifliches getan, das den Sohn dieses Freundes – das Einzige, was in dieser Welt von Edmund Tudor übrig war – in tödliche Gefahr brachte. Etwas, das nicht nur Jasper, sondern auch Julian unentrinnbar die Hände band.

Julian, ich übertrage dir die Sorge um mein Kind, hatte Edmund auf dem Sterbebett zu ihm gesagt. *Die Welt wird dunkel. Dieses Kind wird ein Lancaster sein. Aber Yorks Macht wächst, und er hat keine Gnade mit denen, die er fürchtet.*

Und Julian hatte ihm sein Wort gegeben.

Nun saß er in der Falle. Das machte ihn so wütend, dass er

einen höchst befremdlichen Drang verspürte, mit den Fäusten auf Megan loszugehen und sie wüst zu beschimpfen. Dabei waren *frömmelndes Miststück* und *heuchlerische Rabenmutter* noch die höflichsten Worte, die ihm in den Sinn kamen.

Megan sah ihm kurz ins Gesicht, dann befolgte sie endlich seinen Rat und trank einen kleinen Schluck Wein. »Ich sehe, nun hasst du mich auch, Julian«, sagte sie leise. »Und das … schmerzt mich. Aber ich habe es für euch getan, um euer Leben zu schützen, deins und Jaspers auch. Denn ihr hättet niemals Ruhe gegeben und immer weiter gekämpft, bis die Yorkisten euch getötet hätten. Das weiß ich genau.«

»Wie kannst du dir nur anmaßen, diese Entscheidung für uns zu treffen?«, fragte Julian verständnislos.

»Ich glaube, das sagte ich schon. Weil ihr euch von Gottes Weg abgewandt habt und man Menschen manchmal zu ihrem Heil zwingen muss.«

»Und dafür setzt du das Leben deines Kindes aufs Spiel«, höhnte Jasper. »Ich bin überzeugt, Gott hat für solch fanatische Dienerinnen nicht viel übrig. Abgesehen davon, dass alles Lüge ist, was du uns hier auftischst. Du wolltest dich nur möglichst bequem einrichten unter dem neuen Regime und hast Edward of March das gegeben, was er haben wollte. Dein Sohn und sein Wohlergehen haben dich in Wahrheit doch nie gekümmert.«

»Jasper …«, mahnte Blanche.

Er sah sie an. »Du weißt genau, dass es so ist. Du hast schließlich Mutterstelle an ihm vertreten.« Er wies abfällig mit dem Daumen auf Megan. »Sie hat sich doch so gut wie nie blicken lassen.«

»Du irrst dich, Jasper«, widersprach Megan. »Ich habe mich jeden Tag nach meinem Sohn gesehnt. Aber ich wusste, dass er bei euch in Pembroke glücklicher und behüteter aufwachsen kann als hier im friedlosen England. Ich konnte doch nicht wissen, was aus uns wird. Schließlich bin ich eine Lancaster.«

»Leider merkt man nur so verdammt wenig davon«, gab Jasper zurück.

Sie blinzelte erschrocken, wie sie es immer tat, wenn jemand fluchte. Aber sie fuhr unbeirrt fort: »Und das wird mein Sohn auch weiterhin tun: Wohlbehütet und fernab aller politischen Unruhen in Pembroke aufwachsen. Nur deswegen habe ich Edwards Wahl seines Vormundes zugestimmt. Mein Henry wird in vertrauter Umgebung und unter vertrauten Menschen sein.«

Alle sahen sie an. Schließlich fragte Jasper: »Was genau soll das heißen?«

Sie erwiderte seinen Blick, und Julian kam nicht umhin, ihre Tapferkeit zu bewundern. »Es wird dich kaum verwundern zu hören, dass der neue König dich enteignet, Jasper, nicht wahr?«, sagte Megan. »Und Black Will Herbert wird der neue Earl of Pembroke.«

Jasper stand auf und verließ die Halle ohne ein weiteres Wort.

»Gott, Megan.« Blanche betrachtete ihre Cousine verständnislos. »Das war wirklich … feinfühlig von dir.«

»Aber Blanche, er muss doch gewusst haben, dass das kommt.«

»Dass Edward seinem Todfeind seine geliebte Grafschaft gibt? Kaum.«

»Willst du ihm nicht nachgehen?«, fragte Julian seine Schwester beklommen.

Blanche schüttelte den Kopf. »Später vielleicht. Keine Angst. Er wird weder dein Mobiliar zertrümmern noch sich auf deinem Dachboden erhängen.«

»Wenn du es sagst …«

Anabelle kam wieder in die Halle, knickste und fragte: »Verzeihung, Mylord, bleiben die Herrschaften zum Essen?«

Megan und Hal sprangen wie gestochen auf.

Julian antwortete der Magd: »Essen für drei, Anabelle, danke. Aber lass dir noch ein wenig Zeit damit. Niemand hat im Moment großen Appetit, glaube ich.«

»Ist recht, Mylord.«

Julian trat zu seiner Cousine und ihrem Gemahl, um sie nach unten zu geleiten. Ehe sie die Halle verließen, stand

Blanche vom Tisch auf und schloss Megan in die Arme. »Geh mit Gott«, sagte sie. »Aber das tust du ja immer. Das ist ja das Schlimme an dir.«

Megan lächelte, offenbar sehr dankbar für dieses kleine Zeichen der Zuneigung. »Leb wohl, Blanche. Gebt auf euch Acht.«

Auch wenn Zorn und Ungewissheit die Stimmung trübten, genoss Julian doch die wenigen kostbaren Tage, die ihm in Blanches Gesellschaft vergönnt waren. Es faszinierte ihn, seine Schwester in ihrer neuen Rolle als Mutter zu erleben, und er entwickelte eine große Schwäche für den fünf Monate alten Owen, der ihm unglaublich klein und schutzbedürftig in dieser düsteren, ungewissen Welt erschien. Er war indessen zuversichtlich, dass Owen dieser Welt die Zähne zeigen würde, sobald er welche bekam, denn der Säugling hatte eine unübersehbare Ähnlichkeit mit seinem Vater.

»Wir haben beschlossen, nach Wales zurückzukehren«, verkündete dieser Julian, als sie bei strahlendem Sonnenschein von der Sonntagsmesse in St. Bride zurückkehrten. Jasper und Blanche verließen Julians Haus in der Shoe Lane sonst nur selten und nur im Schutz der Dunkelheit, aber sie hatten es sich nicht nehmen lassen, die Messe zu besuchen.

Julian antwortete nicht, bis sie alle wieder halbwegs sicher hinter der Mauer seines Grundstücks standen. »Aber wo wollt ihr dort hingehen?«, fragte er skeptisch.

»Nach Pembroke.«

Sie setzten sich vor der Haustür auf die Eingangsstufen in die Sonne. »Irgendwann wirst du Black Will Herbert in die Hände fallen, und er wird dich umbringen«, prophezeite Julian. »Was soll dann aus Blanche und Owen werden? Und wo Herbert ist, sind die Devereux meist nicht weit.«

»Das Risiko müssen wir eingehen«, erwiderte Blanche. »Thomas Devereux ist Sheriff in Herefordshire. Ich kann mir nicht vorstellen, dass er viel Zeit hat, um in Wales sein Unwesen zu treiben.«

Julian betrachtete sie besorgt, aber er erhob keine Einwände.

Er wusste aus lebenslanger Erfahrung, dass man Blanche nichts ausreden konnte, wenn sie einmal einen Entschluss gefasst hatte, und außerdem hatte er auch keine bessere Idee.

»Du willst den walisischen Widerstand gegen Herbert anführen, nehme ich an?«, fragte er Jasper.

Der hob kurz die Linke. »In sorgsam dosierten Maßen. Ich sage dir ganz ehrlich, Julian, im Moment ist Richmonds Sicherheit meine oberste Priorität. Es schmerzt mich, dass mein Bruder seinen Thron verloren hat, aber im Augenblick kann ich dank Megans Wahnsinn nichts mehr für ihn tun. Nur der Junge ist jetzt wichtig. Rhys wird sich als Knecht in Herberts Haushalt einschleichen. Er ist rettungslos in Richmonds Amme verliebt, darum hat er meinem Vorschlag ausnahmsweise einmal willig zugestimmt. Er hält für uns die Augen offen. Blanche und ich werden immer in der Nähe sein, Rhys wird wissen, wo er uns finden kann. Und wenn wir das Gefühl haben, dass der Junge in Gefahr ist, holen wir ihn raus.«

Julian nickte, aber der Plan machte ihn alles andere als glücklich. Sie wussten alle, dass nur ein lebensmüder Narr versuchen konnte, eine Geisel aus einer Burg wie Pembroke zu holen. »Wann wollt ihr aufbrechen?«, fragte er.

»Heute Nacht«, antwortete Blanche.

Ihr Bruder sah von ihr zu Jasper und wieder zurück. »Du könntest zurück nach Waringham kommen, Blanche. Mit deinem Sohn. Wenigstens für eine Weile. Bis wir ein bisschen klarer sehen. Was ihr vorhabt, ist gefährlich, und ...«

»Spar deinen Atem«, riet Jasper verdrossen. »Ich habe sie beschworen. Mit Engelszungen geredet. Gedroht. Es ist hoffnungslos.«

Blanche blinzelte träge in die Sonne und lächelte vor sich hin.

»Und was hast du vor?«, fragte Jasper.

Julian zuckte die Schultern. »Ich reite nach Waringham, bleib ein Weilchen dort und verhalte mich so still wie möglich. Und wenn Edward mich vergessen hat, stehle ich mich nach Norden und schließe mich Marguerite und Somerset wieder an.«

»Wenn Edward das herausfindet ...«, begann Blanche besorgt.

»Das wird er nicht«, fiel Julian ihr ins Wort. »Ich werde eine ungekennzeichnete Rüstung tragen, und kein Feind wird mich je mit offenem Visier sehen. Ich werde der namenlose Ritter sein. Außerdem kann Edward of March nicht jeden meiner Schritte überwachen, nicht wahr? Ich schätze, er hat noch ein paar andere Dinge zu tun.«

König Edward hatte sich in der Tat viel vorgenommen für die ersten Monate seiner Regentschaft, und wie Julian befürchtet hatte, machte er seine Sache gut. Während Warwick für ihn mit einer Armee nach Norden zog, wo Marguerite mit schottischer und französischer Unterstützung einige Burgen im Grenzgebiet und in Northumberland besetzt hielt, reiste der König durch England und sprach Recht. Dabei bewies er hervorragende juristische Sachkenntnis, Großmut und Klugheit, und es war bald offensichtlich, dass er an Vergeltungszügen gegen Lancastrianer kein Interesse hatte. Im Gegenteil, seine Bereitschaft, ehemaligen Feinden Vertrauen zu schenken und alles zu vergeben, bereitete seinen Ratgebern zunehmend Sorge. Aber ebenso gewann sie ihm im ganzen Land Herzen – auch manch eines, das bislang für Lancaster geschlagen hatte –, und der viel bemühte Begriff von der königlichen Gerechtigkeit bekam wieder ein Gesicht.

Edward verfügte über einen enormen Vorteil: Er konnte es sich leisten, großzügig zu sein, denn er war reich. Er hatte die märchenhaften York- und Mortimer-Vermögen geerbt, die es zum ersten Mal seit dreihundert Jahren möglich machten, dass die Krone sich aus eigener Kraft finanzierte. Darum konnte er auf unbeliebte Sondersteuern und Bußgelder erst einmal großmütig verzichten, was ihm viele Sympathien eintrug. Hinzu kamen die Ländereien der enteigneten Lancastrianer, mit denen er seine treuesten Anhänger belehnte und enger an sich band.

»Und keiner ist reicher entlohnt worden als Black Will Herbert, dieser Parvenü«, bemerkte Tristan Fitzalan. Er entstammte einem Adelsgeschlecht, das ebenso alt war wie das der Waringham, und begegnete den neureichen Lords von Edwards Gnaden mit entsprechender Verächtlichkeit. »Er hat praktisch alles bekommen, was einst Somerset und Jasper Tudor gehörte. Es ist ... ungeheuerlich.« Seine Empörung drohte ihm die Sprache zu verschlagen.

Julian nickte düster. Wie bitter der Verlust ihrer Titel und Ländereien für seine Freunde sein musste, wie gewaltig ihr Zorn, dass ausgerechnet ein Niemand wie Herbert sie bekam. Es beschämte Julian, dass er selbst ihr Schicksal nicht teilte. Er ahnte, dass viele der einst einflussreichen und mächtigen Lancastrianer ihn mit Misstrauen beäugten und darüber tuschelten, dass er Edward of March seine Seele verkauft habe.

Er stand rastlos vom Tisch in seinem Wohngemach auf, ging zum Kamin und legte Holz nach. Es war Dezember, nasskalt und so stürmisch, dass es pfeifend unter der Tür her zog.

»Apropos Parvenü, dieser Hastings kann sich auch nicht gerade beklagen«, bemerkte Lucas Durham. »Edward hat ihn in seinen Kronrat berufen und zu seinem Lord Chamberlain ernannt, wusstet ihr das?«

Julian setzte sich wieder. »Tja. Als Nächstes wird wahrscheinlich ein Stallbursche Lord Marshall von England und ein Ministrant Lord Chancellor.« Er stützte die Ellbogen auf den Tisch, verschränkte die Finger und legte das Kinn auf die Daumen. »Wir sollten bald aufbrechen.« Ohne es zu merken, hatte er die Stimme gesenkt. »Es geht ein Gerücht, Marguerite habe Bamburgh verloren. Es sieht nicht gut aus im Norden, und sie braucht jeden Mann.«

»Ja, schon, Julian, nur können wir nicht einfach ...«, begann Tristan, als ohne Vorwarnung die Tür aufflog und ein fremder Ritter über die Schwelle trat.

»Lord Waringham?«, fragte er barsch.

Julian sah auf. »Der bin ich.«

Der Mann verneigte sich sparsam. »Niemand vor Eurer Tür, Mylord.« Es war ebenso eine Entschuldigung wie ein Vorwurf.

Julian war nur mäßig überrascht. »Mein Knappe neigt zu

plötzlichen Anfällen von Heißhunger, der immer auf der Stelle gestillt werden muss, Sir ...?«

»Ralph Hastings, Mylord.«

Wenn man vom Teufel spricht, kommt dessen Sippschaft zur Tür herein, fuhr es Julian durch den Kopf. »Ihr seid ein Bruder von Sir William?«, tippte er.

»Des Lord Chamberlain, um genau zu sein«, erwiderte der junge Mann mit einem stolzen Lächeln.

Es war nicht einmal ein unsympathisches Lächeln, aber es brachte Julian trotzdem in Rage. »Nun, mir scheint, Euer Bruder steigt schneller auf, als ich nachhalten kann, Sir Ralph. Also? Was kann ich für Euch tun?«

Es war eine als Höflichkeit getarnte Aufforderung, sein Begehr vorzutragen und schnellstmöglich wieder zu verschwinden. Der junge Ritter errötete ein wenig vor Zorn über Julians Schroffheit, aber sein Ton blieb neutral. »Der König bittet Euch an St. Erkonwald um Eure Gastfreundschaft, Mylord.«

Die vier Männer am Tisch saßen wie vom Donner gerührt und wechselten entsetzte Blicke.

Dann hob Tristan seinen Becher und raunte hinein: »Uns bleibt aber auch nichts erspart.«

Lucas fragte dümmlich: »St. Erkonwald? Wann ist das?«

Da niemand sonst antwortete, zückte Frederic seine Tafel und schrieb ein einziges Wort: *Morgen*.

Julian las über Lucas' Schulter. Oh, Edward, du verdammtes Schlitzohr, dachte er wütend. Doch seine Stimme klang geradezu verbindlich, als er dem Boten antwortete: »Richtet ihm aus, es wird uns eine Ehre sein.«

Ralph Hastings verbeugte sich artig. »Danke, Mylord.«

»Könnt Ihr uns zufällig sagen, mit wie vielen Begleitern er uns zu erfreuen gedenkt?«

»Oh, er reist meist mit ganz kleinem Gefolge. Zwei Dutzend, schätze ich.«

»Und wird er mir die Gunst erweisen, sein gekröntes Haupt unter meinem unwürdigen Dach zu betten?«

Ralph Hastings begann offenbar zu argwöhnen, dass er

verhöhnt wurde, aber er antwortete mit unerschütterlichem Gleichmut: »Davon könnt Ihr getrost ausgehen.«

Julian lächelte frostig. »Ich bin entzückt. Geht mit Gott, Sir Ralph.«

Der junge Ritter machte noch einen Diener und ging unverkennbar erleichtert hinaus.

Julian schlug die Tür hinter ihm zu, wartete ein paar Atemzüge und riss sie plötzlich wieder auf. Ralph Hastings war verschwunden. »Roland, du Lump!«, brüllte Julian auf den Korridor hinaus. »Wenn du weißt, was gut für dich ist, lässt du dich blicken!«

Dann schloss er die Tür und wandte sich seinen Freunden zu. Er wies mit dem Finger auf Tristan: »Du redest dich noch mal um Kopf und Kragen.«

Der Ritter winkte ärgerlich ab. »Das musst du gerade sagen …«

»Herrgott, was machen wir denn jetzt?«, unterbrach Lucas.

»Wir könnten alle im Gestüt Unterschlupf suchen«, schlug Tristan vor.

»Oder in Leeds Castle«, warf Julian ein. »Da wir derzeit keine amtierende Königin haben, steht es doch gewiss leer.«

»Als letzte Möglichkeit bliebe, dass ein jeder sich in sein Schwert stürzt«, hatte Tristan noch zu offerieren.

Frederic schrieb, und weil Lucas nicht sofort nach der Tafel griff, schlug er ihm damit vor die Stirn.

Mit einem unwilligen Knurren nahm Lucas ihm das Täfelchen aus der Hand. »Er meint, wir sollten uns lieber an die Arbeit machen, da wir es ja nicht verhindern können.«

Julian seufzte. »Er hat natürlich Recht. Aber euch ist klar, dass Edward dies tut, damit sich von London bis Canterbury herumspricht, der Earl of Waringham habe sich auf Yorks Seite geschlagen, oder?«

Die Tür ging auf, und sein Neffe Roland trat ein. »Ihr habt gerufen, Mylord?«, fragte er unwirsch, als sei er bei einer wichtigen Verrichtung gestört worden.

»Stimmt, aber das ist nicht der Punkt«, erwiderte Julian.

»Ich hatte dich angewiesen, vor der Tür zu warten, während die Gentlemen und ich unsere Unterredung führen, richtig?«

Roland nickte. »Mir war kalt. Ich war nur mal ganz kurz in der Halle, um mich einen Moment aufzuwärmen. Das ist kein Verbrechen, oder?«

Julian zog eine Braue in die Höhe und sah ihn unverwandt an. Auch die anderen drei Ritter betrachteten Roland wortlos, mit unterschiedlichen Abstufungen der Missbilligung.

Natürlich wusste Roland genau, worauf sie warteten. Er musste sich entschuldigen. Er musste Demut zeigen. Er musste geloben, sich zu bessern, und meinen, was er sagte. Aber er konnte nichts von alldem. Je länger das Schweigen sich hinzog, desto trotziger wurde seine Miene.

»Du bist ein hoffnungsloser Fall, Bübchen«, eröffnete Lucas Durham dem Jungen. »Nicht wert, deinem Bruder die Schuhe zu binden.«

Roland blinzelte. Seinen toten Bruder zu erwähnen gehörte zu den wenigen Dingen, mit denen man zu ihm durchdringen konnte. Der Effekt war allerdings meist das Gegenteil dessen, was man damit zu erreichen erhoffte. Roland machte auf dem Absatz kehrt, und als er die Hand an die Tür legte, sagte Julian: »Wenn du jetzt gehst, sind wir fertig miteinander. Überleg es dir.«

Für ein paar Atemzüge stand der Junge reglos. Dann, ganz langsam und zögerlich, ließ er die Hand sinken und drehte sich schließlich wieder zu Julian um.

Der erhob sich lustlos und nickte seinen Freunden zu. »Wenn ihr so gut sein wollt.«

Frederic, Tristan und Lucas standen auf.

»Stell eine Liste zusammen, was erledigt werden muss«, bat Julian seinen Steward. »Ich nehme an, wir müssen außerplanmäßig schlachten, um unsere Gäste zu beköstigen, nicht wahr? Kümmere dich darum. Morgen ist Markt in Sevenelms. Was wir hier nicht bekommen, können wir dort noch beschaffen. Sorg dafür, dass die Mägde alle Kammern herrichten, die Betten beziehen und so weiter. Ich denke, Edward geben wir die Schlafkammer meiner Eltern.«

Die drei Ritter lachten leise. Die Bettvorhänge in diesem Gemach waren mit einem roten Rosenmuster bestickt. Seit Kate nach Waringham zurückgekehrt war, bewohnte sie diesen Raum, aber Julian war zuversichtlich, seine Schwester werde sich gern bei ihren Töchtern einquartieren, wenn auch nur die geringste Chance bestand, dass eine Nacht in ihrem Lancaster-Bett dem Thronräuber Albträume bescherte.

Julian wandte sich an Lucas. »Würdest du dafür sorgen, dass im Stall und im Burghof Platz für die Pferde geschaffen wird? Und du sei so gut und stell eine Speisenfolge zusammen, Tristan. Da du der Höfischste von uns allen bist, scheinst du mir am besten geeignet. Sprich mit der Köchin. Das Essen ist gewiss das Wichtigste. Und der Wein, natürlich. Ich komme später in die Küche hinunter.«

Die drei Ritter nickten willig. Mit einem letzten verächtlichen Blick auf Roland gingen sie hinaus.

Nachdem die Tür sich geschlossen hatte, nahm Julian vor seinem bockigen Knappen Aufstellung und ohrfeigte ihn links und rechts. Nicht die wenigsten ihrer Unterhaltungen begannen mit diesem unerfreulichen Ritual. Nur nützte es niemals etwas.

Allmählich war Julian ratlos. Er wusste einfach nicht, was er noch tun sollte, um den Jungen Respekt und Gehorsam zu lehren. Er hatte alles versucht, Prügel und Milde, Strenge und Verständnis, Arrest und größtmögliche Freiheit – nichts hatte gefruchtet. Roland Neville, befürchtete Julian, war tatsächlich ein hoffnungsloser Fall, wie Lucas gesagt hatte.

»Ich warte auf deine Entschuldigung, Roland.«

»Ich weiß.«

»Wie war das?«

»Ich weiß, Mylord.«

Immerhin. Julian nahm wieder am Tisch Platz und wies auf den Weinkrug, der darauf stand. Eigentlich war er nicht durstig. Aber hier ging es ja auch gar nicht um Durst, sondern um Dienst.

Roland rang einen Moment mit sich. Dann trat er näher,

schenkte ihm ein, und nachdem er den Krug wieder abgestellt hatte, machte er sogar einen kleinen Diener.

»Warum höre ich sie dann nicht?«, fragte Julian.

»Weil ich nichts getan habe, wofür ich mich entschuldigen müsste. Nur mal kurz die Hände gewärmt. Das könnt Ihr mir doch nicht verbieten.«

Julian schüttelte langsam den Kopf. »Darum geht es überhaupt nicht. Du hast meine Anordnung missachtet. Das tust du andauernd. Und so kann es nicht weitergehen. Meine Geduld mit dir ist nicht grenzenlos, weißt du.«

»Tatsächlich nicht?«, fragte Roland bitter. »Gut!«

Julian ließ ein paar Atemzüge verstreichen. Dann fragte er: »Wäre es dir lieber, ich würde dich anderswo in die Knappenausbildung schicken?«

Voller Argwohn sah der Junge ihn an. »Was soll die Frage?«

»Antworte einfach. Ich habe dich genommen, um deiner Mutter einen Gefallen zu tun. Aber ich weiß, dass du dich hier nie besonders wohl gefühlt hast. Das einzig Interessante an Waringham sind die Gäule, und du hast nicht viel für Pferde übrig ...«

»Das stimmt überhaupt nicht ...«

»Herrgott noch mal, unterbrich mich nicht, Bengel!«

Roland presste die Lippen zusammen und sah zu Boden.

»Leider gibt es derzeit nicht mehr viele Lords in England, denen ich einen Knappen schicken könnte«, fuhr Julian fort. »Aber es ließe sich bestimmt etwas arrangieren. Also: Ist es das, was du möchtest?«

Roland schien einen Moment nachzudenken. Dann zuckte er mit den Schultern. »Ist mir egal.«

Julian stieß verächtlich die Luft aus. »Verstehe. Und gibt es auch irgendetwas, das dir nicht egal ist?«

»Ich glaube nicht, dass Ihr das hören wollt.« Zornestränen schimmerten in den blauen Augen.

»Ich bestehe darauf.«

»Na schön«, grollte Roland und trat einen Schritt auf ihn zu. »Mir ist nicht egal, was mit meinem Vater und Bruder bei

Towton passiert ist! Und mit Tausenden weiterer Lancastrianer. Mir ist nicht egal, dass Ihr sie einfach vergessen habt und Euer Mäntelchen nach dem Wind hängt und Edward of March die Stiefel leckt ...«

Julian sprang auf und packte den Jungen mit der linken Faust am Kragen. Im letzten Moment fiel ihm ein, dass er seinem Knappen befohlen hatte, zu sagen, was er dachte. Also beherrschte er sich. Er hatte nicht die Absicht, einem vierzehnjährigen Rotzbengel in die Falle zu gehen und sich selbst ins Unrecht zu setzen.

Julian ließ ihn los und stieß ihn von sich. »Sag das nie wieder«, riet er. »Denn es ist eine Lüge. Ich habe keinen von ihnen vergessen. Ich war nämlich dabei, als sie starben, weißt du. Im Gegensatz zu dir. Innerhalb vernünftiger Grenzen habe ich Verständnis für deine Trauer und deine Wut, Roland. Aber die Schlacht von Towton liegt ein dreiviertel Jahr zurück. Es ist Sünde, sich in Trauer zu suhlen, wie du es tust. Und unmännlich. Ich verlange, dass du damit aufhörst.«

Roland schnaubte unüberhörbar. Er war offensichtlich nicht beeindruckt.

Julian hatte genug. Er trat an den Tisch, trank einen Schluck und sah einen Moment zum Fenster. Regen prasselte gegen die bernsteinfarbenen Butzenscheiben, und die beiden Flügel bewegten sich im eisigen Luftzug. Nicht gerade ein Anblick, der einen mit Langmut und Zuversicht erfüllte. Julian dachte mit den schlimmsten Befürchtungen an den morgigen Tag. Ganz abgesehen davon, welchen Schaden diese Heimsuchung seinem Ansehen zufügen würde, waren jeder Mann, jede Frau und jedes Kind in Waringham in Gefahr, bis die Yorkisten wieder verschwanden. Und in einer solchen Situation war ein hitziger Wirrkopf wie Roland ein unkalkulierbares Risiko.

Natürlich gab es Mittel und Wege, ihn kleinzukriegen. Man konnte jeden brechen, wenn man ihn nur weit genug erniedrigte. Aber diesen Weg wollte Julian nicht noch einmal beschreiten. Er bereute, was er damals nach Edmunds Tod mit Rhys getan hatte. Nicht weil er sich damit einen Feind geschaffen hatte – davon hatte er reichlich, und er konnte ganz gut damit leben –, sondern weil es ihm seine dunkle Seite gezeigt hatte. Und je weniger er davon sah, desto glücklicher war er. Er wollte wenigstens glauben können, dass er seither ein bisschen klüger geworden war.

»Hör zu, Roland«, sagte er leise. »Morgen beehrt uns der Thronräuber mit einem Besuch.«

Hass flackerte in Rolands Augen, aber er sagte nichts.

Julian nickte. »Ja, ich weiß. Du meinst, ich lecke Edward of March die Stiefel, aber du täuschst dich. Nur ist es vertrackterweise so, dass ich im Augenblick nicht viel gegen ihn tun kann, gerade weil ich Lancastrianer bin.«

Und er erzählte ihm von dem kleinen Earl of Richmond, der in Wales als Geisel gehalten wurde, als Unterpfand für seine – Julians – und Jasper Tudors Duldung des neuen Regimes. »Ich weiß, dass es in deinem Alter schwer zu verstehen und noch schwerer zu akzeptieren ist, dass man manchmal wie ein Feigling dastehen muss, um das Richtige zu tun. Glaub mir, ich halte das selbst kaum aus. Aber ich bin bereit, dieses Opfer zu bringen, weil es nun einmal nicht anders geht. Und wenn du morgen irgendetwas Unüberlegtes sagst oder tust, was den Jungen in Gefahr bringt und mein Opfer sinnlos macht, dann ...« Er unterbrach sich und atmete tief durch. »Um ehrlich zu sein, ich weiß nicht, was dann passiert. Aber ich kann dir nur raten, es nicht darauf ankommen zu lassen.« Er hob den Kopf. »Hast du verstanden?«

»Ja, Mylord.« Es klang grantig, aber aufrichtig.

»Gut. Dann geh hinunter und sieh zu, wie du dich nützlich machen kannst. Sag Sir Frederic, ich komme gleich nach.«

König Edward kam nicht mit zwei, sondern mit vier Dutzend Begleitern nach Waringham, von denen fast die Hälfte Damen waren.

Julian war nicht besonders schockiert. Ihm war es im Grunde gleich, wenn seine Gäste nicht satt wurden. Er und die Seinen hatten getan, was in der Kürze der Zeit möglich war, aber wenn

Edward Gründe fand, in Zukunft einen Bogen um Waringham zu machen, war es Julian nur recht.

Es gab ein beträchtliches Durcheinander und Gedränge im Burghof, als die Gäste einritten. Julian stand am leicht erhöhten Eingang zum Bergfried und ließ den Blick über die bunt gekleideten Edelleute und kostbaren Rösser schweifen, bis er Edward in ihrer Mitte entdeckte.

»Lasst uns gehen«, raunte er Frederic und Lucas zu. »Wenn ihr die Absicht habt, ihm den Kniefall zu verweigern, seht zu, dass kein Hastings in eurem Rücken steht.«

Sie nickten, ihre Mienen finster, und folgten einen halben Schritt hinter Julian zur Mitte der Wiese.

König Edward war abgesessen, und einer der Stallburschen des Gestüts, die heute zum Aushelfen auf die Burg gekommen waren, führte sein nervös tänzelndes Pferd zum Stall.

Edward sah ihm mit leuchtenden Augen nach. »Ist das nicht ein prächtiges Tier?«, fragte er Julian zur Begrüßung.

»In der Tat«, antwortete der Earl of Waringham steif, der den Gaul nur lange genug anschaute, um mit Erleichterung festzustellen, dass er nicht aus seiner Zucht stammte. Dann verneigte er sich knapp vor Edward. »Willkommen in Waringham, Mylord.«

»Danke. Ich weiß, es kommt von Herzen.« Die haselnussbraunen Augen sprühten vor Mutwillen. Sie schienen niemals lange auf einem Punkt zu ruhen, und auch jetzt glitten sie bald von Julians Gesicht und schweiften über die Mauer. »Großartige Anlage. In gutem Zustand«, bemerkte der König anerkennend.

Julian deutete ein Schulterzucken an. »Sie ist alt.« Wäre er reich gewesen, hätte er die Ringmauer mit einer zweiten, moderneren verstärkt, die nicht gleich unter der ersten Kanonenkugel zu Staub zerfiele, und jedes Gebäude im Innern abgerissen und neu gebaut, zuerst den hässlichen, düsteren, zugigen Kasten, in dem er und die Seinen zu leben verdammt waren.

Er hatte indes nicht die Absicht, Edward seine architektonischen Wunschträume zu offenbaren. Die Gedanken des jungen Königs schienen jedoch in eine ähnliche Richtung zu gehen. »Es ist seltsam, dass kaum ein Lord in England sich für modernen Burgenbau interessiert. Das kann uns noch teuer zu stehen kommen. Die Burgunder halten es ganz anders. Wart Ihr einmal dort?«

Julian schüttelte den Kopf. »Ich war noch nie auf dem Kontinent.«

»Wirklich nicht?«, fragte Edward erstaunt.

»Zu jung für den Krieg«, erklärte Julian, wie immer ein wenig beschämt über diese Tatsache.

»Oh ja, das war ich auch. Aber mein Vater schleppte meine Mutter oft mit dorthin, und darum bin ich in Rouen geboren, Waringham, könnt Ihr Euch das vorstellen? In Feindesland. Hier, kennt Ihr meine Brüder?«

»Ja, Mylord.« Er schüttelte den beiden Knaben die Hand und hieß sie in Waringham willkommen, ehe er dem König seine beiden Ritter vorstellte. Alle fanden ein paar höfliche Worte füreinander. Ein jeder schien bemüht, den anderen all die Toten und das begangene Unrecht für den Moment vergessen zu lassen. Niemand gab einen Kommentar dazu ab, dass weder Julian noch irgendein Angehöriger seines Haushaltes Edward mit einem der Titel ansprachen, die ihm aufgrund seiner königlichen Majestät zugestanden hätten. Und trotzdem war die Atmosphäre so grau und eisig wie das Wetter.

Allein Edwards Fröhlichkeit schien aufrichtig. Neugierig betrat er Julians Halle, lobte die Schönheit ihrer Wandbehänge, und als Julian ihm seine Schwester Kate vorstellte, versprühte der König einen solchen Charme, dass die in unmissverständlichem Schwarz gekleidete Witwe offenkundig Mühe hatte, ihre kühle Unnahbarkeit aufrechtzuerhalten.

Viele bekannte, großteils verhasste Gesichter befanden sich in der *Entourage* des Königs: Lord Hastings und Black Will Herbert – der frischgebackene Earl of Pembroke – klebten an Edward wie Schatten. Julian hatte beide mit einem Nicken abgespeist, das mit bloßem Auge fast nicht wahrzunehmen war. Walter Devereux war in Herberts Gefolge, sein Bruder Thomas glücklicherweise nicht. Julian sah die Bischöfe von Durham und Exeter, und ein wenig außerhalb des Zentrums, welches Edward bildete, entdeckte er schließlich seinen Cousin und einstigen Dienstherrn: Richard Neville, den Earl of Warwick.

Julian steuerte auf ihn zu, ohne zu wissen, was er ihm sagen würde, als ein spitzer Ellbogen in seiner Seite landete. Die zum Ellbogen gehörige Dame wandte sich um. »Ich bitte vielmals um Verzeihung …« Als sie ihn erkannte, riss sie die Augen auf. »Lord Waringham!«

»Lady Elizabeth!« Julian lachte, eine Mischung aus Freude, Verlegenheit und Erleichterung darüber, unter all diesen Feinden eine Freundin zu finden. »Was in aller Welt habt *Ihr* hier verloren?«, fragte er mit gedämpfter Stimme.

Sie war Lady Elizabeth Woodville, eine von Marguerites vertrauten Hofdamen. Julian hatte sie zuletzt im Jahr zuvor in Schottland gesehen, wohin sie ihre Königin begleitet hatte. Sie war oft Gegenstand des Hofklatsches und der begehrlichen Blicke aller Männer in Marguerites Umfeld gewesen, denn Elizabeth Woodville war eine der schönsten Frauen, die Julian je gesehen hatte. Mit ihrem goldenen Haar, den klaren blauen Augen, der Lilienhaut und der stillen Würde, die sie ausstrahlte, kam sie einem vor, als sei sie einem dieser französischen Gedichte entstiegen, die aus Frauen unnahbare Göttinnen machten. Damit nicht genug, umwitterte ein seltsames Geheimnis Elizabeths Herkunft. Ihr Vater war irgendein unbedeutender kleiner Ritter, ihre Mutter Jacquetta hingegen nicht nur die Witwe des Duke of Bedford, sondern auch eine Tochter des Herzogs von Luxemburg, womit ihre Abstammung geradewegs auf Karl den Großen zurückging. Julian und seine Freunde hatten sich manch eintönigen Winterabend bei Hofe mit der Frage vertrieben, was die edle Jacquetta besessen haben mochte, so weit unter ihrem Stand zu heiraten. Doch ganz gleich, welches Geheimnis sich dahinter verbarg – Lady Elizabeth, ihr Gemahl, ihr Vater und Bruder waren standhafte Lancastrianer.

Julian zog sie in eine der Fensternischen. »Ich fürchte, hier zieht es ziemlich«, warnte er.

»Das macht nichts.« Sie setzte sich in sittsamem Abstand

neben ihn auf eines der samtbezogenen Polster. »Es tut so gut, Euch zu sehen, Mylord. Habt Ihr Nachricht erhalten?« Von der Königin, meinte sie natürlich. Und darum flüsterte sie.

Julian wandte sich ihr zu, schlug die Beine übereinander und antwortete ebenso gedämpft. »Sie ist nach Frankreich gesegelt. Der neue französische König, Louis, ist ihr Cousin, und er hat mit den Yorkisten nicht viel im Sinn. Es heißt, er habe ihr Truppen versprochen. Aber ich weiß nicht, wie viele. Vorerst ist sie ohne französische Truppen nach Northumberland zurückgekehrt. König Henry und Prinz Edouard sind in Schottland. Und weil ich weiß, dass Ihr Euch fragt, was ich noch hier tue: Black Will Herbert hält den kleinen Earl of Richmond als Geisel. Er ist der Sohn meiner Cousine und meines einstigen Dienstherrn und Vormunds. Der Gedanke, dass dem Jungen etwas zustoßen könnte, verfolgt mich bis in den Schlaf. Aber hier untätig zu sitzen und Thronräuber zu bewirten ist ebenso unerträglich. Ich weiß nicht, was ich tun soll.«

Elizabeth nickte. Ihr Blick, der so unverwandt auf ihn gerichtet war, war voller Mitgefühl. »Das kann niemand besser verstehen als ich, Mylord. Wisst Ihr, dass mein Mann bei St. Albans gefallen ist?«

Julian hatte keine Ahnung gehabt. Weil er gleich nach der Schlacht zur Beerdigung seiner Mutter geeilt war, hatte er die Verlustmeldungen nicht gehört. Und Elizabeth trug keine Trauer. Er schüttelte langsam den Kopf. »Es tut mir sehr leid, Madam.«

»Danke. Nun stehe ich allein da mit zwei Söhnen, um deren Zukunft ich mich zu sorgen habe. Mein Vater und Bruder sind Lancastrianer und kämpfen selbst ums Überleben. Ich habe …« Sie unterbrach sich und schien einen Moment abzuwägen, ob sie wirklich weitersprechen wollte. Dann schaute sie Julian in die Augen, und was immer sie dort sah, bewog sie, es zu riskieren. Verstohlen wies sie mit dem Finger auf Edward. »Ich habe ihm im Wald aufgelauert, als er auf der Jagd war. Ich bin vor ihm auf die Knie gegangen, um für meine Söhne zu bitten. Er war sehr freundlich zu mir. Sehr höflich. Er hat mir angeboten, meinen Söhnen ihr Erbe zurückzugeben, aber seine Bedingung war ... inakzeptabel.«

»Bastard«, knurrte Julian. Er hatte keine Mühe, zu verstehen, was sie ihm andeutete. In dem halben Jahr seiner Regentschaft hatte König Edward sich nicht nur den Ruf eines weisen Richters und klugen Staatsmannes erworben, sondern er galt auch als der größte Weiberheld auf dem englischen Thron seit hundert Jahren. »Braucht Ihr Hilfe? Asyl? Oder ... irgendetwas anderes?« Er meinte Geld, doch er fürchtete, sie zu beleidigen, wenn er es aussprach.

Unauffällig drückte sie seine Hand, ließ sie aber sogleich wieder los und schüttelte den Kopf. »Danke, Mylord. Es besteht keine Veranlassung, um mich besorgt zu sein. Nachdem ich sein Angebot ausgeschlagen habe, hat Edward mich auf eine Art und Weise an seinen Hof eingeladen, dass es unmöglich war abzulehnen. Aber er benimmt sich untadelig und behandelt mich respektvoll.«

»Ich habe gehört, dass andere Frauen anderes berichten«, entgegnete er skeptisch.

Sie hob leicht die Schultern. »Der Einfluss meiner Mutter bietet einen gewissen Schutz. Und Lord Hastings, der neue Chamberlain ... Kennt Ihr ihn?«

»Oh ja. Wir hatten ein paar unvergessliche Begegnungen. Man könnte auch sagen, Zusammenstöße.«

»Das wundert mich nicht. Aber er ist mein entfernter Cousin, und auch er hält eine schützende Hand über mich. Im Übrigen werde ich mich in Kürze wieder zu meinen Söhnen aufs Land zurückziehen.«

»Na schön.« Julian war ein wenig beruhigt. Unwillig erhob er sich. »Ich denke, ich sollte mich an der hohen Tafel blicken lassen und meinen Gastgeberpflichten nachkommen.«

»Ich hoffe, ich habe Euch nicht zu lange aufgehalten«, sagte sie zerknirscht.

»Unsinn.« Er beugte sich über ihre ausgestreckte Hand. »Es hat mir diesen düsteren Tag sehr versüßt, Euch wiederzusehen, Lady Elizabeth. Ich werde der Köchin auftragen, Euch nichts von der Erbsensuppe vorzusetzen. Sie hat sie mit zu viel Essig verdorben, um die Yorkisten für den Tod meines Vaters zu bestrafen.«

Elizabeth kicherte wie ein Backfisch, und Julian erfreute sich an diesem unbeschwerten Augenblick. Ehe er sich abwandte, sagte er noch: »Wenn Ihr einen Freund braucht, wisst Ihr ja, wo Ihr mich findet.«

»Danke, Mylord. Das werde ich bestimmt nicht vergessen.«

Die Mehrzahl der Gäste nahm von der Erbsensuppe nur einen Löffel, und die weniger Höfischen unter ihnen spuckten ihn zurück in die Schalen. Julian und alle Mitglieder seines Haushaltes, die auf diesen Zwischengang wohlweislich verzichtet hatten, genossen ihren kleinen Triumph. Von diesem heimtückischen Anschlag auf den königlichen Gaumen abgesehen, war das Essen hervorragend. Edward, der sich die meiste Zeit mit Kate an seiner Seite unterhielt, lobte das gepökelte Schweinefleisch und den Aal in besonders hohen Tönen, und die Lust, mit welcher er den süßen Weinen vom Rhein und aus der Champagne zusprach, war in sich schon ein Kompliment. Die Knappen, Pagen und das Gesinde waren aufmerksam und höflich – das galt auch für Roland –, und es kam zu keinen größeren Peinlichkeiten.

Kate und Frederic hatten erst bei Ankunft der Gäste in aller Schnelle die Tischordnung festlegen können, und Julian war im ersten Moment schockiert gewesen, seinen Cousin Warwick an seiner Seite zu finden. Die Erinnerung an ihre letzte Begegnung gehörte nicht zu seinen liebsten. Doch er überwand seinen Schrecken schnell. Das Leben war so verrückt geworden, so verworren und ungewiss. Aber im Gegensatz zu achtundzwanzigtausend anderen Männern, die es am vergangenen Palmsonntag nach Towton verschlagen hatte, hatte er sein Leben noch. Und wenn es nun sein Schicksal war, seine Feinde zu bewirten, gedachte er doch nicht, sich davon den Appetit verderben zu lassen.

»Nun, Richard?«, sagte er zwischen zwei Bissen Fasan.

»Du musst sehr zufrieden sein, wie die Dinge sich entwickelt haben.«

Warwick senkte die Lider, aber nicht ehe Julian beobachtet hatte, wie der Blick der blauen Augen erst zu Edward und weiter zu Black Will Herbert glitt. Dann nahm der ältere Cousin sich ein Stück weißes Brot und erwiderte: »Zumindest haben die Dinge sich so entwickelt, wie ich gehofft und vorausgesehen hatte.«

»Das ist nicht dasselbe«, bemerkte Julian.

»Nein.«

Julian schwieg verblüfft. Noch ehe er entschieden hatte, was er von dieser seltsamen Offenbarung halten sollte, wechselte Warwick das Thema. »Meine Tochter Anne hat eine große Schwäche für dich. Sie vermisst dich.«

Julian musste lächeln. »Sie ist hinreißend. Genau wie Blanche in dem Alter. Trotzdem wäre es gelogen, würde ich sagen, ich sehnte mich nach Warwick zurück, Cousin. Aber wie ich merke, bist du mir nicht sonderlich gram, dass ich mich deiner Gastfreundschaft so rüpelhaft entzogen habe.«

Warwick versteckte sein Grinsen in seinem Weinpokal. »Im Krieg und in der Liebe ist alles erlaubt«, erwiderte er. »Wenn du die Wahrheit wissen willst, ich war nicht versessen auf die Rolle als dein Kerkermeister.«

»Nein. Ich weiß.«

Sie wechselten einen kurzen Blick, beide plötzlich ernst, und jeder las in den Augen des anderen Bedauern.

Julian wandte den Kopf, um zu sehen, was Edward machte. Dieser drehte ihm inzwischen fast vollständig den Rücken zu, um seine gesamte Aufmerksamkeit Kate zu widmen. »Kann es sein, dass du den neuen Earl of Pembroke nicht zu deinen Busenfreunden zählst?«, fragte Julian seinen Cousin leise.

Warwick schaute noch einmal in Herberts Richtung und antwortete: »Der neue Earl of Pembroke ist mir allemal lieber als der alte. Der übrigens wie vom Erdboden verschluckt ist. Du weißt nicht zufällig, wo er steckt?«

Julian sah ihn ungläubig an. »Darauf erwartest du nicht im

Ernst eine Antwort, oder? Ihr habt Jasper Tudor enteignet und geächtet. Was bleibt ihm da anderes übrig, als sich vom Erdboden verschlucken zu lassen?«

Warwick brummte unwillig. »Merkwürdige Dinge gehen in Südwales vor sich. Königliche Boten verschwinden auf der Straße. Black Will Herberts Steuereintreiber haben eine rätselhafte Neigung zu Reitunfällen, Treppenstürzen und dergleichen mehr. Und seine Bauern sind aufsässig.«

»Es tut mir leid, das zu hören«, sagte Julian, der die größte Mühe hatte, ein ernstes Gesicht zu wahren.

»So geht das nicht weiter, Julian«, flüsterte Warwick eindringlich. »Wenn du Kontakt zu Tudor unterhältst, erinnere ihn daran, dass sein Neffe …«

»Ich stehe nicht in Kontakt zu ihm«, unterbrach Julian scharf, wenn auch leise. »Ich habe keine Ahnung, was in Wales vor sich geht, und es ist mir ehrlich gesagt auch gleich, aber Jasper Tudor würde niemals etwas tun, das seinen Neffen in Gefahr bringt. Du musst verhindern, dass sie den Jungen für irgendetwas büßen lassen …«

»Ich fürchte, in diesem Punkt ist mein Einfluss sehr begrenzt«, gestand Warwick.

Julian spürte Furcht wie eine kalte Hand auf seinem Herzen. »Du hast das Ohr deines Königs.«

»Manchmal. Im Übrigen ist er auch dein König.«

»Richard, ich glaube nicht, dass ich dich je um etwas gebeten habe. Aber ich tu es jetzt. Schütze den Jungen.«

»Ich werde sehen, was sich machen lässt. Glaub mir, ich halte nichts davon, wenn Kinder in solcher Weise zu Spielbällen werden. Der Junge kann nicht älter sein als unsere Anne.«

»Er ist vier.«

Warwick schnaubte angewidert.

»Also habe ich dein Wort?«, fragte Julian.

Warwick nickte. »Du hast mein Wort. Aber du darfst keine Dummheiten begehen, Julian. Da, wo gewöhnliche Menschen ein Gewissen und christliche Barmherzigkeit haben, hat Black Will Herbert Ehrgeiz und Kalkül. Liefere ihm keinen Grund.«

»Wenn ich die Absicht gehabt hätte, mich Marguerites Truppen anzuschließen, hättet ihr es schon gemerkt«, log er. In Wahrheit sann er immer noch auf einen Weg, dies heimlich und unbemerkt zu tun.

»Nun, deine Neutralität ist besser als nichts, aber sie ist nicht viel«, erwiderte Warwick. »Könntest du dich aber entschließen, uns einen kleinen Hinweis zu geben, wie und wo es möglich wäre, Jasper Tudors habhaft zu werden, könnte ich den König möglicherweise überreden, dir die Vormundschaft über den kleinen Richmond zu übertragen.«

»Du bist ja nicht bei Trost«, knurrte Julian. »Jasper Tudor mag ein übellauniger Sonderling sein, aber er ist mein Freund.«

»Und obendrein der Vater deines Neffen, hab ich gehört. Wirklich ausgesprochen pikant.« Warwick grinste flegelhaft. »Aber weder er noch deine hinreißende Schwester müssten je erfahren, woher der Hinweis kam.«

Julian spürte einen eisigen Schauer auf dem Rücken, als ihm aufging, welcher Niedertracht, welcher Intrigen der Earl of Warwick fähig war. Die Erkenntnis, dass dieser Cousin, den er in seiner Jugend so glühend verehrt hatte, vielleicht der gefährlichste Mann war, der auf englischem Boden wandelte, war nicht neu. Aber sie konnte ihn immer noch erschüttern.

»Richard, du kannst nicht von mir erwarten ...«, begann er, als der König an seiner anderen Seite plötzlich sagte: »Waringham, ehe ich es vergesse, ich habe Euch etwas mitgebracht. Genau genommen sogar zwei Dinge.«

Julian wandte schleunigst den Kopf. »Tatsächlich? Wie großmütig, Mylord.«

Dieser übermütige, flegelhafte Ausdruck, der Julian schon bei ihrer allererersten Begegnung aufgefallen war, trat in Edwards Augen, als er erwiderte: »Ich kann nur hoffen, Ihr wisst es auch zu schätzen.«

Ehe Julian sich argwöhnisch nach dem Sinn dieser Bemerkung erkundigen konnte, gab Edward einem seiner Männer ein Zeichen, der dem König ein langes, in dunkelroten Samt geschlagenes Paket brachte. Edward nickte ihm zu und reichte das Paket an Julian weiter. »Nur zu, öffnet es, Waringham.«

Julian musste aufstehen, um den langen Gegenstand zu handhaben. Mit einem Mal spürte er sein Herz pochen. Er ahnte schon, was er hier in Händen hielt. Mit gesenktem Kopf wickelte er den Samt ab und enthüllte das alte Waringham-Schwert. Es war von jeglichem Schlamm und Blut befreit, die kostbar verzierte Scheide so fachmännisch poliert worden, dass sie heute vermutlich neuer aussah als vor hundert Jahren. Julian nahm sie in die Linke, umschloss das vertraute Heft mit der Rechten und zog die Klinge zur Hälfte heraus. Das vertraute, metallische Flüstern war zu hören. Er liebte dieses Geräusch.

Er hatte nicht gewusst, was diese Waffe ihm bedeutete, bis er sie verloren hatte. Sie wieder in Händen zu halten erfüllte ihn mit einem Glücksgefühl, das ihm lächerlich erschienen wäre, hätte er nicht gewusst, dass diese Empfindung mehr mit der Geschichte seiner Familie als mit diesem perfekten Kriegsinstrument selbst zu tun hatte.

Doch nichts regte sich in seinem Gesicht, als er sich an den jungen König wandte. Julian hatte immer eine unfreiwillige Sympathie für Edward gehegt, aber in diesem Moment verabscheute er ihn, weil er ihm mit großer Geste schenkte, was ihm doch längst gehörte.

»Ich bin Euch sehr dankbar für die Rückgabe meines Eigentums, Mylord«, sagte er kühl.

»Eigentum?« Edward legte lächelnd den Kopf schräg. »Nun, ich glaube, dieser Festschmaus ist zu genussreich, um ihn mit einem langweiligen Disput über Eigentumsrecht zu verderben. Jedenfalls bin ich froh, dass nun wieder in Eurem Besitz ist, was schon so lange zur Tradition Eurer Familie gehörte.«

Julian nickte. »Ein kleines Unrecht weniger in England.«

»Herrgott, nimm dich zusammen«, knurrte Warwick an seiner anderen Seite.

Edward sah für einen Moment verwirrt und ein wenig gekränkt aus, wie ein zu Unrecht gescholtener Knabe. Offenbar fand er seine Geste wirklich großmütig und konnte nicht verstehen, dass sie so unzulänglich verhohlene Bitterkeit hervorgerufen hatte. Doch er erwiderte nur: »Nicht das erste und nicht das letzte Unrecht, das ich wiedergutzumachen gedenke.«

Darauf bin ich gespannt, lag Julian auf der Zunge, aber er schluckte es hinunter und nahm wieder Platz. Er wollte weder eine Szene provozieren noch sich selbst und die Seinen nur aus verletztem Stolz in Gefahr bringen.

Nimmt dieses Essen denn gar kein Ende?, fragte er sich und führte den Becher an die Lippen. Mit einem Mal fühlte er sich völlig ausgelaugt. Noch einmal strich er verstohlen mit der Hand über die Scheide seines Schwertes, dann beschied er Roland mit einem diskreten Wink, zu ihm zu treten. »Hier.« Er gab ihm die Waffe. »Bring es in meine Kammer und leg es auf die Truhe.«

Der Knappe mied seinen Blick. »Sofort, Mylord.«

»Wäret Ihr gewillt, mir Euer Gestüt zu zeigen, Waringham?«, fragte der König unvermittelt, als habe er nach einem unverfänglichen Thema gesucht und sei nun fündig geworden.

Pferde waren in Waringham niemals ein Thema für eitle Plauderei, aber Julian nickte bereitwillig. »Natürlich.«

»Ich hörte, Ihr habt die Zucht von Schlachtrössern aufgegeben?«

»Das ist Unsinn«, gab Julian kopfschüttelnd zurück.

»Vermutlich habe ich viel Unsinn über Euch gehört«, bemerkte der König mit einem Lächeln.

Julian ging nicht darauf ein, sondern erklärte ihm, in welcher Weise und aus welchen Gründen sie die Zucht verändert und erweitert hatten.

Edward lauschte ihm mit solchem Interesse, dass er Wein und Speisen darüber vergaß. Als Julian geendet hatte, schwieg der König eine Weile und bohrte mit der Spitze seines Speisemessers gedankenverloren Löcher in die Mandelpastete auf seinem Teller. Schließlich sah er seinen Gastgeber wieder an. »Ich nehme an, ihr habt gehört, dass König Charles von Frankreich gestorben und sein Sohn Louis ihm auf den Thron gefolgt ist?«

Julian nickte.

»Wisst Ihr, Waringham, manchmal frage ich mich, ob wir den Krieg gegen Frankreich nicht zu früh verloren gegeben haben.«

»Zu früh?«, wiederholte Julian ungläubig. »Nach über hundert Jahren?«

Edward winkte ab. »Was bedeutet das schon? Unser Sieg war oft genug zum Greifen nah. Henry hat jede Chance verstreichen lassen, weil er kein Interesse am Krieg hatte. Und wahrscheinlich weil Marguerite, diese französische Harpyie, ihm zugesetzt hat. Aber jetzt bin *ich* König. Unser Cousin Warwick hält nichts von dem Gedanken – wie ihr unschwer an seinem Stirnrunzeln erkennen könnt – und möchte mich mit einer französischen Prinzessin verheiraten. Nicht wahr, Richard?«

Warwick hob die Schultern und lächelte. »Sie ist eine von vielen Kandidatinnen, aber es gibt eine Menge Gründe, die für sie sprechen, mein König.«

»Womöglich hat er Recht«, raunte Edward Julian zu. »Aber ich denke darüber nach, wie heilsam es für England sein könnte, wenn wir alle wieder ein gemeinsames, nationales Anliegen hätten.«

Der Gedanke war nicht ohne Reiz, musste Julian gestehen. Wie jeder Engländer – jeder außer König Henry – litt er unter der Schmach des verlorenen Krieges, und er spürte, wie sich etwas in ihm regte bei der Vorstellung, das letzte Wort in dieser Angelegenheit sei vielleicht doch noch nicht gefallen. Hoffnung. Stolz. Und Liebe zu England, ganz gleich, ob sein König eine rote oder eine weiße Rose im Wappen führte.

»Es ist kurzsichtig und gefährlich, mit einem Krieg von innenpolitischen Schwierigkeiten ablenken zu wollen«, warnte Warwick.

»Aber es funktioniert«, entgegnete der König unbeeindruckt. »Würdet Ihr mir ein Vorkaufsrecht auf Eure Schlachtrösser einräumen, Waringham? Ich zahle Euch dreihundert Pfund pro Pferd. Unbesehen.«

Und damit wäre ich auf einen Schlag all meine Geldsorgen

los, dachte Julian. Aber er schüttelte den Kopf. »Schickt einen Agenten zur Auktion, wenn Ihr sie haben wollt, aber sie werden öffentlich versteigert wie eh und je.«

»Ich nehme an, die Drohung, Euch doch zu enteignen, womit ich sie umsonst bekäme, wird nichts an Eurem Entschluss ändern?«, fragte Edward. Das übermütige Funkeln war aus seinen Augen verschwunden, der Blick mit einem Mal kühl und unergründlich.

»So ist es, Mylord«, antwortete Julian scheinbar gelassen, aber was er dachte, war: Heiliger Georg, wie kann es sein, dass ich so vollkommen machtlos bin? So abhängig von der Willkür meiner Feinde? Was soll ich bloß tun?

Edward sah ihm noch einen Moment in die Augen, dann ließ er ihn unerwartet vom Haken. Das Lächeln kehrte zurück, und er erhob sich mit einem leisen Seufzer. »Du meine Güte, was für eine Völlerei. Kommt, Waringham. Lasst mich Eure Pferde wenigstens anschauen, wenn Ihr sie mir schon nicht verkaufen wollt. Aber vorher möchte ich Euch mit jemandem bekannt machen.«

Alle an der hohen Tafel und an den unteren Tischen standen eilig von ihren Plätzen auf, als der König die Estrade verließ. Neben Julian durchschritt er die Halle. Hastings, Herbert und Warwick folgten ihnen.

Etwa auf der Mitte des rechten Seitentisches hielt Edward an. »Lady Janet?«

Eine junge Dame wandte sich um und sank vor Edward in einen tiefen, anmutigen Knicks. »Mein König.«

Edward nahm ihre Hand und hob sie auf. »Waringham, dies ist Lady Janet Bellcote.«

Julian nickte. »Wir hatten bereits das Vergnügen.« Wenn man es denn so nennen will, dachte er verdrossen. Bei der Erinnerung an ihre Ohrfeige biss er unwillkürlich die Zähne zusammen.

»Wirklich?«, fragte Edward vergnügt. »Das trifft sich gut …«

»Wollt Ihr, Julian of Waringham, diese Frau zu Eurem angetrauten Weibe nehmen, sie lieben und ehren, in Gesundheit und Krankheit, in guten wie in schlechten Tagen, bis dass der Tod Euch scheidet?«

»Todsicher nicht.«

Erstauntes, aber verhaltenes Raunen erhob sich, und der Bischof von Exeter, Warwicks Bruder George Neville, schwieg einen Moment verdattert, ehe er sich an die Braut wandte:

»Und wollt Ihr, Janet Bellcote, diesen Mann zu Eurem angetrauten Gemahl nehmen, ihn lieben und ehren, in Gesundheit und Krankheit, in guten wie in schlechten Tagen, bis dass der Tod Euch scheidet?«

»Nein, Mylord.«

Der Bischof blinzelte. Es war schwer zu sagen, ob der Schreck über diese kategorischen Absagen oder der strahlende Frühlingssonnenschein daran schuld waren. Sie standen im klaren Morgenlicht an der Pforte der St.-Stephens-Kapelle, und der helle Sandstein des Gotteshauses, die prächtigen Gewänder der Höflinge und die Themse leuchteten in der trügerischen Aprilsonne um die Wette.

Achselzuckend wandte der Bischof sich an den König. »Da kann ich nichts machen, Edw... Sire.«

Der König, der in der vorderen Reihe der Hochzeitsgesellschaft gestanden hatte, trat vor das unwillige Brautpaar. Seine Schritte waren lang und ungelenk – er war wütend.

»Ich dachte, ich hätte meine Wünsche klar ausgedrückt«, sagte er leise zu Julian.

Der nickte knapp. »Man kann Euch nicht vorwerfen, Ihr wäret diesbezüglich vage geblieben, nein. Ihr wollt eine Spionin in Waringham, und Ihr wollt dem Emporkömmling, der neuerdings Euer Lord Chamberlain ist, eine familiäre Verbindung zum Hochadel kaufen ...«

»Julian!«, zischte Lucas, der nur einen Schritt hinter ihm stand.

Aber Julian war nicht in der Stimmung, Vorsicht walten zu lassen. »Nicht alle Wünsche können indes in Erfüllung gehen, Mylord, nicht einmal Eure. Ich habe Euch von vornherein gesagt, dass ich es nicht tun werde.«

Edward stieß die Luft aus. Dann stemmte er die Hände in die Seiten. »Ich habe wirklich keine Zeit für diesen Blödsinn!«

»Denkt nur, ich auch nicht. Doch nicht ich habe Euch zu dieser Farce hierher verschleppen lassen, sondern Ihr mich.«

»Sagt ja!«, befahl der König. Sein Gesicht hatte sich gerötet.

Julian betrachtete ihn ungläubig. »Nein.«

»Tut es lieber.«

Julian schnaubte.

Der König fuhr auf dem Absatz herum. »Hastings, bringt das in Ordnung.«

Der Bruder der widerspenstigen Braut nickte knapp und sagte nichts.

Edward ging eilig davon, und die Mehrzahl der Schaulustigen folgte ihm.

Lucas und Tristan traten zu Julian. »Ich habe ein wirklich mieses Gefühl bei dieser Geschichte«, murmelte Lucas.

Tristan gab ihm Recht. »Du kannst ihm auf Dauer nicht die Stirn bieten, Julian, denn er hat Macht über dich, nicht du über ihn. Besser, du siehst den Tatsachen jetzt ins Auge und fügst dich, ehe sie dich bluten lassen.«

»Wenn das alles ist, was euch einfällt, könnt ihr nach Hause reiten«, entgegnete Julian hitzig.

»Aber sie ist so ein hübsches Kind«, hielt Lucas ihm vor. »Warum stellst du dich so an? Mein Onkel hat mich mit einer Frau verlobt, die meine Großmutter sein könnte. *Das* ist grausam, und außerdem …«

Zwei Ritter der königlichen Leibgarde unterbrachen die geflüsterte Debatte und baten Julian höflich, sie zu begleiten. Er ging, weil er nicht wollte, dass sie ihn vor den Augen der Welt wegschleiften.

Sie führten ihn in eines der vielen Wohngebäude in der unübersichtlichen Palastanlage, eine Treppe hinauf zu einem seltsam nackten Raum. Bis auf einen klobigen Tisch am Fenster war er unmöbliert. Julian überlegte, ob dieses Gemach vielleicht gerade umdekoriert wurde, und dann überlegte er, warum zum Teufel ihn das interessieren sollte. Er stützte einen Ellbogen auf das Sims des kalten Kamins und trommelte ungeduldig mit den Fingern auf den Stein.

Zu seiner Linken befand sich eine zweite Tür, die offenbar eine Verbindung zum Nachbargemach herstellte, und von dort hörte er Stimmen, die eine ruhig und tief, die zweite, eine Frauenstimme, aufgebracht. Dann kehrte Stille ein, und plötzlich fiel ein pfeifender Schlag. Julian fuhr leicht zusammen. Es war ein harter Schlag gewesen, das hörte er, mit einer Gerte oder einem Stock, und dem ersten folgten weitere. Die Frau stöhnte.

Julian verließ seinen Posten am Kamin und trat auf die Verbindungstür zu, doch ehe er sie erreichte, glitten die beiden Wachen davor und versperrten ihm den Weg. Sie sahen ihm nicht in die Augen, und ihre Mienen waren ausdruckslos.

»Bastarde«, murmelte Julian und kehrte zum Kamin zurück.

Die Frau hatte zu weinen begonnen, und immer weiter fielen die Hiebe, in gleichmäßigem Rhythmus, leidenschaftslos, berechnend.

Sie schrie.

Mit zwei Schritten war Julian an der Tür, durch welche sie eingetreten waren, und hatte sein Schwert gezogen, ehe er sie aufriss. Wie erwartet, standen draußen zwei weitere Wachen mit den gleichen desinteressierten Mienen, die Arme vor der Brust verschränkt. Als sie seine Klinge und den Ausdruck auf seinem Gesicht sahen, wichen sie zurück und zogen ebenfalls die Waffen. Der Linke war ihm einen halben Schritt näher, also griff Julian ihn als Ersten an. Doch er war kaum bis auf den Korridor hinausgelangt, als die anderen beiden Wachen ihn von hinten packten. Einer der Männer hämmerte Julians Handrücken gegen die Wand, als wolle er damit ein Loch in die Mauer stemmen, und das Schwert entglitt Julian. Sie rangelten noch ein paar Atemzüge lang, aber er hatte keine Chance gegen vier, und schließlich fesselten sie ihm die Hände auf den Rücken.

Als ihr Keuchen verstummte, waren von nebenan immer noch die Schläge, das Weinen und die gelegentlichen Schreie zu hören.

Julian lehnte sich mit der Schulter an den Kamin, senkte den Kopf und ließ die blonden Haare vor sein Gesicht gleiten. Es war nicht seine Schuld, sagte er sich. Er hatte nichts von alldem gewollt oder zu verantworten. Außerdem war sie ein Miststück, und ihm war egal, was mit ihr passierte. Aber ihm war trotzdem hundeelend.

»William, bitte ...«, hörte er sie stammeln. Nur dumpf kam die Stimme durch die Tür, aber man konnte dennoch erkennen, wie groß ihre Not war. »Um der Jungfrau Barmherzigkeit willen ...«

Die Schläge hörten auf. Julian vernahm Hastings' Stimme – ruhig, monoton, gesetzt –, aber er konnte keine Worte verstehen. Schließlich wurde es still. Und dann ging die Verbindungstür auf.

Julian hob den Kopf.

William Hastings trat ein und schloss die Tür hastig, als wolle er verhindern, dass irgendwer einen Blick hindurchwerfen konnte. Vor Julian blieb der Lord Chamberlain stehen und schenkte ihm ein äußerst sparsames Lächeln. »Eure Braut hat sich besonnen und erwartet Euch willig und gehorsam, Mylord of Waringham.«

»Wirklich? Und wie geht es nun weiter? Wollt Ihr mich auch gefügig prügeln?«

»In gewisser Weise.«

Julians Mund wurde trocken. Er nahm an, dass er irgendwann einknicken würde. Früher oder später tat das wohl jeder. »Alsdann, Mylord. Die Chancen stehen wieder einmal günstig für Euch. Ihr seid zu fünft, und meine Hände sind gebunden. So habt Ihr es ja am liebsten, nicht wahr?«

Hastings wandte sich ab, als hätte er jedes Interesse an ihm verloren. Im Hinausgehen sagte er zu den Wachen: »Ihr wisst, was ihr zu tun habt.«

Die vier Männer warteten, bis er verschwunden war. Dann kamen sie näher und stellten sich in einem ungefähren Halbkreis vor Julian. Er sah nacheinander in die Gesichter. Keines war ihm auch nur vage bekannt. Zu keinem fiel ihm ein Name oder ein Ort ein. Diese Ritter waren ihm so vollkommen fremd, wie kein Lancastrianer es je hätte sein können, die er doch zumindest flüchtig von irgendwelchen Burgen, Parlamenten, Jagdgesellschaften, Turnieren oder Schlachtfeldern kannte. Beinah war es, als stammten diese Männer hier aus einem fremden Land.

Einer der mittleren streifte einen Plattenhandschuh über und schlug ihm die geballte Faust in den Magen. Julian krümmte sich und brach in die Knie. Die gepanzerte Faust traf seine Schläfe, und sein Blick trübte sich. Er fiel zur Seite. Hände packten ihn bei den Armen, hievten ihn wieder hoch, und das stählerne Bombardement ging weiter, aber es dauerte nicht lange. Das Letzte, woran er sich erinnerte, war ein Schlag auf das Brustbein, ehe die Welt in Finsternis sank.

Er lag auf dem Rücken, als er zu sich kam. Er spürte feuchtes Gras unter den Händen und warmes Sonnenlicht auf dem Gesicht.

Julian schlug die Lider auf. Seine Hände waren frei. Er tastete mit der Linken und fand die vertraute Form seines Schwertes. Gott sei Dank, dachte er erleichtert. Ich hab dich nicht schon wieder verloren ...

Er hob vorsichtig seinen hämmernden Kopf. Lucas und Tristan saßen einen Schritt zu seiner Linken im Gras und betrachteten ihn mit ernsten Gesichtern.

»Geht's?«, fragte Lucas zaghaft.

Julian nickte und richtete sich auf einen Ellbogen auf. Ihm war schlecht, und er fühlte sich seltsam desorientiert. Lass dir Zeit, sagte er sich. Gleich rückt alles wieder an seinen Platz. Und genauso war es: Als er das Rauschen des großen Flusses und die Vogelstimmen vernahm, sagte sein Verstand *West-minster*. Und das brachte den Rest zurück.

Er atmete tief durch und bat: »Dreht euch um.«

Lucas und Tristan vollführten jeder eine halbe Drehung auf dem Hinterteil, und Julian wandte sich zur anderen Seite und erbrach sich. Als er fertig war, kam eine Hand mit einem Becher in sein Blickfeld. Ein paar schwarze Haare auf dem Handrücken, gepflegte Nägel, blauer Ärmel aus edelstem Kammgarn: Lucas Durham.

»Danke.« Julian setzte sich auf, nahm den Becher, spülte sich den Mund aus und trank dann. Es war Ale, herb und kühl, und durstig trank er bis zum letzten Tropfen.

Auch Tristan war auf die Füße gekommen und streckte ihm eine Hand entgegen. Julian ergriff sie und zog sich hoch. Es ging besser als erwartet.

»Was ist passiert?«, fragte er.

Seine beiden Ritter wechselten einen verstohlenen Blick und zögerten, sodass Julian schon ahnte, was kommen würde. »Du bist verheiratet«, sagte Tristan schließlich. Es klang verächtlich und bitter, was ihm überhaupt nicht ähnlich sah.

Julian fuhr sich mit der Hand über die Stirn und stieß hörbar die Luft aus. »Aber wie ... wie ist das möglich?«

»Sie hat ›ja‹ gesagt«, berichtete Lucas. »Man musste die Ohren aufsperren, denn es war nur ein Flüstern, aber sie hat es gesagt. Und du ... hast genickt.«

»Genickt«, wiederholte Julian.

»Ganz recht. Zwei von Hastings' Helden hielten dich aufrecht, und als du an der Reihe warst, hat einer dich bei den Haaren gepackt und mit deinem Kopf genickt. Das fand der hochehrenwerte Bischof von Exeter offenbar ausreichend.«

Julian ging ein paar Schritte auf unsicheren Beinen Richtung Fluss. Dort sank er wieder ins Gras, fuhr sich mit beiden Händen durch die Haare und lachte leise. Er konnte nicht anders. Die Situation war zwar alles andere als erheiternd, und er war schockiert darüber, wie übel man ihm mitgespielt hatte. Aber die Vorstellung, dass zwei Kerle ihn wie eine übergroße

Stoffpuppe gehalten und mit seinem Kopf genickt hatten, hatte eine unwiderstehliche Komik. »Ich wette, ich war der würdevollste Bräutigam, den Westminster seit langen Jahren gesehen hat«, bemerkte er.

Seine Ritter setzten sich zu ihm, und zumindest Lucas sah aus, als kämpfe er ebenfalls gegen Heiterkeit. Tristan Fitzalan hingegen hatte jeden Humor verloren. »Bischof Neville, dieser elende Heuchler, hat nicht einmal davor zurückgeschreckt, deine Braut zu fragen, ob sie ihre Entscheidung auch wirklich aus freien Stücken getroffen habe«, berichtete er angewidert.

Julians Miene wurde schlagartig ernst. »Wo ist sie überhaupt?« Er sah sich um, als erwarte er, seine ungeliebte Gemahlin werde plötzlich wie eine Fee aus dem Gras springen.

»Weiß der Henker«, antwortete Lucas achselzuckend. »Soll ich sie suchen gehen?«

Julian hob abwehrend die Hand. »Das sollte ich wohl lieber selbst tun. Holt die Pferde, wenn ihr so gut sein wollt. Ich werde keinen Augenblick länger als nötig hierbleiben.«

»Julian, du hast ziemlich was abgekriegt. Du kannst jetzt nicht nach Waringham reiten«, mahnte der vernünftige Tristan.

»Aber nach Farringdon. Vielleicht … könntest du vorausreiten? Die Bäckerin bitten, die Mägde zusammenzutrommeln? Sag ihr, ich komme mit meiner Braut«, schloss er spöttisch, aber als er leise hinzufügte: »Gott steh mir bei«, klang er eher verzweifelt.

Er fand sie in der Kapelle. Das kühle Halbdunkel im Innern war noch geschwängert vom Weihrauch der Brautmesse, die Julian trotz körperlicher Anwesenheit komplett versäumt hatte.

Janet stand an einer Säule links vor dem Altar, die Hand auf den kunstvoll behauenen Stein gelegt. Sie hielt sich kerzengerade, und ihre Haltung schien eher herausfordernd als demütig. Heute war das erste Mal, dass Julian sie nicht in Trauerkleidung sah. Sie trug ein Kleid von der Farbe frischer Sahne, aber zwei längliche, rotbraune Flecken unterhalb der Schultern hatten die kostbare Seide besudelt. Julian verzog angewidert den Mund, doch als er zu ihr trat, gab seine Miene überhaupt nichts preis. »Lady Janet?«

Sie wandte sich nicht um. »Fahrt zur Hölle.«

»Irgendwann vermutlich«, erwiderte er leichthin, »aber nicht heute. Darum würde ich Euch gern ... heimführen.« Er biss sich auf die Unterlippe. »Ich habe genug von der Gastlichkeit in Westminster und will so bald wie möglich von hier verschwinden.«

Sie wandte endlich den Kopf und sah ihn an. Ihr Gesicht war so bleich, dass einem angst davon werden konnte. Die Haut spannte sich über den ausgeprägten Wangenknochen, und die meergrauen Augen strahlten unnatürlich, so als hätte sie Fieber. Das blonde Haar, das in Flechten unter der cremeweißen, golddurchwirkten Haube hervorhing, war in der Stirn feucht. »Wenn Ihr glaubt, dass ich auch nur einen Schritt mit Euch gehe, seid Ihr verrückt.«

Julian hatte eine scharfe Antwort auf der Zunge, aber er beherrschte sich. Er sah, dass sie Schmerzen litt. Ihr ging es viel schlechter als ihm. Er konnte sie nicht ausstehen, er hätte vor Wut die Wände erklimmen können, weil er sie nun am Hals hatte, er hatte keine Ahnung, wie es weitergehen sollte, und deswegen war er wütend auf sie – aber trotzdem bedauerte er sie. Er wehrte sich gegen das Gefühl, denn es schwächte seine Position, und er glaubte auch nicht, dass sie sein Mitgefühl verdient hatte. Er musste allerdings feststellen, dass es nicht viel gab, was er dagegen tun konnte. »Ich glaube, Ihr wäret gut beraten, Eure Meinung zu ändern, Madam«, entgegnete er kühl. »Euer Bruder wäre sicher nicht erfreut, wenn ich ohne Euch von hier verschwinde.«

Ihre großen Augen verengten sich fast unmerklich, als er ihren Bruder erwähnte, aber sie sagte nichts.

»Ich habe ein Haus in Farringdon. Es ist nicht weit von hier. Wenn Ihr Euch entschließen könntet, mich dorthin zu begleiten, könnten wir in Ruhe überlegen, wie es weitergehen soll.«

»Ich kann mir unschwer vorstellen, wie es weitergeht, wenn ich erst einmal in Eurem Haus bin«, versetzte sie.

Julian hatte genug. »Wirklich? Ich glaube, Ihr täuscht Euch, werte Gemahlin. Eh das passiert, ginge ich doch lieber ins Kloster. Seid versichert, Eure Tugend könnte nirgendwo sicherer sein als in meinem Haus. Ich wollte Euch so wenig wie Ihr mich, vergesst das nicht. Aber ich würde jetzt gern von hier verschwinden. Mit oder ohne Euch.«

Sie wandte den Blick ab, hob die Hände und rieb sich die Oberarme, als fröre sie. Sie ließ ihn ihr Gesicht nicht sehen, sodass er nicht erraten konnte, welche Kämpfe sie mit sich ausfocht. Jedenfalls dauerte es ein Weilchen. Aber schließlich sagte sie. »Ich komme mit.« Es klang matt und besiegt.

Vermutlich hat sie eingesehen, dass das wirklich der einzige Weg ist, den sie einschlagen kann, und die Erkenntnis ist gewiss bitter, dachte Julian.

»Habt Ihr Gepäck? Dienerschaft? Irgendetwas, das wir mitnehmen müssen?«

»Nein.«

»Wollt Ihr Euch verabschieden gehen?«

Sie sah aus, als erwäge sie, auf den geheiligten Boden zu spucken. »Nein.«

»Also dann.«

Er machte kehrt und ging, ohne sich nach ihr umzuwenden. Doch er hörte ihre Schritte hinter sich.

Tristan war wie vereinbart vorausgeritten, Lucas wartete vor einem der Pferdeställe. Er hatte auch Janets Pferd ausfindig gemacht und satteln lassen, und nun streckte er ihr die verschränkten Hände hin und lächelte charmant. »Lucas Durham of Sevenelms, Mylady. Zu Euren Diensten, wie Ihr seht.«

Für einen Lidschlag verzogen ihre Mundwinkel sich zu einem Lächeln, aber es verschwand sogleich wieder, und sie stellte den Fuß in die Räuberleiter. Lucas half ihr behutsam in den Sattel.

Julian hingegen musste allein zusehen, wie er auf sein Pferd kam.

Niemand schenkte ihnen das geringste Interesse, als sie die

Palastanlage verließen. Im Schritt ritten sie nebeneinander durch Westminster, dann die Fleet Street entlang und sprachen kein Wort. Eher eine Beerdigungs- als eine Hochzeitsstimmung, dachte Julian finster. Selbst der Himmel hatte sich zugezogen. Aber sie erreichten die Shoe Lane trockenen Fußes.

Janet Bellcote war nicht dazu erzogen worden, große Erwartungen an ihr Leben zu haben. Als jüngstes Kind von Sir Leonard Hastings, einem nicht sonderlich wohlhabenden Ritter aus Leicestershire, hatte man sie lesen, schreiben, Haushaltsführung, genügend Latein zum Beten und vor allem Bescheidenheit gelehrt, damit sie einem Mann ihrer Klasse eine gute und nützliche Frau werden konnte. Ihr Vater hatte im Dienst des Duke of York gestanden, der ihm schließlich den Posten eines Wildhüters auf einem seiner Jagdgüter in Shropshire übertrug. Als Janet zehn Jahre alt war, war ihr Vater bei einem Jagdunfall ums Leben gekommen, doch ihrem ältesten Bruder William war es nicht nur gelungen, das Amt des Vaters für sich zu sichern, sondern er hatte es auch verstanden, Yorks Aufmerksamkeit zu wecken und sich ihm unentbehrlich zu machen. Nach kurzer Zeit wurde er zum Leibwächter für Yorks Erstgeborenen bestimmt, wurde Edwards ständiger Begleiter – sein Beschützer und ebenso sein Komplize bei jedem jugendlichen Unfug. Janet war zufrieden gewesen, als er sie mit Jeremy Bellcote verheiratete, einem Ritter mit einem kleinen Landgut in Shropshire. Sie hatte großes Vertrauen zu der Wahl ihres Bruders, denn William war ihr Leben lang ihr Idol gewesen, der große Bruder, den sich jedes Mädchen wünscht.

So kam es, dass keine der Katastrophen, die im Laufe der letzten eineinhalb Jahre über sie hereingebrochen waren, sie so erschüttert hatte wie der Verrat ihres Bruders. William hatte sie seinem politischen Ehrgeiz geopfert, sie dem Feind ausgeliefert, und als sie sich – zum ersten Mal in ihrem Leben – gegen ihn aufgelehnt hatte, hatte er sie behandelt wie eine bissige Hündin. Ohne jede Regung, ohne das geringste Mitgefühl, bis ihr Widerstand schließlich zerbrochen war. Er hatte sie nie geliebt, war ihr da klar geworden. Der einzige Mensch auf der Welt, dessen Zuneigung und Anerkennung ihr je etwas bedeutet hatten, sah in ihr nur ein Instrument zur Verfolgung seiner Absichten. Darum fürchtete sie nun, sie selbst sei möglicherweise mitsamt ihrem Widerstand zerbrochen. Ihre ganze Welt. Nichts war mehr so, wie sie es gekannt hatte.

Diese neue, fremde Welt nahm sie wie durch dünne Nebelschwaden wahr, als ihr braver Wallach Waringham durch eine Toreinfahrt in den Hof einer Stadtvilla folgte. Es war kein prächtiges Haus, und der Hof war ein Gewirr aus Pächterhäusern, Werkstätten und Nebengebäuden.

Aus einem, das wohl eine Bäckerei war, kamen eine fette Frau, ein spindeldürres Männlein und ein paar Kinder gelaufen, gleichzeitig traten zwei Mägde aus dem Haupthaus. Sie umringten die Ankömmlinge mit strahlenden Gesichtern und gratulierten zur Hochzeit.

Waringham hob eine große, schmale Hand, um sie zum Schweigen zu bringen, und ließ sich aus dem Sattel gleiten. »Es besteht kein Anlass zum Jubeln«, eröffnete er ihnen brüsk. »Lady Janet und ich sind gegen unseren Willen vermählt worden, und ich zumindest habe nicht die Absicht, irgendwem etwas anderes vorzuheucheln. Trotzdem ist sie vor Gott und der Welt nun Countess of Waringham, also seid höflich zu ihr, aber passt auf, was ihr in ihrer Gegenwart redet, denn sie ist Yorkistin.« Er drückte einem der Bäckersöhne die Zügel in die Hand und wandte sich an die hübschere der beiden Mägde. »Anabelle, sei so gut, richte die beste Gästekammer für Lady Janet her und nimm dich ihrer an.«

Damit verschwand er im Haus.

Lucas Durham trat zu Janet, nahm mit der Linken die Zügel ihres Pferdes und reichte ihr die Rechte. »Erlaubt mir, Mylady.«

Janet konnte weder Spott noch Häme in seinem Lächeln entdecken. Also legte sie die Linke in seine Hand, stützte sich unauffällig darauf und saß ab. Kaum stand sie am Boden, legte er ihr seinen leichten Sommermantel um die Schultern. »Blut auf Eurem Kleid«, flüsterte er ihr ins Ohr und trat gleich darauf einen Schritt zurück.

Janet hielt sich einen Moment am Steigbügel fest, um zu warten, bis der Schwindel verging, starrte zu Boden und fragte sich, wann die Demütigungen dieses Tages ein Ende nehmen würden.

Die Magd, Anabelle, knickste eher nachlässig vor ihr. »Wenn Ihr mir folgen wollt, Mylady.« Sie sah der neuen Dame des Hauses nicht ins Gesicht, und ihr Ausdruck war abweisend.

Daran werde ich mich wohl gewöhnen müssen, fuhr es Janet durch den Kopf. Sie hatte keine Vorstellung, wie ihre Zukunft unter diesen Menschen, diesen Lancastrianern aussehen würde. Welche Schrecken ihr noch bevorstanden. Waringham hatte angedeutet, dass er kein Interesse an ehelicher Zweisamkeit mit ihr habe, doch wer konnte sagen, wie er darüber dachte, wenn er betrunken war? Im Augenblick kam es ihr vor, als wäre es ihr gleich. Vielleicht war alles an Furcht und Entsetzen, was ein Mensch empfinden konnte, für diesen Tag aufgezehrt. Sie fühlte sich seltsam dumpf. Alles, was sie wollte, war allein sein. Sich irgendwo verkriechen und sich nicht mehr rühren. Und vielleicht zeigte Gott ihr ja Gnade und ließ sie morgen früh nicht wieder aufwachen.

»Soll ich Euer Pferd auch nehmen, Sir Lucas?«, fragte der Sohn des Bäckers.

Doch der Ritter schüttelte den Kopf und band seinen Braunen an einen Eisenring in der Mauer. »Ich reite gleich noch mal fort.«

Janet stieg die beiden Stufen zur Haustür hoch, und die Magd wollte ihr folgen, aber der Ritter hielt sie am Arm zurück und flüsterte ihr etwas zu. Was immer es war, es gefiel Anabelle nicht. Sie bedachte ihn mit einem finsteren Blick, nickte dann unwillig, riss sich los und kam zur Tür, die sie Janet wortlos aufhielt.

Die Magd führte sie eine Treppe hinauf und oben eine offene Galerie entlang. Es war ein hübsches Haus, stellte Janet ohne jedes Interesse fest, wenn auch bei weitem nicht so vornehm, wie sie es bei einem feinen Lord erwartet hätte. Vermutlich war Waringham verarmt oder ein Geizkragen, schloss sie. Ihr Bruder hatte ihr so gut wie nichts über ihn erzählt. Nur, dass sie gefälligst stolz zu sein habe, in eine so altehrwürdige Adelsfamilie einzuheiraten.

Anabelle öffnete die dritte Tür. »Hier, Madam. Nicht sehr groß, fürchte ich, aber die Kammer hat einen Kamin, und die Nächte sind noch frisch. Wenn Ihr Euch einen Moment gedulden wollt, mache ich Feuer. Meine Schwester wird gleich kommen und Euch das Bett richten. Wollt Ihr ...« Sie zögerte. Offenbar wusste sie nicht so recht, wie sie diese merkwürdige Situation handhaben sollte. »Wollt Ihr hier essen oder in der Halle?«

Janet trat ans Fenster. Es zeigte auf die Gasse hinter dem Haus und den Hof der jenseitigen Weinhandlung. »Ich will nichts«, sagte sie. »Ein Bett und eine Schüssel warmes Wasser. Kein Feuer, kein Essen.«

»Wie Ihr wünscht, Mylady«, sagte die Magd. Es klang wie: Mach doch, was du willst.

Nachdem sie bekommen hatte, was sie erbeten hatte, befreite Janet sich mit einiger Mühe aus ihrem kompliziert geschnürten Hochzeitskleid. Sie wusste, sie hätte versuchen müssen, die Flecken auszuwaschen, aber ihr war jeglicher Antrieb abhandengekommen. Sie stieg auf das hohe Bett und schloss die geschmackvollen, dunklen Samtvorhänge. Dann lag sie mit brennenden Augen da, zerschunden, unglücklich und todmüde, aber unfähig zu schlafen, und lauschte den Geräuschen dieses fremden Hauses. Schritte auf der Galerie, ein Frauenlachen, fernes Klappern von Töpfen und Zinngeschirr. Anheimelnde Laute. Aber ihr konnten sie keine Geborgenheit geben, wusste sie. Was immer nun aus ihr werden würde, was immer Waringham mit ihr zu tun gedachte, eins war gewiss: Sie würde unter Feinden und darum in Einsamkeit leben. Vermutlich bis ans Ende ihrer Tage. Natürlich hatte ihr Bruder ihr aufgetragen, Waringhams Vertrauen zu gewinnen, um möglichst viel über seine und die Pläne der Lancastrianer zu erfahren. Doch sie glaubte nicht, dass sie das konnte. Ihr Gemahl war kein Dummkopf, so viel hatte sie schon herausgefunden, und würde ihr niemals anders als mit Argwohn begegnen. Wie jeder, der ihm angehörte.

Als es dunkel wurde, kehrte Stille ein, weil der Haushalt sich in der Halle zu Tisch begab. Zu spät erkannte Janet, dass es ein Fehler gewesen war, auf das Essen zu verzichten. Sie hatte den ganzen Tag noch nichts zu sich genommen, und nun war sie ausgehungert. Dennoch verhalf ihre Erschöpfung sich schließlich zu ihrem Recht, die Ruhe tat ein Übriges, und Janet schlummerte ein.

Das Quietschen einer Tür weckte sie. Sie fuhr auf, und vor Schreck brach ihr der Schweiß aus. Doch die Tür zu ihrer Kammer war verschlossen, sah sie durch den Spalt der Bettvorhänge. Sie hatte das kleine Öllicht auf dem Tisch brennen lassen, um sich in der fremden Umgebung zurechtfinden zu können. Es musste im Nebenraum gewesen sein, und kaum hatte sie das erkannt, hörte sie eine Stimme durch die Bretterwand: »Ich hoffe, ich störe nicht, Mylord.« Die Magd, erkannte Janet. »Aber ich hab mir gedacht, es wär doch eine Schande, wenn Ihr Eure Hochzeitsnacht mutterseelenallein verbringen müsstet.«

»Oh, Anabelle.« Er lachte leise. »Ich hatte ja so gehofft, dass du das denkst … Autsch.«

»Was ist denn?«

»Gar nichts. Ich hatte heute früh einen kleinen Zusammenstoß mit ein paar yorkistischen Finstermännern. Vielleicht … könntest du ausnahmsweise mal ein bisschen behutsam mit mir sein.«

Anabelle senkte die Stimme, sodass Janet nicht verstehen konnte, was die Magd antwortete.

Stille, dann sehr bald darauf das Knarren eines Bettes.

»Wo hast du denn meine Braut überhaupt einquartiert?«, hörte sie ihn fragen.

»Gleich nebenan.«

»Ach du Schreck. Dann lass uns leise sein.«

»Warum? Soll sie doch denken, was sie will.«

»Schsch. Von jetzt an wird es für uns alle in vielerlei Hinsicht wichtig sein, den Anschein zu wahren. Und Diskretion.«

»Nicht meine starke Seite, Mylord.«

»Nein, ich weiß.« Er lachte wieder. Es war ein schönes Lachen – tief, warm und voller Frohsinn –, und Janet hasste ihn für seine Unbeschwertheit. Er tat so, als habe man ihm ebenso übel mitgespielt wie ihr, aber er war ein Mann. *Sein* Leben war nicht zu Ende. Nicht er war derjenige, der fortan in Einsamkeit und Furcht würde leben müssen.

Sie zog sich ein Kissen über den Kopf, um die Geräusche aus dem Nebenraum auszusperren, aber es nützte nicht viel.

Waringham, April 1462

Obwohl seine Braut ihm von Herzen gleichgültig war, erfreute es Julian doch auf seltsame Weise, dass Waringham sich bei ihrer Ankunft am nächsten Tag von seiner allerbesten Seite zeigte: Der weite Himmel über Kent strahlte so blau, als wolle er vorgeben, überhaupt nicht zu wissen, was ein ordentlicher englischer Landregen war. Auf den Hügeln nickten Narzissen in den sattgrünen Wiesen, und selbst die sonst eher langweiligen Schafherden waren dank der Lämmer ein erquicklicher Anblick.

»Bedauerlicherweise hat meine Burg keine separaten Wohngebäude mit Kemenaten, Madam«, erklärte er Janet, während sie im Innenhof absaßen. »Zwei meiner Vorfahren wollten eines bauen, beide Male sind die Gebäude vor Fertigstellung abgebrannt. Weil wir Waringham pragmatische Leute sind, hat es danach keiner wieder versucht. Wir wohnen alle im Bergfried, da ist Platz genug.«

Sie nickte, den Blick ein wenig gesenkt, sodass sie ungefähr auf seine Brust schaute. Das blaue Kleid, das Lucas ihr am Abend zuvor aus dem Haus seines Onkels besorgt hatte, stand ihr hervorragend, weitaus besser als das cremeweiße. Die Durham hatten einfach ein Auge dafür, welche Farbe die richtige für eine Frau war – es war diese Gabe, die sie so märchenhaft reich und mächtig gemacht hatte. Das Taubenblau der feinen Wolle glich exakt Janets Augen, und auch wenn sie ihn nicht ansah, entging Julian die verblüffende Wirkung nicht.

»Ihr gestattet, dass ich vorausgehe, Madam. Gebt auf den Stufen Acht. Sie sind ausgetreten und glatt. Meine Großmutter und der Bruder meines Schwagers haben sich darauf den Hals gebrochen.« Er trat durch die gewaltige zweiflügelige Tür, die Lucas und Tristan ihnen aufhielten.

»Dann besteht ja immerhin Hoffnung, dass ich früher oder später verwitwe, Mylord«, sagte sie in seinem Rücken.

Julian wandte blitzschnell den Kopf. Es war eine makabre Bemerkung, aber sie hätte witzig sein können, hätte sie sie nicht mit solcher Bitterkeit ausgesprochen. »Oder ich, Madam«, gab er mit einem trügerischen kleinen Lächeln zurück.

Leichtfüßig, ohne seine eigene Warnung zu beherzigen, lief er die Treppe hinauf. »Hier ist die Halle«, sagte er im ersten Obergeschoss, »Ihr könnt sie später ansehen, wenn Ihr wollt.« Erst einmal brachte er sie weiter nach oben ins Wohngemach, wo seine Schwester mit ihren beiden kleinen Töchtern am Tisch saß und ihnen Unterricht erteilte.

Alle drei schauten auf, als die Ankömmlinge eintraten.

»Onkel Julian, Onkel Julian!«, riefen Martha und Agnes entzückt, sprangen auf und fielen ihm um den Hals.

Kate seufzte. »Was ist denn das für ein Benehmen, Ladys …«

Lachend hob Julian mit jedem Arm eine seiner Nichten hoch. So viel Kummer er auch mit seinem Knappen hatte, so groß war sein Entzücken an dessen Schwestern. Sie brachten jede Menge Leben in sein Haus, aber keine Stürme.

Er küsste sie nacheinander auf die Stirn, stellte sie wieder auf die Füße und trat zu seiner Schwester. »Die Schuld liegt wohl bei mir, wenn ich hier einfach so hereinplatze. Ich nehme an, du erinnerst dich auch noch daran, dass jede Unterbrechung des Schulunterrichts mehr als willkommen ist.«

Kate legte ihm lächelnd die Hand auf den Arm, und dann entdeckte sie die Fremde. »Nanu?« Fragend schaute sie ihren Bruder an.

»Tja.. Darf ich vorstellen? Lady Janet, dies ist meine Schwester Kate. Kate, dies ist die Countess of Waringham.«

»Ja, gibt es denn so etwas?« Kate war verwirrt, aber ihre Augen strahlten. Immer wenn das gelegentlich vorkam, entdeckte Julian einen Schalk an seiner Schwester, der ihm gänzlich untypisch erschien. Mit ausgestreckten Händen trat sie Janet entgegen. »Willkommen in Waringham, liebste Schwägerin!«

Sie wollte sie umarmen, aber Julians Gemahlin trat einen Schritt zurück und schüttelte den Kopf. »Nein, Madam, ich glaube nicht, dass ich das bin. Und ich lege auch keinen Wert darauf.«

»Sie ist Hastings' Schwester«, erklärte Julian.

Kate wich unwillkürlich zurück. »Oh, mein Gott, Julian ... Hast du den Verstand verloren?«

Er lächelte freudlos. »Ich glaube, es ist nicht ganz so, wie du annimmst. Ich erzähl's dir später.«

Einen Moment herrschte ein unangenehmes Schweigen. Dann legte Kate jeder ihrer Töchter eine Hand auf die Schulter und schob sie Richtung Tür. »Glück gehabt. Für heute sind wir fertig. Lauft, aber treibt euch nicht wieder stundenlang im Gestüt herum, hört ihr. Und schickt eine Magd nach Erfrischungen.«

Als die beiden Mädchen hinausgegangen waren, sagte Kate unsicher zu Janet: »Wollt Ihr nicht Platz nehmen, Madam?«

Julians junge Frau setzte sich auf die Kante eines Sessels am Tisch, und auch Bruder und Schwester nahmen Platz. In wenigen, nüchternen Worten und ohne überflüssige Details berichtete Julian, was sich am Tag zuvor in Westminster ereignet hatte. »Und jetzt stehen wir schön dumm da. Hastings wird über jeden unserer Schritte Bescheid wissen, als habe er uns über die Schulter gesehen. Und du weißt, was das heißt.« Marguerite konnte auf den einst so treuen Waringham warten, bis sie alt und grau wurde. Er konnte nicht zu ihr. Somerset und alle anderen Lancastrianer, die unerschütterlich zu ihr und Henry standen, würden ihn für einen Verräter halten. Einen Abtrünnigen. Sie würden auf den Boden spucken, wenn jemand seinen Namen aussprach. Und ebenso wenig konnte er nach Wales gehen, um Jasper bei seinem klammheimlichen Krieg gegen Black Will Herbert zu unterstützen.

Kates Gedanken schienen in die gleiche Richtung zu gehen. »Wäre es nicht das Beste für alle, sie ginge in ein Kloster?« Sie wandte sich an Janet. »Entschuldigt, dass ich das sage, aber die Situation muss für Euch doch beinah so qualvoll sein wie für Julian und …«

»*Beinah*?«, fiel Janet ihr schneidend ins Wort. Aber sie beherrschte sich sogleich wieder, faltete sittsam die Hände im Schoß und schaute darauf hinab. »Mein Bruder hat mir verboten, in ein Kloster zu fliehen, Madam.«

»Fliehen? Oh, vielen Dank auch«, knurrte Julian bitter.

»Aber …«, begann Kate und unterbrach sich, weil die Tür aufging. Ein ziemlich ausladendes Hinterteil mit gräulich weißen Schürzenbändern wurde hindurchgeschoben. Dann drehte die dazugehörige Frau sich um und sah lächelnd in die Runde. Sie stellte ein Tablett mit einem gut gefüllten Weinkrug und kleinen dampfenden Wurstpasteten auf den Tisch, legte Julian beiläufig die runzelige Hand an die Wange und sagte: »Willkommen zu Hause, mein Lamm.«

Julian schnitt eine verstohlene Grimasse und bog den Kopf weg. »Danke, Berit. Aber ich wünschte, du würdest das nicht sagen. Ich bin inzwischen fünfundzwanzig Jahre alt, weißt du.«

Sie war seine und Blanches Amme gewesen. Jetzt eine alte Frau von über fünfzig, hatte sie nach dem Tod ihres Mannes die bescheidene Scholle ihrem Sohn übergeben und war auf die Burg zurückgekehrt, um die Oberaufsicht über die Mägde zu führen und sich irgendwann ein gemütliches Plätzchen am Herd zu suchen, wo sie von früh bis spät sitzen, mit der Köchin schwatzen und ihren Lebensabend genießen konnte. Sie war Julian äußerst willkommen gewesen, und seit sie und Kate das

Regiment auf der Burg führten, wurden die Binsen in der Halle nicht alt, die Silberleuchter nicht stumpf und die Kammern nicht muffig. Er wünschte nur, sie würde ihn nicht immer wie einen Dreikäsehoch behandeln.

»Berit, das ist meine Frau, Lady Janet.«

Sie zog ein Gesicht, als sei ihr die Milch sauer geworden. »Ja, ich hab's gehört.« Sie nickte Janet knapp zu. »Mylady.« Und damit ging sie hinaus.

Julian und Kate tauschten einen Blick. »Lucas und Tristan haben geplaudert, scheint es«, sagte sie.

Er hob die Schultern. »Ich hatte sowieso nicht vor, ein Geheimnis daraus zu machen.« Nur scheinbar gelassen griff er nach dem Stück Holz und dem Schnitzmesser, die hier immer irgendwo herumlagen, und begann zu werkeln. Er war dankbar, dass er etwas hatte, um seine Hände zu beschäftigen. Er sah in Janets Richtung. »Würdet Ihr einschenken, Madam?« Es war irgendwo zwischen Bitte und Anordnung.

Sie zögerte eine geraume Zeit. Den Blick immer noch auf ihre gefalteten Hände gerichtet, rang sie mit sich. Dann folgte sie.

Kate schaute ihr unbehaglich zu. »Gott, was soll denn jetzt werden? Julian, wir können doch nicht mit einer *Yorkistin* unter einem Dach leben. Was soll aus …« Sie brach ab.

Da geht es schon los, dachte Julian. Keiner kann mehr sagen, was ihm in den Sinn kommt. Wir alle müssen jedes Wort auf die Goldwaage legen.

Janets Hand zitterte leicht, als sie einen Becher vor Kate stellte.

»Danke«, sagte diese zerstreut, ehe sie Julian fragte: »Wer soll denn jetzt das Haus führen?«

»Du, natürlich«, gab er prompt zurück. »Das fehlte noch, dass sie Schlüsselgewalt über meine Burg hat.«

Janet stellte den zweiten Becher vor ihn, aber jetzt bebte ihre Hand so sehr, dass sie dagegenstieß und Julian den Inhalt in den Schoß kippte. »Es tut mir leid, Mylord.«

Mit einem leisen Fluch sah Julian an sich hinab. Der Weiß-

weinfleck auf seiner hellblauen Hose sah ziemlich missver-
ständlich aus. Dann hob er den Kopf und schaute Janet ins
Gesicht. »Sieh dich vor ...«, warnte er leise.

»Ich sagte, es tut mir leid.«

»Ja. Ich hab's gehört.«

»Und ich weiß nicht, wo Ihr Eure Manieren gelernt habt,
aber da, wo ich herkomme, redet man nicht über die Köpfe
anderer Leute hinweg, als wären sie Vieh.«

Er stand auf, um sich umziehen zu gehen. Sie missverstand
seine Absichten und zuckte furchtsam zurück. Julian lächelte
grimmig. »Da, wo Ihr herkommt, behandelt man andere Leute
mit Respekt, nicht wahr. Das haben wir gestern ja gesehen.« Er
legte sein noch unförmiges Schnitzwerk zurück auf den Tisch
und wandte sich zur Tür. »Kate, wo ist Roland?«

»Im Gestüt, nehme ich an.«

»Wenn du ihn siehst, sag ihm, er muss seine Kammer
räumen und zu den übrigen Jungen ziehen. Bis auf weiteres
bekommt Lady Janet sein Bett. Und wenn sie uns Scherereien
macht, wird sie im Burgkeller einquartiert. Angenehm kühl da
unten im Sommer.«

Und damit ging er hinaus.

Natürlich verbreitete sich die Nachricht nicht nur auf der Burg,
sondern auch in Dorf und Gestüt wie ein Lauffeuer. Die meisten Leute fanden es nicht weiter tragisch, dass die neue Lady
eine Yorkistin war. Der Krieg war schließlich vorbei. Es gab
einen neuen König, der sogar schon in Waringham zu Besuch
gewesen war – eine Ehre, die sein Vorgänger ihnen in vierzig
Amtsjahren kein einziges Mal erwiesen hatte.

»Und da dieser neue König ein York ist ...«, begann Davey
Wheeler, doch seine Frau Emily fiel ihm ins Wort: »Und wie
gut er aussieht.«

Davey warf ihr mit seinem verbliebenen Auge einen befrem-
deten Blick zu. »Ah ja?«

»Königlich, mein ich«, beeilte sie sich zu erklären und strich
ihm über den Arm. Sie wusste, ihr Davey hegte insgeheim die

Befürchtung, er sei ein abstoßender Anblick für seine Frau und seine beiden kleinen Töchter, und diese Sorge rührte sie.

»Da er nun mal ein York ist, wollte ich sagen, kann es gar nicht schaden, dass unser Lord Julian eine Frau von der anderen Partei genommen hat«, beendete Davey seinen Satz.

»Genau«, stimmte sein Schwager Adam zu. »Ich schätze, sie wollen Vergangenes vergangen sein lassen. In der Hinsicht sind Adlige genauso vernünftige Menschen wie normale Leute. Jedenfalls manchmal.«

Sie standen nach der Sonntagsmesse vor der Kirche zusammen im Schatten der alten Buchen, und niemand hatte es besonders eilig, nach Hause zu kommen. Das Wetter war unverändert herrlich, aber der alte Schmied hatte gesagt, er spüre in den Knochen, dass es heute noch Regen geben werde. Also nutzten sie die Sonnenstrahlen lieber aus, denn der alte Matthew irrte sich niemals.

»Fragt sich nur, wie freiwillig er sie genommen hat«, warf Emily ein. »Die Köchin erzählt, seine Lordschaft macht einen Bogen um seine Frau. Auch nachts. Sie hat eine *eigene* Kammer.«

Einen Moment herrschte verwundertes Schweigen.

Dann winkte Adam ab. »Was die Köchin immer zu wissen glaubt. Nur weil sie oben auf der Burg lebt, tut sie so, als sei sie eine Fliege an der Wand, die alles hört und sieht. Aber was nachts in den Gemächern über der Halle vorgeht, weiß sie ganz sicher nicht.«

»Trotzdem ist es eigenartig, dass er heute nicht mit ihr zum Kirchgang ins Dorf gekommen ist«, fand seine Frau Bessy. »Das wäre doch eigentlich üblich, oder?«

»Sie ist ja erst ein paar Tage hier«, entgegnete Emily. »Vielleicht ist sie scheu, die Lady Janet. Sie ist noch blutjung. Sechzehn, schätzt die Köchin. Als Adam dich aus Sevenelms mit hergebracht hat, hast du dich die ersten Tage auch kaum in die Kirche gewagt«, neckte sie ihre Schwägerin.

»Ich bin ja auch keine feine Lady.«

»Was die Furcht vor der Fremde angeht, sind alle Menschen

gleich«, bekundete Vater Michael, der unbemerkt – aber nicht unwillkommen – hinzugetreten war. »Überhaupt sind die Unterschiede geringer, als ihr glaubt, denn letztlich sind wir alle Kinder Gottes, nicht wahr.«

»Ach herrje, unser Hirte fängt wieder mit seinen ketzerischen Gleichmacherreden an«, brummte Adam. Manche von Vater Michaels Ansichten waren ihm nicht geheuer und viel zu modern.

»Ganz und gar nicht, mein Sohn«, versicherte der Dorfpfarrer mit einem Lächeln. »Ich spreche lediglich aus Erfahrung.«

»Tja, Ihr wisst gewiss mehr als jeder von uns darüber, was da oben vorgeht«, räumte Davey ein. »Ich gäb was drum, wenn ich auch nur die Hälfte dessen wüsste, was Euch bei der Beichte in der Burgkapelle so alles zugeflüstert wird.«

Alle lachten.

Auch Vater Michael, wenngleich er sofort einen mahnenden Zeigefinger hob. »Es ist lasterhaft und unanständig, so neugierig zu sein, David Wheeler. Darüber hinaus werde ich nicht mehr lange dieses zweifelhafte Privileg haben, der seelische Beistand der Waringham zu sein. Seine Lordschaft sucht einen Hauskaplan.«

»Da, ich hab's doch gesagt, wenn er erst mal verheiratet ist, wird er häuslich und vernünftig …«, murmelte Adam.

»Hauskaplan?«, wiederholte Emily skeptisch. »Der Ärmste tut mir jetzt schon leid.«

»Und wieso?«, erkundigte sich Vater Michael.

Sie hob die Schultern. »Ein Fluch lastet auf den Hauskaplänen oben auf der Burg, Vater, das weiß doch jedes Kind in Waringham.«

Der Pfarrer seufzte vernehmlich.

»Es ist so, das glaubt mal«, beharrte Emily. »Lord Robert, dieser Teufel, hat sie verflucht. Der eine brach sich den Hals auf der Treppe, den nächsten holte die Schwindsucht, der letzte ist spurlos verschwunden. Das hat meine Mutter mir erzählt.«

»Deine Mutter, Gott hab sie selig, witterte hinter jedem natürlichen Unglücksfall finstere Machenschaften«, entgegnete Vater Michael ungehalten. »Doch kann man ihr daraus keinen Vorwurf machen, denn ich kenne niemanden, der so viel Unglück im Leben hatte wie sie. Da fällt mir ein, wo ist dein Bruder, Adam?«

Der Angesprochene hob mit einem nachsichtigen Lächeln die Schultern. »Im Gestüt, schätze ich. Er hat einen neuen Freund, dem er auf Schritt und Tritt folgt, wann immer der ihn lässt.«

Julian war geneigt, seinen Augen zu misstrauen: Auf der Koppel hinter dem langgezogenen Stallgebäude der Zweijährigen stand Roland, hatte einem der jungen Hengste von unten den Arm um den Hals gelegt und die Stirn an die des Tieres gelehnt. Pferd und Knappe standen vollkommen reglos. Dann trat Roland zurück, fädelte einen Strick durch das Halfter und sagte etwas. Leander, bislang der wildeste unter den Zweijährigen, dem man sich nur unter Lebensgefahr nähern konnte, legte sich lammfromm ins Gras. Roland lachte leise. Es war das erste Mal, dass Julian ein natürliches, fröhliches Jungenlachen von ihm hörte.

Er hat die Gabe, erkannte Julian fassungslos. Die Erkenntnis versetzte ihm einen Stich, aber er drängte die hässliche Anwandlung von Neid hastig beiseite. Vielleicht ist das die Antwort für den Jungen, dachte er.

Roland winkte jemanden heran, den Julian von seinem Lauerposten an der Ecke des Stallgebäudes nicht sehen konnte. »Jetzt komm her, Mel. Keine Angst. Du kannst dich auf seinen Rücken setzen, Ehrenwort«, versprach Roland.

Julian stockte beinah der Atem, als er Adams schwachsinnigen Bruder auf das große Pferd zugehen und furchtlos auf den ungesattelten Rücken klettern sah. Er wollte einschreiten, um zu verhindern, dass der arme Junge sich den Hals brach, aber irgendetwas hielt ihn zurück. Roland schien sich seiner Sache so sicher. So souverän. Er wusste, was er tat.

Als Melvin saß, nahm Roland den Strick fest in die Rechte, und Leander kam elegant auf die Hufe. Roland betrachtete Pferd und Reiter einen Moment konzentriert, dann führte er sie am Zaun der Koppel entlang im Kreis. Nach zwei oder drei Runden schnalzte er Leander zu, begann zu laufen, und das Pferd – das sich bis vor einer Woche störrisch geweigert hatte, zu begreifen, was Gangarten waren – fiel neben ihm in einen weichen, gleichmäßigen Trab. Melvin jauchzte, reckte eine Faust in die Luft und machte keinerlei Anstalten, herunterzufallen.

Als Roland völlig außer Atem war, verlangsamte er, bis Leander wieder Schritt ging, zog den Strick aus dem Halfter, ging rückwärts vor dem Pferd her – was man niemals, *niemals* tun sollte –, und Leander folgte ihm wie ein hungriges Fohlen der Stute.

Julian öffnete das Gatter und ging bis zur Mitte der Koppel.

Als Roland ihn entdeckte, verschwand sein Lächeln, aber nur langsam und allmählich, nicht wie sonst, da es verlosch, sobald er seinen Onkel und Dienstherrn sah, als habe man eine Kerze ausgeblasen. Er hielt Leander an und fuhr ihm mit der Linken sacht über die weichen Nüstern. »Mylord, bevor Ihr irgendwas sagt ...«

Julian hob eine Hand, um ihn zum Schweigen zu bringen. Kopfschüttelnd erwiderte er: »Keine Sorge. Ich bin ... sprachlos.« Er nahm Melvins linken Unterarm. »Komm da runter, mein Junge.«

»Aber Mylord«, protestierte Roland. »Leander ist das reinste Lamm, solange Melvin draufsitzt.«

»Ich hab's gesehen.« Julian klang immer noch, als sei er mit der Stirn vor einen Balken gelaufen. Und so fühlte er sich auch. »Trotzdem wäre mir wohler, wenn er wieder sicher auf seinen eigenen Füßen steht. Zumindest, bis du mir erklärt hast, was das alles zu bedeuten hat. Komm schon, Melvin, tu, was ich dir sage.«

Gehorsam, aber unverkennbar enttäuscht glitt der schlaksige Jüngling von Leanders Rücken. Als er vor Julian stand, verdrehten seine Augen sich nach oben. Erst jetzt fiel Julian auf, dass es keinmal passiert war, solange der Junge geritten war.

Roland gab ihm den Strick. »Bring ihn weg, Mel. Dann geh

nach Hause, eh du wieder Ärger bekommst, he. Wir seh'n uns morgen.«

Melvin zog den Strick durch den Ring am Halfter und führte Leander Richtung Stall. Julian wartete darauf, dass dieser störrische Satansbraten die unerfahrene Hand spürte und sich losriss. Aber nichts passierte.

Julian schüttelte fassungslos den Kopf. »Wenn mir das jemand erzählt hätte, hätte ich es vermutlich nicht geglaubt.«

Roland hatte sich halb abgewandt, ließ ihn nur noch sein Profil sehen, und zuckte bockig die Schultern.

»Roland, kannst du mir erklären, wieso du monatelang einen Bogen um das Gestüt gemacht hast, obwohl du die Gabe besitzt?«

»Weil Ihr sie nicht habt. Ich hatte Angst, wenn Ihr es merkt, hasst Ihr mich noch mehr.«

»Ich hasse dich nicht«, gab Julian ungehalten zurück.

»Ach nein?« Ganz der alte Roland: zornig, bitter, verächtlich.

»Wirst du mir verraten, was du hier eben gemacht hast? Warum Melvin nicht mit gebrochenen Gräten im Gras liegt und Leander jetzt nicht reiterlos Richtung Tain galoppiert?«

Im ersten Moment sah es aus, als wolle Roland ihm die Antwort verweigern. Aber offenbar war die Erregung über seine verblüffende Entdeckung einfach zu groß, um die kühle Zurückhaltung aufrechtzuerhalten. »Melvin hat eine glückliche Hand mit Pferden. Das ist mir vor Monaten schon aufgefallen. Er hat keine Angst vor ihnen und umgekehrt. Sie sind …« Er schwieg verlegen, dann sagte er es doch. »Sie sind sich irgendwie ähnlicher, als normale Leute einem Pferd sein könnten. Sie verstehen sich einfach.«

Julian nickte. »Das hab ich gesehen.«

»Sir Geoffrey war verzweifelt wegen Leander. Er hat gesagt, der Gaul sei ein hoffnungsloser Fall, und war schon drauf und dran, ihn zum Schlachter zu bringen. Da bin ich hergeschlichen und hab ihn mir vorgenommen. Ähm, ich meine Leander, Sir, nicht den Stallmeister.«

»Weil du es bist, war ich einen Moment nicht ganz sicher, Roland«, gestand Julian mit unbewegter Miene.

Der Knappe grinste flüchtig. »Es ist nichts Boshaftes an dem Hengst«, fuhr er fort. »Er ist nur nicht daran interessiert, sich zähmen zu lassen. Reiter gehorsam von einem Ort zum anderen zu tragen, nach ihren Regeln. Er denkt nicht dran.« Rolands Bewunderung für so viel Freiheitsdrang war unüberhörbar. »Aber gegen Melvin hegte er keinen Argwohn. Also hab ich's versucht. Ich hab sie ... aneinander gewöhnt.«

»Wie?«, fragte Julian fasziniert.

Roland breitete kurz die Hände aus. »Ich hab Melvin sonntags hergebracht, wenn Geoffrey ... Sir Geoffrey in der Kirche ist und es nicht sieht, versteht Ihr. Erst hat er ihn gestreichelt, dann geputzt, dann geführt, dann hab ich ihn aufsitzen lassen. Jeden Sonntag ein Schrittchen weiter. Und vorgestern hat Leander sich zum ersten Mal einen Sattel auflegen lassen. Der Stallmeister konnt's kaum fassen. Aber ich hab gemerkt, wie das Pferd sich verändert hat. Es wird ... langmütiger. Es hat Vertrauen gefasst. Früher oder später wird es nachgeben. Freiwillig, meine ich. Oder das würde es, wenn ich die Chance bekäme, es auf meine Art zu versuchen. Oder auf Melvins Art, muss man wohl sagen.«

»Wieso in aller Welt hat der Junge keine Arbeit hier?«, fragte Julian plötzlich.

Roland schüttelte den Kopf. »Ich glaube nicht, dass Sir Geoffrey ihn nehmen würde. Melvin kann nicht reiten, nicht im herkömmlichen Sinne jedenfalls.«

»Na und? Es gibt andere Dinge zu tun. Stallburschen, die nichts im Sinn haben, als beim Reiten ihren Hals zu riskieren, haben wir hier weiß Gott zur Genüge. Ich rede mit Geoffrey.«

Roland sah ihn ungläubig an. »Das ... würdet Ihr tun? Für einen Schwachsinnigen?«

Julian zuckte die Achseln. »Für das Gestüt genauso«, entgegnete er brüsk.

»Oh, Mylord ...«, begann Roland und brach dann so plötzlich ab, als habe er sich die Zunge abgebissen.

»Was?«

Roland schüttelte den Kopf, und man konnte zusehen, wie er seinen kindlichen Enthusiasmus niederrang und wieder auf sichere Distanz ging. »Es wäre großartig für Melvin.«

»Er hat's nicht gerade leicht mit der Frau seines Bruders, was?«

»Nein, Sir. Sie hasst ihn.«

»Dein Lieblingswort«, spöttelte Julian.

»Aber in dem Fall stimmt's, da könnt Ihr sicher sein. Sie hasst ihn für das, was er ist. Weil seine Eltern … Ihr wisst schon.«

Julian nickte. »Aber wie kommt es, dass du davon weißt?«

»Ich lebe seit einem Jahr hier. Da schnappt man allerhand auf. Hier wissen es doch alle.«

Julian lehnte sich neben ihn ans Gatter. »Aber es gehört nicht zu den Dingen, über die die Bauern für gewöhnlich mit Leuten wie uns reden.«

»Kann sein«, sagte Roland. Er hob die Hand und winkte Melvin zu, der aus dem großen Stallgebäude kam und Richtung Mönchskopf verschwand. »Mit mir reden die Bauern. Ich hab Freunde im Dorf, Mylord. Mehr als auf der Burg.«

»Wo du dir redlich Mühe gegeben hast, dir jeden zum Feind zu machen, nicht wahr? Du behandelst die anderen Knappen von oben herab, als seien sie nicht gut genug für dich, und gibst dich stattdessen mit einem schwachsinnigen Bauernlümmel ab? Meinst du, du könntest mir das erklären?«

»Nein«, beschied Roland verdrossen. Und auf Julians warnenden Blick hin hob er ratlos die Hände. »Ich kann's nicht erklären. *Hier* ist mein Platz. Auf dem Gestüt und unter einfachen Menschen. Nicht da oben bei Euch.«

Julian musste lächeln. »Mein Großvater – der dein Urgroßvater war – war genauso.«

»Ist das wirklich wahr?« Bange Hoffnung lag in dem Blick des Jungen.

Julian nickte und dachte einen Moment nach. Schließlich sagte er: »Wenn das dein Weg ist, werde ich dich nicht hindern, Roland.«

Die Augen leuchteten auf. »Das heißt, Ihr entlasst mich aus Eurem Dienst, und ich darf hier auf dem Gestüt …«

Julian schüttelte langsam den Kopf. »Oh nein. Das ist ausgeschlossen. Du bist ein Neville und ein Waringham. Wenn man noch ein bisschen genauer hinschaut, bist du sogar ein Lancaster.«

»Nur eine Bastardlinie«, schränkte der Junge hastig ein.

»Das ändert nichts an dem Blut, weißt du. König Henry ist dein Cousin ebenso wie der meine. Wenn ich dir vom tiefsten Grunde meines Herzens die Wahrheit sagen soll: Ich war auch nie versessen auf diese Verwandtschaft, aber wir können sie uns nicht aussuchen. Du bist, wer du bist, und die Verpflichtungen, die daraus erwachsen, kannst du nicht abschütteln. Glaub mir, ich hab's versucht. Du kannst rennen und dich verkriechen, aber sie holen dich ein und finden dich. Aber das hast du ja selbst schon längst festgestellt, nicht wahr. Daher dein unversöhnlicher Groll gegen die Yorkisten.«

»Mein Groll hat allein mit dem Tod meines Vaters und Bruders zu tun«, widersprach Roland.

»Ah ja? Wie kommt es dann, dass du meine hinreißende Gemahlin so leidenschaftlich verabscheust? Sie war bestimmt nicht bei Towton, weißt du.«

»Ihr verabscheut sie doch selbst«, entgegnete Roland grantig.

»Mag sein, aber darum geht es nicht. *Ich* bin mir im Klaren über meine Loyalitäten und meine Motive. Du nicht. Also? Versuch, ehrlich zu sein. Es ist wichtig. Nicht für mich, sondern für dich.«

Roland kaute nachdenklich auf seiner Lippe. »Gottverflucht … Ihr habt Recht«, musste er nach einer Weile einräumen. »Irgendwie geht es doch noch um etwas anderes. Aber selbst wenn? Was hat das damit zu tun, was aus mir werden soll?«

»Eine Menge. Du bist der Erbe deines Vaters. Wenn du einundzwanzig bist, wirst du ein ziemlich wohlhabender Mann mit großem Landbesitz sein. Land bedeutet Einfluss und Verantwortung. Du musst lernen, diese Rolle auszufüllen. Das werde ich dir beibringen. Du kannst Vertrauen fassen und Langmut lernen wie Leander und dich mir beugen. Oder du bleibst, wie du bist, und ich brech dir das Kreuz. Das liegt allein bei dir. Aber so oder so werde ich dich lehren, was du können und wissen und sein musst. Das bedeutet indes nicht, dass du deine Freunde im Dorf aufgeben musst oder deine Kräfte nicht da einsetzen kannst, wo deine Neigungen liegen, nämlich hier im Gestüt.«

»Aber wie soll das gehen?«, fragte der Knappe skeptisch.

Julian dachte einen Moment nach. Dann kam ihm eine Idee. »Du kannst ab morgen das erste und zweite Training mitreiten. Du wirst früher aus den Federn kommen müssen, aber ich schätze, das macht dir nichts aus, oder?«

Roland schüttelte den Kopf. Ein Lächeln lauerte in seinen Mundwinkeln, unschlüssig, ob es sich wirklich zeigen sollte.

»Betrachte es als ein Privileg auf Widerruf. Wenn ich in Zukunft mit deinem Knappendienst zufrieden bin, werde ich dir vielleicht weitere einräumen. Wenn nicht, ziehe ich die Erlaubnis zurück. Klar?«

Rolands Lächeln verschwand, und die Augen verengten sich. »Das ist Erpressung!«

Julian hob die Schultern und sah zur Futterscheune hinüber. »Wenn du es so nennen willst, bitte. Das ist mir gleich. Sag ja oder nein.«

»Ja.« Es klang verdrossen, aber es kam ohne das geringste Zögern.

Hab ich dich, dachte Julian zufrieden. »Also dann«, sagte er, als sei die ganze Angelegenheit für ihn nur von mäßigem Interesse. »Ich mache mich auf die Suche nach Geoffrey.«

Das warme Wetter hielt an. Der Mai begann sonnig und trocken, und die Bauern fingen schon an, stirnrunzelnd zum Himmel aufzuschauen. Julian und sein Haushalt hingegen erfreuten sich des herrlichen Frühlings, und an Christi Himmelfahrt ging die erste Rose im Garten auf.

»Eine rote«, bemerkte Kate zufrieden, nahm die Blüte behutsam zwischen zwei Finger und schnupperte daran, ehe sie sich bei ihrem Bruder einhängte und an seiner Seite über den gepflegten Rasen schlenderte. »Gebe Gott, dass es ein gutes Omen für Lancaster ist.«

Julian nickte versonnen.

»Hast du irgendwelche Neuigkeiten gehört?«, fragte sie. Sie hatte die Stimme gesenkt. »Ich hab gestern einen fremden Ritter in die Burg reiten sehen.«

Julian schaute über die Schulter und ärgerte sich gleich darauf über sich selbst. Es war genauso gekommen, wie er vorhergesagt hatte: Man konnte in Waringham kein offenes Wort mehr reden, ohne zu befürchten, vom Feind belauscht zu werden. Janet war ein stilles Geschöpf und ließ sich außerhalb der Mahlzeiten kaum je blicken. Julian hatte keine Ahnung, womit sie ihre Tage verbrachte. Aber gerade weil sie so verhuscht und unsichtbar war, argwöhnte er immer, dass sie hinter irgendwelchen Türen oder Büschen stand und horchte. Jetzt schien die Luft indessen rein. »Exeter hat mir einen Boten geschickt, um mich über die Lage ins Bild zu setzen«, vertraute er seiner Schwester an.

»Treuer Exeter!«, murmelte Kate dankbar. »Er hat nicht an dir gezweifelt.«

»Wie es aussieht, haben er und Somerset Nachricht von Jasper Tudor erhalten und wissen daher, in welcher misslichen Lage wir stecken. Trotzdem hat der Bote sich nicht nehmen lassen, mich zu fragen, ob meine Verwundung mir noch sehr zu schaffen mache.«

»Deine Verwundung? Aber die liegt über ein Jahr zurück«, entgegnete sie verständnislos.

Julian nickte mit einem bitteren kleinen Lächeln. »Es ist die höfliche Art, einen Mann einen Feigling zu nennen.«

Sie zog erschrocken die Luft ein. »Das ist eine Frechheit! Wie können sie's wagen …«

Julian befürchtete, dass die meisten Lancastrianer so dachten wie Exeters Bote, und der Gedanke quälte ihn. Mit einem hilflosen Achselzucken antwortete er: »Ich hab ihn gefordert, und er hat gekniffen. Ehe ich ihn mit einem Tritt zum Tor hinausbefördert habe, hat er mir noch erzählt, dass Marguerite wieder in Frankreich ist, um mit König Louis und dem Herzog von Burgund zu verhandeln. Sie hat ihren Sohn mitgenommen. Henry ist in Schottland.«

»Armer Henry.« Echtes Mitgefühl lag in Kates Stimme. Sie war praktisch zusammen mit dem König aufgewachsen, wusste Julian, und auch wenn Henry ihren Mann schäbig behandelt hatte, genoss er doch ihre unerschütterliche Loyalität, vor allem ihre Freundschaft.

»Warum kann er nicht ein einziges Mal ein Schwert in die Hand nehmen und selbst etwas tun, um seinen Thron zurückzubekommen?«, fragte Julian mit unzulänglich unterdrückter Heftigkeit.

»Weil das eben nicht seine Natur ist, Bruder.«

»Nein«, grollte er. »Und deswegen ist es weiß Gott kein Wunder, dass Edward jetzt auf seinem Thron sitzt. Wie du weißt, fällt es mir immer schwer, Mitgefühl für Henry aufzubringen.«

Kate nickte mit einem leisen Seufzen. »Und ich bin es müde, dich für diesen Mangel zu schelten.«

»Gott sei Dank.«

Sie lachten, setzten sich auf einer der steinernen Bänke in die Sonne, und Kate wechselte das Thema. »Julian, ich bin dir so dankbar für deine engelsgleiche Geduld mit Roland.«

»Engelsgleich?«, wiederholte er grinsend. »Also, ich glaube, das hat noch nie jemand zu mir gesagt.«

»Er ist wie ausgewechselt.«

»Weil ich etwas gefunden habe, womit ich sein Wohlverhalten erkaufen kann. Wir haben eine Art Handel geschlossen.«

Sie schüttelte den Kopf. »Du meinst seine Arbeit im Gestüt? Ich glaube nicht, dass es das allein ist. Was immer du zu ihm gesagt hast, hat ihn nachdenklich gemacht und ... besänftigt. Er ist nicht mehr so zornig.«

»Nein, ich weiß.« Julian war selber überrascht, wie verändert der Junge war. »Ich gebe zu, ich stand kurz davor, ihn aufzugeben. Aber ich schuldete dir einen Sohn, Kate. Deswegen war ich so untypisch geduldig.«

Trauer verdunkelte ihre Augen, wie immer, wenn sie an Alexander dachte oder jemand ihn erwähnte. Doch sie erwiderte: »Ich habe dir gesagt, du bist nicht verantwortlich für Alexanders Tod.«

»Ja, ich weiß, was du gesagt hast. Aber es stimmt nicht. Er war *mir* anvertraut. Ich habe es versäumt, ihn zu schützen. Das Mindeste, nein, das Einzige, was ich tun kann, ist, zu versuchen, aus Roland einen Sohn zu machen, auf den du so stolz sein kannst wie auf Alexander.«

Kate lächelte traurig. »Es war nie leicht für Roland, weißt du. Alexander war so gelungen, dass einem schon unheimlich davon werden konnte. Ein unerreichbares Beispiel für einen normalen Jungen. Und ihr Vater ... hat Alexander immer vorgezogen. Er wollte nicht, aber er konnte kaum anders. Der Junge war Simon so ähnlich. Alexander war der Sohn, den er verstehen konnte. Roland war ihm ein Rätsel, und statt ihn zu ergründen, hat er ihn auf Distanz gehalten. Trotzdem hat Roland weder seinem Vater noch seinem Bruder je etwas übel genommen, im Gegenteil. Das habe ich immer an ihm bewundert. Aber es ist nicht einfach für einen Jungen, in dem Bewusstsein aufzuwachsen, dass sein Vater ihn ... als eine Art Enttäuschung betrachtet.«

Nein, dachte Julian, ich weiß.

»*Du* hast Roland nicht fallen lassen, ganz gleich, wie schauderhaft er sich benommen hat«, fuhr sie fort. »Natürlich kann er es nicht zeigen, aber ich bin sicher, dass ihm das viel bedeutet. Es ist das erste Mal, dass sich jemand wirklich um ihn bemüht hat.«

»Wahrscheinlich geht es mir genau wie deinem Mann, Kate: Roland ist mir ähnlich. Darum kann ich ihn vielleicht besser verstehen als die meisten, und darum wollte ich natürlich nicht glauben, dass er ein hoffnungsloser Fall ist. Und womöglich wird er jetzt ...« Er brach ab, als er Schritte hörte.

Die alte Berit kam über den Rasen auf sie zugewatschelt. »Lady Kate, Ihr solltet aus der Sonne gehen«, schalt sie zerstreut. »Gift für Eure Lilienhaut.«

Kate hob gleichmütig die Schultern. »Zum Glück bin ich so alt, dass ich auf dergleichen nicht mehr so achten muss wie früher.«

»Für eine vermögende Dame ist es nie zu spät, wieder zu heiraten.«

»Bist du gekommen, um uns das zu sagen?«, erkundigte sich Julian.

»Nein«, bekundete Berit grantig. »Eure Frau ist weggelaufen, Mylord.«

»Ah ja?« Julian streckte die langen Beine vor sich aus und verschränkte die Arme. »Gut.«

Kate bedachte ihn mit einem Kopfschütteln und fragte die alte Amme dann: »Was heißt weggelaufen? Wohin?«

»Das können wir uns doch wohl unschwer vorstellen«, murmelte Julian.

»Hat sie ein Pferd genommen?«, fragte Kate.

»Ich nehm's an«, antwortete Berit. »Ich schätze, sie ist nach Canterbury. Vielleicht sogar nach London.«

»Blödsinn«, widersprach Julian. »Sie ist zu ihrem Bruder gelaufen, um sich darüber zu beklagen, wie hässlich alle Lancastrianer zu ihr sind.«

»Das glaub ich nicht, Mylord«, entgegnete Berit.

»Warum nicht?«

»Wenn Ihr Euch bequemen wolltet, Euch von Eurem Hintern zu erheben und mit in die Burg zu kommen, werdet Ihr's hören.«

Julian stand auf und sagte zu seiner Schwester: »Sie ist unmöglich, oder?«

Kate erhob sich ebenfalls, ihre Miene beunruhigt, und eilig folgten sie Berit zurück zum Bergfried. Vor der Tür warteten Adam und seine Frau Bessy, und sie sahen aus, als wären sie an jedem anderen Ort der Welt lieber als hier.

»Was ist passiert?«, fragte Julian.

Adam sah von ihm zu Kate und wieder zurück und murmelte: »Ziemlich vertrackte Sache, Mylord.«

»Dann raus damit.«

»Wenn ich Euch vielleicht allein …«

»Spuck's aus, Mann«, unterbrach Julian ungeduldig.

Adam nickte, atmete hörbar tief durch und wies dann auf Bessy, die mit gesenktem Kopf an seiner Seite stand. »Ich nehme an, Ihr wisst, dass meine Frau in Waringham die Kinder auf die Welt holt?«

»Natürlich.«

»Tja.« Adam räusperte sich. Ungläubig erkannte Julian, dass der reichste Bauer von Waringham, der als Knabe sein Spielkamerad gewesen war, sich vor ihm fürchtete.

»Sie ist zu dir gekommen, weil sie schwanger ist?«, fragte Kate die junge Hebamme.

Bessy nickte, sah ihr für einen Lidschlag ins Gesicht und senkte den Blick sofort wieder. Kate schaute zu ihrem Bruder, ihr Ausdruck eine Mischung aus Verwirrung und nachsichtigem Spott.

»Schwanger?«, wiederholte Julian fassungslos, aber sogleich nahm er sich zusammen. »Das … wusste ich nicht. Und was weiter?«

Er bekam keine Antwort.

»Adam!«, protestierte Julian.

Der gab sich einen sichtlichen Ruck. »Also schön.« Tapfer sah er Julian in die Augen. »Sie ist zu Bessy gekommen und hat sie gebeten, das Kind wegzumachen.«

Julian hörte Kate an seiner Seite nach Luft schnappen. Er selbst war über diesen ungeheuerlichen Entschluss seiner Gemahlin weit weniger überrascht, aber er schockierte ihn dennoch. Er wandte sich an Bessy. »Daraus, dass ihr hier seid, darf ich wohl schließen, dass du dich geweigert hast?«

»Natürlich, Mylord«, gab sie entrüstet zurück.

Julian konnte sie nichts vormachen. Er wusste, alle Hebammen waren Engelmacherinnen. Er hatte zwar keine Ahnung, woher er das wusste, aber es war allgemein bekannt. Nur vor dem Balg, das sie für den Erben des Hauses Waringham hielt, hatte Bessy dann doch lieber Halt gemacht, schätzte er. »Wann war das?«

»In aller Herrgottsfrühe. Es war noch dunkel. Vor dem Hahnenschrei.«

»Heute?«

»Ja, Mylord.«

Julian schaute zur Sonne. »Gleich Mittag. Was mag euch so lange aufgehalten haben?«

Adam legte seiner Frau einen Arm um die Schultern. »Es war keine leichte Entscheidung für Bessy. Hebammen sind normalerweise … wie Priester, versteht Ihr. Sie tragen nichts von dem weiter, was die Frauen ihnen anvertrauen. Ehrensache.«

»So, so.«

Adam runzelte ärgerlich die Stirn. »Nicht nur Edelleute haben Ehrgefühl, wisst Ihr.«

»Ja, ich weiß, Adam, aber es ist meine Frau, über die wir hier reden, und du bist mein Pächter, und wenn du schon nicht das Gefühl hast, mir Treue oder Verbundenheit zu schulden, dann aber doch ein Mindestmaß an Loyalität!«

»Ich schulde Euch mehr als das, und das ist der Grund, warum wir hier sind. Es hat eben ein Weilchen gedauert, Bessy zu überreden. Ihr dürft ihr das nicht übel nehmen, Mylord. Aber Lady Janet war …« Er brach abrupt ab.

Julian hob das Kinn. »Was?«

»Nichts, Mylord. Wir haben gesagt, wozu wir hergekommen sind. Wenn Ihr erlaubt, würden wir nun gern wieder nach Hause gehen.«

Er wollte sich abwenden, aber Julian nahm seinen Arm und hielt ihn zurück. »Sie war was? Verzweifelt, wolltest du das sagen?«

Adam nickte unwillig, ohne ihm in die Augen zu sehen.

Julian wusste genau, was er dachte: Was musste ein Mann einer Frau antun, dass sie lieber ihr Leben und ihre Seele aufs Spiel setzte, als sein Kind zu bekommen? Dieses verfluchte *Miststück* hatte ihn in eine unmögliche Lage gebracht. Er konnte öffentlich kundtun, dass es nicht sein Kind war, oder zulassen, dass die Leute in Waringham glaubten, er sei seinem teuflischen Cousin Robert doch ähnlicher, als man auf den ersten Blick meinte. Erst ruinierte ihr selbsternannter König sein Ansehen vor den Lancastrianern, jetzt ruinierte *sie* sein Ansehen vor seiner Ritterschaft, seinen Pächtern und seinem Gesinde.

»Es ist nicht so, wie du denkst«, sagte er hilflos.

Adam nickte wiederum und sah vielsagend auf die Hand, die seinen Arm gepackt hielt.

Julian ließ ihn los. »Danke, dass ihr gekommen seid.« Damit wandte er sich zum Pferdestall.

»Julian!« Kate folge ihm. Am Stalltor holte sie ihn ein. »Du kannst dich unmöglich allein auf die Suche machen. Sie kann schon Gott weiß wo sein.«

Er schüttelte den Kopf. Er wusste genau, wo Janet hinwollte. Eine feine Dame, mutterseelenallein unterwegs, konnte nicht einfach von Tür zu Tür gehen und fragen, wo die nächste Hebamme wohnte – weder in Canterbury noch in London. Das erregte Aufsehen, Argwohn und Gerede. Sie konnte nur nach Warwick. Der Weg war weit, aber sie hatte dort lange genug als Gouvernante gelebt, um zu wissen, welch eine erfahrene und heilkundige Frau unten in der Stadt wohnte. Es war der einzige Weg, der ihr offenstand.

»Zum Abendessen bin ich zurück«, stellte er in Aussicht. »Mitsamt meiner liebreizenden Gemahlin. Und dann kann sie was erleben …«

Kate wollte noch etwas sagen, aber er schüttelte sie ab, ging in den Stall und verlangte nach seinem Pferd. »Und zwar noch heute, wenn's geht!«

Er ritt, als seien alle Dämonen der Hölle hinter ihm her. Dädalus schien froh, endlich einmal wieder zeigen zu dürfen, was er konnte, und auf der ersten Viertelmeile fürchtete Julian, der Gaul wolle ihm die Arme ausreißen.

In Rochester hielt er kurz an und fragte die Bauern, die sich anlässlich des hohen Feiertages auf dem Dorfanger zu einem ausgelassenen Fest eingefunden hatten, ob sie Janet gesehen hatten. Ja, bestätigten sie, eine feine Lady ohne Begleitung auf einem Apfelschimmel war am Vormittag durch den Ort gekommen. Sie war nicht zur Burg hinaufgeritten, wie sie erwartet hätten, sondern weiter die Watling Street entlang nach Westen.

Julian bedankte sich und ritt weiter. Ein paar Meilen vor London zweigte bei Dartford eine Straße nach Norden ab, wusste er. Der kürzeste Weg, um nach Warwick zu gelangen. Die Frage war nur, wusste Janet das? Was, wenn sie beschloss, die Themse hinaufzureiten, weil der Weg ihr bekannt war? Was, wenn er sich täuschte und sie doch nach Westminster zu ihrem Bruder wollte?

Doch er hatte Glück und holte sie lange vor Dartford ein. Ihr Wallach ging im Schritt und lahmte auf der linken Vorderhand. Als sie den Hufschlag hinter sich hörte, sah sie zurück, riss furchtsam die Augen auf und versuchte, das arme Tier anzutreiben, aber vergeblich. In panischer Hast befreite sie den Fuß aus dem Steigbügel, ließ sich aus dem Damensattel gleiten und rannte von der Straße auf die rettenden Bäume zu. Doch weil dies die königliche Hauptstraße von London nach Canterbury war, wurde sie sorgsam gepflegt und ein breiter Streifen links und rechts des staubigen Weges von Bewuchs freigehalten, damit sich keine Banditen dahinter verbergen konnten. So konnte Julian ihr im Galopp von der Straße folgen, holte sie ein, beugte sich bedenklich weit nach rechts, schlang den Arm um ihren Oberkörper und hob sie hoch.

Janet stieß einen eher wütenden als ängstlichen Schrei aus.

Julian warf sie bäuchlings vor sich über den Sattel, ritt aber nur noch ein paar Längen, ehe er Dädalus in Schritt fallen ließ und zwischen die Bäume lenkte. Als das Unterholz so dicht wurde, dass es nicht weiterging, hielt er an und saß nach rechts ab, was sein Ross veranlasste, ihm über die Schulter einen pikierten Blick zuzuwerfen. Julian legte seiner Gemahlin die Hände um die Taille und zog sie auf den Boden. Dann nahm er ihren Ellbogen und drehte sie zu sich um.

Er hatte keine klare Vorstellung gehabt, was er tun würde, wenn er sie fand. In der Linken hielt er eine Gerte, obwohl er meist ohne ritt. Er merkte jetzt erst wirklich, dass er sie mitgenommen hatte, und er konnte sich an keinen Gedankengang erinnern, der dem vorausgegangen war. Bei seinem Aufbruch war er kopflos vor Zorn gewesen. Aber er wusste natürlich, wozu er sie mitgebracht hatte.

»Nun, Madam? Denkt Ihr nicht, Ihr solltet Euch erklären?«, erkundigte er sich frostig.

»Was könnte ich Euch sagen, das Ihr nicht längst wisst?«, konterte sie.

Sie war ihm noch nie so hinreißend erschienen wie in diesem Moment. Die Flechten unter der Haube hatten sich auf der Flucht teilweise aufgelöst, sodass das flachsblonde Haar ihr nun lose auf die üppige Brust und den Rücken fiel. Ihr Gesicht war gerötet, ob vor Scham oder von der Anstrengung des weiten Ritts, vermochte er nicht zu entscheiden, und Schweiß glänzte in winzigen Perlen auf ihren Schläfen und dem schmalen, langen Hals. Die seelenlose Fassade der feinen Dame hatte mit einem Mal Risse bekommen, und das gefiel ihm, ohne dass er hätte sagen können, wieso. Jedenfalls stellte er plötzlich fest, dass er versucht war, sein Besitzrecht an dieser Frau hier und jetzt einzufordern. Aber das konnte er nicht. Es hätte seine Strategie zunichte gemacht.

»Zum Beispiel, wer der Vater Eures Bastards ist«, antwortete er.

Sie wandte verächtlich den Blick ab und sagte nichts.

»Ihr werdet zugeben müssen, dass ich ein berechtigtes Interesse habe, zu erfahren, wessen Kind mir untergeschoben werden sollte«, fügte er hinzu.

»Ich hätte wissen müssen, dass diese Hebamme redet«, murmelte Janet. »Oder ihr Mann, um genauer zu sein. Ich nehme an, er kriecht vor Euch, weil er Euer Halbbruder ist, nicht wahr?«

»Weder kriecht er vor mir, noch ist er mein Halbbruder, sondern der Sohn meines Cousins Robert, der …«

»Ah, der edle Lord Waringham, den Eure Pächter ›den Teufel‹ nennen«, fiel sie ihm ins Wort.

Julian sah sie verblüfft an. »Dafür, dass Ihr Euch von früh bis spät in Eurer Kammer einsperrt, habt Ihr eine Menge über Waringham gelernt, scheint mir.«

Sie winkte ab. »Ich habe Ohren.«

»Und ich nehme an, Euer Bruder hat Euch befohlen, sie überall und zu jeder Zeit offenzuhalten, was?«

Die grauen Augen verdunkelten sich. »Die Wünsche meines Bruders sind für mich nicht mehr von Belang.«

»Das könnt Ihr Eurem Wallach erzählen, Madam. Vielleicht glaubt der es.«

Sie beäugten einander – unsicher und voller Misstrauen. In der Stille hörten sie den Ruf eines Kuckucks, und irgendwo in der Nähe plätscherte ein Bach.

»Und was nun?«, fragte Janet schließlich. Sie strich sich eine der losen Haarsträhnen hinters Ohr und wies mit dem Finger auf die Reitpeitsche in seiner Hand. »Wenn Ihr es tun wollt, wäre ich dankbar, Ihr ließet mich nicht ewig warten. Nur zu, Mylord. Vielleicht hab ich ja dieses Mal Glück und verliere meinen Bastard.«

Julian fand es ein bisschen unheimlich, mit welcher Gelassenheit sie das sagte. Er fragte sich, ob sie eine harte, gefühllose Frau war. Mit einem Mal fand er es eigenartig, dass er seit einem Monat mit ihr verheiratet war und nicht das Geringste von ihr wusste.

Er holte die Pferde, die zu grasen begonnen hatten und sich allmählich von ihnen entfernten, schlang die Zügel über den rechten Arm und steckte die Gerte unter Dädalus' Sattelblatt. Dann nickte er Janet zu. »Kommt mit.«

Er folgte dem Murmeln des Wassers, führte sie ein kleines Stück durch den Wald und kam schließlich an einen Bach. »Ah. Seht Ihr? Wenn man in Kent ein paar Schritte läuft, stößt man früher oder später an ein weidengesäumtes Ufer.«

Der Bach war schmal und seicht, das Ufer mit dichtem, langem Gras bewachsen. Die gedrungenen Bäume beschatteten den Wasserlauf, aber hier und da funkelte ein Sonnenstrahl auf der Oberfläche.

Julian band die Pferde an und nahm ihnen die Sättel ab. Dann hob er den linken Vorderhuf des Wallachs an, kratzte ihn mit den Fingern behutsam aus und legte einen eingetretenen, rostigen Nagel frei. Stellvertretend für die arme Kreatur zog er schmerzlich die Luft durch die Zähne. »Jesus … wie lange habt Ihr ihn darauf laufen lassen?«

Janet kam zwei Schritte näher, blieb aber auf Abstand. »Ich weiß nicht. Es ist vielleicht eine Stunde her, dass er angefangen hat zu lahmen.«

»Und Ihr seid nicht auf den Gedanken gekommen, anzuhalten und nachzuschauen, woran es liegen könnte, nein?«, fragte er ärgerlich.

Sie hob desinteressiert die Schultern. »Ich verstehe nichts von Pferden.«

»Aber ich nehme an, Ihr erkennt einen rostigen Nagel, wenn Ihr ihn seht, oder?« Er packte den Huf fest mit der Rechten und zog den Nagel mit einem kleinen Ruck heraus. Der Wallach zuckte zusammen, wieherte und befreite den Huf mit einem so kraftvollen Ruck, dass Julian seinen eigenen Fuß eilig in Sicherheit bringen musste, damit der nicht darunter geriet. »Wenn sich das entzündet, könnte es gut sein, dass er eingeht. Hufentzündungen sind tückisch. Dann könnt Ihr in Zukunft zu Fuß gehen.«

»Ich hab ihm den Nagel nicht in den Huf getrieben, wisst Ihr«, gab sie hitzig zurück.

»Nein.« Julian seufzte. »Ich weiß.«

Er wusch sich die Hände im klaren Wasser des Flüsschens, breitete Dädalus' Schabracke im Gras aus und machte eine einladende Geste. »Nehmt Platz, Madam. Wir werden ein Weilchen hier sein.«

Sie stand reglos, die Hände lagen zu losen Fäusten geballt auf ihrem blauen Rock, und ihre Augen hatten sich verengt.

Julian wusste genau, was sie fürchtete, aber er tat oder sagte nichts, um sie zu beschwichtigen. »Worauf wartet Ihr? An mein Wappen solltet Ihr Euch allmählich gewöhnt haben.«

Er setzte sich auf eine Hälfte der Decke, ließ sich auf die Ellbogen zurücksinken und sah blinzelnd in den Baldachin aus langen silbrigen Weidenblättern.

Stoff raschelte, näherte sich, dann ließ sie sich so weit wie möglich von ihm entfernt nieder.

»Ihr wolltet nach Warwick, stimmt's?«, fragte er.

Sie sah aufs Wasser. »Ja.«

»Fehlt es Euch? Es ist ein wunderbares Fleckchen Erde und eine herrliche Burg.«

»Das war nicht der Grund, warum ich hinwollte.«

»Nein, ich weiß.«

Sie rupfte einen der langen Grashalme aus und strich damit über die Mähne des schwarzen Waringham-Einhorns auf der Schabracke. Julian hätte jeden Eid geschworen, dass ihr das nicht bewusst war.

»Die Mädchen fehlen mir«, gestand Janet ihm unerwartet. »Anne vor allem.«

Er musste lächeln. »Ja, sie ist bezaubernd.«

Plötzlich wandte sie den Kopf. »Lasst mich gehen, Mylord. Ich … bitte Euch. Könnt Ihr nicht einfach so tun, als hättet Ihr mich nicht gefunden und …«

»Ich habe Euch aber gefunden, Janet«, unterbrach er. »Und ich werde Euch todsicher nicht gehen lassen, denn Ihr seid meine Frau, ob es uns nun passt oder nicht, und ich kann nicht zulassen, dass Ihr Euch ins Unglück stürzt. Außerdem brauche ich Euch.«

Sie schien aus allen Wolken zu fallen. »Wozu?«

»Das erklär ich Euch später. Jetzt will ich wissen, wer der Vater ist, und Ihr solltet mich lieber nicht anlügen. Ist es Warwick?«

Sie wandte beschämt den Blick ab und schüttelte den Kopf. Nach einer Weile vertraute sie der Weide zu ihrer Rechten an: »Ich war schon lange von dort weg. Mein Bruder hat mich kurz nach der Krönung im letzten Sommer an den Hof geholt, um mich gewinnträchtig zu verheiraten. Stattdessen …« Sie brach ab.

»Stattdessen hat der König, den Ihr so glühend bewundert, seinen begehrlichen Blick auf Euch gerichtet, ja?«

Ihr Kopf fuhr herum, die Augen weit aufgerissen. Julian wusste, dass er ins Schwarze getroffen hatte, und glaubte einen Moment, er werde an seinem Zorn ersticken.

»Woher ... Wie kommt Ihr nur auf den Gedanken ...« Stammelnd heuchelte sie Befremden. Eine schlechte Lügnerin, stellte Julian fest. Nicht gerade die geborene Spionin.

Er hob die Hand. »Das könnt Ihr Euch sparen. Es ist kein Geheimnis, dass er hinter jedem Rock her ist. Und mir wollte er seinen Bastard unterjubeln. Ein köstlicher kleiner Scherz, mit dem er die Lancastrianer noch einmal in den Staub treten kann. Ich bin sicher, er und Euer Bruder haben Tränen gelacht, als sie das ausgeheckt haben ...«

»Wie scheinheilig Ihr seid«, sagte sie leise, und es klang zutiefst angewidert. »Ihr bedient Euch Eurer Mägde so wie er sich der Damen an seinem Hof. Es ist genau das Gleiche, nur auf einer anderen Ebene. Also erspart mir Eure moralische Entrüstung.«

Julian war einen Moment sprachlos. Jahrelang hatte Marguerite ihn gezwungen, ihr zu Willen zu sein. Sie hatte ihn in gleicher Weise zum Opfer königlicher Willkür gemacht wie Edward Janet. Und doch schor seine Gemahlin ihn nun mit ihrem König über einen Kamm. Das war so himmelschreiend ungerecht, dass er den kindischen Drang verspürte, mit den Fäusten auf den Boden zu trommeln. Stattdessen entgegnete er scheinbar gleichmütig: »Ihr seid mit einer blühenden Fantasie gesegnet.«

»Wie ich schon sagte: Ich habe Ohren.«

»Und dennoch gibt es Dinge, die Ihr nicht über mich wisst. Viel Unglück ist in Waringham geschehen, weil mancher meiner Vorfahren gar zu freizügig im Umgang mit seinen Mägden war. Es ist eine von vielen Familientraditionen, mit denen ich gebrochen habe.« Er ahnte, dass sie ihn und Anabelle in ihrer »Hochzeitsnacht« gehört hatte. Und Anabelle war auch nicht die Einzige. Ein Mann, der wie er mit einer spröden Frau geschlagen war, musste schließlich sehen, wo er blieb, und so hatte er sich nicht gerade in seiner Kammer verbarrikadiert oder seine Tugend mit Waffengewalt verteidigt, als die junge, verwitwete Schwester der Köchin in Waringham begonnen hatte, ihm schöne Augen zu machen. Er war jung und kein Asket, also nahm er dankend alles, was ihm in den Schoß fiel. Aber nichts sonst. »Im Übrigen ist es ziemlich durchschaubar, aus welchem Grund Ihr mich in die Defensive drängen wollt, aber das ändert nichts an den Tatsachen, Madam: Ihr habt Euch von Eurem König schwängern lassen, und Ihr wart auf dem Weg zu einer Engelmacherin. Also erspart mir Eure moralische Entrüstung.« Er konnte sich ein kleines Siegerlächeln ob dieses rhetorischen Triumphes nicht versagen.

Janet sah aus, als wolle sie mit den Fäusten auf ihn losgehen. »Ich habe vier oder fünf Mal nachts vor Eurer Tür gestanden. In Euer Bett zu kommen schien mir in meiner hoffnungslosen Lage der einzige Ausweg. Aber jetzt bin ich froh, dass ich es nicht getan habe.«

Er nickte knapp. »Ja, alles in allem bin ich das auch.«

Er war sich bewusst, dass er log. Dass er es sagte, um sie ebenso zu kränken, wie sie ihn mit ihren Worten gekränkt hatte. In Wahrheit fand er sie anziehend. Er konnte sie nicht ausstehen, und er konnte ihr nicht trauen, aber er hätte sie nicht hinausgeworfen, wenn sie gekommen wäre. »Im Übrigen bin ich auch durchaus in der Lage, bis neun zu zählen. Darum habe ich Zweifel, dass ihr mir hättet vormachen können, es sei mein Kind.«

»Wer weiß«, gab sie achselzuckend zurück. »Es passiert so oft, dass Kinder zu früh kommen. Wäre ich in der Lage gewesen, Euch genügend Sand in die Augen zu streuen, hättet Ihr es vermutlich geglaubt, denn Ihr seid eitel.«

»Oh, wärmsten Dank auch.«

»Aber jetzt spielt es ja keine Rolle mehr, nicht wahr?«

»Da habt Ihr verdammt Recht.«

Sie sahen sich an, betrachteten einander ohne die geringste Sympathie. Janet wirkte blass, erschöpft und mutlos. Und Julian spürte eine Art unpersönliches Mitgefühl für die Notlage dieser Fremden, wie er es jeder Frau in der gleichen Situation entgegengebracht hätte. Eben noch hatte er sich gesagt, dass Marguerite ihm genauso übel mitgespielt hatte wie Edward ihr, aber es gab Unterschiede, musste er eingestehen. Kein Mann musste je befürchten, in die Klemme zu geraten, in der sie steckte.

Er konnte zusehen, wie sie ihre Reserven mobilisierte. Ein fast unmerkliches Straffen der Schultern verriet sie, ein Anspannen der Wangenmuskeln. »Werdet Ihr mir sagen, was Ihr nun zu tun gedenkt, Mylord?«

Julian nickte. »Wenn Ihr mir zuvor ein paar Fragen beantwortet.«

»Warum in aller Welt sollte ich das tun?«

»Weil ich möglicherweise gewillt bin, Euch zu schützen und Eure Ehre zurückzugeben, Janet. Wenn Ihr meine Bedingungen erfüllt. Anders gesagt: Ich helfe Euch, wenn Ihr mir helft.«

Sie lachte freudlos. »Und Ihr erwartet, dass ich das glaube? Wie kommt Ihr auf den Gedanken, dass ich Euch trauen könnte?«

Julian hob die Schultern. »Bitte. Dann wählt doch einen der zahllosen anderen Auswege, die sich Euch auftun. Ich bin gespannt.«

Es war ein harter Brocken, und sie hatte lange daran zu kauen. Julian konnte das gut verstehen, und er ließ ihr so viel Zeit, wie sie eben brauchte, um sich in das Unvermeidliche zu ergeben. Schließlich fragte sie: »Was wollt Ihr wissen?« Ihre Stimme klang gepresst. Aber nichts sonst verriet die Bitterkeit ihrer Niederlage. Julian kam nicht umhin, ihre Haltung zu bewundern.

»Hat Euer Bruder Euch beauftragt, mir nachzuspionieren und ihm zu berichten, was ich tue oder möglicherweise andere Lancastrianer tun, die nach Waringham kommen?«, fragte er.

»Ja.«

»Und wie soll er Eure Berichte erhalten?«

»Ich muss sie niederschreiben und am Tag vor dem Vollmond

zu einem Findling auf einer der Weiden des Gestüts bringen. Unter einer Grassode hinter dem Stein liegt eine Holzschachtel. Ich soll meinen Bericht hineinlegen, und in der Nacht kommt mein Bruder Ralph und holt ihn ab.«

Julian war schockiert. Sie mussten Waringham gründlich ausgekundschaftet haben, um solche Arrangements zu treffen. Der Gedanke war ihm unheimlich, dass nachts Yorkisten durch Dorf und Gestüt geschlichen waren und ihn ausspioniert hatten. Er fühlte sich entblößt und auf eigentümliche Weise besudelt.

»Vollmond ist heute«, bemerkte er.

»Der Bericht liegt an Ort und Stelle.«

»Was steht drin? Lügt mich lieber nicht an, ich werde ihn lesen.«

»Alles, was Exeters Bote gestern zu Euch gesagt hat. Auch dass er Euch beleidigt hat und wie Ihr ihn davongejagt habt, weil er sich nicht mit Euch schlagen wollte.«

Julian starrte sie ungläubig an. »Woher wisst Ihr das alles?«

»Ich hatte mich auf der Brustwehr versteckt. Ich konnte jedes Wort hören.«

Julian erkannte, dass er sein Urteil revidieren musste: Sie war wohl doch eine geborene Spionin. »Tut Ihr so was oft?«

»Ständig«, räumte sie ohne jedes Anzeichen von Scham oder Reue ein. »Leider gab es abgesehen von gestern nicht viel Lohnendes zu erfahren. Den König wird nicht sonderlich interessieren, dass Euer Dorfpfarrer ein Verhältnis mit der Frau Eures Sattlers hat.«

»*Was?*«

Sie lächelte spöttisch und nach wie vor ohne den leisesten Funken von Humor. »Wollt Ihr noch ein bisschen mehr Dorfklatsch?«

Julian winkte ab. Ihn hätte brennend interessiert, wie sie das erfahren hatte und wie lange die Sache mit Vater Michael und Jack Saddlers hübscher Frau schon ging, aber sie hatten Wichtigeres zu besprechen. Rastlos stand er auf, lehnte sich an den Stamm der Weide, verschränkte die Arme vor der Brust und schaute einen Moment auf seine rätselhafte Gemahlin hinab. »Wir holen den Bericht, sobald wir zurückkommen, und von heute an werdet Ihr sie nach meinem Diktat verfassen. Ich werde Waringham morgen verlassen, um endlich wieder meiner Vasallenpflicht gegenüber dem rechtmäßigen König nachzukommen, und Ihr werdet dies weder Eurem Bruder noch Eurem König oder irgendeinem anderen Yorkisten mitteilen. Ihr sagt Ihnen nur noch das, was ich Euch auftrage. Im Gegenzug werde ich Euren Bastard als mein Kind anerkennen, wenn er zur Welt kommt.«

Janet überlegte nicht lange. »Einverstanden.«

Das war zu leicht, dachte Julian. Er hatte mit Zorn und einer hochmütigen Absage gerechnet, mit händeringenden Treuebekundungen an Edward und ihren Bruder. Diese rasche, kühle Zustimmung machte ihn äußerst misstrauisch. Er trat einen Schritt auf sie zu. »Wenn Ihr mich hintergeht, wenn auch nur ein geflüstertes Wort ohne meine Genehmigung das Ohr Eures Bruders erreicht, lasse ich den Schwindel auffliegen. Ich werde eine Petition nach Rom schicken mit der Bitte, unsere Ehe zu annullieren. Das wird nicht weiter schwierig sein, denn ich könnte ja jeden heiligen Eid schwören, dass sie nicht vollzogen wurde, nicht wahr? Und das würde ich tun. Reinen Gewissens. Ich würde Euch öffentlich als Ehebrecherin brandmarken, ist das klar?«

Die fahle Blässe verriet, dass sie seine Drohung nicht auf die leichte Schulter nahm. Sie nickte.

»Natürlich könntet Ihr in Versuchung geraten, ein doppeltes Spiel zu treiben und Euren Bruder hinter meinem Rücken und in aller Diskretion doch irgendwie wissen zu lassen, dass ich mich dem lancastrianischen Widerstand angeschlossen habe. Ihr werdet vielleicht denken, es sei ein akzeptables Risiko, weil ich ja nicht hier sein werde. Weil ich möglicherweise verhaftet und hingerichtet werde, bevor ich meine Drohung wahr machen kann. Aber seid gewarnt: Wenn Henry Tudor, dem kleinen Earl of Richmond, durch Eure Schuld ein Leid geschieht … Wenn die Yorkisten auch nur ein Haar auf seinem Haupt krümmen, dann werde ich Euch töten, Janet. Und wenn ich keine Gelegenheit mehr dazu bekomme, wird Jasper Tudor es tun. So oder so, Ihr kämet nicht davon. Habt Ihr mich verstanden?«

Sie starrte ihn wie gebannt an. Dann schlug sie den Blick nieder und senkte den Kopf. »Ja, Mylord. Ich habe Euch verstanden.«

Es war eine bedingungslose Kapitulation. Oder zumindest war es das, was er glauben sollte.

Pembroke, Juni 1462

Blanche streute Futter auf die Erde, die bei trockenem Wetter hart wie Stein gebacken und bei Regen eine Schlammsuhle wurde. So auch heute. Dennoch liefen die Hühner unverdrossen umher, gackerten aufgeregt und pickten die Körner auf, ehe der Morast sie verschluckte, und Owen rannte auf speckigen, noch nicht ganz sicheren Beinen zwischen den Hühnern auf und ab und scheuchte sie auseinander, was sie mit noch aufgeregterem Gegacker kommentierten.

Blanche nahm ihren Sohn bei der Hand und betrachtete ihn mit einem halb unterdrückten Seufzen. »Ich glaube, dich stecken wir heute Abend einfach in die Pferdetränke, ehe wir dich schlafen legen, was meinst du?«

Er sah zu ihr hoch und lachte. Es war ein wunderschönes Lachen, und seine Augen, die so dunkel geworden waren wie die seines Vaters, strahlten von purem Frohsinn. Blanche spürte jedes Mal, wie ihre Brust sich vor Liebe zusammenzog, wenn er sie so anhimmelte. Sie hob ihn hoch, küsste die nicht ganz saubere Wange und sog seinen Duft ein. Aber wie üblich fing Owen sofort an zu strampeln, denn er schätzte es nicht, wenn er in seiner Bewegungsfreiheit eingeschränkt wurde. Also setzte sie ihn ab. Er suchte die Hühner aufs Neue heim, aber sie ließ ihn gewähren. Und als eine ungewöhnlich beherzte Henne den Schnabel in die rundliche Kinderhand schlug und der kleine Junge anfing zu heulen, ging sie auch nicht hin, um ihn zu trösten. Jeder Mensch musste für seine Taten geradestehen. Blanche fand, das war etwas, was man gar nicht früh genug lernen konnte.

Sie ging ins Haus und überließ Owen seinem Spiel im Hof. Dort war nichts, das ihm gefährlich werden konnte, und das Tor war verschlossen.

Sie lebten seit einem Monat auf diesem armseligen kleinen Gehöft, das zwei Meilen außerhalb von Pembroke am Rand eines Waldes lag. Der Bauer war ein junger Kerl, der sich Jasper mit Feuereifer angeschlossen und sich von Stund an nicht mehr um seine Landwirtschaft geschert hatte. Was in ein paar Wochen werden sollte, wenn einem Bailiff der gräflichen Verwaltung auffiel, dass sich hier niemand um die Ernte kümmerte, ahnte sie nicht. Aber solche Fragen beunruhigten sie auch nicht. Gott allein wusste, wo sie alle in ein paar Wochen sein würden. Blanche hatte gelernt, auf ihn zu vertrauen und auf Überraschungen gefasst zu sein.

»Nun, Meilyr, wie steht es?«, fragte sie.

In der Küche saß ein Mann am Tisch, den linken Unterarm in eine Schüssel mit dampfendem Kamillesud getaucht. Schweiß stand auf seiner Stirn und rann wie Tränen über sein Gesicht, aber er lächelte. »Viel besser, Mylady.«

Sie setzte sich ihm gegenüber, breitete ein reines Leintuch auf dem Tisch aus und forderte ihn auf: »Dann lass mal sehen.«

Er hob den Arm aus dem Kamillebad und legte ihn auf das Tuch. Die Hand fehlte, und der Stumpf hatte sich böse entzündet. Es war ein abscheulicher, genau genommen ein ekliger Anblick. Aber er machte ihr nichts aus. Blanche hatte zu ihrem Erstaunen festgestellt, dass sie eine bescheidene heilerische Begabung besaß.

Sie sah dem Mann in die Augen und schalt: »Es ist nicht besser. Du schwindelst mir was vor. Zurück mit dem Arm in den Sud, los, los.«

»Wenn Ihr wüsstet, wie weh das tut«, jammerte er.

Blanche betrachtete ihn mit einer spöttisch gehobenen Braue. »Man sollte nicht glauben, dass so ein riesiger Kerl wie du so ein Hasenherz haben könnte, Meilyr.«

Mit einem brummeligen Lachen führte er den verstümmelten Arm zurück in das Bad, aber das Lachen endete mit etwas, das wie ein unterdrücktes Schluchzen klang.

Blanche stand auf, klopfte Meilyr wortlos die massige Schulter und brachte ihm einen Becher Wein. Er griff dankbar danach und trank durstig. Er hatte Fieber, wusste Blanche. Das machte ihr Sorgen.

Meilyr war ein Tischler aus einem Dorf unweit von Pembroke, der unklug genug gewesen war, den neuen Earl of Pembroke einen Blutsauger zu nennen, als der mit seinen Männern zum zweiten Mal innerhalb eines halben Jahres in sein Dorf gekommen war, um angeblich für König Edward irgendeine obskure Sondersteuer einzutreiben.

Black Will Herbert hatte die Hand des Tischlers in die Schraubzwinge an der Werkbank gesteckt und zugedreht, so weit er konnte.

Da Meilyr sein Handwerk nun nicht mehr ausüben konnte, hatte er sich auf die Suche nach Jasper Tudor begeben, sobald seine Nachbarn ihn aus dem Schraubstock befreit hatten. Jasper hatte ihm die völlig zerquetschte Hand abgenommen. Blanche hatte nie einen Menschen etwas Mutigeres tun sehen. Jasper war ein Edelmann und Kommandant – er hatte keine Ahnung, wie man jemandem eine Hand amputierte. Aber niemand anderes war zur Stelle gewesen, also hatte er es getan. Mit einer Säge, wie er es einmal bei einem Feldscher gesehen hatte. Blanche hatte dem schreienden Patienten Branntwein eingeflößt und das strömende Blut aufgewischt, während Madog und ein weiterer Mann Meilyr festhielten. Und seit jener Nacht hatte sie keine Albträume von Thomas Devereux' abgetrennter Klaue mehr. Thomas Devereux' Hand war nämlich *gar nichts*. Seltsamerweise hatte sie aber auch keine neuen Albträume bekommen. Es schien, als hätten der arme Meilyr und seine Hand irgendetwas in ihr geheilt.

Und auch deswegen wollte sie ihn durchbekommen. »Ich mach dir einen Birkenrindentee. Der senkt das Fieber.«

Meilyr lächelte sie treuherzig an. »Noch so ein Tee, und ich glaub, ich muss kotzen.«

»Besser als sterben«, gab sie zurück und hängte einen kleinen Kessel mit Wasser übers Feuer. Als es kochte, goss sie es auf die getrocknete Rinde, die sie in einen Zinnbecher gegeben hatte.

Owen kam polternd ins Haus gelaufen, steuerte auf Meilyr zu und legte einen seiner schlammverschmierten Holzritter auf das Bein des Tischlers, was so viel hieß wie: Spiel mit mir.

»Nein, Owen«, mahnte Blanche. »Wir müssen Meilyr jetzt in Ruhe lassen.«

»Ist schon recht, Mylady. Er stört mich nicht.«

»Na schön. Der Tee muss lange ziehen, du hast noch eine Weile Aufschub.«

»Könnte ich vielleicht noch ein Schlückchen von dem Wein …«

»Nein. Zu viel verlangsamt die Wundheilung.« Sie hatte keine Ahnung, woher sie das wusste. Aber sie war sicher, dass es stimmte.

Der Tischler fragte kein zweites Mal. Wie alle Männer, die Jasper Tudor um sich geschart hatte, schätzte er dessen englische Lady sehr, aber sie alle hatten auch einen Heidenrespekt vor ihr.

»Also schön.« Blanche trocknete sich die Hände an einem Tuch ab, das neben dem Herd hing. »Wenn du Owen eine Weile hütest, hole ich uns ein Huhn fürs Essen.«

»Abgemacht.«

»Sieh zu, dass er nicht nach draußen läuft. Ich will nicht, dass er das sieht.«

»Verlasst Euch auf mich, Mylady.«

Blanche ging zurück in den Hof, hob scheinbar beiläufig eines der Hühner auf und steckte ihm den Kopf unter den Flügel. Sofort hielt es still. Auf dem Weg hinters Haus drehte sie ihm den Hals um, wie ihre Mägde in Lydminster es ihr beigebracht hatten, legte es auf den Hackklotz und schlug ihm den Kopf ab. Hinter der Bauernkate, die etwa in der Mitte des Hofs stand, lag ein kleiner Gemüsegarten. Blanche hatte die Männer angewiesen, ihr dort einen halben Baumstamm hinzulegen, der ihr als Sitzbank diente. Der Tag war verhangen und kühl, aber der Regen hatte am frühen Morgen aufgehört. Also setzte sie sich auf ihren bevorzugten Platz zwischen den duftenden Küchenkräutern, rupfte ihr Huhn und schaute gelegentlich zum stahlgrauen Himmel auf. Sie war überzeugt, dass es nirgendwo auf der Welt schönere und bizarrere Wolken gab als in Wales.

Als sie plötzlich von hinten zwei starke Arme umschlangen, erschrak sie nicht. Sie hatte die Schritte im Gras gehört.

»Blanche of Waringham rupft ein Huhn?«

»Jasper Tudor lauert königlichen Meldereitern auf wie ein Straßenräuber?«

Er lachte leise, zog sie zu sich hoch, und sie legte das halbnackte Huhn auf die Bank, um die Hände in seinem Nacken zu verschränken. Mit einem verstohlenen Blick über die Schulter führte er sie hinter einen der windschiefen Schuppen. Blanche lehnte sich an die rohe Holzwand und raffte die Röcke, und als Jasper in sie eindrang, stellte sie sich auf die Zehenspitzen, nahm die Unterlippe zwischen die Zähne und lachte.

Sie liebte dieses Leben. Und sie wusste, dass es ihm ebenso erging. Jasper Tudor, der als König Henrys Bruder aufgewachsen und zu einem der mächtigsten seiner Lords aufgestiegen war, hatte alles verloren: seine Titel, seine Reichtümer, seine Privilegien und selbst den Schutz des Gesetzes, der jedem Bauern zustand. Und dennoch hatte sie ihn noch nie so glücklich gesehen wie in den letzten Monaten.

Es wurde ein ungestümer und doch verstohlener Akt, denn jeden Moment konnte irgendwer in den Garten kommen und sie entdecken. Diese Gefahr steigerte ihre Lust nur noch, und Blanche ergötzte sich an Jaspers schamloser Gier, seiner Kraft und dieser neuen Unbekümmertheit, die sie nie zuvor an ihm gekannt hatte. Vor einem Jahr wäre ihm so etwas wie das hier nie in den Sinn gekommen.

Als er sich schließlich von ihr löste und sie beide ein wenig außer Atem an der Holzwand lehnten, fragte sie: »Wo bist du gewesen?« Sie fragte ihn nie, bevor er ging. Sie wollte Black Will Herbert nichts zu erzählen haben, sollte sie ihm je in die Hände fallen.

»In Carmarthen. Die Franziskaner sind ein ewig sprudelnder Quell an Neuigkeiten.« Er berichtete ihr, was die Fratres ihm über die Ereignisse in Nordwales erzählt hatten. Die Nachrichten waren nicht gut. Lord Hastings und einige andere Yorkisten hatten auch den Norden fast vollständig für ihren König unterworfen. »Und ich habe Edmunds Grab besucht«, schloss er.

Sie nickte. »Wenn der Widerstand im Norden und im Süden von Wales sich vereinte, könntet ihr mehr ausrichten.«

»Da hast du zweifellos Recht«, räumte er ein. »Aber es ist schwieriger, als es sich anhört.«

»Lass mich ein zweites Huhn holen, und während ich ihm den Garaus mache und die Federn stehle, kannst du mir erklären, warum es so schwierig ist.«

»Kann die Magd das nicht tun?«, fragte er ein bisschen ungehalten. Blanche wusste, es beschämte ihn, wenn sie niedere Arbeiten verrichtete. Als habe er es versäumt, sie besser zu versorgen.

»Sie hat mit dem Vieh und der Molkerei mehr als genug zu tun.«

»In ein paar Tagen verschwinden wir sowieso von hier, und dann suche ich uns etwas Besseres.«

»Jasper.« Sie nahm seine Hände und küsste ihn auf die Wange. »Es ist gut genug, so wie es ist.«

»Das würdest du auch noch sagen, wenn ich dir ein Loch in den Boden graben und als Wohnstatt anbieten würde. Aber so oder so, wir können hier nicht länger bleiben.«

Sie nickte nur.

»Wie geht es Meilyr?«, erkundigte er sich.

»Besser als vor drei Tagen. Aber nicht so gut, wie ich es gern hätte. Er hütet unseren Sohn.«

Jasper grinste. »Dann muss er schon wieder bei Kräften sein ...«

Blanche holte nicht ein, sondern zwei weitere Hühner, denn wenn sie bald aufbrechen würden, brauchte sie mit dem Federvieh hier nicht sparsam zu sein. Sie tötete die Tiere schnell und geschickt und zeigte Jasper, wie man ein Huhn rupft.

»Gott, wenn mich jemand *sieht* ...«, brummte er, machte sich aber emsig ans Werk und schien gar zu versuchen, schneller fertig zu werden als sie.

Sie sprachen über Wales und ihre vagen Pläne für die Zukunft, als einer von Jaspers jungen englischen Rittern im Garten erschien und sich suchend umschaute.

Hastig, aber unauffällig legte Jasper sein Huhn auf die Bank. »Nun, Stephen? Was gibt es?«

»Ah, da seid Ihr, Mylord.« Der junge Mann wirkte erleichtert. »Könnt Ihr mitkommen? Wir haben einen etwas eigenartigen Fang gemacht ...«

Jasper stand auf. »Beim Fischen, beim Wildern oder auf der Straße?«

»Auf der Straße.« Stephen wirkte verlegen, und statt ihn weiter zu befragen, folgten Jasper und Blanche ihm zurück in den vorderen Teil des umfriedeten Gehöfts. Dort fanden sie zwei Männer in blanken Rüstungen auf herrlichen Pferden. Weder Rösser noch Ritter trugen ein Wappen. Beide Männer hatten die Augen verbunden und die Hände hinter dem Rücken gefesselt, aber weder wurden sie bewacht, noch wirkte ihre Haltung besonders angespannt, argwöhnisch oder furchtsam, wie es bei gefesselten Menschen eigentlich immer der Fall war.

Dieses Bild war so eigentümlich, so falsch, dass Blanche ein paar Atemzüge brauchte, um es zu entschlüsseln, und es war Dädalus, den sie als Ersten erkannte. »Julian!«

Unter der Augenbinde des vorderen Reiters breitete sich ein Grinsen aus, das zwei Reihen bemerkenswert gesunder Zähne enthüllte. »Hilft mir jemand beim Absitzen?«

Jasper schüttelte seine Verwunderung ab, trat zu ihm, packte ihn am Arm und zog ihn nicht gerade behutsam aus dem Sattel. Dann riss er ihm die Binde herunter. »Was zum Henker tust du hier?«

Julian drehte ihm wortlos den Rücken zu, und Jasper durchschnitt die Fesseln, während Blanche ihren Bruder in die Arme schloss.

Als Stephen das sah, half er dem zweiten Reiter vom Pferd und band ihn los. »Sie haben Cal und mich einfach angehalten und gebeten, sie zu Euch zu bringen, Mylord«, erklärte er ein wenig ratlos. »Und sie haben darauf bestanden, dass wir ihnen die Augen verbinden und die Hände fesseln. Damit wir beruhigt sein könnten, dass sie keine Spitzel sind, hat er gesagt.« Er wies diskret mit einem Finger auf Julian. »Ich war nicht sicher, was ich machen soll. Hätte ja sein können, dass es irgendeine besonders ausgefuchste List ist. Aber ich hab mir gedacht, mit verbundenen Augen …«

Jasper brachte ihn mit einer Geste zum Schweigen. »Schon gut.« Und Julian fragte er: »Was hättest du getan, wenn sich herausgestellt hätte, dass du einer von Black Will Herberts Patrouillen in die Arme gelaufen bist? Hast du mal darüber nachgedacht, wie unverantwortlich es ist, hierherzukommen …«

»Halt die Luft an«, unterbrach Julian, aber es klang nicht ärgerlich. »Wir sind deinen Männern ungefähr drei Stunden lang gefolgt und haben gesehen, wie sie sich vor einer von Herberts Patrouillen im Wald versteckt haben. Das Risiko war also überschaubar.«

Jasper nickte versöhnlich. »Verstehe.« Dann warf er Stephen einen vielsagenden Blick zu. »Ihr lasst Euch drei Stunden lang unbemerkt verfolgen? Gute Arbeit, das muss ich sagen …«

Stephen errötete und zog sich aus der Affäre, indem er die Pferde der Gäste wegführte.

Jasper trat zu Lucas Durham, Julians einzigem Begleiter, den er seit Jugendtagen kannte. Sie wechselten leise ein paar Worte, dann wies Jasper auf die Bauernkate. »Willkommen in unserem bescheidenen Rebellennest.«

Blanche hakte sich bei Julian ein. »Wie geht es dir, Bruder?«

Er nickte mit einem Schulterzucken. »So gut, wie es einem in England unter den derzeitigen Verhältnissen gehen kann.«

»Es ist so schön, dich zu sehen. Hier gab es ein hanebüchenes Gerücht, Edward habe dich mit Hastings' Schwester verheiratet. Ich war in Sorge.«

»Das Gerücht ist wahr, aber Anlass zur Sorge besteht deswegen nicht. Jedenfalls nicht unmittelbar.«

Blanche war stehen geblieben. »Es ist *wahr*? Oh, mein Gott, Julian. Das ist … eine Katastrophe. Eine yorkistische Spionin als Lady Waringham …«

Er sah sie an, und für einen Lidschlag entglitt ihm die unbekümmerte Maske, und er ließ sie sehen, wie ratlos und zornig und unglücklich er in Wahrheit war. Der Moment versetzte Blanche zurück in ihre Kindheit, als es ihr die natürlichste Sache der Welt erschienen war, immer genau zu wissen, was ihr Bruder dachte und fühlte. Die Erinnerung erfüllte sie mit Wehmut und Erstaunen darüber, wie grundlegend die Dinge sich geändert hatten. Sie nahm wieder seinen Arm. »Komm. Lass uns essen und reden.«

»Was treibst du hier eigentlich, Jasper?«, fragte Julian, als schließlich nur noch sie beide, Lucas und Blanche in der anheimelnden Küche saßen. Owen war im hinteren Zimmer zu Bett gebracht worden, und Jaspers Männer – ein halbes Dutzend vertrauter Ritter und vielleicht ebenso viele Waliser von schlichterem Stand – hatten sich irgendwo in den Außengebäuden zur Ruhe begeben. Längst nicht alle hatten einen Platz am Tisch gefunden, und die enge Küche war überfüllt und laut gewesen.

»In England erzählt man sich, dass Black Will Herberts Herrschaft über Pembroke von Missgeschicken überschattet wird«, fuhr Julian fort. »Seine Steuereintreiber etwa am hellichten Tag von der Straße verschwinden. Entsinne ich mich recht, dass du als Junge eine besondere Schwäche für die Balladen über Robin Hood hattest?«

Jasper grinste verstohlen in seinen Becher. Dann stellte er

ihn ab und antwortete kopfschüttelnd. »*Du* warst immer der Romantiker, Julian, nicht ich. Was kann ich schon tun? Im Grunde gar nichts. Herbert ein paar Nadelstiche versetzen, das ist alles. Wenn er erfährt, dass ich es bin, der dahintersteckt, ist das Leben des Jungen keinen Penny mehr wert. Aber es stimmt: Ich hole seine Steuereintreiber von der Straße, wenn ich sie kriege. Doch das Geld schicke ich Marguerite, nicht den Witwen und Waisen.«

»Sagen wir, das meiste«, schränkte Blanche ein.

»Was hört ihr von dem Jungen?«, fragte Julian. »Behandelt Herbert ihn anständig?«

Jasper senkte einen Moment den Blick, nickte dann unwillig. »Es geht ihm gut. Mein Bruder Rhys hat sich als Stallknecht auf der Burg verdingt und inzwischen Richmonds Amme geheiratet. So erweckt es keinen Argwohn, dass er sich unseres Neffen annimmt. Rhys und ich stehen in ständigem Kontakt. Herbert behandelt den Jungen anständig, lässt ihn zusammen mit seinen eigenen Söhnen erziehen. Aber natürlich ist Richmond verstört darüber, dass er fast alle Menschen verloren hat, die ihm vertraut waren. Vor allem Blanche.« Er hob die Schultern. »Hart für einen Knaben in dem Alter.« Jasper sprach aus persönlicher Erfahrung.

Lucas nahm den Hühnerknochen, auf dem er kaute, aus dem Mund, und fragte: »Warum holt ihr ihn nicht raus?«

»Weil Herbert ihn bewachen lässt, als wär's der heilige Gral. Von einer ganzen Armee. Unter dem Gesinde auf der Burg gibt es noch ein paar treue Seelen, die vermutlich helfen würden, den Jungen zu befreien, wenn es sein muss. Aber das Risiko wäre gewaltig, und der Erste, der draufginge, wäre Rhys.«

»Kein großer Verlust«, murmelte Julian.

Jasper sah ihn einen Moment forschend an. Dann antwortete er lediglich: »Das kannst du sehen, wie du willst. Aber ich habe nicht mehr so viele Brüder, dass ich es mir leisten könnte, verschwenderisch mit ihnen umzugehen. Im Moment ist Black Will Herbert so mächtig, dass er nahezu unangreifbar ist. Ich tue, was ich kann, um das zu ändern.«

»Kannst du keine Revolte gegen ihn anzetteln?«, fragte Julian. »Nach allem, was man hört, unterdrückt er die Leute hier, und die Menschen in Pembrokeshire würden für dich alles tun.«

Blanche schüttelte den Kopf. »Herbert ist selbst Waliser, Julian. Er hat nicht nur Feinde hier. Eine Revolte könnte in einem Bruderkrieg und einem furchtbaren Blutbad enden.«

»Nein, dann vielleicht lieber nicht«, räumte ihr Bruder mit einem unfrohen Lächeln ein. »Davon haben wir ja in England schon mehr als genug.«

»Und was ist mit dir?«, fragte seine Schwester. »Wozu bist du hergekommen? Und ist das nicht viel zu gefährlich?«

In wenigen Sätzen berichtete Julian, wie er sich der Verschwiegenheit und Loyalität seiner Gemahlin versichert hatte. Es machte nichts, dass Lucas es hörte – er hatte ihn noch vor ihrem Aufbruch eingeweiht. Lucas war von Anfang an der Einzige gewesen, der Janet mit Freundlichkeit begegnet war. Darum wusste Julian ihr Geheimnis bei ihm gut aufgehoben.

»Du hast ihr gesagt, du würdest ihr Kind anerkennen?«, fragte Blanche ungläubig. »Aber dann könnte Edwards Bastard der nächste Earl of Waringham werden!« Der Gedanke war ihr unerträglich.

»Das werde ich nicht zulassen«, entgegnete er mit einer grimmigen Entschlossenheit, die Blanche an ihrem Bruder fremd war.

»Und wenn du dich Marguerite nun anschließt und fällst?«, fragte Jasper. »Dann kann deine yorkistische Gemahlin die trauernde Witwe spielen, und ihr Balg beerbt dich doch noch.«

»Für den Fall habe ich ein Testament in Waringham hinterlassen, das die Wahrheit enthüllt und unseren Neffen Roland Neville als meinen Alleinerben benennt. Durchkämpfen müsste er seinen Anspruch allemal, aber das ... wird ihm nicht schwerfallen«, schloss er mit einem unfreiwilligen Grinsen. »Er ist von ziemlich kämpferischer Natur.«

»Aber Julian, was soll geschehen, wenn deine Frau dich verrät? Was wird dann aus Richmond?«

»Sie wird ihn niemals verraten«, warf Lucas beschwichtigend ein. »Sie ist im Grunde ein anständiger Kerl. Ich meine, sie kann ja nichts dafür, dass sie yorkistisch erzogen wurde. Aber sie würde nie etwas tun, was das Leben eines unschuldigen Kindes gefährdet.«

Jasper wandte den Blick zu den geschwärzten Deckenbalken und stöhnte. »Gott, noch ein Romantiker.« Dann sah er Julian in die Augen. »Und was, wenn doch?«

Julian erwiderte seinen Blick. »Ich habe ihr gesagt, in dem Fall würdest du sie töten, wenn ich keine Gelegenheit mehr bekomme.«

Jasper nickte. »Und zwar langsam«, drohte er leise.

Es war einen Moment still. Der Regen hatte wieder eingesetzt, und sie hörten ihn aufs strohgedeckte Dach prasseln. Blanche stand auf, holte einen neuen Krug Ale und brachte eine Schale voll saftig roter Himbeeren mit, die sie vor Tau und Tag gepflückt hatte. Versonnen griffen die drei Männer zu, und sie aßen wie Knaben, nahmen eine Hand voll Beeren und stopften sie in die Münder, als fürchteten sie, zu kurz zu kommen.

Plötzlich bedauerte Blanche, dass sie keine einfache walisische Bauersfrau war, die ihrem Mann, ihrem Bruder und einem Freund nach einem langen Tag einen Krug Bier und Himbeeren vorsetzte. Dabei machte sie sich nichts vor. Sie wusste, dass Bauern ein hartes Leben hatten – in Wales wie in England –, und ebenso wusste sie, dass ein so gleichförmiges, ereignisarmes Dasein wie das einer Bäuerin ihr niemals genügt hätte. Nicht nur Thomas Devereux war schuld daran, wie unglücklich sie in Lydminster gewesen war, sondern auch die Langeweile. Aber war es ein Wunder, dass sie sich nach mehr als fünf Jahren Krieg und Rastlosigkeit manchmal Sicherheit und die Normalität eines Heims wünschte?

Mit einem Ruck wurde ihr bewusst, dass sie gedankenverloren ins Leere starrte, und als sie mit einem entschuldigenden Lächeln in die Realität zurückkehrte, stellte sie fest, dass ihr Bruder sie mit leicht zur Seite geneigtem Kopf ansah. »Blanche ... bist du schwanger?«

Sie zog verwundert eine Braue hoch, nickte aber. »Ich nehme es an.«

Jasper ließ die Hand voller Beeren sinken. »Was?«

Sie strich ihm kurz über den Unterarm, der auf der Tischplatte ruhte. »Ich bin noch nicht sicher.«

Er sah verständnislos zu Julian. Ein wenig argwöhnisch gar. »Wie kommst du darauf?«

»Ich weiß nicht«, gestand Julian verwirrt. »Es kam mir einfach so in den Sinn.«

Er tauschte einen Blick mit seiner Schwester, und Blanche murmelte: »Es funktioniert also immer noch.«

»Was funktioniert?«, fragte Jasper.

Lucas Durham lachte vor sich hin. »Reg dich nicht auf, Tudor. Alle Waringham sind ein bisschen unheimlich, das musst du doch wissen. Die einen können mit Pferden sprechen, die anderen haben hellsichtige Träume oder ähnlich befremdliche Gaben.«

»Blödsinn«, knurrte Julian unwirsch. Er war verlegen. »Meine Schwester steht mir nahe, und manchmal weiß man einfach, was einem Menschen durch den Kopf geht, der einem nahesteht. Das ist alles. Hellsichtige Träume, was für ein Unfug …«

»Doch«, fiel Jasper ein, und er wies anklagend mit einem Finger auf Julians Brust. »Deine Tante war eine Hellseherin. Das hat Vater erzählt. Sie hat Edmund auf die Welt geholt, und meine Eltern haben sich eine Weile bei ihr versteckt …«

»Oh, Jasper, jetzt reicht's aber«, protestierte Julian. »Du kannst nicht im Ernst glauben …«

Er brach ab, weil unangemeldet und mit übermäßigem Schwung die Tür aufgestoßen wurde. Madog trat ein, und er war außer Atem. »Schnell, Mylord«, keuchte er.

Jasper sprang auf die Füße, griff nach seinem Schwert, das auf der Herdbank lag, und schnallte es um. »Wie viele?«

Madog schüttelte den Kopf. »Mindestens dreißig. Noch gut zwei Meilen entfernt. Wir haben zehn Minuten, wenn wir Glück haben.«

Jasper fluchte, aber er zögerte nicht. Dreißig waren einfach zu viele. »Blanche, hol Owen, dann hilf beim Satteln. Julian, geh in den Stall und mach dich an die Arbeit. Lucas, du kommst mit mir, die Leute wecken.« Im Hinausgehen legte er seinem treuen Ritter die Hand auf den Arm. »Gott segne dich, Madog.«

Julian hatte sich eins der Öllichter vom Tisch geschnappt und eilte damit in den Regen hinaus. Blanche begann, ein paar Kräuter in einen Beutel zu stopfen.

»Wir haben keine Zeit zum Packen«, sagte Jasper.

»Ich weiß schon, was ich tu«, gab sie zurück. »Geh.«

Er verschwand, und Blanche hängte sich den prallen Beutel über die Schulter, ging in die hintere Kammer, hüllte ihren schlafenden Sohn in seine Decke und trug ihn aus dem Haus und zum linkerhand gelegenen Stall hinüber.

Trotz der fremden Umgebung und fast ohne Licht hatte Julian bereits zwei Pferde gesattelt. Blanche bettete Owen in einer freien Box ins Stroh und half ihrem Bruder.

»Sind es Herberts Männer?«, fragte Julian.

»Todsicher«, gab sie grimmig zurück und legte Jaspers Rappen den Sattel auf. Sie musste sich dazu auf die Zehenspitzen stellen. »Es ist nicht das erste Mal, dass sie uns gefunden haben. Aber so knapp war es noch nie.«

»Sie finden euch, aber sie wissen nicht, dass es Jasper ist, den sie aufspüren?«

»Solange sie ihn nicht kriegen, haben sie nie mehr als einen Verdacht, nicht wahr?«

Julian nickte. »Dann lass uns lieber zusehen, dass sie ihn auch heute nicht schnappen.«

Sie hatten nur zehn Pferde, waren aber sechzehn Personen, Owen nicht mitgezählt. Schnell, lautlos und diszipliniert teilte Julian im Hof die Reiter ein: Blanche saß mit Owen hinter Jasper auf, der Bauer, der ihr Gastgeber gewesen war, hinter Stephen, den hünenhaften fiebernden Tischler mit dem übelriechenden Stumpf nahm Julian selbst vor sich mit aufs Pferd. Dann ritten sie aus dem Tor. Noch war kein Hufschlag zu hören, aber gar nicht weit entfernt sahen sie einige Lichtpunkte näher kriechen: Fackeln.

Jasper lenkte sein Pferd in die entgegengesetzte Richtung auf den Wald zu.

»Wir werden sie niemals abhängen«, raunte Julian ihm zu.

»Das brauchen wir auch nicht«, gab Jasper ebenso leise zurück. »Im Wald zerstreuen wir uns und verbergen uns im Unterholz. Bei dem Wetter finden sie uns nicht, Fackeln hin oder her. Eine Stunde vor Sonnenaufgang treffen wir uns ein paar Meilen hinter Pembroke an der Küste. Da liegt mein Schiff.«

»Du hast ein Schiff? Ich dachte, ein Boot.«

»Ich habe mich in der Zwischenzeit verbessert«, gab Jasper trocken zurück. »Da Marguerite neuerdings gelegentlich in Frankreich oder Burgund weilt, brauchte ich etwas Seetüchtiges.«

»Du willst zu ihr?«, fragte Blanche.

Jasper nickte in der Dunkelheit. »Heute war das dritte Mal in acht Wochen, dass sie uns beinah erwischt hätten, Blanche. Ich denke, wir sollten gehen, solange wir noch können. Nur ein Weilchen«, fügte er hastig hinzu, als wolle er ihren Einwänden zuvorkommen.

Blanche brachte keine vor. Sie wusste, er tat es, weil sie möglicherweise ein Kind erwartete. Sie war ihm dankbar, dass er solche Rücksicht auf sie nahm, aber vor allem verabscheute sie es, wenn sie ihn behinderte. Darum hatte sie ihm nichts von ihrem Verdacht gesagt. Seufzend legte sie die Arme um seine Taille und verschränkte die Finger ineinander. »Also meinetwegen. Ich kann's kaum erwarten, wieder seekrank zu werden …«

Jasper lenkte sein Pferd neben Stephens und sagte zu dem jungen Bauern: »Warte ab, ob sie deinen Hof niederbrennen. Wenn nicht, kannst du gefahrlos zurück. Wenn doch, geh zu Eiwin ap Davydd, bis ich wiederkomme. Sag ihm, ich schicke dich, dann wird er dich aufnehmen. So oder so: Geh auf die Burg hinauf und sag Rhys, was passiert ist. Richte ihm aus, ich bin in spätestens drei Wochen zurück.«

»Wird gemacht.« Der junge Bauer glitt zu Boden. »Gott schütze Euch, Mylord. Jetzt reitet zu, ich hör sie kommen.«

Chinon, Juli 1462

Auch Seekrankheit war eine Familientradition, mit der Julian zu brechen gedachte, und tatsächlich blieb er gänzlich davon verschont – ganz im Gegensatz zu seiner Schwester. Kaum hatte Jaspers Karacke, die *Red Rose*, aus dem kleinen natürlichen Hafen nördlich von Pembroke abgelegt, wurde Blanche grün um die Nase. Eine Stunde später hing sie über der Reling, wo sie fast während des gesamten Reiseverlaufs blieb. Julian bedauerte sie, doch um nichts in der Welt hätte er diese Fahrt missen wollen.

Da er in Kent aufgewachsen war, war er davon ausgegangen, dass eine Seereise nach Frankreich einen Tag oder eine Nacht dauerte, denn wenn man von Dover oder Sandwich Richtung Kontinent segelte, war das in der Regel der Fall. Wäre er in der Nähe von Plymouth oder Southampton groß geworden, hätte er gewusst, dass man durchaus auch von zwei Tagen ausgehen musste, länger, wenn der Wind ungünstig stand.

Von Wales aus, das viel weiter westlich lag, plante man Reisen nach Frankreich ganz anders. Jasper, der wusste, dass Marguerite sich in Chinon aufhielt, hatte keineswegs die Absicht, einen der normannischen Häfen oder das englisch besetzte Calais anzulaufen, sondern segelte entlang der bretonischen Küste südwärts bis zur Mündung der Loire, dann weiter flussaufwärts Richtung Orléans.

So kam es, dass ihre Schiffsreise drei Tage dauerte. Für Blanche war es ein Martyrium, doch Julian entdeckte im Verlauf dieser drei Tage seine Liebe zur See. Im Grunde war es schon um ihn geschehen, als er den ersten Fuß auf die Deckplanken der *Red Rose* gesetzt hatte. Das schlanke zweimastige Schiff ragte stolz zwischen den kleinen Schmuggler- und Fischerbooten des hinter gewaltigen Klippen versteckten Hafens auf, doch als die Mannschaft aus den armseligen Hütten zusammenströmte, freudestrahlend an Bord kam und die Segel setzte, sah die *Red Rose* wie eine Königin in Festtagsrobe aus. Julian kam es vor, als habe er nie zuvor einen Anblick von solcher Schönheit und Verheißung gesehen.

»Verrat mir eins«, hatte er Jasper neiderfüllt aufgefordert. »Wie kommt ein enteigneter Rebell an solch ein prächtiges Schiff?«

Jasper sah sich an Deck um, und seine Augen leuchteten voller Stolz. »Ich habe sie zufällig in Bristol liegen sehen«, antwortete er. »Unter anderem Namen allerdings. Sie gehörte deinem Cousin Warwick. Aber die Matrosen waren ausnahmslos Waliser. Ich hab ein wenig mit dem Kapitän geplaudert, und dann sind wir einfach davongesegelt.«

»Du hast sie Warwick *gestohlen?*«

»Wenn du darauf bestehst, es so zu nennen.«

Julian grinste. Das wurde immer besser. »Wenn du das nächste Mal ein Schiff nutzlos herumliegen siehst, gib mir Bescheid. Ich will auch eins.«

»Da du noch im Besitz deiner Ländereien und Titel bist, nehme ich an, du kannst dir eines bauen lassen. Ein Schiff kostet weniger als eins deiner Schlachtrösser.«

»Im Ernst? Dann werd ich es vielleicht tun.«

»Meine Rede seit Jahren«, murmelte Lucas Durham.

»Lucas meint, Englands Zukunft liege im Seehandel«, erklärte Julian und machte aus seiner Belustigung ob dieser skurrilen Idee keinen Hehl.

»Wenn ein Durham es sagt, ist es vermutlich wahr«, erwiderte Jasper ohne besonderes Interesse. »Aber ganz gewiss wird sich Lancasters Wohl oder Wehe nicht zuletzt auf dem Meer entscheiden. Wir brauchen mehr Truppen und Waffen aus Frankreich. Darum brauchen wir mehr Schiffe.«

Dieser Gedanke ging Julian nicht mehr aus dem Kopf. Er verbrachte viele Stunden am Bug der Karacke, wo es am heftigsten schaukelte, und blickte nach rechts – nach steuerbord, wie die

Matrosen ihn belehrten – aufs offene Meer hinaus, lauschte dem Wind und dem Knarren der Segel, roch die salzige Luft, spürte die Gischt wie einen kühlenden Schleier auf Gesicht und Händen und ließ sich willig von der See verzaubern.

Als sie das offene Meer verließen, besserte sich Blanches jämmerlicher Zustand. Sie segelten ein Stück die Loire hinauf, dann die Vienne, und Julian bewunderte sowohl die geografischen Kenntnisse des Kapitäns wie auch dessen Augenmaß beim Steuern des Schiffs. So erreichten sie Chinon ohne Missgeschicke am Nachmittag eines heißen Sommertages. Julian, Jasper, Lucas und Blanche gingen von Bord – Letztere mit einiger Erleichterung –, und nachdem Jasper kurz mit den Wachen an der Anlegestelle gesprochen hatte, verständigte einer der Männer den Kastellan, einen französischen Edelmann, der sie höflich willkommen hieß.

Sie folgten ihm in den gewaltigen Donjon, eine finstere, enge Treppe hinauf zu einer kleinen Halle.

Königin Marguerite saß in einem prunkvollen Sessel ein Stück rechts des mannshohen, leeren Kamins. Die Hände auf die vergoldeten Armlehnen gelegt und mit hoch erhobenem Haupt sah sie den Ankömmlingen entgegen. Ihre Miene war unbewegt – unmöglich zu deuten.

Neben Jasper sank Julian vor ihr auf ein Knie, aber er senkte den Blick nicht, sondern schaute sie unverwandt an.

»Gentlemen. Lady Blanche«, grüßte sie, ohne zu lächeln. Ihr Blick ruhte auf Julian. Dann machte sie plötzlich große Augen, schlug die Hände zusammen und rief aus: »Mylord of Waringham! *Ihr* seid es. Ich hätte Euch beinah nicht erkannt ohne Euer Wappen. Es muss lange her sein, seit wir uns zuletzt gesehen haben.«

Er nickte knapp. »Fünfzehn Monate, Majesté.«

»*Mon dieu!* Wie doch die Zeit verfliegt. Und was mögt Ihr getrieben haben in all den Monaten? Außer die Schwester von Edwards vertrautem Chamberlain zu heiraten, meine ich natürlich. Ein Schritt, der Eurer Karriere am yorkistischen Hof gewiss förderlich sein wird, da bin ich zuversichtlich.«

Jasper erhob sich unaufgefordert. »Das hat er nicht verdient, Marguerite …«

»Halt den Mund«, fuhr Julian ihn ungewohnt scharf an und kam ebenfalls auf die Füße. »Ich brauche keine Fürsprache. Im Übrigen gibt es nichts, was du sagen könntest, das sie nicht längst weiß.« Er sah die Königin wieder an. »Ist es nicht so, Madame?«

Marguerite antwortete nicht. Unverwandt schaute sie ihn an, mit halb geschlossenen Lidern, was sie im gleichen Maße hochmütig wie verschlagen wirken ließ. Aber Julian kannte sie ziemlich gut und sah auch all das, was sie zu verbergen suchte: Die Haltung der Schultern verriet ihre Erschöpfung. Kleine Kerben in den Mundwinkeln die Anspannung und Verbitterung, das Pochen in der linken Schläfe ihren Zorn, und was sie hinter den gesenkten Lidern verbarg, waren immer solche Empfindungen, deren sie sich schämte. Furcht, nahm er an. Und Trauer über den Verlust all dessen, was ihr gestohlen worden und was ihr entglitten war.

»Wo ist der Prinz?«, fragte Julian.

Wie er geahnt hatte, taute die Königin bei der Erwähnung ihres Sohnes ein wenig auf. »Er reitet mit de Brézé zur Jagd. Edouard ist ein hervorragender Jäger geworden, Mylord, Ihr würdet staunen.« Mit einem Seufzer forderte sie auch Lucas und Blanche auf, sich zu erheben, und Letzterer schenkte sie gar ein Lächeln. »Es ist schön, Euch zu sehen, Lady Blanche. Immer, wenn ich an Euch denke, bin ich erleichtert, dass ich doch nicht die einzige Frau in England bin, die aus der Rolle fällt.«

Es hätte auch eine Kränkung sein können, aber Blanche schmunzelte, und als Julian die beiden Frauen einen wissenden Blick tauschen sah, kamen sie ihm vor wie Verschwörerinnen.

»Seid Ihr nicht wohl?«, fragte Marguerite die jüngere Frau.

Blanche hob ergeben die Schultern. »Das Meer, Madame.«

»Oh, ich verstehe. Mir macht es auch jedes Mal zu schaffen. Ich habe nach Wein geschickt. Der wird Euch beleben.«

»Ihr seid sehr gütig, Majesté.«

Jasper verschränkte ungeduldig die Arme vor der Brust. Wir sind nicht hergekommen, um Artigkeiten auszutauschen, sagte die Geste. »Wie steht es mit dem König von Frankreich?«, fragte er.

Marguerite hob die Hände und schüttelte den Kopf. »Das wüsste ich auch gerne.«

»Wird er uns unterstützen?«, wollte Julian wissen.

»Er sagt ja und tut nichts. Im Juni war er hier. Hat mich besucht, nicht zu sich bestellt – es war eine Ehre mit hohem Symbolcharakter. Das hat mir Hoffnung gemacht. Und wir sind uns handelseinig geworden. Er hat mir ein Darlehen von zwanzigtausend Francs zur Aufstellung einer Truppe versprochen.«

»Und was habt Ihr ihm im Gegenzug geboten?«, fragte Julian besorgt.

Marguerite sah ihm in die Augen, als sie antwortete: »Calais.«

Seine böse Ahnung hatte ihn also nicht getrogen. Er schüttelte den Kopf. »Das wird in England großen Unmut hervorrufen.«

»Was sollte mich das kümmern?«, brauste sie auf. »Wenn Henry erst wieder auf seinem Thron sitzt, können die Engländer so viel jammern, wie sie wollen. Aber ich hatte sonst nichts, was ich Louis bieten konnte, versteht Ihr? Er wollte es unbedingt, und für England ist die Besatzung Calais' doch nichts als ein Relikt. Eine sentimentale Erinnerung an bessere Zeiten. Dergleichen Luxus können wir uns nicht leisten.«

»Calais ist der Brückenkopf für Englands Wollhandel auf dem Kontinent«, widersprach Lucas. »Die Kaufleute brauchen Calais, Madame. Und die Krone braucht die Kaufleute.«

Die Königin winkte desinteressiert ab. »Danke, Sir Lucas, aber das Drohgebaren von Euch Pfeffersäcken beeindruckt mich schon lange nicht mehr ...«

Niemand sagte etwas. Sie alle waren an ihre Spitzen gewöhnt, und niemand verspürte Lust, ihren Köder zu schlucken.

Julian fuhr sich mit der Hand über die Stirn. »Nun, ich

würde sagen, über die Rückgabe von Calais können wir streiten, wenn Louis die zwanzigtausend Francs bezahlt. *Falls* er sie zahlt.«

Marguerite nickte und lud sie mit einer Geste ein, am Tisch Platz zu nehmen, der unter dem Fenster stand.

Das wurde auch Zeit, dachte Julian verdrießlich und setzte sich ein gutes Stück von der Königin entfernt neben seine Schwester.

»Ihr habt Recht, Waringham«, räumte Marguerite ein. »Ich sitze hier und warte auf das Geld, das er mir versprochen hat, und es kommt und kommt einfach nicht. Langsam werde ich unruhig.«

Es klopfte an der Tür, ein livrierter Diener trat ein und brachte Wein in einem Zinnkrug.

Marguerite lebt bescheiden, dachte Julian beklommen. Die Erkenntnis gefiel ihm nicht. Er fand es schamlos von König Louis, dass er Marguerite – seine Cousine – darben ließ. Für eine Königin gehörte es sich einfach nicht, Wein aus Zinnkrügen zu trinken, selbst wenn sie ihre Krone verloren hatte. Jedenfalls vorübergehend.

Dieses kleine Detail, das Bände über Marguerites Position in Frankreich sprach, war auch Jasper nicht entgangen. Er wechselte einen Blick mit Julian, ehe er Marguerite eröffnete: »Der König von Frankreich treibt ein doppeltes Spiel, Madame. Während er Euch leere Versprechungen macht, verhandelt er insgeheim mit dem Earl of Warwick über ein Bündnis zwischen der französischen Krone und dem Hause York.«

Marguerite sah ihn an, als habe er ihr gerade verkündet, dass sie am nächsten Morgen auf den Scheiterhaufen gestellt werde. Für einen Moment stand blankes Entsetzen in ihren Augen. Dann fand sie die Fassung wieder und fragte scheinbar gelassen: »Woher wollt Ihr das wissen?«

»Woher schon«, gab Jasper mit der so typischen Ungeduld zurück. »Ich habe Spione in Warwick ebenso wie in Westminster. Ein doppeltes Spiel treibt im Übrigen auch der Thronräuber Edward, denn er verhandelt gleichzeitig mit Burgund, während

Warwick in seinem Namen dem König von Frankreich immer-währende Freundschaft verspricht.«

Blanche zeigte auf den Krug und fragte Marguerite: »Soll ich vielleicht, Majesté?«

»Seid so gut«, bat die Königin abwesend.

Lucas erhob sich hastig. »Erlaubt mir, Mylady ...«

Er schenkte ein, stellte den ersten der ebenfalls schlichten Becher vor Marguerite und schob Blanche den zweiten zu. Mit einem kleinen, mitfühlenden Lächeln.

Sie nickte, nahm den Becher und leerte ihn in einem Zug.

»Langsam«, mahnte Julian leise. »Du hast drei Tage nichts gegessen.«

»Aber ich sterbe vor Durst«, zischte sie zurück.

Spätestens jetzt hätte Marguerite nach Speisen schicken müssen, aber das tat sie nicht. Julian begann das Ausmaß ihrer finanziellen Nöte zu erahnen.

»Nach Lage der Dinge solltet Ihr vielleicht erwägen, nach England zurückzukehren«, schlug er behutsam vor.

»Um dort genau was zu tun?«, fragte die Königin verdrossen. »Ohne Geld und ohne Armee?«

»Es gibt noch genügend Engländer, die bereit sind, für Lan-caster zu kämpfen«, erwiderte er.

»Ah ja? Wo wart Ihr dann das ganze letzte Jahr? Und denkt nicht, Ihr wäret der Einzige, der sich rar gemacht hat.«

»Schluss jetzt«, knurrte Jasper. »Ihr wisst genau, warum er nicht kommen konnte und dass er mehr als sein Leben riskiert, indem er jetzt hier ist. Vielleicht wäre Eure Gefolgschaft in England zahlreicher, wenn Ihr Euch ein wenig dankbarer zei-gen würdet, Madame.«

Marguerite stand auf und donnerte die Faust auf den Tisch. »Ihr verfluchter, respektloser ...«

»Nein, Mutter, bitte nicht«, sagte eine helle Stimme von der Tür, die eher besonnen als ängstlich klang.

Die vier Besucher erhoben sich, wandten sich um und ver-neigten sich vor dem Prince of Wales.

Wie alle Lancaster war Edouard hochgewachsen, und er

wirkte älter als seine neun Jahre. Gemessenen Schrittes trat er über die Schwelle. Er strahlte eine Selbstsicherheit aus, die beinah schon etwas von Autorität hatte und die so natürlich war, dass sie nur einer tiefen inneren Überzeugung entspringen konnte. Julian spürte, wie sein Herz leichter wurde. Dieser Knabe wirkte schon heute königlicher, als sein Vater es je vermocht hatte. Edouard hatte das Zeug, die Ehre seines Hauses wiederherzustellen.

Dem Jungen folgte ein vielleicht vierzigjähriger Mann mit einem scharfkantigen, aber gut aussehenden Gesicht, lebhaften dunklen Augen und angegrauten dunklen Locken. Er legte Edouard eine Hand auf die Schulter und sah die Besucher mit einem fragenden, verhaltenen Lächeln an. Der Prinz drehte den Oberkörper ein wenig zur Seite, sodass die Hand von seiner Schulter rutschte. Man hätte meinen können, es sei eine zufällige Bewegung gewesen, aber das glaubte Julian nicht.

»Lasst mich Euch miteinander bekannt machen«, sagte der Knabe. »Monseigneur: Mein Onkel, Jasper Tudor, der Earl of Pembroke …«

»Leider nicht mehr, Edouard«, unterbrach Jasper.

»Für mich schon«, fuhr der Prinz unbeirrt fort. »Der Earl of Waringham, der meine Mutter und mich nach der Schlacht von Northampton vor den Yorkisten gerettet hat, seine Schwester, Lady Blanche, und Sir Lucas Durham. Gentlemen, Mylady: Pierre de Brézé, Seneschall der Normandie.«

Marguerite nickte anerkennend. »Sehr gut, Edouard.« Vorstellungen unter Adligen waren eine heikle Angelegenheit, und er hatte die richtige Reihenfolge gewählt.

Julian verneigte sich höflich vor dem Franzosen. Er hatte nur eine ungefähre Vorstellung, was ein Seneschall war, aber er brauchte keine Erläuterungen, um zu erkennen, dass dieser de Brézé ein einflussreicher Mann sein musste.

Der Seneschall der Normandie erwiderte ihren höflichen Gruß, trat dann zu Marguerite und küsste ihre Hand. Die Vertraulichkeit, mit der er ihre Rechte in seine beiden Hände nahm, sagte Julian alles, was er wissen wollte, und er verspürte eine

Erleichterung, deren Ausmaß ihn ein wenig beschämte. *Viel Glück, Kumpel*, dachte er. *Du wirst es brauchen …*

Edouard trat zu Blanche, nahm ihre Hand und sah mit leicht gerunzelter Stirn zu ihr auf. »Seid Ihr nicht wohl, Lady Blanche?«

Sie rang sich ein Lächeln ab. »Es geht schon …«

Julian fand, seine Schwester sah eher so aus, als werde sie jeden Moment umfallen. Sie war kreidebleich. Sicherheitshalber legte er ihr einen Arm um die Taille und murmelte: »Ich begleite dich zurück an Bord. Du musst etwas essen und ausruhen.«

»Kommt nicht in Frage«, widersprach de Brézé. »Erweist uns die Ehre und seid unsere Gäste, Monseigneurs, Madame.«

Er rief die Wache herein, schickte nach Dienern, und im Handumdrehen wurden Brot, kalter Braten und kandierte Früchte aufgetragen. Auch neuer Wein wurde gebracht.

So, so, dachte Julian. Das ist also der Mann, der hier die Schlüssel zu den Geldschatullen hat.

De Brézé befahl, die schönsten Kammern für sie herzurichten. Die Rolle des Burgherren und Gastgebers schien ihm vertraut zu sein. Mit größter Selbstverständlichkeit verfügte er sowohl über Marguerite als auch ihre Gäste. Niemand erhob Einwände. Julian beobachtete mit Interesse, dass Edouard das Geschehen mit unzureichend verborgenem Unwillen über sich ergehen ließ, Marguerite mit einer Mischung aus Belustigung und Resignation. Das sah ihr nun wirklich nicht ähnlich.

»Tudor bringt sehr schlechte Neuigkeiten, *mon ami*«, berichtete Marguerite de Brézé und wiederholte, was Jasper ihr über Louis von Frankreichs diplomatisches Verwirrspiel offenbart hatte. »Es ist, wie ich befürchtet habe«, schloss sie. »Louis hält mich hin und macht Versprechungen, die zu erfüllen er gar nicht die Absicht hat.«

De Brézé nickte versonnen. Er schien nicht gerade erschüttert über die Nachrichten.

Jasper spießte mit seinem Dolch eine Bratenscheibe von der Platte. »Ich sage es noch einmal: Ihr solltet Frankreich bald verlassen, Marguerite. Ehe Louis Euch an Edward verscherbelt.« Und weil er seine Schwägerin so leidenschaftlich verabscheute, konnte er sich nicht verkneifen hinzuzufügen: »Wie ein Mastschwein.«

De Brézé warf ihm einen missfälligen Blick zu, doch falls er etwas hatte sagen wollen, kam Marguerite ihm zuvor.

»Da Ihr Euch zu wiederholen beliebt, muss ich es zwangsläufig auch tun, Tudor: Ich habe keine Soldaten in England, und kein Bedürfnis, mich in Schottland zu verkriechen.«

»Wo Ihr meinen Bruder indes bedenkenlos zurückgelassen habt, nicht wahr?«, grollte Jasper.

Marguerite beugte sich leicht vor und holte tief Luft. Offenbar hatte sie eine Menge zu sagen.

»Könnt Ihr uns das nicht ersparen?«, ging Julian ungehalten dazwischen. »So groß Euer Vergnügen daran, Euch zu streiten, auch sein mag, es bringt uns keinen Schritt weiter.«

»Da hat er Recht«, raunte Edouard den kandierten Aprikosen zu.

»Lancastertreue Truppen halten die ganze Burgenkette entlang der schottischen Grenze«, fuhr Julian fort. »Das sind mehr Männer, als Ihr vielleicht glaubt. Wenn wir sie bündeln, zu einer Armee aufstellen und vielleicht noch ein paar hundert Mann aus Schottland bekämen, könnten wir Erfolg haben. Der Thronräuber fühlt sich so sicher, dass er kein stehendes Heer unterhält. Wenn wir schnell genug wären und ihn überraschen ...«

»Ich könnte achthundert Mann beisteuern«, warf de Brézé ein. »Fünfunddreißig, vierzig Schiffe.«

Das sind gute Neuigkeiten, dachte Julian erstaunt. Und wenn er das Angebot in der Form als Aufschneiderei und den Tonfall als herablassend empfand, lag es vermutlich nur an dem traditionellen Argwohn der Engländer allen Franzosen gegenüber oder aber daran – und das wäre viel schlimmer –, dass er de Brézé den Platz in Marguerites Bett missgönnte, obschon er ihn selbst doch nie gewollt hatte. Eitel hatte Janet ihn genannt. Und er fragte sich, warum ihn solch unschöne Erinnerungen regelmäßig im denkbar ungünstigsten Moment überfielen.

»Das bringt uns immer noch auf keine unschlagbare Armee«, wandte die Königin unentschlossen ein.

»Aber es ist das Beste, was wir kriegen können, Mutter«, gab Edouard zu bedenken.

Seine Mutter und Blanche sahen ihn verblüfft an, und Julian tauschte mit Jasper einen anerkennenden Blick.

In der Abenddämmerung war Julian auf die Brustwehr gestiegen und blickte auf dieses fremde Land hinab. Die Burg von Chinon stand auf einem schroffen Hang über der Vienne, an deren Ufer sich das Dorf schmiegte. Lastkähne zogen träge flussabwärts. Die Bauern kamen von ihren Feldern und Weinbergen zurück, und über allem lag eine gefällige Beschaulichkeit. Vielleicht war es das Licht, das diesen Eindruck erweckte. Es war weicher als zu Hause. Und die Luft roch ganz anders. Ob es daher kam, dass man hier so weit vom Meer entfernt war wie an keinem Fleck auf englischem Boden?

Er wusste es nicht. Aber die Fremdartigkeit dieser Landschaft faszinierte ihn. Er hatte bislang nie viel über die Welt außerhalb Englands nachgedacht. Jetzt erschien sie ihm mit einem Mal riesig, erstreckte sich zu seinen Füßen, verlockend und voll ungeahnter Verheißungen.

»Noch vor zwanzig Jahren war dieses Land eine Ödnis«, sagte Marguerites Stimme plötzlich neben ihm. »Niemand, der die Felder bestellte. Die Dörfer verlassen und niedergebrannt. Das Loiretal gehörte zu den am heftigsten umkämpften Gebieten. Und was die Engländer nicht raubten und zerstörten, nahmen die Truppen des Dauphin. Es war ... trostlos. Als Kind bin ich einmal mit meiner Mutter hier entlanggereist, und ich weiß noch, dass ich sie gefragt habe, ob hier der Teufel wohnt.« Sie lächelte schwach bei der Erinnerung an ihre kindlichen Vorstellungen. »Und jetzt schau es dir an.«

Mit einem Blick nach links und rechts vergewisserte er sich, dass sie allein waren, ehe er fragte: »So vertraulich? Was soll das werden, Majesté?«

Sie winkte ab. »Nichts. Ich glaube, du hast mir gefehlt. Ich wollte einfach ein paar nostalgische Gedanken mit dir teilen.«

»Geh in dich. Das kann nicht sein. Dergleichen hast du nie getan.«

Sie seufzte. »Ach, Julian. Wenn du wüsstest. Es war ... ein bitteres Jahr.«

Das war es wohl für uns alle, dachte er, sagte jedoch lediglich: »Das hat den Prinzen nicht gehindert, sich prächtig zu entwickeln.«

»Nicht wahr? Er wird einmal ein guter König.«

»So Gott will.«

»So Gott will und wir genug Entschlossenheit aufbringen.«

»Ich werde mich nicht vor dir rechtfertigen. Ich war ...«

»Ich weiß«, sie winkte ab, legte ihm einen Moment die Hand auf den Arm und ließ sie sinken, als sie merkte, wie er sich unter der Berührung versteifte. »Ich weiß, Julian.« Ihr Blick glitt wieder über das schmucke Dorf am Fluss und das reife Korn auf den Feldern, das sich in der sachten Brise wiegte. »Ich wünsche nur manchmal mit solcher Inbrunst, die Dinge wären anders. Wäre mein Gemahl ein anderer Mann, hätte er Frankreich den Frieden unter *seiner* Herrschaft zurückbringen können. Er hatte die französische Krone doch schon auf dem Haupt. Er hätte sie nur festhalten müssen, und nichts von alldem, was uns heute den Schlaf raubt, wäre geschehen. Aber er hat sich alles wegnehmen lassen. Erst Frankreich. Dann England. Mit einem duldsamen Lächeln. Ich habe oft erwogen, ihn zu vergiften, weißt du.«

»Nein. Das wusste ich nicht. Es überrascht mich zwar nicht sonderlich, da ich euch beide kenne, aber ich wünschte, du würdest mir solche Dinge nicht sagen. Ich will das nicht wissen.«

Sie wandte den Kopf und lächelte. »So kühl. So distanziert. Hast du deiner kleinen yorkistischen Hure Treue geschworen, Julian?«

Er zog eine Braue in die Höhe. »Wollen wir uns wirklich auf so ein schlammiges Niveau herabbegeben?«

Sie schnalzte mit der Zunge. »Sei doch nicht so zimperlich. Ich wüsste es einfach gern.«

Er rang noch einen Moment mit sich. Dann sah er sie an und schüttelte den Kopf. »Nein. Ich kenne sie überhaupt nicht. Wir begegnen uns selten. Aber sie ist meine Frau, und es beleidigt mich, wenn du sie eine Hure nennst. Denn das ist sie nicht. Sie ist ebenso ein Opfer in dieser monströsen Schachpartie um Englands Krone wie du und ich, nur kann sie sich viel schlechter wehren.«

Die Königin schaute ihn an und schmunzelte, wechselte dann aber das Thema. Sie ruckte das Kinn zum Bergfried hinüber. »Verursacht dir der Name dieses Ortes keine Gänsehaut?«

»Was?«, fragte Julian verdutzt. »Wieso?«

»Weil der schlimmste Feind deines Vaters hier geboren wurde. Victor de Chinon?«

»Nie gehört«, gab Julian kurz angebunden zurück. Alte Geschichten interessierten ihn nicht. Außerdem redete er nicht gern über seinen Vater. Mit Marguerite erst recht nicht.

»Ist das wirklich wahr?«, fragte sie erstaunt. »Als ich als junges Mädchen nach England kam, war es eine der Schauergeschichten, die man sich bei Hofe abends nach dem Essen erzählte. Das heißt, wenn dein Vater und mein Gemahl nicht in der Nähe waren.« Sie sah Julian an, und obwohl er sich bemühte, desinteressiert zu wirken, huschte ein triumphierendes Lächeln über ihre Züge, und sie fuhr fort. »König Harry schickte deinen Vater mit einem anderen Mann zusammen auf irgendein Himmelfahrtskommando. Victor de Chinon nahm deinen Vater gefangen, hat ihn in Jargeau in ein schauriges Kellerloch gesperrt und zwei Monate lang Rache an ihm genommen. Für Agincourt, verstehst du. Als dein Großvater, der Kardinal, ihn endlich freikaufen konnte, war dein Vater mehr tot als lebendig. Und als er sich erholt hatte, war er ... nicht mehr derselbe Mann.«

»Ach ja?«, fragte Julian. »Das ist wirklich eine großartige Schauergeschichte. Genau das Richtige für eine Schar hirnloser Gänse wie dich und deine Damen. Von geschmacklos ganz zu schweigen.« Er war wütend. Weil sie ihm diese erschütternde Episode im Plauderton erzählte, aber mehr noch darüber, dass sie etwas so Grauenhaftes und Persönliches über seinen Vater gewusst hatte, er aber nicht.

»Als dein Vater genesen war, zog er wieder für Harry in den Krieg. Für *den* König, der ihm das eingebrockt hatte. Und bei der Gelegenheit erwarb sich dein Vater den hübschen Beinamen ›der Schlächter von Melun‹. Es gab einfach nichts, was einen Keil zwischen ihn und König Harry treiben konnte. Oder zwischen ihn und meinen Gemahl. *Seine* Lancaster-Treue war bedingungslos.«

Julian wandte den Kopf ab. »Verstehe. Jetzt wird mir endlich klar, worauf du hinauswillst. Aber du hättest dir diese scheußliche Geschichtsstunde sparen können. Ich wusste vorher schon, dass mein Vater dem Haus Lancaster seine Seele verschrieben hat.« Er sah sie wieder an. »*Meine* bekommt ihr nicht, hast du verstanden? Das Haus Lancaster kann sich meiner Treue und meiner Dienste sicher sein. Weil dein Sohn es wert ist. Aber mehr nicht.«

»Hm«, machte sie zustimmend. »Ich weiß genau, wo die Grenzen deiner Opferbereitschaft liegen. Mir ist bekannt, womit Edward, dieser gerissene yorkistische Hurensohn, dich und Jasper im Zaum hält. Aber eines solltest du noch wissen, Julian: Der Mann, der damals gemeinsam mit deinem Vater zu diesem Auftrag geschickt wurde, war Owen Tudor. Dein Vater geriet in Gefangenschaft. Tudor kam heil zurück. Es wurde viel darüber gemunkelt. Was, wenn du deine Loyalität an den Enkel eines Mannes verschwendest, der deinen Vater im Stich gelassen hat?«

»Du bist widerlich«, murmelte er kopfschüttelnd. »Und nebenbei bemerkt, ziemlich durchschaubar.«

Marguerite lachte leise. Siegesgewiss. »Dennoch bin ich zuversichtlich, dass du dir die Sache durch den Kopf gehen lässt, sobald ich den Rücken kehre. Wir beide wissen schließlich, wie sehr du es verabscheust, ausgenutzt zu werden, nicht wahr, Julian?«

Janet hatte die Augen mit einem lindgrünen Seidenschal verbunden und ging langsam auf dem Rasen umher, die Arme unsicher vor sich ausgestreckt. Ein Lächeln lag auf ihren Lippen, aber die Augenbinde ließ sie hilflos und verletzlich wirken. Die kleine Agnes schlich sich von hinten an sie heran und zupfte an ihrem Rock. Janet wirbelte herum und packte zu, doch die Hände griffen nur ins Leere, während das Kind kichernd davonstob.

Ein rundes Dutzend Frauen und Mädchen spielten im Rosengarten Blindekuh. Es war ein verhangener Frühlingstag mit einem bleigrauen Himmel, der nichts Gutes verhieß, aber noch war es trocken, und nach dem langen Winter ließen die Burgbewohner keine Gelegenheit ungenutzt verstreichen, sich im Freien zu tummeln. Die Stimmung war ausgelassen. Tristan Fitzalans Schwester Elizabeth, die im vergangenen Sommer Julians Steward Frederic geheiratet hatte, umtänzelte Janet gewagt und neckte sie, sprang aber immer rechtzeitig beiseite, behände, obwohl sie schwanger war.

Julian war an einem der Rosenbögen stehen geblieben, um sich einen Augenblick an dem unbeschwerten Treiben zu erfreuen.

Seine Nichte Martha wagte sich zu nah an Janet heran, kreischte, als sie gepackt wurde, und beide gingen lachend zu Boden. Dann setzte Janet sich auf, streifte die Augenbinde ab und rief triumphierend: »Hab ich dich, du Range. Ich wusste doch genau, dass nur Martha Neville frech genug ist, mich so zu piesacken ...«

Sie warf den Kopf zurück, und dabei entdeckte sie Julian. Es war niederschmetternd, wie ihr Ausdruck sich veränderte: Der lachende Mund klappte zu; die Lippen wurden dünn. Schrecken weitete ihre Augen, aus denen das übermütige Funkeln plötzlich verschwunden war. Sie senkte den Blick, kam hastig auf die Füße und klopfte sich die Grashalme vom Rock. Als sei sie bei etwas Verbotenem ertappt worden.

Julian spürte, wie sein eigenes Lächeln aus seinen Zügen sickerte. Wie schade, dachte er bedauernd. Er hatte in den letzten Monaten wenig Gelegenheit gehabt, solch ein friedliches, unbeschwertes Idyll zu betrachten, und seinetwegen hätte es gern noch ein wenig länger andauern dürfen.

Kate war Janets Blick gefolgt. »Julian!« Mit ausgestreckten Händen trat sie ihm entgegen. »Welch eine freudige Überraschung. Willkommen daheim, Bruder.«

Er nahm ihre Rechte mit der Linken. »Danke. Alles in Ordnung hier?«

»Alles in Ordnung.« Die dunklen Lancaster-Augen seiner Schwester strahlten. »Du hast einen Sohn, Julian. Er kam ein wenig zu früh, eine Woche vor dem ersten Advent, aber er ist kerngesund. Ein goldiger, blondgelockter Cherub.«

Julian spürte sein Gesicht kalt werden. Wortlos sah er seiner Gemahlin entgegen, die zögernd auf ihn zutrat.

Kate bemerkte ihr eisiges Schweigen nicht, denn sie hatte die Linke vor den Mund geschlagen und murmelte: »Entschuldigt, Janet. Wie gedankenlos von mir. Natürlich wäre es Euer Vorrecht gewesen, Julian die gute Nachricht zu überbringen.«

Ihre Schwägerin lächelte mühsam. »Schon gut, Kate.« Sie knickste vor Julian. »Willkommen in Waringham, Mylord.«

Julian nickte und räusperte sich entschlossen. »Danke.«

Scheu wies seine Frau auf seinen rechten Arm. »Seid Ihr verletzt?«

»Nur ein Kratzer.« Bei der Rückeroberung von Bamburgh vor einigen Tagen hatte ihn ein Pfeil in den Oberarm getroffen, gleich unterhalb der Schulter. Es war eine hässliche Fleischwunde gewesen, nichts weiter. Das Loch in der Rüstung ärgerte ihn mehr als die Verwundung, die anstands- und vor allem kostenlos verheilte. Aber es schmerzte noch ziemlich, den Arm zu bewegen, und Janet hatte offenbar bemerkt, wie verräterisch still er ihn hielt. Er wusste ja bereits, dass sie eine geradezu unheimlich gute Beobachtungsgabe hatte. »Beim Reiten kann man auf die rechte Hand zum Glück besser verzichten als auf die linke«, fügte er hinzu und wandte sich dann an seine beiden Nichten, die ungeduldig darauf warteten, ihn zu begrüßen.

»Agnes.« Er stupste die Kleine sacht mit dem Finger auf die Nasenspitze. »Was macht der Lateinunterricht, hm?«

Sie schnitt eine hinreißende Grimasse. »Es ist furchtbar, Onkel.«

»Ich glaube, je weniger darüber gesagt wird, desto besser«, bemerkte Kate säuerlich.

Julian wandte sich an die ältere seiner Nichten. »Ja, du meine Güte, Martha, bist du etwa schon wieder gewachsen?«

»Sagt Mutter auch.«

»Und wie alt bist du jetzt?«

»Zwölf, Onkel.« Sie sagte es mir unverhohlenem Stolz.

»Ah«, machte er grinsend. »Heiratsfähig.«

Martha schlug die Augen nieder, und eine tiefe Röte überzog ihr Gesicht.

Kate legte ihr schützend den Arm um die Schultern. »Das hat noch ein Weilchen Zeit, würde ich sagen.«

Julian fuhr seiner verlegenen Nichte lachend über den blonden Schopf. Es verblüffte ihn, wie unbeschwert er tun konnte. Wie mühelos er sie anscheinend alle hinters Licht führte. Denn niemand sah ihn argwöhnisch oder unsicher an, weil er sich merkwürdig verhielt. Dabei fühlte er sich, als habe sich eine eisige Hand um sein Herz gelegt, und eine dünne, schrille Stimme schrie in seinem Kopf: *Ein Junge. Sie hat Edward einen Bastard geboren. In meinem Haus. Sie will mir einen Bastard unterschieben. Was soll ich nur tun?*

Doch er begrüßte die übrigen Damen, erkundigte sich höflich nach dem Befinden seiner Schwester, tat und sagte all das, was von ihm erwartet wurde, ehe er den Arm seiner Frau nahm und murmelte: »Wenn Ihr so gut sein wollt, Madam.«

Er führte sie zum Bergfried, und die Damen schauten ihnen mit einem nachsichtigen Lächeln hinterher. Julian war über ein halbes Jahr fort gewesen. Es war nicht gerade schicklich, dass er seine Gemahlin am helllichten Tage zu Bett führte, aber niemand konnte es ihm verdenken.

Nur Janet, die fürchtete, dass sein Griff ihr den Oberarm wie ein dürres Zweiglein brechen werde, ahnte, dass es keine amourösen Absichten waren, die ihn trieben.

Mit gesenktem Kopf lief sie neben ihm her, hatte Mühe, Schritt zu halten.

Julian zerrte sie die Treppe hinauf, mogelte sich an der Halle vorbei, ohne gesehen zu werden, und oben auf dem Korridor fragte er: »Wo?«

Janet wies auf die Tür zu seiner Kammer.

Julians Mundwinkel zuckte. Er ließ seine Frau los, sah sie einen Moment an, als habe sie sich plötzlich in eine tote, halb verweste Ratte verwandelt, und wandte sich ab. »Kennt Ihr denn gar keine Scham?«, knurrte er über die Schulter, riss die Tür zu seinem Schlafgemach auf und trat über die Schwelle.

Janet eilte ihm nach und zog die Tür hinter sich zu. »Bitte, Mylord, tut ihm nichts … Eure Schwester hat darauf bestanden, dass ich mit dem Kind in diese Kammer ziehe … Sie glaubt doch … Ich wusste nicht, was ich ihr sagen sollte. Bitte, tut ihm nichts.« Sie glitt zwischen Julian und die Wiege. »Er kann doch nichts dafür.«

Julian zerrte sie beiseite, sodass er freien Blick auf die Wiege hatte. Es stimmte, was Kate gesagt hatte: Ein blondgelockter Cherub. Pausbackig und niedlich. Er schlief, und der winzige rote Mund war feucht und wie zum Kuss geschürzt.

Julian glaubte einen Moment, er müsse sich übergeben. Er wandte den Blick ab, biss die Zähne zusammen, atmete ein paarmal tief, und es verging.

»Wie habt Ihr ihn genannt?« Er ahnte Fürchterliches. Janet antwortete nicht, also schaute er sie wieder an, legte die gesunde Hand auf ihre Schulter und rüttelte ein wenig. »Wie habt Ihr das Balg genannt, raus damit!«

»John. Ich war …«

Seine linke Hand traf ihre rechte Gesichtshälfte. Er spürte die Zartheit ihrer Wange unter seinen rauen Fingern, und es erfüllte ihn mit Genugtuung, wie zerbrechlich sie war. Wie schutzlos. Wie ausgeliefert.

Janet war auf sein Bett gefallen, hatte sich auf die Seite geworfen und einen schützenden Arm vor ihr Gesicht gehoben. »Kate hat es entschieden, als ich schlief«, brachte sie hastig hervor. »Ich hatte nicht die Absicht, den Namen Eures Vaters zu entehren, Gott helfe mir, das ist die Wahrheit.« Es klang dumpf durch den Stoff ihres Ärmels.

Julian sah einen Augenblick auf sie hinab. Dann kniete er sich auf die Bettkante, nahm ihren Arm und zwang ihn von ihrem Gesicht. Ihre Blicke trafen sich, aber Julian weigerte sich, das stumme Flehen um das Leben ihres Kindes in den meergrauen Augen zu erkennen. Er wollte nichts davon wissen. Er hatte etwas klarzustellen, und das duldete nicht einen Moment länger Aufschub. Er nahm wieder Janets Arm, zog sie ein Stück weiter aufs Bett und ließ sie los. Mit ungeschickten, zitternden Fingern schnürte er seine Hose auf. »Madam, ich fürchte, ich bin im Begriff, die Zusage zu brechen, die ich Euch am Tag unserer absurden Hochzeit gegeben habe.« Es klang heiser.

Sie erteilte ihm ihre Absolution mit einem Nicken. Julian sah ungläubig, wie sie weiter zum Kopfende rutschte, die Röcke raffte und einladend die Schenkel öffnete, aber er hielt nicht inne, um sich darüber zu wundern. Innehalten stand ebenso außer Frage wie jede Art von klarem Denken. Er warf sich auf sie und stieß mit einem wütenden Keuchen in sie hinein. Seine Frau wölbte sich ihm mit einem ganz ähnlichen Laut des Unwillens entgegen, stemmte die Handballen gegen seine Schultern, als wolle sie ihn wegstoßen, krallte sich mit den Fingern aber gleichzeitig an ihm fest. Julian pflügte mit jedem Stoß tiefer in die feuchte Wärme, rasend vor Eifersucht, vor Zorn, dass, ganz gleich was er tat, er sie nie so vollständig besitzen konnte, wie er wollte. Er packte den Halsausschnitt ihres Kleides mit der Linken, und mit einem Ruck riss er es entzwei, entblößte ihre Brüste und knetete sie mit beiden Händen. Janet stöhnte, ließ die Finger über seine Schultern abwärtsgleiten und packte wieder zu. Julian wollte seinen rechten Arm losreißen, denn ihre Hand lag genau auf der Fleischwunde, aber Janet lächelte koboldhaft und gab ihn nicht frei.

»Na warte«, brachte er mit Mühe hervor, vergrub eine Hand in der aufgelösten blonden Haarflut, zwang ihren Kopf zurück und legte noch einen Zahn zu. Es gefiel ihr. Sie bäumte sich unter ihm auf und kam, und das vernichtete seine letzten Reserven. Die Rohheit, die er Marguerite immer hatte vorspielen müssen und die ihm ein wenig albern vorgekommen war, schien plötzlich sein wahres Naturell zu sein. Nie zuvor in seinem ganzen Leben hatte er eine Frau so unbarmherzig geritten. Und Janet zahlte ihm alles mit gleicher Münze heim, tat ihm genauso weh wie er ihr. Sie nahmen Rache aneinander für ihre erzwungene Heirat, ihre Ratlosigkeit und Verzweiflung, für jede Beleidigung, jede kühle Zurückweisung der letzten zwölf Monate, für die schiere Existenz ihres Kindes und für alles, was Yorkisten und Lancastrianer einander angetan hatten. Und sie besiegelten einen Bund. Als Julian sich mit einem halb unterdrückten Schrei entlud, war ihm vage bewusst, dass ihn noch nie eine Frau so gewollt hatte, dass ihm keine Frau zuvor so nahe gewesen war und so viel von sich gegeben hatte.

Endlich ließ sie seinen rechten Arm los, und er schob ihn unter sie, legte die Hand auf ihr herrlich weiches Gesäß, um sie für die letzten Augenblicke noch ein wenig näher zu ziehen, und sie warf den Kopf herum, presste die Lippen auf seinen Mund und küsste ihn. Immer noch gierig saugte sie sich daran fest, umkreiste seine Zunge mit der ihren, die ihm kühl und klein erschien, und er fand, sie schmeckte süß, vermischt mit einem winzigen Hauch Bitterkeit, ungefähr wie Karamell.

Allmählich beruhigte sich ihr Atem. Julian löste sich langsam von ihr, zögerlich, streckte sich auf dem Rücken aus und stopfte sich ein Kissen in den Nacken. Blinzelnd starrte er in den grünen Baldachin hinauf und fragte sich, was zum Henker das zu bedeuten hatte.

Beinah schreckte er zusammen, als Janet näher rückte. Ihre Hand schob sich unter seine Schecke, schlängelte sich unter das Wams und glitt zu seiner Brust hinauf, wo sie innehielt.

»Wie dein Herz hämmert«, murmelte Janet.

Das ist weiß Gott kein Wunder, dachte Julian und sagte

nichts. Nach einer Weile sammelte er seinen Mut und drehte den Kopf auf dem Kissen. Ernst schauten sie einander an, ratlos und eine Spur verlegen.

»Dein Arm blutet«, sagte sie schließlich leise. Ihre Stimme erinnerte ihn an das Schnurren einer Katze: kehlig, tief und zufrieden.

Er fühlte die Nässe den schmuddligen Verband und den Ärmel durchsickern, aber er schaute nicht hin. Er verspürte ein eigentümliches Bedürfnis, in diesen meergrauen Augen zu versinken. »Dann hast du ja, was du wolltest«, bemerkte er.

»Wie ist es passiert?«, fragte sie.

Julian zog eine Braue in die Höhe. »Spionage hinter Bettvorhängen?«

Sie zuckte fast unmerklich zusammen. Einen Moment sah sie ihm noch in die Augen, und er erkannte, dass er sie gekränkt hatte. Dann rückte sie ein Stück von ihm ab und legte sich ebenfalls auf den Rücken. »Glaubst du das wirklich?«, fragte sie.

Er dachte darüber nach und sagte dann wahrheitsgemäß: »Nein.«

»Wie wäre es dann, wenn du dich entschuldigst«, regte sie ohne besonderen Nachdruck an.

Julian setzte sich auf und schnürte seine Hose zu. »*Du* legst mir ein Kuckucksei ins Nest, und *ich* soll mich bei dir für ein unbedachtes Wort entschuldigen?«, fragte er ungläubig. »Ich denke nicht, Madam.«

Sie richtete sich ebenfalls auf, griff nach einem Laken und wickelte es um sich. Offenbar war es ihr mit einem Mal ein ebensolches Bedürfnis wie ihm, ihre Blöße zu bedecken. »Du tust so, als hätte ich es mit Absicht getan. Aber weder wollte ich des Königs Bastard, noch wollte ich dich hintergehen.«

»Nein, ich weiß«, antwortete er seufzend. »Aber das ändert nichts an der Vertracktheit der Lage. Im Übrigen wäre ich dankbar, wenn du Edward in meinem Haus nicht König nennen würdest. Wenigstens in meinem Bett nicht.« Er konnte ein süffisantes Grinsen nicht ganz unterdrücken.

Janet wandte den Blick ab, und eine dicke, weizenblonde

Haarsträhne legte sich wie ein Seidenband auf ihre entblößte Schulter.

»Wirst du das Kind leben lassen?«, fragte sie leise.

»Was?«, fuhr er erschrocken auf. »Natürlich werde ich es leben lassen. Entschuldige mal, hältst du mich für ein Ungeheuer?«

Langsam drehte sie den Kopf und sah ihn wieder an. Es war ein langer, forschender Blick, und schließlich erwiderte sie: »Ich weiß überhaupt nicht, wofür ich dich halten soll, Julian. Seit deine Schwester sich meiner angenommen und mir einen Zugang zu den Menschen hier ermöglicht hat, ist mir klar geworden, wie sehr sie alle dich lieben. Egal ob Bauer oder Ritter.« Er wandte verlegen den Blick ab, doch sie fuhr unbeirrt fort. »Sogar Roland, auch wenn er versucht, sein bestgehütetes Geheimnis daraus zu machen. Und es hat mich stolz gemacht, mit welcher Achtung und Zuneigung alle hier von dir sprechen. Aber zu mir warst du nie anders als abweisend und zornig. Als du gedroht hast, mich zu töten, hatte ich keinen Grund zu zweifeln, dass es dir ernst damit war.«

»Es war mir verdammt ernst damit«, erwiderte er hitzig. »Was erwartest du denn? Du bist meine Feindin. Eine yorkistische Spionin, die dem Thronräuber Edward von jedem meiner Schritte berichtet hätte, wenn ich es nicht verhindert hätte, und außerdem …«

»Außerdem bin ich deine Frau, Mylord. Und ich liebe dich. Ich habe mich lange geweigert, mir das einzugestehen, aber es ist nun einmal passiert.«

Fluchtartig stand Julian vom Bett auf, ging bis zum Fenster, lehnte sich mit dem Rücken an die kalte Mauer daneben und verschränkte die Arme. Er wollte so etwas nicht hören. Er wollte nicht, dass sie ihn liebte. Mit fünfzehn Jahren hatte er aufgehört, an diesen ganzen faulen Zauber zu glauben, und er wollte verdammt sein, wenn er sich jetzt als erwachsener Mann wieder davon verführen ließ, sich schwach und verwundbar machte. »Ich nehme an, das sagst du, um deinen Bastard zu schützen«, entgegnete er.

»Ich sage es, weil es die Wahrheit ist«, gab sie achselzuckend zurück.

»Dann werde ich dich davon kurieren. Hör zu, Janet: Dein Balg bleibt nicht einen Tag länger auf dieser Burg. Heute Nacht bringe ich ihn nach …« Im letzten Moment hielt er sich davon ab, ihr den Namen zu sagen. »In ein Kloster. Als Findelkind. Zur gleichen Zeit wird Lucas nach London reiten und einen toten, blonden männlichen Säugling besorgen. In London gibt es ja bekanntlich alles zu kaufen, und Lucas weiß, wo. Den Leichnam legen wir in die Wiege. Und morgen früh werden wir meinen angeblichen Sohn und Erben zu Grabe tragen. Hast du verstanden?« Er sah ihr ins Gesicht. »Dein Bastard wird Mönch. Nicht Lord Waringham.«

Sie reagierte völlig anders, als er erwartet hatte. Sie blieb reglos auf dem Bett sitzen, die Finger locker im Schoß verschränkt und blickte ihn unverwandt an, und er sah Schmerz und Furcht in ihren Augen, aber nicht das blanke Entsetzen, mit dem er gerechnet hatte, und auch keinen Abscheu. Sie hatte gewusst, dass so etwas passieren würde, ging ihm auf. Sie hatte sich mit dem Gedanken vertraut gemacht und gelernt, ihn zu akzeptieren. Julian kam nicht umhin, sie für ihre Beherrschung und ihre Kraft zu bewundern.

»Ist dieses Kloster weit von hier?«

»Nein.«

»Und wird er es dort gut haben? Warm? Genug zu essen?«

»Es ist eines der reichsten Klöster Südenglands mit einer hervorragenden Schule. Er wird es gut haben, sei unbesorgt.« Julian würde das ›Findelkind‹ mit einer ausreichenden Menge Bargeld ausstatten und in so edles Tuch hüllen, dass die Mönche in St. Thomas zwangsläufig zu dem Schluss kommen mussten, es handele sich um einen Bastard von edelstem Geblüt, und entsprechend würden sie ihn behandeln.

»Darf ich ihn wiedersehen?«, fragte sie, und ihre Stimme klang nicht mehr ganz so fest.

Nein, wäre die kluge Antwort gewesen, aber Julian musste feststellen, dass er es nicht fertigbrachte, das zu sagen. Er schalt sich einen widerwärtigen Jammerlappen und antwortete: »Wenn du mir meinen Sohn und Erben geboren hast, können wir meinetwegen hin und wieder zum Hochamt hinreiten. Ich schätze, die Brüder werden eine Amme für ihn engagieren, aber auch sie wird die Messe besuchen. Mit ihrem Schützling.«

Janet rang mit den Tränen, aber sie brachte ihre Gefühle rasch wieder unter Kontrolle. Das Kinn hörte auf zu beben. Der verräterische Glanz blieb in den Augen, doch das war alles. »Ich sehe ein, dass es nicht anders geht.« Es klang, als sage sie es vor allem, um sich selbst diese schlichte Tatsache ins Gedächtnis zu rufen. »Und ich bin dir dankbar, dass du so großzügige Vorkehrungen triffst.«

Er nickte beklommen. »So wie ich dir dankbar bin, dass du mir Stürme und Tränen ersparst.«

»Ich werde sie am Grab des armen, namenlosen toten Kindes vergießen«, sagte sie mit einem Lächeln, von dessen Traurigkeit Julian ganz elend wurde.

Lucas Durham – der einzige Mensch in Waringham, der die Wahrheit über Janets Kind kannte – war ebenso wenig erbaut von dem Plan wie Julian selbst, doch er wäre im Traum nicht darauf gekommen, seinem Freund und Dienstherrn seine Hilfe zu verweigern. Beide verließen und betraten sie die Burg in dieser Nacht nicht durch das Haupttor, sondern über zwei Leitern, die sie im Schutz der Dunkelheit innen und außen an die Burgmauer gestellt hatten, hinter der Kapelle, sodass niemand es sah. Auf diese Art und Weise konnten die Torwachen keinen Verdacht schöpfen.

Julians Weg nach St. Thomas war finster und wurde ihm lang. Es war empfindlich kühl, sodass er sich genötigt sah, das unschuldige, aber doch verhasste Kind in seinen Mantel zu hüllen und an seine Brust zu drücken, und etwa auf halbem Weg wachte es auf, fing an zu schreien und hörte nicht wieder auf. Julian war zermürbt, als er ankam, und seine Pfeilwunde machte ihm ziemlich zu schaffen. Er legte das Kind mitsamt Geldbeutel in ein Weidenkörbchen, das er mitgebracht hatte, stellte es vor der Pforte ab und verbarg sich im Schatten der Weiden, die diesseits der Klostermauer wuchsen. Dank des kräftigen Gebrülls erschien der Bruder Pförtner nach kurzer Zeit, stimmte eine reichlich unchristliche Litanei von Flüchen an und trug den brüllenden Novizen hinein. Erleichtert machte Julian sich auf den langen Heimweg.

Als am nächsten Morgen das tote Kind in der Wiege »entdeckt« wurde, holte Julian Vater Thomas, seinen jungen Hauskaplan, und die Hebamme aus dem Dorf. Offiziell, damit Ersterer dem Säugling die Strebesakramente erteilte und Letztere ihn für die Beerdigung wusch, in Wahrheit jedoch, damit diese zwei unabhängigen und zuverlässigen Zeugen sich von der äußerlichen Unversehrtheit des Kindes überzeugten und mögliche finstere Gerüchte zerstreuen würden. Julian wusste, er riskierte Argwohn, indem er diese grausige Verwechslungskomödie so bald nach seiner Heimkehr inszenierte. Niemandem in Waringham war verborgen geblieben, dass er und seine Gemahlin nicht gerade verliebt wie Turteltäubchen waren. Sicher wäre es klüger gewesen, ein paar Wochen zu warten. Aber er hätte es keinen Tag länger mit diesem Kind unter einem Dach ausgehalten, und er hatte den Abschied für Janet auch nicht quälend in die Länge ziehen wollen.

Bei der Beerdigung des unbekannten Kindes regnete es in Strömen, und die allgemeine Trostlosigkeit war erbarmungswürdig. Nicht nur Janet, auch seine Schwester, seine Nichten, die Frauen seiner Ritter und alle Mägde weinten bitterlich, als der winzige Sarg auf dem Kirchhof hinter der Burgkapelle in die Erde gelassen wurde. Julian stand kreidebleich und mit fest zusammengebissenen Zähnen dabei. Er konnte sich nicht entsinnen, sich jemals so lausig gefühlt zu haben. Aber das war nur gut so, redete er sich ein. Jeder hielt seine versteinerte Miene und seine Einsilbigkeit für Anzeichen mannhaft ertragener Seelenqual. Und da auch Scham Seelenqual war, hatten sie nicht einmal so Unrecht.

Nachts klammerte Janet sich an ihn wie eine Ertrinkende, sodass es ihm manchmal vorkam, als könne er nicht mehr frei atmen. Aber er wies sie nie zurück. Weil er ein schlechtes Gewissen hatte, vor allem aber, weil er hingerissen von ihrem festen und doch so wunderbar gerundeten Mädchenkörper und den üppigen Brüsten war. Außerdem war ihm daran gelegen, dass sie so schnell wie möglich wieder schwanger wurde. Er wollte sie entschädigen, und er wollte, dass sie aufhörte, ihrem verfluchten Bastard nachzutrauern. Also schlief er Nacht für Nacht mit ihr. Es waren keine so wütenden Gewaltakte mehr wie der erste, aber oft trieben sie es ziemlich wild, weil sie eine eigentümliche Sucht nach dem Körper des anderen ergriffen hatte, die sie ungeduldig machte. Wie Löffel aneinandergeschmiegt lagen sie schließlich still, und wenn Janet glaubte, er schlief, weinte sie.

Niemandem auf der Burg blieb verborgen, dass das Verhältnis zwischen Lord Waringham und seiner Gemahlin sich gebessert hatte. Die offenkundigste Veränderung war die, dass sie seit seiner Heimkehr eine Kammer teilten, und das hatten die Mägde natürlich sofort herausbekommen. Alle glaubten, der Tod ihres Kindes habe sie einander nähergebracht.

Janet litt unter der Trennung von ihrem Sohn, aber nicht so sehr, wie sie gedacht hätte, gestand sie sich schuldbewusst ein. Womöglich lag es daran, dass sie jetzt eine adlige Dame war und sich so sehnlich wünschte, dieser Rolle gerecht zu werden. Und keine adlige Dame zog ihre Kinder selbst auf. Ammen und Gouvernanten übernahmen die Erziehung während der ersten Lebensjahre, später kamen die Sprösslinge auf die Klosterschule, oder die Söhne gingen zur Ausbildung an einen fremden Hof. Natürlich war es etwas anderes, den kleinen John viele Meilen entfernt an einem fremden Ort zu wissen. Es schmerzte sie, dass sie ihn nicht sehen und halten konnte, nicht Zeuge seiner ersten Schritte sein würde. Doch sein Schicksal war so viel besser als alles, was sie am Tag ihrer Hochzeit für möglich gehalten hätte.

Zehn Jahre vor der ersten Schlacht von St. Albans geboren, war Janet dazu erzogen worden, zu glauben, dass alle Yorkisten gut und alle Lancastrianer schlecht seien. Der Hass ihres Vaters und Bruders auf die Herzöge von Suffolk und Somerset, ihre bedingungslose Verehrung für den Duke of York hatten diese Überzeugung geprägt. Selbst als König Edward sie trotz ihrer höflichen Proteste in sein Bett geholt, selbst als ihr Bruder William sie so schändlich verraten hatte, hatte sie diesen Glauben nicht in Zweifel gezogen. Die Schuld lag bei ihr, nahm sie an. Unbewusst hatte sie den König in unziemlicher Weise auf sich aufmerksam gemacht, seinen Jagdinstinkt geweckt. Und deswegen hatte ihr großer Bruder jede Zuneigung und Achtung für sie verloren. Weil er sie für unkeusch hielt. Darum hatte er sie verstoßen und in die Ehe mit Julian of Waringham – einem berüchtigten Lancastrianer – gezwungen. Sie hatte sich all das nur selbst zuzuschreiben, hatte sie geglaubt.

Aber auch wenn daraus folgte, dass sie Strafe verdiente, hatte sie sich doch halb zu Tode gefürchtet, als ihr grimmiger, unnahbarer Gemahl sie nach Waringham gebracht hatte – in dieses Feindesland. Und dann war nichts so gekommen, wie sie gedacht hatte. Als sie weggelaufen war, Waringham von ihrer Schwangerschaft und ihrem Spionageauftrag erfahren hatte, hatte er sie weder totgeschlagen noch in ein Kloster gesperrt. Und nachdem er fortgegangen war, um die Burgen im Norden für seine unmögliche, lasterhafte, obendrein *französische* Königin zurückzuerobern, hatte seine Schwester sich ihrer angenommen und ihr in großzügiger Weise ihre Freundschaft angeboten. Eines Abends kurz vor Vollmond war Kate in das Wohngemach gekommen, wo Janet saß und sich verzweifelt bemühte, einen unverfänglichen, aber glaubwürdigen Bericht für ihren Bruder abzufassen, und als Kate sie fragte, was sie dort tue, hatte Janet ihr kurz entschlossen die Wahrheit gesagt. Kate vereinte in sich das Erzähltalent der Waringham und die Vorliebe für bizarre Situationen der Lancaster. Mit diebischem Vergnügen hatte sie Janet einen Monatsbericht diktiert. »Hm, lasst uns überlegen. November. Was würde mein Bruder tun, wäre er daheim? Was machen Lords in der Regel im November? Nicht besonders viel außer Jagen – wie meistens. Schreibt, Euer Gemahl habe an Hubertus beim Festmahl zu viel vom Hirsch gegessen und anschließend eine Woche mit Bauchgrimmen das Bett hüten müssen.«

»Was?«, hatte Janet entgeistert gefragt.

Kate machte eine ungeduldige, auffordernde Geste. »Schreibt schon. Dann, nachdem Lord Waringham genesen war und das trockene Wetter kam, ist er mit Frederic nach Hetfield geritten, um dort das Martinus-Schlachten zu inspizieren. Auf dem Rückweg hat sein Pferd ihn abgeworfen, und er hat sich die Schulter ausgerenkt …«

»Madam, Ihr macht einen Narren aus meinem Gemahl«, hatte Janet errötend protestiert.

»Denkt Ihr nicht, das wird Euren Bruder amüsieren?«

Janet hatte die Unterlippe zwischen die Zähne genommen, aber sie konnte ein Kichern nicht ganz unterdrücken. Als ihre Blicke sich trafen, brachen sie beide in Gelächter aus. Und von da an war alles anders geworden.

Lady Kate empfand großes Mitgefühl mit dem vertriebenen Lancaster-König, konnte aber nur wenig Verständnis für den blutigen Konflikt aufbringen. Behutsam und ohne Überheblichkeit hatte sie Janet die Augen für die schlichte Tatsache geöffnet, dass nicht die Zugehörigkeit zu einer politischen Fraktion den Charakter eines Menschen ausmachte. Jedenfalls nicht allein. Kate – die mehr als zwanzig Jahre älter war als sie und deren Freundschaft eine mütterliche Wärme hatte, die Janet als wohltuend und tröstlich empfand – hatte ihr geholfen, die starren Dogmen zu überwinden, die ihr Bruder ihr eingetrichtert hatte, und sich selbst ein Urteil zu bilden. So war es Janet möglich geworden, sich ohne Scham einzugestehen, dass sie sich in den raubeinigen, spöttischen, aufbrausenden Lancastrianer, der ihr Gemahl war und der so unerwartet galant, schüchtern und sanftmütig sein konnte, verliebt hatte und jeden Abend für seine baldige und vor allem wohlbehaltene Heimkehr betete.

»Wir sind nach Hause gekommen, weil Edward ein Parlament einberufen hat«, erklärte Lucas Durham. »Da Julian ja offiziell hier war, konnte er schlecht vorgeben, die Ladung nicht bekommen zu haben.«

Frederic nickte. *Sie liegt seit drei Wochen hier, und wenn ihr nicht gekommen wäret, hätte einer von uns sich auf die Suche nach euch gemacht,* schrieb er.

Wie so oft hockte Julian mit seinen drei vertrautesten Rittern zusammen und schmiedete Ränke. »Es war ein verdammt ungünstiger Zeitpunkt, den Kämpfen im Norden den Rücken zu kehren«, grollte er.

»Wie ist es gelaufen?«, fragte Tristan. »Du hast uns noch nicht erzählt, was ihr den ganzen Winter über getrieben habt.«

»Wir sind mit de Brézé – das ist der Seneschall der Normandie, Marguerites neuer ›guter Freund‹ – in Schottland gelandet und haben Somerset und König Henry an Bord genommen. Wann war das, Lucas?«

»Oktober.«

Julian nickte. »Unser König war bestens aufgelegt und hat sich seiner Gemahlin in aller Höflichkeit vorgestellt«, fuhr Julian trocken fort.

Tristan schüttelte missfällig den Kopf über die spöttische Bemerkung, und Frederic wandte den Blick zur Decke.

»Wir sind nach Northumberland gesegelt und haben Alnwick eingenommen. Doch als wir hörten, dass Warwick mit großen Verbänden anrückte, ließ Marguerite nur eine kleine Garnison zurück und floh wieder einmal nach Schottland.« Ihn hatte sie auch zurückgelassen. Um ihm zu zeigen, dass er ihre Gunst verloren hatte, nahm er an. Weil er sich weigerte, seine Deckung aufzugeben und mit allen Männern, die er hatte, offen in den Kampf zurückzukehren, obwohl sie sich doch so bemüht hatte, einen Keil zwischen ihn und die Tudors zu treiben. »Beinah de Brézés gesamte Flotte fiel auf der Fahrt nach Schottland einem Sturm zum Opfer, viele Männer sind ertrunken. Marguerite rettete sich mit ihm, Henry und dem Prinzen nach Berwick. Bis Weihnachten hatten die Yorkisten uns Bamburgh,

Alnwick und Dunstanburgh abgeknöpft, letzten Monat haben wir alle drei Burgen zurückgewonnen. Und so kann es noch jahrelang weitergehen, wenn ihr mich fragt, ohne dass sich je wirklich etwas bewegt. Schön, Edward hat keinen Rückhalt im Norden, und die schottische Grenze ist ein Einfallstor für seine Feinde. Aber was nützt uns das, solange seine Feinde uns bestenfalls wankelmütige Freunde sind, wir also keine schlagkräftige Armee aufstellen können, um ihn aus Westminster zu jagen?« Er breitete ungeduldig die Arme aus.

»Es ist eine festgefahrene, unbefriedigende Lage«, stimmte Lucas zu. »Aber vielleicht kann Somerset das ändern.«

Julian verspürte ein flaues Gefühl in der Magengegend. Tristan und Frederic sahen verständnislos von Lucas zu ihm, und er berichtete unbehaglich: »Somerset wird sich zum Schein mit Edward aussöhnen und sich um sein Vertrauen bemühen.« Und der junge König würde dem mächtigen Lancaster-Lord bereitwillig vergeben, was geschehen war, und ihn freudestrahlend in seinen Kronrat berufen, da war Julian sicher. Edward war vertrauensselig und jederzeit zur Aussöhnung mit seinen Feinden bereit. Das war eine seiner sympathischsten Eigenschaften. Und Julian fühlte sich miserabel bei der Vorstellung, dass sie seine Gutartigkeit ausnutzen würden.

»Jetzt sei nicht so zimperlich, Waringham«, schalt Tristan. »Du hast gerade selbst gesagt, dass es so wie bisher nicht weitergehen kann.«

»Schon, aber ...«

»Dein Gewissen in allen Ehren, aber du solltest nicht vergessen, dass die Yorkisten mit genau den gleichen Mitteln kämpfen. Dass sie nicht einmal davor zurückschrecken, deine Frau als Spionin zu missbrauchen.«

»Woher weißt du das?«, fragte Julian erschrocken.

Tristan zuckte die Schultern. »Sie hat es Kate anvertraut, Kate Frederic, Frederic mir.«

»Es geht doch wirklich nichts über verschwiegene Freunde«, knurrte Julian. Und er war verwundert, als er sich hinzufügen hörte: »Es war nicht Janets Schuld. Ihr Bruder ...«

»Du brauchst uns nichts zu erklären«, unterbrach der Ritter. »Jeder hier im Raum hat mehr Verständnis für die Notlage deiner Gemahlin und ihren Konflikt als du.«

»Ah ja? Vielen Dank«, gab Julian verdrossen zurück. »Vielleicht liegt es daran, dass keiner hier im Raum außer mir gegen seinen Willen mit ihr verheiratet wurde.«

Frederic kritzelte und reichte Julian die Tafel. »*Wenn du klug bist, nimmst du sie mit zum Parlament und schlägst die Yorkisten mit ihren eigenen Waffen. Es ist unschwer zu erkennen, dass deine Frau für dich durchs Feuer gehen würde. Sie wird ihrem Bruder sagen, was immer du ihr aufträgst*«, las Julian murmelnd vor. »Hm. Ich wünschte, ich hätte deinen Optimismus, Frederic. Aber so hinreißend sie auch sein mag, ich trau ihr nicht weiter, als ich ein Schlachtross werfen könnte. Ich kann einfach nicht.«

Außerdem wollte er nicht, dass sie auch nur in Edwards Nähe kam. Die Vorstellung, dass seine Frau das Bett ihres verfluchten Königs geteilt hatte, erfüllte ihn mit einem fast unbezähmbaren Zorn, und er konnte keine Garantien dafür übernehmen, was er täte, wenn Edward sie mit seinem berüchtigten Verführerlächeln anschauen würde.

Trotzdem nahm er Janet mit nach Westminster. Weil sie es sich so sehnlich wünschte, ohne ihm mit Bitten und Betteln auf die Nerven zu gehen. Vielleicht auch, weil er der Welt zeigen wollte, dass er seine widerspenstige Yorkistin gezähmt hatte und sie ihm nun in Treue und Zuneigung ergeben war. Vor allem jedoch, musste er sich eingestehen, weil er unwillig war, sie in Waringham zurückzulassen und so eher wieder von ihr getrennt zu sein, als zwingend erforderlich war. Sein komfortables, breites Bett in seinem Haus in Farringdon wäre ihm ohne sie gar zu öd und leer vorgekommen.

Lucas Durham und Tristan Fitzalan begleiteten ihn ebenfalls, außerdem ein halbes Dutzend livrierter Soldaten, die er von der Burgwache abgezogen hatte. Julian nahm sie nicht mit, weil er glaubte, er müsse in Westminster ernsthaft um sein

Leben fürchten, sondern weil er Lord Waringham war und ein Minimum an Gefolge einfach notwendig, um seine Stellung zu wahren. Auch sein Falkner und sein Knappe waren mit von der Partie, denn den einen brauchte er für die Jagdtage, die während des Parlaments stattfinden würden, den anderen für das Turnier. Roland war nicht gerade entzückt, mitten in der Fohlzeit dem Gestüt fern zu sein, aber er hatte sich fast klaglos gefügt. Auf der kurzen Reise nach London bemühte er sich, aufgeräumt und gesprächig zu sein, obwohl das seiner Natur fremd war, brachte gar so etwas wie distanzierte Höflichkeit für Janet zustande, und nach der Ankunft in Farringdon machte er sich mit dem Gepäck nützlich und war aufmerksam. Julian war sehr zufrieden und ließ es ihn wissen.

Anabelle hatte das Haus vorbereitet, und der verführerische Duft von geschmortem Hammel schlug ihnen entgegen, als sie eintraten. Mit einem Knicks und einem warmen Lächeln begrüßte die Magd Lord Waringham, und nachdem sie ihn einen Moment verstohlen betrachtet hatte, entbot sie auch seiner Frau einen höflichen Gruß, wie es sich gehörte.

In der ruhigen Stunde zwischen Essen und Schlafengehen, als der Staub ihrer Ankunft sich gelegt hatte, suchte er sie in der Küche auf, schickte ihre beiden Schwestern mit einem höflichen Wort hinaus und schenkte Anabelle einen Silberring, in welchen winzige Intarsien aus Perlmutt und Lapislazuli eingearbeitet waren.

Anabelle schlug erschrocken die Hände vor Mund und Nase. »Aber Mylord … Das könnt Ihr nicht tun. Der ist zu kostbar für mich. Was sollen die Leute denken?«

Er lachte leise über ihre Scheinheiligkeit. »Ich glaube, du unterschätzt deinen Wert. Nimm ihn. Als kleines Zeichen meiner Dankbarkeit und Verbundenheit.«

Anabelle errötete. Sie war es nicht gewöhnt, dass ein Mann so etwas zu ihr sagte. Aber sie nahm den Ring, denn sie wusste sehr wohl, dass Julian meinte, was er sagte. Es war eine Art Abschiedsgeschenk, kein Hurenlohn. Und es war eine Anerkennung der Tatsache, dass sie Risiken für ihn einging. Genau wie die Männer, die für ihn auf dem Schlachtfeld kämpften.

Sie winkte ihn in die Vorratskammer hinter der Küche, öffnete das hölzerne Fässchen mit den Graupen und steckte die Hand hinein. Eine Weile tastete sie, dann zog sie die Hand mit einem zusammengefalteten Papierbogen wieder hervor.

Wortlos streckte Julian die Linke aus, und sie legte den Bogen hinein.

Das Siegel war ungekennzeichnet. Julian erbrach es und las. Das Schreiben enthielt weder Anrede noch Unterschrift, aber er hatte keine Mühe, Blanches Handschrift zu erkennen: *Wie versprochen ist Jasper nochmals nach Frankreich gesegelt und hat für Marguerite mit König Louis verhandelt. Louis ist schlüpfrig und will sich nicht festlegen. Er fürchtet Edward und will Frieden mit ihm. Aber Jasper hat ihm zweitausend Pfund abgeschwatzt. Lass uns wissen, wo die Königin ist, damit wir ihr das Geld schicken können.*

Gut gemacht, Jasper, dachte Julian erleichtert. Wie praktisch, dass der König von Frankreich auch dein Cousin ist. Das Geld würde sie ein gutes Stück weiterbringen und die Garnisonen in den wiedererlangten Burgen im Norden bis zum nächsten Winter unterhalten.

Warwick war in Pembroke Castle und hat mit Black Will Herbert gesprochen. Rhys hat die Diener ausgefragt, die ihnen aufgewartet haben: Wie gehofft, haben die Lords gestritten. Aus ihrer Meinungsverschiedenheit in der Frage, ob Edward eine französische oder burgundische Prinzessin heiraten soll, scheint eine handfeste Feindschaft zu werden. Warwick ist eifersüchtig auf Herberts Nähe zu ihrem König. Herbert misstraut Somersets Friedensabsichten – vermutlich, weil er die Ländereien im Südwesten verliert, wenn der Thronräuber dem Duke of Somerset sein Eigentum zurückgibt –, und natürlich ist Warwick geneigt, sich mit Somerset zu versöhnen, weil er weiß, dass es Herbert schaden würde. Seht zu, was ihr daraus macht.

Im Winter waren wir ein paar Wochen an einem sicheren

Ort, den ich hier nicht nennen will. Dort habe ich am Namens-
fest des heiligen Antonius eine Tochter bekommen. Wir haben
sie im Andenken an Jaspers Mutter Caitlin getauft. Jetzt sind
wir wieder dort, wo Jasper sich am wohlsten fühlt: ganz in der
Nähe seines Todfeindes. Leb wohl und Gott schütze euch alle.

Sie waren also nach Pembrokeshire zurückgekehrt, schloss
Julian seufzend. Er war nicht wirklich überrascht.

»Wann ist das gekommen?«, fragte er Anabelle.

»Gründonnerstag. Der junge walisische Gentleman mit den
feuerroten Haaren hat es gebracht.«

»Nur gut, dass ich nicht hier war«, entfuhr es Julian.

»Ja, mir war schon aufgefallen, dass er nicht Euer bester
Freund ist, Mylord«, entgegnete sie mit einem spitzbübischen
Lächeln.

Julian grinste verstohlen, dann küsste er sie auf die Wange.
»Danke, Anabelle.« Er hielt den Brief hoch. »Sollte das Haus
Lancaster je wieder zu seinem Recht kommen, werde ich dafür
sorgen, dass deine Königstreue belohnt wird. Einstweilen müssen wir auf den Lohn im Jenseits hoffen.«

Sie hob gleichmütig die Schultern. »Ist recht, Mylord. Ich
glaube, es schadet nicht, wenn ich dort etwas guthab …«

Lachend wandte er sich zur Tür. »Sobald ich etwas zu berichten habe, gebe ich dir einen Brief. Und du weißt ja …«

»Sollten hier Yorkisten ans Tor klopfen, muss ich als Erstes
die Briefe in den Graupen verbrennen, ja, Mylord. Ihr habt mir
das ungefähr hundert Mal gesagt.«

»Na, na«, machte er. »So oft nun auch wieder nicht.«

Es war seine Idee gewesen, sein Haus in Farringdon zur
Hinterlegung von Nachrichten zu benutzen und Anabelle zu
dem Zweck zur Komplizin zu machen. Sie war sofort Feuer und
Flamme gewesen, und die Neuigkeiten, die er und Blanche –
mit anderen Worten die Lancastrianer in England und in Wales
– sich auf diesem Weg zukommen ließen, hatten sich schon
manches Mal als nützlich erwiesen. Aber es war gefährlich,
und er wollte lieber nicht wissen, was William Hastings mit
Anabelle täte, wenn sie je erwischt würde.

»Kein Wort von diesen Briefen zu meiner Frau, hörst du.«
Anabelle runzelte die Stirn. »Ach nein?«

Julian zuckte unbehaglich die Schultern. »Nur zur Sicherheit. Vermutlich können wir ihr trauen, aber …«

»Wir wollen nicht unsere Köpfe darauf verwetten?«

»So ist es.«

»Abgemacht.«

Das Parlament begann am neunundzwanzigsten April, und wenngleich es bis in die zweite Maiwoche hinein fast ohne Unterlass regnete, war die Atmosphäre in Westminster doch unerwartet sonnig. Der öffentliche Lehnseid, den Henry Beaufort, der Duke of Somerset, König Edward leistete, versetzte den König und viele Yorkisten in Euphorie.

Edward hob den mächtigsten aller Lancastrianer auf, schloss ihn innig in die Arme und sagte: »Welch ein Freudentag, Mylord. Euer Vater und der meine waren Todfeinde. Wir besiegeln heute das Ende dieses unseligen Risses, der das ganze Land entzweit hat. Wir wollen vergeben und vergessen, was geschehen ist, und fortan wie Brüder sein.«

Somerset neigte das Haupt, als drohe die Rührung ihn zu übermannen. »Eure Güte beschämt mich, mein König«, sagte er. »Mit Freuden nehme ich dieses großmütige Angebot Eurer Freundschaft an.«

Oh, Cousin Somerset, dachte Julian beklommen. Ich hätte nie gedacht, dass du so überzeugend lügen kannst. Er wusste, Somerset tat es für Lancaster, aber ein schaler Beigeschmack blieb trotzdem, und sicher fand niemand ihn bitterer als Somerset selbst.

Edward wandte sich an die Versammlung. »So wisset, Mylords, dass Henry Duke of Somerset alle Taten gegen Uns und Unseren Thron vergeben sind. Und zum Zeichen Unserer aufrichtigen Liebe und Unseres Vertrauens in ihn heben Wir seine Enteignung auf und geben ihm alles zurück, was bis vor zwei Jahren sein Eigentum war.«

Julian schaute zu Black Will Herbert hinüber. Der einstige Marcher Lord, der nicht nur Jasper Tudors Land und Titel, sondern auch fast den gesamten Somerset-Besitz eingestrichen hatte, sah so aus, als wolle er sich im nächsten Moment mit gezückter Klinge auf den König, auf Somerset oder auf sonst irgendwen stürzen. Das Gesicht mit dem schwarzen Rauschebart hatte eine bedenklich purpurne Tönung angenommen. Schamlos weidete Julian sich an diesem Anblick, und als er den Kopf wandte, fand er sich Auge in Auge mit dem Earl of Warwick, der ihm gegenübersaß. Warwick ruckte fast unmerklich das Kinn in Herberts Richtung, zwinkerte Julian zu und lächelte genießerisch.

Julian lachte kopfschüttelnd vor sich hin.

Da Edward ein junger König von höfischem Geschmack war, wurde das Parlament nicht nur von Jagd und Turnier, sondern ebenso von zahllosen Festbanketten begleitet. Alle Lords, die auf sich hielten, richteten in ihren mehr oder minder prachtvollen Stadtpalästen und -villen eines aus und luden den König, sein Gefolge, ihre Freunde und auch so manchen Feind dazu ein.

Edward selbst war der verschwenderischste Gastgeber von allen, wie es sich gehörte. Julian hatte all seine Einladungen und auch die aller Yorkisten unter unschwer durchschaubaren Vorwänden ausgeschlagen, bis der königliche Bote, der ihn Mitte Mai aufsuchte, ihm ausrichtete, der König bestehe auf seiner Anwesenheit und der seiner liebreizenden Gemahlin.

Julian fühlte sich versucht, dem König für diesen kleinen Zusatz die Zähne einzuschlagen, aber er sagte zu.

»Lass mich zu Hause«, bat Janet.

Er schüttelte den Kopf. »Wir müssen hingehen, uns bleibt nichts anderes übrig. Wenn wir ihn öffentlich brüskieren …«, bringen wir alles in Gefahr, was Somerset mit seinem Opfer zu erreichen hofft, hatte er sagen wollen, aber das konnte er nicht, weil er seiner Frau ja nicht traute. Also beendete er den Satz stattdessen mit: »können wir unsere Siebensachen in Waringham zusammenpacken und der Königin in Schottland Gesellschaft leisten. Möchtest du das? Nein? Dann schlage ich vor, du kleidest dich um.«

»Und als Nächstes wirst du mir vorhalten, dass ich ja unbedingt mit zum Parlament wollte und nun gefälligst klaglos auslöffeln soll, was ich mir eingebrockt habe?«, erkundigte sie sich.

»Das Argument war mir noch nicht eingefallen, aber es ist stichhaltig«, räumte er ein.

Janet setzte seinem Grinsen ein etwas mattes Lächeln entgegen. Sie hatte eine Todesangst davor, den König wiederzusehen. Sie hatte sogar Angst vor ihrem Bruder. »Aber untersteh dich, mich allein zu lassen, wenn wir dort sind«, sagte sie brüsk.

Die trotzigen Worte, vor allem die Bitte, die sich dahinter verbarg, rührten ihn auf seltsame Weise. Er stand von der Bettkante auf, stellte sich hinter sie und legte für einen Moment beide Arme um ihren Leib. »Ich werde nicht von deiner Seite weichen, Lady Janet.«

Sie seufzte verstohlen. »Gut.«

Julian ließ sie los und vollführte eine auffordernde Geste. »Zieh das taubenblaue Kleid mit der Perlenstickerei an. Die Welt soll sehen, welch eine schöne Frau die Countess of Waringham ist. Und beeil dich. Es wird Zeit.«

»Waringham! Wie wunderbar, dass Ihr es einrichten konntet!« Edward strahlte und legte ihm in unpassender Vertrautheit die Hand auf den Arm.

Wie immer begrüßte Julian ihn mit einem unangemessenen Nicken. Janet an seiner Seite hingegen war in einen tiefen Knicks gesunken.

Edward nahm galant ihre Hand und hob sie auf. »Willkommen, Madam.« Lächelnd sah er ihr in die Augen.

Janet senkte den Blick. »Danke, Sire.« Sie sprach mit fester Stimme, und es klang ziemlich kühl.

Edward schien das nicht zu bemerken. »Welch eine Zierde meines kleinen Festes Ihr seid. Mir scheint, die Ehe und das Landleben bekommen Euch. Ihr blüht.«

Julian hatte die Fäuste geballt. Als er es merkte, öffnete er sie schleunigst wieder und atmete verstohlen tief durch. Lass uns gehen, Edward, dachte er grimmig, ehe es ein Unglück gibt.

»Danke, Sire«, wiederholte Janet, genauso unnahbar wie zuvor.

Edward sah grinsend auf ihren gesenkten Kopf in der schmucken taubenblauen Haube hinab, schaute dann zu Julian und zwinkerte ihm verschwörerisch zu.

Von einem Herzschlag zum nächsten verfärbte Julians Sichtfeld sich rötlich und wurde unscharf, und er wollte einen Schritt auf den König zu machen, ohne jede klare Vorstellung, was er tun würde: ihm an die Kehle gehen, ihn niederschlagen, irgendetwas Verhängnisvolles dieser Art, als eine große Hand schwer auf seinen Arm fiel und ihn herumwirbelte.

»Gott zum Gruße, Schwager.«

Er blinzelte ein paar Mal, bis sein Blick wieder klarer wurde, und erkannte Janets Bruder vor sich – Lord William Hastings. Julian stieß hörbar die Luft aus und befreite seinen Arm mit einem unmissverständlichen Ruck. »Nennt mich nicht Schwager, wenn Ihr nicht wollt, dass ich Euch auf Eure lächerlichen Schnabelschuhe kotze, Hastings«, knurrte er.

Der zeigte ein äußerst schmallippiges Lächeln. »So unversöhnlich? Und mir kam es vor, als hätte ich Euch gerade einen Gefallen getan.« Ohne eine Antwort abzuwarten, wandte er sich an seine Schwester. »Nun, Janet? Ich hoffe, du bist wohl?«

Sie sah ihm nur kurz in die Augen und nickte. »Danke, William.« Wie einst Julian versuchte sie nun ihren Bruder mit ihrer Scheu zu täuschen und sich unsichtbar zu machen.

»Sie trauert um ihren Sohn, Sir«, erklärte Julian und sah Hastings unverwandt in die Augen, als er fortfuhr: »Ihr wusstet es nicht? Meine Gemahlin hat mir im Winter einen Erben geboren, aber stellt Euch vor, er wurde nur wenige Wochen alt.« Er gestattete sich ein kleines, kühles Lächeln.

Hastings Kinn bewegte sich, als beiße er sich von innen auf die Unterlippe. Er erwiderte seinen Blick, und Julian konnte förmlich zusehen, wie der Bruder seiner Frau sein Urteil über

611

ihn revidierte. Hastings glaubte, Julian habe Janets Bastard getötet. Und es war das erste Mal, dass er dem Earl of Waringham auch nur einen Hauch von Achtung entgegenbrachte.

Julian verabscheute ihn mehr denn je.

»Kopf hoch, Schwester«, sagte Hastings. »Ich bin überzeugt, er macht dir bald ein neues, he.« Fast kumpelhaft schlug er Julian auf die Schulter. Es kam so vollkommen unerwartet, dass Julian ein Zusammenzucken nicht verhindern konnte.

Hastings runzelte die Stirn. »Macht die Schulter Euch immer noch zu schaffen?«

Julian glaubte einen Moment, ihm bleibe das Herz stehen. Woher zum Henker konnte Hastings wissen, dass ein yorkistischer Pfeil ihm die Schulter verletzt hatte? »Meine Schulter?«, wiederholte er. Seine Stimme klang rau.

»Er meint deinen Reitunfall, Liebster«, sagte Janet an seiner Seite.

»Reitunfall?« Julian kam sich allmählich vor wie einer der Papageien, die es so zahlreich im Palast zu Westminster gab, weil der vorletzte König Henry sie aus dem Heiligen Land mitgebracht hatte und sie einfach nicht sterben wollten.

»Hast du's vergessen?«, fragte Janet lächelnd. »Im November, als du aus Hetfield zurückkamst? Ich habe meinem Bruder davon geschrieben.« Verborgen unter dem Saum ihres weiten Rockes trat sie ihm unsanft auf den Fuß.

»Ach so«, machte Julian, dem endlich ein Licht aufging. Er winkte ab. »Wie Schultern manchmal so sind, Sir … Es ist … hartnäckig«, improvisierte er.

Ihr Bruder hatte sich halb abgewandt und winkte einen Pagen herbei. Er hörte nicht richtig hin, stellte Julian erleichtert fest.

»Bring Lord Waringham und seine Gemahlin zu ihren Plätzen, Söhnchen«, trug Hastings dem Pagen auf. Dann verabschiedete er sich mit einem Nicken. »Genießt das Fest.«

Julian und Janet folgten dem livrierten Knaben zu einem Platz im oberen Drittel der rechten Seitentafel. Ziemlich weit oben in der Sitzordnung für einen Lancastrianer an einem Yorkistenhof, fuhr es Julian durch den Kopf. Geradezu peinlich. Aber das war im Moment seine geringste Sorge. »Was schreibst du für hanebüchenes Zeug in deine Berichte?«, zischte er Janet zu.

Sie hatte offenbar Mühe, ein Lachen zu unterdrücken. »Es war Kates Idee«, verteidigte sie sich flüsternd. »Irgendetwas musste ich schließlich schreiben in all den Monaten, da du fort warst.«

»Und welche Missgeschicke hast du mir noch angedichtet?«, fragte er verdrossen. »Reitunfall ... das glaub ich einfach nicht.«

»Sei doch froh. Es war eine unverfängliche, plausible Erklärung für deine Schulterverletzung.«

»Fragt sich nur, ob dein Bruder diesen Unfug glaubt. Er ist kein Narr.«

»Nein, das ist wahr. Aber heute Abend hat er aufgehört, dich für einen zu halten. Und das kann nur gut für dich sein, weil ...« Sie unterbrach sich, um ihren Tischherrn zur Linken zu begrüßen, einen gewissen Lord Stanley. Sie machte ihn mit Julian bekannt, und sie tauschten ein paar leere Artigkeiten. Erst nachdem Julian eine Weile dem angeregten Gespräch zwischen seiner Gemahlin und dem Yorkisten gelauscht hatte, ging ihm auf, dass er jener Stanley war, der ihnen den ganzen Winter über als Kommandant der yorkistischen Truppen an der schottischen Grenze das Leben schwer gemacht hatte.

Schon wieder fand Julian sich genötigt, verstohlen die Fäuste zu ballen, und er überlegte, wie kostbar die Verbindungen seiner Frau sein könnten, wenn es ihm nur gelänge, Janet von der Richtigkeit seiner Sichtweise zu überzeugen und eine Lancastrianerin aus ihr zu machen.

Wie üblich dauerte das Bankett Stunden. Julian aß nur, bis sein Hunger gestillt war, denn er verspürte kein Bedürfnis, an der Tafel seines Feindes zu schmausen. Nach dem ersten Gang aus Schwanenbraten, Kalbspasteten, Mandelhörnchen, Lammkeule, Forellenpüree und Blutwürsten fand er sich halbwegs gesättigt und lehnte alle weiteren Speisen ab, sodass der altbackene Brotfladen, der ihm als Teller diente, leer blieb. Die verschiedenen Bratensäfte und -fette waren hineingesickert, und er bot einen etwas unappetitlichen Anblick, erkannte Julian, der nie zuvor so lange vor einem leeren Teller gesessen hatte. Nur von dem Milchreis, der mit dem dritten Gang aufgetragen wurde, kostete er. Er hatte noch nicht oft im Leben Reis gegessen und konnte dieser Delikatesse einfach nicht widerstehen.

Janet unterhielt sich derweil angeregt mit Lord Stanley. An Julians anderer Seite saß eine imposante Matrone aus dem Norden. Er verstand kaum, was sie sagte, und er blieb einsilbig, ignorierte sie in bäurischer Unhöflichkeit, weil er schlechter Laune war und die Yorkisten ihn ruhig für einen verdrossenen Finsterling halten sollten. Schließlich gab sie ihn als hoffnungslosen Fall auf, wandte ihm ebenso den Rücken zu, wie seine Gemahlin es tat, und Julian hatte seine Ruhe.

Er trank aus Langeweile zu viel vom Süßwein und beobachtete die übrigen Gäste. Am Tisch gegenüber entdeckte er Lady Elizabeth Woodville, die damals in Edwards Gefolge mit nach Waringham gekommen war. Sie lächelte ihm zu, als ihre Blicke sich trafen. Julian fragte sich irritiert, was sie schon wieder an diesem Hof tat. Hatte sie damals nicht gesagt, sie wolle sich aufs Land zu ihren Söhnen zurückziehen? Wieso war sie hier, obgleich sie doch wusste, wie gefährlich Edward einer alleinstehenden, schutzlosen Frau werden konnte? Sollte er – Julian – ihr nochmals seine Hilfe anbieten? Konnte er ihr überhaupt helfen?

Stirnrunzelnd schaute er zur hohen Tafel hinüber. Der junge König plauderte angeregt mit dem Erzbischof von Canterbury an seiner Seite, aß und trank ohne jedes Maß und begrapschte die Mägde, die den adligen Hofbeamten der königlichen Tafel beim Vorlegen der Speisen zur Hand gingen. Begrapschen war vielleicht nicht ganz richtig, musste Julian sich korrigieren. Der einen, die dem Mundschenk einen neuen Krug reichte, legte er die Hand auf den Arm, während er irgendetwas zu ihr sagte, und wie versehentlich streifte sein Unterarm dabei ihre Brust.

Der nächsten, die einem der jungen Ritter die Fleischplatte hielt, während er den Erzbischof bediente, tätschelte Edward gedankenverloren das Hinterteil, während sie zwischen ihm und dem hohen Kirchenfürsten stand. Julian fragte sich, ob Edward überhaupt merkte, was er tat, oder ob er einfach seinen Trieben freien Lauf ließ, gewissenlos, wie der Bock auf der Weide es tat.

Julian war nicht der Einzige, dessen Missfallen die emsigen Hände des Königs erregten. An Edwards rechter Seite saß seine Mutter, Cecily Neville, die Königin Marguerite immer als Natter zu bezeichnen beliebte, die in Wahrheit jedoch eine wahrhaft feine Dame vom alten Schlag war und die Julian an seine eigene Mutter erinnerte. Elegant, aber in Witwenschwarz gekleidet, saß sie kerzengerade an der Seite ihres Sohnes, der bekommen hatte, was ihr toter Gemahl so ersehnt hatte. Ihre Lider waren ein wenig gesenkt, aber keine von Edwards verstohlenen Gesten schien ihr zu entgehen. Sie neigte sich ihm zu, sagte lächelnd ein paar Worte, und der König von England errötete bis in die blonden Haarwurzeln wie ein gescholtener Bengel und behielt seine Pranken fortan bei sich.

Julian grinste schadenfroh vor sich hin und ließ den Blick weiter zu den beiden jungen Brüdern des Königs gleiten, die zusammen mit ihrer Schwester Margaret ebenfalls an der hohen Tafel saßen. George of Clarence, der größere, musste inzwischen vierzehn sein. So alt wie Edward gewesen war, als er Julian das Leben rettete. Doch der junge Clarence hatte keine solche Präsenz wie sein Bruder im gleichen Alter. Er wirkte schlaksig und ungelenk und nervös, als fürchte er, mit seinen zu langen Armen und den knochigen Ellbogen etwas umzustoßen oder zu zerbrechen, und er führte den Becher öfter an die Lippen, als für einen so jungen Kerl gut sein konnte, so als sehne er sich nach Vergessen. Der elfjährige Richard of Gloucester, ein hübscher, dunkelhaariger Knabe, schien wesentlich gelassener. Der festliche Rahmen und der exponierte Platz an der hohen Tafel schüchterten ihn offenbar nicht ein. Lose hatte er die Linke um seinen Becher gelegt und lauschte höflich dem scheinbar endlosen Redefluss seiner Schwester, während seine grauen Augen stetig über die Menschen in der riesigen Halle schweiften. »In sich ruhend« hätte der Eindruck sein können, den man gewann, hätte der junge Gloucester nicht die seltsame Angewohnheit gehabt, die rechte Schulter hochzuziehen, was ihm das Aussehen verlieh, als erwarte er einen tückischen Schlag von der Seite oder sei auf dem Sprung, um die Flucht zu ergreifen. Als sein wandernder Blick auf Julian fiel, sah er ihm in die Augen, ohne zu lächeln.

Steif, bewusst hochmütig nickte Julian ihm zu.

Gloucester neigte den Kopf nach rechts, sodass er beinah die hochgezogene Schulter berührte, nahm ohne Eile die Hand vom Becher und fuhr sich mit Zeige- und Mittelfinger über die Kehle.

Ah ja?, dachte Julian. Das ist wirklich hochinteressant. Spöttisch zog er eine Braue in die Höhe und hob Gloucester seinen Becher entgegen.

Mit den zwei Fingern, mit denen er ihm gerade noch gedroht hatte, stieß der Junge an seinen eigenen. Es war ein fast spielerisches Schnipsen. Der Becher kippte um, und der tiefrote Wein sickerte ins weiße Tischtuch.

»Sei lieber vorsichtig«, raunte Warwicks Stimme plötzlich von hinten in Julians rechtes Ohr. »Der Bengel steht hoch in der Gunst seines königlichen Bruders, und es gibt nichts, was er nicht für ihn täte.«

»Na und? Was, glaubst du, sollte mich das kümmern?« Julian warf einen Blick über die Schulter. »Wieso schleichst du hier herum wie ein Meuchelmörder, statt deinen Platz an der hohen Tafel einzunehmen, Cousin?«

»Weil ich geschworen habe, nie wieder das Brot mit Black William Herbert zu brechen.«

Julian nickte. Auch der neue Earl of Pembroke hatte einen Ehrenplatz auf der Estrade, aß und trank mit sichtlichem Genuss. »Kennst du meine Frau?«, fragte Julian und winkte dann ab. »Ach, natürlich kennst du sie. Madam, wenn ich kurz unterbrechen dürfte …?«

Janet sah auf, und als sie Warwick entdeckte, erhob sie sich freudestrahlend. »Mylord! Wie schön, Euch zu sehen.«

Warwick lächelte und verneigte sich galant. »Lady Janet. Ich hatte noch keine Gelegenheit, Euch zu gratulieren. Ein großer Gewinn für Waringham, ein schmerzlicher Verlust für Warwick. Meine Töchter vermissen Euch.«

Sie errötete vor Freude, und ihre Augen leuchteten. Julian betrachtete sie, die Wange auf die Faust gestützt, und dachte, wie hinreißend sie aussah.

»Es ist sehr gütig von Euch, das zu sagen, Mylord. Und sie fehlen mir auch, meine beiden Engel.«

Sie plauderten einen Augenblick, dann begrüßte Warwick die Matrone neben Julian, beglückte auch sie mit einer wohldosierten Darreichung seines Charmes, fragte nach ihren sieben Töchtern, begrüßte Stanley, und in Windeseile war eine angeregte Unterhaltung über Julians Kopf hinweg im Gange.

Julian erduldete das mit eiserner Selbstbeherrschung. Verstohlen beobachtete er seine Frau, die mit einem Mal so lebhaft war, scherzte und plauderte und eine Selbstsicherheit ausstrahlte, die er nicht an ihr kannte. Er wusste, sie fühlte sich in Waringham immer noch oft genug so wie er hier: deplatziert, bedroht und isoliert. Also fasste er sich in Geduld und gönnte ihr den Abend unter alten Freunden.

Als das Festmahl vorüber war, führte er sie zum Tanz, weil er merkte, dass sie furchtbar gern wollte, aber nach zwei oder drei Tänzen überließ er sie willig dem Earl of Warwick und kehrte an seinen Platz zurück.

Die Bank hatte sich geleert, links und rechts war viel Platz neben ihm, denn verständlicherweise suchte keiner der Yorkisten seine Nähe. Doch wie er erwartet hatte, dauerte es nicht lange, bis der Duke of Somerset sich zu ihm gesellte.

»Waringham.«

»Somerset.«

Dieser setzte sich neben ihn. Sie warteten, bis ein Page ihnen neuen Wein gebracht hatte, dann verschränkten sie beide die Hände um die Pokale und beugten sich darüber wie Eigenbrötler in der Schenke, die am Grund ihres Bechers nach Weisheit suchen. Leise und unauffällig, wie sie hofften, redeten sie.

»Er ist so ein unfassbarer Tor, Julian. Wenn Warwick nicht ab und zu dazwischenführe, würde Edward mir jedes seiner Geheimnisse anvertrauen. Jedes. Er traut mir ... vollkommen. Er ist arglos wie ein Lamm.«

»Das ist er.«

»Ich habe mich in meinem ganzen Leben noch nicht so erbärmlich gefühlt.« Es war nur ein Flüstern, aber das machte es nicht weniger verzweifelt.

»Ich weiß, Somerset. Es ist schwer, ihn nicht zu schätzen, und es fühlt sich falsch an, ihn zu hintergehen. Unehrenhaft. Aber du tust trotzdem das Richtige. Denn es war auch unehrenhaft, Henry vom Thron zu stoßen. Euch alle zu enteignen. Den kleinen Richmond ausgerechnet einem Bastard wie Black Will Herbert als Geisel zu geben. Edward of March ist nicht so herzensgut, wie man meint, und er hat das Recht als Erster gebrochen.«

Somerset nickte. »Ich weiß das alles. Aber ...« Er seufzte verstohlen und hob die Schultern. »Na ja. Ich glaube, wenn diese Maskerade mich das Leben kostet – und das wird sie vermutlich –, dann hab ich nichts Besseres verdient.«

»Sag so was nicht ...«

»Er will, dass ich für ihn nach Burgund reise«, fiel Somerset ihm ins Wort. »Zusammen mit Black Will Herbert. Derweil soll Warwick mit dem König von Frankreich verhandeln. Er will mit beiden ein Abkommen schließen, und mit Schottland auch.«

»Ehrgeizige Pläne«, bemerkte Julian trocken. »Manchmal zeigt sich, was für ein Kindskopf er noch ist.«

»Sei nicht so sicher. Er ist ein trickreicher Diplomat. Und Louis von Frankreich hat Warwick seine Schwägerin Bona von Savoyen als Gemahlin für Edward angeboten. Das ist es, was Edward so gefährlich macht: Er ist der begehrteste Junggeselle in der ganzen Christenheit. Sag Marguerite, es werde höchste Zeit, dass sie ihr Söhnchen verlobt.«

Julian nickte.

»Wann gehst du zurück?«, wollte Somerset wissen.

»Sobald dieses Parlament vorbei ist.«

»Ist das nicht viel zu riskant? Ich weiß, womit er dich erpresst.«

»Meine Gemahlin deckt mich. Mein … Doppelleben.«

Somerset warf ihm einen verwunderten Seitenblick zu. »Die yorkistische Schönheit, die sich beim Tanz so angeregt mit unserem Vetter Warwick unterhält? Bist du sicher?«

»Ich kann mich auf sie verlassen«, erwiderte Julian mit mehr Überzeugung, als er empfand. Er war Somersets Blick gefolgt, und es gefiel ihm nicht sonderlich, wie Janet lächelte, wenn Warwick ihr etwas zuraunte.

»Gebe Gott, dass du dich nicht täuschst«, murmelte Somerset. »Wär jammerschade um den kleinen Richmond. Und was soll ich dir sagen, Julian, da kommt dessen Mutter. Die heilige Megan mit ihrem trotteligen Gemahl Hal Stafford.«

Julian war verwundert über die Bissigkeit, aber ehe er sich nach dem Grund dafür erkundigen konnte, trat das Paar schon zu ihnen.

Er erhob sich lächelnd. »Megan.« Er freute sich, sie zu sehen. Ganz gleich, was sie getan hatte, ganz gleich, dass er ihre Entscheidung weder begreifen noch billigen konnte – an seiner Zuneigung für Megan Beaufort hatte sich nichts geändert. Nur das eigentümliche Flattern in der Kehle, das ihre Nähe früher gelegentlich ausgelöst hatte, spürte er nicht mehr. Es geschehen noch Zeichen und Wunder, dachte er flüchtig: Julian of Waringham wird klüger.

Er begrüßte auch Hal, und Somerset folgte seinem Beispiel, eine Spur kühler vielleicht.

Sie nahmen wieder Platz, und ohne dass sie ihn darum bitten musste, berichtete Julian Megan das Wenige, was er über ihren Sohn wusste. »Ich schätze, es geht ihm gut«, schloss er mit einem etwas unbehaglichen Blick in Herberts Richtung. »Der neue Earl of Pembroke lässt deinen Sohn zusammen mit den seinen erziehen. Das klingt angemessen, denke ich.«

»Aber als Megan ihn gebeten hat, ihr von dem Jungen zu erzählen, hat er sie mit ein paar knappen Worten abgefertigt«, sagte Hal leise, unverkennbar wütend.

Julian hob kurz die Schultern. »Er ist nicht gerade das, was ich einen Sonnenschein nennen würde.«

Und Somerset fügte hinzu, was Julian dachte: »Das hätte dir vorher jeder sagen können, Megan, aber du wolltest ja auf niemanden hören.«

Sie senkte den Kopf und nickte. »Danke, dass du mich an meinen Irrtum erinnerst, Cousin, und mich Demut lehrst«, entgegnete sie.

Julian sah sie verblüfft an. Er hatte noch nie gehört, dass Megan dergleichen mit Hohn sagte.

»Meinem Neffen ergeht es auch nicht besser«, sagte Hal und berichtete ihnen vom kleinen Duke of Buckingham, dem Sohn seines verstorbenen Bruders, der ebenso an einen von Edwards Getreuen als Pfand überreicht worden war wie Richmond.

Auf der Tanzfläche jenseits der Tafeln war irgendetwas vorgefallen. Die eleganten Paare verharrten plötzlich, gerieten aus dem Takt, die Instrumente der Spielleute verstummten, und eine bunte Traube aus fein gekleideten Edelleuten bildete sich um einen Punkt links der Mitte. Mit mäßiger Neugierde schauten sie hinüber, und als Julian feststellte, dass er seine Frau nicht mehr sehen konnte, erhob er sich langsam. »Entschuldigt mich einen Moment …«

Er trat auf die dicht gedrängte Gruppe zu und zwängte sich fast rüde nach vorn.

Janet lag reglos auf den kalten Steinfliesen. Warwick kniete an ihrer linken Seite, eine Dame, die Julian nicht kannte, an ihrer rechten.

Unsanft stieß Julian seinen Cousin beiseite. »Finger weg. Was ist passiert?«

Warwick machte ihm willig Platz. Julian beugte sich über Janet und ergriff ihre Hand. Die Finger waren eisig kalt, das Gesicht von unnatürlicher Blässe.

»Sie ist plötzlich ohnmächtig geworden«, sagte Warwick und

legte Julian die Hand auf die Schulter. »Ich bin sicher, es hat nichts zu bedeuten. Das reichliche Essen, der Tanz, die engen Kleider …«

Behutsam richtete Julian Janets Oberkörper auf und hob sie hoch. Ihre Lider flackerten, aber sie wachte nicht auf. »Sag deinem König heißen Dank für das unvergessliche Fest«, trug er Warwick auf. »Ich bringe meine Frau nach Hause.«

Sie machten ihm Platz. Julian eilte zur nächsten Tür und verließ die hell erleuchtete Halle.

Es war noch nicht völlig dunkel, stellte er fest, als er ins Freie trat. Immer noch zogen graue Wolken über den Himmel, aber es hatte aufgehört zu regnen, und die Luft war so klar und rein wie frisch gewaschen. Sicher tat sie Janet gut. Unweit der Stallungen ließ er seine Frau ins Gras gleiten, hockte sich neben sie, rieb ihr abwechselnd die Hände und wartete. Als er gerade anfing, sich ernsthaft zu sorgen, wachte sie auf. Mit einem Ruck schreckte sie hoch und sah sich verwirrt um. »Was ist passiert …«

»Schsch. Sachte.« Er drückte sie zurück ins feuchte Gras. Zu kalt, dachte er flüchtig. Sie muss schnellstmöglich nach Hause. »Du bist ohnmächtig geworden.«

»Oh …« Es klang dünn und desorientiert, aber ein wenig Farbe war auf ihre Wangen zurückgekehrt.

Roland, der sie nach Westminster begleitet hatte, kam aus dem vorderen Stallgebäude herbeigelaufen. »Mylord? Ist etwas passiert?«, fragte er erschrocken.

Julian schüttelte den Kopf. »Kein Grund zur Beunruhigung. Lady Janet hatte einen Schwächeanfall. Lauf in die Halle und hol unsere Mäntel. Die Halle ist voller Yorkisten, also nimm dich zusammen und geh niemandem an die Kehle.«

Roland grinste. »Nein, Mylord.«

»Beeil dich.«

Der junge Mann stob davon.

Janet setzte sich auf, und Julian nahm ihren Arm, um sie zu stützen. »Fühlst du dich krank?«, fragte er.

»Nein. Ein bisschen schwindelig, das ist alles.« Lächelnd schaute sie zu ihm auf. »So besorgt, mein Gemahl?«

Er ließ sie los, stand auf und kreuzte die Arme vor der Brust. »Ich konnte dich schlecht dort liegen lassen, oder?«, gab er unwirsch zurück. »Wie hätte das ausgesehen?«

Sie nickte, streckte ihm die Hand entgegen, und er zog sie auf die Füße. Ihre Rechte war nicht mehr so eisig, aber sie kam ihm klein wie eine Kinderhand vor, und er behielt sie in seiner, legte sie auf seine Brust und zog seine Frau mit dem freien Arm an sich, um sie zu wärmen. Welch ein seltsames Paar sie waren, ging Julian auf. Körperlich vollkommen vertraut miteinander. Kein Detail dieser Hand war ihm unbekannt; die kleinen Halbmonde der Nagelbetten, die runden Fingerknöchel, die blassen Sommersprossen auf dem Handrücken. Und den Leib, den er an sich drückte, kannte er besser als seinen eigenen. Aber außerhalb der Bettvorhänge waren sie immer noch Fremde, umschlichen einander misstrauisch und vorsichtig wie streunende Katzen, traten in voller Rüstung gegeneinander an, ohne je das Visier zu öffnen.

»Ich bin dankbar für den guten Grund zu verschwinden«, bekannte er. »Also wenn dir wirklich nichts fehlt und es nichts zu bedeuten hat, war es nicht das schlechteste Ende, das dieses Bankett nehmen konnte.«

»Mir fehlt nichts«, versicherte sie. »Dass es nichts zu bedeuten hat, glaube ich hingegen nicht. Als es das letzte Mal passiert ist, war ich schwanger.« Sie lächelte, aber sie sah ihm nicht in die Augen dabei.

Julian schwieg. Es war das, was er gehofft hatte. Für sie, aber ebenso für sich selbst. Er wollte unbedingt einen Sohn. Immerhin war er der letzte männliche Waringham, und in wenigen Wochen würde er an die Front zurückkehren. Er lebte gefährlich, und es war seine Pflicht ebenso wie sein Wunsch, einen Erben zu haben. Trotzdem – jetzt, da es vielleicht so weit war, machte die Vorstellung ihn beklommen.

»Nun, das wäre alles andere als ein Wunder«, bemerkte er schließlich und bemühte sich, sein Unbehagen hinter einem mokanten Lächeln zu verbergen. »Und wenn es so ist und du einen Sohn bekommst, könnte ich wohl einigermaßen sicher sein, dass du nicht doch noch umfällst und mich an die Yorkisten auslieferst, denn sie würden ihn als Sohn eines Verräters enteignen. Das ist eine echte Beruhigung.«

»Vielleicht wird es ja eine Tochter«, gab sie liebenswürdig zu bedenken. Sie konnte lächeln wie ein Kobold.

»Vielleicht auch von jedem eines«, schlug er vor.

Ihr Gesicht wurde schlagartig finster. »Bloß nicht.«

Pembroke, August 1463

»*Nichts will uns mehr gelingen*«, las Blanche vor. »*Im Juli hat der junge König von Schottland eine ansehnliche Armee über die Grenze geführt, die die Yorkisten in Norham Castle belagerte. Marguerite war so zuversichtlich, dass das Blatt sich nun wenden werde, dass sie gar König Henry mit nach England gebracht hatte. Aber wir sind wieder gescheitert. Die Schotten sind tapfere Soldaten, doch viele haben ihre Tapferkeit mit dem Leben bezahlt. Die Yorkisten sind einfach zu zahlreich und zu gut ausgerüstet. Es ist wie verhext. Wenn ich dir die Wahrheit sagen soll: Ich fange an, mich zu fragen, ob Gott dem jungen Edward auf Englands Thron vielleicht den Vorzug gibt, dem alles in den Schoß fällt, während uns alles unter den Händen zerrinnt. Und ich bin nicht der Einzige, der sich diese Frage stellt.*«

Blanche ließ Julians Brief in den Schoß sinken und sah auf. »Das klingt nicht gut.«

»Es klingt, als sei dein Bruder im Begriff, seine seit jeher zweifelhafte Lancastertreue in den Wind zu schreiben«, entgegnete Jasper bitter.

Sie runzelte die Stirn. »Es ist himmelschreiend ungerecht, das zu sagen. Er riskiert sein Leben für Marguerite und deinen Bruder, genau wie du!«

Er hob begütigend die Hand und betrachtete sie mit einer Miene, die Belustigung ebenso wie Spott ausdrückte. Es amüsierte ihn immer, mit welchem Feuereifer Blanche die Ihren in Schutz nahm. »Lies weiter«, schlug er vor. »Dann werden wir ja sehen, wer von uns Recht hat.«

Blanche senkte den Blick und suchte die Zeile. Es war ein heißer Spätsommertag mit einem vergissmeinnichtblauen Himmel, und sie saßen keine zehn Schritte von der Brandung entfernt im Schatten eines der schroffen Felsen, hinter welchen sich der kleine Schmugglerhafen unweit von Pembroke verbarg. Sie wohnten seit zwei Monaten in einer der bescheidenen Hütten des Dörfchens. Eine lange Zeit für ihre Verhältnisse.

Neben ihnen lag die kleine Caitlin auf einer Decke und schlummerte. Owen rannte über den felsigen Strand und scheuchte die Möwen auf.

»Der schottische Feldzug wurde ein Fiasko«, hatte Julian geschrieben. *»Marguerite ist mit Edouard zurück nach Frankreich geflohen, aber inzwischen wissen wir wohl alle, dass von ihrem Cousin König Louis keine Hilfe zu erwarten ist. Sie hat auch nicht gesagt, wann sie zurückzukehren gedenkt. Selbst die unerschrockene Marguerite d'Anjou hat alle Hoffnung verloren, fürchte ich. Um ihr Mütchen an mir zu kühlen, hat die Königin mir die ehrenvolle Aufgabe übertragen, ihren Gemahl sicher zurück nach Schottland zu geleiten. Ich habe ihn in die Obhut der schottischen Königinmutter gegeben. Der König war im Geiste klarer, als ich ihn lange gesehen habe, aber gerade deswegen ist er natürlich niedergeschlagen und mutlos, und ich fürchte, er ist bei keiner sehr guten Gesundheit.«*

Jasper wandte den Kopf ab und fuhr sich mit der Linken durch die Haare. Er ließ die Hand dort, sodass sein Unterarm den Großteil seines Gesichts bedeckte.

Blanche fuhr fort: *»Die Treue zu König Henry und zu Prinz Edouard ist im Norden ungebrochen. Aber ohne mehr Truppen und mehr Geld werden wir nichts Entscheidendes ausrichten können. Von Schottland bin ich nach Alnwick zurückgekehrt, welches wir mit Mühe halten, und dort traf ich unseren Cou-*

sin Somerset. Das ist die nächste schlechte Nachricht: Er hat sich mit Edward überworfen und seine wertvolle Position als unser Auge und Ohr am yorkistischen Hof aufgegeben – mit einiger Erleichterung, muss ich hinzufügen, und das kann man ihm kaum verübeln. Jedenfalls tappen wir nun wieder im Dunkeln, was Edwards Pläne betrifft, und Somerset ist so von Hass und Rachegelüsten besessen, dass er zur Entwicklung solider Strategien derzeit völlig unbrauchbar ist. Ich fürchte um ihn. Ich fürchte um uns alle, wenn ich aufrichtig sein soll. Wir können nicht aufhören zu kämpfen, ohne unsere Ehre zu verlieren, aber wir können den Kampf nicht gewinnen. Was für eine vertrackte Lage, Schwester. Vielleicht wird einer deiner melancholischen walisischen Dichter ja einmal ein Lied darüber schreiben.

Meine yorkistische Gemahlin ist übrigens guter Hoffnung. Sollten meine düsteren Ahnungen mich also nicht trügen und ich vor Weihnachten fallen, besteht dennoch Hoffnung für unser Geschlecht. Der Gedanke gibt mir mehr Trost, als ich gedacht hätte.

Es tut mir leid, dass ich nichts Erfreulicheres zu berichten habe. Gott schütze euch, und möge euer Kampf unter einem glücklicheren Stern stehen.«

»Nein, das könnte ich wirklich nicht sagen«, grollte Jasper. Endlich ließ er die Hand sinken und sah Blanche an. »Er hat vollkommen Recht, dein Bruder: Ohne Unterstützung aus Frankreich ist unsere Sache aussichtslos.«

Blanche nickte. »Ich weiß.« Und was heißt das, fragte sie sich. Geben wir auf? Natürlich nicht. Machen wir weiter, auch wenn wir wissen, dass es sinnlos ist? Vermutlich ja. Aber wie? »Wirst du … noch einmal nach Frankreich segeln?«, fragte sie zaghaft.

Jasper schaute zur Red Rose hinüber, die sacht um ihre Ankerkette dümpelte. Schließlich antwortete er: »Ich wüsste im Moment ehrlich nicht, wozu. Louis hält uns nur hin. Er glaubt, dass er besser fährt, wenn er ein Abkommen mit Edward trifft. Edward hingegen braucht Burgund. Dringender als Frank-

reich, denn mit Burgund steht und fällt der englische Tuch-
handel. Dieser Grünschnabel auf dem englischen Thron träumt
davon, mit beiden Frieden schließen zu können, aber auf Dauer
wird das niemals gut gehen. Irgendwann wird Louis die bittere
Erfahrung machen, dass er für Edward nur an zweiter Stelle
rangiert. Das könnte unsere Stunde sein, denn seit jeher fürchtet Frankreich nichts mehr als eine Allianz zwischen England
und Burgund. Die Frage ist nur, wann diese Stunde kommt. Ob
auch nur einer von uns dann noch übrig ist.«

Versonnen faltete Blanche Julians Brief zusammen, legte
ihn neben sich auf den Boden und beschwerte ihn mit einem
Stein. Wenn sie zurück ins Haus gingen, würde sie ihn verbrennen. Das fiel ihr jedes Mal schwer, denn es waren seltene,
kostbare Lebenszeichen ihres Bruders, aber es ging nicht anders.
Sie nahm ihr unvermeidliches Strickzeug auf, ließ die Nadeln
emsig klappern und dachte nach.

»Segle nach Schottland, Jasper«, riet sie schließlich. »Ich
weiß, dass der Gedanke an das Schicksal des Königs dich quält.
Fahr hin, sprich mit deinem armen Bruder, und mach ihm ein
bisschen Mut. Sag ihm, dass er noch Freunde in England und
Wales hat, die für ihn kämpfen. Das wird ihn aufrichten.«

»Ich habe geschworen, immer in Richmonds Nähe zu bleiben,
solange Black Will Herbert ihn in seinen Klauen hat«, erinnerte er sie. Es klang brüsk, beinah, als habe sie ihm geraten, etwas
Unehrenhaftes zu tun.

»Ich weiß. Aber vielleicht braucht dein Bruder deinen Beistand im Augenblick dringender als dein Neffe. Wenn es
stimmt, dass Marguerite den König in Schottland zurückgelassen hat …«

»Wie einen lahmen Gaul«, warf er ein.

Blanche nickte. »Ich bin überzeugt, für sie ist es auch nicht
leicht.«

»Oh, jetzt kommt das wieder«, schnaubte Jasper. »Jedes Mal,
wenn du dein Mitgefühl für Marguerite bekundest, könnte ich
dich erwürgen, Blanche of Waringham.«

»Ich bin nicht sicher, dass sie es wert ist, mein Leben für sie zu riskieren, aber irgendwer muss sie in Schutz nehmen«, gab sie zurück. »Und da weder du noch mein Bruder in der Lage zu sein scheint, ihr zuzubilligen, dass sie eine verdammt mutige Frau ist, die seit Jahren unermüdlich und tapfer für das Recht ihres Gemahls und ihres Sohnes kämpft – mithin genau das Gleiche tut wie ihr –, bleibt es eben an mir hängen.«

Jasper brummte verdrossen. So auf Anhieb schien ihm nichts einzufallen, das er darauf erwidern konnte, und Blanche lächelte verstohlen vor sich hin.

Owen kam zu ihnen gerannt, um seinem Vater mit stolzgeschwellter Brust einen toten Fisch zu zeigen, den er am Ufer gefunden hatte. Dem Aroma nach zu urteilen weilte der Geselle schon seit Längerem nicht mehr unter den Lebenden. Aber Jasper nahm die übelriechende Gabe wie alles, was das Leben ihm bescherte: stoisch. Er zog Owen auf sein Knie und erklärte ihm, Gott habe diesen Fisch für die Möwen und Ameisen als Speise bestimmt, denn Menschen könnten nur solche Fische essen, die lebend aus dem Meer kamen. Der Zweieinhalbjährige war eigentlich noch zu klein, um das zu verstehen, aber er lauschte den Ausführungen ungewohnt brav, und seine großen, dunklen Augen hingen an Jaspers Lippen.

Blanche erfreute sich an diesem Bild. Genau wie früher mit Richmond, wurde Jasper unbeschwert und sanftmütig, sobald er Muße fand, sich seinem Sohn zu widmen. Die Düsternis, in die er sich manchmal hüllte und die Leute wie ihr Bruder so undurchdringlich fanden, legte er ab wie einen überflüssigen Mantel an einem warmen Tag.

»Hier.« Jasper zückte seinen Dolch und drehte den toten Fisch mit der Spitze der Klinge vorsichtig um. »Da sieht er schon ein bisschen grün aus. Den Vögeln macht das nichts, aber wir würden das Bauchgrimmen kriegen, wenn wir ihn äßen, verstehst du?«

Blanche rümpfte die Nase. »Wie wär's, wenn ihr ihn dorthin zurückbringt, wo Owen ihn gefunden hat?«, bat sie.

Jasper zwinkerte seinem Sohn zu. »Deine Mutter ist der Ansicht, ein toter Fisch sei kein angemessenes Spielzeug.«

»So ist es«, bestätigte sie mit Nachdruck.

»Können wir ihn begraben?«, fragte Owen. »Weil er doch tot ist?«

»Sicher«, antwortete sein Vater. »Wenn du willst. Aber erst geh ans Wasser und wasch dir die Hände.«

Neiderfüllt sah Blanche zu, wie Owen seinem Vater gehorchte. Auf sie hörte er selten so anstandslos.

»Begraben?«, spöttelte sie leise, während der kleine Kerl die Hände in die schäumenden Wellen steckte. »Wo? Hier in den Felsen?«

Jasper wies nach links. »Da vorn ist ein bisschen Sand, das wird reichen. Und anschließend können wir ...« Er brach ab, und während er auf die Füße kam, schloss sich die Faust fester um den Dolchgriff.

Verwundert sah Blanche zu ihm hoch, und erst jetzt hörte sie die Schritte, die ihn aufgeschreckt hatten. Sie wandte den Kopf. Rhys, erkannte sie erleichtert. Es war nur Jaspers Bruder, der den felsigen Pfad entlang auf sie zukam, kein halbes Dutzend schwer bewaffneter Yorkisten, die endlich herausgefunden hatten, wo Jasper Tudor sich verbarg. Wie halten wir das nur aus?, fuhr es ihr durch den Kopf. Wie können wir in ständiger Angst leben, ewig fluchtbereit, und wieso sind wir nicht viel unglücklicher darüber?

Rhys hatte sie erreicht, ließ die stürmische Begrüßung seines ziemlich feuchten Neffen duldsam über sich ergehen, verbeugte sich wie immer ein wenig linkisch vor Jasper und wandte sich schließlich an Blanche. »Der Junge ist krank«, berichtete er grußlos. Rhys hatte bis heute keine schönen Manieren gelernt, weil er nicht wollte, und spielte auch deswegen seine Rolle als Stallknecht so glaubhaft.

»Richmond?«, fragte Jasper. »Was fehlt ihm?«

Rhys sah nur ganz kurz in seine Richtung, aber es war wiederum Blanche, an die er seine Antwort richtete: »Er hat Fieber. Schon seit zwei Tagen. Generys hat es mit Wadenwickeln versucht, aber es hilft nichts. Und heute Morgen ...«

»Was heißt, er hat Fieber?«, unterbrach Jasper ungehalten.

»Wieso? Sind es die Masern? Oder Blattern? Ein Sommerfieber? Was?«

Sein Bruder schluckte sichtlich und schüttelte hilflos den Kopf. »Keine Ahnung, Mylord. Könnt Ihr mitkommen, Lady Blanche? Vielleicht wisst Ihr Rat.«

Blanche merkte, dass er ihnen nicht alles sagte, und sie bekam Angst. Doch sie bedrängte Rhys nicht mit weiteren Fragen, sondern dachte kurz nach und traf eine schnelle Entscheidung. »Ich komme. Lass mich schnell ein paar Kräuter holen.«

Sie wollte sich abwenden, aber Jasper legte ihr die Hand auf den Arm. Er sprach kein Wort, und sie las alles, was er nicht sagen konnte, in seinen Augen: Er fürchtete um sie, wenn sie ohne ihn in die Höhle des Löwen ging, die Black Will Herberts Burg war. Und es war der Zorn darüber, dass er sie nicht begleiten konnte, der ihm die Sprache verschlug.

Unauffällig strich sie ihm über die Hand. »Ich bin schon vorsichtig. Und ich nehme Meilyr mit.«

Jasper nickte und ließ sie los.

Meilyr, der Tischler, dem William Herbert die Hand zerquetscht hatte, war inzwischen beinah so etwas wie ein Familienmitglied. Er kommandierte die *Red Rose*, wenn Jasper selbst anderweitig beschäftigt war, und führte sie zu einträglichen Piratenzügen gegen die Schiffe der Krone, die Silber und Kohle aus walisischen Bergwerken nach England bringen sollten. Er wohnte mit der jungen Frau, die er sich vor zwei Monaten genommen hatte, in einer Hütte, die nur einen Steinwurf von ihrer entfernt lag, und als Blanche bei ihm anklopfte und ihm die Lage erklärte, war er sofort bereit, sie nach Pembroke Castle zu begleiten.

Zu dritt machten sie sich auf den etwa einstündigen Fußmarsch über die Klippen, und als sie den kleinen, natürlichen Hafen ein gutes Stück hinter sich gelassen hatten, wandte Blanche sich an Rhys. »Wie schlimm ist es?«

Er hob ratlos die Hände, aber Furcht stand in seinen Augen.

»Er ist in einen rostigen Nagel getreten. Einen wirklich fetten rostigen Nagel. Unten rein, oben raus. Sieht schlimm aus.«

Blanche bekreuzigte sich, aber sie blieb nicht stehen. Rhys lief seitlich wie eine Krabbe, damit er sie anschauen konnte, aber immer einen halben Schritt voraus, als könne es ihm nicht schnell genug gehen. Blanche wusste, sein Gefühl trog ihn nicht: Eile tat not. Aber ebenso wusste sie, dass Richmonds Leiden vermutlich weit jenseits ihrer bescheidenen Heilkünste war. »Er braucht einen Arzt«, sagte sie.

Rhys nickte. »Black Will hat gestern einen Mann nach St. David geschickt. Der Bischof hat einen französischen Leibarzt. Aber sie sind noch nicht zurück. Deswegen hat Generys gesagt, ich soll Euch holen.«

Blanche warf Meilyr einen Blick zu. »Ich hoffe, ihr habt gestern keinen Boten auf dem Weg nach St. David überfallen?«

»Nein«, versicherte der Tischler. »Wir haben uns während der letzten Tage ganz still verhalten. Ihr wisst ja, was Lord Jasper gesagt hat.«

»Und gibt es keine heilkundige Frau in Pembroke?«, fragte Blanche Rhys. »Was ist mit …« Sie musste einen Augenblick überlegen, bis ihr der Name der jungen Hebamme von damals einfiel. »Meredith?«

»Der Blitz hat sie erschlagen«, berichtete Rhys ohne erkennbares Bedauern. »Vorletztes Jahr in der Walpurgisnacht, ob Ihr's glaubt oder nicht.«

Blanche unterdrückte ein Schaudern. »Nun, dann lasst uns beten, dass der Arzt vor uns eintrifft«, sagte sie. Aber sie legte einen Schritt zu.

Wie immer, wenn Blanche auch nur in die Nähe von Pembroke kam, trug sie ein Tuch um Kopf und Hals, wie es auch die Bauersfrauen taten, und mit der kleinen Weidenkiepe auf dem Rücken, die ihre getrockneten Kräutervorräte enthielt, und dem schlichten, verwaschenen Kleid konnte sie mit den Dorfbewohnern oder dem Gesinde auf der Burg verschmelzen.

Es war ein scheußliches Gefühl, sich in die Burg einschleichen zu müssen, die ihr Heim gewesen war und ihr in stürmischen Zeiten Zuflucht geboten hatte. Aber sie gestattete sich keine wehmütigen Erinnerungen oder sinnlose Tiraden gegen Edward of March oder Black Will Herbert. Hastig, mit gesenktem Kopf folgte sie Rhys durch den Innenhof zum Westturm, zwei dämmrige Treppen hinauf und den langen, zugigen Korridor entlang zu der Kammer, in der Megan vor sechseinhalb Jahren ihren Sohn geboren hatte.

»*Hier* haben sie ihn untergebracht?«, fragte Blanche vor der Tür.

Rhys nickte. »Eigentümlicher Zufall, he«, brummte er, klopfte an und stieß die Tür auf. Sie traten ein, und Meilyr folgte ihnen dicht auf den Fersen.

Generys, die auf der Bettkante gesessen hatte, stand auf und kam ihnen entgegen. Sie ergriff Blanches Linke mit beiden Händen. Sie weinte. »Oh, Mylady … Mein armes Lämmchen. Er ist so krank … so krank.«

Ungeduldig machte Blanche sich los und trat ans Bett.

Riesige dunkle Augen blickten ihr aus einem mageren Gesichtchen entgegen. Der Kopf wirkte klein und verloren auf dem großen Kissen. Generys hatte Recht, erkannte Blanche auf den ersten Blick: Der Junge war todkrank.

Sie setzte sich auf die Bettkante, strich ihm lächelnd die feuchten Locken zurück und küsste ihm die Stirn. Er glühte. »Richmond … mein geliebter kleiner Henry.«

»Blanche. Ich hab so gebetet, dass du kommst.« Die filigrane heiße Hand umschloss die ihre mit erstaunlicher Kraft. »Bevor … bevor ich einschlafe.«

Blanche wusste, das Schlimmste, was sie tun konnte, wäre, in Tränen auszubrechen, aber es kostete sie Mühe, sich zusammenzunehmen. Sie liebte dieses Kind so innig. Nicht auf diese überschäumende, natürliche, vorbehaltlose und beängstigende Weise, wie sie ihren Sohn und ihre Tochter liebte, sondern auf eine kompliziertere Art. Henry of Richmond war ein armes, vaterloses Knäblein, dessen Mutter bei der Geburt so entsetzlich gelitten hatte, dass sie ihr Kind nicht lieben konnte.

Er war daher auf eine Weise allein auf der Welt wie kaum ein anderer Mensch. Vom ersten Tag an war sein Leben in Gefahr gewesen, drohte er ein Opfer des Krieges zu werden, der ihnen allen schon so viel abverlangt hatte. Als das Schicksal Blanche und ihn zusammengewürfelt hatte – in gewisser Weise beide auf der Flucht und beide in Wales gestrandet –, hatte sie sich seiner angenommen, und es war kein Opfer gewesen. Es war ihr leichtgefallen, diesen Jungen, der seinem Onkel in vielen Dingen glich, zu lieben.

Und sie wusste nicht, wie sie es aushalten sollte, wenn er starb. Sie wusste erst recht nicht, wie Jasper das aushalten sollte, der sich dafür verantwortlich fühlen würde, weil er versäumt hatte, es zu verhindern.

Sie schlug die Decke zurück. »Darf ich mir deinen Fuß anschauen?«

»Er sieht eklig aus«, warnte eine helle Stimme am Fußende.

Erschrocken fuhr Blanche herum. Ein zweiter kleiner Junge war eingetreten. Er war im gleichen Alter wie Richmond, und er hatte sich noch eine gute Portion von seinem Babyspeck bewahrt. Sein pausbackiges Gesicht hatte etwas Pfiffiges, aber Blanche erkannte auf einen Blick, wessen Sohn er war, und sie fuhr ihn abweisend an: »Warte draußen.«

»Entschuldige mal …«, entgegnete der Knabe ebenso hochnäsig wie höflich. »Ich wohne hier.«

»Lass ihn bleiben, Blanche«, bat Richmond murmelnd. »Er ist mein Freund. Bill Herbert.« Das Sprechen kostete ihn Mühe.

Black Wills Welpe, ich hab's doch gewusst, dachte Blanche angewidert, aber sie respektierte Richmonds Wunsch und beachtete den kleinen Yorkisten am Fußende nicht weiter.

Dessen Einschätzung über den Zustand des verletzten Fußes war zutreffend. Behutsam nahm Blanche den Verband ab, den Generys gemacht hatte, und enthüllte zwei böse entzündete, eitrige Wunden, eine unter der kleinen Sohle, eine auf dem Spann, beide rund. Ein rötlicher Strich ging von der oberen ab wie ein Pfad von einer Lichtung und hatte bereits die Knöchelgegend erreicht.

Blanche hatte keine Ahnung, welche Bewandtnis es mit diesem Strich hatte, aber sie wusste, was sie zu tun hatte. Eine Heilerin in Denbigh hatte es ihr einmal erklärt, und Blanche hatte sich das Vorgehen genau beschreiben lassen, weil Pfeilwunden sich manchmal auf diese eigentümliche Art entzündeten, und Pfeilwunden hatte sie des Öfteren zu versorgen.

Aber einem erwachsenen, starken Mann Arm oder Bein aufzuschneiden war eine Sache. Die brüllten meist schon, dass es einem in den Ohren gellte. Wo sollte sie den Mut finden, um diesen kleinen Kinderfuß aufzuschneiden?

Sie nahm ihre Kiepe ab und suchte zwischen den Leinenbeuteln herum. Als sie den hatte, den sie wollte, trug sie Generys auf: »Besorg einen Becher Wasser.«

»Hier ist Wein.« Die Amme reichte ihr den Krug vom Tisch.

Blanche schüttelte den Kopf. »Wasser.« Sie wog das winzige graue Säckchen in der Hand. »Man darf es nicht mit Wein mischen.«

»Was ist es?«, fragte Rhys neugierig.

»Tollkraut.«

Es war ein Gift, und es trug seinen Namen zu Recht. Wer zu viel davon nahm, wurde toll, raste und tobte, verdrehte die Augen, fing an zu japsen und starb. Aber richtig dosiert, stillte es Schmerzen. Manche versetzte es gar in einen tiefen Schlaf, aus dem sie nicht einmal erwachten, wenn man ihnen ins Fleisch schnitt. Blanche hatte es einmal bei einem Bader in Harlech gesehen. *Niemals mehr als zwanzig Körner für einen erwachsenen Mann*, hatte er ihr eingeschärft. *Lieber eines zu wenig als eines zu viel.*

Aber wie viele der winzigen schwarzen Samenkörner waren für ein Kind richtig? Als Generys ihr den Wasserbecher reichte, entschied sie sich für sieben. Sieben, fand Blanche, war eine gute Zahl.

Sorgsam zählte sie die Körner mit den Fingern der Rechten in die Linke, dann richtete sie den Oberkörper des kranken Jungen auf. »Mund auf und Zunge raus«, ordnete sie an.

Richmond spähte blinzelnd in ihre Handfläche. »Was ist das?«, fragte er matt. »Soll ich etwa Flöhe essen?«

»Schsch. Das sind keine Flöhe, Engel. Es sind Körner. Sie werden dir helfen.«

»Ich glaube, ich gehe lieber die Wache holen«, bemerkte Bill Herbert unbehaglich.

»Du gehst nirgendwohin, Bübchen«, knurrte Blanche.

Meilyr stellte sich vor die Tür, um dem Jungen den Weg zu versperren. »Keine Angst«, beruhigte er ihn. »Sie weiß, was sie tut.«

Richmond leckte die sieben Körner von Blanches Hand und spülte sie mit dem Wasser herunter. Während Blanche darauf wartete, dass die Wirkung einsetzte, schickte sie Generys nach einer Schale, um das Blut aufzufangen, holte ihr mörderisch scharfes Messer aus der Scheide, wusch es sorgsam mit Wein und trocknete es am sauberen Bettlaken.

Nach einer Weile weiteten sich Richmonds Pupillen, und sein Pulsschlag hatte sich beschleunigt, aber er schlief nicht ein. Blanche wagte nicht, ihm noch mehr von den Körnern zu geben. Es musste so gehen.

Sie kniete sich aufs Bett und legte ihm die Hand auf die Wange. »Ich muss deinen Fuß aufschneiden, Richmond.«

Seine dunklen Augen waren unverwandt auf sie gerichtet, und sie verrieten weder Überraschung noch Furcht. »In Ordnung.«

»Ich weiß, es ist viel verlangt, denn du bist noch … sehr klein. Aber du musst tapfer sein, verstehst du?«

»Ja.« Noch über vier Monate trennten ihn von seinem siebten Geburtstag, aber dieser Junge war schon in der Lage, sich in das Unvermeidliche zu fügen.

»Willst du, dass Generys deine Hand hält?«

»Nein, Bill«, sagte er.

Ohne zu zögern, trat sein pummeliger Freund näher, kletterte auf das Bett, kniete sich neben ihn und nahm seine Hand. Blanche dachte daran, wie bald der Tag kommen würde, da sie jede Berührung meiden würden, weil man ihnen beigebracht hatte, dass das unmännlich sei, aber noch hatten sie diese eigentümliche Art von Scheu nicht entwickelt.

Sie stand auf und atmete durch. »Also dann. Rhys, du kommst her und hältst seinen Fuß. Und lass ja nicht los, hörst du.«

Der junge Mann schluckte sichtlich, trat aber entschlossen näher, umschloss die dünne Knabenwade mit beiden Händen und hielt sie fest. »Ich bin so weit.«

Blanche bat Gott um Beistand und machte sich ans Werk. Sie bedeutete Generys, die Schale unter den Fuß zu halten, und machte den ersten Schnitt unter der Fußsohle. Die Klinge zwei Zoll oberhalb der Spitze mit Daumen und zwei Fingern umschlossen, schnitt sie beinah virtuos das faulende Fleisch aus der Wunde.

Richmond gab kleine, erbarmungswürdige Laute des Jammers von sich, aber nichts sonst. Sie sah kurz über die Schulter. Er hatte den Kopf in den Nacken gelegt und die freie Hand zur Faust geballt. Sein Freund Bill hatte ihm einen Arm um die Schultern gelegt, hielt seine Hand fest und flüsterte ihm irgendetwas ins Ohr.

Was sie sah, gab Blanche genug Mut, um fortzufahren. Sie öffnete auch die Wunde auf dem Spann, großräumiger als unter dem Fuß, damit auch das Gift aus dem roten Streifen ablaufen konnte. Aus beiden Schnitten sprudelte es munter. Rhys war ziemlich grün um die Nase geworden und hatte fest die Zähne zusammengebissen, aber er hielt durch. Immer noch war Richmonds leises Wehklagen zu hören. Blanche wartete, bis nur noch helles rotes, gesundes Blut floss. Dann fädelte sie einen Seidenfaden in eine feine Nadel und begab sich daran, die Wunden zu schließen.

»Gleich geschafft, Richmond«, log sie.

»Er ist eingeschlafen«, berichtete der kleine Herbert.

Blanche fuhr unbeirrt in ihrer Arbeit fort. »Du kannst ihn loslassen, Rhys. Fühl seinen Puls.«

Die beiden großen Hände verschwanden aus ihrem Blickfeld, und kurz darauf berichtete der junge Waliser: »Schnell und kräftig.«

Blanche schluckte. »Gut.« Stirb nicht, Richmond. Tu uns das nicht an. Gott, wende dich nicht ausgerechnet jetzt von mir ab. Lass nicht dieses arme Kind für meine Sünden büßen ...

Sie nähte in kleinen, säuberlichen Stichen, und es dauerte eine geraume Zeit. Doch als sie fertig war, drangen nur noch kleine Blutstropfen aus den beiden Wunden. Sie legte einen frischen Verband aus einer reinen Leinenbinde an, die Generys bereitgelegt hatte, und schließlich richtete sie sich auf. »Das war's.«

»Gott segne Euch, Mylady ...«, murmelte die Amme, trat zu Rhys und vergrub das Gesicht weinend an seiner Schulter.

Bill Herberts Kopf fuhr herum. »Mylady?«, fragte er argwöhnisch.

Blanche warf ihm nur einen kurzen Blick zu. »Wenn du wirklich Richmonds Freund bist, dann frag nicht weiter und vergiss, dass ich je hier war«, sagte sie kühl.

Der Bengel nickte bereitwillig. »Ist recht.«

Blanche fühlte nun selbst Richmonds Puls und seine Stirn. Die Lider flackerten unruhig, und wenig später kam der Junge wieder zu sich. Blinzelnd schaute er zu ihr auf. »Bist du ... fertig?«

Sie lächelte. »Fertig. Und du warst großartig. Tapferer als mancher Krieger, den ich kenne.«

Richmond war offensichtlich erfreut über ihr Lob, aber er wandte verlegen den Blick ab. »Ich bin... so müde«, gestand er.

»Dann schlaf«, sagte sie leise. »Hab keine Angst. Du wirst nicht sterben, wenn du einschläfst.« Sie sprach besänftigend, keineswegs sicher, ob sie die Wahrheit sagte. Seine Lider fielen bald wieder zu, und fast schien es ihr, als sei die beängstigende, kränkliche Blässe schon ein wenig gewichen.

»Wird er durchkommen, Mylady?« Generys konnte die bange Fragen offenbar nicht länger zurückhalten, sie brach regelrecht aus ihr hervor.

Blanche ließ wieder Wein über ihr Messer rinnen und nickte. »Wenn es sich nicht noch einmal entzündet, hat er gute Chancen, glaube ich.«

»Oh, Gott, erbarme dich …«, flehte die Amme weinend.

Ihr Geheul zerrte an Blanches Nerven. »Wo hattest du deine Augen?«, fuhr sie sie an. »Und wie konnte das überhaupt passieren? Lässt Black Will Herbert seine kleine Geisel ohne Schuhe herumlaufen? Wie konnte er sich eine solche Verletzung zuziehen, Generys? So etwas sieht man sonst nur bei armen Bauernkindern.«

Die Amme hob hilflos die Schultern und schluchzte. »Es ist hier passiert«, sagte sie schließlich und wies auf die Steinfliesen vor dem Bett.

»Was?«, fragten Blanche und Rhys wie aus einem Munde.

Generys nickte. »Es war ein Brett. Ein Stück Holz mit einem rostigen Nagel darin. Es lag neben seinem Bett. Und als er morgens aufgestanden ist … Aber ich schwöre bei Gott, es war abends nicht da, als ich ihn zu Bett gebracht habe. Das habe ich auch schon seiner Lordschaft gesagt. Ich kann mir einfach nicht erklären, wie es dorthin gekommen ist, Gott helfe mir …«

»Aber ich«, meldete der kleine Bill sich unerwartet zu Wort. Alle Blicke richteten sich auf ihn, und das schien ihm zu gefallen. Mit stolzgeschwellter Brust wiederholte er: »Ich weiß genau, wie das Brett dahin gekommen ist.«

Blanche sah ihn abwartend an, und weil er nicht sogleich fortfuhr, forderte sie ihn auf: »Dann lass uns doch teilhaben an deiner Weisheit, du kleiner Wichtigtuer …«

Gekränkt zog er den Kopf ein, wandte den Blick ab und schaute auf seinen kranken, schlafenden Freund hinab. Er schien zu erwägen, ihr die Antwort aus Trotz zu verweigern, aber was immer er in Richmonds Gesicht sah, brachte ihn anscheinend zur Vernunft. »Malachy«, sagte er beinah flüsternd. »Er muss es hingelegt haben, als wir schliefen. Er … er kann Richmond nicht ausstehen und tut alles, um ihm das Leben schwer zu machen.«

Blanche spürte einen eisigen Schauer ihren Rücken hinabrieseln. »Malachy wer?«, fragte sie. Aber sie wusste die Antwort bereits.

»Malachy Devereux«, erwiderte Bill ungeduldig, als müsse

jedem vollkommen klar sein, von wem er sprach. »Sein Vater ist Sheriff von Herefordshire.«

»Malachy Devereux wird hier als Knappe ausgebildet?«, fragte Blanche und bedachte Rhys mit einem vorwurfsvollen Blick. »Seit wann?«

»Ostern«, antwortete Bill Herbert.

Blanche überlegte kurz. »Na schön«, sagte sie schließlich. »Höchste Zeit für uns, zu verschwinden, denke ich.«

»Wer seid Ihr, Mylady?«, fragte Bill neugierig. Es schien ihn zu irritieren, dass diese Bauersfrau hier das Kommando hatte und die anderen Erwachsenen sie wie eine feine Dame behandelten.

»Zerbrich dir nicht das Köpfchen«, gab sie kurz angebunden zurück. »Du schläfst auch in diesem Bett?«, fragte sie dann.

Bill nickte.

»Wie konnte Malachy Devereux dann sicher sein, dass nicht du in den Nagel trittst? Du bist nicht zufällig sein Komplize?«

Bill schüttelte den Kopf, in kindlicher Aufrichtigkeit und offenbar ohne Empörung. »Ich finde ihn grässlich.«

Rhys kam ihm zur Hilfe. »Bill und Richmond sind wirklich dicke Freunde, Mylady. Und Devereux brauchte nur eine der Mägde zu fragen, wer von den beiden auf welcher Seite des Bettes schläft, oder?«

Blanche nickte. Er hatte Recht. »Na schön. Generys, sollte der Arzt noch auftauchen, sag ihm, was ich getan habe. Richte ihm aus, er brauche Richmond nicht mehr zur Ader zu lassen, denn alles Gift hat sein Blut verlassen und die Körpersäfte sind wieder im Gleichgewicht, soweit ich es sagen kann. Hast du verstanden?«

Generys knickste, aber ihr Gesicht zeigte Unsicherheit.

»Ich sag's ihm«, versprach Rhys.

»Gut.« Blanche beugte sich über Richmond, strich ihm über den Schopf und küsste ihm die Stirn. »Leb wohl, mein süßer Henry.«

Langsam öffneten sich die Lider. »Kannst du nicht bei mir bleiben, Blanche?«

Ein solches Sehnen lag in der Stimme, dass es ihr fast das Herz zerriss. Sie küsste ihm die Nasenspitze und beide Augenlider. »Heute nicht. Aber ich komme morgen oder übermorgen wieder, um nach dir zu sehen. Ich bin nie weit fort.« Sie senkte die Stimme zu einem tonlosen Flüstern. »Du hast doch nicht vergessen, was dein Onkel dir versprochen hat, oder?«

Er schüttelte den Kopf.

»Na siehst du. Also sei beruhigt. Außerdem sind Rhys und Generys immer bei dir.«

»Ja. Gewiss«, sagte er höflich, wohl mehr, um Rhys und Generys nicht zu beleidigen. Aber es war nicht das, was er sich wünschte. Es war nicht genug. Tränen schimmerten in den kranken Augen, aber er blinzelte sie weg.

Blanche tat es ihm gleich. Hätte Gott diesen Moment gewählt, um dieses Gemach im Westturm von Pembroke Castle zu betreten, dann wäre Blanche mit den Fäusten auf ihn losgegangen.

»Es tut mir leid, Richmond«, flüsterte sie. »Es ist so wenig das, was wir wollen, wie es das ist, was du willst. Aber du bist ein großer Junge und verstehst, dass man nicht immer die Wahl hat, nicht wahr. Und du verstehst auch, dass dein Onkel dir nicht helfen und nicht über dich wachen kann, wenn er tot ist, oder?«

»Ja.«

Sie lächelte ihm zu. »Eins schwör ich dir: Malachy Devereux wird dich nie wieder behelligen.«

Blanche kannte sich gut aus in Pembroke Castle. Sie wusste genau, wo sie finden konnte, was sie brauchte.

Zusammen mit Meilyr hatte sie hinter der Waffenkammer Posten bezogen und ihm erklärt, was sie vorhatte. Als Malachy mit einer Schar weiterer Knappen den Hof überquerte, sagte sie dem hünenhaften Tischler, welcher er war, und Meilyr trat auf die Gruppe zu. Kurz sprach er mit Malachy, höflich, aber nicht unterwürfig, und der Knappe folgte ihm anstandslos. Knappen standen weit unten in der Hierarchie eines Hofes. Wenn ein

Handwerker gesetzten Alters einem Knappen ausrichtete, der Waffenmeister wünsche ihn umgehend zu sprechen, war der Knappe gut beraten, ihm zu folgen.

Blanche sah ihnen aus dem Schatten entgegen. Malachy war der älteste ihrer Stiefsöhne und musste jetzt ungefähr sechzehn sein, hatte sie ausgerechnet. Er sah gut aus, genau wie sein Vater, dem er verblüffend ähnlich war. Auch Thomas Devereux' Körperhaltung hatte der Sohn übernommen: Das gehobene Kinn und die vorgereckte Brust drückten Hochmut ebenso aus wie die ständige Bereitschaft, die Ehre der Devereux gegen jeden zu verteidigen, der sie in Zweifel zog. Blanche hatte früh in ihrer Ehe gelernt, dass Thomas Devereux darunter litt, nur ein kleiner Ritter und kein Adliger zu sein. Sein Groll gegen sie rührte auch daher, dass sie von edlerem Geblüt war als er. Offenbar war es ihm gelungen, seinem Sohn diese Giftmischung aus Arroganz und mangelndem Selbstbewusstsein einzuimpfen, auf dass Malachy auch darin seinem Vater nacheifern möge, sein ganzes Leben in Unzufriedenheit zu fristen.

Blanche seufzte verstohlen und stählte sich gegen den leisen Anflug von Mitgefühl, der sie überkommen wollte. Das konnte sie jetzt nicht gebrauchen. Ehe Meilyr und der Knappe die Waffenkammer betraten, ging sie hinter einem hohen Holzgestell, auf welchem Hellebarden aufgereiht standen, in Deckung.

»Master Holmes?«, fragte der Knappe. »Irgendetwas nicht in Ordnung mit den Schwertern, die ich gestern ...«

»Hier ist kein Master Holmes, Bübchen«, unterbrach Meilyr.

»Was soll das?«, fragte Malachy irritiert. »Was denkst du dir eigentlich, du ...«

Blanche huschte lautlos hinter ihn, legte eine Hand auf seine Schulter und setzte ihm gleichzeitig die Klinge an die Kehle. »Dreh dich nicht um, Malachy«, raunte sie ihm ins Ohr. »Wenn du nicht genau tust, was ich sage, schneid ich dir die Kehle durch, hast du verstanden?«

Er keuchte erschrocken. »Wer ... bist du?«, fragte er verwirrt. »Was wollt ihr von mir?«

»Ich will dir eine Geschichte erzählen«, flüsterte Blanche.

Malachy schauderte. Die leise, körperlose Stimme war ihm offenbar unheimlich. »Wer bist du?«, wiederholte er.

»Dazu kommen wir später«, versprach sie, so grimmig, dass seine Augen sich weiteten. »Erst einmal sprechen wir über Meilyr hier. Er hat nur eine Hand, siehst du? Genau wie dein Vater, Malachy.«

Der Knappe fuhr unwillkürlich zusammen. »Mein Vater?«

»Schsch«, machte Blanche. »Vergiss nicht, was ich gesagt habe. Ein falscher Schritt, und du bist tot. Hast du vielleicht schon mal gesehen, wie ein Schwein blutet, wenn man ihm die Kehle durchschneidet? Bei Menschen sieht es ganz ähnlich aus. Furchtbare Schweinerei, wenn du das kleine Wortspiel verzeihen willst. Also, versprichst du mir, dass du still hältst?«

Malachy nickte, die Augen groß und voller Unruhe.

»Gut.« Mit flinken Fingern schob Blanche ihm einen Knebel in den Mund, eine vorbereitete Stoffbinde, und zurrte sie hinter seinem Kopf fest. Es ging so schnell, dass er die Klinge schon wieder an der Kehle fühlte, noch ehe er ganz begriffen hatte, dass sie für einen Augenblick verschwunden war.

»Mein Freund Meilyr war Tischler in einem Dorf gar nicht weit von hier entfernt. Ein guter Tischler. Ein angesehener Mann in seinem Dorf. Aber eines Tages erregte er Black Will Herberts Missfallen. Herberts Männer ergriffen ihn und brachten ihn in seine Tischlerei. Dort hatte Meilyr eine Werkbank.«

Meilyr nahm fast behutsam Malachys Arm und schob den jungen Mann zwei, drei Schritte nach vorn, bis er vor der Werkbank der Waffenkammer stand.

»So ungefähr wie diese«, fuhr Blanche fort, immer noch direkt hinter ihm.

»An der Werkbank gab es eine Schraubzwinge. So ähnlich wie die hier, siehst du? Herberts Männer steckten Meilyrs Rechte in die Schraubzwinge.«

Bedächtig ergriff Meilyr die Rechte des Knappen und steckte sie zwischen die Backen des Schraubstocks, den es hier wie in fast jeder Waffenkammer gab, um die Arbeit an reparaturbedürftigen Waffen zu erleichtern. Malachys Hand wollte zurückzucken, aber die Backen waren nur gerade so weit geöffnet, dass sein Handteller dazwischen passte. Meilyr hielt die Öffnung mit dem Stumpf der Rechten zu und drehte mit der Linken bereits am Spanngriff, sodass der Schraubstock sich zu schließen begann.

»Dann drehten sie an der Stellschraube und klemmten seine Hand ein, Malachy«, berichtete Blanche weiter. »Ich schätze, du kannst dir den Rest denken, he? Aber kannst du's dir auch vorstellen? Weiß du, wie das knackt, wenn all die kleinen Knöchelchen in der Hand bersten? Soll'n wir's dir mal zeigen?«

Ein gurgelnder Laut kam hinter dem Knebel hervor und etwas, das man mit viel Fantasie als ein »Bitte nicht« deuten konnte.

Meilyr drehte, bis die Hand sicher eingeklemmt war. Der Junge stöhnte, aber vermutlich mehr vor Furcht als vor Schmerz, denn mehr als unangenehm konnte der Druck auf seine Hand noch nicht sein.

Meilyr nickte Blanche zu, und sie fesselte ihrem jammernden Opfer die freie Linke mit einem Stück Schnur an seinen Gürtel. Dann endlich umrundete sie den Jungen, trat vor ihn und riss sich mit einer ungeduldigen Bewegung das Tuch vom Kopf. Wie Wasser bei einem Dammbruch ergossen sich die befreiten schwarzen Locken um ihre Schultern und bis auf die Hüften hinab. Mit einem kleinen Kopfschütteln beförderte Blanche sie aus ihrem Gesicht und fragte: »Erkennst du mich, Malachy?«

Er starrte sie an. Sein Gesicht war blass und angespannt, die dunklen Augen waren weit aufgerissen, voller Angst und Verwirrung, und er schüttelte inbrünstig den Kopf.

Blanche trat noch einen halben Schritt näher, sodass kaum ein Spann sie mehr trennte, und sagte mit einem Lächeln: »Ich bin deine böse Stiefmutter, Bübchen. Die Frau, die dafür berüchtigt ist, dass sie den Devereux gern die Hand abhackt.«

Noch ein halb erstickter Laut des Schreckens quälte sich durch den Knebel, dann kniff der Junge die Augen zu und fiel auf die Knie. Es sah merkwürdig aus, da seine Rechte ja im Schraubstock steckte, der Arm also nach oben abgewinkelt war.

Blanche packte den anderen Arm und hievte den Jungen wieder hoch. »Sieh mich an«, befahl sie.

Er gehorchte auf der Stelle. Schweiß perlte auf seiner Stirn, und aus dem Augenwinkel warf er gehetzte Blicke auf seine Hand im Schraubstock, deren Finger krampfartig zuckten.

Blanche packte den Spanngriff mit der Rechten. Ehe sie ihn auch nur um die Breite eines Haares gedreht hatte, stieß Malachy einen erstickten Schrei aus.

Blanche schnalzte mitfühlend und tätschelte ihm unsanft die Wange. »Langsam wirst du mürbe, was? Dabei haben wir noch nicht mal richtig angefangen, glaub mir.«

Malachy schüttelte wild den Kopf. Die Panik war jetzt nicht mehr weit. Er kämpfte eisern um Haltung, und Blanche bewunderte ihn dafür. Er war ein zäher Brocken wie sein Vater. Aber er war erst sechzehn Jahre alt, und lange würde er nicht mehr durchhalten. Sie verharrte ein paar Herzschläge, die Rechte immer noch am Spanngriff. Und als sie schätzte, dass der Junge fast an der Grenze war, sagte sie: »Heute ist dein Glückstag. Du wirst deine Hand behalten.«

Sein Adamsapfel glitt auf und ab. Er stierte sie unverändert an, jetzt hin- und hergerissen zwischen Argwohn und Hoffnung.

Blanche nickte. »Nein, nein, du kannst mir glauben, wirklich.« Sie lächelte. Schaurig, wie sie hoffte. Und tatsächlich konnte der Knappe ihren Blick plötzlich nicht mehr ertragen und senkte den Kopf.

»Ich schone dich, Malachy Devereux«, eröffnete Blanche ihm feierlich. »Obwohl du es nicht verdient hast, lasse ich dich noch einmal davonkommen.« Sie krallte die Hand in seinen Schopf und riss den Kopf hoch, sodass er sie wieder ansehen musste. »Aber wenn du dem kleinen Earl of Richmond je wieder ein Haar krümmst, komme ich wieder, hast du verstanden?«

Emsiges Nicken.

»Du wirst von heute an sein Beschützer sein und dafür sorgen, dass niemand hier ihn dafür büßen lässt, dass seine Mutter eine Lancaster ist und sein Vater ein Tudor war. Du wirst höflich und anständig zu ihm sein und ihn mit Respekt behandeln, und du wirst dafür sorgen, dass auch deine Kumpane das tun. Niemand wird ihm mehr grausame Streiche spielen oder ihn verletzen. Ich verlasse mich auf dich. Und wenn du meine Befehle missachtest, dann werde ich davon erfahren. Auf dieser Burg geschieht nichts, das ich nicht weiß, verstehst du. Und dann wird nichts und niemand deine Hand retten.« Mit einem winzigen Ruck zog sie die Zwinge enger, und der Junge schrie durch den Knebel.

»Aber, aber«, machte sie und tätschelte ihm wieder die Wange. »So schlimm ist es doch noch gar nicht. Nur ein Vorgeschmack. Auf das, was dich erwartet, wenn du mich enttäuschst. Und nun leb wohl, Söhnchen. Irgendwer wird dich bestimmt vor dem Abendessen hier finden, nur Geduld. Wir müssen uns nun verabschieden. Grüß deinen Vater von mir.«

Mit diesen Worten wandte sie sich zur Tür, und Meilyr folgte ihr wie ein zu groß geratener Schatten.

Waringham, Mai 1464

Bei Nacht und Nebel kamen Julian, Lucas und Tristan nach Hause. Es schüttete wie aus Kübeln, aber sie waren dankbar für das gottlose Wetter. Seit drei Tagen waren sie auf der Flucht, und erst kurz vor Rochester hatten sie ihre Verfolger in der undurchdringlichen Finsternis abschütteln können.

Am Burggraben hielten sie an, und Julian pfiff durch die Zähne. Als ein schemenhafter Kopf am schwach erhellten Fenster der Wachkammer auftauchte, rief er die Losung: »*Fragilissimae rosae protecor.* Macht schnell, es ist brenzlig!«

Der Kopf verschwand, und augenblicklich setzte die Winde sich in Gang. Kaum war die Zugbrücke ganz heruntergelassen, überquerten die drei durchnässten Reiter den Graben.

»Willkommen, Mylord«, grüßte die Torwache.

Julian nickte knapp. Ohne abzusitzen, befahl er: »Zieht sie wieder hoch, Joss, beeilt euch.«

Der Wachsoldat trat zu seinem Kameraden an die Winde.

Julian und seine beiden Freunde ritten durch das Torhaus in den Innenhof und zum Stall hinüber. Sie saßen ab und führten die erschöpften Tiere ins Trockene. Im Innern war der Regen nur noch ein gedämpftes Prasseln auf dem strohgedeckten Dach; umso deutlicher hörte man das ausgepumpte Keuchen von Pferden und Reitern. Tristan Fitzalan fischte seinen Feuerstein und einen Kerzenstummel aus seinem Beutel und machte ihnen ein wenig Licht. Behutsam ließ er Wachs auf einen hüfthohen Querbalken tropfen und befestigte die Kerze dort. Dann machten sie sich schweigend daran, ihre Pferde abzusatteln.

»Reibt sie gut trocken«, riet Julian. »Nichts darf morgen mehr verraten, was sie hinter sich haben.« Er klopfte Dädalus den Hals und fuhr seinem ausdauernden Ross sacht über die Nüstern. »Das war verdammt knapp, Kumpel«, murmelte er. »Ohne dich hätten sie mich erwischt.«

Seine Arme waren schwer, seine Knie butterweich vor Erschöpfung, und er nahm an, Tristan und Lucas erging es nicht besser. Aber sie versorgten die Tiere mit Bedacht und Sorgfalt, wuschen die Trensen ab, brachten die Sättel weg, und ehe sie den Stall verließen, vergewisserten sie sich, dass alle Spuren ihrer nächtlichen Heimkehr beseitigt waren.

Tristan hielt eine schützende Hand über seine Kerze, als sie zum Bergfried hinübergingen. Das Tor war, wie nachts bei geschlossener Zugbrücke üblich, unbewacht und unverschlossen. Leise traten sie ein und stiegen die Treppen hinauf.

»Legt die Rüstungen ab und verstaut sie sicher«, trug Julian seinen Rittern auf, ehe sie sich trennten. »Wenn genügend Zeit bleibt, bringen wir sie morgen früh ins Gestüt und verstecken sie im Heu.«

Tristan und Lucas nickten erschöpft und wünschten ihm leise eine gute Nacht.

Julian ging zu seiner Kammer. Vor der Tür zögerte er einen

Moment. Er hatte keine Ahnung, was ihn dahinter erwartete. Dieses Mal war er ein dreiviertel Jahr im Norden gewesen, und er hatte keinerlei Nachrichten erhalten.

Er gab sich einen Ruck, ehe Schreckensvisionen von Fehlgeburten und Wochenbettfieber ihm den Mut rauben konnten, öffnete die Tür so geräuschlos wie möglich und trat auf leisen Sohlen ein. Doch er hätte sich die Mühe sparen können, stellte er fest. Janet war wach. Sie saß im Hemd und in einen Mantel gewickelt beim Licht eines Öllämpchens auf der Bettkante und wiegte ein Bündel, das sie behutsam an die Brust gedrückt hielt.

Als sie die Tür hörte, hob sie den Kopf und zuckte erschrocken zurück.

Julian riss sich den Helm der ungekennzeichneten Rüstung vom Kopf. »Entschuldige ...«

Ihre Augen leuchteten auf, und sie erhob sich. »Julian! Oh, Gott sei gepriesen. Hier.« Sie hielt ihm stolz das Bündel hin. »Der Sohn, den du wolltest.«

Er streifte die Stulpenhandschuhe ab, ließ sie achtlos ins Bodenstroh fallen und nahm ihr das Kind ab. Er hielt es im linken Arm und schob mit der Rechten behutsam die Wolldecke zurück, enthüllte ein zartes, von blondem Flaum umrahmtes Gesichtchen mit einer Knopfnase. Das grässliche Schwächegefühl in den Beinen verschlimmerte sich, und Julian sank auf den Schemel neben der Truhe. Hier war das Licht ein wenig besser, und er konnte seinen Sohn genauer in Augenschein nehmen. Ein Waringham, stellte er fest, aber er verspürte keine Freude angesichts dieser Erkenntnis.

»Wann?«, fragte er und schaute auf.

»Am Dreikönigstag. Ist das nicht ein seltsamer Zufall? Genau wie dein Großvater, nach dem du ihn unbedingt benennen wolltest. Was wir natürlich auch getan haben. Darf ich vorstellen, teurer Gemahl? Robert of Waringham. Aber die Mägde nennen ihn Robin, um nicht ständig an deinen schauerlichen Cousin erinnert zu werden.«

Robin of Waringham. Der Sohn, den er gewollt hatte, in der

Tat. Doch Robin hätte sich kaum einen unglücklicheren Zeitpunkt aussuchen können, um der Welt seine Aufwartung zu machen. Fortuna trieb wieder einmal grausame Scherze mit ihnen ...

Julian nahm sich zusammen, küsste dem Säugling die Stirn und rang sich ein Lächeln ab. »Danke, Janet. Er ist ein prächtiger Bursche.«

Sie trat einen Schritt näher – zögernd, so schien es, stellte sich neben ihn und schaute ebenfalls auf ihr schlafendes Kind hinab. »Er sieht aus wie du. Kate behauptet allerdings, er habe meine Augen.«

»Und alles ist gut gegangen?«

Sie sagte, was alle Frauen ihren heimkehrenden Männern sagten, wenn sie in deren Abwesenheit eine Geburt durchgestanden hatten: »Es war ein Kinderspiel.«

Julian ahnte, dass sie ihn anlog. Schweigend schauten sie sich an. Janets Augen – die sein Sohn angeblich geerbt hatte – wirkten im schwachen Licht dunkler, als sie in Wirklichkeit waren, und ihr Blick war voller Wärme und ebenso voller Fragen. Julian konnte ihm nicht lange standhalten. Er spürte, wie Erschöpfung und Traurigkeit gleich einer großen grauen Welle über ihm zusammenschlugen, und er ließ den Kopf nach hinten gegen die Wand sinken und blinzelte entschlossen.

Janet legte die Hand auf seine Schulter. »Was ist passiert, Julian?«

»Nichts, was *dich* grämen würde«, gab er bissig zurück. Ihre Hand zuckte und rutschte von seiner Schulter.

Den schlafenden Säugling immer noch im Arm, stand Julian auf, ging ans Fenster und sah die dicken Tropfen von den Butzenscheiben perlen. »Es tut mir leid«, murmelte er. »Ich wollte dich nicht kränken. Du hast mir geschenkt, was ich mir gewünscht habe, und dafür bin ich dir dankbar. Warum belassen wir es nicht einfach dabei?«

»Wie du willst.« Es klang eher mitfühlend als schnippisch, und das war ihm nicht geheuer. Ihm wäre lieber gewesen, sie wäre kühl und unnahbar wie zu Anfang. »Wenn du gestattest, bringe ich Robin zu seiner Amme«, fuhr sie fort. »Ich hatte ihn bei mir, weil mir so einsam zumute war, aber er schreit nachts oft, und ich will nicht, dass er dich stört.«

Er nickte, sah noch einmal in das kleine Gesicht mit den roten Schlafbäckchen und gab das Kind zögernd seiner Frau.

Während sie fort war, legte er den Rest der schlichten Rüstung ab, stapelte die Teile geschickt ineinander und schob sie unter das Bett. Dann wusch er sich in der Schüssel auf der Kommode Gesicht und Hände und streckte sich auf der ausladenden, baldachinbeschirmten Schlafstatt aus.

Als Janet zurückkam, brachte sie ihm einen Becher Wein und ein großzügiges Stück Weizenbrot. »Hier. Du musst hungrig sein. Es war das Einzige, was ich finden konnte, ohne die Köchin zu wecken, aber wenn du willst, gehe ich noch einmal hinunter und …«

»Nicht nötig«, unterbrach er. »Danke.« Er trank durstig einen Schluck Wein. Appetit verspürte er nicht, obwohl er seit zwei Tagen nichts gegessen hatte. Mehr aus Vernunft biss er von dem Brot ab, und dann überkam ihn plötzlich Heißhunger, und er verschlang den Rest in wenigen großen Bissen. Danach fühlte er sich ein wenig besser. Die Lethargie fiel von ihm ab, und er setzte sich neben seine Frau aufs Bett und ergriff ihre Hand. »Hör zu, Janet. Dein alter Freund Lord Stanley hat uns fast bis Rochester verfolgt. Möglicherweise ist meine Maskerade aufgeflogen. Wenn sie kommen und mich verhaften …«

»Das können sie nicht!«, widersprach sie erschrocken. »Ich werde jeden Eid schwören, dass du den ganzen Winter hier warst.«

Er lächelte schwach. »Das wirst du nicht tun. Es ist wichtig, dass nicht auch du noch bei deinem König in Ungnade fällst. Du musst an Robin denken.«

»Aber was ist denn nur passiert, Julian? Warum warst du auf der Flucht? Wir hörten, die Lancastrianer hätten im Norden große Erfolge gefeiert. Was ist schiefgegangen? Sag es mir. Du *musst* mir vertrauen. Gerade wegen Robin. Begreifst du denn nicht, dass sich alles geändert hat? Ganz gleich, wie ich über

York und Lancaster denke, aber ich bin die Frau des jetzigen und die Mutter des zukünftigen Lord Waringham.«

Er wollte ihr gern glauben, stellte er fest. Die Vorstellung, dass seine Frau ungeachtet aller politischen Gegensätze loyal zu ihm stand, hatte etwas Unwiderstehliches. Es wäre ein Trost, und den hatte er bitter nötig.

Er sah ihr einen Moment in die Augen und traf seine Entscheidung. »Es stimmt«, begann er, »wir haben im Laufe des Winters viel an Boden gutgemacht. Vor allem dank Somerset und seiner Truppen. Ehe er sich mit Edward endgültig entzweite und wieder enteignet wurde, hat er alles flüssig gemacht, was er konnte, und mit dem Geld neue Soldaten angeworben. Mit ihnen haben wir den Yorkisten den Winter im Norden wahrlich bitter gemacht. Aber auch Somersets Mittel waren nicht unerschöpflich, und sein Hass auf die Yorkisten war so fanatisch, dass er zu jedem Risiko bereit war und unvorsichtig wurde. Vor drei Tagen haben sie uns bei Hexham in eine Falle gelockt und praktisch alles, was von Somersets Armee übrig war, vernichtet. Somerset selbst nahmen sie gefangen, und sie haben ihm dort und auf der Stelle den Kopf abgeschlagen.«

Julian hatte es gesehen. In dem großen Durcheinander nach der Schlacht hatte ihm in seiner ungekennzeichneten Rüstung niemand Beachtung geschenkt. Dennoch hatten er und seine Ritter sich sputen müssen, um unerkannt zu entkommen. Doch die Yorkisten, die zu Somersets Hinrichtung zusammenströmten, hatten ihn eingezwängt, und Julian hatte sich mit dem Strom treiben lassen, um keine Aufmerksamkeit zu erregen.

Henry Beaufort, der Duke of Somerset, war furchtlos, aber nicht gefasst in den Tod gegangen. Als er schon im Schlamm kniete und der Priester ihm das Kreuz zum Kuss reichte, hatte er den Kopf noch einmal gehoben, um das Haus von York und jeden, der ihm angehörte, zu verfluchen. Genau wie Julians Vater es getan hatte. Das Schwert das Scharfrichters hatte Somersets wütende Tirade abrupt unterbrochen, und als Julian den Kopf seines Cousins durch den Morast rollen sah, hatte er gewusst, dass sie am Ende waren.

Zusammen mit Lucas und Tristan hatte er sich auf den Heimweg gemacht, weil es nichts mehr gab, das sie noch hätten tun können. Und noch ehe sie die Straße nach Durham erreichten, hatten sie gemerkt, dass sie verfolgt wurden. Wie die Jäger den Fuchs hatten Stanley und seine Männer sie gehetzt, und dass ihnen nichts anderes übrig blieb, als zu fliehen, hatte ihnen das ganze Ausmaß ihrer Niederlage vor Augen geführt.

»Jetzt …« Er räusperte sich und hob die Linke zu einer matten Geste. »Jetzt sind wir geschlagen. Marguerite ist in Frankreich in Deckung gegangen, aber König Louis wird ihr nicht mehr helfen. Der Prinz ist noch ein Knabe. Der König – ich meine König Henry – dämmert in Schottland vor sich hin. Ich weiß nicht einmal, wo genau er ist. Sein Bruder, Jasper Tudor, hat in Wales noch viel Einfluss und viele Freunde, aber Wales allein kann England nicht retten. Somerset war unsere letzte Hoffnung.« Er sah Janet an. »Ich schätze, jetzt ist der Krieg wirklich aus.«

Sie sagte lange Zeit nichts. Er konnte nur raten, was sie dachte. Frohlockte sie über Yorks endgültigen Sieg? War sie erleichtert, dass ihr Mann nicht mehr ins Feld ziehen würde? Träumte sie davon, dass er sich mit den Tatsachen arrangierte, sich mit dem yorkistischen Regime aussöhnte und sie alle in Frieden leben konnten?

Janet ließ ihn im Ungewissen; ihre Miene blieb undurchschaubar. Bedächtig löste sie die Kordeln, die das Steppwams verschlossen, und streifte es über seine Schultern. Stück um Stück zog sie ihm die Kleider aus, und er ließ sie gewähren und sah ihr zu. Schließlich drückte sie ihn in die Kissen, deckte ihn zu, zog sich das Hemd über den Kopf und schlüpfte neben ihm unter das Federbett. Mit der Rechten strich sie ihm die blonden Locken zurück und küsste die geschlossenen Lider. »Wofür schämst du dich nur so?«, fragte sie leise.

Erschrocken riss er die Augen auf. »Wie kommst du auf so einen Gedanken?«

Janet deutete ein Schulterzucken an, und das schwache gelbe Licht der Öllampe ließ ihre Haut in einem matten Goldton schimmern, den er ganz vergessen hatte. »Ich seh's dir an«, antwortete sie.

Zögernd hob er die Hand und legte sie auf ihre glatte, kühle Schulter. »Für meine Erleichterung vermutlich«, gestand er. »Ich habe getan, was ich konnte. Was ich mit meinem Gewissen vereinbaren konnte. Aber es war nicht genug. Vielleicht hätte ich alle Bedenken, jede Rücksichtnahme auf den kleinen Richmond und mein Versprechen an dessen Vater in den Wind schlagen müssen. Ich weiß nicht mehr, was richtig ist. Aber Gott helfe mir, ich bin froh, dass es vorbei ist.«

Janet glitt auf ihn und legte einen Finger an seine Lippen. »Schsch. Ich bin froh, dass du deinem Gewissen und dir selbst treu geblieben bist.«

»Weil du Yorkistin bist«, spöttelte er matt.

»Weil ich deine Frau bin, Mylord.«

Weder am folgenden Tag noch in den Wochen darauf erschienen yorkistische Soldaten in Waringham, um Julian und seine Ritter zu verhaften, und als der Sommer kam, hörte er auf, nach ihnen Ausschau zu halten. Lord Stanley mochte einen Verdacht hegen, wen er da von Hexham bis Rochester gejagt hatte, denn im weitgehend yorkistischen Kent gab es nicht viele Adlige und Ritter, die in Frage kamen. Doch allem Anschein nach war Julians Deckung immer noch intakt, was er nur den fantasievoll zusammenfabulierten Berichten zu verdanken hatte, die seine Gemahlin und seine Schwester jeden Monat zu Lord Hastings' Erbauung verfasst hatten, und er war beiden dankbar. Auch wenn er verbittert über ihre Niederlage und über Somersets Tod war, steckte doch nicht genug von einem Märtyrer in ihm, dass er Lust verspürt hätte, für den gescheiterten lancastrianischen Widerstand jetzt noch zu sterben. Zumal er schauerliche Gerüchte darüber gehört hatte, was der Bruder seiner Frau hinter den verschwiegenen Mauern des Tower of London mit gefangenen Lancastrianern anstellte. Auch wenn er ratlos war, wie er jetzt weitermachen, was er mit dem Rest seines Lebens anfangen sollte, brütete er doch viel lieber in Waringham seine düsteren Gedanken aus als in einem lichtlosen, eisigen Kerker, und um sich ihnen nicht gänzlich zu ergeben, widmete er sich seinen vernachlässigten Pflichten.

Die Fohlzeit war wie üblich die arbeitsreichste auf dem Gestüt. Voll Neugier erwartete Julian den Nachwuchs der neuen Zuchtstuten, plante zusammen mit Geoffrey, welcher Hengst welche Stute decken sollte, und beobachtete mit sorgsam verborgener Zufriedenheit, wie viel Verantwortung und Umsicht Roland bei der Arbeit im Gestüt an den Tag legte. Der Stallmeister verließ sich blind auf den knapp Siebzehnjährigen, die Stallburschen begegneten ihm mit Respekt ebenso wie mit Freundschaft und der bedauernswerte Melvin mit etwas, das an Anbetung grenzte. Roland verdiente sich diese mit einer ganz und gar untypischen Geduld, die er seinem schwachsinnigen Freund entgegenbrachte, und er sorgte dafür, dass die ruppigen Stallburschen keine grausamen Späße mit Melvin trieben. Nach wie vor drückte Roland sich um seine Pflichten als Julians Knappe, wann immer er damit durchkam, aber wenn Julian seine Dienste in Anspruch nahm, war sein Neffe respektvoll und zuvorkommend. Ein völlig neuer Mensch, stellte Julian erstaunt fest.

Ehe die Fohlzeit vorüber war, begann die Schur, und da die Schafzucht in Waringham inzwischen beinah den gleichen Stellenwert hatte wie die Pferdezucht, fand Julian sich im gleichen Maße davon in Anspruch genommen. Adam, der einzige Bauer, dessen Herde größer war als Julians, erwies sich als fachkundiger Berater, und Julian hockte manches Mal bis in die Nacht mit ihm und seinem Steward zusammen, und sie rechneten, machten Pläne und tranken unbescheidene Mengen Bier dabei.

Und ehe die Schur vorüber war, begann die Ernte.

»Hatten wir immer schon so viel Arbeit, oder kommt es mir nur so vor, weil ich mich mit siebenundzwanzig allmählich dem Greisenalter nähere?«, fragte Julian und fuhr sich mit dem Ärmel über die Stirn.

Frederic und Lucas, die mit ihm die Heuballen in seiner Scheune zählten, tauschten ein Grinsen.

»Ich schätze, es liegt eher daran, dass du versuchst, alles selbst zu machen«, mutmaßte Lucas. »Du scherst die Schafe wie ein Bauer, du zählst Heuballen wie ein Reeve, reitest deine Gäule an wie ein Stallmeister, führst die Bücher wie ein Steward. Nur wie ein Lord benimmst du dich auffallend selten. Du gibst keine Jagden, keine Festmähler, du meidest den Hof und die Politik und reitest zu keinem Turnier.«

»Du weißt verdammt gut, warum«, gab Julian zurück und notierte die Zahl, die er ermittelt hatte, auf seiner Tafel, ehe er sie vergessen konnte. »Unter einem yorkistischen König bin ich lieber Bauer, Stallmeister oder Steward als Lord. Ich meide seinen Hof, damit er mich vergisst, und ich gebe keine Gesellschaften, weil meine Freunde, die ich gern einladen würde, entweder tot oder untergetaucht sind.«

»Welch beklagenswertes Los«, bemerkte Lucas. »Wie ist es nur möglich, dass ich das Gefühl habe, dich nie zuvor zufriedener gesehen zu haben?«

Julian grinste und warf sein Täfelchen nach ihm, aber Lucas fing es mühelos auf.

»Es stimmt«, gestand der Earl. »Waringham tut mir gut, und die Schinderei ebenso. Es scheint etwas zu sein, das mir liegt. Vermutlich wäre es viel besser gewesen, Scrope hätte meinen Cousin Robert nicht ermordet. Ich hätte Edmund Tudors Steward auf einem seiner Güter werden und dort friedlich bis ans Ende meiner Tage zwischen Schafen und Schweinen mein Dasein fristen können, ohne mir je den Kopf über Politik zerbrechen zu müssen. Dann wäre ich ein glücklicherer Mann.«

»Aber Waringham gewiss kein glücklicherer Ort«, gab Lucas zu bedenken.

»Nein«, musste Julian zustimmen. Und sich selbst gestand er, dass ihm das nicht gleichgültig gewesen wäre. Irgendwo in der Fremde das Land eines anderen zu verwalten, während Robert die Menschen in Waringham in den Staub trat, hätte ihn auch nicht zufriedengestellt.

Frederic sammelte die Tafeln ein, addierte mühelos die ermittelten Summen und schrieb auf die Rückseite einer der kleinen Schieferplatten: *Genug Heu für Gestüt und Gut. Du kannst ein Fünftel verkaufen, wenn du mich fragst.*

Julian runzelte verblüfft die Stirn. »Verkaufen?«

Frederic nickte nachdrücklich, aber es war Lucas, der erklärte: »Auf dem Heumarkt in London kannst du ein kleines Vermögen damit machen. Die Menschen in London halten Vieh, aber sie haben keine Wiesen.«

»Großartig. Kümmere dich darum, Frederic, sei so gut.«

Der Steward schrieb grinsend: *Wenn du nicht aufpasst, wirst du noch richtig reich.*

Aber Julian schüttelte den Kopf. »Wenn ich irgendwann einmal ein Schiff besitze und unsere Wolle nach Burgund bringen kann, dann vielleicht.«

Ein Kronvasall als Wollexporteur?, erkundigte sich Frederic mit ungläubig gefurchter Stirn. *Wie anstößig.*

»Mag sein. Aber der yorkistische Thronräuber tut es auch, und der Erfolg gibt ihm Recht. Die Zeiten ändern sich, Frederic. Wenn der Adel nicht von den Kaufleuten lernt, wird er seine Macht eines Tages an sie verlieren.«

»Es wird die Kaufleute nicht entzücken, wenn sie feststellen, dass der Adel das endlich begriffen hat«, bemerkte Lucas trocken.

Trotz all seiner Pflichten fand Julian noch Zeit für seine Familie, und er genoss die Mußestunden, die er bei unverändert herrlichem Spätsommerwetter mit seiner Schwester, seinen Nichten, seiner Frau und seinem Sohn im Rosengarten verbrachte. Robin entwickelte sich prächtig. Er war ein wonniger kleiner Kerl, weinte selten, strahlte jeden, der in seine Nähe kam, aus seinen großen meergrauen Augen an, und als er zu krabbeln begann, eroberte er die Welt im Galopptempo.

»Es ist schon ein bisschen kränkend, dass er immer in solcher Eile von uns wegkrabbelt«, bemerkte Janet verdrossen, als sie ihn wieder einmal an der Mauer am Ende des Gartens aufgelesen hatte und zu der Bank zurücktrug, wo sie im Schatten eines verblühten Rosenbusches ihren Stickrahmen aufgestellt hatte.

»Er ist neugierig«, entgegnete Julian. »Wie alle Waringham.«

»Neugierig und freiheitsdurstig«, spöttelte sie.

Julian ließ sein Schnitzmesser in den Schoß sinken und betrachtete seinen Sohn. Immer wenn er das tat, zog seine Brust sich zusammen, überkam ihn eine Mischung aus Stolz und Zärtlichkeit, deren Heftigkeit ihn manchmal erschreckte. Robin steuerte glucksend auf ihn zu, machte dann kehrt und ging wieder auf Entdeckungsreise. Julian lachte in sich hinein.

Janet stemmte die Hände in die Seiten. »Ist das zu fassen?«

»Lass ihn doch. Hier im Garten kann ihm nichts geschehen, oder?«

»Du hast ja keine Ahnung, Mylord. Er steckt alles in den Mund, was nur irgendwie hineinpasst.«

Julian pfiff zur Amme hinüber, die mit der fetten alten Berit auf dem Pfad stand und vermutlich mit ihr über Säuglingspflege fachsimpelte. »Mary, geh ihm nach und sieh zu, dass er keinen Schaden nimmt!«, rief er. »Und ich würde es begrüßen, wenn man dich nicht ständig an deine Pflichten erinnern müsste.«

Sie riss erschrocken die Augen auf, denn es kam nicht oft vor, dass er einen Tadel aussprach, knickste hastig und lief ihrem umtriebigen Schützling hinterher.

»Setz dich, Janet«, forderte Julian seine Frau auf.

»Aber sollte ich nicht lieber …«

»Du sollst dich setzen«, wiederholte er mit Nachdruck. »Es schickt sich nicht, wenn du der Amme die Arbeit abnimmst, und es ist nicht gut für die Moral unter dem Gesinde.«

Wortlos kehrte sie an ihren Stickrahmen zurück und nahm die Arbeit wieder auf. Es war schwer zu sagen, ob sie ihm seine Worte übel nahm. Nach altbewährter Methode gaukelte sie ihm Schüchternheit und Fügsamkeit vor, und was hinter ihrer Stirn vorging, konnte er nicht einmal erahnen.

»Ich meine es nur gut mit dir«, stellte er klar. »Du hast es nicht nötig, dich mit der Sorge um ihn abzuplagen, und die Mägde werden den Respekt vor dir verlieren, wenn du es trotzdem tust.«

»Ich weiß«, gab sie zurück, den Blick auf den Goldfaden gerichtet, mit welchem sie kunstvolle Ranken in ein Altartuch für die Burgkapelle stickte. »Ich glaube, ich versuche, an ihm gutzumachen, was ich an seinem Bruder versäumt habe. Unfreiwillig.«

Es war das erste Mal, dass sie in seiner Gegenwart von ihrem Bastard sprach. Eine scharfe Erwiderung lag Julian auf der Zunge, aber sie wollte nicht so recht heraus. Er wusste sehr wohl, dass der Junge bald zwei Jahre alt werden würde. Und dass Janet lange geschwiegen hatte, ehe sie ihn an das Versprechen erinnerte, das er noch nicht eingelöst hatte.

Er legte einen Augenblick die Hand auf ihr Knie. »Am Sonntag reiten wir hin.«

Sie hob abrupt den Kopf und blickte ihn an. Ihre Lippen bewegten sich, als sei sie im Begriff, etwas zu sagen, das ihr im entscheidenden Moment entfallen war. Er sah, dass ihre Augen sich mit Tränen füllten, aber wie meistens zwang sie sie zurück. Ihre Beherrschung hatte ihm von Anfang an imponiert, und er hatte sie schon manches Mal darum beneidet, denn das war ganz und gar nicht seine starke Seite.

»Das ist … sehr großzügig, Mylord«, sagte sie leise.

»Oh, nun sei nicht so demütig«, wehrte er grantig ab. »Ich weiß genau, dass du das nur tust, um mir ein schlechtes Gewissen zu machen.«

»Na ja, das ist wahr«, musste sie einräumen. »Aber ich meine trotzdem, was ich gesagt habe. Es *ist* großzügig. Die wenigsten Männer würden so etwas tun.«

Er brummte missvergnügt und sann auf ein anderes Thema. Er war nicht erpicht darauf, nach St. Thomas zu reiten und ihre Augen strahlen zu sehen, wenn ihr Blick auf Edwards Bastard fiel. Schon bei der Vorstellung wurde ihm flau vor Eifersucht, und er verspürte das Bedürfnis, irgendetwas zu zertrümmern, vorzugsweise etwas, das viel Radau machte, wenn es zerbrach.

Gleichzeitig *wollte* er dieses Strahlen in ihren Augen sehen und derjenige sein, der es hineingezaubert hatte. Doch eher hätte er sich im Tain ersäuft, als Janet auch nur ahnen zu lassen, was diese törichte Anwandlung über seine Gefühle verriet. Schlimm genug, dass er selbst es wusste. Es erschreckte ihn halb zu Tode, und es beschämte ihn.

Er griff wieder nach dem Schnitzmesser und dem begonnenen Werk, warf einen Blick gen Himmel und bemerkte: »Sieht so aus, als gäb es ein Gewitter.« Und er dachte, meine Güte, Waringham, fällt dir wirklich nichts Besseres ein als das Wetter?

Doch mit der ihr eigenen *Courtoisie* folgte Janet dem wenig originellen Themenwechsel. »Höchste Zeit, dass es regnet. Die Bauern müssen die Felder für den Winterweizen pflügen, aber die Erde ist hart wie Stein.«

»Wir haben erst Mitte September«, entgegnete er. »Das hat notfalls noch bis nächsten Monat Zeit.«

»Im Oktober sät man Wintergerste und Hafer, Mylord«, belehrte sie ihn.

Julian konnte sich ein Grinsen nicht verkneifen. »Ah. Man merkt, dass du auf dem Land groß geworden bist.«

Ihr Gesicht nahm diesen koboldhaften Ausdruck an, und vermutlich lag ihr irgendeine Frechheit auf der Zunge, aber sie behielt sie bedauerlicherweise für sich, weil die alte Berit hastig auf sie zugewatschelt kam.

»Hoher Besuch, mein Lamm«, verkündete sie Julian außer Atem.

Ein heimtückischer Schrecken durchzuckte ihn bis in die Fingerspitzen. »Hoher Besuch« konnte nichts Gutes verheißen, ganz gleich, wer es war.

»Ah ja? Und wer erweist uns die Ehre?«

»Der Earl of Warwick«, antwortete sie voller Ehrfurcht.

Julian wechselte einen Blick mit seiner Frau.

»Soll ich ihn herführen?«, fragte Berit eifrig. Sie war der Auffassung, dass Julian sich zu selten unter seinesgleichen bewegte, und vermutlich entzückte dieser Besuch sie deswegen so.

Er schüttelte den Kopf. »Das gehört sich nicht. Einer meiner Ritter soll es tun. Du führst sein Gefolge in die Halle und sorgst dafür, dass es bewirtet wird. Frederic soll sicherstellen, dass die Pferde versorgt werden. Schick uns Wein und Erfrischungen. Von mir aus bring sie selbst, aber tu mir einen Gefallen, Berit, und nenn mich in seiner Gegenwart nicht ›Lamm‹, verstanden?«

Sie lächelte ihn treuherzig an und knickste. »Ja, Mylord.«

Als Julian Tristan Fitzalan mit dem Earl of Warwick durch den Garten kommen sah, stand er höflich auf. Seine Frau wollte seinem Beispiel folgen, aber er legte ihr leicht die Hand auf die Schulter.

»Lady Janet!« Warwick schenkte ihr sein charmantestes Lächeln, nahm ihre Rechte in beide Hände und beugte sich darüber. »Ihr seht hinreißend aus. Wer ist Euer Schneider? Ich muss ihn Lady Anne empfehlen. Dieses Moosgrün kleidet Euch hervorragend.«

»Danke, Mylord.« Sie schaffte es, vor ihrem einstigen Dienstherrn nicht den Blick zu senken, stellte Julian zufrieden fest, aber sie errötete ein wenig. »Mein Schneider bin ich selbst, aber Sir Lucas besorgt mir das Tuch aus London und wählt es aus.«

»Verstehe. Das berühmte Auge der Durham. Nun, Madam, an Euch ist sein Talent wahrlich nicht verschwendet.«

»Ich denke, das reicht, Richard«, warf Julian ein und betrachtete seinen Cousin kopfschüttelnd.

Warwick drückte ihm freundschaftlich die Hand, sah aber immer noch zu Janet und fragte augenzwinkernd: »Er mag es nicht, wenn jemand Euch Komplimente macht, wie? Insgeheim träumt er vermutlich davon, Euch vor fremden Blicken zu verstecken und in dem hässlichen Kasten dort drüben in eine Dachkammer zu sperren.«

»Ich habe ganz und gar nichts gegen Komplimente an meine Frau, aber was ich nicht schätze, sind abfällige Bemerkungen über meine Burg, Cousin«, warf Julian ein.

»Nein?« Warwick schaute ihn an. »Und dabei dachte ich

immer, die Wahrheit sei für dich ein höheres Gut als Höflichkeit.« Seine Worte waren immer noch gutmütiger Spott, aber aus seinen Augen war jede Heiterkeit gewichen. Das Blau strahlte intensiver als gewöhnlich, und Julian erkannte verwundert, dass Warwick außer sich vor Zorn war.

Doch er war zu höfisch, um das vor einer Dame zu zeigen oder die Gebote guter Manieren zu missachten. Also beglückwünschte er Janet und Julian zu ihrem Sohn, als die Amme ihn auf dem Weg zum Mittagsschlaf an ihnen vorbeitrug, und zog Julian auf, weil dieser dem kleinen Robin schon ein Holzpferdchen schnitzte, ehe der Junge seinen ersten Geburtstag beging.

»Kein Waringham ist je zu jung, um ein Pferdenarr zu sein«, entgegnete Julian.

Nachdem Berit Wein gebracht hatte und sie auf das Glück des kleinen Robin angestoßen hatten, stand Janet auf und erkundigte sich: »Wir dürfen doch gewiss hoffen, dass Ihr zum Essen bleibt, Mylord?«

Warwick verneigte sich sparsam. »Von Herzen gern, Madam.«

»Dann entschuldigt mich einen Moment, damit ich ein paar Vorbereitungen treffen kann.«

Warwick wartete, bis sie um die Ecke des Hauptgebäudes gebogen war, ehe er sagte: »Das trifft sich gut. Ich wollte dich unter vier Augen sprechen.«

Julian nickte. »Das hat sie gemerkt. Ihr entgeht niemals etwas.«

Sein Cousin betrachtete ihn mit zur Seite geneigtem Kopf. »Du hast deine kleine yorkistische Kratzbürste also zu schätzen gelernt.«

Julian sagte weder ja noch nein. »Welche Schlüsse du aus meinen Worten ziehst, ist allein deine Sache, Richard.« Mit einer Geste lud er ihn ein, Platz zu nehmen, und sie setzten sich nebeneinander auf die sonnenwarme Steinbank.

»Weißt du, wo Marguerite und ihr Sohn sind?«, fragte der Gast unvermittelt.

»Ist sie es, die deinen Zorn erregt hat?«, wollte Julian wissen.

»Nein.«

»Wer dann?«

Warwick antwortete nicht sofort. Schließlich verschränkte er die Arme vor der Brust, stieß hörbar die Luft aus und sagte: »Der König.«

Julian fiel aus allen Wolken. »*Dein* König? Edward of March?«

»Er ist ebenso dein König, du Flegel, auch wenn du dich noch so störrisch weigerst, das anzuerkennen.«

»Lass uns nicht immer wieder die gleichen Dinge zueinander sagen, Cousin. Das führt zu nichts und ist obendrein langweilig. Ich kann mir nicht vorstellen, dass du dafür hergekommen bist.«

»Nein.«

»Sondern wozu?«

»Ich bin ehrlich nicht ganz sicher. Vielleicht war mir nach der Gesellschaft eines Mannes, der nicht entrüstet die Klinge zieht, wenn man ein paar unschöne Wahrheiten über König Edward ausspricht.«

»Dann bist du hier zweifellos richtig«, gab Julian mit einem freudlosen Lächeln zurück. »Also? Was hat er verbrochen?«

»Es … es ist eine Katastrophe, Julian. Und er tut, als sei es nur ein Lausebengelstreich.« Warwick schüttelte den Kopf, als sei er immer noch fassungslos. »Das ist vielleicht das Schlimmste. Er begreift überhaupt nicht, was er angerichtet hat. Wie er sich selbst und mich und ganz England zum Gespött gemacht hat …«

Julian wandte den Kopf und sah ihn an. »Wenn es deine Absicht war, meine Neugier zu wecken, dann warst du erfolgreich. Komm schon. Raus damit.«

Und Warwick berichtete. Seit Edwards Krönung hatte er in dessen Namen mit dem französischen König verhandelt, um ein Abkommen zu schließen und Marguerite und dem lancastrianischen Widerstand damit jeglichen Rückhalt auf dem

Kontinent zu entziehen. Zeitgleich hatte Black Will Herbert für Edward mit Burgund geheime Verhandlungen mit demselben Ziel geführt. Seit Beginn dieser diplomatischen Missionen hatte Warwick seinen König zu einer Heirat mit einer französischen Prinzessin gedrängt, Herbert zu einer ehelichen Verbindung mit dem Hause Burgund. »Die Situation wurde unhaltbar«, erklärte Warwick mit unterdrückter Heftigkeit. »Edward wich uns immer nur aus und drückte sich vor der Entscheidung, bis wir ihm gestern Morgen im Kronrat gesagt haben, so gehe es nicht weiter. Beide Seiten, sowohl Frankreich als auch Burgund, sind verstimmt und misstrauisch. Wir haben uns bemüht, ihm vor Augen zu führen, dass er eine Wahl treffen müsse, und zwar sofort. Ich gebe zu, es hätte mich gegrämt, wenn Black Will Herbert sich durchgesetzt hätte, denn er hat Unrecht und ist obendrein ein durchtriebener, selbstsüchtiger, speichelleckender Parvenü, aber ich wäre bereit gewesen, die Niederlage hinzunehmen, wenn der König nur endlich eine der beiden Kandidatinnen geheiratet hätte. Und als wir ihm so zugesetzt hatten, dass ihm gar nichts anderes mehr übrig blieb, als eine Entscheidung zu fällen, was sagt er da, dieser närrische, verantwortungslose *Bengel*?«

»Aber, aber, Richard«, spöttelte Julian. »Vergiss nicht, dass er dein König ist. Also? Was sagte er?«

»Er lächelt uns an wie ein ertappter Eierdieb und sagt, er könne weder Bona von Savoyen noch die liebreizende burgundische Prinzessin zur Frau nehmen, da er bereits verheiratet *sei*.«

Julian riss die Augen auf. »Mit wem?«

Der Earl of Warwick presste den Namen hinter zusammengebissenen Zähnen hervor: »Mit Elizabeth Woodville.«

»*Was?*«

»Du kennst sie, nicht wahr?«

»Natürlich.« Sie war eine von Marguerites treusten Hofdamen gewesen. Und als sie in Edwards Gefolge nach Waringham gekommen war, hatte sie Julian anvertraut, dass der junge König ihr ein inakzeptables Angebot gemacht habe, welches sie ausgeschlagen hatte. Julian legte die Linke über den Mund, um sein unpassendes Grinsen zu verbergen, und fragte: »Er hat sie geheiratet, weil es der einzige Weg in ihr Bett war?«

Warwick nickte grimmig. »Der König von England denkt neuerdings offenbar mit dem königlichen Schwanz statt mit dem gekrönten Haupt. Sie ist ein Niemand. Lancastrianerin obendrein. Es ist ein Skandal. Schlimmer als das, es ist eine nationale Krise, Julian.«

Julian verstand nicht, was an dieser Heirat so katastrophal war. Achselzuckend entgegnete er: »Elizabeth Woodville ist auf jeden Fall eine sehr vornehme, schöne Frau. Ihre Mutter ist von feinstem Adel und stammt von Karl dem Großen ab.«

»Ja, und ihr Vater von einem räudigen Straßenköter, darauf möcht ich wetten«, knurrte Warwick.

Julian schnalzte missbilligend. Er hörte es nicht gern, wenn eine Dame wie Elizabeth Woodville beleidigt wurde. »Wann und wo haben sie geheiratet? Wie ist es möglich, dass der Hof nichts davon erfahren hat?«

»Am ersten Mai«, antwortete Warwick angewidert. »Uns hat er weisgemacht, er wolle zur Jagd, ist vor Tau und Tag aufgestanden und ohne Begleitung nach Grafton geritten, wo sie sich in aller Heimlichkeit trauen ließen. Fünf Monate lang hat er uns zum Narren gehalten, während wir auf dem Kontinent potenzielle Heiratskandidatinnen bei Laune zu halten versucht haben.«

Julian glaubte eher, dass Edward gezögert hatte, sein Geheimnis zu offenbaren, weil er das unausweichliche Donnerwetter, das sich über ihm entladen würde, möglichst lange aufschieben wollte. Der junge König war von sonnigem, beinah kindlichem Gemüt. Rauschende Feste, Turniere und Schlachten waren sein bevorzugter Zeitvertreib, nicht fruchtlose Debatten mit einem echauffierten Kronrat.

»Sie hat es ja so schlau eingefädelt, Julian«, sagte Warwick bitter. »Sie hat sich rar gemacht bei Hofe. Hin und wieder folgte sie seiner Einladung, kam in großer Garderobe und hat Edward gezeigt, was er nicht haben konnte. Bis er schließlich so von

Sinnen war, dass er diese unverzeihliche Dummheit beging. Und nun hält sie Einzug bei Hof mit ihrer ganzen *Sippschaft.* Mir wird geradezu übel, wenn ich daran denke. Obendrein ist sie Jahre älter als er.«

Julian winkte ab. »Nun beruhige dich, Richard. Königinnen sind oft älter als ihre Gemahle. Mir scheint, du bist nur wütend, dass der Knabe, den du auf den Thron gesetzt hast, plötzlich erwachsen geworden ist und eigene Entscheidungen trifft. Vielleicht ist die Lösung gar nicht so schlecht. Auf diese Art und Weise sind weder Frankreich noch Burgund beleidigt.«

»Sie sind alle beide beleidigt«, brauste Warwick auf. »Brüskiert! Und ich stehe da wie ein Tor!«

Das ist es, was ihn in Wirklichkeit so erzürnt, wusste Julian. Der Earl of Warwick war ein kluger Politiker, ein listenreicher Stratege und ein kühler Rechner. Aber seine Eitelkeit war seine größte Schwäche.

»Nächsten Frühling ist es vergessen«, prophezeite Julian beschwichtigend.

»Ich werde es ganz gewiss nicht vergessen«, widersprach Warwick grimmig. Einen Moment sah er seinem Cousin in die Augen, und die Farbe der seinen glich dem lodernden Blau an der heißesten Stelle eines Feuers. »Um dir die Wahrheit zu sagen, Julian: Seit gestern Morgen frage ich mich, ob ich vielleicht einen schweren Fehler begangen habe, als ich vor zehn Jahren meine Wahl für York getroffen habe.«

Julian erwiderte den Blick wie gebannt und spürte etwas im Magen, das sich wie ein giftiger Eiszapfen anfühlte. Gott steh uns allen bei, dachte er. Es ist noch nicht vorüber.

3. Teil:

KÖNIGSMACHER

1469–1471

London, Juli 1469

»Was für ein abscheulicher Tag«, sagte Lucas Durham und sah sich missmutig um. Ein grauer Himmel hing über dem weitläufigen Innenhof des Tower of London und ließ die nass geregneten Mauern und Türme ebenfalls grau erscheinen. Es nieselte, und es war ungewöhnlich kalt für die Jahreszeit. »Ich hasse den Tower«, fügte Lucas verdrossen hinzu. »Das liegt in der Familie.«

Julian seufzte verstohlen. »Ich weiß. Ich schätze, du hast mir das schon ungefähr zweihundert Mal erzählt.«

»Ich finde es wirklich grausam von dir, mich hierher zu verschleppen. Und derweil sitzt dein Knappe behaglich daheim in Waringham und ergeht sich in seligem Nichtstun ...«

»Er hat ein Bein gebrochen, Lucas.«

»Vielleicht hätte ich das auch lieber, als im Moment hier zu sein.«

»Komm schon, jetzt zeig mal ein bisschen Rückgrat, ja«, schalt Julian ungehalten. »Du tust geradezu so, als solltest du hier eingekerkert werden, dabei machen wir nur einen Höflichkeitsbesuch.«

»Dieser Tage weiß man nie, was einem passieren kann, wenn man einen Fuß in diese Stadt setzt. Von dieser Festung ganz zu schweigen.«

Die Ankunft des Constable of the Tower, Sir Hugh Wylford, ersparte Julian weitere Debatten. Man hatte sie in der Wachkammer im Erdgeschoss des Wakefield Tower warten lassen, und als der Befehlshaber eintrat, schüttelte er sich die Regentropfen aus den schulterlangen Haaren, ehe er sich knapp vor Julian verneigte. »Mylord of Waringham.«

Julian nickte. »Wylford.« Er war ebenso wenig um Höflichkeit bemüht wie der Constable. »Wo ist der König?«

»Keine Ahnung«, bekam er zur Antwort. »In East Anglia, soweit ich weiß.«

Julian lächelte schmallippig. »Ich meine König Henry, Sir.«

»Ach so.« Wylford tat, als ginge ihm ein Licht auf. »Seine höchst schwachsinnige Majestät.«

Julian sah ihn unverwandt an und sagte nichts. Er wusste sehr wohl, er hatte solche Dinge früher selbst gesagt. Frotzelte noch heute im vertrauten Kreis gern über Henrys Geisteszustand. Aber das hieß noch lange nicht, dass dieser Yorkist das Recht hatte, Henry zu verhöhnen.

Wylford wurde offenbar mulmig unter dem langen Blick. Er wandte sich ab und brummelte: »Folgt mir, Mylord. Er ist in seinen Gemächern und um diese Tageszeit vermutlich beim Gebet.«

»Gemächer« war nicht ganz zutreffend, denn man hatte dem abgesetzten König genau einen Raum zugestanden, ein achteckiges Gemach im ersten Obergeschoss – groß, aber zugig – mit einem hohen Deckengewölbe. Vor langer Zeit war dies einmal die Halle gewesen, in welcher der König Audienz hielt. An einer der acht Seiten stand heute ein breites Bett mit schlichten dunklen Vorhängen, nahe der Tür ein Tisch mit zwei Schemeln, und dem Bett gegenüber befand sich in einer Nische hinter einem Wandschirm eine kleine Kapelle. Der Raum hatte zwei Fenster zum Fluss, und Julian wusste, bei gutem Wetter war er hell und freundlich. Es war nicht das Schlimmste, was einem König passieren konnte, für den niemand mehr Verwendung hatte.

Julian hörte Henry hinter dem Wandschirm vor sich hin murmeln, und weil ihm nicht der Sinn danach stand, dem frommen Geraune stundenlang zu lauschen, machte er sich bemerkbar: »Gott zum Gruße, Sire.«

Henry, der mit dem Rücken zum Raum kniete, ließ die gefalteten Hände sinken und wandte den Kopf. Sein Haar war spärlich geworden und hatte eine gelblich weiße Farbe angenommen. Das bleiche Gesicht war gefurcht, die Farbe der dunklen Augen verblasst – ein Greis von achtundvierzig Jahren.

Doch der Eindruck wurde ein wenig abgemildert, als Henry lächelte. »Waringham! Wie freundlich von Euch.«

Verstohlen atmete Julian auf. Henry hatte ihn erkannt, also war heute ein guter Tag. Ein Tag der Klarheit. Sie schienen in letzter Zeit nicht einmal so selten.

Vor vier Jahren war der König seinen Feinden ein zweites Mal in die Hände gefallen. Mutterseelenallein war er an einem kalten Novemberabend auf dem Rücken eines erbärmlichen Kleppers durch einen Wald in Lancashire geirrt. Die yorkistische Patrouille, die ihn auflas, hatte behauptet, er habe geweint und vor sich hingebrabbelt und über Kälte und Durst geklagt. Julian hielt das nicht für undenkbar, aber es war ebenso gut möglich, dass sie sich das ausgedacht hatten, um das Ansehen des Hauses Lancaster weiter zu schmähen. Sie hatten den König an die Steigbügel seines mageren Gauls gefesselt und nach London gebracht, und seither »residierte« Henry im Tower of London.

Es waren nicht Lancaster-Treue oder gar Ergebenheit für diesen Jammerkönig, die Julian bewogen, ihn hin und wieder zu besuchen, sondern Scham. Während der verlustreichen Rückzugsgefechte zu jener Zeit, als der lancastrianische Widerstand im Norden zusammengebrochen war, hatten er und seine Gefährten den König irgendwie … vergessen. Keiner hatte gewusst, wo er eigentlich war, niemand hatte sich um ihn gekümmert und ihn beschützt. So war er ihren und seinen Feinden in die Hände gefallen, von allen verlassen, und Julian hatte ein schlechtes Gewissen.

Mühsam und unter leisem Ächzen kam der König auf die Füße. Julian hörte die Knie knacken, so laut, dass er fast zusammengezuckt wäre.

»Reicht mir den Arm, mein junger Freund«, bat Henry, und als Julian der Bitte folgte, stützte der König sich schwer auf ihn und ließ sich langsam und schlurfend zum Tisch geleiten, wo er auf einen der Schemel sank. »Was verschlägt Euch nach London?«

»Ich komme aus Brügge, und wir haben heute Morgen hier am Wool Quay festgemacht.«

Henry nickte zerstreut. »Ich war nur einmal auf dem Kontinent«, erinnerte er sich. »Als Junge zu meiner Krönung in Frankreich. Ich fand es grässlich. All dies ausländische Essen. Und überall war Krieg.« Mit einem Kopfschütteln kehrte er in die Gegenwart zurück. »Was gibt es Neues in Brügge?«

Julian hob lächelnd die Schulter. »Lauter verrücktes, fremdländisches Zeug, wie immer. Irgendein Deutscher hat ein merkwürdiges Ding gebaut, mit dem man Bücher drucken kann.«

»*Drucken?*«, fragte der alte König. »Was soll das heißen, drucken?«

»So ganz genau weiß ich es auch nicht. Master Caxton in Brügge – er ist der Gouverneur der englischen Kaufmannschaft dort – hat mir ein Bild von diesem ... Ding gezeigt. Auf den ersten Blick dachte ich, es sei eine Art Weinpresse oder irgendein neumodisches Folterinstrument. Mannshoch, etwa so groß wie Euer Bett dort drüben, mit einem mörderisch großen Hebel. Aber es ist völlig harmlos und funktioniert in etwa so wie ein zu groß geratenes Siegel: Spiegelverkehrte Buchstaben aus Blei werden zu Wörtern zusammengesetzt und mit Tinte bestrichen, und dann kann man sie auf Papier oder Pergament pressen, so oft man will.«

»Wozu soll das gut sein?«, fragte Henry argwöhnisch. Alles Neue war ihm suspekt, wusste Julian.

»Nun, man kann Bücher damit herstellen, in beliebig großer Stückzahl. Viel schneller und preiswerter als Handschriften. In Mainz haben sie die Bibel gedruckt. Um das Wort Gottes weiter in die Welt zu tragen.«

»Das Wort Gottes aus *spiegelverkehrten* Buchstaben?« Henry war schockiert. »Das ist Teufelswerk!«

Julian war anderer Ansicht. Das Bild, das dieser Master Caxton ihm gezeigt hatte, hatte ihn auf eigentümliche Weise erregt, und er musste ständig an diese Druckerpresse denken. Sie war etwas vollkommen Neues, etwas Unerhörtes. Aber das musste ja nicht schlecht sein. Henry war alt und allem Neuen gegenüber misstrauisch. Aber Julian war jung und neugierig. Und als Master Caxton gesagt hatte, eines Tages werde er dieses Wunderding vielleicht nach England bringen, hatte Julian gedacht: Warum nicht jetzt gleich?

»Habt Ihr Marguerite gesehen?«, fragte der König. »Und Edouard?« Beim Namen seines Sohnes stahl sich ein wehmütiger Unterton in seine Stimme.

Julian schob seine Fantastereien energisch beiseite und nickte. »Nachdem ich in Burgund war, bin ich nach Harfleur gesegelt und hab sie besucht. Die Königin und der Prinz senden Euch ergebene Grüße und sehnen den Tag herbei, da Ihr Euch wiederseht, Sire.« Tatsächlich hatte Marguerite ihren Gemahl mit keinem Wort erwähnt, sondern Julian ungeduldig ausgefragt, was in England und Burgund vorging. Der Prinz hingegen hatte nach seinem Vater gefragt, wenn auch eher pflichtschuldig. Aber daraus konnte man Edouard keinen Vorwurf machen. Mit neun hatte er seinen Vater zuletzt gesehen. Heute war er ein stattlicher junger Mann von beinah sechzehn Jahren, ein großer Athlet, Jäger und Turnierkämpfer, von allen Damen des französischen Adels umschwärmt, und vermutlich war Henry dem Prinzen ebenso peinlich wie Julian. Umso anständiger von Edouard, sich nach seinem alten Herrn zu erkundigen.

»Harfleur ...« Henry befühlte versonnen eine kleine Warze an der Nasenwurzel. »Gehört uns das noch?«

Julian schüttelte den Kopf. »Nein, Sire. Nichts gehört uns mehr dort drüben außer Calais.«

»Ach, natürlich«, gab Henry zurück, anscheinend ungeduldig mit sich selbst ob seiner Vergesslichkeit. »Ich habe den großen Krieg verloren, nicht wahr? Herrje, Marguerite war so böse deswegen, wahrlich und wahrlich ...«

Julian unterdrückte mit Mühe ein Grinsen. Er konnte sich unschwer vorstellen, wie sie ihrem kriegsmüden Gemahl zugesetzt hatte. »Ich schätze, heute ist sie dankbar. Denn ihr Cousin Louis bietet ihr seit Jahren Obdach und Schutz, und das könnte er kaum, wenn wir den Krieg gewonnen und sein Vater

Frankreich endgültig verloren hätte. Denn dann wäre Edward of March jetzt König von Frankreich.«

Henry nickte. »Die Wege des Herrn sind unergründlich, Waringham, aber hier zeigt sich die Vollkommenheit seines Plans.«

»Amen.« Julian bemühte sich, nicht gar zu sarkastisch zu klingen. »Und in seiner grenzenlosen Weisheit hat Gott beschlossen, unseren einstigen Todfeind Frankreich nun vielleicht noch zu unserem Verbündeten gegen Burgund zu machen.«

»Gegen Burgund? Ich dachte, der junge Edward hat ein Bündnis mit Burgund geschlossen und dem Herzog seine Schwester zur Frau gegeben.«

Junge, Junge, dachte Julian verwundert, im Moment bist du wirklich gut beieinander, Henry ... »Das stimmt, Mylord. Aber es gibt eine Rebellion gegen Edward. Möglicherweise wird er nicht mehr lange König sein.«

Henry riss die Augen auf. »Wollen sie mir die Krone etwa zurückgeben?«

Julian sah, dass der Gedanke den König mit Grauen erfüllte. Früher hätte ihn das wütend gemacht. Inzwischen war er entweder langmütiger geworden, oder aber er hatte resigniert. Er konnte nie entscheiden, was von beidem der Fall war. »Nein, Sire. Edwards Bruder, der Duke of Clarence, soll die Krone bekommen. Da die yorkistische Königin ihrem Gemahl bislang nur Töchter geboren hat, ist Clarence sein Erbe, und Warwick hat außerdem das Gerücht in die Welt gesetzt, Edward of March sei ein Bastard und nicht Richard of Yorks Sohn, darum gehöre die Krone ohnehin Clarence.«

»Wie kann er es wagen!«, rief der König aufgebracht. »Warwick bezichtigt Cecily Neville des Ehebruchs? Eine der tugendhaftesten Damen Englands, die obendrein die Schwester seines Vaters ist?«

Julian nickte. »Das tut er, mein König. Warwick ist inzwischen jedes Mittel recht, um Edward zu entmachten.«

Der alte König sah ihn mit großen Augen an. Unruhig. Bekümmert. »Aber ... warum? Er hat sich schon einmal so schwer versündigt, indem er mich verriet. Warum will er seine Seele ein zweites Mal mit solch einem Frevel in Gefahr bringen?«

Tja, warum, dachte Julian. Weil Edward erwachsen geworden war und sich Warwicks Kontrolle entzogen hatte. Der ehrgeizige Warwick fürchtete den Verlust seiner Macht, die er früher als die graue Eminenz hinter dem Thron ausgeübt hatte. »Clarence ist ein schwacher Charakter und ein Trunkenbold, Sire. Er würde Warwick die Regentschaft und sich selbst den Weinfässern in Westminster überlassen. Warwick gedenkt, ihn mit seiner ältesten Tochter zu vermählen, auf dass seine Nachkommen die Krone tragen werden. Ich schätze, eigentlich hätte er sie am liebsten selbst, aber das wagt er nicht.«

»Wehe dir, Cousin Warwick«, murmelte Henry kopfschüttelnd. »Ich fürchte um dich.«

Ich auch, dachte Julian. »Außerdem hat Edward ein Bündnis mit Burgund geschlossen, obwohl Warwick doch immer für Frankreich plädiert hat. Der französische König hatte ihm gar versprochen, ihn zum Herzog von Holland und Seeland zu machen, wenn er hilft, das burgundische Reich zu zerschlagen. Noch eine fette Beute, die Warwick dank Edward durch die Lappen geht. Aber ich nehme an, das Schlimmste in Warwicks Augen sind die Woodvilles.«

»Die wer?«

»Die Woodvilles, Sire. Die Sippschaft der yorkistischen Königin Elizabeth.«

»Sie war ... Marguerites Hofdame, nicht wahr?«, fragte Henry und hustete trocken.

Julian nickte, schenkte dem König einen Becher des verdünnten Weines ein, den er bevorzugte, und stellte diesen vor ihn.

Henry trank. »Eine fromme, bescheidene, sittsame Frau.« Es war das höchste Lob in seinem Repertoire.

»Das war sie einmal, das ist wahr. Aber der Hochmut und die Zurückweisung der Lords haben sie ... ein wenig härter gemacht, als sie früher vielleicht war. Allerdings ist nicht sie das Problem, sondern ihre unüberschaubar große Familie. Die Kritiker nennen die Woodvilles habgierig und maßlos, und man kann sich des Eindrucks nicht ganz erwehren, dass sie Recht haben: Vier von Elizabeths Schwestern haben vier der begehrtesten jungen Magnaten Englands geheiratet. Ihr Vater ist Lord Treasurer und in den Adelsstand erhoben worden; er darf sich neuerdings ›Earl Rivers‹ nennen. Thomas Grey, ihr Sohn aus erster Ehe, heiratet die steinreiche Erbin des Duke of Exeter, die eigentlich schon Warwicks Neffen versprochen war. Elizabeths Cousin ist der neue Earl of Kent, ihr Bruder hat die Witwe des Duke of Norfolk geheiratet und …«

Henry hob flehentlich die Hände. »Das kann ich mir niemals alles merken«, protestierte er.

Auch hellere Köpfe in England drohten ob dieser Fülle an Vorteilsnahmen und lukrativen Heiratsgeschäften den Überblick zu verlieren. Nur Richard Neville, Earl of Warwick, vergaß kein einziges Detail. Julian mutmaßte, Warwick führte heimlich Buch darüber. »Warwick hat seit jeher jeden mit Missgunst betrachtet, der seine Macht schmälert und sich zwischen ihn und Edward drängt. Black Will Herbert zum Beispiel verabscheut er mit einer Leidenschaft, die mir nie so recht begreiflich war. Und nun eben die Woodvilles. Unser Cousin Warwick, Sire, ist ein Mann, der einen Groll lange hegen und nähren kann. Und nun glaubt er seine Stunde gekommen. Aber um ehrlich zu sein, mir ist es gleich, wenn die Yorkisten sich gegenseitig an die Kehle gehen.«

Henry betrachtete ihn kopfschüttelnd. »Ihr müsst Euer Herz vom Hass auf unsere Feinde befreien, mein junger Freund. Nichts Geringeres verlangt Gott von uns.«

Das hätten Megans Worte sein können, fuhr es Julian durch den Kopf. »Ihr habt gewiss Recht, Sire. Aber meine Großmut ist nun einmal nicht so königlich wie Eure.«

Er verabschiedete sich bald. Der König ermüdete heutzutage schnell und erhob keine Einwände, als Julian ging.

Mit schuldbewusster Erleichterung lief der Earl of Waringham die engen, schmalen Stufen hinab, dankbar, diese lästige Pflicht wieder einmal hinter sich gebracht zu haben.

Lucas hatte es sich derweil in der Wachkammer gemütlich gemacht: Er hatte den Soldaten einen Krug Wein abgekauft – kein Mann in der Livree des Earl of Waringham hätte hier auch nur einen Schluck Wasser umsonst bekommen – und leerte ihn nun mit dem diensthabenden Sergeant zusammen.

»Können wir?«, fragte Julian ein wenig grantig.

Lucas nickte, trank den letzten Schluck aus seinem Becher, bedankte sich bei dem Sergeant und stand auf. »Was immer du sagst, Onkel.«

Julian wandte sich grinsend ab und ging voraus in den Nieselregen. Im vergangenen Sommer hatte Lucas Julians Nichte Martha Neville geheiratet. Lucas' Onkel Philip, der mächtige Londoner Kaufherr und das allseits gefürchtete Oberhaupt der Durham, war wenige Monate vorher gestorben, sodass es Lucas möglich gewesen war, sich aus der Verbindung mit seiner greisen Verlobten zu mogeln und stattdessen der Stimme seines Herzens zu folgen. Streng genommen war es eine Heirat unter Marthas Stand, denn das Mädchen entsprang zwei der ältesten Adelsgeschlechter des Landes, während die Durham nur einfache Ritter und noch vor zweihundert Jahren unbedeutende Londoner Handwerker gewesen waren. Aber Julian war äußerst zufrieden, denn die Ehe festigte das Band zwischen ihm und seinem Freund, beraubte seine Schwester nicht der Gesellschaft ihrer Tochter, da Martha auch weiterhin in Waringham lebte, und außerdem gab es nicht mehr genügend lancastrianische Lords, um für jede junge Dame von Stand einen geeigneten Gemahl zu finden. Zu viele waren gefallen, hingerichtet oder ins Ausland geflohen.

Julian und Lucas machten sich quer durch die Stadt auf den Weg nach Farringdon. Als sie am Wool Quay vorbeikamen, hielt Julian kurz an und schaute zur *Edmund* hinüber. »Sag ehrlich, Lucas. Hast du je ein schöneres Schiff gesehen?«

»Natürlich nicht«, gab sein Freund zurück. »Sie ist die Königin der Meere.«

Julian warf ihm einen finsteren Blick zu. »Ja, spotte nur. Aber als sie uns sicher durch den Sturm gebracht hat, hast du selbst ihr Loblied gesungen.«

»Das ist wahr«, räumte Lucas ein. »Jesus, mir haben selten so die Knie geschlottert ...«

Sie hatten die erste Ladung der diesjährigen Schur nach Brügge gebracht – Julians eigene Wolle – und hatten sie dort an burgundische Kaufleute verkauft. Das war verboten, denn alle englische Exportwolle musste den Stapelplatz in Calais durchlaufen, aber Julian dachte nicht daran, Edward of March mit Zollzahlungen die Schatullen zu füllen. Ihm war es gleich, wenn sie ihn einen Schmuggler nannten – die Yorkisten hatten ihn schon schlimmer betitelt –, und ehe sie ihn bestrafen konnten, mussten sie ihn erst einmal erwischen. Die Gefahr war gering, denn das Meer war groß und der burgundische Markt für unverzollte, preiswerte Wolle noch größer.

Von Brügge waren sie weiter nach Harfleur gesegelt, um Marguerite einen Besuch abzustatten und eine Ladung französischen Weins an Bord zu nehmen. Auf dem Weg entlang der normannischen Küste waren sie in schweres Wetter geraten, und sie hatten befürchtet, an den zerklüfteten Klippen zu zerschellen. Doch die *Edmund* – eine dreimastige Karavelle modernster holländischer Bauart – hatte dem Wetter tapfer getrotzt. Julian war von Anfang an unbändig stolz auf sein Schiff gewesen, aber nun betrachtete er es fast mit so etwas wie Verehrung, und er wusste, er hatte die Matrosen an den Rand der Meuterei getrieben mit seiner ständigen Forderung, das Deck zu schrubben.

»Wenn wir dann mit der Anbetung des dreimastigen Schreins fertig sind, können wir vielleicht weiterreiten?«, erkundigte sich Lucas. »Es tröpfelt schon aus meiner Hutfeder.«

Julian lächelte verschämt und folgte ihm zur Bridge Street und weiter zur Candlewick Street, wo trotz des unwirtlichen Wetters das übliche Gedränge aus Fuhrwerken, Menschen, Kutschen, Reitern, Schweinen und Ziegen herrschte. Die meisten Londoner waren zu beschäftigt, um den beiden Reitern einen genaueren Blick zu schenken. Nur ein paar runzelten unwillig die Stirn, weil sie die rote Rose sahen, die Julian immer noch am Kragen seines Mantels trug, auch wenn es ebenso unklug wie kindisch war. Und einige der kecken jungen Stadtfrauen pfiffen Lucas Durham hinterher, der selbst in London Aufsehen erregen konnte in seinen Stulpenstiefeln, die bis an die Oberschenkel reichten, einem modischen Wams mit geschlitzten Pluderärmeln und einem Biberhut mit Pfauenfeder.

Als sie durch das Ludgate auf die Fleet Street kamen, fing es ernsthaft an zu regnen, aber es war nicht mehr weit. Bald erreichten sie Julians Stadthaus, wo der Bäckersohn ihnen wie eh und je die Pferde abnahm und Anabelle sie im Haus erwartete.

Sie knickste anmutig. »Willkommen, Mylord, Sir Lucas.« Anabelle war inzwischen mit dem Gesellen des Goldschmieds im Hof verheiratet, hatte ihm drei Töchter geschenkt und wurde allmählich rund, aber ihr Lächeln und ihr Augenaufschlag hatten nichts von ihrer Wirkung verloren.

Julian atmete tief durch. Wie schön es war, wieder in England und unter vertrauten Menschen zu sein. »Danke, Anabelle. Mach uns irgendetwas Schnelles, sei so gut. Wir sind ausgehungert.«

Sie nickte bereitwillig, fragte aber: »Habt ihr keinen Smutje auf Eurem feinen Schiff?«

»Doch«, erwiderte Lucas. »Aber was er kocht, würdest du nicht einmal deinen Schweinen vorsetzen.«

»Ich hab mit Euch gerechnet. Essen ist gleich fertig.«

»Woher wusstest du, dass wir zurück sind?«, fragte Julian neugierig.

Sie ruckte das Kinn zur Treppe. »Oben wartet ein Gentleman. Er hat mir gesagt, dass Ihr kommt.«

Julian und Lucas tauschten einen Blick. Anabelles Tonfall verriet, dass sie keine großen Stücke auf diesen Besucher hielt. »Weißt du, wer es ist?«, erkundigte sich Julian leise.

»Der Mann Eurer Schwester, Mylord.«

»Thomas Devereux?«, fragte Julian fassungslos und drückte ihr den feuchten Mantel in die Hände.

»Nein, nein«, entgegnete sie beschwichtigend. »Der andere.«

Er bedachte sie mit einem Kopfschütteln und wandte sich zur Treppe. Lucas folgte ihm.

Jasper Tudor stand mit dem Rücken zu ihnen am Fenster, die massigen Schultern sichtlich angespannt. Als er ihre Schritte hörte, wandte er sich um, sehr schnell. So wird man, wenn man jahrelang ein Gejagter ist, dachte Julian. »Jasper. Sei willkommen.«

»Julian, Lucas.« Er schüttelte beiden die Hand.

»Glaubst du wirklich, es ist klug, dass du hier bist?«

Jasper winkte ab. »Das sagst du jedes Mal, wenn ich dich aufsuche.«

»Na und? Wenn ich dich aufsuche, sagst du es auch.«

Das Beinah-Lächeln stahl sich in die Augen, und Jasper entgegnete: »Nun, ich bedaure, dass ich nicht in dein Graupenfass passe, aber ich musste es riskieren, herzukommen. Black Will Herbert hat Wales verlassen und zieht mit dem Earl of Devon nach Osten, um Edward Verstärkung zu bringen. Wie es aussieht, haben wir wieder einmal Krieg in England, Julian.«

»Aber dieses Mal ist es nicht der meine«, entgegnete Julian mit Nachdruck.

»Doch, das ist er. Dein Cousin Warwick hat sich in offener Rebellion gegen Edward erhoben; ich nehme an, das weißt du, oder?«

»Ich habe Augen und Ohren, Jasper.«

»Aber weißt du auch, dass er letzte Woche offiziell die Verlobung seiner Tochter Isabel mit dem Duke of Clarence bekannt gegeben hat?«

Lucas reichte dem Gast einen gut gefüllten Becher Ale. »Das heißt, Warwick ist aus der Deckung gekommen. Eher, als ich gedacht hätte.«

»Vor allem eher, als Edward gedacht hätte«, bemerkte Julian versonnen. »Warwick ergreift die Initiative, ehe Edward bereit ist. So wie er es einst mit uns getan hat.«

Jasper machte einen Schritt auf ihn zu. »Julian, du kannst nicht so tun, als ginge dich das nichts an. Ganz gleich, was

Warwick vorhat, für den Moment ist er unser Verbündeter. Edwards Feind ist unser Freund.«

Julian schnaubte. »Ich hätte dich nie für einen Einfaltspinsel gehalten.«

Jasper runzelte ärgerlich die Stirn, aber ehe er etwas erwidern konnte, fuhr Lucas ungeduldig dazwischen: »Könnt ihr euch vielleicht mal zusammennehmen und euch ausnahmsweise einmal nicht insgeheim gegenseitig vorwerfen, Lady Blanche ins Unglück gestürzt zu haben?«

Beide fuhren zu ihm herum und fragten mit exakt dem gleichen Maß an Empörung: »*Was?*«

Lucas sah von einem zum anderen und nickte. »Das tut ihr. Obwohl die fragliche Dame überhaupt nicht unglücklich ist. Ihr benehmt euch albern, und ihr geht mir auf die Nerven mit eurem ewigen unterschwelligen Groll. Das wollte ich euch schon lange mal sagen.« Damit setzte er sich in einen Sessel, legte die Füße in den sündhaft teuren Stiefeln auf die Kaminbank und wartete in aller Seelenruhe aufs Essen.

Jasper und Julian beäugten einander unsicher. Dann gab Letzterer sich einen Ruck und fragte: »Woher wusstest du, dass ich zurück bin?«

»Wenn die *Edmund* in London einläuft, pfeifen es die Spatzen von den Dächern«, antwortete Jasper. »Ein schönes Schiff, Julian.«

»Danke.«

»Hast du es nach meinem Bruder benannt?«

Julian nickte.

Jasper kratzte sich am Ohr und nickte ebenfalls. Beinah hätte man meinen können, er sei verlegen. »Gut von dir. Jedenfalls … Ich war seit gestern in der Stadt, in einem übel beleumundeten Gasthaus in Billingsgate, das einem von Lucas' zwielichtigen Freunden gehört, dem er mich vor Jahren einmal vorgestellt hat. Sehr nützlicher Kontakt, wenn man im Untergrund ist.«

Julian wandte sich an Lucas. »Was hat es eigentlich auf sich mit deiner Familie und diesem Gelichter?«, fragte er ungehalten.

Der Ritter stierte in sein Bier. »Ein andermal, Onkel ...«

Anabelle rettete ihn vor weiteren unangenehmen Fragen, denn sie wählte diesen Moment, um das Essen aufzutragen: eine wagenradgroße Schüssel, der ein verführerischer Duft nach geschmortem Lamm entstieg, und einen Laib deftiges Brot. »Hier, Gentlemen. Lammbohnen.«

Julian schnupperte. »Hm. Riecht wunderbar, Anabelle.«

Die drei Männer setzten sich zu Tisch, wuschen sich die Hände in der Schale, die die Magd brachte, und senkten die Köpfe zum Tischgebet.

Nachdem Anabelle aufgefüllt hatte und sie wieder allein waren, fragte Julian: »Wie geht es Blanche und den Kindern?«

Jasper kaute emsig und schluckte, ehe er antwortete. »Gut. Blanche wäre lieber in Pembroke, denn Raglan ist ihr zu nah an der Grenze, an Herefordshire und an Thomas Devereux, aber wie du vermutlich weißt, hat deine Schwester die Gabe, sich in das Unvermeidliche zu fügen.«

Black Will Herbert hatte Richmond vor ein paar Jahren zur weiteren Erziehung nach Raglan Castle geschickt, und natürlich waren Jasper und die Seinen dem Jungen gefolgt.

»Ich schätze, Blanche braucht sich keine Sorgen zu machen. Thomas Devereux ist jetzt viel in Westminster, hört man«, erwiderte Julian. »Er ist immer noch Sheriff von Herefordshire, aber er überlässt die Amtsgeschäfte meist seinem Bruder, um bei Hofe nach einem lukrativen Amt und einem Titel zu fischen.«

Jasper brummte. »Ehe ein Devereux in den Adelsstand erhoben wird, gibt es in der Hölle eine Schlittenpartie.«

»Sag das nicht«, entgegnete Julian, aß einen Löffel Eintopf und brach sich ein Stück Brot ab. »Er ist in den Dienst des jungen Richard of Gloucester getreten.«

»Gloucester? Er muss noch ein Bengel sein.«

Aber Julian schüttelte langsam den Kopf. »Er ist siebzehn und macht in Turnieren schon von sich reden. Der Duke of Clarence mag ein versoffener Schwächling und Verräter sein, aber Gloucester ist ein Bruder, auf den Edward sich verlassen kann.

Falls er seine Krone behalten sollte, wird der junge Gloucester an seinem Hof den Platz einnehmen, den bislang Warwick innehatte, darauf möchte ich wetten. Also setzt Devereux vielleicht auf genau den richtigen Gaul.«

»Du bist gut informiert über die Vorgänge am yorkistischen Hof«, bemerkte Jasper.

Julian schenkte ihm Ale nach und lächelte. »Das ist einer der Vorzüge daran, mit einer Yorkistin verheiratet zu sein.«

»Sie spioniert für dich?«, fragte Jasper ungläubig.

Julian wiegte den Kopf hin und her. »So weit würde ich nicht gehen. Sie korrespondiert mit alten Freunden. Manchmal lässt sie einen der Briefe, die sie erhält, so liegen, dass ich ihn finden muss. Was ich finde, lese ich. Das ist alles. Wir haben noch nie ein offenes Wort darüber gesprochen.«

Jasper betrachtete ihn neugierig, seine Augen funkelten. »Es muss faszinierend sein, eine Feindin zur Frau zu haben.«

Julian zog eine Braue in die Höhe. »Faszinierend? Ich wusste gar nicht, dass du eine Vorliebe für das Bizarre hast, Jasper. Man könnte dich fast für einen Lancaster halten.«

»Apropos.« Jasper wurde wieder geschäftsmäßig. »Hast du Marguerite und Edouard gesehen?«

Julian berichtete kurz von seinem Besuch. »Wie du dir denken kannst, war Marguerite entzückt über die Neuigkeiten von Warwicks Rebellion. Sie sagt, wenn es auf der Welt gerecht zuginge, müsse Warwick Erfolg haben und dann im Augenblick seines Triumphes vom Blitz erschlagen werden.«

»Charmant wie eh und je«, warf Lucas ein.

»Hör zu, Julian.« Jasper legte den Löffel beiseite. »Edward sitzt in Norwich, offenbar so schockiert über den Verrat seines Bruders und seines Cousins Warwick, dass er in eine Schreckensstarre gefallen ist. Black Will Herbert will ihm in Eilmärschen Verstärkung bringen, und das wird Warwick zu verhindern suchen. Zum ersten Mal seit der Machtergreifung Yorks bietet sich die Chance, an Herbert heranzukommen und ihn für den Tod meines Bruders und meines Vaters zahlen zu lassen. Was wirst du tun?«

Julian beugte sich leicht vor. »Ich werde keinen Finger rühren. Ich habe nicht die Absicht, Warwick dabei zu helfen, diese widerwärtige Kröte Clarence auf den Thron zu hieven. Edward ist ein Thronräuber und ein York, zugegeben, aber wenigstens ist er ein Ehrenmann. Er hat es nicht verdient, so verraten zu werden. Die ganze Angelegenheit macht mir Bauchschmerzen.«

»Aber was ist mit Herbert?«, drängte Jasper, und ein Feuer glomm in seinen schwarzen Augen, das Julian ganz und gar nicht geheuer war.

»Wenn du meinst, der Tag der Vergeltung sei gekommen, dann geh selbst, Jasper.«

»Du kannst dir nicht vorstellen, wie es mich dazu drängt. Aber Richmond war nie in größerer Gefahr als jetzt. Ehe die Lage sich zuspitzt, *muss* ich zurück in Raglan sein. Sollte Herbert in einer Konfrontation mit Warwick unterliegen, aber nicht fallen, ist er zu allem fähig.«

Das ist wahr, musste Julian einräumen. Er dachte einen Moment nach, dann traf er eine Entscheidung. »Also schön. Ich reite hin. Wie ich sagte, ich werde keinen Finger für Warwick rühren und ihm todsicher keine Bogenschützen aus Waringham bringen, aber wenn seine und Herberts Truppen aufeinandertreffen, werde ich dort sein, damit ich dir sofort Nachricht schicken kann. Vielleicht komme ich auch selbst, das werden wir sehen. Lucas?«

»Ich bin dabei, und Tristan wird auch mitkommen.«

Julian nickte dankbar. »Reite in die Ropery zu deinem Cousin und bitte ihn, einen seiner Gehilfen zur *Edmund* zu schicken und das Löschen der Ladung zu überwachen. Sobald du zurück bist, brechen wir nach Waringham auf.«

Lucas schaufelte sich den letzten Löffel Lammbohnen in den Mund und stand auf. Im Vorbeigehen legte er Jasper die Hand auf die Schulter. »Gruß an die schöne Lady Blanche und eure muntere Schar kleiner Bastarde.«

Mit einem Knurren fegte Jasper die Hand weg.

Lachend ging Lucas hinaus.

Jasper stand ebenfalls auf. »Es ist ein Jammer, dass Warwick sich nicht entschließen konnte, dem Haus York gänzlich den Rücken zu kehren. Wenn er einen schwachen König auf dem Thron will, um in dessen Namen über England zu herrschen, wäre mein armer Bruder Henry die beste Wahl.«

»Das denkt der König von Frankreich anscheinend auch. Jedenfalls glaubt Marguerite das. Aber dein armer Bruder Henry hat einen Erben, der ein wahrer Lancaster ist und sich von niemandem gängeln ließe, und das weiß auch Warwick. Abgesehen davon würde Marguerite sich niemals mit Warwick verbünden. Zu viel ist passiert, zu viel unschuldiges Blut geflossen.«

»Es gibt nichts, was Marguerite nicht täte, um die Macht zurückzuerlangen«, widersprach Jasper.

Julian zuckte mit den Schultern. »Nun, es scheint müßig, darüber zu spekulieren, nicht wahr? Warwick ist Yorkist, beinah alle Nevilles sind Yorkisten – all seine Verbündeten stehen auf der Seite unserer Feinde. Die Vorstellung, er könnte zu uns überlaufen, ist einfach absurd.«

»Alles, was in den vergangenen fünfzehn Jahren passiert ist, war absurd«, entgegnete Jasper. »Leb wohl, Julian. Geh auf die Burg, wenn du nach Raglan kommst. Wenn Herbert nicht dort ist, solltest du sie gefahrlos betreten können. Mein Bruder Rhys wird wissen, wo ich bin.«

»Dein Bruder Rhys und ich sprechen leider nicht miteinander, aber er kann es mir ja ausrichten lassen.«

»Was hat es eigentlich auf sich mit eurem Groll?«

»Frag ihn.«

Jasper nickte. »Das hab ich.«

Julian breitete die Hände aus. »Wenn er nicht damit rausrückt, hast du schlechte Chancen, es zu erfahren. Mich bindet ein Eid.«

»Hat Edmund dir diesen Eid abgenommen?«

»Du lässt so leicht nicht locker, was?«

Jaspers Mundwinkel verzogen sich für einen Moment nach oben. »Und verschwende nur meine Zeit, wie ich merke.« Er wandte sich zur Tür.

Julian geleitete ihn bis in den Hof hinaus. »Grüß meine Schwester und meine Neffen und Nichten. Wie viele sind es inzwischen?«

»Von jedem zwei. Bei euch?«

»Drei Söhne, zwei Töchter«, antwortete Julian mit unverhohlenem Stolz.

Jasper nahm dem Bäckersohn sein Pferd ab und schwang sich in den Sattel. »Gib gut auf sie Acht.«

Und damit preschte er aus dem Tor und auf die regennasse Straße hinaus, ein Reiter in einem dunklen Mantel ohne Wappen, die Kapuze tief ins Gesicht gezogen, wie tausend andere auf den Straßen der großen Stadt.

Es wurde spät, als Julian und Lucas in Waringham eintrafen, aber da es Juli war, herrschte noch Abendlicht, und schon auf der Zugbrücke hörten die beiden Heimkehrer den Klang von Hämmern und Sägen und das undefinierbare Gepolter, das es auf jeder Baustelle gab.

»Du meine Güte«, murmelte Julian vor sich hin. »Janet lässt die armen Handwerker schuften, bis sie umfallen.«

»Vermutlich, weil sie weiß, dass du es kaum erwarten kannst, endlich euer neues Heim zu beziehen«, mutmaßte Lucas.

Julian brummte.

Der Haushalt war einfach zu groß geworden, um alle, die ihm angehörten, noch angemessen im Bergfried unterzubringen. Waringham war einer der letzten Orte in England, wo Lancastrianer Zuflucht finden konnten, und Julian hatte niemanden abgewiesen, der an sein Tor klopfte. Dank seiner Landreform, vor allem aber mit dem Wollhandel und der Pferdezucht hatte er im Laufe der vergangenen Jahre viel Geld verdient, sodass er sich einen großen Haushalt leisten konnte. Doch seine Familie wie auch die Familien seiner Ritter – alter wie neuer – waren stetig gewachsen, und schließlich hatte er einsehen müssen, dass neue Unterkünfte her mussten, und Janets Drängen nachgegeben. Sie war selig gewesen. Aber bilde dir ja nicht ein, dass die Ritter in die neuen Gemächer ziehen und wir in diesem

grässlichen Kasten wohnen bleiben, hatte sie ihm gesagt. Und
so rückte der Tag ihres Umzugs unaufhaltsam näher.

Der Neubau war ein langgezogenes Gebäude, das sich in der
Osthälfte des Burghofs parallel zur Nordmauer erstreckte. Der
Sandplatz und ein paar windschiefe Wirtschaftsgebäude hatten
weichen müssen. Das Erdgeschoss war gemauert, das vorspring-
gende Obergeschoss bestand aus Fachwerk, und beide hatten
großzügige Fenster. Fast jeder Raum werde beheizbar sein, hatte
Janet ihm vorgeschwärmt, und die Wohngemächer der Waringham sollten großzügig, behaglich und modern zugleich werden.
Schluss mit kaltem Gemäuer, zugigen Korridoren und Ratten
im Bodenstroh. In Zukunft würden sie in trockenen Räumen
mit verputzten Wänden und gefliesten Böden leben. Viel gesünder, vor allem für die Kinder. Julian wusste, sie hatte Recht. Und
er hatte nicht vergessen, wie der alte Bergfried ihn bedrückt
hatte, als er nach dem Tod seines Vaters als Earl of Waringham
heimgekehrt war. Doch der Gedanke, nicht mehr in dem Wohngemach über der Halle zu leben, das diesen herrlichen Blick auf
den Rosengarten bot und Schauplatz so vieler Schicksalsstun-
den seines Geschlechts gewesen war, bekümmerte ihn.

Noch war es allerdings nicht so weit, und wie eh und je stiegen Julian und Lucas die ausgetretenen Steinstufen des Bergfrieds hinauf und betraten das Wohngemach.

»Julian!« Janet erhob sich vom Fenstersitz und trat ihm entgegen. »Willkommen zu Hause.«

Er nahm ihre Hände und küsste sie sittsam auf die Stirn.
Ihre Wikingeraugen strahlten vor Freude, und ihm wurde wohlig zumute. »Danke.«

»Wie war die Fahrt?«

»Stürmisch und einträglich, und ich bringe Neuigkeiten.
Was machen die Kinder?«

»Sie schlafen längst. Edmund, John und Alice waren erkäl-
tet, und Edmund hatte so hohes Fieber, dass ich zwei Nächte in
Sorge war. Aber jetzt ist alles überstanden.«

Julian war erleichtert, dass diese beiden bangen Nächte während seiner Abwesenheit stattgefunden hatten. Lucas und Kate

hatten ihm beide schon gelegentlich vorgehalten, er sei maßlos in der Liebe zu seinen Kindern und fordere damit das Schicksal heraus. Er nahm an, sie hatten Recht, nur wusste er nicht, wie er es anstellen sollte, sie weniger zu lieben. Und jedes Mal, wenn eines von ihnen krank war – was bei fünfen eigentlich immer der Fall war –, litt er Qualen.

Er begrüßte seine Schwester, seine Nichten, seinen Kaplan, seinen Steward und dessen Gemahlin und zum Schluss seinen Neffen.

Roland saß in einem der Sessel am Tisch und hatte das geschiente Bein auf einen zweiten gelegt, doch jetzt griff er nach den Krücken, die Jack Carpenter aus dem Dorf ihm angefertigt hatte, und machte Anstalten, sich zu erheben. »Mylord.«

Julian legte ihm die Hand auf die Schulter. »Bleib sitzen, um Himmels willen. Ich weiß auch so, dass du das Prinzip mittlerweile begriffen hast.«

Sie tauschten ein Grinsen. Obwohl Roland inzwischen zweiundzwanzig war, war er immer noch Knappe und immer noch in Waringham. Er hatte kein Interesse am Ritterschlag des Thronräubers, und er hatte auch keine Eile, seine Güter in Besitz zu nehmen. Roland lebte für das Gestüt und bemühte sich seit einem Jahr vergeblich um die Einwilligung seines Onkels, die Tochter des Sattlers zu heiraten.

Julian setzte sich zu ihm. »Noch Schmerzen?«

Der junge Mann machte eine vage Handbewegung. »Wenn ich zu viel herumlaufe. Aber es macht sich. Der Knochen heilt schneller als mein verletzter Stolz, Sir. Wie kann man nur vom Heuboden fallen? Habt Ihr je etwas Dämlicheres gehört?«

»Sei dankbar, dass es nicht der Hals war, den du dir gebrochen hast.«

»Oh ja. Das bin ich.«

Es war auch so schlimm genug. Der Unfall hatte sich abends ereignet, als es im Gestüt schon still geworden war, und erst gegen Mitternacht hatte Melvin Roland gefunden, weil er ihn vorher an so ziemlich jedem anderen Ort in Waringham gesucht hatte. Bis der Arzt aus Canterbury herbeigeschafft war,

war es schon fast Morgen gewesen, und der gelehrte Doktor hatte sie gewarnt, dass das Bein steif werden könnte, weil es so lange gedauert hatte, bis er es richten konnte.

Roland schien nicht sonderlich beunruhigt, sondern wartete einfach ab.

Julian und Lucas berichteten die unerhörten Neuigkeiten von Warwicks Rebellion, aber die Nachricht hatte Waringham schon vor ihnen erreicht.

»In Canterbury erzählt man, dass Warwick und Clarence eine Art … Beschwerdeschrift gegen den König proklamiert haben und an Kirchentüren nageln«, hatte Janet gehört.

»Das stimmt«, sagte Lucas.

»Sie haben einfach die genommen, die Warwick und York vor fünfzehn Jahren gegen König Henry und seine Ratgeber veröffentlicht haben, und nur die Namen ausgetauscht«, mutmaßte Julian.

Janet warf ihm einen Blick zu, und ihre Augen waren voller Unruhe. »Und was wird nun?«

Julian wusste, sie bangte um die Zukunft ihrer Brüder und vermutlich auch um die ihres Königs, selbst wenn sie sich das vielleicht nicht eingestand. »Das müssen wir abwarten. Jetzt kann alles Mögliche passieren, und zwar sehr schnell.«

In der Abgeschiedenheit hinter den Bettvorhängen gestand er seiner Frau seine Sorge, dass Warwick seinem eigenen Ehrgeiz die Stabilität Englands opferte. Julian war nicht einverstanden mit einem York auf Englands Thron, aber selbst er musste gestehen, dass Edward England gut tat, weil er Recht und Ordnung wiederhergestellt hatte. Was Clarence und Warwick daraus machen würden, wollte er sich lieber gar nicht vorstellen.

Janet setzte sich auf und öffnete den Bettvorhang. Die Wolkendecke war aufgerissen, ein strahlender Vollmond schien durchs Fenster und tauchte den Raum in silbriges Licht. »Denkst du wirklich, sie könnten Erfolg haben?«, fragte sie. »Edward ist ein wehrhafter König. Er hat sich die Krone mit dem Schwert erkämpft und wird sie auch mit dem Schwert verteidigen.«

»Er hat ungefähr tausend Mann um sich geschart, aber allein die Zahl der lancastrianischen Rebellen unter Robin of Redesdale, die ihm entgegenziehen, ist größer.« Julian raufte sich die Haare. »Jasper hat Recht: Diese ganze Geschichte ist absurd und wird immer absurder. Wie kann es sein, dass ich mich plötzlich in der Lage finde, Edward of March und Black Will Herbert Erfolg zu wünschen?«

Janet zog die Knie an und schlang die Arme darum. Nachdenklich schaute sie auf das perfekte Rund des Mondes hinaus, der wie ein blank polierter Penny am Himmel prangte, und sein Licht beschien ihr Profil. Der lange, geflochtene Zopf, der ihr über die Schulter hing und sich an ihren Hals schmiegte, schillerte wie Libellenflügel. »Wenn du dich offen zu Edward bekennen würdest, könnte das so manchen Lord in England dazu bewegen, das Gleiche zu tun.«

Julian streckte die Hand aus und strich über den Zopf. Glatt und seidig. Und üppig, wie alles an ihr. »Du weißt, dass ich das nicht tun kann.«

Sie nickte, und als er den Träger ihres Hemdes über die Schulter streifte, sah sie ihn an und lächelte. »Du hast mir gefehlt.«

»Gut.« Er schob das Hemd weiter abwärts, entblößte ihre Brüste und nahm eine der Spitzen zwischen die Lippen.

Sie vergrub die Finger in seinen blonden Locken, ließ sich auf ihn gleiten, und er legte die Hände um ihre Hüften und dirigierte sie ungeduldig auf sich hinab. Sie liebten sich gierig, aber jetzt war es Vertrautheit, die sie hemmungslos machte, nicht mehr Zorn. Julian konnte sich an seiner Frau ergötzen, ohne sie jede Nacht aufs Neue erobern zu müssen. Mit vierundzwanzig und nach sechs Schwangerschaften war es kein straffer Mädchenkörper mehr, der sich an seinen presste, aber das war ihm nur recht. Je weicher und rundlicher sie wurde, umso verrückter war er nach ihr. Und wenn er sich im Krieg oder auf Reisen eine Hure nahm – was, wie er Vater Thomas bei der Beichte regelmäßig gestehen musste, häufiger vorkam –, endete er immer bei einer, die so gebaut war wie sie, sodass er sie im Dunkeln beinah für seine Frau hätte halten können. Nur duftete keine so wie sie. Janet salbte sich mit etwas, über dessen Zusammensetzung sie ihm nichts verriet, das ihre Haut weich und geschmeidig hielt und ihn regelmäßig um den Verstand zu bringen drohte, wenn ihr Körper sich erwärmte und es sein volles Aroma entfaltete.

Auch dieses Mal ließ er sich davon betören, strich mit der Nase über ihren Hals, ihren Arm und alles, was er erreichen konnte, und schnupperte gierig. Als sie zu stöhnen begann, zog er sie fester an sich, betrachtete das Gesicht mit den durchschimmernden, geschlossenen Lidern und den ausgeprägten Wangenknochen, und Zärtlichkeit überkam ihn. Die Heftigkeit dieses Gefühls hätte ihm Angst machen müssen, aber in diesem Augenblick war er vollkommen furchtlos.

»Oh, Mylord«, lachte Janet leise in sein Ohr, als sie schließlich still lagen, immer noch aneinandergepresst und außer Atem. »Wenn das mal nicht wieder einen kleinen Waringham gibt.«

»Hm«, brummte er. Es war ein Laut, der Schläfrigkeit und Zufriedenheit zu gleichen Teilen ausdrückte. »Ich bin zuversichtlich, dass du unser neues Zuhause großzügig geplant hast. Ich hätte jedenfalls nichts gegen ein Dutzend Kinder.«

»Ich weiß«, gab sie zurück. »Du musst sie ja auch nicht tragen und gebären.«

»Nein«, räumte er ein. »Nur machen und großfüttern und zu anständigen Lancastrianern erziehen.«

Sie bohrte ihm einen Ellbogen in die Seite. »Darüber ist das letzte Wort noch nicht gefallen.«

Mit einem Grinsen löste er sich von ihr, streckte sich auf dem Rücken aus und zog sie an sich, bis ihr Kopf auf seiner Schulter lag. »Meinetwegen«, murmelte er und schlang beide Arme um sie. »Ab dem dreizehnten darfst du die politische Erziehung übernehmen … autsch!«

Janet ließ das gemaßregelte Ohr los, legte die Hand auf seine Brust und sagte nachdenklich: »Vielleicht gibt es keine Yorkisten und Lancastrianer mehr, wenn unsere Kinder alt genug sind, um sich entscheiden zu müssen.«

Julian war skeptisch. »Und vielleicht regnet es eines Tages auch Wein und Honig vom Himmel.«

»Was immer du tust und was immer passiert, Julian, hüte dich vor Warwick. Denn jetzt hält ihn nichts mehr.«

»Ja, ich weiß. Aber sei unbesorgt. Ich habe reichlich Übung darin, mich vor meinem Cousin Warwick zu hüten.« Allerdings nicht immer Erfolg, fügte er in Gedanken hinzu.

Früh am nächsten Morgen brach er mit Lucas Durham und Tristan Fitzalan auf, nahm sich nur eine halbe Stunde Zeit, um seine Kinder zu sehen. Sie saßen mit der Amme in ihrer Kammer beim Frühstück – eine lautstarke, äußerst lebhafte Angelegenheit. Der fünfjährige Robin und seine ein Jahr jüngere Schwester Alice sprangen unerlaubterweise vom Tisch auf, begrüßten ihn stürmisch und hingen wie kleine Kletten an seinen Beinen. Edmund, der stille Mittlere, schenkte ihm ein schüchternes Lächeln. John und Juliana, die beiden Kleinsten, schrien aus voller Kehle und beachteten ihn überhaupt nicht.

Trotz des Radaus setzte er sich mit an den viel zu niedrigen Tisch, nahm Alice auf den Schoß, lauschte ihrem Geplapper, ließ sich Robins Sammlung bunt bemalter Holzritter zeigen – die Julian ausnahmslos selbst angefertigt hatte – und gestattete seiner Brut wenigstens für diese kleine Weile, ihn vollständig zu vereinnahmen. Alle außer Edmund waren laut und anstrengend, und Julian beneidete die Amme nicht, die die kleine Juliana und ihr eigenes Kind stillte und die anderen Tag und Nacht hüten musste, aber trotzdem bedauerte er es, als Lucas kam und über das Getöse hinweg brüllte: »Es wird Zeit, Mylord.«

Die drei größeren Kinder wurden still und betrachteten ihn mit großen Augen. Natürlich wussten sie, wer Lucas war, aber ein Mann in Rüstung machte allen kleinen Kindern Angst. Und das zu Recht, dachte Julian flüchtig. Ein Mann in Rüstung war immer eine potenzielle Gefahr, brachte Tod und Leid. Es war nur folgerichtig, dass er bedrohlich aussah. Aber hier im Kreise seiner Kinder verspürte Julian so einen Widerwillen, sich selbst wieder in eines dieser gesichtslosen stählernen Ungeheuer zu verwandeln, dass er sich wie gelähmt fühlte.

»Kommst du?«, drängte Lucas. »Roland wird schon ganz unruhig. Er muss ins Gestüt, sagt er.«

Julian gab sich einen Ruck. »Ich würde mir nie erlauben, meinen Knappen warten zu lassen.« Er stellte Alice auf die Füße und stand auf.

Ungeduldig, aber mit Erfahrung und Geschick hatte Roland ihm in die Rüstung geholfen. Janet begleitete ihren Gemahl in den Burghof hinaus. In der Ferne über der See türmten sich noch ein paar bedrohliche Wolken, aber der Sommer war nach Kent zurückgekehrt, und die Sonne ließ das feine safrangelbe Kleid und die passende Haube erstrahlen.

Julian nahm ihre Hand, küsste Janet auf die Wange und sog verstohlen noch einmal diesen wunderbaren Duft ein. Janet trug eine schwere, aufwändige Halskette aus Gold und Perlen und den passenden Ring am Zeigefinger der Linken. Eine elegante Frau, dachte Julian stolz. »Leb wohl. Wenn ich kann, lass ich euch wissen, was vorgeht.«

»Gott schütze dich«, erwiderte sie lächelnd, befreite ihre Hand und trat einen Schritt zurück.

Julian wusste, ihr war es lieber, wenn sie den Abschied kurz machten. Er nickte, streifte den Stulpenhandschuh über und ging zu seinem Pferd, einem sechsjährigen Grauschimmel namens Ascanius. Dädalus hatte ausgedient und bekam auf dem Gestüt sein Gnadenbrot.

Julian saß auf, ritt zum Tor, und Lucas und Tristan folgten ihm mit ihren Knappen.

»Du brauchst dringend einen neuen Jungen, Julian«, bemerkte Tristan kritisch, als sie den Burghügel hinabtrabten. »Wie sieht das denn aus, wenn du ohne einen Knappen ins Feld ziehst?«

»Wir ziehen nicht ins Feld«, stellte Julian klar.

»Das werden wir ja sehen. So oder so brauchst du jemanden, der sich um dich und deine Rüstung kümmert. Schlimm genug, dass du so oft ohne Herold und Dienerschaft unterwegs bist. Das gehört sich einfach nicht für einen Earl.«

»Du hast ja Recht«, räumte Julian unwillig ein. Und es gab genügend Knaben auf seiner Burg, die sich darum gerissen hätten. Aber seit Julian Alexander Neville bei Towton verloren hatte, fand er immer neue Ausreden, um keinen Knappen mitnehmen zu müssen, wenn er Waringham wieder einmal mit unbekanntem Ziel und Ausgang verließ. Während der langen Monate, da er mit dem kläglichen Rest des lancastrianischen Widerstandes im Norden gekämpft hatte, hatte er entweder einen der einfachen Soldaten als Burschen eingestellt oder wie ein Bettelritter sein eigenes Schwert geschärft und poliert. Inzwischen brachte er sogar das Kunststück fertig, die Schnallen der Rüstung in seinem Rücken selbst zu schließen und zu öffnen.

»Wohin genau reiten wir eigentlich, Julian?«, wollte Lucas wissen.

»Nach Norden«, bekam er zur Antwort. »Wir machen uns auf die Suche nach Warwick.«

»Du solltest wissen, wo es liegt. Hast du nicht deine halbe Jugend dort verbracht?«

Julian verdrehte ungeduldig die Augen. »Ich sprach von dem Mann, Holzkopf, nicht von der Stadt. Wir reiten zu meinem geliebten Cousin Richard Neville. Was immer jetzt geschieht, wird sich dort entscheiden, wo er ist.«

Northampton, Juli 1469

Es war gar nicht so einfach, den Earl of Warwick ausfindig zu machen, denn er war ständig in Bewegung, was seinen Feinden den entmutigenden Eindruck vermittelte, er sei überall gleichzeitig.

Am 11. Juli inszenierte er in Calais die Vermählung seiner Tochter Isabel mit König Edwards trinkfreudigem Bruder Clarence. Warwicks eigener Bruder, George Neville, inzwischen

Erzbischof von York, traute das Paar und verlieh der Verbindung dank seines hohen Kirchenamtes Legitimation. George Neville war es auch gewesen, der schon Monate zuvor in Rom einen päpstlichen Dispens für diese Ehe beantragt hatte, der notwendig war, weil die Mutter des Bräutigams und der Großvater der Braut Bruder und Schwester gewesen waren.

Die englischen Truppen in Calais standen unverändert unter Warwicks Befehl und waren ihm nach wie vor ergeben. Er brachte sie nach England, marschierte nach London und überredete den völlig verdatterten Stadtrat, den Unterhalt seiner Armee zu finanzieren. Dann zog er weiter nach Norden, um sich mit den lancastrianischen Rebellen unter Robin of Redesdale zu vereinigen.

Derweil kamen Black Will Herbert und der Earl of Devon in Eilmärschen von Westen, um ihm in den Rücken zu fallen. Doch es war eine Zweckgemeinschaft, nicht Sympathie, welche die beiden Earls verband, und unweit von Banbury zerstritten sie sich über die Frage, wo sie für die Nacht Quartier nehmen sollten. Julian, der ihnen heimlich folgte, hatte einen jungen Bannerträger aus Black Will Herberts Gefolge gekauft und traute seinen Ohren kaum, als dieser Spitzel ihm berichtete, die Lords hätten sich im Streit getrennt, Devon sei mit den Bogenschützen weiter Richtung Norden gezogen, Herbert mit seiner Kavallerie nach Edgcote. Das blieb auch dem Earl of Warwick nicht verborgen. Er schickte seine Vorhut aus, die Herberts Truppe in einem fast gelangweilten Scharmützel aufrieb, den mächtigen walisischen Earl gefangen nahm und dem Earl of Warwick brachte, der im zwanzig Meilen entfernten Northampton wartete.

Ein ziemliches Durcheinander und Gedränge herrschte im Innenhof der Burg von Northampton. Sie war ein alter, von einer Mauer umfriedeter Kasten ähnlich wie Waringham und auch nicht größer. Der yorkistische Kastellan war nicht auf dem allerneuesten Stand der Dinge gewesen und hatte sich deswegen nichts dabei gedacht, den Earl of Warwick einzulassen.

Natürlich hatte nur ein Bruchteil seiner Rebellenarmee im Bergfried Platz finden können. Der Rest kampierte im Hof und auf den Wiesen außerhalb der Mauern, und als die siegreiche Vorhut mit dem gefangenen Earl of Pembroke am Vormittag in die Burg einritt, strömten Soldaten ebenso wie die Bürger der Stadt dort zusammen.

Julian, Tristan und Lucas drängten sich weit genug nach vorn, um sehen zu können, was geschah, aber auch wieder nicht so weit, dass sie Gefahr liefen, Warwick ins Auge zu fallen.

Richard Neville, der Earl of Warwick, stand in einem prachtvollen, tiefblauen Gewand auf den Eingangsstufen des alten Burgturms. Der sachte Sommerwind fuhr ihm durch die braunen Haare, doch er selbst stand völlig reglos und blickte seinem Gefangenen entgegen. Julian sah ein Leuchten in den scharfen blauen Augen.

»Er sollte sich das Surkot mit Hermelin besetzen lassen«, murmelte Tristan Fitzalan. »Damit die Welt sieht, worauf er in Wahrheit aus ist.«

Julian nickte versonnen. Warwicks Kleidung, vor allem jedoch die stolze Haltung, mit der er seinen geschlagenen Feind empfing, hatte auf unbestimmte Weise etwas Königliches. »Vielleicht ist es wirklich bitter, wenn man für eine Rolle geboren ist, die man nicht haben kann«, murmelte er.

Tristan brummte abfällig. »Was muss er tun, damit er endlich deine Sympathie verliert?«

»Ich sag dir Bescheid, wenn ich es herausfinde.«

»Schsch«, machte Lucas. »Ich will hören, was sie sagen.«

Black Will Herbert trug eine kostbare schwarze Rüstung, aber keinen Helm und natürlich auch keine Waffen mehr. Seine Hände waren auf dem Rücken gefesselt, und der Befehlshaber der kleinen Vorhut, Sir Robert Welles, packte ihn unsanft am Arm und führte ihn zu Warwick.

Der schenkte seinem Widersacher ein hasserfülltes Lächeln. »Heute ist das erste Mal, dass es mir eine Freude ist, Euch zu sehen, Herbert.«

Der Gefangene spuckte auf den Boden. »Ihr seid ein Verräter, Warwick, und Ihr werdet für Euren Verrat bezahlen.«

»Tja, wer weiß«, gab Julians Cousin zurück. »Aber eins ist gewiss: Wenn der Tag kommt, werdet Ihr nicht mehr da sein, um ihn zu erleben.« Er nickte seinem Ritter zu, der Herbert immer noch am Ellbogen gepackt hielt. »Schlagt ihm den Kopf ab.«

Einen Moment war es so still im Burghof, dass man die leichte Brise im Staub rascheln hörte. Dann setzte ein verhaltenes Raunen ein. Julian hörte Verwunderung, Hochachtung und Vorfreude in diesem Getuschel, aber wie erwartet keinerlei Protest.

Herbert war sichtlich blasser geworden; seine Gesichtsfarbe wirkte wächsern im Kontrast zu dem schwarzen Bart. »Das werdet nicht einmal Ihr wagen«, sagte er.

Warwick schmunzelte. »Nein? Und warum sollte ich nicht? Es gibt niemanden in England, der mich hindern könnte, wisst Ihr. Ihr habt Euch redlich bemüht, meinen Einfluss zu schmälern. Ihr ebenso wie die verfluchte Sippschaft der Königin. Aber Euch ist ja gewiss nicht neu, wie rasch Fortunas Rad sich gerade im Krieg dreht, wo man nicht nur alles gewinnen, sondern ebenso alles verlieren kann. Wie Ihr, zum Beispiel.« Er schaute zu seinem Ritter. »Holt den Henker, Sir Robert, ich habe nicht den ganzen Tag Zeit.«

Robert Welles winkte zwei Soldaten heran, die den Gefangenen jeder bei einem Arm nahmen und wenige Schritte nach rechts führten. Als die Menge zurückwich, entdeckte Julian einen Hackklotz, der dorthin geschafft worden war. »Warwick hat wie immer an alles gedacht«, murmelte er.

Vor dem Hackklotz zwangen die Soldaten den Gefangenen auf die Knie, während Sir Robert einen vierschrötigen Mann mit massigen Schultern und grauen Bartstoppeln zum Richtblock führte. Der Henker von Northampton hatte ein gutmütiges Großvatergesicht, das so gar nicht zu dem schaurigen, großen Beil in seinen Händen passen wollte. Bis er die lederne Maske aufsetzte.

Black Will Herbert kniete vor dem Block und verfolgte jede Bewegung mit gehetzten Blicken. Sein Atem ging stoßweise, aber das war das Einzige, was sein Entsetzen verriet. Als einer der Soldaten hinzutrat, um ihm mit einem schwarzen Tuch die Augen zu verbinden, bog er den Kopf weg, sah zu Warwick hinüber und verlangte: »Lasst mich beichten.«

Warwick zögerte. Dann wandte er den Blick ab und verschränkte die Arme. Er sagte nichts, schüttelte nicht einmal den Kopf, aber seine Männer verstanden sein Nein sehr wohl.

»Julian, tu etwas«, stieß Tristan hervor. »Er hat kein Recht, ihn hinzurichten, also verhindere wenigstens, dass er ihn in die Hölle schickt.«

Julian rührte sich nicht. Mit einem Mal schien die Zeit zurückgedreht, und er war wieder in Carmarthen, sah Edmund Tudor im flackernden Schein einer Fackel die Hand in den Nacken legen, sah das Grauen in den schwarzen Augen. *Sie macht einen sprachlos, die Pest, nicht wahr …*

»Julian!«, drängte Tristan.

»Schleich dich zu den Gäulen«, bekam er zur Antwort. »Reite nach Raglan und richte Jasper Tudor aus, Black Will Herbert sei genau da, wo er hingehört.«

»Aber …«

Julian wandte den Kopf und sah seinen Ritter an. »Tu es, oder scheide aus meinen Diensten.«

»Lasst mich beichten, Warwick«, wiederholte Herbert. »Das Recht sollte kein Christenmensch einem anderen absprechen.« Er bettelte nicht, aber er war auch nicht weit davon entfernt.

Julian spürte seine Hände feucht werden. Es war eine abscheuliche Szene.

Warwick gab mit einer unwilligen Geste nach. »Also meinetwegen. Sir Robert, seid so gut und schafft einen Priester herbei.« An Herbert gewandt, fuhr er fort: »Ich gebe Euch eine Viertelstunde. Beschränkt Euch also auf das Wesentliche.«

Herbert antwortete nicht. Er hatte den Kopf gesenkt, die Augen geschlossen und betete tonlos. Weder besonders inbrünstig noch verzweifelt. Er wirkte in sich gekehrt.

In Windeseile kam der Ritter mit einem von Warwicks Feldgeistlichen zurück, der die Schaulustigen mit einer unwirschen Geste aufforderte, ein paar Schritte zurückzutreten. Als sie nicht sofort gehorchten, legte er Hand an und stieß die vorderen kräftig vor die Brust. Endlich bewegten sie sich, und als der Abstand groß genug war, um Diskretion zu gewährleisten, setzte der Priester sich auf den Hackklotz, legte Herbert die Hand auf den gesenkten Kopf und sprach leise.

Der Henker trat derweil an den Brunnen, setzte den Stiel des Beils auf die gemauerte Einfassung, holte einen Wetzstein aus dem Beutel und fing an, in aller Seelenruhe seine Klinge zu schärfen. Julian nahm an, er war nicht der Einzige, dem das regelmäßige, schleifende Geräusch eine Gänsehaut verursachte.

Er wandte sich an Tristan Fitzalan. »Zufrieden?«

Der Ritter nickte. »Morgen hättest du's bereut«, mutmaßte er.

»Kann schon sein«, gab Julian unwirsch zurück.

»Also dann.« Tristan seufzte verstohlen. »Ich mach mich auf den Weg.«

Julian hielt ihn am Ärmel zurück. »Ich fange an, mich zu fragen, ob Warwick hier nur eine makabre Komödie zum Besten gibt. Warte lieber, bis der Kopf im Gras liegt. Nicht, dass Jasper sich zu früh freut.«

Doch Warwick hatte offenbar die Absicht, diesen schockierenden Rechtsbruch, den die Hinrichtung eines Kronvasallen ohne Urteilsspruch darstellte, zu Ende zu führen. Aus persönlicher Rache, wusste Julian, aber ebenso aus politischem Kalkül. Es war eine Demonstration von Macht, die so schnell niemand vergessen würde.

Die Beichte dauerte nicht lang. Schließlich schlug der Priester das Kreuzzeichen über Herbert und hielt ihm ein Kruzifix hin. Demütig beugte der Todgeweihte den Kopf und küsste das Kreuz. Dann stand der Geistliche auf, trat beiseite, und der Mann mit dem schwarzen Tuch kam zurück und verband Herbert die Augen.

Das Schleifgeräusch verstummte.

Ohne Eile trat der Henker an den Block und stellte sich breitbeinig neben Herbert. Die Wachen schnitten dem Knienden das dichte schwarze Haar mit ihren scharfen Dolchen ab, um den Nacken zu entblößen. Dann drückten sie Herberts Kopf auf den Block hinunter.

Der Henker maß die Entfernung mit geübtem Blick, machte einen halben Schritt nach hinten, hob das Beil mit beiden Händen über den Kopf und sah zu Warwick. Der nickte knapp. Lautlos fuhr das Henkersbeil nieder und trennte William Herbert den Kopf mit einem einzigen, sauberen Hieb vom Rumpf. Der Schwung war beachtlich: Das Haupt mit dem schwarzen Bart schien erst ein Stückchen zu fliegen, ehe es im Gras landete und Robert Welles fast bis vor die Füße rollte. Aus dem Rumpf schoss eine Blutfontäne und traf diejenigen von Warwicks Bogenschützen, die das grausige Schauspiel von vorn und ganz aus der Nähe hatten sehen wollen. Fluchend sprangen sie zurück und brachen dann in dröhnendes Gelächter aus, um sich und der Welt zu beweisen, dass so ein kleines Blutbad sie nicht erschüttern konnte.

»Na bitte.« Julian atmete tief durch. »Ein Hurensohn weniger auf der Welt. Ich denke, jetzt kannst du dich auf den Weg machen, Tristan. Die Nachricht von William Herberts Hinscheiden dürfen wir wohl als gesichert betrachten.«

Lucas gluckste.

Tristan Fitzalan verneigte sich mit säuerlicher Miene vor seinem Dienstherrn und wandte sich grußlos ab.

Lucas schaute ihm einen Moment hinterher. Dann bemerkte er: »Tristan ist wirklich ein anständiger Kerl, weißt du, aber manchmal wünschte ich, er hätte ein Fünkchen mehr Humor.«

»Meine Schwester – oder sollte ich sagen, deine Schwiegermutter? – ist der Auffassung, er habe einen festigenden Einfluss auf uns.«

»Tja.« Lucas hob kurz die Schultern. »Ich schätze, das kann nicht schaden. Weißt du, manchmal ...« Er brach ab, weil Robert Welles plötzlich vor ihnen stand.

Der Ritter verneigte sich formvollendet vor Julian. »Seid so gut und folgt mir, Mylord.«

Julian nickte bereitwillig. Er war nicht überrascht. Er trug seinen Wappenrock über der Rüstung, und ihm war klar gewesen, dass es nicht ewig dauern würde, bis irgendwer Warwick von seiner Anwesenheit hier berichtete.

Sie überquerten den Burghof, wo Warwicks Männer im Begriff waren, William Herberts Leib in einen schlichten Sarg zu legen und Feuer unter einem großen Kessel zu machen. Julian schnitt verstohlen eine kleine Grimasse des Widerwillens. Abgeschlagene Köpfe wurden überbrüht oder angekocht, um sie haltbar zu machen, ehe man sie auf eine Stange steckte und an einer Burg- oder Stadtmauer zur Schau stellte. Er verstand durchaus den Sinn dieses Brauchs, denn die aufgespießten Köpfe mit den schaurigen Fratzen waren wahrhaftig eine Abschreckung für alle, die sich mit finsteren Gedanken trugen. Trotzdem fand er es ziemlich eklig, wenn ein Kopf im sprudelnden Wasser schaukelte wie eine Ente auf einem Weiher, und er hatte sich schon so manches Mal gefragt, was als Nächstes in den fraglichen Kesseln gegart worden war.

Der Earl of Warwick saß nur mit seinem Bruder zusammen an einem Tisch auf der Estrade, ansonsten war die Halle menschenleer. Heller Sonnenschein fiel durch die offenen Fenster auf nackte Wände und altes Stroh, und ein feiner Nebel aus Staubkörnchen flirrte in der Luft.

Zähneknirschend sank Julian vor George Neville – dem Mann, der ihn quasi in Abwesenheit mit Janet Hastings vermählt hatte – auf ein Knie nieder und küsste den erzbischöflichen Ring. »Exzellenz.«

»Willkommen, mein Sohn.«

Julian stand auf und fand sich Auge in Auge mit Warwick, der ihm für einen Lidschlag die Hände auf die Schultern legte und lächelnd sagte: »Ich freue mich, dass du gekommen bist, Cousin.«

»Freu dich nicht zu früh«, gab Julian brüsk zurück. »Ich bin nicht hier, um dir mein Schwert anzubieten.«

Falls Warwick enttäuscht war, ging er mit einem Augenzwinkern darüber hinweg. »Sondern um Black Will Herbert aus dieser Welt scheiden zu sehen?«

»Dafür scheint mir kein Weg zu weit.« Mit einem vielsagenden Blick auf den Erzbischof fügte er hinzu: »Jetzt verstehe ich, wieso du nicht gewagt hast, ihn ohne Absolution ins Jenseits zu entlassen.«

Warwick zog eine flegelhafte Grimasse. »Du hast völlig Recht. Ich war nicht versessen auf den erzbischöflichen Tadel, den das nach sich gezogen hätte. Nimm Platz, Julian.«

»Danke, ich ziehe es vor zu stehen. Sag, was du zu sagen hast.«

Warwick schnalzte nachsichtig. »Warum so feindselig?«

»Ich bin nicht feindselig, sondern vorsichtig. Du wirst zugeben müssen, dass du mir gelegentlich Anlass gegeben hast, an der Selbstlosigkeit und Aufrichtigkeit deiner Freundschaft zu zweifeln.«

Warwicks Miene wurde finster. »Das sagst ausgerechnet du, du ...«

»Fahr ihn nicht an, denn er hat Recht, Richard«, fiel der Erzbischof ihm barsch ins Wort.

»Bildet Euch ja nicht ein, ich würde Euch auch nur um eine Haaresbreite weiter trauen als ihm, Exzellenz«, eröffnete Julian ihm in liebenswürdigem Tonfall.

»Nein, das will ich glauben«, antwortete der Erzbischof. »Auch ich habe Euch gelegentlich Anlass gegeben, an der Aufrichtigkeit meiner Freundschaft zu zweifeln, nicht wahr? Ich hörte allerdings, dass Eure yorkistische Gemahlin mit der gleichen Regelmäßigkeit wie Eure berühmten Zuchtstuten einen kleinen Waringham nach dem anderen zur Welt bringt. So zuwider kann sie Euch also kaum sein. Vielleicht habe ich Euch gänzlich unerwartet einen Dienst erwiesen, aber Ihr seid unfähig, das einzugestehen?«

Julian fühlte seine Wangen heiß werden und sah aus dem Augenwinkel, wie Lucas sich mit verschränkten Armen an die

Wand lehnte und breit vor sich hingrinste. »Ich glaube kaum, dass meine Privatangelegenheiten und die Zahl meiner Sprösslinge hier von Belang sind«, gab Julian verdrossen zurück.

»Privatangelegenheiten gibt es für unseresgleichen schon lange nicht mehr«, entgegnete Warwick.

»Ich bin nicht deinesgleichen, Richard. Ich weiß sehr wohl, dass es nicht immer einfach ist, zu seinem König zu stehen, aber *ich* bleibe bei der Wahl, die ich einmal getroffen habe.«

»Bis zum bitteren Ende, ich weiß«, konterte Warwick. »Ganz gleich, ob sie sich als richtig oder falsch erweist. Weil du ein Dickschädel bist wie alle Waringham, aus keinem anderen Grund.«

Julian machte einen Schritt auf ihn zu. »Meine Gründe mögen dir fragwürdig erscheinen, aber kannst du mir einen einzigen tragbaren Grund dafür nennen, wieso du George of Clarence auf den Thron setzen willst?«

»Wer behauptet denn so etwas?« Warwick tat, als falle er aus allen Wolken.

Julian stieß hörbar die Luft aus. »Mir steht nicht der Sinn danach, mich von dir für dumm verkaufen zu lassen. Wenn ich mich jetzt verabschieden möchte, wirst du mich einsperren, nehm ich an?«

Warwick ging auf die Frage nicht ein. »Niemand hat die Absicht, Edward abzusetzen, Julian«, sagte er beschwichtigend. »Aber er muss zur Vernunft gebracht werden. Er hat viel für England erreicht, aber er ist im Begriff, alles wieder zu zerstören. Weil er sich von der Verwandtschaft seiner Frau und von Männern wie William Herbert gängeln lässt. Das konnte ich nicht länger tatenlos mit ansehen.«

»Wenn du ihn nicht absetzen willst, wieso bringst du dann dieses Schauermärchen in Umlauf, er sei ein Bastard?«

»Das habe ich ihn auch gefragt«, warf der Erzbischof ein. »Es ist wenig originell.«

»Um ihm einen Schreck einzujagen«, gestand Warwick freimütig. »Er drohte zu vergessen, dass er nicht unantastbar ist.«

»Du willst, dass er von deiner Gnade abhängig ist? Das ist ein bisschen gefährlich, denkst du nicht?«

»Darum habe ich meine Tochter mit seinem Bruder verheiratet. Nicht einmal im Zorn wird Edward sich gegen den Schwiegervater seines Thronerben stellen. Des Königs Loyalität der Familie gegenüber ist legendär.«

Und dafür opferst du eine Tochter und zwingst sie zu einer Ehe mit einem trunksüchtigen Taugenichts, dachte Julian beklommen. Ich hoffe, die kleine Anne hat eines Tages mehr Glück als ihre bedauernswerte Schwester. »Das heißt, du willst ihn entmachten, um ihm die Macht anschließend zu deinen Bedingungen zurückzugeben?«

Es war einen Augenblick still. Dann sagte der Erzbischof: »Es klingt ziemlich hässlich, so wie Ihr es ausdrückt, aber darauf läuft es hinaus, ja. Zu Englands Wohl und zu Edwards, der sich von der Königin und den falschen Versprechungen aus Burgund hat blenden lassen.«

»Er kann sich wirklich glücklich preisen, dass er so selbstlose Freunde hat wie Euch«, entgegnete Julian. »Und welche Rolle soll ich in diesem Heldenstück spielen?«

Die Neville-Brüder tauschten einen Blick. Dann antwortete Warwick: »Wir hören, dass Edwards kleine Truppe sich zerstreut. Die Männer haben den Glauben an ihren König verloren. In Scharen fliehen sie von den Fahnen. Edward hat seinen Bruder Gloucester, die Woodvilles und sogar Lord Hastings fortgeschickt, auf dass sie sich in Sicherheit bringen. Nun sitzt er allein und verlassen in Norwich.« Er nickte zu seinem Bruder hinüber. »Dort wird seine Exzellenz ihn in den nächsten Tagen aufsuchen und ihn bitten, ihn nach Coventry zu begleiten, wo wir die Lage mit ihm erörtern wollen. Dann möchte ich, dass der König sicher nach Warwick Castle gebracht wird, und mit diesem nicht ganz unbeträchtlichen Druckmittel in der Hand werde ich die Sippschaft der Königin aufscheuchen und ... unschädlich machen. Und ich wäre ausgesprochen dankbar, wenn du derjenige wärst, der den König nach Warwick bringt und ihm dort ein bisschen Gesellschaft leistet, bis die Lage sich beruhigt hat.«

Julian traute seinen Ohren kaum. »*Ich?* Du bist ja nicht bei Trost, Richard.«

»Es würde viele Dinge vereinfachen«, warf der Erzbischof ein.

»Und wieso?«

»Weil Edward dich schätzt und dir traut«, antwortete Warwick.

»Na und? Er traut jedem, der ihm ein Lächeln schenkt. Wie ein Welpe. Es muss Männer geben, die das besser können als ich.«

»Aber keinen, dem nicht nur Edward traut, sondern ich ebenso. Tu es, Julian. Wenn nicht für mich, dann für England. Es wäre der beste Weg, um unnötigen Groll zwischen dem König und mir zu vermeiden, denn er würde es nicht als Kränkung oder Gesichtsverlust empfinden …«

»Wenn ein Lancastrianer sein Kerkermeister ist?«, beendete Julian den Satz für ihn.

Warwick deutete ein Nicken an. »Ein Lancastrianer, den er persönlich schätzt.«

Julian winkte ab. »Das kannst du dir aus dem Kopf schlagen. Ich mache mich nicht zum Komplizen deiner Rebellion, auch nicht gegen einen König, der kein Recht auf die Krone hat. Sie ist ehrlos und abstoßend und …«

Warwick schoss aus seinem Sessel hoch. »Herrgott noch mal, jetzt ist es genug! Du kannst dir nicht vorstellen, wie satt ich es habe, mir dein selbstgerechtes Gefasel von Ehre und Königstreue anzuhören. Du stehst da mit tragischer Miene und unterstellst anderen unlautere Absichten, aber du hast *niemals* auch nur für einen Tag Verantwortung für dieses Land und sein Wohl übernommen. Du …«

»Richard, mäßige dich«, befahl sein Bruder.

Obwohl der Erzbischof der Jüngere war, hielt der Earl of Warwick tatsächlich einen Moment inne und besann sich. Dann hob er den Becher an die Lippen und trank. Er sah Julian in die Augen, als er wieder sprach. »Ich bitte dich, Julian, tu es. Tu ein einziges Mal etwas für mich. Wenn aus keinem anderen

Grund, dann aus Freundschaft. Denn ich bin dir oft ein Freund gewesen, das wirst du kaum leugnen wollen.«

Nein, dachte Julian unbehaglich. Es ist zwar nicht besonders nobel, dass du mich daran erinnerst, aber leugnen kann ich es nicht. Unwillkürlich erinnerte er sich an den Tag, da er Warwicks Gemahlin seine knabenhafte Schwärmerei offenbart und sein Cousin und Dienstherr sich in der Tat als wahrer Freund erwiesen hatte.

Zu spät, um es zu verhindern, merkte er, dass seine Finger sich nervös ineinander verknoteten. Er wollte ein Stück Holz und ein Schnitzmesser. Er wollte allein sein und in Ruhe nachdenken. Aber der mächtige Earl und der Erzbischof sahen ihn unverwandt an, und Julian wusste, er konnte die Entscheidung nicht aufschieben.

»Also gut«, sagte er. »Wenn Euer König sich entschließt, sich freiwillig nach Warwick zu begeben, werde ich dafür sorgen, dass er unterwegs nicht verloren geht, und ihm dort ein Weilchen Gesellschaft leisten. Aber ich werde nicht Hand an ihn legen und ihn nicht fesseln. Wenn diese Sache mich den Kopf kosten sollte, wäre ich froh, wenn ich vorher nicht als Hochverräter ausgeweidet würde.«

»Und kastriert«, meldete Lucas Durham sich von der Wand.

Julian nickte ihm mit einem matten Lächeln zu. »Danke, dass du mich daran erinnert hast, alter Freund.«

»Stets zu Diensten, Mylord.«

Warwick, August 1469

»Schachmatt«, sagte der König, streckte zufrieden die langen Beine aus und grinste.

Anne Neville stieß wütend die Luft aus, sodass ihre zarten Nasenflügel, die wie Elfenbein schimmerten, bebten. »Ich bin nicht sicher, dass es besonders ritterlich ist, eine Dame so vernichtend zu schlagen, Sire«, sagte sie spitz, hin- und hergerissen zwischen Koketterie und kindlicher Enttäuschung über ihre Niederlage.

»Wahrscheinlich nicht«, räumte Edward ein und schnipste ihren schwarzen König um.

Sie schlug empört mit den Fäusten auf die Stuhllehnen. »Ihr legt es wohl darauf an, mich in Tränen ausbrechen zu sehen?«

Edward sprang aus seinem Sessel und warf sich ihr zu Füßen. »Das würde ich mir niemals verzeihen, geliebte Cousine und Schwägerin. Ich hoffe, Ihr könnt einem unverbesserlichen Flegel noch ein aller-, allerletztes Mal vergeben.«

Sie kicherte. »Steht auf, um Himmels willen. Wenn Vater Eusebius das sieht ...«

Edward erhob sich lachend und fegte Grashalme von seinen Knien. Es war ein herrlicher Spätsommertag, und die Diener hatten einen Tisch und Sessel ins Freie getragen. Anne und ihre Freundin Claire Dispenser, die ein Mündel ihres Vaters war, saßen mit König Edward und Julian im Schatten eines Baldachins auf dem gepflegten Rasen des weitläufigen Hofs. Schläfrige Nachmittagsstille lag über der Burg, und die gewaltigen Mauern und Türme wirkten so hell im Sonnenlicht, dass man nur blinzelnd hinschauen konnte.

»Wollt Ihr es noch einmal gegen mich versuchen, Lady Claire?«, fragte Edward lauernd.

Sie hielt den Blick gesenkt. »Was immer Ihr wünscht, Euer Gnaden.« Im Gegensatz zu Anne hatte sie eine solche Ehrfurcht vor dem König, dass sie regelrecht erstarrt wirkte.

»Also nicht«, schloss er. »Wie steht es mit Euch, Waringham?«

Julian sah von seinem jüngsten Schnitzwerk auf und schüttelte den Kopf. »Alle Waringham sind hoffnungslose Schachspieler, Mylord. Möglicherweise mit Ausnahme meiner Schwester Blanche. Ich glaube, sie ist recht gut. Aber ich würde Euch nur langweilen, denn ich schätze, Ihr seid jemand, dem leichte Siege verhasst sind.«

»Nur beim Spiel«, schränkte Edward ein. »Im Feld habe ich ganz und gar nichts gegen leichte Siege.« Sein Mund lächelte immer noch, aber seine Augen verrieten für einen kurzen Moment Traurigkeit, Enttäuschung und Zorn.

Auch Anne schien seinen Stimmungsumschwung zu spüren, und sie senkte unglücklich den Blick. Ihr war vollkommen unbegreiflich, wieso ihr Vater sich gegen den König aufgelehnt hatte. Sie schämte sich für seinen Treuebruch und war gleichzeitig verwirrt, wem sie denn nun Loyalität schuldete, ihrem Vater oder ihrem König?

»Spielt etwas für uns, Anne«, bat Edward. »Aber etwas Fröhliches, wenn ich bitten darf.«

Bereitwillig griff Anne nach der kleinen Harfe, nahm sie auf den Schoß und spielte ein bekanntes, beschwingtes Hirtenlied. Edward summte mit, was der Schönheit des Vortrags eher abträglich war, sodass Anne schließlich die Hände auf die Saiten legte und lachend vorschlug: »Ihr solltet den Löwen in Eurem Wappen durch einen Bären ersetzen, Sire.«

»War's so schlimm?«, fragte Edward zerknirscht.

Die Damen schwiegen höflich, aber Julian schlug vor: »Ihr könntet die Streckbank und die Daumenschrauben abschaffen und Euren Gefangenen in Zukunft etwas vorsingen. Ich wette, sie würden auf der Stelle alles gestehen.«

Es gab wieder Gelächter, doch der König bemerkte: »Mir scheint, es wird Zeit, dass ich Euch auf dem Sandplatz wieder einmal zurechtstutze, Waringham.«

»Nicht bei der Hitze«, wehrte Julian träge ab. »Morgen früh gern. Im Übrigen steht es nach meiner Rechnung nur sieben zu sechs für Euch. Die Frage, wer wen entwaffnet und zurechtstutzt, wäre also völlig offen.«

Die Glocke der Burgkapelle begann zu läuten.

»Schon Vesper?«, fragte Anne ungläubig, stand auf und strich sich den Rock glatt. Sie hatte schmale Hände, die sich so graziös bewegten wie Schmetterlinge.

»Geht nur schon voraus«, bat Edward die Damen. »Wir kommen gleich nach.«

»Wenn das mal nicht wieder eine Lüge ist«, raunte Anne ihrer schüchternen Freundin zu. »Ist dir nicht auch aufgefallen, dass er ständig die Vesper versäumt? Vermutlich kann man sich das erlauben, wenn man sich im Stande der göttlichen Gnade befindet, aber bedenklich ist es schon ...« Mit einem treuherzigen Lächeln knickste sie vor Edward, hängte sich bei Claire ein, und sie schlenderten davon.

»Bei St. Georg ...« Edward atmete so tief aus, dass er sich beinah wie ein schnaubendes Pferd anhörte. »Sie ist ja so *hinreißend*.«

»Das ist sie«, stimmte Julian vorbehaltlos zu.

Die »kleine« Anne Neville, die Julian einst mit einem geschnitzten Kätzchen entzückt hatte, war inzwischen dreizehn Jahre alt, und hätten die Kandidaten, die um ihre Hand angehalten hatten, sich in einer Reihe aufgestellt, hätte diese vermutlich von London bis Coventry gereicht. Aber der Earl of Warwick hatte alle abgewiesen. Vielleicht, weil keiner ihm gut genug war. Vielleicht auch, weil er den Gedanken einfach nicht ertrug, dieses zauberhafte Geschöpf in fremde Hände zu geben. Anne hatte vollendete Manieren, war gescheit und belesen und hatte für eine so junge Dame schon viel von der Welt gesehen: Sowohl bei der Inthronisierung ihres Onkels als Erzbischof von York als auch beim Hochzeitsbankett der Schwester des Königs mit dem Herzog von Burgund war sie dabei gewesen, und sie verfügte über ein ungezwungenes Selbstbewusstsein. Doch gleichzeitig war sie noch ein Kind: verspielt, naiv, vollkommen unverdorben.

Wenn Edward sich nicht zusammennahm, waren es hungrige, höchst entlarvende Blicke, mit denen er sie verfolgte. Aber Julian konnte ihm kaum einen Vorwurf daraus machen, denn auch er schloss die Augen und dachte an Anne, wenn er die Tochter der Müllerin, die ebenso lasterhaft wie ihre Mutter war, in der Burgmühle besuchte.

»Man muss sich wirklich fragen, wie ausgerechnet Richard Neville und Anne Beauchamp ein so unschuldiges und gutartiges Geschöpf zustande bringen konnten«, sagte der König.

Julian sah auf. »Ja, darüber habe ich auch schon oft gerätselt.«

Edward nickte. »Mir ist aufgefallen, dass Ihr und die Countess of Warwick keine große Herzensliebe füreinander hegt.«

»Richtig. Je weniger ich von Anne Beauchamp sehe, desto glücklicher bin ich.« Und er war mehr als nur erleichtert gewesen, als sie vor einer Woche nach Middleham abgereist war, der bevorzugten Burg ihres Gemahls – vermutlich, um ihn dort zu treffen.

»Ja, sie ist eine Natter«, stimmte Edward zu. »Jedenfalls sagt das die Königin. Und unser Cousin Warwick ist ebenfalls eine Natter, wie wir beide schon gelegentlich herausfinden durften. Aber Anne nicht.«

»Nein.«

»Vermutlich ist das allein dem Einfluss Eurer Gemahlin zu verdanken.«

Julian senkte den Blick auf den halb fertigen Holzritter und schnitzte ihm einen Helm mit geöffnetem Visier.

Der König seufzte. »Entschuldigt, Waringham. Ich habe vergessen, dass Ihr mit mir nicht gern über Eure Gemahlin redet.«

»Nicht gern« war nicht ganz zutreffend. Julian verweigerte sich diesem Thema einfach und wurde stumm wie eine Auster, wenn Edward taktlos genug war, es zur Sprache zu bringen.

Aber heute ließ der König aus irgendeinem Grunde nicht locker. »Wart Ihr ... sehr wütend auf mich?«, fragte er. Unmöglich zu entscheiden, ob er zerknirscht oder nur neugierig war.

Julian schwieg und versuchte mit mäßigem Erfolg, die Helmrundung zu glätten. Es war lange still. Nur die Tauben im Dachstuhl des nahen Caesar's Towers und die Grillen im hohen Gras am Fuß der Burgmauer waren zu hören. Ohne aufzuschauen, antwortete Julian schließlich. »Ihr könnt Euch nicht vorstellen, wie. Einmal war ich so kopflos vor Zorn, dass ich mit den Fäusten auf Euch losgehen wollte. Ich bin nicht ganz sicher, aber möglicherweise wollte ich Euch töten. Ausgerechnet mein Schwager Hastings hat mich davor bewahrt.«

Er hätte niemals gedacht, dass er in der Lage wäre, das zu sagen. Aber sie waren seit über zwei Wochen zusammen in

Warwick und hatten nichts anderes zu tun, als sich die Zeit zu vertreiben und vorzugeben, dies sei keine Gefangenschaft. Sie waren ihrem Alltag – dem wirklich Leben dort draußen jenseits der hohen Burgmauer – in eigentümlicher Weise entrückt, und diese Distanz machte manche Dinge einfacher.

»Ich bedaure, dass ich Euch hintergangen und gekränkt habe«, sagte Edward ernst.

Julian sah auf. »Das könnt Ihr Euch sparen«, erwiderte er kühl. »Es nützt nichts, und ich will es nicht hören.«

Edward nickte und zupfte sich versonnen am Ohrläppchen. »Das Kind ist gestorben?«, fragte er dann.

Julian biss die Zähne zusammen und senkte den Blick wieder auf sein Werk. »Ja. Aber ich habe es nicht getötet.«

»Hat Euch schon einmal jemand gesagt, was für ein erbärmlicher Lügner Ihr seid?«

Julian schüttelte den Kopf. »Wenn es darauf ankommt, bin ich ein fabelhafter Lügner. Aber ich habe dieses Kind nicht getötet.«

»Ich bezweifle indessen, dass es gestorben ist.«

»Kommt nach Waringham, dann zeige ich Euch sein Grab.«

»Falls Warwick mich je wieder laufen lässt, vielleicht.« Er stützte die Ellbogen auf den Tisch und lehnte sich vor. »Dieses Kind könnte der einzige Sohn sein, den ich je haben werde.«

Julian stand abrupt auf. »Ich geh zur Vesper.«

Edward erhob sich ebenfalls und verstellte ihm den Weg. »Ich kann verstehen, dass es viele Dinge gibt, die Ihr mir und den Meinen nicht vergeben könnt«, sagte er leise. »Aber ich zahle für meine Sünden, Waringham, denkt Ihr nicht? Der Mann, den ich für meinen treuesten Freund hielt, hat mich verraten und mein eigener *Bruder* obendrein. Meine wundervolle Elizabeth schenkt mir nichts als Töchter. Wenn ich meine Macht je wiedererlangen will, brauche ich einen Sohn.«

Julian fand es fast unmöglich, dem Flehen dieser braunen Augen standzuhalten, darum wich er aus. »Woher wollt Ihr wissen, dass es ein Junge war?«

»Hastings hat es mir erzählt. Also. Sagt mir die Wahrheit.«

Julian setzte sich auf die Tischkante, nahm den gefallenen schwarzen König und rollte ihn zwischen den Händen. Den Blick auf die Ebenholzfigur gerichtet, sagte er: »In einer kalten Frühlingsnacht vor sechs Jahren fand der Bruder Pförtner eines Klosters irgendwo in Südengland vor seiner Tür einen Säugling, der in feines Tuch gewickelt war und eine großzügige Spende mitbrachte. Inzwischen ist aus dem Säugling der Liebling aller Brüder geworden, und er lernt mit Eifer und wachem Verstand seine Buchstaben. Niemand wird je wissen, wer dieser kleine Novize ist. Und niemand wird je beweisen können, wessen Sohn er ist.«

»Wo?«, fragte Edward. Es klang heiser. Er packte Julians Arm, und der Griff fühlte sich an wie ein Schraubstock. »Wo ist er, Waringham?«

Julian sah auf die Pranke, die ihn gepackt hielt.

Edward ließ ihn los. »Sagt es mir!«

Julian zog eine Braue in die Höhe. »Andernfalls?«

»Oh … keine Ahnung.« Der König raufte sich die Haare. »Ich fange an zu singen!«, drohte er dann.

Julian lachte in sich hinein, aber er schüttelte den Kopf. »Ich werde es Euch nicht verraten, Mylord. Ihr seid ein besserer Mann als Euer Vater, aber in Eurer Gier nach Macht seid Ihr nicht weniger skrupellos. Ihr würdet Janets Leben zerstören, meins, nicht zuletzt das des Kindes, Eure Königin, die ich zufällig schätze, unter irgendeinem Vorwand abservieren, entehren und auf irgendeiner Burg in der Provinz lebendig begraben – und das alles völlig umsonst, denn es würde ja doch niemand glauben, dass der Knabe Euer Sohn ist. Nein«, schloss er. »Ohne mich.«

Edward warf sich in einen der gepolsterten Sessel und fuhr sich noch einmal mit der Hand durch die dunklen Haare. »Jesus … Ihr habt Recht. Vermutlich wäre ich in der Lage, all das zu tun.« Die Erkenntnis schien ihn zu erschüttern.

Julian sagte nichts.

Edward lehnte sich zurück, sah blinzelnd zu ihm auf und fragte: »Wie war Euer Vater, Waringham?«

Julian grinste geisterhaft. »Der unerschütterlichste aller Lancastrianer.«

Edward winkte ab. »Ja, ja, und mit seinem letzten Atemzug hat er meinen Vater verflucht, das weiß ich alles. Aber ich meine, wie *war* er? Woran erinnert Ihr Euch, wenn Ihr an Eure Jugend denkt?«

»Wozu wollt Ihr das wissen?«, fragte Julian argwöhnisch.

»Nur so, ich bin neugierig.«

Julian überlegte. Ihm war immer unbehaglich beim Gedanken an seine Kindheit, und er hielt sich nie lange in Erinnerungen auf. »Er war … Vermutlich war er der anständigste Mensch, dem ich je begegnet bin«, antwortete er zögernd. »Und er war gnadenlos in seiner Anständigkeit. Er war nicht viel daheim, als meine Schwester und ich in Waringham aufwuchsen, aber sein Wort war immer da, und es war Gesetz. In meiner Vorstellung hatte er mehr Autorität als Gott. Und wenn er daheim war, dann *war* er wie Gott. Unnahbar und streng. Ich habe meinen Vater gefürchtet, als ich ein Junge war.«

»Ich auch«, gestand Edward.

»Irgendwie hat er es immer verstanden, mir das Gefühl zu vermitteln, dass ich sein Beispiel niemals erreichen kann, und als ich anfing, zu durchschauen, dass er das absichtlich tat, hab ich ihn gehasst.«

»Ich auch.«

Julian lächelte verlegen. »Mit dreizehn kam ich hierher. Und nachdem ich dem Earl of Warwick begegnet war, habe ich mir sehnlich gewünscht, *er* wäre mein Vater.«

Edward sah ihm in die Augen. »Ich auch.«

»Tja.« Julian brach den Blickkontakt und setzte sich ebenfalls wieder in einen der Sessel. »Inzwischen sind wir schon wieder klüger geworden, haben auch ihn durchschaut und erkannt, dass wir mit der Wahl, die das Schicksal für uns getroffen hat, wohl doch besser bedient waren.«

»Ihr vielleicht, Julian«, entgegnete Edward. »Ich nicht.«

»Dann wird es Zeit, dass Ihr aufwacht. Warwick hat Euch verraten, weil Ihr es zugelassen habt. Die Augen vor seiner

Schwäche, seinem Ehrgeiz verschlossen und zu großes Vertrauen in ihn gesetzt habt. So wie Ihr es jetzt mit mir tut, *Edward*.«

Der König zuckte ob der vertraulichen Anrede leicht zusammen, fragte aber: »Ihr gebt mir einen guten Rat und warnt mich im selben Atemzug vor Euch?«

Julian antwortete nicht. Was hier geschah, war genau das, was er um jeden Preis hatte vermeiden wollen, und dieses vertraute Gespräch wurde ihm viel zu heikel. Rastlos stand er auf. »Ich hab's mir überlegt. Lasst uns auf den Sandplatz gehen und uns ein bisschen schlagen, wie wär's.«

Dafür war Edward immer zu haben. Bereitwillig erhob er sich, fragte aber: »Bekomme ich eine Antwort?«

Julian ging neben ihm her und sah ihn nicht an. »Ich bin Lancastrianer, Mylord.«

»Das habe ich nicht vergessen.«

»Gut.«

»Aber wieso sollte ich …« Edward brach ab und blieb stehen. »Warwicks Mann fürs Grobe«, murmelte er dann. »Das kann nichts Gutes zu bedeuten haben.«

Julian schaute auf. Robert Welles kam mit langen, entschlossenen Schritten vom Torhaus auf sie zu. An seiner Seite war ein weiterer Ritter, den Julian erst auf den zweiten Blick erkannte. »Ralph Hastings?«, fragte er verwundert. »Was in aller Welt hat er bei Warwicks Männern verloren?«

»Er ist das Zuckerbrot«, raunte Edward ihm zu. »Welles die Peitsche. Unser Cousin Warwick ist noch nicht fertig mit mir, wie es aussieht.«

Die beiden Ritter hatten sie erreicht und knieten vor Edward nieder. »Mein König.«

»Welles.« Edward nickte ihm frostig zu. Julians Schwager hingegen hob er auf und schloss ihn kurz in die Arme. »Ralph. Gut, Euch zu sehen.«

Der treue Ritter nickte unglücklich und sah seinem geliebten König kurz in die Augen, ehe sein Blick die Flucht ergriff.

Einladend wies Edward auf den Tisch im Schatten. »Lasst uns einen Schluck trinken, Gentlemen. Ich sehe, Ihr bringt keine frohe Kunde, aber deswegen müsst Ihr ja nicht dürsten.«

Sie folgten ihm, warteten, bis er Platz genommen hatte, und setzten sich dem König dann gegenüber, womit Julian der Sessel an Edwards Seite blieb. Ehe er sich niederließ, lockte er mit einem Pfiff einen Knappen herbei, der ihnen hurtig einen Krug Rheinwein brachte, frisch und kühl aus dem Keller.

Robert Welles nahm einen gierigen Zug, und weil seine Hand zitterte, als er den Becher abstellte, schepperte es ein wenig. Er war nervös.

Ralph Hastings nippte nur und hielt den Blick gesenkt. Er war kreuzunglücklich.

Edward nahm sich einen Moment, um sie beide eingehend zu betrachten, dann forderte er sie auf: »Spannt mich nicht auf die Folter, Sirs. Was gibt es?«

Sir Ralph räusperte sich und gab sich einen Ruck. »Warwick ... Der Earl of Warwick ist nach Süden gezogen und hat Earl Rivers und Sir John Woodville gestellt, mein König. Sie sind beide tot, der Vater der Königin und ihr Bruder ebenso.«

Edwards Augen verengten sich fast unmerklich. »Gefallen?«

»Nein, Sire. Gefangen genommen und enthauptet, wie Black Will Herbert.«

Edward und Julian bekreuzigten sich, und der König murmelte: »Meine arme Elizabeth. Wer immer ihr die Nachricht bringt, sollte es lieber schonend tun, sonst reiß ich ihm das Herz raus, und wenn es das Letzte ist, was ich tue. Weiter.«

»Der Earl of Devon hatte seine Bogenschützen noch und stellte sich tapfer, aber er wurde überrannt.« Ralph Hastings' Blick flackerte zu Welles hinüber, der mit einem arroganten, kleinen Lächeln seinen Becher an die Lippen hob und dann berichtete: »Wir jagten ihn bis nach Bristol, wo die Stadtbevölkerung ihn abgeschlachtet hat.«

Es war eine geraume Zeit still. Sie alle wussten, was diese Neuigkeiten zu bedeuten hatten: Edward war besiegt. Die Freunde, die er jetzt noch hatte, besaßen nicht genug Macht, um Warwick etwas entgegenzusetzen.

Julian wandte den Kopf und betrachtete den König offen. Er kam nicht umhin, seinen Gleichmut zu bewundern, der wahrhaft königlich war. Edward musste erschüttert sein über diese Niederlage, aber seine Miene gab nichts preis.

»Und wo ist mein geliebter Bruder Clarence, dieser versoffene, treulose Jämmerling?«, erkundigte Edward sich in ausgesucht höflichem Tonfall.

»Irgendwo in den Midlands«, antwortete Welles. »In Pontefract, schätze ich. Man sieht ihn nie. Ich nehme an, er ist vollauf damit beschäftigt, seine Braut zu beackern.«

Edward wandte sich ihm zu. »Ihr habt Euch kaum hierher bemüht, um mir nur das zu berichten. Also nehme ich an, es gibt noch weitere Unerfreulichkeiten?«

»Der Earl of Warwick bittet Euch, mich nach Middleham Castle zu begleiten, Sire.«

»Ah«, machte Edward. »Haftverschärfung. Jetzt gleich?«

»Wann immer es Euch beliebt.«

Edward lachte leise und stand unvermittelt auf. »Sir Ralph, seid so gut, geht hinüber zum Caesar's Tower und weist mein Gefolge an zu packen. Waringham, würdet Ihr mich ein Stück begleiten?« Er ignorierte Robert Welles vollkommen.

Julian erhob sich und schloss sich dem König an, der ihn durch die kleine Pforte in der Burgmauer und bis ans Ufer des Avon führte. Sie schauten erst zur Turnierwiese hinüber, aber unweigerlich wanderten ihre Blicke weiter zur Mühle, trafen sich dann, und die beiden Männer grinsten flegelhaft.

»Sie ist ein sehr begabtes Mädchen«, bemerkte Edward.

Julian nickte. »Das hat sie von ihrer Mutter.«

Dann rief er sich zur Ordnung. Das Letzte, was er wollte, war, schlüpfrige Anekdoten mit dem Mann auszutauschen, der seine Frau entehrt hatte. »Ich nehme an, Ihr wollt mich nach Hause schicken oder Ähnliches? Die Antwort lautet nein«, eröffnete er Edward brüsk.

»Es ist mein Wunsch, dass Ihr nach Süden reitet und mich nicht nach Middleham begleitet. Ich befehle es als Euer König.«

»Ihr seid aber nicht mein König«, gab Julian unbeeindruckt zurück. »Middleham ist eine düstere, eherne Festung mitten im Nirgendwo – ich habe nie verstanden, was Warwick daran findet. Ihr werdet ein bisschen Unterhaltung brauchen, glaubt mir.«

»Was hätte ich dann ausgerechnet von Euch? Ihr könnt ja nicht einmal vernünftig Schach spielen«, gab Edward ungehalten zurück.

»Na ja, das ist wahr«, musste Julian einräumen.

»Außerdem, so furchtbar ist Middleham nun auch wieder nicht. Mein Bruder Gloucester ist dort ausgebildet worden, und er hat immer in höchsten Tönen davon gesprochen.«

»Euer Bruder war Warwicks Knappe?«, fragte Julian.

»Natürlich. Das wusstet Ihr nicht?«

Julian schüttelte den Kopf. »Muss bitter für ihn sein.«

»Oh ja. Das ist es. Bitterer als für mich, schätze ich. Aber wie dem auch sei: Ihr seid Lancastrianer, wie Ihr vorhin so treffend bemerktet, und was immer in Middleham geschehen wird, ich will nicht, dass Ihr darin verwickelt werdet. Das hier ist nicht Euer Problem.«

»Ihr macht es gerade dazu«, protestierte Julian. »Nachdem Ihr das gesagt habt, kann ich unmöglich gehen. Dabei würde ich gerne, wisst Ihr. Ich bin weder versessen auf Eure Gesellschaft noch auf Middleham Castle oder darauf, zwischen zwei yorkistische Fronten zu geraten.«

»Nein, darauf wette ich. Aber Ihr macht Euch unnötige Sorgen. Warwick wird mich nicht in aller Stille ermorden lassen.«

»Das könnt Ihr überhaupt nicht wissen«, konterte Julian.

Der König winkte ab. »Noch braucht er mich. Zumindest eine Weile. Bis seine Tochter meinem Bruder einen Sohn schenkt. Danach kann er erst mich, dann Clarence aus dem

Weg schaffen und sein Enkelchen auf den Thron setzen. Aber bis dahin kann vieles passieren.«

»Mylord, ich …«

Der König brachte ihn mit einer Geste zum Schweigen. »Jetzt werdet mir nur nicht rührselig, Waringham. Wenn Warwick auf die Idee verfallen wäre, unseren bedauernswerten, schwachsinnigen Cousin Henry wieder auf den Thron zu setzen, wäret Ihr der Erste, der mir freudestrahlend den Kopf abschlagen würde, um dort Platz zu schaffen.«

Julian zuckte die Schultern. »Na ja. Vielleicht nicht gerade freudestrahlend …«

Edward lachte leise. Dann sahen sie sich an, ratlos, wie sie fortfahren sollten. Schließlich schaute der König auf den Fluss und sagte: »»Was mag passieren, wenn sich das nächste Mal eine Hand voll Lords zusammenrottet, die mit der Regentschaft des Königs unzufrieden sind?‹, habt Ihr mich kurz nach meiner Krönung gefragt.«

Julian war erstaunt. »Das wisst Ihr noch?«

»Es gehört nicht zu den Dingen, die ein junger König so schnell vergisst. Aber ich habe nicht geglaubt, dass es dazu kommen könnte. Jetzt *ist* es geschehen, und bald werden wir die Antwort auf Eure Frage erfahren. Ich will, dass Ihr in den Süden zurückkehrt, Waringham, und Euch um die Königin und meine Töchter kümmert. Elizabeth hat … nur Feinde. Warwick hasst sie, meine Lords misstrauen ihr, die Lancastrianer nennen sie eine Verräterin. Es würde mich beruhigen, zu wissen, dass irgendwer sich ihrer annimmt und sie und die Mädchen in Sicherheit bringt, falls es nötig werden sollte.«

»Oh, das ist großartig, Mylord. Ich werde mich so richtig beliebt machen bei meinen lancastrianischen Freunden.«

»Werdet Ihr's tun?«, fragte Edward.

Julian dachte einen Moment nach. Dann seufzte er. »Es wird mir eine Ehre sein«, knurrte er unwirsch.

Edward lächelte. Er machte aus seiner Erleichterung keinen Hehl. »Habt Dank. Das werde ich nicht vergessen. Lebt wohl, Julian.«

»Lebt wohl, Edward. Viel Glück.« Damit wandte er sich ab, ging zur Burg zurück und sah sich nicht mehr um.

Weobley, August 1469

»Es sieht völlig verlassen aus«, sagte Blanche und blickte sich mutlos im Burghof um, der still und gleißend in der Sonne lag.

»Das liegt vermutlich daran, dass Verlierer nicht viele Freunde haben«, erwiderte Jasper boshaft. »Der Junge ist hier, ich weiß es.«

»Das hast du in Glamorgan auch gesagt«, gab sie ungeduldig zurück.

Als Julians Ritter, Tristan Fitzalan, ihnen die Nachricht von Black Will Herberts Tod gebracht hatte, hatten sie feststellen müssen, dass Herberts Witwe es offenbar noch schneller erfahren hatte und mit ihren Kindern und der kostbaren Geisel bereits aus Raglan verschwunden war. Niemand wusste, wohin. Alles, was Jasper in Erfahrung bringen konnte, war, dass sie bei Nacht und Nebel und in großer Aufregung aufgebrochen waren. Also hatte er sich mit Blanche, Madog und Julians Ritter auf die Suche begeben. Da Herbert als Earl of Pembroke und Statthalter des englischen Königs jedoch praktisch ganz Südwales beherrscht hatte, war es die Suche nach der berüchtigten Nadel im Heuhaufen.

Jasper ließ den Blick aufmerksam über die Fenster der steinernen Gebäude und Türme von Weobley Castle gleiten. Nichts rührte sich. Im Schatten der Mauer ging er zu der kleinen Kapelle hinüber, deren Tür einen sichtbaren Spaltbreit offen stand, und Blanche folgte ihm.

Noch ehe er die Tür weiter öffnen konnte, hörten sie das Weinen einer Frau. Es waren Laute unsäglichen Jammers. Blanche spürte ihr Herz schwer werden, und sie schaute zu Jasper. Sein Blick verriet ihr, was sie schon geahnt hatte: Ihm war nicht wohl in seiner Haut. Trauernde Witwen – selbst die seiner Todfeinde – bereiteten ihm Unbehagen.

»Lass mich vorgehen«, schlug sie vor.

Er nickte und bedeutete Tristan Fitzalan wortlos, die Augen offenzuhalten und das Haupttor zu sichern. Zu Madog sagte er: »Mach dich auf die Suche nach Generys und Rhys.«

Sein Ritter sah sich einen Augenblick unschlüssig im Hof um und ging dann auf das Hauptgebäude zu, welches verglaste Fenster hatte und bewohnbarer aussah als der Rest.

Vorsichtig und lautlos stieß Blanche die hölzerne Tür der Kapelle auf und trat ein. Es war ein schmuckloser, dämmriger Raum. Vor dem Altar lag eine Frau auf den nackten Steinfliesen. Sie hatte den Kopf in den Armen vergraben und schluchzte. An ihrer Seite kniete ein Mädchen von vielleicht sieben Jahren, die Hände gefaltet, die Augen zugekniffen. Das kleine Gesicht war bleich, und das Kind betete mit Inbrunst.

Auf der anderen Seite der Trauernden knieten zwei Knaben. Der junge Bill Herbert – immer noch pummelig – hatte ebenfalls die Augen geschlossen und betete, wenn auch vielleicht nicht so verzweifelt wie seine kleine Schwester. Henry Tudor, der junge Earl of Richmond, war so reglos wie die steinernen Säulen, die das Dach der Kapelle trugen, und betrachtete den Schmerz seiner Ziehmutter mit vollkommen ausdrucksloser Miene.

Blanche ging langsam auf ihn zu und legte ihm die Hand auf die Schulter. Richmond schreckte nicht zusammen. Er wandte den Kopf, und als er sie erkannte, lächelte er. Es war kein strahlendes Lächeln, eher verhalten wie das, das sein Onkel Jasper der Welt gelegentlich zeigte, aber es veränderte das Gesicht doch beträchtlich: Das Lächeln machte Richmond zu dem zwölfjährigen Jüngling, der er war. Wenn es verschwand, wirkte er älter als seine Jahre; wachsam, argwöhnisch zuzeiten, als sei er immer darauf gewappnet, dass Fortuna ihm einen grausamen Streich spielte. Blanche wusste, es war kein Wunder, dass er so geworden war.

»Komm«, sagte sie.

Richmond erhob sich bereitwillig, fragte jedoch: »Wohin?«

»Dein Onkel ist hier, um dich nach Hause zu bringen«, antwortete sie. Dann beugte sie sich über die trauernde Witwe am Fußboden, nahm sie behutsam beim Arm und sagte: »Lady Herbert ...«

Die Weinende zuckte zusammen, hob den Kopf und sah Blanche aus geröteten Augen an. Dann riss sie sich los und zischte: »*Ihr*? Was habt Ihr hier verloren? Habt Ihr noch nicht genug Unglück über die Meinen gebracht?«

Blanche unterdrückte ein Seufzen. Sie wusste natürlich, wer Herberts Frau war: Lady Anne Devereux – die Schwester von Walter und Thomas Devereux und somit vor dem Gesetz ihre Schwägerin. Aber Blanche hatte gehofft, Lady Anne werde sie nicht erkennen. »Ich bin nicht gekommen, um Euch und den Euren Unglück zu bringen, Madam«, antwortete sie kühl. »Und ich rate Euch, Eure Tränen zu trocknen und Euch zusammenzunehmen. Ihr macht Eurer Tochter eine Todesangst.«

Abwesend blickte Lady Anne auf das kleine Mädchen, das immer noch an ihrer Seite kauerte und so eifrig betete wie zuvor, aber Blanche sah, dass die Not des Kindes die Mutter in ihrer eigenen Düsternis nicht erreichen konnte. Was für ein Elend dieser Krieg über die Menschen bringt, dachte sie.

»Willst du dich verabschieden?«, fragte sie Richmond.

Der Junge nickte knapp, trat zu seiner kleinen Ziehschwester und legte ihr sacht die Hand auf den Kopf. »Leb wohl, Maud.«

Wie ein Hundebaby, das plötzlich geweckt wird, sprang sie auf die Füße, schlang die Arme um seine Hüften und presste das Gesicht an seinen Bauch. »Geh nicht fort, Henry, bittebittebitte ...«

Ein wenig ungeduldig, aber nicht roh befreite er sich aus ihrer Umklammerung, beugte sich zu ihr herunter und küsste ihr die Stirn. »Es geht nicht anders.«

»Aber Vater wollte doch, dass wir heiraten.« Sie begann zu weinen.

Blanche musste die Zähne zusammenbeißen und die Hände

zu Fäusten ballen, um sich zu hindern, das kleine Mädchen auf den Arm zu nehmen und zu trösten.

Richmond hingegen zeigte nichts als äußerste Gelassenheit. Er sprach sanft, aber bestimmt. »Ich glaube, daraus kann nun nichts mehr werden. Dein Vater ist tot. Alles hat sich geändert.«

Blanche überlief es eiskalt. Es waren die gleichen Worte, die Richmonds Großvater zu ihr gesagt hatte.

Richmond legte Maud einen Finger unters Kinn und hob ihr Gesicht. »Du musst tapfer sein. Ich weiß, dass du das kannst, und es ist das Einzige, was dir jetzt helfen wird.« Er sah kurz auf ihre Mutter hinab, und dieses Mal zeigte seine Miene seine Gefühle offen. Viel Sympathie war nicht dabei. »Es macht die Dinge nur schlimmer, wenn man sich gehen lässt«, schloss er an Maud gewandt.

Sie ließ ihn nicht aus den Augen und nickte so heftig, dass ihre Zöpfe tanzten.

Richmond fuhr ihr noch einmal über den hellen Schopf und trat dann zu seinem Freund. »Bill.«

»Henry.«

Sie schüttelten sich die Hand.

»Ich hoffe, wir sehen uns wieder«, sagte der junge Herbert und schluckte mühsam.

Richmond nickte. »Ich hoffe, nicht als Feinde auf einem Schlachtfeld.«

»Niemals«, beteuerte Herbert erschrocken.

Richmond lächelte matt, als wisse er bereits, dass man solche Entscheidungen oft nicht selbst in der Hand hatte.

Als Letztes wandte er sich an seine Ziehmutter und verneigte sich knapp. »Lebt wohl, Lady Anne.«

Ihr Mund bebte, und rastlos wandte sie den Blick von seinem Gesicht ab. Ungefähr zu seiner linken Schulter sagte sie: »Geh mir aus den Augen, du Teufel.«

Richmond sah sie einen Moment unverwandt an und nickte. »Möge Eure Trauer so lang und bitter sein wie meine Jahre in Eurer Obhut, Madam.«

Mit einem kleinen Schrei wich sie vor ihm zurück, ließ sich

zur Seite fallen, verbarg den Kopf wieder in den Armen und heulte weiter.

Richmond wandte sich ohne Eile ab und ging zur Tür. Blanche folgte ihm.

Draußen im Sonnenschein warteten Jasper und sein Bruder Rhys und stritten. »… konnte Euch nicht Bescheid geben, Mylord. Alles ging auf einmal so schnell, als die Nachricht kam. Hätte ich die Burg verlassen, hätte ich riskiert, dass der Junge schon fortgeschafft …«

»Und du hieltest es für sicherer, mich zwei Wochen ahnungslos durch Wales streifen zu lassen, ja? Warum hast du nicht Generys geschickt?«

»Ich …«

Richmond errettete Rhys aus seiner misslichen Lage, indem er zwischen die beiden ungleichen Brüder trat und sich vor Jasper verbeugte. »Mylord.«

Jasper vergaß seinen Bruder augenblicklich, legte Richmond die Hände auf die Schultern und sah auf ihn hinab. Acht lange Jahre hatte er ihn nicht gesehen, nur gelegentlich aus der Ferne einen Blick auf ihn erhascht, wenn Herbert oder einer der Lehrer mit den Jungen ausgeritten waren. Blanche wusste, dies war kein leichter Moment für Jasper, aber alles, was er sagte, war: »Mir scheint, du willst ein Hüne unter den Walisern werden, mein Junge.«

»Was nicht weiter schwierig ist, Onkel. Die Waliser sind klein.«

»Nur von Gestalt. Sie haben Herzen wie Drachen.«

»Dafür sei Gott gepriesen.«

Sie lachten. Ein bisschen verlegen, alle beide, aber dennoch war es ein frohes, erleichtertes Lachen.

Der Junge senkte schließlich den Blick. »Ich weiß, du hast all die Jahre über mich gewacht.«

»Ich hätte gern mehr getan.«

Richmond schüttelte kurz den Kopf. »Es war genug. Ich … habe es die ganze Zeit gewusst, und das war genug.«

Jasper nickte wortlos, aber man konnte sehen, dass er das bezweifelte. »Sind irgendwelche Ritter oder Soldaten hier?«, fragte er.

»Nein. Die meisten von Herberts Männern sind gefallen, hörten wir. Malachy Devereux führt eine kleine Wache an, die Lady Anne und die Kinder beschützt, aber sie sind fortgeritten, um Proviant zu beschaffen. Hier hat seit zwei Tagen niemand etwas gegessen.«

»Dann lass uns verschwinden, ehe sie zurückkommen.«

Richmond wandte sich ab. »Ich gehe meine Sachen holen.«

Er war im Handumdrehen zurück, beladen mit einem schweren Bündel. Er hielt es unter dem rechten Arm, und an der linken Seite trug er ein Schwert in einer schmucklosen Scheide.

»Du kannst es hier lassen«, sagte Jasper. »Es wird Zeit, dass du das Schwert deines Vaters bekommst.«

Richmonds dunkle Augen leuchteten, doch er erwiderte: »Wenn du erlaubst, werde ich dieses tragen, bis es so weit ist. Ich bin nicht gerne unbewaffnet.«

Blanche dachte bei sich, dass ein zwölfjähriger Knabe wirklich noch viel zu jung war, um so etwas zu sagen, und es bekümmerte sie, was dieser schlichte Satz über Richmonds Jahre in Black Will Herberts Obhut verriet.

Jasper klopfte dem Jungen die Schulter und wandte den Blick zum Tor. »Wie du willst, Richmond.« Er nahm ihm das sperrige Bündel ab. »Meine Güte, was schleppst du mit dir herum?«

»Ein paar Kleidungsstücke, Großvaters Silberkreuz und die Bibel, die meine Mutter mir einmal geschickt hat.«

»Ein kostbares Buch«, bemerkte sein Onkel.

Madog und Tristan Fitzalan schlossen sich ihnen an, Generys kam mit ihren zwei Kindern aus einem der Nebengebäude gelaufen, und zusammen durchschritten sie das Torhaus und überquerten eine ungemähte Wiese, wo im Schatten einer Gruppe Apfelbäume ein paar Pferde angebunden waren.

Richmond, Rhys, Generys und die Kleinen pflückten Äpfel und wollten gierig darüber herfallen, aber Blanche schritt ein.

»Halt, halt. Unreife Äpfel nach zwei Fastentagen ist wirklich überhaupt keine gute Idee.« Sie holte einen Leinenbeutel aus ihrer Satteltasche. »Hier.« Sie brach den halben Brotlaib in fünf großzügige Stücke und verteilte sie an die Hungernden. »Kaut ordentlich und langsam, hört ihr.«

»Ja, Mylady«, murmelten Rhys und die Amme. Richmond nickte ein wenig bockig – wie alle Heranwachsenden empfindlich gegen mütterliche Fürsorge –, folgte dem Rat aber und betrachtete abschätzig das Pferd, das sein Onkel ihm mitgebracht hatte: ein stämmiges, hübsches Pony von vielleicht zwölf oder dreizehn Handbreit Stockmaß.

»Entschuldige, Richmond«, sagte Blanche zerknirscht. »Keiner von uns hat sich so richtig klargemacht, wie groß du geworden bist. Ich werde ihn reiten, du bekommst meinen Fuchs.«

»Ach, Unsinn, das ist doch nicht nötig«, wehrte der Junge verlegen ab.

»Ich bestehe darauf«, entgegnete sie. »Du bist Henry ap Edmund ap Owain, und du kannst nicht durch halb Wales reiten, während deine Füße fast über den Boden schleifen. Was sollen die Leute denken? Du musst deine Stellung wahren. Außerdem ist der wackere kleine Kerl hier mir ans Herz gewachsen, und ich reite ihn gern.«

Richmond sah unsicher zu seinem Onkel Jasper.

Der saß bereits im Sattel und sagte: »Meiner Erfahrung nach ist es einfacher, man tut, was sie sagt.«

Grinsend schwang der Junge sich auf den Rücken des edlen Waringham-Pferdes, das Blanche für gewöhnlich ritt. Sie brauchten die Sättel nicht zu tauschen. Seit Blanche in Wales lebte, hatte sie keinen Damensattel mehr benutzt.

»Wieso müssen wir durch halb Wales reiten?«, fragte der Junge sie. »Sagtest du nicht, wir reiten nach Pembroke?«

Die kleine Kolonne setzte sich in Bewegung. »Ich sagte, ›nach Hause‹«, antwortete sie geheimnisvoll.

»Und wo soll das sein, wenn nicht in Pembroke?«

Es war Jasper, der antwortete: »In Penmynydd. Das ist in Anglesey. Penmynydd ist der Stammsitz der Tudors und schon so viele hundert Jahre im Besitz unserer Familie, dass es keine Urkunden mehr darüber gibt. Darum haben die Yorkisten vergessen, es uns wegzunehmen. Es gehört dir.«

»Anglesey?«, wiederholte Richmond. »Das habe ich noch nie gehört. Wo ist es?«

»Er meint *Ynys Môn*«, erklärte Rhys.

»Oh, die Insel, wo du geboren bist?«, fragte Richmond interessiert.

Rhys nickte lächelnd. »Die Waliser nennen sie auch *Mam Cymru*.«

Richmond sprach besser walisisch als englisch, trotzdem fragte er unsicher: »›Die Mutter von Wales‹?«

»So ist es«, antwortete Rhys. »Weil es so fruchtbar ist, hat es seit jeher ganz Nordwales mit Getreide versorgt. Darum der Name.«

Jasper streifte seinen jüngeren Bruder mit einem finsteren Blick. »Wenn der Geografieunterricht beendet ist, denkst du, wir könnten einen Schritt zulegen?« Ohne eine Antwort abzuwarten, trabte er an.

Richmond folgte seinem Beispiel und blieb an seiner Seite, aber er sah stur geradeaus und stellte keine weiteren Fragen.

Blanche schüttelte ärgerlich den Kopf. Sie wusste, Jasper war eifersüchtig auf Rhys, der die vergangenen acht Jahre an Richmonds Seite verbracht hatte und den Jungen daher viel besser kannte, ihm viel näher stand als Jasper. Sie konnte das verstehen. Die lange Trennung von seinem Neffen, das Bangen um dessen Sicherheit und Wohlergehen hatten schwer auf Jasper gelastet. Aber wenn er die verlorene Zeit gutmachen wollte, war es wenig ratsam, den Jungen mit seiner Schroffheit zu verschrecken. Blanche ahnte, dass sie ein schweres Stück Arbeit vor sich hatte.

Sie brauchten drei Tage bis zur Straße von Menai, der Meerenge, die Anglesey vom walisischen Festland trennte und an manchen Stellen kaum breiter war als die Themse in London.

Unweit von Monmouth hatte Tristan Fitzalan sie verlassen, um nach Waringham zurückzukehren und Julian die frohe Kunde zu bringen, dass der junge Earl of Richmond endlich aus den Klauen der Yorkisten befreit war. Der Rest der kleinen Reisegesellschaft setzte den Weg nach Nordwesten fort, der sie schließlich durch das Bergland von Gwynedd führte. Die Pfade waren steil und schwierig, oft mussten die Reiter absitzen, die Pferde führen und die kleineren Kinder tragen, aber Richmond, der diesen Teil seines Heimatlandes noch nie gesehen hatte, war verzaubert von der Wildheit und Schönheit dieser Landschaft, und als zu ihrer Rechten der Carnedd Dafydd und der Carnedd Llewelyn auftauchten, wollte er alles über die walisischen Prinzen erfahren, nach denen diese Gipfel benannt waren. Mit großen Augen, beinah atemlos vor Spannung lauschte er den Geschichten, die sein Onkel Jasper ihm erzählte. Sie waren allesamt tragisch, voller Verrat, gebrochener Versprechen und verlorener Schlachten. Doch sie passten so großartig in dieses Land, das sie ja hervorgebracht hatte, und Jasper Tudor war ein guter Erzähler, wenn er in der richtigen Stimmung war. Richmond erkundete sie jedes Mal, bevor er begann, seinen Onkel zu löchern. Nicht ängstlich, sondern vorsichtig, so wie ein Schwimmer einen Zeh ins Wasser taucht, ehe er tollkühn hineinspringt.

Sie überquerten die Straße von Menai kurz vor Sonnenuntergang mit einem flachen Fährboot, und von der Küste waren es nur noch drei Meilen bis Penmynydd.

Der Stammsitz der Tudors war ein hübsches, verschlafenes Dorf inmitten des Hügellandes von Anglesey, der nicht so sehr wegen seiner Größe, sondern aufgrund seines Ertragreichtums genug abwarf, um einen bescheidenen Haushalt über die Runden zu bringen. Das »große Haus«, wie die Bauern es nannten, war ein uraltes zweigeschossiges Gebäude aus verbrettertem Fachwerk mit einem strohgedeckten Dach, das mit seinen Koppeln, Ställen und Vorratsgebäuden einen kleinen Hof bildete.

Als die Reisegesellschaft dort im goldenen Abendsonnenschein einritt, schaute Richmond sich mit leuchtenden Augen um. Langsam glitt sein Blick den Stamm der stattlichen Blutbuche hinauf, die den Hof beschattete, weiter zu den Kräuter- und Gemüsebeeten, die sich zwischen Haupthaus und Stall erstreckten, den wilden Sommerblumen, die dicht am Haus im Gras blühten, wo die Sense nicht hinkam, und kein einziges Detail entging seinen dunklen scharfen Augen.

»Zu Hause«, hörte Blanche ihn vor sich hin murmeln, und sie sah, wie seine Brust sich hob und senkte, als er tief durchatmete. Sie glaubte zu ahnen, wie er sich fühlte. Sie litt selten an Heimweh, aber sie nahm an, sollte das Schicksal sie je zurück nach Waringham führen, würde ihr Gesicht vermutlich ähnlich verzückt aussehen wie Richmonds in diesem Moment.

Das Schlagen einer Tür riss sie aus ihren Betrachtungen, und vier Kinder kamen lautstark in den Hof gestürmt. »Mutter! Vater! Mutter!«, jubelten sie.

Lachend sprang Blanche vom Rücken des braven Ponys und schloss ihre Brut selig in die Arme: den achtjährigen Owen, seine Schwestern Caitlin und Angharad und den kleinen Goronwy, der sich noch an der Hand seiner Schwester festhalten musste, um sicher auf den Beinen zu stehen.

Jasper legte Richmond, der ein paar Schritte abseits stand und das freudige Wiedersehen betrachtete, die Hand auf die Schulter und schob ihn vor. »Deine Basen und Vettern, mein Junge.«

Richmond nickte. »Es ... ist ein bisschen viel auf einmal, Onkel.«

»Es sind nur vier, auch wenn sie genug Lärm für ein Dutzend machen.«

»Ich meine ... alles«, sagte der Junge hilflos.

Jasper sah einen Moment auf ihn hinab. »Ja. Natürlich ist es das. Aber in ein paar Tagen wirst du dich daran gewöhnen, glaub mir. Hier sind deine Wurzeln, und das wirst du spüren.«

»Ich spür's jetzt schon, glaub ich.«

Owen kam zu ihnen gerannt, blieb unsicher stehen, sah erst den fremden Jungen an, dann seinen Vater, vor dem er sich artig verbeugte. »Willkommen, Vater.«

»Danke, mein Sohn. Hier. Dies ist dein Cousin Henry ap Edmund. Henry, darf ich vorstellen, Owen ap Jasper.«

Die Jungen schüttelten sich feierlich die Hand.

Meilyr, der die Kinder und seine eigene Familie mit der *Red Rose* hergebracht hatte, trat aus dem Haus, um die Ankömmlinge ebenfalls zu begrüßen, und Jasper ging ihm entgegen.

Richmond und Owen blieben allein im Schatten der Buche zurück.

»Du bist … der Earl of Richmond?«, fragte der jüngere Cousin voller Ehrfurcht.

»Eigentlich schon. Aber natürlich haben die Yorkisten meine Besitztümer gestohlen.«

»Darf ich dir helfen, sie zurückzuerobern?«

Richmond lächelte nachsichtig auf seinen kleinen Vetter hinab. »Wenn es so weit ist, wirst du der Erste sein, den ich zu den Waffen rufe, Owen.«

Blanche, die in der Nähe stand und ungeniert gelauscht hatte, schauderte.

»Was hast du?«, fragte Jasper leise, hob seine jüngste Tochter auf den Arm, legte aber gleichzeitig den anderen um Blanches Schultern.

»Nichts«, antwortete sie und zwang ein Lächeln auf ihre Lippen. »Mir war nur für einen Moment, als sei der Teufel über mein Grab spaziert, wie meine Amme immer zu sagen pflegte.«

Jasper nickte und sah genau wie sie zu Richmond und ihrem Ältesten hinüber.

Blanche war keineswegs sicher gewesen, ob das beschauliche Landleben ihr bekommen würde. Und wie sie befürchtet hatte, fand sie sich in Penmynydd manches Mal an Lydminster Manor und das Jahr erinnert, das sie dort als Thomas Devereux' Gemahlin verbracht hatte. Das Scheppern eines Melkeimers am frühen Morgen, der scharfe Geruch von Schafen, der durchs Fenster hereinwehte, das schläfrige Summen der Bienen auf den Obstwiesen, der gleichförmige Gesang der Sensen auf den

Feldern – all das schien sich verschworen zu haben, sie in jene finstere Zeit zurückzuversetzen, und manchmal schreckte sie nachts aus fürchterlichen Träumen.

Aber nach ein paar Tagen wurde es besser. Als sie alle sich allmählich in den ungewohnten Rhythmus dieses Lebens fanden, stellte Blanche fest, dass es nur eine ganz oberflächliche Ähnlichkeit mit dem Alltag in Lydminster hatte. Zum einen war dies hier Wales, das Land, das ihre Heimat geworden war und ihr doch immer noch so fremdartig und verzaubert erschien, dass alle Geschichten über Drachen und Feen hier glaubwürdiger waren als andernorts. Und der Menschenschlag war ein völlig anderer. Die Bauern in Wales mussten genauso hart schuften wie die in England, doch sie fürchteten sich weniger vor Missernten und anderen Schicksalsschlägen, so kam es ihr vor, und vor allem hatten sie keine Angst vor ihren Lords. Das in England so weit verbreitete Vorurteil, dass Waliser ständig und in jeder noch so unpassenden Lebenslage zu singen anfingen, war natürlich barer Unsinn, aber sie sangen gern und oft, und viele von ihnen hatten wundervolle Stimmen. In Penmynydd hatte Blanche zum ersten Mal die Gelegenheit, zu sehen, wie einfache, normale Menschen in Wales lebten, nicht die Bewohner der Burgen, die ständig mit Krieg, Belagerung und Flucht, Sieg und Niederlage befasst waren. Die meisten, denen sie hier begegnete, fand sie warmherzig, humorvoll und auf eine erdverbundene Art weise.

Und auch das Leben im »großen Haus« von Penmynydd hätte sich kaum drastischer von dem im Gutshaus zu Lydminster unterscheiden können. Dort war es immer geordnet und still zugegangen, weil jeder Bewohner des Hauses fürchtete, Thomas Devereux' Unwillen zu erregen, wenn er dessen Aufmerksamkeit auf sich zog. Hier lebten drei junge Familien unter einem Dach, die es zusammen auf beinah ein Dutzend Kinder brachten, von denen immer wenigstens eins lachte, eins heulte und zwei zankten. Blanche, Generys und Meilyrs Frau Mary verbrachten ungezählte Stunden mit den Mägden in der heißen Küche, putzten, schnippelten, rührten, kochten, kneteten und buken, um die ganze Meute satt zu bekommen, und dabei redeten sie ohne Unterlass, und manchmal lachten sie, bis Blanche den Kochlöffel fallen lassen und sich die schmerzenden Seiten halten musste.

Die Abendstunden liebte sie ganz besonders, und wenn das Wetter und der allgemeine Trubel es zuließen, setzte sie sich mit ihrem Strickzeug auf die Bank vor der Küchentür, bewunderte den Kupferschimmer der Abendsonne auf der Blutbuche, und wenn sie Glück hatte, hörte sie einen jungen Burschen auf dem Heimweg vom Feld oder eine Magd am Brunnen oder beide zusammen eines der schönen walisischen Lieder singen.

»Wer hätte das für möglich gehalten«, hörte sie Jaspers Stimme zu ihrer Rechten. Als sie den Kopf wandte, stellte sie fest, dass er sie mit verschränkten Armen und einem winzigen Spötterlächeln betrachtete. »Blanche of Waringham hat ihre Liebe zum einfachen Leben entdeckt.«

»Das ist wahr«, räumte sie ein. »Es ist, als sei mein Himbeertraum in Erfüllung gegangen.« Sie rückte beiseite, um ihm Platz auf der Bank zu machen.

»Dein was?«, fragte er verständnislos und setzte sich zu ihr.

»Als Julian und Lucas nach Pembroke gekommen sind, weißt du noch? Als wir uns auf dem Bauernhof verborgen hatten?«

Jasper nickte.

»Ich habe Hühnchen für euch gekocht …«

»… die wir zuvor gemeinsam gerupft hatten, wie ich mich entsinne.«

»So war's. Und nach dem Essen habe ich euch eine Schale mit Himbeeren gebracht und mir gewünscht, ich wäre eine einfache Bäuerin, die ihrem Mann und ihrem Bruder nach einem langen Tag eine Schale Naschwerk hinstellt. Es war so schlicht. So schön. Und es besteht keine Notwendigkeit, mir zu sagen, dass das wirkliche Leben einer Bäuerin weder besonders schlicht noch besonders schön ist …«

»Ich hatte gar nicht die Absicht, das zu sagen«, unterbrach er. »Es *ist* ein schöner Traum. Von Sicherheit und Normalität.

Davon hast du nie viel gehabt, also ist es wohl das Mindeste, dass du es dir ausmalst.«

Blanche legte den Kopf an seine Schulter. Manchmal verstand Jasper sie so vollkommen, dass sie sich regelrecht beschenkt fühlte. Ebenso oft war er ein Klotz und verstand sie kein bisschen, aber das machte Momente wie diesen nur kostbarer. »Wo ist Richmond?«, fragte sie.

»Am Meer. Ich bin mit ihm hingeritten und habe ihm die *Red Rose* gezeigt. Wir haben über Henry und Marguerite und Edouard gesprochen. Der arme Junge brennt vor Fragen; Herbert hat ihn anscheinend über alles im Dunkeln gelassen. Dann wollte er ein Weilchen allein am Strand entlangreiten, hat er gesagt. Also bin ich zurückgekommen.«

»Hat er nach seiner Mutter gefragt?«, wollte Blanche wissen.

»Nein.«

»Und hat er dir irgendetwas über die Jahre als Black Will Herberts Geisel erzählt?«

»So gut wie nichts.«

»Ich wünschte, du würdest ihn fragen, ob …«

»Blanche, wenn du ihm zur Befriedigung deiner Neugier Dinge entlocken willst, die dich nichts angehen, sei so gut und frag ihn selbst.«

Blanche nahm den Kopf von seiner Schulter und boxte ihn stattdessen auf den Oberarm. »Was fällt dir ein? Ich bin *nicht* neugierig.«

»Du bist das neugierigste Geschöpf, das mir im Leben je begegnet ist«, widersprach er und umschloss ihre kleine, aber knochige Faust sicherheitshalber mit der seinen.

»Ich will ihm doch nur helfen«, versuchte sie zu erklären. »Er ist so … in sich gekehrt. Er grübelt zu viel. Ich wünschte, er würde sich alles mal von der Seele reden, die Vergangenheit hinter sich lassen und nach vorn blicken.«

»Ich glaube nicht, dass er in sich gekehrt ist, weil er düsteren Erinnerungen nachhängt«, sagte Jasper. »Es ist einfach seine Art.«

»Aber er lässt niemanden an sich heran. Er ist voller Misstrauen und …« Sie wusste nicht weiter.

Jasper legte die Hand auf ihr Bein. »Er ist erst seit zwei Wochen hier. Lass ihm ein bisschen Zeit. Und vor allem, rück ihm nicht auf die Pelle. Er ist nicht mehr der vierjährige hilflose Knabe, den Megan unseren Feinden ausgeliefert hat.«

»Aber er ist auch noch nicht so erwachsen, wie er tut«, wandte sie hitzig ein.

»Doch, Blanche. Das ist er. So wird man, wenn man in Einsamkeit aufwächst.«

Wer wüsste das besser als du, fuhr es ihr durch den Kopf. »Trotzdem. Es gefällt mir nicht, dass er ständig allein unterwegs ist.«

»Ist es nicht verständlich, dass er seine Freiheit genießt? Sie ist etwas ganz Neues für ihn. Wenn irgendetwas ihn unbeschwerter machen kann, dann das.«

»Und was ist, wenn die Yorkisten kommen und ihn uns wieder stehlen?«

»Sie wissen doch überhaupt nicht, wo er ist.«

»Wenn sie Tristan Fitzalan auf dem Rückweg nach Waringham abgefangen und gefoltert haben, wissen sie es sehr wohl«, widersprach sie.

Jasper winkte ab. »Die Yorkisten haben derzeit ganz andere Sorgen.«

Blanche betrachtete ihn kopfschüttelnd. »Ich versteh dich nicht. Sonst bist *du* doch immer derjenige, der mit dem Schlimmsten rechnet. Wie kann es sein, dass du auf einmal so leichtsinnig bist?«

»Ich bin nicht leichtsinnig«, gab er ungehalten zurück. »Aber du bist gluckenhaft.«

Blanche schnappte entrüstet nach Luft. »Das bin ich überhaupt nicht! Im Übrigen möchte ich dich daran erinnern, dass ich …« Sie brach ab, weil ein Reiter in einer beachtlichen Staubwolke in den Hof galoppiert kam.

Blanche spürte einen Stich der Angst im Bauch, doch als der Ankömmling aus dem Sattel sprang, erkannte sie Richmond.

Verstohlen atmete sie auf. »Er reitet wie der Teufel«, murmelte sie stolz.

Der Junge schlang sich die Zügel ihres Fuchses über die rechte Schulter, hielt am Brunnen an, zog einen Eimer Wasser herauf, wusch sich Gesicht und Hände und trank. Als er das Pferd zum Stall hinüberführen wollte, entdeckte er Blanche und Jasper auf der Bank. Im gebräunten Gesicht wirkten seine Zähne sehr weiß, als er lächelte, und er änderte den Kurs und hielt auf sie zu.

»Ich bin ein Stück die Küste hinaufgeritten«, berichtete er. »Bis ich zu einer Burg kam. Die Fischer haben mir erzählt, dort gehe der Geist einer englischen Hexe um.« Seine Miene zeigte eine Mischung aus Ehrfurcht und Skepsis, als wisse er nicht, was er von dieser Auskunft halten sollte.

Sein Onkel nickte. »Eleanor Cobham«, sagte er, als sei es die normalste Sache der Welt, dass die Geister englischer Hexen durch walisische Burgen spukten.

»Du hast sie gekannt?«, fragte der Junge verblüfft.

»Zum Glück nicht. Mein Vater kannte sie. Eleanor Cobham hätte ihn beinah umgebracht. Aber Blanches Vater hat sie zur Strecke gebracht, und sie wurde drüben in Beaumaris eingekerkert.« Er wies nach Norden, wo die alte Burg lag.

Richmond ließ den Fuchs los, der friedlich zu grasen begann, und setzte sich zu ihnen. »Und war sie wirklich eine richtige Hexe?«, wollte er wissen.

»Allerdings«, antwortete Blanche grimmig. »Und leider eine sehr mächtige. Sie hat den König – ich meine deinen Onkel Henry – mit einem bösen Bildzauber belegt, eine Puppe geformt, die sein Abbild war, und ihr einen Dolch in den Kopf gestoßen. Deswegen verliert der König gelegentlich den Verstand, hat mein Vater immer gesagt.«

Der Junge sah sie unverwandt an. Die schwarzen Augen schienen sich förmlich in die ihren zu bohren. »Ist das wirklich wahr?«, fragt er.

»Verlass dich drauf. Mein Vater hat es mit eigenen Augen gesehen. Warum interessiert diese Hexe dich so?«

Richmond schüttelte den Kopf, ohne sie aus den Augen zu lassen. »Die Hexe ist mir völlig gleich. Aber Lord Herbert hat zu mir gesagt, das schwache französische Blut sei schuld an König Henrys Wahnsinn, und da auch ich dieses Blut in den Adern habe, könne ich mir schon einmal ausmalen, wie ich enden würde.«

Blanches Kehle war mit einem Mal wie zugeschnürt. Wie schade, dass der Earl of Warwick Black Will Herbert schon den Kopf abgeschlagen hatte. Das war viel zu schnell und zu leicht gewesen. Hätte sie Herbert doch in die Finger bekommen, und sei's nur für ein Viertelstündchen …

Jasper ließ sich weder seinen Zorn anmerken noch die Tatsache, dass Herberts Gehässigkeit nur ausgedrückt hatte, worum er selbst sich manches Mal sorgte. »Black Will Herbert hat deinen Großvater getötet. Und er hat deinen Vater sterben lassen, dessen Jugendfreund er war. Herbert war ein ehrloser Schurke. Du solltest seinen Worten keine Beachtung schenken.«

»Das habe ich in der Regel auch nicht getan«, antwortete der Junge nüchtern. »Aber diese Sache klang … plausibel.«

Jasper nickte. »Ich weiß. Wenn du jedoch bedenkst, dass du ein Lancaster, ein Beaufort und ein Tudor bist, wirst du zugeben müssen, dass das winzige Tröpfchen Valois-Blut in deinen Adern kaum eine Chance hat.«

Der Junge wandte den Blick in die Ferne. »Auch über diese Namen weiß ich im Grunde nur, was Herbert mir gesagt hat.«

Blanche wollte seine Hand nehmen und tat es dann doch nicht. »Du kannst nicht von dir selbst erwarten, in zwei Wochen alles nachzuholen, was in acht Jahren versäumt worden ist. Aber dein Onkel wird dich schon lehren, zu verstehen, wer du bist. Wie viel Grund du hast, stolz auf das Blut in deinen Adern zu sein. Ich sage dir, Henry Tudor, du und deine Nachkommen, ihr werdet der Welt noch in ruhmreicher Erinnerung sein, wenn Black Will Herbert längst vergessen ist.«

Mehr als ihr Tonfall waren es ihre Worte, die eine gewisse Feierlichkeit hatten, und Jasper atmete tief durch und drückte ihr verstohlen die Hand. Auch Richmond schien nicht unberührt von ihrer Prophezeiung. Er nickte ernst und versprach: »Also gut, Blanche. Dann werde ich ihn als Erster vergessen und seinen Worten nicht mehr Beachtung schenken als dieser hässlichen, fetten Spinne, die gerade deinen Rock hinaufkrabbelt.«

Wie gestochen sprang Blanche von der Bank auf, versuchte erfolglos und in zunehmender Verzweiflung, das Ungetüm von ihrem Kleid zu fegen, während die Tudors auf der Bank sitzen blieben, mit dem Finger auf sie zeigten und schallend lachten.

Waringham, April 1470

»Heiliger Stephanus, seht Euch das an, Mylord«, sagte Roland. »Martha Wheeler lässt sich einen Zahn ziehen.« Julian schaute in die Richtung, aus der die erbarmungswürdigen Schreie kamen. Viel zu sehen gab es indes nicht, denn eine beachtliche Zuschauerschar hatte sich eingefunden, um das schaurige Spektakel zu bewundern, und versperrte ihm den Blick. Er stützte sich auf Rolands Schulter, stellte sich einen Moment auf die Zehenspitzen und reckte den Hals. Einer der zwei Bader, die alljährlich zum Jahrmarkt kamen, hatte die bedauernswerte Martha auf einen Schemel gesetzt, wo zwei ihrer erwachsenen Söhne sie niederhielten, während der dritte ihren Kopf gepackt hatte. Der Bader stand breitbeinig in seiner blutgetränkten Schürze über sie gebeugt und fuhrwerkte ihr mit einer kleinen Zange im Mund herum.

»Lieber du als ich, Martha«, murmelte Julian unbehaglich und nahm sich vor, sich in Zukunft wieder regelmäßiger die Zähne zu putzen.

Das Martyrium der Bäuerin dauerte jedoch nicht lange, denn der Bader verstand sein Handwerk. Nach wenigen Augenblicken zog er die Zange heraus, hielt sie triumphierend mitsamt dem entfernten Zahn hoch, und während die Umstehenden applaudierten, spuckte Martha Blut ins Gras und bedachte ihre Söhne mit einem Lächeln purer Erleichterung.

»Ihr Glück, dass sie zu Master Gregory gegangen ist«, bemerkte Roland.

»Bestimmt kein Zufall«, erwiderte Julian. »Der andere Bader ist ein Schlächter. Zu dem gehen doch nur Auswärtige.«

»Hm. Dann macht es ja nichts.«

Sie lachten.

Die Pferdeauktion und der Jahrmarkt waren seit jeher einer der Höhepunkte des Jahres in Waringham gewesen, doch seit das Gestüt so groß geworden war und der Jahrmarkt über zwei Tage ging, war er ein Großereignis, das monatelange Planung erforderte. Mancher Bewohner von Waringham verdiente mit dem Verkauf seiner Produkte auf dem Markt mehr als die Hälfte seines Jahreseinkommens, und Julian war immer wieder aufs Neue erstaunt, wie viel allein die Standmieten ihm einbrachten. Manche seiner Bauern hatten eigens für den Jahrmarkt ein Handwerk erlernt, fertigten das ganze Jahr über Lederwaren, Gürtelschnallen, Werkzeuge oder auch allerlei nutzlosen Tand wie Bänder, Schellen und Hutfedern, aber es kamen auch viele fahrende Händler nach Waringham. Ein Würfelschnitzer aus Norwich hatte Julian einmal gesagt, die weite Reise lohne sich Jahr um Jahr, da so kurz nach dem Ende der Fastenzeit die Stimmung immer so ausgelassen war und das Geld den Leuten locker saß.

Julian und Roland schlenderten die langen Reihen der Marktstände entlang und bewunderten die Auslagen und die vielen Attraktionen. Es schien nichts zu geben, das es nicht gab. Waffen und Werkzeuge, Teller und Krüge aus Zinn oder Steingut, Tuche und Schuhwerk, Hahnenkampf und als unangefochtener Höhepunkt am Samstagnachmittag eine Bärenhatz mit einem halben Dutzend hungriger, wütender, kläffender Hunde, die meist den Sieg davontrugen, Wahrsager, Huren, Briefschreiber und Wunderheiler und alles, aber auch alles, was man essen oder trinken konnte.

Julian erstand zwei leuchtende Orangen, denen er nie widerstehen konnte, gab eine davon Roland, und sie schlenderten weiter, schälten ihre Früchte und bissen hinein. Unbekümmert ließen sie sich den klebrigen Saft übers Kinn laufen, und als Julian ein paar Tropfen davon auf der Brust seines feinen Surkots entdeckte, bemerkte er achselzuckend: »Jetzt sehe ich aus wie König Henry. Lass uns sagen, es ist ein geheimes Erkennungszeichen der Lancastrianer.«

Roland grinste flüchtig und fragte dann: »Wie geht es dem alten König? Wart Ihr noch mal bei ihm?«

»An Palmsonntag. Er war wie die letzten Male bei klarem Verstand, aber bei angeschlagener Gesundheit. Er ist sehr besorgt darüber, wie die politische Lage sich entwickelt hat.«

»Tja. Wer ist das nicht.«

Am Stand einer dicken Bäckersfrau ein Stück links vor ihnen brach ein kleiner Tumult aus. Die Bäckerin zeterte, ihr Standnachbar und ein Passant hielten einen jungen Burschen gepackt, und sie drosch mit ihren fleischigen Fäusten auf ihn ein und nannte ihn einen Langfinger. Erfolglos versuchte der junge Dieb, sich loszureißen. Seine Augen waren schreckgeweitet und starr.

Solche Szenen gab es auf einem großen Jahrmarkt wie diesem natürlich ein Dutzend Mal am Tag, und Julian engagierte alljährlich eine wachsende Zahl kräftiger Männer, die als Büttel für Ordnung sorgen sollten. Doch keiner von ihnen schien in der Nähe zu sein, also beschleunigte Julian seine Schritte, um die Angelegenheit zu regeln, ehe die Geschädigte dem Übeltäter die Nase, die bereits munter sprudelte, gänzlich abriss.

Beschwichtigend legte er die Hand auf den keulengleichen, zum Schlag erhobenen Arm. »Was gibt es denn, Mistress?«

Sie fuhr zu ihm herum, die Augen im feisten Gesicht verengt, der Mund verkniffen. Aber sie erkannte sein Wappen und wusste augenblicklich, wen sie vor sich hatte. Sie knickste. »Dieser kleine Hurensohn hier hat mir ein Mandelhörnchen gestohlen! Seht ihn Euch an, Mylord, ein Rumtreiber und Taugenichts, der in seinem Leben vermutlich noch keinen Schlag Arbeit getan hat, um sein Brot zu verdienen! Bestiehlt anständige Christenmenschen, die sich abrackern, um ein Auskommen zu haben. Windelweich geprügelt gehört so einer!«

Julian nickte. Er fand, sie machte ein ziemliches Gewese um ein einziges Mandelhörnchen, aber grundsätzlich hatte sie natürlich Recht. »Hast du das Backwerk noch?«, fragte er den Dieb.

Der schüttelte den Kopf und schlug den Blick nieder. Seine Wangen brannten vor Scham.

»Er hat es runtergeschlungen, als gäb's morgen keine mehr«, knurrte die Bäckerin.

Der Grund war unschwer zu erkennen: Der Jüngling war so mager, dass er krank wirkte. Er hungerte.

»Dann wirst du es bezahlen müssen«, beschied Julian ihm.

Der Junge schluckte sichtlich. »Wenn ich das könnte, hätte ich's getan, Mylord.« Er sah Julian in die Augen, und sein Blick war ein stummes Flehen. Der Earl of Waringham hatte keine Mühe, es zu deuten: Hilf mir, rette mich aus dieser schmachvollen Lage, denn ich bin von deinesgleichen. Das verrieten die guten, wenn auch zerrissenen und staubigen Kleider, die Haltung von Kopf und Schultern, die Sprache, sogar die Form der Gesichtszüge.

Julian erwiderte den Blick offen und wartete.

Schließlich wandte der Junge sich an die Bäckerin und verneigte sich knapp. »Ich bitte Euch um Vergebung, dass ich Euch bestohlen habe, Mistress.« Es war nicht zu überhören, dass es ihm unendlich schwerfiel, sich in solcher Weise vor dieser Furie zu erniedrigen, aber er tat es formvollendet und mit Aufrichtigkeit.

»Davon hab ich nichts, Jungchen«, knurrte sie.

Julian reichte ihr einen Farthing.

Mit einem ungnädigen Brummen steckte sie ihn ein, und Julian beschloss, dass der Übeltäter genug gebüßt hatte. Er nickte der Frau zu, nahm den Jungen beim Arm und führte ihn weg von dem allgemeinen Trubel zum Tain. Roland folgte.

Im frühlingshellen Ufergras blieben sie stehen, und der abgerissene Jüngling kniete sich hin, schöpfte Wasser aus dem Fluss und wusch sich das Blut vom Gesicht. Dann stand er wieder auf, machte einen Diener vor Julian und sagte: »Mortimer

Welles, Mylord. Mein Großvater war Sir Mortimer Dermond of Sutton.«

Jesus, Maria und Josef, dachte Julian, *noch* ein Cousin. »Ein Halbbruder meines Vaters«, bemerkte er, um dem Jungen zu bedeuten, dass er von ihrer Verwandtschaft wusste und sie anerkannte.

Erleichterung flackerte über das magere Gesicht, doch der gehetzte Ausdruck kehrte sofort zurück.

»Willkommen in Waringham, Mortimer, auch wenn ich wünschte, du hättest dich auf andere Weise eingeführt«, sagte Julian streng.

»Ich weiß, Mylord.« Scham quälte den Jungen, vermischt mit Zorn und Trauer. »Ich … habe keine Entschuldigung für das, was ich getan habe. Ich hatte nicht die Absicht, die Frau zu bestehlen. Ich kann mich auch nicht erinnern, den Entschluss gefasst zu haben. Die Hörnchen dufteten so verführerisch, und … Na ja. Ich bin nicht an Hunger gewöhnt. Meine Hand hat zugegriffen, ehe mein Verstand es verhindern konnte.«

»Eine Ausrede, die schon so mancher Mann unter dem Galgen vorgebracht hat«, bemerkte Julian.

»Meine Güte, lasst doch gut sein, Mylord. Seht Ihr denn nicht, dass er völlig am Ende ist?«, mischte Roland sich ein.

Er erntete einen finsteren Blick, aber nichts sonst.

Roland reichte dem Jungen die Hand. »Roland Neville, Vetter.«

Mortimer lächelte matt und schlug ein, doch seine Augen kehrten sofort wieder zu Julians sturmumwölkter Miene zurück. »Habt Dank, dass Ihr meine Schuld beglichen habt, Mylord«, sagte er unglücklich. »Ich werde Eure Großmut nicht weiter in Anspruch nehmen. Lebt wohl.« Er wandte sich ab.

»Halt, halt«, widersprach Julian verblüfft und hielt ihn am Arm zurück. »Sag mir, wie alt bist du, Mortimer?«

»Vierzehn, Mylord.«

Julian hatte ihn zwei Jahre älter geschätzt. »Und wieso bist du nicht gleich zu mir gekommen, wenn du in Not bist?«

»Ich war auf der Suche nach Euch. Aber heute war wohl nicht der glücklichste Tag, um herzukommen. Ich konnte Euch einfach nicht finden.«

Das glaubte Julian mühelos. Er beschloss, den schlechten Eindruck vorerst außer Acht zu lassen, den er von dem Jungen gewonnen hatte. »Was ist geschehen?«, fragte er. »Wer ist dein Vater? Doch nicht Sir Robert Welles?« Warwicks »Mann fürs Grobe« hatte sich während der turbulenten Wochen im letzten Sommer nicht gerade Julians Sympathie erworben.

Mortimer schüttelte den Kopf. »Er war mein Onkel.«

»War?«

»Ja, Mylord. Er ist tot. Sie sind alle tot. Mein Onkel Robert und mein Vater, Sir John Welles, haben für den Earl of Warwick und den Duke of Clarence Waffen gegen König Edward geführt und sind gefallen. Dann sind königliche Truppen auf unser Gut gekommen und haben uns weggejagt. Alle Ländereien unserer Familie wurden konfisziert.«

Das hieß wohl, dass Warwick und sein trunksüchtiger Schwiegersohn, der Duke of Clarence, mit ihrer Rebellion am Ende waren, schloss Julian. Die bewaffnete Revolte der mächtigen Welles war ihr letzter Trumpf gewesen.

»Was ist mit deiner Mutter und deinen Geschwistern?«, fragte er.

Mortimer schüttelte den Kopf. »Meine Mutter starb bei meiner Geburt. Ich habe keine Geschwister. Ich habe ...« Er brach ab und räusperte sich.

Aber Julian konnte sich denken, was er hatte sagen wollen: Mortimer hatte niemanden mehr auf der Welt. Kein Land, das ihn ernähren, kein Dach, unter dem er sein Haupt betten konnte. Der Earl legte ihm für einen Moment die Hand auf den Arm, ließ sie aber gleich wieder sinken. »Komm mit auf die Burg. Du brauchst etwas Anständiges zu essen. Und dann musst du mir berichten, was genau sich zugetragen hat.«

Der Junge verneigte sich nochmals. »Ich berichte Euch gern alles, was ich weiß, Mylord. Aber ich will keine Almosen. Ich bin auch unter normalen Umständen kein Dieb. Wenn es hier irgendeine Arbeit gibt, die ich tun kann, um mein Brot zu verdienen, dann … wäre ich überaus dankbar.«

Seine gemäßigten Worte verbargen das Ausmaß seiner Verzweiflung nur unzureichend, aber Julian rechnete ihm den tapferen Versuch hoch an. Er lächelte. »Ich bin sicher, wir werden etwas Geeignetes finden. Aber zuerst musst du essen. Komm.« An Roland gewandt, sagte er: »In einer halben Stunde fangen sie auf dem Jahrmarkt an, die Ackergäule zu verkaufen. Ich möchte, dass du hingehst und dafür sorgst, dass niemand gar zu schamlos betrogen wird.«

»Ja, Mylord.«

»Danach gehst du ins Gestüt und vergewisserst dich, dass unsere Rösser auf Hochglanz gestriegelt sind und unwiderstehlich aussehen.«

»Ja, Mylord.«

»Wenn du damit fertig bist, sieh dir den Verkaufsring im Burghof an und sorg dafür, dass er nicht wieder zu klein abgesteckt wird.«

»Gewiss doch, Mylord. Denkt Ihr, ich kann heute irgendwann vor Mitternacht auch mal ein Bier auf dem Jahrmarkt trinken gehen?«, fragte Roland verdächtig unterwürfig.

Julian grinste. »Das hängt allein davon ab, wie schnell du deine Arbeit erledigst. Wenn du zu spät oder wie letztes Jahr betrunken zur Auktion kommst, reiß ich dir den Kopf ab.«

»Sehr wohl, Mylord.«

Der junge Mortimer war dem halb ernst gemeinten Austausch mit einem unsicheren Lächeln gefolgt. Auf ein Nicken von Julian begleitete er diesen über den hölzernen Steg auf die andere Seite des Tain, den Mönchskopf hinauf und weiter zum Burghügel.

Der Innenhof von Waringham Castle füllte sich allmählich mit Lords, Rittern und reichen Kaufherren, die damit liebäugelten, eins der berühmten Waringham-Pferde zu ersteigern. Wie üblich wurde die Pferdeauktion von vielen als willkommener Anlass genutzt, alte Freunde zu treffen, und hier und da sah man Lancastrianer in kleinen, konspirativen Gruppen beisammenstehen.

Fast die Ersten, die Julian entdeckte, waren Megan und ihr Gemahl Hal Stafford.

»Megan!« Er küsste seiner zierlichen Cousine die Wange. Wie es ihrer Gewohnheit entsprach, trug Megan ein schlichtes dunkles Kleid und hatte den Kopf nicht mit einer Haube, sondern einer altmodischen Rise und einem Schleier bedeckt, was ihr das Aussehen einer Nonne verlieh. Ihre Hände, die er mit seinen umschlossen hielt, waren kalt und winzig. Mit einem Lächeln schaute Julian in das hübsche, frische Gesicht mit den ungezupften Brauen. Es tat ihm wohl, Megan zu sehen. Sie war eine wandelnde Erinnerung an gute Zeiten und an Edmund Tudor.

»Wie geht es meinem Sohn?«, fragte sie ihn. »Hast du Neuigkeiten gehört? Wann kann ich ihn sehen?«

»Hal.« Julian schüttelte ihrem Mann die Hand. Dann antwortete er ihr: »Es geht ihm gut. Blanche hat mir geschrieben, du kannst ihren Brief nachher lesen, wenn du willst. Ich glaube allerdings nicht, dass es im Augenblick eine gute Idee wäre, Richmond nach England zu holen. Du wirst nach Wales reisen müssen, wenn du ihn sehen willst.« Sorgsam hielt er bei diesen letzten Worten jeden Vorwurf aus seiner Stimme. Ihm war unbegreiflich, dass sie nicht gleich nach der Befreiung des Jungen zu ihm geeilt war. Er konnte einfach nicht verstehen, welcher Dämon zwischen Megan und ihrem Kind stand. Aber was immer es war, er wusste, es machte ihr vermutlich mehr zu schaffen als ihrem Sohn, und er brachte es einfach nicht fertig, ihr Vorhaltungen zu machen. Lieber wechselte er das Thema. »Wollt ihr ein Pferd kaufen?«

Megan nickte. »Hal denkt darüber nach. Aber vor allem sind wir gekommen, weil wir dich sprechen müssen, Julian.«

Er wies zum neuen Wohnhaus hinüber. »Kommt nach dem Essen in meine Halle.«

»Mein Cousin Ned ist auch hier«, berichtete sie. Sie meinte Edward Beaufort, den Bruder des hingerichteten Duke of Somerset, wusste Julian.

»Bringt ihn mit«, sagte er. »Und wen immer ihr sonst noch aufgabelt.«

Mit einem liebenswürdigen Nicken ließ er sie stehen und führte Mortimer zu dem wohnlichen Fachwerkbau auf der Ostseite des Hofes. Durch die breite Eingangstür aus dunkel gebeizter Eiche kamen sie in eine kleine Eingangshalle, von welcher eine Treppe ins erste Obergeschoss führte. Dort lag das neue Wohngemach der Familie. Wie Janet versprochen hatte, war es ein behaglicher Raum mit dunklen, kunstvoll geschnitzten Deckenbalken, großzügigen, verglasten Fenstern, sauber verputzten Wänden und gediegenen, bequemen Möbeln. Kate saß dort allein mit ihrem Stickrahmen am Fenster. Als sie die Schritte hörte, hob sie den Kopf und überraschte ihren Bruder, indem sie ausrief: »Mortimer! Was in aller Welt tust du hier?«

»Ihr kennt euch?«, fragte Julian verblüfft.

Sie nickte. »Eins unserer Güter in Lincolnshire grenzt an das seines Vaters.« Sie stand auf und nahm den Jungen bei den Händen. »Dein Vater hat sich Warwicks Truppen angeschlossen, nehme ich an?«

Mortimer nickte und wandte den Blick ab. »Und er hat teuer dafür bezahlt, Lady Kate.«

»Oh. Das tut mir sehr leid.«

»Ich bin nicht sicher, dass er das verdient«, sagte der Junge mit unterdrückter Heftigkeit. »Ich fürchte, mein Vater und mein Onkel waren Verräter. Genau wie der Earl of Warwick und der Duke of Clarence.«

Julian betrachtete ihn erstaunt. Dann lud er ihn mit einer Geste ein, am Tisch Platz zu nehmen, und sagte seufzend: »In diesen Zeiten kann man unversehens zum Verräter werden. Oft unfreiwillig und schneller, als man begreifen kann. Alles scheint in ständiger Bewegung. Nichts ist mehr unumstößlich. Sei nicht zu hart in deinem Urteil über deinen Vater, mein Junge.«

»Das sagt ausgerechnet Ihr? Der unerschütterlichste aller Lancastrianer?«

Julian lächelte schwach. »Du solltest nicht alles glauben, was man dir erzählt. Ich bin Lancastrianer, richtig. Aber ich bin alles andere als unerschütterlich. Ich gebe zu, dass ich deinem Onkel keine Träne nachweinen werde, aber ich kann durchaus verstehen, warum ein Mann dem Earl of Warwick in ein verrücktes Abenteuer folgt. Warwick übt große Macht über andere Menschen aus. Manchmal auch über mich.«

»Ihr seid ... sehr freimütig, Mylord«, bemerkte der Junge unbehaglich.

Julian nickte. »Ich glaube, die Zeit der schönen Lügen ist für uns alle endgültig vorbei.«

Der Earl of Warwick und sein trinkfreudiger Schwiegersohn, der Duke of Clarence, hatten die Ordnung im Lande nicht lange aufrechterhalten können, nachdem sie ihren König gefangen gesetzt hatten. Schnell hatte Warwick feststellen müssen, dass er nicht so viel Unterstützung unter Lords und Rittern besaß wie erhofft. Sie hatten stillgehalten, bis er die verhasste Sippschaft der Königin aus dem Wege geräumt hatte – wenigstens teilweise –, aber nachdem dieser ewige Zankapfel zwischen Krone und Adel beseitigt war, schien niemand mehr sonderlich geneigt, Warwicks Macht zu stützen.

Schon Mitte September hatte König Edward seinen »Besuch« in Middleham Castle beendet, und niemand hatte gewagt, ihn dort festzuhalten. In Pontefract hatte er seine Vertrauten um sich geschart: seinen jüngeren Bruder Richard of Gloucester, der unbeirrbar zu ihm stand, Julians Schwager William Hastings, die Earls of Arundel und Essex und viele andere, und Mitte Oktober residierte Edward wieder in Westminster, als sei nichts gewesen. Auf Betreiben seiner Mutter, der Duchess of York, hatte er sich zu einer Aussprache mit seinem Bruder Clarence und mit Warwick getroffen und ihnen offiziell verziehen, aber hinter den Kulissen rangen sie weiter um die Vorherrschaft.

Wieder hatte Warwick versucht, die Macht des Königs zu destabilisieren, indem er Unrast im Land schürte.

»Der Earl of Warwick stiftete meinen Vater, meinen Onkel

743

und deren Vater zur Revolte gegen den König an, Mylord«, begann Mortimer, nachdem er ungefähr eine halbe Gans und einen Laib Brot, die die alte Berit ihm gebracht hatte, in beispiellos kurzer Zeit verschlungen hatte. »Sie riefen die Männer von Lincolnshire zu den Waffen und verbreiteten Lügen über den König. Bald führten sie eine beachtliche Armee an. Der König war in Bedrängnis, denn er hat ja derzeit keine große Truppe, doch der Earl of Warwick und der Duke of Clarence schickten ihm Nachricht, dass sie ihm Verstärkung bringen wollten.«

Julian hielt den Atem an. »Bitte sag, dass Edward ihnen nicht glaubte.«

Mortimer schlug die Augen nieder. »Doch, Mylord. Genau das tat er, und Warwick und Clarence hoben weitere Truppen aus. Doch dann wurde Baron Welles, mein Großvater, gefangen genommen, und mein Onkel Robert beschloss, den König sofort anzugreifen – nicht auf Warwick und Clarence zu warten –, um seinen Vater zu befreien, ehe der die Pläne der Rebellen ausplaudern konnte. Der König ließ meinen Großvater vor seiner versammelten Truppe enthaupten, und dann vernichtete er die Armee meines Onkels fast bis auf den letzten Mann.« Mortimer sprach sachlich, aber seine Stimme wurde ein wenig brüchig.

Julian gab vor, es nicht zu bemerken. »Edward ist ein hervorragender Soldat«, sagte er. »Viele tapfere und kampferprobte Lancastrianer haben das leidvoll erfahren müssen.«

Mortimers Gesicht zeigte keine Regung. »Und obendrein hat er eine hervorragende Artillerie. Mein Vater und Onkel fielen beide. Bei einem ihrer Männer fanden die königlichen Truppen Depeschen des Duke of Clarence an meinen Onkel. So erfuhr der König, dass sein Bruder und Warwick ihn schon wieder betrogen hatten. Er schickte ihnen Nachricht und befahl ihnen, auf der Stelle vor ihm zu erscheinen. Aber das taten sie nicht. Niemand scheint zu wissen, wo sie sind. Es ist, als hätte die Erde sich aufgetan und sie verschluckt.« Mortimer hob die Schultern. »Das ist alles, was ich weiß, Mylord.«

Julian nickte versonnen. Dann sagte er: »Ich denke, wir sollten lieber nicht darauf hoffen, dass der Erdboden sie verschluckt hat. Vermutlich sind sie nach Calais geflohen.«

»Calais?«, fragten Mortimer und Kate wie aus einem Munde.

»Die Garnison war Warwick immer treu ergeben. Darauf gründet ein Gutteil seiner Macht. Nirgendwo ist er sicherer vor Edwards Zorn als dort. Und Janet hat mir erzählt, seine Tochter erwarte ein Kind. Er wird alles daran setzen, sie und seinen Schwiegersohn in Sicherheit zu bringen.«

»Und was nun?«, fragte seine Schwester.

Das war die Frage, die auch die Lancastrianer bewegte, die sich nach Beendigung des Banketts in der großen Halle des Bergfrieds nach und nach im Schutz der Dunkelheit zu Julians Privatgemach schlichen. Den Pferdemarkt von Waringham als Vorwand für ihre Verschwörertreffen zu nutzen, hatte Tradition, seit ihre Vorfahren vor siebzig Jahren den ersten Lancaster auf den Thron gebracht hatten.

»Glaubst du wirklich, dieser Mortimer Welles hat die Wahrheit gesagt?«, fragte Hal Stafford. »Ich meine, immerhin ist er Robert Welles' Neffe, und dessen alter Herr war Warwicks Cousin.«

»Das sind Julian und ich auch«, warf Ned Beaufort ein, der eigentlich der Duke of Somerset hätte sein müssen.

»Ich auch«, gestand Henry Percy, der eigentlich der Earl of Northumberland hätte sein sollen.

»Na und? Ich bin mit seiner Schwester verheiratet«, sagte John de Vere ungeduldig, eigentlich der Earl of Oxford. »Worüber reden wir hier eigentlich?«

Einen Moment antwortete niemand. Dann brachte Kate zum Ausdruck, was ein jeder dachte: »Manchmal fragt man sich, wie es zu all dem kommen konnte.«

Die Männer nickten, und ihre bekümmerten Mienen waren nicht aufgesetzt. Auch Julian wusste aus eigener Erfahrung: Die Tatsache, dass sie in England seit fünfzehn Jahren einen blutigen Bruderkrieg führten, konnte einen immer aufs Neue erschüttern. Jedes Mal, wenn man glaubte, man habe sich endlich daran gewöhnt, schlich die Erkenntnis sich in einem Moment der Unachtsamkeit an und stürzte einen in Düsternis.

Aber mit Trübsal kamen sie nicht weiter, und darum kehrte Julian betont nüchtern zu der ursprünglichen Frage zurück. »Der junge Mortimer ist glaubwürdig. Und was er berichtet hat, deckt sich mit dem, was ich schon wusste. Lasst uns davon ausgehen, dass er die Wahrheit sagt, und überlegen, was nun zu tun ist.«

»Was hat Edward noch in der Hand?«, überlegte Percy halblaut. »Die Ritterschaft im ganzen Land wendet sich von ihm ab, und seine Vertrauten sind tot oder haben ihn verraten.«

»Nicht alle«, widersprach Ned Beaufort. »Sein Bruder Gloucester, William Hastings und ein paar Lords würden nach wie vor für ihn durchs Feuer gehen.«

»Die Frage ist, haben sie zusammen mehr Macht aufzubieten als wir?«, warf Hal Stafford ein.

»Und wie werden Burgund und Frankreich sich nun verhalten, da Warwick aus dem Spiel ist?«, gab Oxford zu bedenken.

»Er ist nicht aus dem Spiel«, widersprach Julian.

»Aber er hat seinen König verraten und ist außer Landes geflohen, Julian«, entgegnete Ned Beaufort.

»Trotzdem wird niemand ohne ihn die Midlands und den Norden kontrollieren. Edward mag erkannt haben, dass er nicht *mit* Warwick herrschen kann, aber ich schätze, er wird bald feststellen, dass es ohne ihn auch nicht geht.«

Ned Beaufort drehte rastlos den Becher zwischen den Händen. »Ein Grund mehr, unsere Truppen zu sammeln und loszuschlagen, ehe Edward und Warwick feststellen, dass sie ohne einander nicht weiterkommen, und sich trotz allem, was passiert ist, wieder versöhnen. *Jetzt* ist unsere Stunde, da unsere Feinde sich entzweit haben.« Vor Erregung hatte er die rechte Hand zur Faust geballt und schüttelte sie.

»Ich bin dabei«, bekundete Percy, dessen Begeisterung immer so schnell entflammt war wie ein Strohfeuer und sich ebenso rasch verzehrte.

»Ihr solltet bedenken, dass ihr dem armen Henry keinen Gefallen tätet, wenn ihr ihn wieder auf den Thron setzt«, warf Megan ein, außer Kate die einzige Frau im Raum.

Die Männer lauschten ihr respektvoll und mit freundschaftlicher Nachsicht, aber keiner war geneigt, ihrem Argument große Beachtung zu schenken.

»Er muss ja gar nichts tun«, erwiderte Ned Beaufort. »Er zeigt sich ab und zu beim Parlament, kann ansonsten so zurückgezogen leben, wie er will, und wir stellen an seiner statt die Ordnung im Land wieder her.«

»Du musst verrückt sein, wenn du glaubst, dass Marguerite das zulassen würde«, warnte Julian. »Wir sollten sie nicht vergessen. Und Prinz Edouard ebenso wenig. Er ist fast erwachsen und von ganz anderem Schlag als sein Vater.«

Ned Beaufort breitete die Hände aus. »Umso besser.«

»Was ist los mit dir, Julian?«, fragte Oxford verständnislos. »Ich hätte gedacht, nachdem der junge Richmond aus den Klauen der Yorkisten befreit ist, hält dich nichts mehr.«

Julian fuhr versonnen mit dem Finger über den Rand seines Bronzepokals und dachte nach. Schließlich hob er den Kopf, sah der Reihe nach in die vertrauten Gesichter und sagte: »Ich bin zu allem bereit. Aber wir haben so, wie wir jetzt dastehen, keine Chance gegen Edward. Wir sind nur noch so wenige. Und ganz gleich, was ihr denkt, Edward ist willensstark, klug, ein hervorragender Soldat, und jetzt, nachdem er seinen Bruder und Warwick quasi aus dem Land gejagt hat, hat er mehr Unterstützung bei Adel und Ritterschaft, als ihr wahrhaben wollt.«

»Du kneifst«, schloss Percy fassungslos.

»Woll'n wir vor die Tür gehen?«, fragte Julian ihn. Er sprach, ohne die Stimme zu erheben, aber sein Zorn war unübersehbar.

»Warum musst du immer das Maul aufreißen, Percy«, grollte Oxford.

Der Gescholtene hob zerknirscht beide Hände. »Entschuldige, Julian.«

Der brummte verstimmt, fuhr dann aber sachlich fort: »Ich

kneife nicht. Ich will nur verhindern, dass schon wieder Lancastrianer-Blut in Strömen fließt und wir endgültig untergehen, weil wir leichtsinnig auf die Unterstützung verzichtet haben, die sich uns auf einem Präsentierteller bietet.«

Einen Moment herrschte verblüffte Stille. Dann fragte Ned Beaufort: »Es gibt jemanden außerhalb dieses Raumes, der uns unterstützen würde? Wer soll das sein? Kenne ich ihn?«

»Oh ja, Ned. Du kennst ihn. Sein Name ist Richard Neville, und er ist der Earl of Warwick.«

Sie starrten ihn an, als wäre ihm plötzlich ein zweiter Kopf gewachsen. Dann fielen sie über ihn her – ein gutes Dutzend Männer zweifelten lautstark, wortreich und in unterschiedlichen Abstufungen der Entrüstung an seinem Verstand. Viele waren aufgesprungen. Percy veranstaltete erwartungsgemäß das lauteste Geschrei. Megans Gemahl und ihr Cousin Ned Beaufort sprachen miteinander, schüttelten die Köpfe, die Mienen angespannt. Megan trat leise wie ein Schatten zu ihnen, und beide lauschten höflich, als sie etwas sagte, wirkten aber nicht überzeugt. Alle anderen redeten durcheinander, ihre Gesten ruckartig und von unterdrückter Heftigkeit, als versuchten sie, mit bloßen Händen Yorkisten-Köpfe abzuschlagen.

Der Einzige, der kein Wort sagte und seelenruhig in seinem Sessel saß, war der Earl of Oxford – Warwicks Schwager und einstiger Vertrauter. Julian sah ihn an, und Oxford erwiderte den Blick mit einem bitteren kleinen Lächeln.

Von allen Männern im Raum war Oxford Julian der liebste. Er war nicht so impulsiv wie Percy, nicht so verzagt wie Hal Stafford, nicht so von Hass zerfressen wie Ned Beaufort. Dabei hätte auch Oxford guten Grund gehabt, die Yorkisten und ihren König zu hassen. Sie hatten seinen Vater und Bruder hingerichtet und ihn selbst eine Weile in den Tower gesperrt. Niemand wusste, was dort mit ihm passiert war, aber es hieß, Hastings habe ihn sich mehrfach vorgenommen, und Oxfords linkes Ohr war eine verstümmelte, eigentümlich zerschmolzene Monstrosität. Julian tippte auf ein Brandeisen. Man munkelte, Oxford habe versucht, sich aufzuhängen, ehe er anfangen konnte, die Geheimnisse der Lancastrianer auszuplaudern. Das war ihm nicht geglückt, aber bis auf seine eigene lancastrianische Gesinnung hatte er nichts preisgegeben, als König Edward schließlich befahl, ihn laufen zu lassen.

»Das ist eine ziemlich groteske Idee, Julian«, sagte er. Es klang seltsamerweise wie ein Lob.

Julian schlug seelenruhig die Beine übereinander. »Meinst du wirklich?«

»Allerdings. Natürlich kann ich deinem Gedankengang folgen, aber es scheitert schon daran, dass Warwick das niemals in Erwägung ziehen würde. Ganz gleich, wie es derzeit zwischen ihm und Edward steht, Warwick ist Yorkist.«

»Nein, es ist *nicht* gleich, wie es derzeit zwischen ihm und Edward steht«, widersprach Julian. »Du weißt doch so gut wie ich, dass Warwicks Loyalität in allererster Linie Warwick gilt. Natürlich ist er Yorkist, aber wenn er sieht, dass sein Kurs ins Verderben führt, wird er ihn ändern. Warwick ist immer für eine Überraschung gut.«

»Na ja, das ist wahr.«

»Und in Taktik, politischem Kalkül und an Skrupellosigkeit ist er jedem von uns überlegen.«

»Es ist *widerlich*, mit welcher Bewunderung du das sagst!«, schnauzte Percy. Der Aufruhr hatte sich gelegt, und die versammelten Lancastrianer hörten der Unterhaltung wieder zu.

Julian zog eine Augenbraue hoch. »Ich versuche, die Tatsachen festzustellen«, gab er zurück. »Wenn wir alle wie du die Augen vor den Stärken unserer Feinde verschlössen, wäre unsere Sache aussichtslos.«

»Julian.« Ned Beaufort trat vor ihn und verschränkte die Arme. »Selbst wenn wir uns dazu durchringen könnten, uns mit Warwick zu verbünden. Und selbst wenn Warwick verzweifelt genug wäre, sich mit uns zu verbünden – was ich für noch undenkbarer halte –, wie könnten wir ihm jemals trauen?«

Julian wusste die Antwort auf diese Frage, aber er fürchtete, wenn er sie jetzt aussprach, würden sie alle die Schwerter zücken und ihn in sehr viele sehr kleine Stückchen hacken. Er räusperte sich. »Alles zu seiner Zeit, Ned.«

»Ich halte das für undurchführbar«, bekundete Hal Stafford und schüttelte düster das graue Haupt.

»Und ich werde dabei auf keinen Fall mitmachen«, schimpfte Percy.

Oxford betrachtete die Eiferer und Zweifler mit Belustigung und warf ein: »Das wäre vielleicht nicht weiter tragisch, Percy. Aber ich fürchte, Warwick wird das Gleiche sagen. Warum sollte er verzweifelt sein? Er sitzt doch warm und trocken in Calais, dessen Garnison ihm mit Mann und Maus ergeben ist. Und sein Töchterchen brütet gerade einen kleinen York aus – bitte um Vergebung, Ladys. Wenn er ein bisschen Glück hat und dieser Enkel ein Junge wird, kann er Edward damit die Hölle heiß machen, denn Edward hat nur Töchter. Ich würde sagen, Warwick hat eine kleine Durststrecke. Aber die Trümpfe hat immer noch er in der Hand. Woran ihr sehen könnt, Gentlemen, dass Julian leider völlig Recht hat: Warwick, ob es euch gefällt oder nicht, steckt jeden von uns hier in den Sack.«

Er erntete finstere Blicke und unwillige Brummlaute, aber niemand fand mehr so rechten Grund, ihm zu widersprechen.

Julian erhob sich von seinem Sessel, ging zur Tür und öffnete sie. Draußen standen Lucas Durham und Tristan Fitzalan auf Wache. »Lucas, wärst du so gut, meine Frau herzuholen?«, bat Julian.

Lucas nickte und klopfte an die schräg gegenüberliegende Tür, hinter welcher Julians und Janets großräumiges neues Schlafgemach lag. Er musste nicht lange warten. Fast augenblicklich öffnete Janet, kam heraus auf den Gang und trat zu Julian. In der Hand hielt sie einen gefalteten Pergamentbogen.

Julian sah ihre Hand leicht zittern und zwinkerte seiner Frau zu. »Hab keine Furcht«, murmelte er. »Sie sind Lancastrianer, aber sie sind trotzdem Gentlemen.«

Das erwies sich als richtig. Die Männer in der Halle empfingen Janet mit versteinerten Mienen, ihr Gruß war kühl. Aber nicht einmal Percy wagte, unhöflich zu ihr zu sein.

Mit hoch erhobenem Kopf und kerzengeradem Rücken ging sie zum Kamin hinüber, wandte sich um und sah scheinbar unerschrocken in die Gesichter ihrer Feinde. Julian wusste indessen, dass sie sich vor dieser Situation gefürchtet hatte, und er war stolz auf sie, weil sie sich nichts davon anmerken ließ.

Ausgerechnet Oxford, der in den Händen ihres Bruders Gott weiß was durchlitten hatte, stand auf, machte einen kleinen Diener und wies auf seinen Sessel. »Nehmt doch Platz, Lady Janet.«

Janet erwiderte kühl: »Danke, Mylord, aber ich gedenke, nicht lange zu bleiben.«

Julian trat zu ihr und legte ihr einen Arm um die Taille. »Meine Gemahlin hat einen Brief von Warwicks jüngerer Tochter, Anne Neville, erhalten, deren Gouvernante sie einmal war. Der Bote kam heute Nachmittag hier an, etwa zwei Stunden später als der junge Mortimer Welles. Ich will Eure Deutung nicht vorwegnehmen, aber mir kommt es vor, als wolle Gott uns ein Zeichen geben. Dieser Brief ist ebenso vertraulich wie brisant, aber Lady Janet hat sich bereitgefunden, uns ein Stück vorzulesen.«

»Bereitgefunden« entsprach vielleicht nicht ganz der Wahrheit. Janet war aufgewühlt und ratlos zu ihm gekommen und hatte ihm den Brief gezeigt, weil sie wusste, dass das Schicksal der jungen Anne ihm nicht gleichgültig war. Doch als er sie bat, den lancastrianischen Lords den Inhalt zugänglich zu machen, hatte sie natürlich sofort ein Komplott gegen ihren König gewittert und sich geweigert. Julian hatte ihr das Schreiben nicht mit Gewalt abnehmen und gegen ihren Willen hier vorlesen wollen, denn das wäre sowohl ihr als auch Anne gegenüber in höchstem Maße unanständig und ehrlos gewesen. Eine Stunde lang hatten sie gestritten, dass die Fetzen flogen, und schließlich hatte er sie mit Mühe überzeugen können, dass dies der einzige Weg war, um Anne zu helfen. Aber Janet war alles andere als glücklich über die Rolle, die ihr hier zugefallen war. Sie duldete den Arm ihres Gemahls und seine Hand auf ihrer Hüfte, aber er fühlte, dass sie steif wie ein Brett war. Er kam zu dem Schluss, dass der Haussegen immer noch mächtig schief hing, und unterdrückte ein Seufzen.

Janet sah in einige der verschlossenen Gesichter, die ihr ausnahmslos zugewandt waren, dann faltete sie den Brief auseinander und senkte den Blick darauf: »Ich beschränke mich auf das Wesentliche, Mylords. Anne Neville und ihre Mutter, die Countess of Warwick, befanden sich in Canterbury, als dieser Brief verfasst wurde, und sind jetzt vermutlich bereits auf See. Anne hat dies in aller Eile vor ihrem Aufbruch geschrieben: *Wir müssen England verlassen, aus unserer Heimat fliehen wie Verräter. Alles ist verloren, Janet, und wir wissen nicht mehr weiter. Vater wollte mit meiner Schwester Isabel und ihrem Gemahl Clarence nach Calais übersetzen, aber der Kommandant der Garnison, die ihm doch immer treu ergeben war, verbot ihm zu landen. Als er es trotzdem versucht hat, haben sie mit ihren Kanonen auf sein Schiff geschossen, ist das zu fassen? Über die ganze Aufregung begannen bei meiner armen Schwester die Wehen. Vater schickte dem Kommandanten auf der Burg Nachricht und bat, man möge Isabel an Land lassen oder wenigstens eine Hebamme schicken. Doch alles, was sie bekamen, war ein Krug Wein für die Wöchnerin. Mutterseelenallein unter Männern und an Bord eines Schiffes musste meine Schwester die Geburt ihres ersten Kindes durchstehen, und nach einem halben Tag und einer Nacht gebar sie einen toten Sohn. Sie bestatteten ihn auf See, drehten ab und segelten nach Westen, in die Normandie. Jetzt bleibt uns nur noch zu hoffen, dass der König von Frankreich sich in der Not als ebenso guter Freund erweist wie in den guten Zeiten der Vergangenheit.*«

Janet brach ab und schluckte. Julian wusste, warum. Er hatte gelesen, wie der Brief weiterging, hatte die Tränenspuren in der zerlaufenen Tinte gesehen: *Dies ist die dunkelste Stunde meines Lebens. Und meine Mutter ist starr und kalt vor Zorn über alles, was passiert ist, man kann kaum mit ihr reden. Aber ich muss immerzu an Isabel und ihr totes Kind denken und an Vater. Wie verzweifelt sie sein müssen. Ich bete zu Gott, dass*

wir bald bei ihnen sein werden, denn ich weiß, sie brauchen
mich. Und ich bete, dass meine Schwester nicht stirbt. Ich
wünschte nur, du wärst hier, Janet. Ich bin so allein, und ich
habe solche Angst vor dem, was nun kommen wird. Bete für
uns. In Liebe, Anne.

Obwohl sie diese letzten Sätze nicht hörten, schwiegen die Lancastrianer betreten. Einige hatten sich gar verstohlen bekreuzigt, als sie von der Totgeburt hörten.

Janet nickte knapp in die Runde. »Wenn Ihr mich entschuldigt, Mylords.« Sie hob den Rock mit der freien Linken ein wenig an, denn sie trug ein Kleid, das nach der neuesten Mode zwei oder drei Spann mehr als Bodenlänge hatte. Als sie zur Tür ging, zog sie den Rock in einer eleganten Schleppe hinter sich her, und es sah aus, als schwebe sie.

Lucas machte Platz, damit sie hinaustreten konnte, und schloss lautlos die Tür.

»Tja«, sagte Ned Beaufort in die Stille hinein. »Ich gebe zu, dass das alles ändert.«

Oxford nahm wieder Platz und nickte versonnen. »Man könnte beinah in Versuchung geraten, Warwick zu bedauern. Kanonenkugeln statt Trompetenstöße zur Begrüßung in Calais und kein Enkel von yorkistischem Geblüt. Das ist bitter. Die junge Anne hat Recht: Jetzt bleibt ihm nur, den König von Frankreich an seine großen Versprechen von einst zu erinnern.«

»Und der König von Frankreich betrachtet den yorkistischen König von England als Feind, seit der seine Schwester dem Herzog von Burgund zur Frau gegeben hat«, erinnerte Julian sie. »Eine Allianz zwischen Frankreich, Warwick und dem Haus Lancaster wäre nach Lage der Dinge die natürlichste Konsequenz. Warwick bleibt gar keine andere Wahl mehr.«

»Ich habe Zweifel, dass er sich je dazu überwinden könnte«, sagte Hal.

»Doch, doch«, widersprach Oxford gelassen. »Es gibt praktisch nichts, wozu er sich nicht überwinden könnte, um seine Macht zu erhalten.«

Ned Beaufort hielt es nicht länger auf seinem Sessel. Nervös stand er auf, trat ans Fenster, starrte einen Moment blicklos in die Tintenschwärze hinter den Butzenscheiben und wandte sich schließlich wieder zu ihnen um. »Ich frage noch einmal: Wie wollen wir sicherstellen, dass er nicht bei nächster Gelegenheit wieder die Seiten wechselt und sich mit Edward aussöhnt?«

Julian wusste, der Moment war gekommen, den Vorschlag zu unterbreiten, der diese Frage beantwortete. Er wappnete sich und sagte: »Indem wir ihm das geben, was er sich ersehnt und was Edward ihm nicht geben kann: einen Prince of Wales zum Schwiegersohn. Anne Neville muss Prinz Edouard heiraten. Dann *muss* Warwick unserer Sache treu bleiben, wenn er will, dass sein Enkel eines Tages König von England wird.«

Die lancastrianischen Lords saßen und standen wie vom Donner gerührt, aber die wüsten Beschimpfungen und die Stürme der Entrüstung, mit denen Julian gerechnet hatte, blieben aus. Sie alle hatten begonnen, die enormen Vorteile zu erkennen, die ein Bündnis mit dem Earl of Warwick bot. Was heute Morgen noch jedem von ihnen undenkbar vorgekommen wäre, war mit einem Mal naheliegend – der aussichtsreichste Weg, um die Krone für das Haus Lancaster zurückzugewinnen.

»Julian«, murmelte Ned Beaufort kopfschüttelnd. »Du bist ein Genie.«

Julian winkte ab. »Zu viel der Ehre, Mylord.« Aber seine Bescheidenheit war geheuchelt. Er fand seinen Plan selbst ziemlich genial.

Oxford lachte leise vor sich hin. »Ich würde ihn ein Genie nennen, wenn er uns verrät, wie wir das monumentale Hindernis aus dem Weg räumen wollen, das diesen Plan vereiteln wird.«

»Was für ein Hindernis?«, fragte Percy ungehalten, schon Feuer und Flamme für die neue Marschrichtung und nicht an Komplikationen interessiert.

Aber Megan wusste, was Oxford meinte. »Marguerite«, sagte sie und hob die Schultern, als liege das auf der Hand.

»Tja«, musste Julian einräumen. »Sie *ist* ein Problem. Sie würde sich eher in der Seine ertränken, als sich mit Warwick auszusöhnen. In den letzten fünfzehn Jahren ist kein Tag vergangen, da sie ihn nicht in den finstersten Winkel der Hölle verflucht hätte. Und sie wird demjenigen, der ihr vorschlägt, ihren angebeteten Prinzen mit dem Töchterchen ihres Todfeindes zu vermählen, mit bloßen Händen das Herz aus der Brust reißen.«

Oxford nickte. »Ich bin zuversichtlich, du wirst dich ihr mannhaft stellen.«

»*Ich?*« Julian lachte ungläubig. Doch als er feststellen musste, dass alle ihn mit mehr oder minder erfolgreich verhohlener Schadenfreude betrachteten, spürte er Unbehagen aufsteigen, das verdächtige Ähnlichkeit mit Angst hatte. »Das könnt Ihr *vergessen*, Gentlemen. Ich rede mit Warwick.«

»Das könnte ich doch übernehmen«, erbot sich Oxford liebenswürdig.

Julian wandte sich an Ned Beaufort. »Aber du hast viel bessere Chancen, sie zu überzeugen als ich, schließlich stand dein Vater ihrem Gemahl näher als irgendein anderer und ...«

»Nicht näher als deiner. Ich werd's nicht tun, Julian. Königin Marguerite kann mich nicht ausstehen, und das beruht von Herzen auf Gegenseitigkeit.«

Ohne große Hoffnung wandte Julian sich an Megans Gemahl. »Hal? Was sagst du?«

»Ich denke, du bist der Einzige, der auch nur die geringste Chance hat. Du hast sie und Edouard nach der Schlacht von Northampton vor der Gefangennahme bewahrt. Es ist nicht besonders oft vorgekommen, dass einer von uns ihr einen so persönlichen Dienst erwiesen hat, so beschämend es auch ist, das eingestehen zu müssen. Das hat Marguerite gewiss nicht vergessen, Julian. Ich fürchte, es heißt: du oder keiner.«

»Heiliger Georg«, Julian raufte sich die Haare. »Was hab ich mir da nur wieder eingebrockt ...«

Oxford betrachtete ihn amüsiert. »Ein ziemlich heißes Süppchen, würde ich sagen.«

Marguerite lachte ihn aus. »Das ist ein wirklich drolliger Vorschlag, Julian.«

Es war ein Lachen, von dem man eine Gänsehaut bekommen konnte, voller Hass. Für einen kurzen Moment trat ein Ausdruck in ihre stahlblauen Augen, der sie irrer erscheinen ließ, als ihr Gemahl an seinen schlimmsten Tagen war.

»Es ist das Einzige, was uns zu tun übrig bleibt, Majesté«, entgegnete Julian betont höflich.

Ohne Vorwarnung schlug ihre Stimmung um, das trügerische Lachen verstummte, und Marguerite zischte: »Geh mir aus den Augen! Tu dir selbst den Gefallen. Lauf zurück zu Warwick und richte ihm aus, ich wolle lieber an der Pest verrecken, als mich mit ihm zu verbünden. Vielleicht vergibt er dir die schlechte Nachricht, wenn du ihm gründlich die Stiefel leckst. Das hast du ja im Grunde seit jeher getan, nicht wahr.«

»Hör auf damit«, fuhr Julian sie an und machte einen Schritt auf sie zu.

Sie ohrfeigte ihn.

Julian war nicht sonderlich erschüttert, erst recht nicht überrascht. Er hatte gewusst, dass dies hier nicht ohne Handgreiflichkeiten abgehen würde. »Fühlst du dich nun besser?«, fragte er. »Denkst du, jetzt, da du dir Luft gemacht hast, bist du in der Lage, den Fakten ins Auge zu sehen, wie man es von einer Königin erwarten darf?«

Sie nahm den Weinbecher, den sie zu seiner Begrüßung hatte kommen lassen, und schüttete Julian den Inhalt ins Gesicht. »Fahr zur Hölle, du Verräter!« Der leere Becher flog haarscharf an seinem Kopf vorbei und prallte scheppernd gegen die Wand.

Julian fuhr sich kurz mit dem Ärmel über die Augen, packte Marguerites Unterarm, zog sie mit einem Ruck näher und knurrte: »Du verfluchtes Miststück …«

Sie sahen sich an. Keine Handbreit trennte sie. So nahe

waren sie sich seit Jahren nicht gewesen. Ein Funkeln trat in Marguerites Augen, und für ein paar Herzschläge kam es Julian vor, als sei die Zeit zehn Jahre zurückgedreht. Ihr Blick verspottete ihn und forderte ihn heraus, genau wie früher. Und genau wie früher spürte er den Drang, den Handschuh aufzuheben, den sie ihm hinwarf. Das kranke, zerstörerische Verlangen, der Reiz des Verbotenen, die Versuchung, diesen königlichen Hochmut zu brechen – sie waren noch genauso verführerisch wie einst.

Doch irgendetwas hatte sich geändert. Er selbst, vermutete er. Er ließ sie los, brachte einen Schritt Abstand zwischen sie, und der Moment war vorüber. »Wollen wir vielleicht ausnahmsweise einmal versuchen, uns wie zivilisierte Menschen zu benehmen und vernünftig über diese Sache zu reden?«

Sie hatte sich nicht gerührt und ließ ihn nicht aus den Augen. »Ich nehme an, das sagst du, weil die Reize meiner Jugend dahin sind«, höhnte sie.

Julian ging zu ihrem Bett hinüber. Auf einem Tisch neben den geschlossenen Vorhängen stand eine Schale mit Wasser. Er tauchte die Hände hinein, schöpfte und wusch sich den würzig duftenden Rotwein von Gesicht und Hals. Nachlässig trocknete er sich mit einem ausgefransten Handtuch ab, das neben der Schüssel bereit lag, wandte sich wieder um und lehnte sich mit verschränkten Armen an den Tisch. »Nein«, sagte er schließlich. »Das sind sie nicht.« Er hörte selbst, wie verwundert er klang.

Marguerite war vierzig – sieben Jahre älter als er. Englische Frauen dieses Alters waren welk, viele Bäuerinnen gar alt, krumm und zahnlos. Marguerite hingegen schien über die Geheimnisse zu verfügen, die nur französischen Frauen bekannt waren. Ihre Haut war nicht mehr so frisch und pfirsichglatt wie einst, aber straff, das Haar so braun und leuchtend wie eh und je, die Zähne weiß, die Lippen rot, die Figur unverändert. Julian fand sie immer noch anziehend, und er gab sich keine Mühe, diese Erkenntnis vor ihr zu verbergen. »Also, was sagst du?«

Marguerite kam unentschlossen näher, ließ sich ihm gegenüber auf den Fenstersitz sinken und faltete die Hände im Schoß. »Wie geht es Henry?«, fragte sie abwesend.

»Bist du auf der Suche nach einem unverfänglichen Thema?«, entgegnete er amüsiert.

»Darf ich mich nicht nach dem Befinden meines Gemahls erkundigen?«, gab sie spitz zurück.

»Ich kann mich nicht erinnern, dass du das je zuvor getan hättest. Aber warum nicht. Besser spät als nie. Ich denke, es geht ihm so gut, wie man erwarten kann. Er klagt über dieses und jenes Leiden und wirkt hinfällig. Doch sie behandeln ihn anständig und höflich und versorgen ihn reichlich mit Priestern und Mönchen. Mehr braucht er ja nicht, um zufrieden zu sein. In letzter Zeit schien er mir oft bei klarem Verstand, aber er hat keinerlei Interesse mehr an der wirklichen Welt jenseits der Mauern des Tower.«

»Das hatte er nie«, sagte Marguerite. Es klang eher resigniert als wütend.

»Nein«, stimmte Julian zu. Er trat vor sie, zog sich mit dem linken Fuß einen Schemel heran, setzte sich ihr gegenüber und ergriff ihre Hände. »Denk darüber nach. Was er jetzt im Tower tut, könnte er in Westminster fortsetzen. Wir werden ihn nicht wieder aus seiner Einkehr reißen und ihm, uns und der Welt weismachen, er regiere England. Das wird Edouard tun.«

»Unter Warwicks Fuchtel«, fügte sie angewidert hinzu.

Julian war klug genug, ihr nicht zu widersprechen. Ihr jahrelang genährter Zorn konnte sich jeden Moment wieder Bahn brechen, und der Versuch, sie für dumm zu verkaufen, war der sicherste Weg, das zu erreichen. »Warwick stellt in England eine Macht dar, gegen die kein König regieren kann«, räumte er ein. »Das musste Edward of March letztes Jahr leidvoll erfahren, und weil dieser unverbesserlich vertrauensselige Tor nichts daraus gelernt hat, wird er es jetzt noch einmal erleben. Und als Schwiegervater des Prinzregenten würde Warwick natürlich noch einmal Macht hinzugewinnen. Aber dein Sohn wird kein Herrscher sein, der die Hände in den Schoß legt und sich von seinen Lords bevormunden lässt, das weißt du genau. Und niemand hat größeren Einfluss auf ihn als du. Auf dich wird er bereitwilliger hören als auf Warwick.«

Die Königin befreite ihre Rechte und hob sie zu einer abwehrenden Geste. »Hör auf! Du hast eine Stimme wie Samt und eine Zunge, von der Honig trieft. Genau wie der intrigante Kardinal, der dein Großvater war. Aber ich will nicht, dass du mich überzeugst, hast du verstanden?«

Julian verstand nur, dass er offenbar an Boden gewonnen hatte. Er konnte nicht begreifen, wieso, aber er gedachte nicht, seinen unerwarteten Vorteil ungenutzt zu verschenken. Er nahm wieder Marguerites Hand und glitt neben sie auf die Fensterbank. »Denk nicht, ich wüsste nicht, welch ein Opfer es für dich bedeutet. Und ich gebe gerne zu, dass das Opfer für mich viel geringer ist, denn du hast Recht: Ich habe nie ganz aufhören können, den Earl of Warwick zu schätzen. Ein Funke unserer Verbundenheit und Freundschaft ist immer lebendig geblieben, darum fällt es mir leichter als dir, diese … Kröte zu schlucken. Aber Ned Beaufort, Henry Percy, der Earl of Oxford und viele andere, die diesem Plan zugestimmt haben, hassen Warwick so leidenschaftlich, wie du es tust, und mit ebenso gutem Grund. Trotzdem sind sie gewillt, die Zähne zusammenzubeißen. Für Lancaster, Marguerite. Für Edouards Zukunft. Weil sie darauf vertrauen, dass er das Recht wiederherstellt. Weil sie *ihm* vertrauen.«

»Aber Julian …«

»Schsch.« Er schüttelte den Kopf. »Ich weiß. Glaub mir. Doch ich bitte dich inständig, stell dich nicht zwischen deinen Sohn und seine Krone. Niemand hat mehr Opfer gebracht als du und härter dafür gekämpft, dass er sie bekommt. Jetzt hat er die Chance. Lass sie uns nicht wegwerfen, nur weil zwei Jahrzehnte Feindschaft und Kränkungen zwischen dir und Warwick stehen.«

Die Königin hörte ihm aufmerksam zu, doch ihre Miene war unmöglich zu deuten. Wie so oft waren die Augen halb von den Lidern verdeckt, sodass Julian nur raten konnte, was in ihrem Kopf vorging.

»Er wird … viele Zugeständnisse machen müssen, damit ich auch nur bereit wäre, öffentlich so zu tun, als hätte ich ihm vergeben«, murmelte sie. Und es klang gefährlich. Marguerite d'Anjou, stellte Julian fest, war zurück.

Aber er wusste, er war noch lange nicht am Ziel, darum verbarg er seine Erleichterung sorgfältig. »Das wird er«, sagte er, die Lippen nahe an ihrem Ohr.

»Ich will, dass er vor mir niederkniet. Lange. Er muss mich um Vergebung bitten, mir huldigen und einen Treueschwur leisten.«

Oh, Warwick, dachte Julian und unterdrückte ein Grinsen, ich beneide dich nicht. »Er wird all das tun«, versicherte er nochmals, und er hoffte, dass es die Wahrheit war. »Vergiss nicht, seine Lage ist ebenso verzweifelt wie die unsere. Er kann nicht zurück. Nur mit uns, genauer gesagt, mit *dir* zusammen kann er wiedererlangen, was er hatte und was er um jeden Preis will. Und glaub mir, für ihn ist es ebenso schwer wie für dich, denn sind wir mal ehrlich: Sein Hass auf dich steht dem deinen auf ihn in nichts nach. Aber nicht du musst dich vor ihm erniedrigen, sondern er vor dir.« Er ließ die linke Hand ihren Arm hinaufgleiten, über den schönen, schlanken Hals, dann wieder abwärts, verharrte einen Augenblick federleicht auf ihrer Brust. »Stell es dir vor, Marguerite«, flüsterte er. »Richard Neville, der Earl of Warwick, vor dir auf den Knien. Was sollen wir sagen? Ein Viertelstündchen?« Er legte die Hände um ihre Taille und zog sie auf seinen Schoß. Marguerite ließ es sich anstandslos gefallen. Ihre Augen waren jetzt ganz geschlossen, und ihr Mund zeigte ein Lächeln. »Eine halbe Stunde?«, flüsterte Julian, nahm ihr Ohrläppchen behutsam zwischen die Zähne und raffte ihre Röcke langsam mit der Linken, bis er die Hand darunter schieben konnte. »Und du wirst in deiner festlichsten Robe vor ihm sitzen, kerzengerade, wie du es immer tust, turmhoch auf einem Thronsessel.« Seine Hand glitt zwischen ihre Schenkel, die Marguerite einladend öffnete. »Du wirst nichts anderes tun müssen, als ein Gesicht königlicher Würde aufzusetzen, und dann kannst du dich an seinem Anblick weiden. Solange du willst, Marguerite. Du kannst dir alle Zeit lassen, die du brauchst, um deine Rache zu nehmen, während seine Knie mit jedem Atemzug schlimmer schmerzen und seine Demütigung immer unerträglicher wird.«

»Oh Gott, mach weiter …«

Julian wusste nicht, ob sie die Aktivitäten seiner Hand meinte oder das schöne Bild, das er ihr mit seinen Worten malte, jedenfalls zeigte ihr Gesicht Entzücken, und die Wangen überzogen sich mit einer zarten Röte.

Er grinste verstohlen und dachte: Gott, vergib mir meinen Ehebruch, aber ich tu's für England, Ehrenwort.

Sich selbst musste er indessen eingestehen, dass das nur die halbe Wahrheit war. Er wollte Marguerite noch ein letztes Mal. Um der guten alten Zeiten willen. Um diesen Pakt mit ihr zu besiegeln. Um sie einmal zu seinen Bedingungen zu haben, ohne dass sie Macht über ihn ausübte.

Er stand auf, stellte sie auf die Füße und zog sie zum Bett hinüber. »Du kannst ganz allein mit ihm sein, während sich diese Szene abspielt, oder du kannst Zuschauer dazu bitten«, fuhr er fort, während er den Vorhang zurückschob und die Königin mit einem nicht ganz sanften Stoß aufs Bett beförderte. »Edouard, zum Beispiel. Deinen Cousin, König Louis, dessen hohe Meinung Warwick so unendlich kostbar ist … darf ich dein Kleid zerreißen?«

»Untersteh dich«, warnte sie zerstreut. »Ich bin arm wie eine Kirchenmaus. Weiter, Julian. Erzähl mir mehr.« Die Augen blieben geschlossen.

Also zog er erst sie und dann sich selbst aus, während er ihr die Szene mit immer neuen Details beschrieb. »… und dann, immer noch auf den Knien, unbewaffnet und barhäuptig, wird er seine Hände unterwürfig in deine legen und dir huldigen: ›Von heute an bin ich der Eure mit Leib und Leben und all meiner weltlichen Ehre und schulde Euch Treue und Gehorsam.‹ Wie klingt das, he?«

»Es klingt fabelhaft. Aber dann muss ich ihn küssen.«

Julian glitt zwischen ihre Schenkel und drang so schwungvoll in sie ein, dass sie verblüfft die Augen aufriss. Er legte die Hände links und rechts auf ihr Gesicht und sah auf sie hinab. »Du solltest, aber du musst nicht. Er ist gezwungen, sich dir in der traditionellen Weise zu unterwerfen, und vermutlich wird es das Schwerste sein, was er in seinem Leben je getan hat. Du hingegen kannst machen, was du willst.«

Sie lächelte und verschränkte die Arme in seinem Nacken. »Genug geredet, Mylord …«

Julian spürte ihre gefährlichen Nägel sacht über seine Schultern streichen, wie eine Warnung. Er befreite sich aus ihrer Umklammerung, zwang ihre Arme über den Kopf und hielt die Hände dort mit einer der seinen gefangen. »Aber du wirst seine Huldigung und seinen Eid annehmen, nicht wahr?«

Sie nickte ungeduldig. »Lass mich oben liegen.«

»Nein. Sag es mir, Marguerite. Sieh mir in die Augen und versprich mir, dass du dieses Bündnis mit Warwick eingehen wirst und es dir nicht im letzten Moment anders überlegst. Schwöre es.« Eilig ließ er ihre Hände los, damit sie sich später nicht damit herausredete, er habe ihr den Schwur unter Gewaltanwendung abgenötigt, was sie entbunden hätte.

»Ich schwöre, Mylord«, erklärte sie feierlich, aber mit einem mutwilligen Lächeln. Dann schlug sie die Krallen in seine Schultern. »Hoch und heilig.«

»Sie ist einverstanden«, sagte Julian, als er über die Schwelle trat. Er schloss die Tür hinter sich. »Sie wird es tun, Jasper.«

»Gut.« Jasper Tudor saß in einem Sessel am kalten Kamin, die staubigen Stiefel auf einem Schemel. »Denkst du, ich möchte wissen, wie du dieses Wunder vollbracht hast, oder lieber nicht?«

Julian grinste und winke ab. »Es war nicht ganz einfach, aber letztlich ist Marguerite ein ebenso schonungsloser Realist wie du.«

»Wirklich?«, spöttelte Jasper. »Das ist mir im Lauf der letzten fünfundzwanzig Jahre ehrlich gesagt eher selten aufgefallen.«

In dem zweiten Sessel ihm gegenüber saß Janet, irreführend still und scheu. Julian achtete sorgsam darauf, ihr in die Augen zu sehen, so wie er es immer tat, wenn er einen Raum betrat, in dem sie sich befand. Er wollte sich nicht verdächtig machen, indem er ihren Blick mied. Auf eine etwas vage Art und Weise schämte er sich. Er fand ehrlich nicht, dass man von einem Mann verlangen konnte, seiner Frau immer treu zu sein; in der Hinsicht predigten die Pfaffen an der Wirklichkeit vorbei. Aber es war eine Sache, sich weit weg von zu Hause in fremden Betten zu vergnügen, eine völlig andere, seine Gemahlin zwei Türen weiter mit der Königin von England zu betrügen.

Er trat zu ihr und legte ihr die Hand auf die Schulter. »Würdest du uns entschuldigen?« Er gab sich Mühe, den rüden Rauswurf mit einem Lächeln zu versüßen.

»Natürlich«, antwortete sie, den Blick gesenkt, und stand auf.

»Mortimer?«

»Mylord?« Julians neuer Knappe, der am Tisch gesessen und in einem Buch geblättert hatte, erhob sich schleunigst.

»Sei so gut und geleite Lady Janet zu unserem Quartier.«

Mortimer nickte und trat zu ihr.

»Danke, aber ich denke, ich finde den Weg allein«, wehrte Janet ab.

Julian schüttelte den Kopf. »Ich muss darauf bestehen. Diese Burg ist schlimmer als ein Irrgarten. Du verläufst dich doch schon in Waringham. Hier kämst du uns wahrscheinlich abhanden, und das würde ich mir niemals verzeihen.«

Sie warf ihm einen Blick zu. Verstohlen und so blitzschnell, dass weder Jasper noch Mortimer es sahen, aber lang genug, dass Julian ihn verstand: *Diese Schlacht gewinnst du, aber der Krieg ist noch nicht vorüber*, sagte dieser Blick. Julian lachte in sich hinein, während er die Tür hinter seiner Frau und seinem Knappen schloss.

»Wieso hast du sie mit hergebracht, wenn du ihr nicht traust?«, fragte Jasper.

Julian setzte sich ihm gegenüber in den Sessel, aus welchem er seine Gemahlin vertrieben hatte. »Gerade deswegen. Sie hat in Waringham zu viel gehört und gesehen. Ich hatte die Wahl, sie dort in ein Verlies zu sperren oder mitzunehmen, sodass ich sie im Auge behalten kann und sie weit weg von Westminster ist.«

»Denkst du wirklich, sie hätte unsere Pläne an ihren Bruder oder an Edward verraten? Ich meine ... sie ist so ein sanftes Reh.«

Julian schüttelte den Kopf. »Das sanfte Reh ist ihre Fassade. Janet ist gerissen, unerschrocken und listenreich. Man tut gut daran, sie nicht zu unterschätzen.«

»Aber sie ist *deine* Frau.«, protestierte Jasper. »Und es ist unschwer zu erkennen, dass sie dich anhimmelt und ...« Er winkte ab. »Entschuldige, Julian. Das alles geht mich überhaupt nichts an.«

Julian nickte und rieb sich mit der flachen Hand die Stirn. »Es ist ... nicht ganz einfach, einem anderen Menschen begreiflich zu machen, wie es ist, das eheliche Bett mit einer Yorkistin zu teilen. Sie himmelt mich nicht an, weißt du. Sie ist mir gewogen. Sie ist die Mutter meiner Kinder. Und ich gebe zu, sie ist mir teuer. Wir sind ein gutes Paar, schätze ich. Und wir haben uns gegenseitig dazu erzogen, auch den Standpunkt des anderen zu dulden.« Er dachte einen Moment nach und fuhr dann fort: »Solange Edward die Macht besaß und ich mich lediglich am relativ aussichtslosen Kampf des lancastrianischen Widerstands beteiligte, haben meine Frau und ich einen Waffenstillstand gehalten. Das hat offenbar dazu geführt, dass sie sich eingeredet hat, ich hätte mich mit einem York auf dem Thron abgefunden. Darum ist sie erschüttert über das, was ich jetzt tue. Und wütend. Ich bin nicht sicher, ob sie so weit gegangen wäre, unsere Pläne an Edward zu verraten. Aber ich halte es durchaus für möglich. Das Risiko war viel zu hoch.«

»Das klingt, als dürfte man sie eigentlich keinen Moment aus den Augen lassen.«

»Mortimer weiß, was er zu tun hat.«

»Aber sein Vater war Yorkist.«

Julian winkte ab. »Sein Vater war bis zum letzten Blutstropfen Warwicks Mann. Und Mortimer ist ein anständiger Junge. Auf ihn ist Verlass.«

Jasper nickte und wechselte das Thema. »Glaubst du wirklich, Marguerite wird sich mit Warwick aussöhnen? Das ist unvorstellbar.«

»Nicht aus vollen Herzen, aber wie gesagt, sie sieht die Notwendigkeit ein.«

»Und sie wird es sich nicht im letzten Moment anders überlegen?«

Julian schüttelte den Kopf.

»Wenn doch, dreh ich ihr den Hals um«, knurrte Jasper Tudor. Er war nach Angers gekommen, um seinen nicht unbeträchtlichen Einfluss für das Zweckbündnis zwischen Marguerite und Warwick in die Waagschale zu werfen. Und er hatte gute Neuigkeiten aus Wales mitgebracht: Nach Black Will Herberts Fall war die yorkistische Macht in Wales zerschmolzen, und Tausende der berühmten walisischen Bogenschützen standen bereit, um für Lancaster ins Feld zu ziehen. Aber Jasper hatte aus der Vergangenheit gelernt. Er gedachte nicht, Edward of March je wieder zu unterschätzen und eine Niederlage wie die von Mortimer's Cross noch einmal zu erleben. Der eigentliche Grund, der ihn nach Angers geführt hatte, war, König Louis von Frankreich eine Armee für Marguerite abzuschwatzen.

»Was denkst du, wann Warwick herkommen wird?«, fragte er Julian.

Der hob vielsagend die Schultern. »Sobald er seinen Mut gesammelt hat.«

Sie lachten leise, nicht ohne Schadenfreude.

»Ich schätze, alles wird jetzt sehr schnell gehen«, fuhr Julian dann fort. »Wenn wir trödeln, spielen wir Edward in die Hände.

Er wird bald genug herausfinden, dass Warwick die Seiten gewechselt hat. Je weniger Zeit ihm bleibt, sich zu wappnen, desto besser.«

»Das ist wahr. Also sollte ich meinem Cousin Louis wohl lieber einen Boten schicken und ihn bitten, seinen königlichen Hintern hierherzubewegen.«

»Tu das. Aber vorher sag mir: Wie geht es Blanche und den Kindern? Und Richmond?«

Jaspers Miene hellte sich auf. »Gut«, antwortete er, und es klang untypisch zufrieden. »Die Ruhe und die Beschaulichkeit von Penmynydd tun ihnen allen wohl. Es ist das erste Mal seit unserer Flucht aus Pembroke vor beinah zehn Jahren, dass deine Schwester sich sicher fühlen und ein normales Leben führen kann. Sie behauptet immer, unser Banditendasein mache ihr nichts aus, aber ich sehe, wie sie auflebt. Und den Kindern geht es genauso. Anglesey ist … wie ein Stück vom Paradies. Der beste Ort, um alle Mühsal und allen Kummer zu vergessen.«

Julian war erstaunt. Er hatte nicht geahnt, dass ein Schwärmer in Jasper Tudor steckte. »Dann ist es gewiss der richtige Ort für Richmond«, bemerkte er.

»So ist es.« Ein Lächeln huschte über Jaspers Gesicht und glättete die gefurchte Stirn. »Er ist ein großartiger Junge. Ich wünschte, du könntest nach Wales kommen und ihn kennen lernen. Ich weiß, du würdest Edmund in ihm wiederentdecken.«

»Du kannst dir nicht vorstellen, wie gern ich das täte«, erwiderte Julian beinah mit so etwas wie Sehnsucht.

»Richmond ist ein stilles Wasser. Er neigt dazu, sich zurückzuziehen. Ich schätze, es gibt einfach eine Menge, worüber er nachdenken muss, ehe er es hinter sich lassen kann. Es waren keine leichten Jahre, die er als Black Will Herberts Geisel verlebt hat.«

»Nein, darauf wette ich.«

»Herbert hat ihn sorgfältig ausgebildet, das muss man ihm lassen. Der Junge hat vollendete Manieren, ist belesen und ein guter Schwertkämpfer und Jäger. Ausdauernd. Hart im Nehmen. Ein Mordskerl. Aber was ihm gefehlt hat, ist …«

Jasper wusste offenbar nicht so recht weiter. Doch Julian nickte. Er verstand auch so, was Tudor meinte: Nestwärme hatte dem Jungen gefehlt. All die Dinge, die Janet gern mit Wörtern wie »Liebe« und »Zuwendung« beschrieb. Zu viel davon schadete einem Knaben – was anscheinend keine Frau je begreifen konnte –, aber Richmond war zu klein gewesen, um darauf zu verzichten, als er in Herberts Haushalt gekommen war, und hatte doch irgendwie lernen müssen, ohne sie auszukommen.

»Blanche meint, er sei zu ernst. Ständig hetzt sie ihm unseren Owen auf den Hals, der seinen großen Cousin mit tiefster Heldenverehrung betrachtet und ihm auf Schritt und Tritt folgt wie ein Schatten.« Jasper grinste flüchtig. »Natürlich geht er ihm damit auf die Nerven, aber es ist typisch, wie geduldig Richmond mit ihm zum Fischen und Schwimmen und Jagen geht. Um Owen und Blanche eine Freude zu machen, nicht etwa, weil er es will. Blanche denkt, Owen könne ihm beibringen, ein normales, unbeschwertes Kind zu sein, aber …« Wieder brach er unsicher ab.

»Er ist kein Kind mehr«, wandte Julian ungeduldig ein. »Richmond ist an St. Agnes dreizehn Jahre alt geworden, Herrgott noch mal …«

»Du kennst seinen Geburtstag?«, fragte Jasper verblüfft.

Julian nickte und verriet ihm nicht, dass in den vergangenen neun Jahren kein Tag vergangen war, da er nicht an Richmond gedacht und um ihn gebangt hatte. Dass er von dem Moment an, da Richmond den Yorkisten in die Hände gefallen war, immer das Gefühl gehabt hatte, nicht genug zu tun, um sein Versprechen an Edmund Tudor zu erfüllen.

»Richmond brennt darauf, mit mir gegen die Yorkisten in den Krieg zu ziehen«, berichtete Jasper mit unverhohlenem Stolz. »Für seinen Onkel Lancaster.«

»Und ich nehme an, meine Schwester ist von der Idee nicht sonderlich angetan?«

»So kann man es auch ausdrücken«, räumte Jasper trocken ein. »Aber zumindest in diesem Punkt stimme ich ihr zu. Ehe mein Bruder seinen Thron nicht zurück hat, kann ich Richmond nicht nach England bringen. Du weißt, warum.«

Julian nickte. »Ich weiß, warum.«

Anfang Juli kam König Louis nach Angers, und sein zahlreiches, lärmendes Gefolge verwandelte die gewaltige Burg am Ufer der Maine in ein Tollhaus. König Louis selbst war, soweit Julian es aus der Distanz beurteilen konnte, ein ruhiger, besonnener und zielgerichteter Mann von etwa fünfzig Jahren, elegant, aber schlicht gekleidet und glatt rasiert. Er hatte eine unglaublich lange Nase und Augen, die alles gesehen zu haben schienen, was die Welt an Enttäuschungen und Niedertracht bereithielt. Das war wohl kein Wunder, bedachte man, dass dieser König ständig um sein Leben hatte bangen müssen, bis sein Vater diese Welt endlich verlassen hatte und, so mutmaßte Julian, geradewegs in die Hölle hinabgefahren war.

Louis verfolgte ein ehrgeiziges Ziel: Er wollte der französischen Krone ihre einstige Macht zurückgeben. Dazu war es notwendig, das Reich des Herzogs von Burgund zu zerschlagen oder lieber noch dem seinen einzuverleiben. Solange Burgund und England verbündet waren, bestand für Louis kaum Hoffnung auf Erfolg. Doch wenn das Haus Lancaster die englische Krone wiedererlangte und der König von England *sein* Verbündeter würde, sahen die Dinge völlig anders aus.

»Ich finde es beruhigend, dass Louis solch ein großes persönliches Interesse an unserem Erfolg hat«, vertraute Julian Prinz Edouard an. »So können wir einigermaßen sicher sein, dass er nicht im entscheidenden Moment umkippt.«

Der junge Mann spannte seinen Bogen, kniff das rechte Auge zu und konzentrierte sich auf die runde Zielscheibe, die hundert Schritt entfernt stand. »Das sagt Mutter auch«, antwortete er. »Aber wenn ich ehrlich sein soll, mache ich mir mehr Sorgen wegen der dynastischen Pläne.« Er ließ den Pfeil aus der Sehne schnellen und folgte der Flugbahn mit den Augen. Das Geschoss verfehlte sein Ziel um etwa einen Fuß. »Verflixt!«, schimpfte der Prinz und ergriff einen neuen Pfeil. »Ich kann mir nicht vorstellen, Warwicks Tochter zu heiraten. Warwick war unser Feind, solange ich denken kann.«

»Du kannst schießen oder reden, Edouard«, bemerkte Jasper, der mit verschränkten Armen an der Burgmauer lehnte und ihnen zuschaute. »Beides geht nicht.«

»Das werden wir ja sehen«, gab sein Neffe zurück.

Julian spannte seinen Bogen, zielte ohne Hast, schoss und traf ins Zentrum der Scheibe.

»Großartig«, knurrte der junge Prinz verdrossen, und die beiden Männer lachten.

Sie waren dem hektischen Treiben im Innern der Burg entflohen und hatten sich auf den Schießstand begeben, der außerhalb der Mauern auf der dem Fluss abgewandten Seite der Anlage lag, um ungestört zu sein und gleichzeitig ihre Kriegskünste zu pflegen. Denn sie würden sie bald wieder brauchen, das wussten sie alle.

Edouard zielte dieses Mal mit mehr Konzentration und wurde prompt belohnt. »Ha!« Es klang hochzufrieden.

»König Louis hingegen liebt Warwick wie einen Bruder«, nahm Jasper den Faden der Unterhaltung wieder auf. »Darum wird er deine Mutter überreden, dieser Heirat zuzustimmen. Also besser, du gewöhnst dich an den Gedanken.«

Der Prinz hob gleichmütig die Schultern. »Im Grunde ist es völlig ohne Belang, was Onkel Louis denkt. Tatsache ist: Dieser ganze Plan kann nur funktionieren, wenn diese Heirat stattfindet. Und das weiß auch Mutter, selbst wenn sie noch so tut, als sträube sie sich.«

Guter Junge, dachte Julian zufrieden. Ein sechzehnjähriger Prinz, der in der Lage war, sich mit den politischen Notwendigkeiten abzufinden, gab Anlass, auf einen guten König zu hoffen. »Es gibt grausamere Schicksale, als Anne Neville heiraten zu müssen, glaub mir«, versicherte er Edouard. »Jeder Mann in England wird dich um diese Frau beneiden, egal ob Yorkist oder Lancastrianer.«

Der Prinz sah ihn neugierig an und lächelte unsicher. »Ist das wahr? Erzählt mir noch ein wenig von ihr, Mylord.«

»Ich glaube, das wird nicht nötig sein«, murmelte Jasper. Er hatte sich von der Mauer gelöst, sah an ihnen vorbei zur Straße und hatte die Augen mit der Hand beschattet. Dann nickte er. »Da kommt deine mutmaßliche Braut, mein Prinz.«

Julian folgte seinem Blick. »Mit ihren Eltern, ihrer Schwester und ihrem Schwager Clarence, dieser widerwärtigen Ratte.«

»Wo?«, der Prinz drängte sich zwischen sie, aber weder Warwick noch dessen Schwiegersohn interessierten ihn. »Wo ist Lady Anne?«, fragte er eifrig.

Julian zeigte diskret mit dem Finger. »Das blonde Mädchen in dem grünen Kleid auf dem Grauschimmel.«

Der Prinz starrte unverwandt hinüber und sagte keinen Ton, aber seine Augen begannen zu leuchten, während der Earl of Warwick mit seiner Familie und seiner beeindruckenden Entourage näher kam. Seine Herolde gaben den Trompetern ein Zeichen, und dann scholl der silberhelle Klang der Instrumente durch die warme Sommerluft.

Julian spürte das Herz in der Kehle flattern, und mit einem Mal hatte er feuchte Hände. Es geschah wirklich: Der Earl of Warwick kam zu Königin Marguerite. Es war fast ein Wunder, dass die Erde nicht bebte, kein Donner grollte, dass die Vögel und die Grillen im Gras weitersangen, als wäre nichts. Eigentlich hätten sie vor Ehrfurcht verstummen müssen. Denn dieser Moment war vermutlich von größerer Tragweite als jede Schlacht, die Yorkisten und Lancastrianer im Kampf um Englands Krone geschlagen hatten.

Er legte den Bogen ins Gras und rieb sich die Hände an den Hosenbeinen. »Alsdann. Ich werde gehen, sie begrüßen und versuchen, zu verhindern, dass Warwick und deine Mutter alle guten Vorsätze vergessen und mit den Speisemessern aufeinander losgehen.«

»Ich komme mit«, erklärte der Prinz eifrig.

Aber Jasper legte ihm die Hand auf den Arm und schüttelte den Kopf. »Du bleibst unsichtbar, bis du ihnen offiziell vorgestellt wirst.«

»Warum?«, fragte Edouard. Es klang rebellisch.

»Weil es sich so gehört«, antwortete sein Onkel. »Und weil es Warwicks Position schwächt, die Hand seines Töchterchens versprechen zu müssen, ehe er den Bräutigam begutachten konnte.«

Edouard nickte, aber seine Miene verriet seine Unsicherheit. »Die arme Lady Anne wird denken, ich sei nicht vorzeigbar. Gott allein weiß, was man ihr über meinen Vater erzählt hat. Sie wird sich fürchten.«

Jasper antwortete ungerührt: »Ganz sicher. Aber grundlos, darum solltest du dir ihretwegen nicht die Haare ausraufen. Dies ist ein Spiel, Edouard. Das musst du dir klarmachen, damit du die Dinge mit Distanz betrachten kannst. Nur ein Spiel. Mit hohen Einsätzen, das ist unbestritten, aber niemand muss heute in Angers sein Blut vergießen oder sein Leben lassen. Weil wir hier nur eine Posse inszenieren. Du, Lady Anne, deine Mutter, Warwick, Lord Waringham und ich sind allesamt Gaukler, die die ihnen übertragene Rolle zu spielen haben. Und das ist alles.«

Edouard hatte ihm aufmerksam zugehört. Er nickte versonnen. »Ich verstehe, was Ihr meint, Onkel. Aber für Lady Anne ist es kein Spiel, denn es geht um ihre persönliche Zukunft. Ihr Leben.«

»Ich rede mit ihr«, versprach Julian ihm. »Ich werde eine Gelegenheit finden, ihr heimlich zuzuraunen, dass sie sich nicht zu sorgen braucht.«

Er fand zu weit mehr Gelegenheit, denn mit der Ankunft des Earl of Warwick fiel die Burg von Angers in eine eigentümliche Starre. Der Innenhof lag still und leer unter der sengenden Julisonne, niemand außer den Wachen war auf den langen, dämmrigen Korridoren zu sehen. Während König Louis in langen Einzelgesprächen mit Marguerite und Warwick den Weg zum Treffen der einstigen Todfeinde zu ebnen versuchte, senkte sich eine matte Beschaulichkeit auf den Rest der Welt hinab, die sehr wohl, mutmaßte Julian, die Ruhe vor dem Sturm sein mochte.

Er fand die junge Lady Anne und ihre Schwester Isabel beim Kartenspiel in einer sonnendurchfluteten kleinen Halle in einem der Türme auf der Flussseite. Isabels Gemahl, der Duke of Clarence, saß neben seiner Frau und flüsterte ihr Ratschläge ins Ohr, was ihr offenbar missfiel. Janet saß neben Anne und betrachtete die hübsch bemalten Spielkarten, welche das junge Mädchen schon eingestrichen hatte: Die dünnen Holztäfelchen zeigten fein gekleidete Damen und trefflich gerüstete Ritter, und es schien darum zu gehen, die Paare mit den gleichen Wappen in der oberen rechten Ecke der Karte zusammenzufügen.

Erleichtert stellte Julian fest, dass Warwicks Gemahlin nicht zugegen war. Er trat näher und nickte in die Runde. »Mesdames. Clarence.«

Anne strahlte. »Lord Waringham!« Einladend wies sie auf den freien Sessel an ihrer Seite. »Setzt Euch zu mir und leistet mir Beistand. Mein Schwager mogelt, Mylord.«

Das überrascht mich nicht, dachte Julian verdrossen, stimmte aber in das leise, scheinbar unbeschwerte Gelächter ein, kam der Aufforderung nach und setzte sich zu ihr. »Hattet Ihr eine gute Reise?«, erkundigte er sich.

»Fürchterlich.« Anne seufzte theatralisch. »Viel zu staubig und viel zu heiß.«

»Du hättest mit Mutter und mir in der Kutsche fahren können«, sagte ihre Schwester, und ihr Tonfall war säuerlich.

»Puh.« Anne wedelte den Vorwurf beiseite. »Da drinnen ist es ja noch heißer.«

»Aber schattig«, beharrte Lady Isabel streng. Julian begutachtete sie verstohlen aus dem Augenwinkel. Die beschwerliche Geburt des toten Sohnes lag fast drei Monate zurück, aber man konnte sehen, dass Isabel die Strapazen und den Kummer noch nicht überwunden hatte. Sie wirkte bleich und apathisch. Neben ihrer lebhaften jüngeren Schwester war sie nur ein blasser Schatten. Ihr Gesicht hatte etwas Verhärmtes, und die herabgezogenen Mundwinkel, der Ausdruck von Bitterkeit in ihren Augen waren zu alt für ihre achtzehn Jahre.

Julian konnte sich unschwer vorstellen, wer Isabel so gründlich enttäuscht hatte. Er ließ den heimlichen Blick weiterschweifen zu ihrem Gemahl. George of Clarence hatte eine fast gruselige Ähnlichkeit mit seinem Bruder Edward. Clarence war ebenso athletisch gebaut und sah genauso unverschämt gut aus wie der König. Der Charme, den er versprühte, war weniger unschuldig, hatte eher etwas von der Unbekümmertheit eines Taugenichts, war indessen nicht minder fesselnd. Doch man konnte bereits erste Spuren des zügellosen Lebenswandels erahnen. Das Gesicht war nicht aufgeschwemmt, aber man sah, dass es nicht mehr lange dauern würde. Seine Haut war teigig und unrein, die Lider schwer, um den Mund ein Zug von Grausamkeit, den Edward nicht hatte, und die Hände waren weich, die Nägel sorgfältig poliert. Julian unterdrückte mit Mühe einen Laut des Widerwillens und warf lieber einen Blick in Annes Karten. »Dieser Ritter da links hat eine Nase wie König Louis«, bemerkte er.

»Wollt Ihr wohl still sein!«, schimpfte sie. »Ihr verratet Isabel mein Blatt!«

»Aber Ihr müsst doch alle Karten haben, die sie nicht hat«, entgegnete Julian verwirrt.

Anne tippte lächelnd auf den kleinen Stapel in Janets Hand. »Isabel kann sich nie merken, welche schon aus dem Spiel sind.«

»Dafür hat sie mich«, bemerkte Clarence und schenkte seiner jungen Schwägerin ein lüsternes Grinsen.

Anne entgegnete honigsüß: »Ja, Mylord, Ihr und meine Schwester seid ein perfektes Paar, das ist kaum zu übersehen.«

Isabel warf ihre Karten auf den Tisch. »Was soll das heißen?«

»Gar nichts. Nur, was es heißt.«

»Ständig hackst du auf ihm herum«, zeterte Isabel, es klang schrill. Rote Flecken hatten sich auf ihren Wangen gebildet.

»Das tu ich überhaupt nicht«, protestierte Anne. »Ich habe nur …«

»Schsch, wollt Ihr wohl aufhören«, schalt Janet. Sie sagte

es ein wenig zerstreut. Man konnte hören, dass es eine uralte Gewohnheit war, die zankenden Schwestern zur Ordnung zu rufen, die prompt verstummten.

Julian zwinkerte seiner Frau anerkennend zu. »Es funktioniert noch«, raunte er.

Sie lächelte verschwörerisch. »Besser als bei unseren eigenen.« Dann fiel ihr anscheinend wieder ein, dass sie derzeit nicht gut auf ihn zu sprechen war. Julian konnte förmlich zusehen, wie sie sich innerlich distanzierte, sich selbst zur Vorsicht mahnte, und etwas wie ein Vorhang wurde geschlossen und machte es ihm unmöglich, ihren Blick zu deuten.

»Die Damen sind echauffiert«, bemerkte Clarence amüsiert. »Wir schicken nach Naschwerk und Süßwein, das beruhigt die Gemüter.« Er sah über die Schulter. »He, Bürschchen!«

Mortimer Welles, der Julians Befehl getreulich befolgte und Janet niemals aus den Augen ließ, saß mit einem schweren Buch auf dem Schoß am geöffneten Fenster. Er klappte den Folianten zu, stand auf, legte ihn auf die Fensterbank und verneigte sich vor Clarence. »Mylord?«

»Du hast mich gehört. Schwing die Haxen«, befahl der Herzog und machte eine Handbewegung, als wolle er eine Mücke verscheuchen.

Mortimer sah hilfesuchend zu Julian. Offenbar war er so tief in seiner Lektüre versunken gewesen, dass er nichts von dem Gespräch wahrgenommen hatte, das fünf Schritte von ihm entfernt stattfand. Julian war schon aufgefallen, dass der Junge einen ungewöhnlichen Hunger nach Büchern hatte. Er selbst teilte diese Neigung nicht, aber er hatte keine Einwände dagegen. »Seine Gnaden wünschen Naschwerk und Süßwein«, wiederholte er. Und er konnte sich nicht verbeißen, hinzuzufügen: »*Viel* Süßwein, nehme ich an.«

Lady Anne versteckte ein Koboldlächeln hinter ihren aufgefächerten Karten.

Mortimer verneigte sich nochmals und wandte sich wortlos ab.

Clarence wartete, bis die Tür sich geschlossen hatte, ehe er sich halb im Sessel umwandte, sodass er Julian direkt ansehen konnte, und die Beine übereinanderschlug. »Ihr habt eine lose Zunge, Waringham.«

»Das ist ein Familienleiden«, erklärte Julian.

»Ich habe Mühe zu begreifen, warum mein königlicher Bruder Euch so gewogen ist.«

»Euer Bruder ist jedem gewogen, der sich nicht mit gezückter Klinge auf ihn stürzt. Gerade Ihr solltet das wissen, hat doch niemand so oft von dieser Eigenschaft profitiert wie Ihr.«

Clarence war nicht beleidigt. Er lächelte ein wenig abwesend, als betrachte er ein Bild aus seiner Erinnerung. »Ja, es war rührend, wie er Warwick und mir letzten Winter großmütig vergeben hat«, räumte er ein. »Nicht einmal unsere Mutter, sonst eine unerschütterliche Neville reinsten Wassers, konnte die Tränen zurückhalten.«

Julian nickte. »Man fragt sich wirklich, wie Ihr Euch selbst ertragen könnt«, murmelte er.

Isabel schnappte empört nach Luft, Janet warf ihm einen Blick zu, der ihm scharfe Worte bei ihrem nächsten trauten Beisammensein in Aussicht stellte, und Anne genoss das Schauspiel in vollen Zügen.

Clarence wahrte immer noch Gleichmut. »Ihr nehmt den Mund ziemlich voll«, entgegnete er gelangweilt. »Letzten Sommer noch habt Ihr Edward mit Eurer Freundschaft die Schmach der Gefangenschaft versüßt, und nun seid Ihr hier.«

Julian hatte nicht die Absicht, sich in die Defensive drängen zu lassen. Er hatte Edward niemals etwas vorgemacht. »Ich bin hier, weil ich glaube, dass die Krone Lancaster gehört«, sagte er. »Aber was genau führt Euch eigentlich hierher?«

Clarence hob gelassen die Schultern. »Meine Aussichten auf die Krone sind derzeit vielleicht nicht rosig, aber wenn Lancaster sie zurückbekommt und mein Bruder stirbt oder außer Landes flieht, werde *ich* Duke of York.«

Eine lohnende Beute, dachte Julian. York war das reichste und mächtigste Herzogtum in England. Kein beruhigender Gedanke, dass ausgerechnet Clarence es bekommen würde.

»Außerdem werde ich als Prinz Edouards Erbe eingesetzt, bis der einen Sohn bekommt, Mylord«, fuhr Clarence gut gelaunt fort. »Hat Warwick etwa vergessen, Euch von dieser kleinen Nebenabrede in Kenntnis zu setzen?«

Das hatte er allerdings, doch Julian ließ sich seine Verwunderung nicht anmerken. »Nun, ich mache mir keine Sorgen, dass die Krone in Eure manikürten Frauenhände fällt, Clarence.« Er streifte Anne mit einem kurzen Blick und einem Lächeln, ehe er an den Herzog gewandt hinzufügte: »Edouard *wird* Söhne bekommen, da bin ich zuversichtlich.«

»Falls er kann«, konterte Clarence. »Bitte um Verzeihung, Ladys. Falls er nicht so ein sabbernder Schwachkopf ist wie sein Vater.«

»Oh, das ist er nicht«, versicherte Julian ernst. Er spürte Annes bangen Blick und schaute sie wieder an. »Er ist ein äußerst stattlicher junger Prinz. Tatsächlich sieht er in etwa so aus, wie ich mir den großen König Harry immer vorgestellt habe. Und was seinen Verstand und seine Entschlusskraft angeht, kommt er eher auf seine Mutter als seinen Vater.«

Anne lächelte befreit, aber Clarence schnalzte ungeduldig mit der Zunge. »Wozu macht Ihr dem armen Kind etwas vor, Waringham? Ihr weckt nur falsche Hoffnungen, und morgen wird ihre Enttäuschung umso bitterer sein.«

Julian schüttelte den Kopf. »Ich überlasse es Lady Annes Urteil, wem an diesem Tisch zu trauen und wer ein Lügner ist.«

Mortimer kehrte mit einem schweren Tablett zurück, stellte es ab, schenkte Wein ein und verteilte die Becher. Nur Clarence und Anne wollten. Das junge Mädchen nippte an dem goldfarbenen, süßen Gebräu, Clarence kippte den Inhalt seines Bechers hinunter und hielt ihn Mortimer wieder hin, ehe der Knappe die Konfektschale herumreichen konnte.

Isabel und Janet begannen, kandierte Mandeln zu knabbern. Sie wirkten nervös, griffen nach dem Naschwerk, als wollten sie ihre Finger so daran hindern, ihre Röcke zu kneten.

»Hm«, machte Clarence genießerisch. »Louis' Keller ist

nicht schlechter als der meines Schwagers Burgund. Ich denke, ich muss nichts entbehren.«

»Na, dann ist die Welt ja in Ordnung«, bemerkte Julian trocken und sagte zu Mortimer: »Danke, mein Junge. Lies nur weiter.«

»Wisst Ihr, Waringham, mein *anderer* Bruder, der Duke of Gloucester, ist das komplette Gegenteil von Edward. Er wittert hinter jedem Baum einen Verräter und hinter jedem Lächeln eine Intrige.«

»Tatsächlich?«, gab Julian desinteressiert zurück.

Clarence nickte nachdrücklich. »Und er ist der Auffassung, dass Ihr von allen Lancastrianern der tückischste seid.«

»Nun, seit Warwick unter die Lancastrianer gegangen ist, kann ich diese Ehre kaum länger für mich in Anspruch nehmen.«

»Gloucester meint auch, der schwerste Fehler, den Edward je gemacht habe, sei, dass er Euch bei Towton hat leben lassen.«

Julian winkte bescheiden ab. »Ihr schmeichelt mir, Mylord. Abgesehen davon, da Ihr ja nun drolligerweise selbst Lancastrianer seid – zumindest diese Woche –, sollte die Meinung Eures Bruders Gloucester nicht mehr von solchem Belang für Euch sein.«

»Oh, das war sie nie und ist sie heute erst recht nicht«, versicherte Clarence lächelnd und trank noch ein Schlückchen. »Mir kam nur gerade in den Sinn, dass Ihr und Lady Janet offenbar all Eure Kinderlein in Waringham zurückgelassen habt. Ich bin nicht sicher, ob das so klug war. Mein Bruder Gloucester, wisst Ihr, ist nicht zimperlich.«

Julian durchlebte einen Moment lähmender Angst, so schlimm, dass ihm schwindelig davon wurde und er das Gefühl hatte, als steige der Steinboden unter seinen Füßen empor wie eine Welle im Meer, und er war unfähig, sich zu rühren. Aber es verging sofort wieder, und er hoffte inständig, dass sein Gesicht nichts davon preisgegeben hatte. »Dann kann ich ja froh sein, dass weder Euer Bruder Gloucester noch sonst irgendwer in England ahnt, was hier vorgeht«, sagte er.

Clarence zwinkerte ihm zu. »Fragt sich nur, wie lange das noch so bleibt.«

»Oh, wie könnt Ihr nur so reden, Schwager«, schalt Anne kopfschüttelnd, obwohl es sich für ein junges Mädchen nicht gehörte, sich einzumischen, wenn Männer sich unterhielten. »Euer Bruder Gloucester ist ein Ehrenmann. Er würde im Traum nicht auf den Gedanken kommen, einem Kind etwas zuleide zu tun. Das ist völlig absurd!«

Clarence verschlang sie mit einem anzüglichen, gierigen Blick. »Ach, Anne.« Er seufzte. »Ihr seid so hinreißend naiv.«

Der bittere Zug um Isabels Mund vertiefte sich.

»Julian, lass mich nach Hause fahren«, verlangte Janet.

»Nein.«

»Ich bringe die Kinder zu deiner Schwester nach Wales. Oder zu König James nach Schottland. Hierher. Was immer du willst. Aber lass mich fahren.«

Er schüttelte den Kopf, kniete sich vor ihr aufs Bett und nahm ihre Hände. »Wie stellst du dir das vor? Du kannst doch unmöglich allein von Angers nach Waringham reisen.«

Sie befreite ihre Hände – nicht mit einem ärgerlichen Ruck, aber bestimmt. »Lucas Durham wäre bestimmt bereit, mich zu begleiten. Anne könnte mir ihre Freundin Claire als Anstandsdame borgen. Und die *Edmund* liegt da unten am Kai.« Sie wies aus dem Fenster ihres Quartiers.

»Ja. Und eine burgundische Flotte kreuzt vor der normannischen Küste.«

»Na und?«, gab sie ungeduldig zurück. »Wir könnten sie mühelos umgehen, nach Cornwall segeln und dann die englische Küste entlang bis nach Dover oder Sandwich.«

»Ich verneige mich ehrfurchtsvoll vor deinen geografischen Kenntnissen, aber die Antwort lautet trotzdem nein. Es ist zu gefährlich, und es besteht kein Anlass zu solch einem unüberlegten Schritt.«

»Du riskierst das Leben unserer Kinder, weil du mir misstraust«, warf sie ihm vor, und es klang bitter.

»Du weißt ganz genau, dass ich um keinen Preis der Welt das Leben unserer Kinder aufs Spiel setzen würde. Aber ich gedenke nicht, Clarence in die Falle zu tappen. Er hat es gesagt, um uns aufzuschrecken, uns zu bewegen, Angers Hals über Kopf zu verlassen, um die schwierigen Verhandlungen zwischen Warwick und Marguerite zu behindern. Aus purem Mutwillen. Nicht etwa, weil es ernsthaften Grund zur Sorge um unsere Kinder gäbe. Und ehe ich mich von George of Clarence manipulieren lasse, friert die Hölle ein, das sag ich dir.«

Janet schüttelte nachdrücklich den Kopf. »Trotzdem hat er Recht. Ich kenne Richard of Gloucester, Julian. Er lebte in Warwicks Haushalt, während ich als Gouvernante der Mädchen dort war. Irgendetwas stimmt nicht mit Gloucester. Clarence mag ein Ränkeschmied und ein Filou sein, aber Gloucester ist ...« Sie fand offenbar kein Wort dafür.

Julian wusste trotzdem, was sie meinte. Er erinnerte sich an den Abend in Westminster, als der damals elfjährige Gloucester ihm mit einer Geste bedeutet hatte, dass er ihm die Kehle durchschneiden wollte. Nur eine Unverschämtheit eines ungezogenen Bengels, der sich in der königlichen Macht seines großen Bruders sonnte, und dennoch. Julian ahnte, dass mit Gloucester nicht zu spaßen war. »Aber er ist seinem Bruder treu ergeben und würde niemals gegen dessen Wünsche handeln. Und eins ist gewiss: Vor Edward sind unsere Kinder sicher. Darüber hinaus hat Frederic die Wachen in Waringham verstärkt und hält die Zugbrücke geschlossen. Ehe Gloucester unserer Brut ein Leid tun könnte, müsste er sie erst einmal kriegen.«

Rastlos stand Janet vom Bett auf, trat ans geöffnete Fenster und schaute in die Nacht hinaus. »All das ändert nichts an der Tatsache, dass du glaubst, ich würde Edward oder meinem Bruder von der Verschwörung hier berichten, wenn ich Gelegenheit dazu bekäme.«

Julian stand ebenfalls auf und folgte ihr ans Fenster, wie so oft magisch angezogen von ihrer Rückansicht, dem dichten blonden Zopf, den gerundeten Schultern, dem wohlgeformten Gesäß unter dem dünnen Stoff des Hemdes. Er legte behutsam die Arme um sie. Janet zuckte leicht zusammen, aber er tat, als merke er es nicht. »Ich weiß zumindest, dass ich es ganz gewiss täte, wäre die Situation umgekehrt«, murmelte er, steckte die Nase in das weiche blonde Haar in ihrem Nacken, dort, wo der Zopf begann, und ließ die Hände über ihre Hüften gleiten.

In seinen Armen drehte sie sich um, verschränkte die Hände in seinem Nacken und sah ihm mit einem kleinen, kummervollen Lächeln in die Augen. »Manchmal schaffst du es immer noch, mich mit deiner Offenheit zu verblüffen«, gestand sie.

Er deutete ein Schulterzucken an. »Wozu sollen du und ich einander noch anlügen? Das haben wir glücklicherweise nicht nötig, oder?«

Sie nickte und legte einen Moment die Stirn an seine Schulter. »Warum müssen wir in diesen Zeiten leben?«, fragte sie. »Warum können nicht wie früher die Franzosen unsere Feinde sein und alle Engländer auf derselben Seite kämpfen?«

»Das haben sie nie getan«, entgegnete er. »Rückblickend sieht es vielleicht so aus, aber selbst, wenn sie einen gemeinsamen Feind haben, kämpfen zwei Männer niemals wirklich für dieselbe Sache.«

»Mag sein. Aber es wurde niemand gezwungen, den Feind zu heiraten.«

»König Harry heiratete Katherine de Valois, mein armer Onkel Raymond die Comtesse de Blamont. Ich würde sagen, verglichen mit ihnen sind du und ich richtige Glückspilze, oder?«

Sie lachte, und er war erleichtert. Es fiel ihm nie schwer, Janet zum Lachen zu bringen, denn sie hatte Humor und war von Natur aus kein Trauerkloß, doch in den letzten Wochen waren die Dinge zwischen ihnen schwierig gewesen. Sie hatte ihm verübelt, was er tat; er hatte ihr verübelt, was sie dachte. Vielleicht würde es leichter, wenn sie die Krone für Lancaster zurückgewannen, überlegte er. Vielleicht würde Janet sich in das Unvermeidliche fügen, so wie er es getan hatte. »Lass uns ins Bett gehen«, flüsterte er.

»Wozu die Umstände?«, fragte sie mit diesem schamlosen

Lächeln in der Stimme, das ihn immer in Wallung brachte. Sie schnürte sein Wams auf und entblößte seine Schultern, ehe er auch nur versuchen konnte, es zu verhindern.

»Julian!«, stieß sie erschrocken hervor. »Was in aller Welt hast du da?«

»Gar nichts.« Er wollte sie fester an sich ziehen und mit einem Kuss ablenken, aber sie bog den Kopf weg und betrachtete seine Schulter eingehender. Nur eine einzelne Kerze brannte in einem Halter neben dem Fenster, im Raum war es dämmrig. Aber Marguerite hatte ganze Arbeit mit ihren Krallen geleistet – genau wie früher. Das Licht reichte, um Janet zu zeigen, was das für Kratzspuren waren, und sie erstarrte wie Lots Weib.

Julian unterdrückte einen Fluch, löste sich abrupt von seiner Frau, ging die drei Schritte bis zum Bett und setzte sich auf die Kante. »Keine Szene, ja? Sei so gut. Es hat nichts zu bedeuten, und es ist nicht wert, deswegen ein Gesicht zu machen, als wäre die Pest ausgebrochen.« Es klang unwirsch – schärfer, als er beabsichtigt hatte.

Janet blinzelte. Einen Moment stand sie immer noch reglos am Fenster, dann hob sie langsam die Linke und schob den Träger ihres Hemdes, der über die Schulter gerutscht war, wieder nach oben. »Du …« Sie musste sich räuspern. »Du rammelst Marguerite d'Anjou, und es hat nichts zu bedeuten?«

Die Scham brannte in seinem Bauch, beinah wie ein körperlicher Schmerz. Es war das gleiche Gefühl wie damals, als er Warwicks Frau seine Liebe offenbart hatte, und genau wie damals machte es ihn kopflos. »Ich verbiete dir solch vulgäre Reden«, fuhr er seine Frau an.

Sie schüttelte langsam den Kopf, fassungslos.

»Janet, hör mir zu.« Julian stand wieder auf, trat zu ihr und nahm ihre Linke in beide Hände. Die ihre war eiskalt und lag schlaff und leblos in seinen. »Es tut mir leid. Wirklich. Ich wollte niemals, dass du das erfährst, denn es war nie mein Wunsch, dich zu kränken.«

»Verstehe. Darum wolltest du nicht, dass ich es erfahre.« Er verstand ihren Sarkasmus nicht so recht, aber schlimmer war der Schmerz in ihren Augen.

»Sei nicht unglücklich«, bat er hilflos. »Das ist es nicht wert, glaub mir. Es war nichts weiter als …« Er winkte ab. »Es hat wohl wenig Sinn, es zu erklären. Lass es uns einfach vergessen, ja?«

Sie hörte ihm gar nicht zu. »*Wozu sollen du und ich einander noch anlügen?* Hast du das nicht eben erst gesagt? Während du gleichzeitig mit dieser Lancasterschlampe die Ehe brichst, ja?«

»Sie ist die Königin, also pass auf, was du sagst«, knurrte er.

»Königin oder nicht, ein lasterhaftes Miststück ist sie auf jeden Fall, und das werde ich sagen, ob du es hören willst oder nicht, Mylord!«, konterte Janet. »Und du bist ein untreuer Lump und ein Ehebrecher, genau wie sie.«

»Ich würde mir an deiner Stelle gut überlegen, ob du Steine werfen willst«, gab er eisig zurück. »Du bist schließlich auch nicht als keusche Witwe in unser eheliches Bett gekommen, sondern mit einem königlichen Bastard unter dem Herzen, nicht wahr?« Er bereute es schon, noch während er es sagte. Aber es wollte um jeden Preis heraus.

Sein Gegenangriff hatte den gewünschten Effekt: Janet sagte nichts mehr. Julian hatte geahnt, dass dieser Vorwurf – so himmelschreiend ungerecht er auch war – sie mundtot machen würde. Im Grunde war ihm das ganz lieb so, denn er wollte dieses unselige Thema beschließen. Doch irgendetwas an ihrem Blick ließ ihn argwöhnen, dass diese Sache ihn noch teuer zu stehen kommen würde. Ratlos und niedergeschlagen streckte er sich auf dem Rücken aus und starrte in den säuberlich gespannten Baldachin empor. Er bereute, dass er seine Frau unglücklich gemacht hatte, aber obwohl er sich bemühte, konnte er keine echte Reue für seine Untreue empfinden. Janet hatte also Recht, musste er einräumen: Er war ein Lump. Die Erkenntnis entlockte ihm ein schuldbewusstes Grinsen, bis er plötzlich die Stimme seines Vaters in seinem Kopf hörte: *Du bist eine Schande für dein Haus, Julian.*

Das Grinsen verschwand wie fortgewischt.

Niemand war Zeuge der Begegnung zwischen Königin Marguerite und dem Earl of Warwick am folgenden Tag. Sie dauerte über zwei Stunden, und Julian kam es vor, als habe er während der ganzen Zeit den Atem angehalten.

Mit langen, energischen Schritten und einem Lächeln auf den Lippen kam Warwick schließlich aus den Gemächern der Königin zurück in die kleine Halle, wo Julian mit Jasper Tudor, dem Earl of Oxford und einigen anderen gewartet hatte. »Wir sind uns einig«, verkündete Warwick.

Julian konnte er mit seinem zufriedenen Lächeln nicht täuschen. Warwick sah mitgenommen aus. Blasser als gewöhnlich, die Anspannung hatte Kerben in die Stirn gegraben, zwei Furchen verliefen von der Adlernase zu den Mundwinkeln hinab, und ein gutes Maß unterdrückter Wut funkelte in den blauen Augen. Kein Zweifel, Marguerite hatte es ihm so schwer gemacht, wie sie konnte.

»Und was genau heißt das?«, fragte Jasper. Er gab sich keinerlei Mühe, seine Abneigung gegen Warwick zu verhehlen.

Abneigung hatte den mächtigen Earl indes noch nie eingeschüchtert. »Wir segeln nach England, sobald die Flotte beisammen ist. Louis stellt Truppen und bezahlt die Rechnung. Und ich weiß, das verdanken wir vor allem Euch, Tudor.«

Sein gewinnendes Lächeln perlte von dem Angesprochenen ab wie Regen von einer geölten Rüstung, aber Jasper schluckte die Antwort, die ihm offenbar auf der Zunge lag, herunter.

»In drei Tagen werden meine Tochter und Prinz Edouard hier in der Kathedrale verlobt«, fuhr Warwick fort. »Mit der eigentlichen Hochzeit müssen wir warten, bis der Dispens aus Rom eintrifft. Ende des Jahres, schätze ich. Marguerite besteht allerdings auf einer Vereinbarung, dass die Ehe nicht vollzogen wird, bis Henry seine Krone wiederhat.« Er hob kurz die Schultern. »Das kann ich sogar verstehen.«

Julian fand es ein wenig merkwürdig, dass Warwick so nüchtern von der Defloration seiner Tochter sprach, als handele es sich um die Besiegelung irgendeiner Urkunde. Aber Warwicks Nüchternheit und sein kühler Kopf gehörten eben zu seinen größten Stärken, und natürlich hatte er Recht: Die Ehe zwischen Lady Anne und Prinz Edouard war ein politischer Akt, und das galt auch für deren Vollzug. Erst wenn Warwick Marguerite gab, was sie wollte – eine unangefochtene Krone für ihren Gemahl, vor allem für ihren Sohn –, würde sie Warwick geben, was dieser wollte: einen Prinzen für sein Töchterchen, einen Enkel auf Englands Thron. Scheiterte Warwicks militärisches Abenteuer in England jedoch, konnte die Ehe zwischen dem Prinzen und Anne problemlos annulliert werden, wenn sie noch nicht … in die Tat umgesetzt worden war. Diese Möglichkeit hing nun wie eine drohende Wolke über Warwicks Haupt, war ein Druckmittel in Marguerites Hand.

Warwick fuhr sich mit der Linken übers Kinn. »Gott, ich brauch was zu trinken.«

Oxford grinste schadenfroh. »Sie hat dich bluten lassen, was?«

Warwick nickte. »In zwanzig Jahren erbitterter Feindschaft staut sich eine Menge Groll an. Marguerite hat das Beste aus dieser Gelegenheit gemacht.« Julian vertraute er später unter vier Augen an, dass diese zwei Stunden die furchtbarste Demütigung gewesen waren, die er in seinem Leben je erlitten hatte, und dass er nie zuvor mehr Selbstbeherrschung gebraucht hatte, um sein Ziel nicht aus den Augen zu verlieren.

»Ihr habt mein ungeteiltes Mitgefühl«, knurrte Jasper. »Aber ich wüsste gerne, wie es nun weitergeht.«

»Wie ich sagte, wir setzen über, sobald alles bereit ist«, gab Warwick gereizt zurück. »Wenn ich Euch einen Vorschlag machen darf, ohne dass Ihr ihn nur aus Sturheit in den Wind schlagt, würde ich sagen, Ihr begebt Euch gleich nach unserer Landung nach Wales und sammelt Eure Anhänger dort. Oxford und ich ziehen in die Midlands. Mein Schwager Salisbury und der Earl of Shrewsbury werden sich uns anschließen. Zusammen mit Louis' Truppen sollten wir auf dreißigtausend Mann kommen. Mit ihnen ziehen wir Edward entgegen, schlagen ihn und setzen Henry of Lancaster wieder auf den Thron. Wenn England gesichert ist, kommt Burgund an die Reihe. Das schulden wir König Louis, und wenn Burgund vernichtet ist, hat das Haus Lancaster einen Feind weniger auf der Welt.«

Es war einen Moment still. Oxford strich gedankenverloren über sein verstümmeltes Ohrläppchen und fragte schließlich: »Ich nehme an, die Königin und der Prinz werden uns nach England begleiten?«

Doch Warwick schüttelte unerwartet den Kopf. »Marguerite besteht darauf, dass wir England zuerst für ihren Gemahl zurückgewinnen, ehe sie und Edouard einen Fuß auf englischen Boden setzen.«

»Was soll das nun wieder?«, fragte Jasper. »Wir *brauchen* Edouard. Die Engländer müssen ihn sehen, damit sie begreifen, dass das Haus Lancaster ihnen einen starken König zu bieten hat.«

»Ja, ich weiß«, antwortete Warwick. »Aber sie war unerschütterlich in ihrem Entschluss.«

»Weil sie Euch immer noch misstraut«, konterte Jasper. »Und das ist weiß Gott kein Wunder.«

»Vielleicht versucht Ihr dann mal Euer Glück, sie umzustimmen«, entgegnete Warwick hitzig. »Schließlich seid Ihr ihr Schwager und vielleicht …«

»Gentlemen«, unterbrach Oxford beschwichtigend. »Diese Debatte ist sinnlos und gefährlich. Wenn die Königin sagt, Edouard bleibt hier, bis der Thron für Lancaster gesichert ist, dann bleibt Edouard hier. Wir schaffen es auch ohne ihn. Wenn wir unseren Groll begraben und zusammenstehen.«

Jasper und Warwick sahen nicht glücklich aus und bedachten einander immer noch mit verstohlenen, misstrauischen Blicken, aber sie nickten.

Welch ein brüchiges Bündnis, dachte Julian beklommen. Wie konnten sie hoffen, Erfolg zu haben?

Es schüttete, ein ungemütlicher Wind pfiff über die Hügel und brachte immer neue Wolken vom Meer heran. Der Haushalt saß in der bescheidenen Halle des »großen Hauses« beisammen. Blanche strickte, Generys spann, Meilyr zeigte den jüngeren Kindern, wie man Männchen aus Eicheln bastelte, und Richmond spielte mit Owen eine Partie Mühle.

»Können wir kein Feuer machen, Mutter?«, quengelte die kleine Caitlin. »Mir ist so kalt.«

»Hier drinnen ist es nicht kalt«, widersprach Blanche, obwohl es nicht wirklich stimmte. Sie streckte die Hand aus. »Komm auf meinen Schoß. Ich wärme dich.«

»Ich will aber Männchen bauen«, protestierte Caitlin.

Ihre Mutter zuckte die Schultern. »Dann musst du wohl weiter frieren. Such es dir aus, Liebes.«

Nach einer kurzen inneren Debatte kam Caitlin zu ihr herüber und brachte ihr halb fertiges Eichelmännchen mit.

Blanche legte die Handarbeit beiseite, hob ihre Tochter auf den Schoß und schloss sie in die Arme. »Besser?«

Caitlin nickte, fragte aber: »Warum können wir kein Feuer machen?«

»Wir müssen ein bisschen sparen«, erklärte Blanche. Der Großteil der Ernte war durch den nassen Sommer verdorben, und sie hatte viele Mäuler zu stopfen. Gott allein mochte wissen, wann Jasper zurückkam, um ihr einen Rat zu geben, wie sie ihre Kinder satt bekommen sollte. Sie waren noch nicht in Not, aber Blanche hatte dem Haushalt eiserne Sparsamkeit verordnet.

Vor der Halle erklangen Schritte und Männerstimmen. Richmond wandte den Blick zur Tür und legte die Hand ans Heft, um sich zu vergewissern, dass er bewaffnet war. Blanche war überzeugt, dass diese Geste ihm überhaupt nicht bewusst war.

Die Tür wurde geöffnet, Rhys trat über die Schwelle und verneigte sich vor Blanche – so linkisch wie eh und je. »Euer Bruder«, knurrte er.

»Julian?« Blanche sprang so hastig auf, das Caitlin um ein Haar zu Boden gepurzelt wäre.

»Mutter!«, protestierte das Kind empört.

»Entschuldige, Liebes«, erwiderte Blanche zerstreut und hastete zur Tür.

Julian betrat die Halle, und seine Schwester fiel ihm um den Hals, ehe er Gelegenheit hatte, sich umzuschauen.

»Blanche.« Er küsste sie auf die Wange, dann trat er einen Schritt zurück, und sie sahen sich an. Acht Jahre, dachte Blanche, ungläubig und kummervoll zugleich. *Acht* Jahre. Julian hatte sich kaum verändert. Wie hinterhältig das Alter doch war, dass es mit Männern so viel gnädiger umging als mit Frauen. Bis auf ein paar Krähenfüße war das Gesicht ihres Bruders faltenlos, das Haar dicht und blond, die Augen so blau und voller Neugier und Lebenshunger wie eh und je. Nur eine Spur ernster war der Ausdruck geworden, aber so sollte es auch sein. Julian hatte gelebt, und das Leben hinterließ eben seine Spuren.

»Wo ist Jasper?«, fragte sie. »Hast du ihn mitgebracht?«

Er schüttelte den Kopf. »Wir haben uns in Barfleur getrennt. Er war wohlauf – wenn auch grässlicher Laune. Ich schätze, es dauert nicht mehr lange, bis er zurückkommt.«

Blanche nickte. Sie wusste, dass Stürme und burgundische Schiffe Jasper, Warwick und ihre Flotte seit Wochen hinderten, den Kanal zu überqueren, aber früher oder später musste der Wind ja einmal drehen. »Wie kommst du dann hierher?«

»Für ein einzelnes Schiff ist es leichter als für ein paar hundert. Einer von uns musste unbedingt nach England zurück, denn wir hörten ein Gerücht, die Yorkisten hätten von unseren Plänen Wind bekommen. Und es stimmt. Edward hebt Truppen aus, und die Lancastrianer tauchen unter und sammeln sich heimlich. Blanche, ich … ich bringe dir meine Familie. Ich fürchte, Janet und die Kinder könnten in England in Geiselhaft geraten, und ich wusste einfach nicht …«

»Ihr könnt sie gleich wieder mitnehmen«, fiel Rhys ihm rüde ins Wort. »Wir wissen selbst nicht, wie wir über den Winter kommen sollen, und außerdem …«

Aber auch er wurde unterbrochen. »Rhys.« Die Stimme war nicht laut, aber so schneidend, dass alle sich umwandten. Richmond hatte sich von seinem Schemel erhoben.

»Oh, mein Gott«, flüsterte Julian. Langsam trat er auf den Jüngling zu, blieb vor ihm stehen und betrachtete ihn mit verräterisch strahlenden Augen. »Henry.«

Richmond verneigte sich, und dann lächelte er. »Mylord. Ihr und die Euren seid willkommen in meinem Haus, solange Ihr es wünscht.« Bei einem anderen Knaben hätte es vielleicht albern oder großspurig geklungen, wie er »mein Haus« sagte, nicht aber bei Richmond. »Es wird mir eine Ehre sein.«

»Die Ehre ist die meine. Du …« Julian musste sich räuspern. »Du hörst es wahrscheinlich ständig, aber es ist unglaublich, wie ähnlich du deinem Vater siehst.«

Mit knapp vierzehn reichte Richmond Julian bis an die Schulter, und sein von Natur aus eher schmales Gesicht hatte die letzten Rundungen der Kindheit abgelegt. Es stimmte, ging Blanche auf. Bis auf die dunkleren Haare war Richmond das Abbild seines Vaters.

Der Junge schüttelte langsam den Kopf. »Ich begegne nicht oft Menschen, die meinen Vater gekannt haben. Er war mehr Engländer als Waliser, scheint mir, Mylord.«

»Nenn mich Julian, um Gottes willen.«

»Ihr … du führst den Namen des Herrn eitel«, bemerkte Richmond untypisch schelmisch.

»Andauernd, fürchte ich. Deine Mutter hat jahrelang versucht, mir das auszutreiben, aber ohne Erfolg.«

Sie lachten, und Julian legte dem Jungen einen Moment die Hand auf die Schulter.

Blanche beobachtete ungläubig, wie gelöst Richmond mit einem Mal war. Wie gnädig er die Hand auf seiner Schulter duldete. Es war beinah ein kleines Wunder.

Plötzlich selbst von Übermut erfüllt, klatschte sie in die Hände. »Wo ist deine Familie, Julian? Generys, hol Brot und Honig und Ale, sei so gut.«

Mit einem unsicheren Blick auf ihren Mann ging die Amme

hinaus, und Julian winkte seine Frau, seine Brut und seine Begleiter herein, die vor der Tür gewartet hatten. Es dauerte ein Weilchen, bis alle miteinander bekannt gemacht waren. Blanche war hingerissen von den fünf Kindern ihres Bruders, staunte, als sie erfuhr, dass sein neuer Knappe ein Enkel ihres Onkels Mortimer war, und feierte ein frohes Wiedersehen mit Lucas und Tristan. Mit größter Neugier betrachtete sie jedoch Julians Gemahlin, und was sie sah, erschreckte sie. Janet Hastings war eine hübsche Frau mit wunderschönen blaugrauen Augen. Sie war liebevoll und geduldig zu ihrer Kinderschar, aber ihre Unbeschwertheit war gespielt, und sie sah Julian nur an, wenn es sich nicht vermeiden ließ.

»Was hat das zu bedeuten?«, fragte Blanche ihren Bruder, als sie sich kurz vor Einbruch der Dämmerung davongeschlichen hatten, um auszureiten. Der Himmel war unverändert grau, aber der Regen hatte nachgelassen, wie er es abends meist für ein paar Stunden tat.

»Nichts«, gab Julian unwillig zurück.

»Komm mir nicht so …«

»Ich will nicht darüber reden, Blanche, in Ordnung?«

»Nein. Das ist nicht in Ordnung. Seit ich am Tag meiner Flucht aus Lydminster mein Spiegelbild in einem Wassereimer entdeckt habe, hab ich keine so unglückliche Frau mehr gesehen.«

Julian verdrehte die Augen und sagte nichts.

»Was hast du ihr getan?«, bohrte Blanche unbeirrt weiter.

»Also, ich muss doch sehr bitten, ja«, gab er entrüstet zurück. »Sie ist schwermütig, weil es zur Abwechslung mal den Yorkisten an den Kragen geht. Das ist alles.«

»Nein, das ist nicht alles. Nie und nimmer.«

Julian schaute sich um und wechselte das Thema. »Es ist wunderschön hier.«

Blanche folgte seinem Blick und nickte. Sie wies geradeaus. »Wenn wir ein Stück weiter in diese Richtung reiten, kommen wir zu der Burg, wo Eleanor Cobham gefangen gehalten wurde. Ihr Geist geht nachts dort um, heißt es.«

»Vater würde es gewiss befriedigen, zu wissen, dass sie keine Ruhe findet.«

Sie lachten, ein wenig schuldbewusst, dass sie über ein ziemlich abscheuliches Kapitel ihrer Familiengeschichte witzelten.

»Hast du sie gern?«, fragte Blanche unvermittelt.

Er tat entgeistert. »Eleanor Cobham?«

»Deine Frau, Holzkopf.«

Er schien mit sich zu ringen, ob er überhaupt antworten, sich noch einmal auf dieses Thema einlassen sollte. Schließlich nickte er unwillig.

»Sehr?«

»Was soll das werden, Blanche?«

»Gib Antwort.«

»Nein, ich werde dir nicht antworten. Du kannst nicht nach all diesen Jahren plötzlich in mein Leben spazieren und es aufräumen. Ich danke dir für deine Anteilnahme, aber ich will das nicht, verstanden?«

»›Ich danke dir für deine Anteilnahme‹«, wiederholte sie spöttisch. »Du willst mir nicht sagen, was du getan hast, weil du dich schämst.«

Er schnalzte ungeduldig, aber sie sah, dass sie ins Schwarze getroffen hatte.

Nach einem kurzen Schweigen gestand er unerwartet: »Was sie mir bedeutet, weiß ich erst, seit sie mir die kalte Schulter zeigt. Sie fehlt mir. Und nicht nur in *der* Hinsicht.« Er errötete, und Blanche hatte Mühe, nicht den Blick zu senken. Es war höchst unschicklich für Bruder und Schwester, über Angelegenheiten ehelicher Zweisamkeit zu sprechen. Aber sie verbarg ihre Verlegenheit, denn sie war froh, dass er endlich redete. »Als Edward mich mit ihr verheiratet hat, war ich wütend, aber irgendwie war es auch ganz bequem«, fuhr er fort. »Ich hatte sie nicht gewollt, also konnte auch niemand erwarten, dass ich mir große Mühe gebe. Ich wollte doch im Grunde überhaupt keine Frau.«

»Du wolltest Megan Beaufort«, widersprach sie. »Du wolltest etwas, das du auf einen Sockel stellen und anbeten kannst, das dir aber niemals wehtun würde.«

Julian starrte zu seiner Schwester hinüber, den Mund leicht geöffnet.

»Was ist?«, fragte sie verwirrt.

Er schüttelte den Kopf, fast ein wenig benommen, so schien es. »Nichts.«

»Aber dann ist deine Gemahlin dir mehr ans Herz gewachsen, als du zulassen wolltest? Und weil dir das nicht geheuer war, warst du ihr untreu und hast dafür gesorgt, dass sie es herausfindet?«

»Blanche, langsam wirst du mir unheimlich. Hast du hellsichtige Träume?«

»Manchmal«, räumte sie ein. »Hast du nie welche?«

»Nur ein einziges Mal. Als du deinem Gemahl die Hand abgehackt hast.«

Sie verzog den Mund. Das war bis auf den heutigen Tag eine Episode, an die sie lieber nicht dachte, und darum kehrte sie zu ihrem eigentlichen Thema zurück. »Also? War es so, wie ich gesagt habe?«

Julian schüttelte den Kopf. »Ich wollte nicht, dass sie es herausfindet. Aber es ist eben passiert, und nun macht sie ein riesiges Gewese darum, und um dir die Wahrheit zu sagen: Ich bin ratlos.«

»Du könntest sie um Verzeihung bitten«, schlug Blanche vor.

»Wozu? Ich würd's morgen wieder tun.«

»Warum?«

»Warum nicht?«

»Na ja, weil es sie kränkt. Weil du vor Gott geschworen hast … Ach nein. Hast du nicht.«

»Hab ich nicht«, bestätigte er mit Nachdruck. »Und sie hat keinen Grund, gekränkt zu sein. Alle Männer tun es, oder?«

Blanche schüttelte entschieden den Kopf. »Jasper tut es nie.«

»Bist du sicher?«, fragte er. Es klang eher erstaunt als höhnisch.

Sicher konnte sie nicht sein, ging ihr auf. Sie hatte keine Ahnung, was Jasper trieb, wenn er wochen- oder monatelang fort war. Dennoch antwortete sie im Brustton der Überzeugung: »Vollkommen.«

»Nun ja. Ihr seid ja auch nicht verheiratet«, gab Julian grinsend zurück, und sie lachten. Verschwörerisch, verwegen, mit diebischem Vergnügen – genau wie früher.

Dann wurde Blanche wieder ernst, nahm die Rechte vom Zügel und drückte die Linke ihres Bruders. »Gib dir ein bisschen Mühe, hm? Zeig ihr, dass sie dir nicht gleichgültig ist. Du musst dich mit ihr versöhnen, ehe du aufbrichst, Bruder, denn du ziehst in den Krieg.«

Er nickte. Dann fragte er: »Stimmt es, was Rhys gesagt hat? Hattet ihr eine schlechte Ernte?«

»Ja. Aber ich will trotzdem, dass du deine Familie hier lässt. Mach mir die Freude. Ich bekomm sie schon satt.«

»Das wirst du«, versprach Julian. »Ich hab den ganzen Schiffsbauch voll Weizen, Hafer und Rotwein. Morgen früh löschen wir die Ladung, und ich nehme an walisischen Bögen mit, was ich kriegen kann.«

Julian empfand die Abgeschiedenheit und die ländliche Idylle von Penmynydd als ebenso heilsam, wie seine Schwester es getan hatte, und darum fand er es schwierig, sich davon loszureißen. Nachts stürmte es, und auch tagsüber blieb das Wetter nass und ungemütlich, aber davon ließ Julian sich nicht schrecken. Er, Lucas und Tristan ritten kreuz und quer durch Anglesey und kauften Bögen. Hier in Wales war der Langbogen entwickelt worden, dem die Engländer ihre vielen Siege auf französischen Schlachtfeldern zu verdanken hatten, und nirgendwo wurden bessere gebaut. Nachmittags ging Julian mit Owen und Robin zum Fischen, und im lautlosen Regen machten sie meist einen hervorragenden Fang. Er tobte mit seinen Töchtern und Nichten im Heu, erteilte allen Kindern, die wollten, Reitunterricht, schulte Mortimer und Richmond unter den neidischen Blicken der kleineren Jungen in den ritterlichen Künsten und ließ sie gegeneinander zu Übungskämpfen antreten. Richmond war hervorragend ausgebildet, stellte Julian ebenso fest wie Jasper vor ihm.

»Fehlt dir dein altes Leben nicht manchmal?«, fragte er den Jungen, als sie nebeneinander am Feuer saßen und mit Heißhunger die Pflaumenpfannküchlein vertilgten, die Generys ihnen gebracht hatte. »Ein Hof voller Ritter, Knappen und Pferde, wo man zu jeder Stunde Waffenklirren und den Schmiedehammer hört?«

Richmond schüttelte den Kopf. »Noch nicht, jedenfalls. Sicher, es ist sehr still hier. Und wenn du und Mortimer wieder fortgeht, habe ich keinen Trainingspartner mehr.« Er schwieg einen Augenblick und dachte nach, ehe er fortfuhr. Das tat er oft, war Julian aufgefallen. Richmond hatte die gleiche bedächtige Art zu sprechen wie sein Vater. »Ich glaube, hier lerne ich gerade, wer ich eigentlich bin. Darüber hat Black Will Herbert mir nichts als Lügen erzählt, stelle ich nach und nach fest. Jetzt erfahre ich die Wahrheit über meine Wurzeln, und auf einmal kann ich Dinge verstehen, die mir bislang immer rätselhaft waren. Unheimlich sogar. Das scheint mir im Moment wichtiger als tägliche Lektionen in Waffentechnik und Beinarbeit.«

Julian dachte, dass dieser Knabe mit vierzehn einen klareren Blick für die wesentlichen Dinge hatte als er selbst mit zwanzig. »Da hast du zweifellos Recht«, räumte er ein. »Und wenn wir den Thron für deinen Onkel Henry zurückgewinnen, kannst du an seinen Hof oder an jeden anderen in England gehen, wenn es dein Wunsch ist, und deine Ausbildung fortsetzen.«

»*Wenn* ihr ihn zurückgewinnt.«

Julian nickte. »Ich bin zuversichtlich. Das heißt nicht viel, könnte man mit Fug und Recht einwenden, denn ich bin oft zu optimistisch. Aber selbst Jasper – dem man das wirklich nicht vorwerfen kann – ist dieses Mal hoffnungsvoll.«

Richmond betrachtete den kleinen Stapel Pfannkuchen auf

dem Zinnteller vor sich gedankenverloren und sagte schließlich: »Ich bin neugierig auf England, aber es schreckt mich auch, weil es die Fremde für mich ist. Und am meisten graut mir davor, meiner Mutter zu begegnen.«

Julian kam aus dem Staunen gar nicht mehr heraus. Welcher halbwüchsige Knabe war imstande, so etwas zuzugeben? »Ich schwöre dir, dazu hast du keinen Grund«, antwortete er und sah dem Jungen in die Augen. »Deine Mutter ist … der einzige wirklich durch und durch gutartige Mensch, den ich kenne.«

»Fast eine Heilige, sagt Blanche.« Man konnte Richmond ansehen, dass er nicht so recht wusste, was er von dieser Behauptung halten sollte.

Aber Julian schüttelte den Kopf. »Das ist der Fehler, den alle in Bezug auf deine Mutter machen. Sie nennen sie eine Heilige und sind ihr gram, wenn sie ihren Erwartungen dann nicht gerecht wird. Aber deine Mutter ist keine Heilige, mein Junge, sondern nur ein gewöhnlicher Mensch. Ich kenne niemanden, der so von Frömmigkeit durchdrungen ist wie sie. Niemand nimmt die Gebote so wörtlich wie deine Mutter und richtet sein Leben danach aus, wie sie es tut. Aber sie hat Schwächen und Fehler wie wir alle. Man kann ihr wohl vorwerfen, dass sie dem Jenseits näher ist als dem Diesseits. Sich mit größerer Leidenschaft in fromme Bücher vertieft, als sie dem wirklichen Leben entgegenbringt.«

Richmond hob abwehrend die Hand. »Es ist sehr gut von dir, dass du mir erklären willst, warum sie mich nicht wollte und in die Hand unserer Feinde gegeben hat. Aber nicht nötig. Ich schätze … ich bin darüber hinweg. Alt genug bin ich schließlich.«

Julian nickte, aber er glaubte ihm kein Wort. Er rieb sich die Nasenwurzel. »Tja, zweifellos. Ich wollte dir auch nicht zu nahe treten. Das ist eine Angelegenheit zwischen dir und ihr und geht mich nichts an. Aber du hast gesagt, dir graut beim Gedanken an euer Wiedersehen. Darum sag ich noch dies: Ich kenne deine Mutter ihr ganzes Leben lang. Glaub mir, sie fiebert dem Tag eures Wiedersehens entgegen, aber ihr graut mehr davor als dir.«

»Warum?«, fragte Richmond verwundert.

»Weil sie weiß, dass sie dich im Stich gelassen hat. Sie ist keine Frau wie Blanche oder Janet. Deine Mutter, Richmond, kann nur ... wie soll ich sagen? Sie kann nur auf spiritueller Ebene lieben. Das ist nicht das, was ein Sohn sich von seiner Mutter wünscht. Aber es ist eben alles, was sie zu geben hat. Jetzt bist du fast erwachsen, und wie du selbst sagst, brauchst du das, was sie dir nicht geben konnte, überhaupt nicht mehr. Aber in einem lancastrianischen England ist deine Mutter eine sehr mächtige Frau. Und in dieser Eigenschaft kann sie dir viele Dinge geben, die du jetzt brauchen wirst: ihre Freundschaft, ihre Unterstützung, ihre Verbindungen, ihren Rat. Sie wird dir eine verlässliche Verbündete sein. Wenn du sie lässt.«

»Wieso sollte ich sie nicht lassen?«, fragte Richmond. Es klang kühl.

Julian hob leicht die Schultern. »Es wäre nur natürlich, wenn du ihr das, was du als Zurückweisung empfinden musst, mit gleicher Münze vergältest.«

Richmond wandte den Blick ab. Nach einer Weile nickte er. »Du hast Recht. Ich schätze, genau das werde ich tun. Ich kann nicht anders.«

Julian nahm einen Pfannkuchen, rollte ihn auf, steckte ihn in den Mund, kaute versonnen und schluckte. »Es ist das, was dein Onkel Jasper täte, der ein Gedächtnis wie ein Buch hat, wenn es darum geht, einen Groll zu hegen«, erwiderte er dann. »Vermutlich sind die meisten Menschen so. Nur dein Vater war anders.«

Langsam, anscheinend unwillig sah Richmond ihn wieder an. »Inwiefern?«

»Ein Verräter ließ Black Will Herbert und Walter Devereux in die Burg von Carmarthen ein, sodass sie deinen Vater gefangen nehmen konnten.«

»Ja, ich weiß. Sie sperrten meinen Vater und dich in ein Verlies, und dort erwischte ihn die Pest.«

Julian nickte. »Aber selbst als Edmund wusste, dass er

sterben würde, hat er mir auferlegt, den Namen des Verräters geheim zu halten und vor der Rache deines Onkels und Großvaters zu schützen.«

»Aber … warum?«, fragte der Junge verständnislos.

»Es war jemand, für den er sich verantwortlich fühlte. Und dein Vater war ein sehr großzügiger Mann, weißt du.«

»Wirklich? Oder war er ein Narr?« Es klang schneidend.

»Na ja. Großzügigkeit und Torheit liegen oft nah beieinander«, räumte Julian ein. »Aber dein Vater war kein Narr, glaub mir. Im Gegenteil. Heute kommt es mir manchmal so vor, als sei er weiser gewesen als die meisten. Auf jeden Fall war er glücklicher, weil er in der Lage war, die Dinge so zu nehmen, wie sie kamen. Diese Gnade ist nicht vielen gegeben. Und auf seine unbekümmerte, scheinbar arglose Art hat er bekommen, wonach viele andere sich vergeblich verzehrt haben, darunter auch ich«, schloss er.

»Was?«, fragte der Junge neugierig.

Julian lächelte. »Deine Mutter, Richmond.«

Nach einer Woche hörte es auf zu regnen. Der Himmel hing noch voll schwarzer Wolken, aber die Fischer in den Dörfern an der Straße von Menai sagten, der Wind werde drehen und die Sonne endlich wieder zum Vorschein kommen.

»Wenn der Wind dreht, müssen wir aufbrechen«, sagte Julian schweren Herzens.

Lucas nickte. »Es wäre peinlich, wenn wir zu spät zur Entscheidungsschlacht kämen.« Auch sein Bedauern war unüberhörbar.

»Reite zum Hafen, Lucas, sei so gut. Sag Captain Ingram, wir laufen morgen früh mit der Flut aus.«

»In Ordnung.« Lucas packte den kleinen Robin, der zu ihren Füßen im Schlamm mit seinen Holzrittern spielte, unter den Achseln und schwang ihn in die Höhe. »Komm mit, Krümel. Du kannst mir Gesellschaft leisten.«

Der Sechsjährige strampelte. »Lasst mich runter, Sir Lucas, lasst mich runter!«

Lucas tat nichts dergleichen. »Oh, nun komm schon. Du weißt doch, ich hab Angst vor meinem Pferd. Wenn du dabei bist, ist es viel braver ...«

Robin kicherte, und als Lucas ihn auf seine Schultern setzte, erhob er keine Einwände mehr.

Julian fand seine Frau bei Mary und Generys in der Küche, wo sie an der langen steinernen Anrichte stand und einen Kuchenteig rührte. Edmund und Alice saßen links und rechts von ihr auf der Arbeitsplatte, ließen die Füße baumeln und stibitzten Teig aus der Schüssel. Jedes Mal, wenn Janet sie erwischte, gab sie vor, zu langsam zu sein, um die Beute zurückzuholen, stimmte ein empörtes Gezeter an, nannte die beiden kleinen Diebe Lumpenpack und Beutelschneider und drohte ihnen mit dem Rührlöffel. Die Kinder kreischten vor Vergnügen.

»Vater!«, rief Edmund plötzlich aus. Mit drei Jahren war er noch zu klein, um von der Anrichte auf den Boden zu springen, also streckte er erwartungsvoll die Arme aus. Julian trat zu ihm und nahm ihn auf, obwohl sein Sohn ziemlich klebrig war. Zwei kleine Arme schmiegten sich um seinen Hals, und Julian küsste die daunenweichen blonden Locken. Über Edmunds Kopf hinweg schaute er Janet an.

Sie ließ den Rührlöffel sinken. »Es ist also so weit.«

»Morgen früh«, bestätigte Julian.

Sie nickte, zuckte die Schultern und wandte sich wieder ihrem Teig zu. »Tja. Nicht zu ändern.« Es klang wie: Mir soll's gleich sein.

Julian spürte die verstohlenen Blicke der beiden Mägde. Er nahm an, sie verstanden kein Englisch, aber die Gestik und Mimik ehelicher Zwistigkeiten waren gewiss in allen Sprachen gleich. Er wandte sich an Generys. »Wärst du so gut?« Er zeigte auf Janets Rührlöffel.

Generys trat hinzu, nahm Julians Frau den Löffel mit einem scheuen Lächeln ab und setzte die Arbeit fort. Julian verfrachtete seinen Sohn wieder auf die Anrichte. Die Kinder schienen nichts dagegen zu haben, in der Obhut der walisischen Frauen zu bleiben.

»Wohin gehen wir?«, fragte Janet, nachdem sie die Küche verlassen hatten.

Er antwortete nicht, ergriff ihre Hand – fester, als seine Gewohnheit war – und brachte sie zu der hellen, geräumigen Kammer im Obergeschoss des »großen Hauses«, die man für sie hergerichtet hatte.

»Janet, es wird Zeit für ein offenes Wort«, sagte er, als er die Tür geschlossen hatte.

Janet ging ans Fenster, riss sich mit einer ungeduldigen Bewegung das Tuch vom Kopf und fächelte sich Luft zu. Ihre Wangen waren gerötet; in der Küche war es heiß gewesen. Der schwere Zopf befreite sich aus seinen Haarnadeln und glitt ihr schlangengleich über die linke Schulter.

Julian musste den Blick abwenden und schluckte.

»Also?«, fragte sie mit einem Hauch von Spott in der Stimme. »Ich bin ganz Ohr, mein Gemahl.«

Er nahm sich zusammen und schaute sie wieder an. »Die Fischer sagen, der Wind dreht. Ich nehme an, die Stürme der letzten Nächte haben die burgundischen Schiffe zerstreut, sodass unsere Flotte ungehindert auslaufen kann. Ich segele morgen früh nach Plymouth, um dort auf Warwick und Jasper Tudor zu warten.«

Sie nickte. »Und was danach geschieht, weiß kein Mensch.«

»Nein.« Er räusperte sich. Er war nervös. Seine Hände waren feucht und kalt. »Janet, wie lange willst du mir noch zürnen?«

»Bis es dir leid tut, schätze ich.«

»Ich habe dir gesagt, es tut mir leid.«

»Das war gelogen. Bedauerlicherweise kenne ich dich zu gut, um mir von dir noch Sand in die Augen streuen zu lassen. Ich habe mir in den letzten Wochen manchmal gewünscht, es wäre anders, weißt du. Ein feiger Wunsch, zweifellos. Aber ich bin es so satt, unglücklich und einsam zu sein. Darum wünschte ich, ich könnte deine Lügen glauben.«

Dann muss ich mir mehr Mühe geben, fuhr es Julian durch

den Kopf. Ich bin nicht umsonst der Enkel des durchtriebensten Kardinals, der je für Krone und Vaterland gelogen hat.

»Janet, hör mir zu.« Er trat zu ihr, den Kopf reumütig gesenkt, und ergriff ihre Hände.

Aber sie war noch nicht fertig. Sie befreite sich aus seinem Griff, drehte ihm den Rücken zu und stützte die Hände aufs Fensterbrett. »Ich habe mir allerhand törichte Dinge gewünscht. Zum Beispiel, dass keins unserer Kinder je zur Welt gekommen wäre.«

»Das ist wirklich bitter«, sagte er leise. »Und gefährlich. Ich bete, dass Gott ein Auge zudrückt und sie uns lässt. Trotz deiner lästerlichen Wünsche.«

»Ich weiß.« Sie schüttelte langsam den Kopf. »Ich weiß, Julian. Kaum hatte ich den Wunsch gedacht, hab ich ihn zurückgenommen. Mir hat vor mir selbst gegraut. Und auch das nehme ich dir übel. Dass du mich dazu gebracht hast, mir etwas so Abscheuliches zu wünschen. Ich wollte einen Ausweg. Ich wollte weg von dir. Aber unsere Kinder binden mich an dich, komme, was wolle. Darum hab ich es gedacht. Gewünscht. Und dann habe ich mich so furchtbar geschämt. Ich habe mich erbärmlich gefühlt. Und das verdanke ich allein dir.«

Er nahm ihren Ellbogen und drehte sie ein wenig rüde zu sich um. »Schluss damit. Ich bin nicht verantwortlich für deine Gedanken. Hast du es gebeichtet?«

Sie nickte.

»Damit ist die Sache aus der Welt. Sieh mich an.«

»Nein.« Sie versuchte sich loszureißen, aber er gab ihren Arm nicht frei. »Wenn ich dich ansehe, wirst du mich rumkriegen. Und das will ich nicht.«

»Janet.« Er nahm ihr Kinn zwischen Daumen und Zeigefinger. »Du sagst, unsere Kinder binden uns aneinander, komme, was wolle. Das ist wahr. Aber sie sind es nicht allein. Du weißt das, und ich weiß es auch. Allem zum Trotz, was passiert ist. Wie wir angefangen haben. Und allem zum Trotz, was nun kommen wird. Die Welt wird sich verändern. Dieses Mal geht es um alles oder nichts. York wird untergehen oder Lancaster.

Deine Freunde werden mich und die meinen besiegen oder umgekehrt.«

»Du willst sagen, ich soll dir vergeben und dich endlich tun lassen, woran du unablässig denkst, seit wir diesen Raum betreten haben, weil es das letzte Mal sein könnte? Sehr originell, Mylord. Kompliment.«

Ich könnte es einfach tun, lag ihm auf der Zunge. Dein Einverständnis ist nicht zwingend erforderlich. Du bist meine Frau, und es ist mein Recht. Aber das war es nicht, was er wollte. Also wozu sollte er es sagen? Für die schale Genugtuung, seiner Frau ihre Unterlegenheit bewiesen zu haben? Welch ein jämmerlicher Triumph. Er versuchte es anders: »Worauf ich hinauswollte, war, dass wir womöglich nicht mehr dieselben sein werden, wenn wir uns wiedersehen. Was immer geschieht, wird auch eine Zerreißprobe für dich und mich sein.«

»Ja. Ich weiß.« Es klang verzagt und ratlos.

»Du hast mir in Wahrheit doch längst verziehen«, fuhr er fort. »Aber weil ich das nicht verdient habe, spielst du mir deinen Groll weiter vor.«

»Du täuschst dich, Julian. So einfach ist es nicht.« Sie versuchte mit mehr Entschlossenheit, sich zu befreien, und er ließ sie los. »Nicht genug damit, dass du Ränke gegen den König schmiedest, den ich für den rechtmäßigen halte und der dir immer ein Freund war …«

»Von der Kleinigkeit unserer Hochzeit und deren Hintergründen einmal großmütig abgesehen.«

»… nicht genug, dass du in Kauf nimmst, ihn, meine Brüder und meine Freunde zu töten. Nein, du fädelst eine Versöhnung zwischen Warwick und diesem gottlosen französischen Luder ein und steigst in ihr Bett! Das ist Verrat auf zu vielen Ebenen. Ich liebe dich, aber verziehen habe ich dir nicht.«

»Aber warum nicht?«, fragte er verständnislos.

»Ich dachte, das hätte ich dir gerade erklärt.«

Julian winkte ungeduldig ab. »Du bist eine großzügige, vernünftige Frau. Dein anhaltender Groll erscheint mir so unglaubwürdig wie dir offenbar meine Reue.«

Janet antwortete nicht sofort. Sie wusste selbst, dass sie kein Recht hatte, so gekränkt zu sein. Natürlich verlangte die Kirche eheliche Treue von Frauen und Männern gleichermaßen, aber kein vernünftiger Mensch erwartete von einem Mann von Stand, dass er diese Forderung ernster nahm als ein Bischof sein Keuschheitsgelübde. Trotzdem hatte sie geglaubt, Julian sei anders. Vielleicht, weil die Leute in Waringham ihr erzählt hatten, wie sein Vater gewesen war. Vielleicht, weil sie es um jeden Preis glauben *wollte*. Ihr erster Gemahl, Jeremy Bellcote, war ihr mit höflicher Gleichgültigkeit begegnet und hatte mehr Interesse am Gedeihen seiner Schafherden als an seiner Frau gezeigt. Als junge Witwe war sie in König Edwards Fänge geraten, der ihr das Gefühl gegeben hatte, eine Hure zu sein. Fast hätte sie sich daran gewöhnt, ohne Selbstachtung zu leben. Es war qualvoll, aber man starb nicht daran, wie sie zuerst gedacht hatte. Dann hatte man sie mit Julian of Waringham verheiratet, und alles hatte sich geändert.

»Weil du mir etwas gegeben und es mir dann wieder weggenommen hast, schätze ich«, sagte sie schließlich langsam, ließ sich auf die Bettkante sinken und sah auf ihren Rock hinab. »Das ist der wahre Grund.«

»Und was soll das sein?«, fragte er.

»Es ist schwer zu benennen. Frieden? Meinen Platz in der Welt? Ich bin nicht ganz sicher. Jedenfalls wünschte ich, ich hätte es nie gehabt.«

Julian betrachtete sie beklommen. Es machte ihm zu schaffen, dass er ihr etwas so Bedeutsames gegeben und dann wieder genommen hatte. Er hatte nicht gewusst, wie viel Macht er über seine Frau besaß. Er setzte sich neben sie. »Janet, nichts zwischen uns hat sich geändert«, beteuerte er hilflos.

»Nein, ich weiß. Es ist, wie es immer war. Ich habe mir etwas vorgemacht, und jetzt sind mir die Augen geöffnet. Ich werde mich daran gewöhnen, keine Bange. Aber es dauert eben ein Weilchen. Vermutlich habe ich als Mädchen zu viele Ritterromanzen gelesen. Ich dachte …« Sie lachte verlegen. »Ich dachte, du und ich … Ich meine …«

Julian legte hastig einen Finger auf ihre Lippen. »Du hast dich nicht getäuscht«, erwiderte er. »Aber lass uns nicht davon sprechen.«

»Warum nicht?«, fragte sie verständnislos.

»Weil ich nicht kann.«

»Das ist mir schon aufgefallen«, gab sie ein wenig verdrossen zurück.

»Es ist … ein Gelübde«, erklärte er und wandte den Blick ab.

»Was für ein törichtes Gelübde soll das sein?«

Julian hatte gewusst, dass er einen Preis würde bezahlen müssen. Dass er Janet etwas geben musste, um sich ihr zu beweisen und um seine Frau so zu versöhnen. Dass es ausgerechnet seine schmachvollste Erinnerung sein würde, erschütterte ihn, erfüllte ihn mit elender Scham und machte ihn wütend. Aber das war es vermutlich, was ein echtes Opfer einem abverlangte. Also erzählte er Janet von seiner unglücklichen Liebe zu Warwicks Gemahlin und deren Folgen. Er sah ihr nicht in die Augen dabei, erzählte in spöttischem Ton, die linke Braue hochgezogen.

Aber Janet machte er natürlich nichts vor. Sie sah, wie er sich quälte, und es befriedigte ihr Bedürfnis nach Rache. Sie bedauerte den unglücklichen Knaben, der er gewesen war. Und schließlich verführte sie den Mann, der aus ihm geworden war, um ihm zu beweisen, dass es zumindest eine Frau in England gab, die ihn wollte.

Westminster, Oktober 1470

Der Earl of Warwick wirkte ein Wunder und brachte den verdutzten, unwilligen und händeringenden Henry of Lancaster zurück auf den Thron, ohne eine einzige Schlacht zu schlagen.

Am 13. September war Warwick mit Jasper Tudor, dem Earl of Oxford, dem Duke of Clarence und der französischen

Flotte in Dartmouth und Plymouth gelandet. Wie verabredet, war Jasper umgehend nach Wales weitergezogen, um dort weitere Truppen um sich zu scharen, während Warwick mit den französischen Söldnern nach Norden zog. König Edward weilte in Yorkshire, und Warwick wollte ihn schnellstmöglich zur Schlacht zwingen, ehe Edward ein yorkistisches Heer aufstellen konnte.

Anders als vor einem Jahr fand Warwick wachsenden Zustrom und Rückhalt im Land, denn dieses Mal war er ja nicht ausgezogen, einen König ersatzlos zu entmachten, sondern um »den Rebellen und Feind Edward, einstmals Earl of March, niederzuwerfen«, wie eine Proklamation besagte, »der ein Usurpator und Unterdrücker ist und sich in sträflicher Weise gegen das englische Volk, gegen Adel und den einzig wahren König von Gottes Gnaden erhoben« habe.

England staunte. Aber Warwick zog wie ein Wirbelsturm über das Land hinweg und riss alle mit sich, ehe sie so recht Zeit fanden, darüber nachzudenken. Auch die schlechte Ernte spielte ihm in die Hände. Ritter und Landadel hatten hohe Einbußen bei den Pachteinnahmen hinnehmen müssen, und Warwick brachte das Gerücht in Umlauf, Edward plane eine hohe Sondersteuer zur Finanzierung eines neuen Krieges gegen Frankreich. Davon wollten die kleinen Leute nichts hören. Sie hatten genug vom Krieg – dies- und jenseits des Kanals –, und plötzlich waren die Wirtshäuser voll standhafter Lancastrianer, die verkündeten, sie seien immer schon der Auffassung gewesen, Henry sei der einzig wahre König und Edward ein Thronräuber.

Der fragliche Thronräuber verfiel nicht in Lethargie und Schwermut wie im Jahr zuvor, sondern reagierte rasch und besonnen. Er sammelte seine Getreuen um sich und zog Warwick entgegen, zuversichtlich, dass er ihn schlagen konnte, denn – das wussten sie alle – auf dem Feld konnte niemand Edward das Wasser reichen. Doch dann zauberte Warwick seinen letzten Trumpf aus dem Ärmel: Sein jüngster Bruder John Neville, Lord Montague, der bislang unerschütterlich zu

Edward und dem Hause York gestanden hatte, zog mit einer Armee nach Süden, um, so glaubten die Yorkisten, Edward zur Hilfe zu eilen. In Sichtweite von Warwicks Armee stellte Edward seine Truppen auf und wartete auf die Verstärkung, als ein Späher ihm die furchtbare Nachricht brachte: Montague war zu den Lancastrianern übergelaufen. Edward saß in der Falle zwischen zwei feindlichen Armeen, deren zahlenmäßige Überlegenheit selbst ihm jede Zuversicht raubte. Er floh nach Osten, nur begleitet von seinem Bruder Gloucester, seinem Schwager Rivers, Lord Hastings und einer kleinen Schar treuer Ritter. In King's Lynn gingen sie am zweiten Oktober an Bord eines Schiffes und segelten nach Burgund zu Edwards Schwager, Herzog Charles. Und Edward musste dem Kapitän seinen pelzgefütterten Mantel geben, um für ihre Überfahrt zu zahlen, wurde erzählt.

»Armes Schwein«, murmelte Julian unbehaglich vor sich hin.

»Jetzt fang bloß nicht an zu heulen, Mylord«, schalt Lucas. »Haben wir, was wir wollten, oder nicht?«

Julian nickte und schaute sich missmutig um. Der Innenhof der weitläufigen Palastanlage von Westminster lag wie ausgestorben. Hier und da sah man noch einen Schreiber, einen Priester oder eine Magd von Tür zu Tür huschen, doch der Hof als solcher hatte sich aufgelöst. Wer nicht mit Edward nach Norden gezogen war, hatte sich aus Westminster verdrückt, als der Earl of Waringham mit den Männern von Kent und der Earl of Warwick mit seiner Söldnerarmee auf London marschierten.

»Und was genau machen wir nun hier?«, fragte Lucas und zog fröstelnd die Schultern hoch. Es war ein sonniger, fast noch spätsommerlicher Tag gewesen, aber nun wurden die Schatten lang, und der kühle Wind kündete vom nahenden Herbst.

»Du hast Warwick gehört«, antwortete Julian. »Er holt den König aus dem Tower und bringt ihn her, und wir sollen alles für seine Ankunft vorbereiten.«

»Das hab ich in der Tat gehört, Onkel, denn ich bin ja nicht taub wie unser Frederic«, erklärte Lucas geduldig. »Doch sag an: Wie macht man das? Was zum Henker ist zu tun, wenn der eine König vertrieben und sein Vorgänger aus der Mottenkiste gekramt wird?«

Tristan Fitzalan bedachte ihn mit einem kummervollen Kopfschütteln, aber Julian hatte wie üblich Mühe, den gebotenen Ernst an den Tag zu legen. »Tja«, machte er ein wenig ratlos. »Um ehrlich zu sein, ich habe keine Ahnung. Der Chamberlain und alle übrigen Beamten des königlichen Haushalts sind verschwunden.« Er dachte einen Moment nach. »Tristan, weißt du, wo die Quartiere der königlichen Leibwache sind?«

Sein Ritter nickte. »Natürlich. Ich war der Knappe deines Vaters, Julian, und die Wachquartiere hier waren sein zweites Zuhause.«

Julian wünschte sich, Tristan Fitzalan könnte einmal etwas sagen, ohne es mit einem unausgesprochenen Vorwurf zu verbinden. »Großartig. Nimm ein paar Männer, geh hin und jag alle Yorkisten davon, die noch dort sein mögen. Wir wollen keinen Königsmord gleich am ersten Abend, nicht wahr? Dann treib ein paar Mägde und Pagen auf. Sie sollen die Gemächer der Königin für Henry herrichten. Die hat er seinen eigenen immer vorgezogen, weil sie nicht so protzig sind. Die Mägde sollen Feuer in der kleinen Halle dort machen und irgendetwas kochen. Etwas Schlichtes reicht. Henry ist kein Freund raffinierter Speisen. Oh, und schaff ein paar Priester her und bemanne die St.-Stephen's-Kapelle. Das ist das Allerwichtigste.« Er wandte sich ab.

»Wo gehst du hin?«, fragte Lucas.

»In die große Halle. Mal sehen, wer von den königlichen Richtern noch da ist.«

Aber zuvor machte er einen Abstecher zu den Gemächern der Königin, um festzustellen, ob sie in den neun Jahren des yorkistischen Regimes sehr verändert worden waren oder ob Henry hier etwas wiedererkennen würde.

Als Julian die vergleichsweise kleine Audienz- und Bankett- halle der Königin betrat, fand er seine schlimmsten Befürchtungen bestätigt. Möbel, Tapeten, Wandschmuck – praktisch alles war erneuert worden. Nur der Kamin war noch derselbe. Ein wenig mutlos schaute er sich um, trat dann ans Fenster und riss wenigstens die fein gestickten Wappen mit der weißen Rose und der Sonne von York herunter.

»Was machst du da?«, fragte eine helle Stimme hinter ihm empört.

Julian wirbelte herum. Im Halbdunkel entdeckte er zuerst niemanden, bis er sich etwa auf Tischkantenhöhe im Saal umschaute. Keine zehn Schritte entfernt stand ein vielleicht fünfjähriges Mädchen und sah ihn mit großen Augen an. »Was fällt dir ein, Vaters Wappen von der Wand zu reißen?«

Julian zog ein paar Schlüsse. »Du bist … Elizabeth of York?«, fragte er.

Sie nickte huldvoll. Das konnte sie schon gut.

»Wo ist deine Mutter?«

Die Kleine wies auf eine angrenzende Tür. »Im Bett. Sie weint. Weil meine kleine Schwester in ihrem Bauch sie andauernd tritt, sagt sie.«

Julian nahm an, das war nicht der wahre Grund für die Tränen der entthronten Königin, aber er fragte lediglich: »Wieso glaubst du, es wird eine Schwester?«

Elizabeth zuckte die Schultern. »Ich hab nichts als Schwestern. Mutter kann nur Mädchen.«

Sie hat ihrem ersten Gemahl zwei Söhne geboren, hätte Julian einwenden können. Aber unter den derzeitigen Umständen war es vermutlich besser, dass Edward of March keine Söhne bekommen hatte. »Elizabeth … ich bedaure, dass ich so unhöflich war, mich an den Wappen deines Vaters zu vergreifen, aber du musst mir einen Gefallen tun. Es ist sehr wichtig.«

»Was?«, fragte sie. Es klang nicht sehr entgegenkommend.

»Geh zu deiner Mutter. Sag ihr, ein alter Freund warte hier draußen und müsse sie dringend sprechen. Tust du das?«

»Du bist ein alter Freund von ihr?«

Er nickte.

»Ehrenwort?«

»Ehrenwort.«

Sie machte kehrt. Fasziniert beobachtete Julian, wie sie sich einen Schemel zur Tür zog und daraufkletterte, um die Klinke zu erreichen. Dann drückte sie die Tür auf, sprang herunter und verschwand im Nebenraum. Hier müssen ständig alle über die Schemel im Türrahmen purzeln, fuhr es ihm durch den Kopf. In gewisser Weise war es bedauerlich, dass der Vater der kleinen Elizabeth sich dabei nie den Hals gebrochen hatte ...

»Wer seid Ihr, und was wollt Ihr?«, fragte eine Frauenstimme durch den Türspalt.

Julian machte einen Diener vor der Tür und kam sich lächerlich vor. »Julian of Waringham, Madam.«

Es war einen Moment still auf der anderen Seite. Julian konnte sich vorstellen, welche Zweifel Edwards Königin beim Klang dieses Namens aus der Vergangenheit überkamen.

»Ich bitte Euch, geht, Mylord«, sagte sie.

»Wieso seid Ihr noch hier?«, fragte er die Tür. »Das ist ... ziemlich unklug, denkt Ihr nicht?«

»Geht weg, Waringham. Lasst uns zufrieden.« Sie bemühte sich um einen entschlossenen Befehlston, aber die Stimme bebte verräterisch bei den letzten Worten, und Julian hörte sie weinen.

»Ich kann nicht, Madam«, erwiderte er. »Darf ich eintreten?«

»Ich bin ... nicht präsentabel.«

»Das ist mir egal. Ich komm jetzt rein.« Ein wenig zaghaft drückte er gegen die Tür, die lautlos nach innen schwang. Julian trat über die Schwelle samt Schemel.

Der Raum war verschwenderisch mit Kerzen erhellt, und in ihrem Licht sah er Lady Elizabeth Woodville, Edwards Königin, zum ersten Mal seit vielen Jahren aus der Nähe. Von der hoch gerühmten Schönheit war im Moment nicht viel zu entdecken. Elizabeth trug das Haar unbedeckt, und es war strähnig und unsauber. Sie war hochschwanger, das Gesicht aufgedunsen und fleckig, die nackten Füße, die unter dem Saum des losen

Gewandes hervorschauten, geschwollen. Neben dem Bett entdeckte Julian einen unbedeckten Nachttopf, und der Gestank nach Erbrochenem, der sich im Raum verbreitet hatte, schien dort seinen Ursprung zu haben.

Julian nickte der Königin mit einem matten Lächeln zu. »Schlimme Schwangerschaft, was?«

»Ihr könnt es Euch in Euren grellsten Albträumen nicht vorstellen.«

»Aber bald überstanden?«

»Noch sechs Wochen, meint die Hebamme.«

Ungebeten trat Julian näher, ging an ihr vorbei zum Fenster und öffnete beide Flügel weit.

»Ihr und Eure Töchter müsst auf der Stelle von hier verschwinden, Madam. Mir ist unbegreiflich, wieso Ihr noch hier seid. Ihr müsst doch wissen …« Er brach ab, weil die kleine Elizabeth in der Ecke der Fensterwand stand und ihn unverwandt aus großen blauen Augen anschaute.

»Ich konnte nicht«, erklärte ihre Mutter erschöpft. »Ich wusste nichts. Niemand war hier und hat mir etwas gesagt … Niemand wusste irgendetwas. Der König hat es nicht für nötig befunden, seine Töchter und mich …« Sie nahm sich zusammen. Mit zitternden Händen schlang sie ihr golddurchwirktes Gewand fester um sich und bemerkte: »Dem König entfällt meine Existenz gelegentlich, wenn ich guter Hoffnung bin, versteht Ihr.«

Julian nickte. Man musste kein Hellseher sein, um zu erkennen, dass der Seitenwechsel und die Ehe mit dem York-König ihr nicht viel Glück gebracht hatten. Aber so ist das eben, dachte er. Wir alle liegen so, wie wir uns gebettet haben. Und wenn wir noch atmen, haben wir mehr Glück gehabt als viele andere. »Ich bin sicher, er hätte Euch geholt, wenn er die Möglichkeit gehabt hätte, Madam«, sagte er ein wenig lahm.

»Natürlich«, stimmte sie um ihrer kleinen Tochter willen zu. »Stimmt es, dass er nach Burgund geflohen ist?«

»Ja. Euer Bruder und der seine haben ihn begleitet. Und Hastings, natürlich.«

»Oh, natürlich«, gab sie zurück. »Er tut praktisch keinen Schritt ohne Hastings. Sie teilen sich sogar eine Geliebte, wusstet Ihr das?«

Julian hatte so ein Gerücht gehört und war nicht sicher gewesen, ob er es glauben sollte. Außereheliche Eskapaden gehörten derzeit indes nicht zu seinen Lieblingsthemen, und darum wiederholte er: »Madam, Ihr müsst den Palast sofort verlassen. Schickt nach der Amme und Euren übrigen Töchtern. Ich bringe Euch ins Kloster hinüber, wo Ihr ins Aysl gehen könnt.«

»Es ist zu spät«, entgegnete sie müde. »Der Palast wimmelt bereits von Lancastrianern.«

»Es ist nicht zu spät«, widersprach Julian. »Es gibt eine verborgene Pforte, die von diesem Trakt direkt in die Privatkapelle des Abtes führt.«

Die Königin machte große Augen. »Ist das wahr? Wie kann es sein, dass Ihr so etwas wisst und ich nicht, die ich hier mein halbes Leben verbracht habe?«

Erst als Hofdame, dann als Königin, dachte Julian. Welch ein Aufstieg. Und welch ein Fall. Die Lancastrianer würden ihr das Leben zur Hölle machen, wenn sie sie erwischten. »Weil nicht Euer Vater Captain der königlichen Leibwache war, sondern meiner. Er kannte in diesem Palast jeden verborgenen Flur und jede Falltür. Vertraut mir, Madam.«

Sie zögerte nicht länger. Erleichterung vertrieb einen Teil ihrer Erschöpfung, und sie wandte sich an ihre Tochter: »Lauf, Liz, hol die Amme und deine Schwestern. Schnell und leise, hörst du?«

»Ja, Mutter«, flüsterte die Kleine, holte sich einen Fußschemel und öffnete die Tür zum Nebengemach.

»Ich kann keine Schuhe anziehen«, sagte die Königin entschuldigend.

»Ich schicke Euch morgen welche. Und alles, was Ihr sonst noch braucht.«

»Warum tut Ihr das, Julian?« Sie schien nicht zu merken, dass sie in die alte Vertraulichkeit zurückverfallen war. »Meine

Töchter und ich wären wahrhaft wertvolle Geiseln für Warwick, oder nicht?«

Er hob ratlos die Schultern. »Ich tu es, weil ich es Eurem Gemahl versprochen habe. Letztes Jahr schon. Oder um der guten alten Zeiten willen. Ich bin nicht sicher.« Vielleicht tat er es auch für Janet. Es würde ihr ein Trost sein, die Königin in Sicherheit zu wissen. »Auf jeden Fall wäre ich dankbar, wenn wir uns jetzt beeilen könnten.«

Sie nickte. »Wenn man uns erwischt, wird Warwick Euch den Kopf abschlagen.«

»Nein, Madam. Er ist mein Cousin und ein Mann mit viel Familiensinn. Aber er würde irgendetwas tun, das mich wünschen ließe, er hätte mir den Kopf abgeschlagen.« Er reichte ihr einen zerknitterten Mantel, der am Fußende des Bettes lag. »Wollen wir?«

Die kleine Elizabeth kehrte zurück, räumte sorgsam ihren Schemel aus dem Weg, und ihr folgte eine dicke, junge Magd, die auf jedem Arm ein Kind hielt. Die Kleinen, Elizabeths Schwestern Cecily und Margaret, waren wach und sahen sich mit großen, bangen Augen um. Eine hatte den Daumen im Mund und sog emsig daran.

Julian führte die kleine Schar zur Tür. »Leise«, schärfte er ihnen ein.

Sie durchquerten die Bankett halle der Königin, verließen sie durch eine Seitentür und gelangten in einen nackten, unbeleuchteten Korridor, den die Dienerschaft benutzte, um Speisen zur Halle zu tragen. Julian hielt eine schützende Hand um die Flamme seiner Kerze und ging voraus. Der Korridor endete in einer weiß verputzten Mauer, die bis auf Schulterhöhe mit dunkel gebeiztem Holz verkleidet war.

Julian übergab die Kerze der schwangeren Königin, kniete sich auf den Boden, tastete am unteren Rand der Holzverkleidung entlang und fand schließlich ein kleines Astloch. Er steckte den Finger hinein, fühlte einen eisernen Haken und zog. Mit einem leisen Schnappgeräusch öffnete sich der Türmechanismus, und ein Abschnitt von einem Schritt Breite der scheinbar massiven Holzverkleidung schwang leise nach innen.

Die Königin und die Amme zogen verblüfft die Luft ein.

Julian atmete verstohlen auf. »Kommt. Ihr müsst Euch bücken, Madam, aber es sind nur ein paar Schritte.«

Er beugte sich vor, ging mit dem Licht voraus, und tatsächlich war der Weg nur so weit, wie zwei Mauern dick sind. Gegenüber dem geheimen Durchschlupf in der Palastmauer lag eine normale, schmale Holzpforte. Sie war unverschlossen. Julian öffnete sie und führte die Flüchtlinge in die Privatkapelle des hochehrwürdigen Abtes zu Westminster.

Königin Elizabeth, ihre Töchter und die Amme blinzelten im plötzlichen Licht der vielen Kerzen, welches das Gold der Leuchter und der Wandgemälde funkeln ließ.

Ein Mönch stand mit dem Rücken zu ihnen vor dem Altar. Er summte leise vor sich hin und schien eine kostbare Monstranz zu polieren.

Julian lächelte befreit. Er erkannte diesen Bruder selbst von hinten, denn es gab nur wenige Menschen mit so leuchtend rotem Haar. »Owen Tudor?«, fragte er leise.

Ohne Hast wandte der Mönch den Kopf. »Nanu?«

»*Tudor*?«, zischte die Königin erschrocken.

Der Mönch, der Edmund und Jasper Tudors jüngerer Bruder war, kam näher. »Julian of Waringham? Was in aller Welt tust du hier? Wieso weißt du von dieser Tür … Oh, dein Vater, natürlich.«

Elizabeth wich furchtsam vor ihm zurück und stieß nach zwei Schritten mit dem Rücken an die kleine Holztür.

Owen Tudor sah sie einen Moment an, und sein Ausdruck war schwer zu deuten. Er war der Sohn, der dem alten Tudor am ähnlichsten sah, dessen Namen er trug, und womöglich dachte er jetzt daran, dass der Gemahl dieser Frau die Verantwortung für die willkürliche Hinrichtung seines Vaters trug. Aber dann lächelte Bruder Owen, und jeder Anflug von Feindseligkeit war aus seiner Miene verschwunden. »Habt keine Furcht mehr. Ihr seid nun im Haus Gottes, und Gott beurteilt Euch nicht danach, ob Euer Gemahl der rechtmäßige König von England ist oder nicht. Hier seid Ihr und Eure Kinder in Sicherheit.« Er zeigte auf den Altar. »Nur seid so gut und tut es schnell, Madam. Stellt mich vor vollendete Tatsachen, ehe der Lancastrianer in mir auf dumme Gedanken kommt.«

Elizabeth schritt auf den Altar zu – verblüffend würdevoll für eine hochschwangere Frau in unpassender Kleidung –, legte die Hand auf das kostbare Altartuch und sagte mit klarer Stimme: »Ich erbitte Asyl für mich und meine Kinder.«

»Dann seid willkommen in Westminster Abbey, Madam«, antwortete Owen prompt. »Hier soll der Friede des Herrn mit Euch sein.«

Sie senkte den Kopf. »Habt Dank, Bruder Owen.«

»Kommt. Ich geleite Euch zum Gästehaus und hole den ehrwürdigen Abt. Und du«, fügte er an Julian gewandt hinzu, »solltest verschwinden, ehe irgendwer dich hier sieht.«

»Ich hoffe auf deine Diskretion«, raunte Julian ihm nervös zu.

Owen Tudor zeigte ein höchst unfrommes Grinsen. »Das täte ich an deiner Stelle auch.«

»Owen ...«

»Schon gut, schon gut. Sei unbesorgt.«

»Danke.«

Der Benediktiner schlug das Kreuzzeichen über ihm. »Geh mit Gott, Julian.«

Die Königin kam vom Altar zurück. »Danke, Mylord of Waringham. Danke, dass Ihr mir erspart habt, Marguerite in die Hände zu fallen.«

»Dafür müsste sie sich erst einmal nach England bemühen«, gab er zurück. Dann nickte er ihr knapp zu. »Lebt wohl, Madam.« Er wandte sich ab, strich der kleinen Elizabeth zum Abschied über die blonden Engelslocken und verschwand lautlos durch die Tür zum Palast.

König Henry rührte das schmackhafte Pilzgericht nicht an, das man ihm vorsetzte, und schaute sich missmutig in der kleinen Halle um. »Wo sind Marguerites Patisserien?«, quengelte er.

»Was?«, fragte Warwick entgeistert.

»Er meint Tapisserien«, murmelte Julian ihm ins Ohr, und an den alten König gewandt, versicherte er beschwichtigend: »Wir suchen noch danach, Sire. Wir werden alles so schnell wie möglich wieder herrichten, wie es war. Ich bitte Euch um ein paar Tage Geduld.«

Henry nickte, faltete die Hände im Schoß und sah sich furchtsam um wie ein verlassenes Kind in einem fremden Haus. »Ich bin müde«, bekundete er dann. »Ich will mich nun zur Ruhe begeben.«

»Herrgott noch mal …«, knurrte Warwick vor sich hin. Er war seit etwa drei Stunden in der Gesellschaft des Königs, schätzte Julian, und seine Geduld hatte sich schon erschöpft.

Warwick hatte es sich nicht nehmen lassen, König Henry selbst im Tower abzuholen und in einer festlichen Prozession nach Westminster zu geleiten. Ganz so festlich wie beabsichtigt war sie indessen nicht ausgefallen, denn man hatte keine passenden Gewänder für Henry finden können, und er war in seinem schlichten, mönchischen Kittel – wie üblich bekleckert – quer durch London und Westminster geritten. Nicht gerade der Triumphzug, den Warwick sich vorgestellt hatte.

»Wir müssen seine Auftritte in der Öffentlichkeit in Zukunft sorgfältiger planen«, erklärte er, nachdem der König am Arm seines Kammerdieners hinausgeschlurft war.

»Je seltener er sich in der Öffentlichkeit zeigt, desto besser für alle«, gab Julian zurück. »Morgen oder übermorgen wird sein Verstand sich ohnehin verwirren.«

»Woher willst du das wissen?«, fragte sein Cousin.

»Es passiert immer, wenn die Dinge ihm über den Kopf zu wachsen drohen. So wie seine plötzliche Rückkehr ins öffentliche Leben es gewiss tun wird. Wenn Henry sich überfordert fühlt, verabschiedet er sich in die geistige Umnachtung. Das weiß jeder Lancastrianer …« Er brach ab, schnalzte ungeduldig und machte eine vage Handbewegung. »Entschuldige, Richard.«

»Schon gut. Ich habe mich ja selber noch nicht so recht daran gewöhnt, Lancastrianer zu sein.«

Julian betrachtete ihn versonnen. »Weißt du, im Grunde bist du das auch gar nicht.«

Warwick aß stirnrunzelnd einen Löffel Pilze und entgegnete dann: »Ich hoffe, du willst mich nicht mit Zweifeln an meiner Loyalität langweilen, Cousin.«

»Ich würde mir nie verzeihen, dich gelangweilt zu haben. Aber ich glaube nicht, dass du irgendwem gegenüber wahre Loyalität empfinden kannst außer dir allein. Dein Herz schlägt weder für York noch für Lancaster, denn du stehst über beiden.«

Warwick sah ihm unverwandt in die Augen, seine Miene unmöglich zu deuten. »Nur weiter. Ich bin sicher, du willst auf etwas Bestimmtes hinaus.«

Julian nickte. »Du bist der mächtigste Mann in England, und vermutlich auch der gescheiteste. Das versetzt dich in die Lage, York und Lancaster für deine Absichten benutzen zu können. Du bist ein Königsmacher, Richard.«

Warwick lachte verblüfft. »Ich bin ein *was?*«

»Du hast Edward die Krone aufgesetzt, und nun gibst du sie Henry zurück. Und Edouard wird der Nächste sein, der König von Warwicks Gnaden wird. Oder jedenfalls hoffe ich das.«

Warwick nahm einen tiefen Zug aus seinem Pokal und erwiderte: »Nun, ich finde, ›Königsmacher‹ ist nicht der schlechteste Titel, unter welchem ein Mann in die Geschichte eingehen kann.«

»Es sieht dir wirklich ähnlich, davon geschmeichelt zu sein«, entgegnete Julian verdrossen. »Deine Eitelkeit ist wahrhaftig deine größte Schwäche.«

»Und deine Überzeugung, die Absichten eines anderen immer zu durchschauen, ist die deine«, gab Warwick zurück.

»Kann sein.« Julian lehnte sich in dem gepolsterten Sessel zurück, ohne Warwick aus den Augen zu lassen. »Oxford erzählte, dein Bruder wird Lord Chancellor und hat das große Siegel bereits in Besitz genommen?«

»Kein ungewöhnliches Amt für den Erzbischof von York.«

Julian nickte. »Obendrein ist dein Bruder ein fähigerer Mann als sein Vorgänger. Und du wirst Oberbefehlshaber der Truppe und Lord Protector, nehme ich an?«

»Julian, vergib meine unhöfische Ungeduld, aber was versuchst du mir zu sagen?«

»Also schön: Ich habe nicht vergessen, dass du die Thronfolger sowohl von York als auch von Lancaster zu Schwiegersöhnen hast. Und der Gedanke beunruhigt mich, dass du in jedem Feuer ein Eisen hast, denn so sehr ich dich auch schätze, käme ich im Traum nicht darauf, dir zu trauen. Da ich aber derjenige war, der diese als Versöhnung getarnte Farce zwischen Marguerite und dir eingefädelt hat, fühle ich mich für deine anhaltende Lancaster-Treue verantwortlich, verstehst du? Und es ist ein verdammt unangenehmes Gefühl, für etwas verantwortlich zu sein, über das man keinerlei Kontrolle hat.«

Warwick warf den Kopf zurück und lachte. Dann legte er Julian die Hand auf die Schulter. »Wenn das deine größte Sorge ist, bist du ein glücklicher Mann.«

»Komisch, ich fühl mich gar nicht so besonders glücklich ...«

Sein Cousin vollführte eine wegwerfende Geste. »Deine Bedenken kommen ein wenig spät, meinst du nicht? Obendrein sind sie vollkommen unbegründet. Ich ... wir haben Edward aus dem Land gejagt. Wir haben mit Louis einen starken Verbündeten. Der junge Edouard hat alle Anlagen zu einem guten Herrscher. Glaub mir, Cousin, ich kann mir nicht vorstellen, was mich je bewegen sollte, meinen Schritt rückgängig zu machen.«

Julian wusste, es war die einzige Zusage, die er Warwick je entlocken würde. Und ein Schwur hätte ihn auch nicht mehr beruhigt, denn Warwicks Schwüren war gewiss nicht weiter zu trauen als dem Mann selbst. Er unterdrückte ein Seufzen. »Ich wünschte, du würdest den Oberbefehl oder das Protektorat einem anderen übertragen.«

»Dir vielleicht?«, fragte Warwick mit liebenswürdiger Unschuldsmiene.

Doch Julian schüttelte den Kopf. »Der Name Waringham steht in zu engem Zusammenhang mit dem alten lancastrianischen Regime. Es würde signalisieren, dass wir aus den Fehlern der Vergangenheit nichts gelernt haben. Besser, ich halte mich im Hintergrund, zumindest bis die Lage sich beruhigt hat und Adel und Kaufmannschaft wieder Vertrauen zu ihrer Regierung gefasst haben. Aber dein Schwager Oxford wäre der Richtige für ein hohes Amt. Er ist zuverlässig und ein Ehrenmann. Wir alle könnten uns auf ihn verlassen, und wenn du ihm den Oberbefehl übertrügest, würdest du der Verdächtigung entgehen, die Macht allein ausüben zu wollen.«

Warwick schnaubte amüsiert. »Ich erzähle dir doch gewiss nichts Neues, wenn ich sage, dass diese Verdächtigung vollkommen berechtigt ist. Ich brauche freie Hand, um diesem Land Ordnung und inneren Frieden zurückzubringen. Und um den Krieg gegen Burgund zu führen, in den Louis uns zwingt. Dabei kann ich Bedenkenträger wie Oxford nicht gebrauchen. Oder zimperliche Moralapostel wie dich.«

»Verflucht, Richard, ich will doch nur ...«

Warwick stand auf. »Du wirst mich jetzt entschuldigen müssen, Julian. Mein Bruder, der neue Lord Chancellor, erwartet mich. Ich schlage vor, du reitest nach Hause. Zum Parlament nächsten Monat kannst du wiederkommen und dich vergewissern, dass wir das Land zu deiner Zufriedenheit regieren, wie wär's?«

Julian erhob sich ebenfalls. »Ich möchte Captain der königlichen Leibgarde werden.«

Warwick verzog kurz die Mundwinkel nach oben. »Welch aufopferungsvolles Angebot, bedenkt man, wie wenig Sympathie du für Henry hegst, aber die Antwort lautet nein.«

»Warum nicht?«

»Weil du deine Position missbrauchen würdest, um mir ewig über die Schulter zu schauen und für Marguerite zu spionieren, so wie dein Vater einst für den Kardinal spioniert hat. Nein, vielen Dank.«

»Für Marguerite spionieren? Und ich dachte, wir alle stehen auf derselben Seite.«

Warwicks Miene wurde finster. »Falls es deine Absicht war, mich mit deinem Argwohn zu kränken, hast du dein Ziel erreicht.«

»Und falls es deine Absicht war, mit deiner Arroganz meinen Argwohn zu nähren, hast auch du dein Ziel erreicht«, konterte Julian scheinbar gelassen.

»Dann können wir ja beide zufrieden sein«, knurrte der angehende Lord Protector. »Und nun gehe ich zu meinem Bruder. Es sei denn, du hättest die Absicht, mich mit dem Schwert daran zu hindern.«

Julian betrachtete ihn kopfschüttelnd. »Welches Spiel spielst du, Richard?«

Warwick wandte sich ab. »Das gleiche wie du«, sagte er. »Es ist das Spiel der Königsmacher. Du hast ihm seinen Namen gegeben.«

Julian dachte nicht daran, nach Waringham zurückzukehren, im Gegenteil. Er zeigte sich häufig in Westminster und sorgte dafür, dass der Earl of Warwick sich nicht unbeobachtet fühlen konnte. Er holte seinen Knappen und einige vertraute Ritter nach London und schickte Tristan Fitzalan mit einem Brief zu Marguerite, der ihr riet, mit ihrem Sohn möglichst bald nach England zu kommen. Vor allem jedoch blieb Julian in London, um sich einer Angelegenheit anzunehmen, die ihm schon lange auf der Seele lag.

Kurz nach ihrem triumphalen Einmarsch in London Anfang Oktober hatte er Tristan Fitzalan nach Wales geschickt, und fortan konnte er sich nicht hindern, Tag für Tag nach Westen zu spähen, wann immer er aus dem Haus trat.

»Wer mag es sein, den Ihr herbeisehnt, Mylord?«, fragte Anabelle ihn neckend, als sie ihn im ungemütlichen Nieselregen wieder einmal beim Müßiggang am Tor erwischte. »Eure Countess etwa?«

»Zum Beispiel.«

»Aber auf seine Gemahlin kann man auch im Trockenen warten. Nur für eine heimliche Liebschaft lässt man sich nass-regnen.«

»Du musst es ja wissen«, gab er grinsend zurück, folgte ihr aber zum Wohnhaus hinüber und führte sie hinauf in die Halle. »Setz dich hin, Anabelle.«

Sie hockte sich auf die Kante eines Sessels und legte die Hände auf die Knie. Es bereitete ihr sichtlich Unbehagen, wie eine Lady in dieser Halle zu sitzen, statt aufzuwarten. »Hab ich was angestellt?«

Julian zog eine Braue in die Höhe. »Im Gegenteil. Aber es spricht Bände, dass du auf Verdacht ein schlechtes Gewissen hast.«

Sie kicherte. Obwohl Anabelle inzwischen eine anständige Handwerkersfrau geworden war, hatte sie ihre Koketterie ihm gegenüber nie ganz abgelegt.

»Vielleicht erinnerst du dich, dass ich dir vor ein paar Jahren einmal eine Belohnung versprochen habe für den Fall, dass das Haus Lancaster die Macht wiedererlangt«, begann Julian.

Sie nickte. »Aber ich habe nichts dazu beigetragen, dass es passiert ist.«

»Sei nicht so sicher. Ohne den engen Kontakt zwischen den Lancastrianern in England und in Wales – mit anderen Worten, ohne dich und dein Graupenfass – wäre Edwards Sturz niemals möglich gewesen. Und wie dem auch sei. Du bist für König Henry Risiken eingegangen, und solche Treue verdient Aner-kennung.« Er trat zu dem reich geschnitzten Eichenschrank zwischen den Fenstern, öffnete eine der Türen, förderte einen Pergamentbogen zutage und reichte ihn ihr. »Hier.«

Anabelle nahm das Schriftstück mit dem großen, pracht-vollen Siegel zögernd. »Was ist das? Ich kann nicht lesen, My-lord.«

»Das wirst du lernen müssen«, erwiderte er. »Du wirst bald eine hoch geachtete Bürgersfrau sein.«

Anabelle legte eine Hand an die Kehle und starrte ihn an. »Ihr macht mir ja Angst.«

»Dazu besteht kein Grund.« Er wies auf den Bogen in ihrer Hand. »Das ist ein Meisterbrief. Ich habe mir die Freiheit genommen, hinter eurem Rücken mit dem Zunftmeister der Gold- und Silberschmiede zu sprechen, und daher weiß ich, dass dein Mann über das nötige Ansehen und Können verfügt, nur nicht über das nötige Geld. König Henry hat darauf bestanden, diesem Mangel abzuhelfen.« Der König hatte nichts dergleichen getan, aber Julian wusste, es würde Anabelle leichter fallen, dieses Geschenk, das ihr Leben radikal verändern würde, zu verkraften, wenn sie glaubte, es käme von der Krone.

»Oh Gott«, murmelte sie vor sich hin. »Oh, mein Gott …«

Julian betrachtete sie amüsiert. »Ich kann mir vorstellen, dass es ein Schock ist. Aber ich dachte mir, damit ist dir letztlich besser gedient als mit ein paar Yards Tuch für ein neues Kleid.«

Sie wedelte matt mit der Urkunde. »Dafür hätte ich eine perlenbestickte Seidenrobe bekommen.«

Sie irrte sich. Ein Meisterbrief der Goldschmiede kostete zwanzig Pfund. Eine perlenbestickte Seidenrobe ein paar hundert. »Wär dir das lieber?«, fragte er neugierig.

Aber sie winkte ab. Dabei fiel ihr Blick auf ihre rissige, von zu viel Arbeit gezeichnete Hand, und sie strich mit der Rechten über die Linke. »Ich werde … ein eigenes Haus und Gesinde haben.«

»Ja.«

»Meine Söhne können auf die Schule gehen.«

»Erwarte keine allzu große Dankbarkeit von ihnen«, riet er trocken.

»Ich … wir …« Sie wusste nicht weiter, starrte Julian einen Moment bestürzt an, und dann brach sie in Tränen aus.

Nicht wenig konsterniert sah er auf seine Magd hinab, aber noch ehe er entschieden hatte, was er sagen oder tun sollte, trat Lucas Durham in die Halle. »Julian? Ach du Schreck, was ist denn hier los?«

Anabelle ließ die Hände sinken. »Ach, Sir Lucas. Ihr könnt Euch ja nicht vorstellen, was er getan hat …«

Vorwurfsvoll schaute der Ritter seinen Dienstherrn an. »Sag, dass es nicht das ist, was ich glaube.«

»Also, erlaube mal«, entgegnete Julian mit der scheinheiligen Empörung des reformierten Sünders.

»Ich bin ja so glücklich«, stammelte Anabelle schluchzend.

»Im Ernst?«, fragte Lucas entgeistert. Er schüttelte verwirrt den Kopf. »Julian, in deinem Hof warten zwei Dutzend Leute. Was soll ich machen?«

Julian zeigte mit dem Finger auf die völlig aufgelöste Anabelle. »Flöß ihr einen Schluck Branntwein ein. Und wenn sie wieder zu Verstand gekommen ist, frag sie, ob sie sich trotz ihrer neuen Würde noch ein letztes Mal um die Kammern meiner Gäste kümmern würde.« Lachend kniff er Anabelle in die tränenfeuchte Wange und verspürte ein vages Bedauern, als ihm aufging, dass dies vermutlich die letzte Gelegenheit war, da er das wagen durfte.

Dann lief er eilig die Treppe hinab und aus dem Haus. Der ganze Hof war voller Kinder und Pferde. Julian blieb auf der oberen Stufe vor der Haustür stehen, um sich einen Überblick zu verschaffen: Janet war dabei, ihre älteste Tochter aus dem Sattel zu heben, und als sie ihn entdeckte, winkte sie ihm zu und strich sich mit dem Handgelenk eine feuchte Haarsträhne von der Wange. Es war eine selbstvergessene, anmutige Geste, und der Anblick seiner Frau versetzte Julian einen kleinen, freudigen Stich im Bauch. Ein Stück näher am Tor stand Blanche mit ihren Kindern. Der quirlige Owen war schon dabei, die neue Umgebung zu erkunden, und schenkte den Ermahnungen seiner Mutter keinerlei Beachtung. Jasper Tudor, der treue Madog und ein halbes Dutzend weiterer walisischer Ritter waren ebenfalls mitgekommen, und der junge Richmond stand still wie ein Baum inmitten all dieser Betriebsamkeit.

Julian trat zu ihm. »Willkommen in London und in meinem Haus, Richmond.«

Der junge Mann neigte höflich den Kopf. »Danke.«

Julian legte ihm lächelnd die Hand auf die Schulter. »Dein

Onkel Jasper hat dich gegen deinen Willen hierher verschleppt?«, tippte er.

Die schwarzen Augen sahen ihn durchdringend an. »Er sagte, ich dürfe deine Einladung nicht ausschlagen.«

Julian nickte. »Ich kann mir vorstellen, dass es dir vorkommt, als hätten wir uns gegen dich verschworen, aber sowohl dein Onkel als auch ich haben nur dein Bestes im Sinn. Du bist der Neffe des Königs und sein Vasall ...«

»... und ganz gleich, wie lange ich mich in Wales verstecke, nichts wird sich an diesen Tatsachen ändern, ich weiß«, unterbrach Richmond. »Das habe ich in den letzten Wochen ungefähr hundertmal gehört.«

»Und du wirst es so lange hören, bis du es begriffen hast«, sagte Jasper an seiner linken Seite und schüttelte Julian die Hand. »Verglichen mit der Sturheit dieses Bengels bin ich ein Muster an Einsichtigkeit«, eröffnete er ihm.

Julian verzog amüsiert den Mund. »Dann möge Gott uns beistehen. Kommt rein. Geht hinauf in die Halle und wärmt euch, das wird eure Laune bessern. Und sei willkommen, Jasper. Es ist doch irgendwie eine angenehme Abwechslung, dass du dich einmal nicht wie ein Dieb in mein Haus schleichen musst.«

Jasper brummte zustimmend, packte seinen unwilligen Neffen am Ärmel, als fürchte er selbst jetzt noch, dass Richmond ihm entwischen und zurück nach Wales flüchten könnte, und führte ihn ins Haus.

Julian ging zu seiner Frau, fand sich augenblicklich von seinen Kindern umringt, die an seinen Hosenbeinen zupften und um seine Aufmerksamkeit rangelten, aber erst einmal schloss er ihre Mutter in die Arme, sog ihren Duft tief ein und atmete mit einem Laut des Wohlbehagens wieder aus. »Gute Reise gehabt?«

Sie küsste ihn auf die Wange, und er spürte ihre eiskalte Nasenspitze. »Zumindest war es nicht langweilig«, erwiderte sie mit einem Blick auf die lebhafte Kinderschar.

Julian begrüßte seine Brut, nahm Robin auf die Schultern, Edmund auf den einen, Alice auf den anderen Arm, sodass er

keine Hände frei hatte, um seine Schwester angemessen willkommen zu heißen.

Lachend betrachtete Blanche ihn mit seinen Kindern, sah
sich mit leuchtenden Augen im schlammigen Hof um und
sagte: »Ich werde Waringham besuchen, Julian. Stell dir das
vor. Ich darf nach Hause. Nach beinah fünfzehn Jahren darf ich
endlich wieder einmal nach Hause.«

Sein Blick war ebenso skeptisch wie überrascht, aber er sagte
lediglich: »Es wird ein Freudentag in Waringham sein.«

Sie ging neben ihm her zum Haus und beantwortete seine
ungestellte Frage. »Thomas Devereux ist mit Edward nach Burgund geflohen, hat Jasper erfahren. Und selbst wenn er plötzlich zurückkäme, der König ... der Earl of Warwick hat mir
freies Geleit zugesichert. Sechs Monate lang kann ich mich in
England bewegen, wie es mir gefällt, und nach Wales zurückkehren, ohne dass irgendein Sheriff oder irgendein Devereux
mir etwas anhaben kann. Ist das nicht herrlich?«

Blanche war außer Rand und Band vor Seligkeit, und Julian erfreute sich an ihrem Übermut. Es war herrlich, sie hatte
Recht. Nach fünfzehn Jahren Krieg, nach zehn Jahren Widerstand, Gefangenschaft, Ungewissheit und yorkistischer Willkür hatten sie auf einmal wieder Macht über ihr Leben, weil
Lancaster die Macht über England zurückgewonnen hatte. Es
gab keine Veranlassung mehr, nachts wach zu liegen und sich
zu fragen, was morgen aus einem selbst und allen, die einem
teuer waren, werden sollte.

Er folgte seiner Frau und seiner Schwester zum Haus. »Kopf
einziehen, Robin«, warnte er, den Blick nach oben gerichtet, ehe
er durch die Tür trat. In der kleinen Eingangshalle entledigte
er sich seiner Sprösslinge, hockte sich einen Moment zu ihnen
herunter und lauschte ihrem aufgeregten Reisebericht. Schließlich schob er sie Richtung Küche. »Wenn ihr artig ›bitte‹ sagt,
hat die Köchin bestimmt etwas Gutes für euch. Aber wascht
euch die Hände ...«

Die Kinder stürmten davon, gefolgt von Owen und Caitlin,
und natürlich verhallte seine Ermahnung ungehört.

Als Julian sich aufrichtete, stellte er fest, dass seine Frau am Fuß der Treppe stehen geblieben war und ihn mit einem kleinen Lächeln beobachtet hatte. »Mit Gottes Hilfe sind es nächsten Sommer sechs«, eröffnete sie ihm.

Er trat zu ihr und küsste sie ungeniert, denn niemand war in der Nähe. »Das ist eine wunderbare Neuigkeit«, antwortete er schließlich und fügte in Gedanken hinzu: So viele Lancastrianer sind tot, dass wir gar nicht genug neue zeugen können, wenn Edouard eines Tages ein stabiles Reich beherrschen soll. Doch er glaubte nicht, dass diese Ansicht bei seiner yorkistischen Gemahlin auf viel Gegenliebe stoßen würde. Also legte er einen Arm um ihre Taille und führte sie die Treppe hinauf in die Halle, wo ihre Gäste warteten.

Obwohl Blanche ihre Sehnsucht nach Waringham kaum mehr zügeln konnte, blieben sie alle vorerst in London. Julian und Jasper ritten fast täglich nach Westminster, wenngleich der Earl of Warwick keinen von ihnen in den neuen Kronrat berief, den er gebildet hatte. Das bereitete ihnen Sorgen, und vor allem Jasper war voller Misstrauen gegen den ehrgeizigen Earl, doch selbst er musste zugeben, dass es fähige Männer waren, die Warwick um sich geschart hatte, und dass der Übergang von der yorkistischen zur lancastrianischen Regierung erstaunlich rasch und reibungslos verlief. In den ersten Wochen rollten ein paar Köpfe, aber da es der besonnene Oxford war, der den Vorsitz in den Prozessen gegen die yorkistischen Verräter innehatte, wurde kein Rachefeldzug daraus. Warwicks Bruder, der neue Lord Chancellor, bereitete das Parlament mit Klugheit und Weitsicht vor, Warwick selbst lenkte die Regierungsgeschäfte mit sicherer Hand. Verblüffend schnell kam das Land wieder zur Ruhe, und es schien niemanden sonderlich zu beunruhigen, dass König Henry so gut wie unsichtbar war. Jasper besuchte seinen greisen Bruder häufig, leistete ihm bei seiner stundenlangen Einkehr Gesellschaft, lauschte seinen Geschichten von früher, obwohl er sie schon Dutzende Male gehört hatte, und berichtete Julian im

Vertrauen, dass es nur ein dünner Seidenfaden war, der die Verbindung zwischen Henry und der Wirklichkeit hielt.

In Julians Haus in Farringdon ging es derweil ausgesprochen lebhaft zu. Es bot nicht wirklich genügend Platz für die große Familie und die vielen Gäste, sodass alle erleichtert waren, als das Herbstwetter trocken und sonnig wurde und die Kinder mit der Amme im Freien spielen konnten. Zu allem Überfluss fiel Anabelles Abschied aus dem Haus genau in dieses allgemeine Durcheinander, denn für die Frau eines Goldschmiedemeisters war es undenkbar, einem Edelmann das Haus zu führen, und sie zog mit ihrer Familie nach Cheapside. Nur Janet war froh, sie gehen zu sehen, hatte die kecke Magd doch nie aufgehört, ihre Eifersucht zu wecken.

Eine Woche nach der Ankunft seiner Gäste machte Julian Richmond in der kleinen Kapelle seines Hauses ausfindig – dem einzigen Ort, der ein wenig Ruhe bot.

»Komm, mein Junge.«

Richmond erhob sich von der schlichten Gebetsbank vor dem Altar und trat auf ihn zu, fragte aber: »Wohin?«

»Nach Westminster. Es wird Zeit, dass du deinem Onkel Henry deine Aufwartung machst. Ich habe ihm erzählt, dass du hier bist. Das heißt nicht unbedingt, dass er sich heute noch daran erinnert, aber er hat den Wunsch geäußert, dich kennen zu lernen.«

Richmond nickte und rührte sich einen Augenblick nicht. Dann straffte er sichtlich die Schultern. »Also gehen wir.«

Auf dem ganzen Weg blieb er stumm und in sich gekehrt, sodass Julian nur raten konnte, was in dem Jungen vorging. Mortimer Welles und Lucas Durham begleiteten sie und führten eine angeregte Debatte darüber, ob und wann Warwick dem Herzog von Burgund den Krieg erklären werde. Es war eine Frage, die derzeit viele Engländer beschäftigte.

»Eh er es nicht tut, wird König Louis Marguerite und Prinz Edouard nicht nach England lassen«, mutmaßte Lucas.

»Glaubt Ihr wirklich, Sir?«, entgegnete Mortimer mit höflicher Skepsis. »Warwick und König Louis sind Freunde. Und die Franzosen müssen doch verstehen, dass wir erst Krieg gegen Burgund führen können, wenn die Dinge hier in England geregelt sind.«

»Sind sie das denn nicht? Ist der yorkistische König nicht vertrieben und Henry wieder auf dem Thron?«

»Deswegen wäre es das Vernünftigste, wir schlössen einen dauerhaften Frieden mit Burgund, statt den Krieg zu erklären«, meldete Richmond sich unerwartet zu Wort. »Dann bräuchten wir König Louis nicht, und die mächtigen Londoner Kaufherren könnten beruhigt sein, dass der Handel mit den burgundischen Niederlanden ungehindert weiterläuft. So würden sie vielleicht aufhören, die Yorkisten heimlich zurückzusehnen.«

Julian und Lucas tauschten einen erstaunten Blick, und Julian bemerkte trocken: »Vielleicht sollte Warwick *dich* in den Kronrat berufen, Richmond. Männer mit solchem Weitblick und so unerhörten Ideen kann er dort gewiss gebrauchen.«

Richmond zuckte bockig mit den Schultern. »Ich würde nicht in Warwicks Kronrat gehen, selbst wenn er mich wollte. Und ich würde ihm keinen Tropfen Wasser geben, wenn er zu meinen Füßen verdurstete.«

»Er ist dein Cousin«, mahnte Julian nachsichtig.

»Viele englische Verräter sind meine Cousins«, gab der Junge zurück. Es klang unversöhnlich.

»Aber Warwick hat sich besonnen und sich von den Verrätern und Thronräubern abgewandt. Das war ein mutiger Schritt.«

»Es war eine Verzweiflungstat«, behauptete Richmond.

Julian konnte ihm nicht reinen Gewissens widersprechen. »Es war beides«, räumte er ein. »Und ich wünschte, du würdest ihm eine Chance geben.«

»Wozu? Es ist doch völlig gleich, was ich denke.«

»Du irrst dich«, entgegnete Julian. »Wenn du mündig wirst und das Erbe deines Vaters antrittst, wirst du einer der mächtigsten Lords in England sein. Wenn Edouard den Thron besteigt, wirst du der engste Verwandte des Königs unter seinen Vasallen sein.«

Der Junge hob schon wieder in so trotziger Weise die Schultern. »Na und?«

Julian kam der Verdacht, dass Richmond sich überhaupt nicht im Klaren darüber war, welche Rolle er innehatte und dass er nach Prinz Edouard an zweiter Stelle in der Erbfolge der Lancaster stand – ganz gleich, was Warwick dem trinkfreudigen Duke of Clarence versprochen hatte. Julian war der Ansicht, der Junge hatte ein Recht, zu wissen, wer er war, aber wenn Jasper es ihm verschwiegen hatte, dann gewiss aus gutem Grund. Julian fand nicht, dass er derjenige sein sollte, der das Selbstverständnis dieses unauslotbaren Knaben in so dramatischer Weise veränderte, indem er ihm die Augen öffnete. Jedenfalls nicht, bevor der Boden unter Richmonds Füßen sich wieder ein wenig fester anfühlte. Und um das zu bewerkstelligen, brachte er ihn nach Westminster.

Das Zusammentreffen zwischen König Henry und seinem Neffen verlief erwartungsgemäß possenhaft: Der König hatte einen seiner ganz schlechten Tage, faselte unzusammenhängend, sprach mit seiner Mutter oder Julians Vater oder anderen längst entschwundenen Freunden, die in seiner Verwirrung offenbar realer waren als die Menschen im Raum.

Richmond erduldete diese bizarre Audienz mit unbewegter Miene. Als der König ihn bat, ihm den Arm zu reichen, stützte der Jüngling seinen greisen Oheim mit Umsicht und beinah so etwas wie Zärtlichkeit.

»Wie war doch gleich Euer Name, mein junger Freund?«, fragte der König ihn liebenswürdig.

»Henry Tudor, Sire«, antwortete Richmond geduldig. Er setzte den König behutsam in einen weich gepolsterten Sessel. »Mein Vater hat mich nach Euch benannt.«

Ein Lächeln huschte über Henrys Gesicht, und er nickte. »Und Euer Vater ist …?«

»Edmund Tudor, mein König. Euer Halbbruder.«

»Ah, richtig, richtig. Es geht ihm gut, hoffe ich?«

Richmond schaute unsicher zu Julian und fing das heftige, flehentliche Nicken des Kammerdieners auf. »Prächtig, Mylord.«

»Freut mich zu hören. Es gab ein Gerücht, Black Will Herbert habe ihn auf einer meiner walisischen Burgen gefangen gesetzt …«

Julian war immer wieder erstaunt darüber, welche Erinnerungsbruchstücke plötzlich ans Licht kamen, wenn der Geist des Königs sich vernebelt hatte.

Richmond hockte sich neben Henry und nahm die magere, blaugeäderte Hand in seine. »Er hat ihn wieder freigelassen. Seid unbesorgt, Sire.«

Henry strahlte ihn an. »Und Euer Name ist …?«

Julian verdrehte die Augen, der Kammerdiener schüttelte kummervoll den Kopf, und Richmond antwortete mit der Geduld eines Engels. Julian erkannte den Jungen kaum wieder.

Als Henry zur allgemeinen Erleichterung schließlich kundtat, der heilige Pankratius erwarte ihn und er wolle vorher noch ein bisschen beten, führte Julian seinen jungen Begleiter aus den überheizten Gemächern zurück ins Freie. Der Himmel hatte sich zugezogen, und der Fluss spiegelte seine stahlgraue Farbe wider, aber noch war es trocken. Ein ungemütlicher Herbstwind fegte durch die Höfe des Palastes.

Richmond zog den Mantel fester um sich. »Jetzt verstehe ich, warum Warwick den König vor der Welt versteckt«, sagte er nachdenklich. »Es wäre nicht gut für das Vertrauen der Menschen, wenn sie ihn so sähen.«

Julian nickte. »Er ist nicht immer so«, sagte er. »Ich bedaure, dass du ihn an einem Tag wie heute kennen lernen musstest. Jedenfalls warst du sehr gut zu ihm. Das ehrt dich.«

»Es ehrt mich überhaupt nicht«, gab Richmond verblüfft zurück. »Er ist der Bruder meines Vaters, er ist der König, und er ist ein kranker alter Mann, dem das Schicksal sehr übel mitgespielt hat. Du scheinst zu denken, ich besäße keinen Anstand, weil ich unter Yorkisten aufgewachsen bin, ja?«

Julian blieb stehen und betrachtete ihn kopfschüttelnd. »Ich denke nur das Beste von dir, mein Junge. *Du* bist derjenige, der keine besonders hohe Meinung von sich hat, scheint mir.«

»Wo gehen wir eigentlich hin?«, fragte Richmond. »Zum Pferdestall geht's da lang.« Er wies mit dem Daumen über die Schulter.

Julian nickte ungerührt. »Wir reiten noch nicht zurück. Ich möchte, dass wir noch kurz im Kloster vorbeischauen.«

»Im Kloster?«, wiederholte der Junge verständnislos. »Wozu?«

Julian antwortete nicht direkt. »Wusstest du, dass dein Onkel Owen dort lebt?«

»Wirklich?« Es klang erfreut.

»Er sieht aufs Haar so aus wie dein Großvater. Der gleiche Feuerkopf. Erinnerst du dich an deinen Großvater?«

Richmond lächelte unwillkürlich. »Allerdings. Er war oft in Pembroke, als wir noch dort lebten. Er konnte großartig Geschichten erzählen ...«

Richmond lebte sichtlich auf, während er Julian von den Erinnerungen an seine sehr kurze, unbeschwerte Kindheit in Pembroke Castle berichtete, und er achtete nicht mehr auf den Weg, den sie nahmen. Ohne erkennbaren Übergang gelangten sie vom Palast in die Klosteranlage, überquerten eine nasse Wiese zu einem großen Gästehaus, und als Julian die Tür öffnete, schlugen ihnen Wärme und der Duft von Wachskerzen entgegen.

Sie betraten einen hellen, kostbar möblierten Raum. In einem Sessel am Kamin saß eine zierliche Frau mit einem Buch auf dem Schoß, die Richmond für eine Nonne gehalten hätte, hätte der grauhaarige Mann, der hinter dem Sessel stand, nicht die Hand auf ihre Schulter gelegt.

Beide sahen auf, als sie die Tür hörten.

Julian nahm Richmond sicherheitshalber beim Ellbogen und schob ihn in den Raum hinein.

Die Frau stand ohne Eile auf, klappte ihr Buch zu und legte es in den Sessel. Sie trat ihnen mit einem kleinen Lächeln entgegen, und als sie vor ihnen anhielt, streckte sie die Hände aus. »Gott segne und beschütze dich, mein Sohn.«

Richmond wirbelte zu Julian herum, die Augen weit aufgerissen. »Was …«

Julian verbarg sein Unbehagen hinter einem Augenzwinkern. Er hatte ein schlechtes Gewissen, dass er den Jungen so überrumpelt hatte, aber er war überzeugt, das Richtige zu tun. »Es ist vielleicht ein wenig seltsam, aber lasst mich euch miteinander bekannt machen. Megan: Dein Sohn, Henry Tudor. Richmond: Dies ist deine Mutter, Lady Margaret Beaufort.«

Der Junge blinzelte verstört. Er sah zu Julian, dann zu seiner Mutter, streifte den Fremden am Kamin mit einem Blick, ohne ihn wahrzunehmen, und flüchtete sich schließlich in eisige Höflichkeit. Er verneigte sich förmlich, die Hand auf der Brust. »Madam.«

Sie legte die Hände auf seine Schultern, stellte sich auf die Zehenspitzen und küsste ihm die Stirn. »Ich weiß, dass es schwer für dich ist«, sagte sie dann, und sie sprach sanft, aber ohne Herablassung. Sie gab seine Schultern frei und trat einen Schritt zurück, als spüre sie, dass er versucht war, die Flucht zu ergreifen. »Ich weiß, dass du verbittert bist.«

»Ihr wisst nicht das Geringste über mich«, erwiderte er nüchtern.

Der Mann vom Kamin trat hinzu und streckte ihm die Rechte entgegen. »Richmond, ich bin Hal Stafford, Euer Stiefvater.«

Julian fuhr zusammen. Verfluchter Trottel, dachte er.

Richmond zuckte nicht mit der Wimper, aber er ignorierte die Hand.

Hal kam noch einen Schritt näher, eine unmissverständliche Röte stieg ihm in die Wangen. »Habt Ihr nicht gehört, Söhnchen, ich sagte …«

Julian packte ihn unsanft am Ärmel. »Lass uns gehen, Hal.« Er zerrte ihn zur Tür.

»Aber … Was fällt dir ein, Julian?«

Julian öffnete die Tür, schob den empörten Stiefvater ins

Freie und zog sie hastig wieder zu. »Lass ihn einen Schock nach dem anderen verkraften«, bat er. »Gib ihm ein bisschen Zeit.«

Hal Stafford schnaubte. »Er soll sich ja nicht einfallen lassen, respektlos zu seiner Mutter zu sein.«

»Ich fürchte, das wird sie aushalten müssen. Aber wenn irgendwer das Wunder vollbringen kann, ihn zu versöhnen, dann Megan.«

»Wenn er sie kränkt, kann er was erleben«, drohte Hal.

»Wenn du ihn anrührst, kannst *du* was erleben«, gab Julian zurück.

Hal starrte ihn betroffen an. »Was ist in dich gefahren, um Himmels willen? Tudor oder nicht Tudor – er ist ein ungehöriger Bengel, und er hat kein Recht, seiner Mutter irgendetwas vorzuwerfen. Was sie getan hat, hat sie getan, weil sie glaubte, es sei das Beste für ihn.«

»Nein, Hal.« Julian schüttelte nachdrücklich den Kopf. »Sie hat es getan, weil sie glaubte, dass Gott es so wollte.«

Nach einer halben Stunde wurde es Hal Stafford zu frisch. Er verabschiedete sich verdrossen und verschwand mit unbekanntem Ziel. Julian war erleichtert, postierte sich vor der Tür, um zu gewährleisten, dass Mutter und Sohn ungestört blieben, betete und fror.

Er wartete über drei Stunden. Erst als die Vesperglocke läutete, öffnete sich die Tür des Gästehauses, und Megan trat ins Freie – am Arm ihres Sohnes. Julian traute seinen Augen kaum.

Megan blieb vor ihm stehen. »Ich bin dir so dankbar, Julian, dass du mir meinen Henry gebracht hast. Das war das schönste Geschenk, das du mir machen konntest.«

»Und wie ich merke, hattet ihr euch eine Menge zu sagen«, erwiderte Julian trocken und wischte sich unfein mit dem Ärmel über die Nase.

»Hast du etwa gefroren?«, fragte Richmond.

»Sag mir, ob ich noch Füße habe, denn ich spür sie seit Stunden nicht mehr«, antwortete Julian.

»Gut.« Richmonds Befriedigung war unüberhörbar, aber er lachte dabei – ein unbeschwertes Jungenlachen, und in seinen Augen lag ein Glanz, den Julian dort selten gesehen hatte.

»Möchtest du deine Mutter zur Vesper begleiten, oder wollen wir zurückreiten?«, fragte Julian.

»Lass uns lieber aufbrechen. Die yorkistische Königin ist hier mit ihren Bälgern im Asyl, hab ich eben erfahren.«

Julian nickte unverbindlich.

Megan warf ihm einen amüsierten, geradezu schelmischen Blick zu. Offenbar wusste sie, welche Rolle Julian bei Elizabeths Asylsuche gespielt hatte.

»Und einen Sohn hat sie obendrein auch noch bekommen«, fuhr Richmond fort. Es klang missfällig.

Seine Mutter legte ihm die Hand auf den Arm. »Der kleine Edward. So ein niedlicher, unschuldiger Engel. Wir alle sollten uns davor hüten, ihm zu verübeln, wer sein Vater ist.«

Richmond nickte unwillig, aber Julian sah, was er dachte: Das Haus York hat einen neuen Thronerben. Jemanden, der den Lancaster auch in der nächsten Generation ihr Recht auf die Krone streitig machen kann. Wie manch anderer Lancastrianer glaubte auch Richmond, dass erst Ruhe einkehren werde, wenn der letzte York sechs Fuß unter der Erde lag. Aber in Gegenwart seiner Mutter äußerte niemand solch unchristliche Gedanken.

»Nun, ich habe jedenfalls keine Lust, der yorkistischen Königin und ihrer Brut zu begegnen«, bekundete der junge Mann. »Auch wenn meine Mutter der Auffassung ist, dass sie zu bedauern seien und unserer Barmherzigkeit in besonderem Maße bedürfen.« Er sagte es mit leisem Spott, aber Julian merkte sehr wohl, wie tief der Junge von seiner Mutter beeindruckt war.

Megan, die selbst neben ihrem vierzehnjährigen Sohn puppenhaft klein wirkte, sah mit einem warmen Lächeln zu ihm auf. »Ich wäre nicht besorgt um Elizabeth und ihre Kinder, wenn sie von deiner Barmherzigkeit abhingen, mein Sohn.«

Julian küsste Megans Hand und drückte die zierlichen Finger für einen Augenblick an seine Stirn. »Leb wohl, Cousinchen.«

»Leb wohl, Julian. Und nochmals danke. Das werde ich dir nie vergessen.«

»Ich auch nicht«, murmelte Richmond gallig.

Julian grinste verstohlen und fragte Megan: »Wo werdet ihr wohnen während des Parlaments?«

»Im Palast des Bischofs von London. Ich ginge lieber in unser eigenes Haus, aber wir können seine Einladung nicht ausschlagen.«

»Dann werden wir viel voneinander sehen in den nächsten Wochen.«

Sie nickte. »Es wird sein wie in alten Zeiten. Jedenfalls beinah.«

Auch Richmond ergriff die Hand seiner Mutter und führte sie nach kurzem Zögern an die Lippen. Man sah, dass es noch ungewohnt für ihn war. »Auf bald, Mutter.«

Sie legte die freie Hand an seine Wange. »Je eher, desto besser.«

Julian schlug auf dem Rückweg ein scharfes Tempo an, um wieder warm zu werden. Erst als das Stadttor in Sichtweite kam, zügelte er Ascanius. Richmond folgte seinem Beispiel und fiel neben ihm in Schritt.

Schließlich brach Julian das Schweigen. »Entschuldige, Richmond. Es war unfair und hinterhältig.«

»Ja. Das war es wohl«, bekam er zur Antwort. Es klang, als wisse der junge Mann nicht so recht, was er von dieser Erkenntnis halten sollte. »Ich nehme an … du hast es für meinen Vater getan oder irgendetwas in der Richtung? Weil er es gewollt hätte?«

»Nein.« Julian wandte den Kopf und sah ihn an. »Ich hab's für dich getan. Aber wenn ich dich vorgewarnt hätte, wärst du davongelaufen. Darum ging es nur so. Ich hoffe, du kannst mir irgendwann verzeihen. Es muss ja nicht auf der Stelle sein.«

Ein Lächeln stahl sich in Richmonds Mundwinkel. »Ich bin froh, dass du's getan hast. Sie ist … Ich glaube, meine Mutter ist der außergewöhnlichste Mensch, dem ich je begegnet bin.«

»Ja. So geht es mir auch.«

Richmond nickte und hüllte sich wieder in Schweigen. Als sie St. Bride passierten, sagte er: »Trotzdem, Julian. An dem Tag, da ich einundzwanzig und Earl of Richmond werde, wird abgerechnet.«

Julian lachte in sich hinein. »Ich kann's kaum erwarten, Bübchen ...«

Das Parlament, das sich Anfang November versammelte, begann seine Arbeit damit, die Entrechtungen und Enteignungen zurückzunehmen, die in Zeiten yorkistischer Herrschaft so viele Lancastrianer getroffen hatten. Jasper Tudor war einer der Ersten, der seinen Titel als Earl of Pembroke und seine Ländereien zurückbekam.

Der Earl of Warwick brillierte auf der politischen Bühne; selbst die Commons, die ihm immer misstraut hatten, fraßen ihm nach wenigen Tagen aus der Hand. Mit rauschenden Festen und prächtigen Banketten feierten die Lancastrianer sich selbst und die Rückkehr von Recht und gottgewollter Ordnung. Nach der langen Düsternis des Krieges im eigenen Land war die Ausgelassenheit kaum zu zügeln, und oft sah man Lords der Welt und der Kirche auf den Fluren des Palastes oder in den prächtigen Hallen beisammenstehen und einander versichern, alles sei aufs Beste gerichtet und es werde Zeit, dass Marguerite und Prinz Edouard endlich nach Hause kämen.

Marguerite hatte diesbezüglich freilich keine besondere Eile. Zwischen den Zeilen ihrer Antwort hatte Julian gelesen, dass es ihr viel zu großen Spaß machte, Warwick zappeln zu lassen, um schon wieder damit aufzuhören. Der yorkistische Thronräuber sitze warm und sicher in Burgund und knüpfe Netze wie eine Spinne, hatte sie geschrieben. Solange die Macht Burgunds nicht gebrochen sei, könne Lancasters Thron in England nicht als sicher betrachtet werden, und sie denke nicht daran, ihren Sohn ins Ungewisse zu führen. Im Übrigen seien die

Engländer immer so kühl zu ihr gewesen, dass die Sehnsucht nach ihrer Königin sich doch gewiss noch in Grenzen hielt.

Julian ärgerte sich über ihre kleinliche Rachgier, mit der sie die Zukunft ihres Sohnes und aller Lancastrianer in Gefahr brachte, aber auch er wurde von der allgemeinen Hochstimmung und Zuversicht während des Parlaments angesteckt.

Seine größte Freude war es, Richmond und Megan zu beobachten. Nicht jeden Tag, aber doch auffallend häufig sattelte der Junge sich ein Pferd und ritt zum Palast des Bischofs von London, um seine Mutter zu besuchen. Sie lieh ihm Bücher, und er erzählte ihr von Wales und seiner Verbundenheit zu dem Land seiner Vorfahren. Sie sprachen über England, über Frankreich, über Theologie und Rechtswissenschaft, und jedes Mal, wenn Richmond heimkam, zeigte er sich tief beeindruckt von der Bildung seiner Mutter. Megan Beaufort mangelte es an mütterlichen Instinkten. Doch Richmond war schon zu alt, um sich ihre Mütterlichkeit jetzt noch zu wünschen. Stattdessen geschah genau das, was Julian erhofft hatte: Mutter und Sohn wurden Freunde. Und man konnte sehen, wie gut ihnen beiden diese Freundschaft tat. Megan entwickelte ein bislang ungekanntes Interesse an den Belangen der Welt und der Menschen und wagte sich häufiger als früher aus dem Schneckenhaus, das ihre Einkehr gewesen war. Richmond überwand einen Gutteil seiner Bitterkeit. Er entdeckte völlig neue Gedanken in den Büchern seiner Mutter, die vom Wert und der Würde jedes einzelnen Menschen sprachen, und ganz allmählich begann er, Vertrauen zur Welt und zu sich selbst zu fassen.

Jasper beobachtete diese Veränderungen mit dem so typischen Argwohn, Julian und Blanche mit Freude. Und als das Parlament sich in der zweite Adventwoche bis nach Neujahr vertagte, war es Blanche, die vorschlug, noch ein paar Wochen in London zu bleiben und den Aufbruch nach Waringham zu verschieben, um Megan und ihren Sohn nicht früher als nötig auseinanderzureißen.

»Aber ich dachte, du kannst es nicht erwarten, Waringham wiederzusehen«, wandte Julian zweifelnd ein.

Seine Schwester nickte. »Trotzdem. Was du hier vollbracht hast, ist ein Wunder, Bruder. Für Richmonds Seelenfrieden bin ich gerne bereit, noch ein paar Wochen zu warten. Waringham kann mir ja nicht davonlaufen.«

Julian willigte ein. »Also schön. Verbringen wir Weihnachten in der Stadt. Wir können mit den Kindern zu den Weihnachtsschauspielen der Zünfte und Gilden gehen. Die sind so blutrünstig, dass Robin und Owen ihre Freude haben werden.«

Waringham, März 1471

Bei herrlichstem Frühlingssonnenschein kamen sie nach Hause. Der Himmel über Kent war weit und blau, und auf dem Burghügel blühten die Narzissen.

Nachdem sie in den Burghof eingeritten und abgesessen waren, kamen Menschen aus dem Bergfried und dem neuen Wohngebäude herbeigelaufen, um sie zu begrüßen. Frederic of Harley, der taubstumme Steward, überreichte Julian eine vorbereitete Tafel. Julian las, lachte und klopfte seinem Steward die Schulter.

Blanche sah sie nur aus dem Augenwinkel. Gründlich schaute sie sich im Burghof um, ließ den Blick über die neuen Gebäude schweifen, stellte fest, dass das Strohdach der Kapelle durch Schiefer ersetzt worden war, und versuchte ohne großen Erfolg, ihrer Gefühle Herr zu werden.

Plötzlich legte sich ein Arm um ihre Schultern. »Ist der Anblick nach fünfzehn Jahren Abstinenz so abscheulich, dass du ihn beweinen musst?«, erkundigte sich ihr Bruder.

Blanche zog unfein die Nase hoch, fuhr sich mit dem Ärmel über die Augen und lächelte verschämt. »Im Gegenteil. Es ist schöner, als ich es in Erinnerung hatte. Ich … Oh, keine Ahnung, Julian. Am besten kümmerst du dich gar nicht um mich. Ich bin nur rührselig.« In Wahrheit beweinte sie wohl das junge Mädchen, das vor fünfzehn Jahren so voller Zuversicht und Neugier auf die Welt von hier aufgebrochen war, und das war albern. Das Mädchen hatte ein paar bittere Enttäuschungen erlebt, wie sie niemandem erspart blieben, das war alles.

Jasper trat zu ihnen. »Ich könnte in Versuchung geraten, genauso sentimental zu werden wie du«, gestand er.

»Dann sollte ich wohl lieber das Weite suchen ...«, befand Julian.

Jasper beachtete ihn nicht und wies auf ein Eckfenster im obersten Stockwerk des Bergfrieds. »Da oben haben meine Brüder und ich gewohnt. Seltsam. Ich hätte nicht gedacht, dass ich mich daran erinnern würde. Es waren nur ein paar Wochen, und ich war ... ich weiß nicht mehr. Sieben vielleicht.«

»Du warst sechs, Jasper Tudor«, sagte eine energische, fröhliche Stimme hinter ihnen.

Er wandte sich um, und einen Moment betrachtete er die ältere Dame vor sich verwirrt, dann breitete sich ein ungewöhnlich strahlendes Lächeln auf seinem Gesicht aus. »Kate!« Er nahm ihre Hände. »Wie furchtlos du meine Brüder und mich vor deinem grässlichen Cousin Robert beschützt hast.«

Sie lachten, und Kate umarmte ihren Bruder, vor allem ihre Schwester mit großer Herzlichkeit. »Willkommen zu Hause, Blanche. Komm mit hinein. Ich habe unsere schönsten Gästekammern herrichten lassen, die einzigen im neuen Haus, von denen man den Garten sehen kann, obwohl es natürlich noch viel zu früh für die Rosen ist.«

»Danke, Kate. Aber wenn du keine Einwände hast, würde ich gern zuerst zu Mutter und Vater gehen.«

»Natürlich.« Kate drückte noch einmal kurz ihre Hand, ließ sie dann los und wandte sich an Julian. »Du wirst feststellen, dass nicht alle Dinge hier zu deiner Zufriedenheit stehen, Bruder«, bemerkte sie mit leicht gerunzelter Stirn.

»Das wäre ja auch zu schön, um wahr zu sein. Was hat's gegeben?«

»Komm erst einmal mit hinein.«

»Aber ...«

Kate hörte nicht hin. »Janet!« Sie warf einen diskreten und doch unübersehbaren Blick auf den gewölbten Bauch ihrer Schwägerin. »Ich fass es einfach nicht. *Schon* wieder?«

»Kein Grund, mich so strafend anzusehen. Nur dein Bruder ist schuld«, wehrte die Countess ab.

»Ich würde sagen, dazu gehören immer zwei«, verteidigte sich Julian.

»Ja, du meine Güte, Lucas Durham, willst du die Pferde wohl den Knappen überlassen?«, schalt Kate. »Ab nach oben mit dir. Meine Tochter und mein Enkel erwarten dich sehnsüchtig.«

Er verneigte sich respektvoll vor ihr. »Was immer Ihr sagt, Mylady«, und trollte sich schleunigst.

Blanche beobachtete sie alle aus einigen Schritten Entfernung und fühlte sich ausgeschlossen und verstoßen. Dabei wusste sie genau, dass sie ihrem Bruder, ihrer Schwägerin und ihrer Schwester in Waringham willkommen war, aber sie gehörte nicht mehr wirklich hierher. Julian, seine Familie, Kate mit ihren Kindern und der ganze Haushalt – sie alle hatten ihren festen Platz in Waringham und bildeten eine Gemeinschaft. Vermutlich gingen sie sich auch oft auf die Nerven und stritten und hatten genau die gleichen Sorgen und Nöte wie andere Leute auch, aber von außen betrachtet wirkten sie stark, fast unverwundbar.

Blanche wandte sich ab, ehe ihr Gesicht ihre widersprüchlichen Gefühle preisgeben konnte, zu denen auch eine gehörige Portion Neid zählte, und ging um die Kapelle herum auf den kleinen Friedhof. Jasper sah ihr nach, ließ sie aber zufrieden.

Am Fuß der Sommerlinde fand Blanche das Grab ihrer Eltern. Sie blieb davor stehen, senkte den Kopf und betete eine Weile. In den Zweigen der Linde, die den ersten grünen Flaum trugen, sang ein Stieglitz. Als der Vogel verstummte, sagte Blanche leise: »Ich wünschte, du wärest hier, Vater.«

Seit Wochen plagten sie düstere Vorahnungen. Sie wusste nicht, woher sie kamen. Möglicherweise hatte sie etwas geträumt, woran sie sich nicht erinnern konnte. Jedenfalls spürte sie das Herannahen eines Unheils, und nach Waringham gekommen zu sein hatte Blanche ihre eigene, prekäre Lage nur wieder aufs Neue bewusst gemacht. Selbst wenn Jasper sie, die Kinder und Richmond nach Pembroke zurückbrachte und sie alle dort wieder in Sicherheit zusammenleben würden, würde sie dort doch nie etwas anderes sein als die Mätresse des Earl, ihre Kinder seine Bastarde. Normalerweise war ihr das gleich. Aber seit ihr Optimismus sie auf so unerklärliche Weise verlassen hatte, war sie von Ängsten geplagt.

Die Stille und die Frühlingsdüfte auf dem kleinen Kirchhof taten ihr indessen wohl. Getröstet machte sie eine gemächliche Runde durch den noch winterlich anmutenden Rosengarten und kehrte schließlich in den Burghof und zum neuen Wohnhaus zurück.

»… soll das heißen, du hast sie geheiratet?«, hörte sie die Stimme ihres Bruders, als sie die Halle betrat.

Vor Julian stand ein junger Mann, dem man auf einen Blick ansah, dass er ein Neville war, und er hatte trotzig die Arme vor der Brust verschränkt. Ihr Neffe Roland, schloss Blanche.

»Was ist daran so schwer zu verstehen, Onkel?«, erkundigte er sich.

»Du kannst nicht die Tochter des Sattlers heiraten, du Narr! Ich habe das mehr als einmal verboten!«, schimpfte Julian.

»Tja. Ich hab's trotzdem getan. Und es gibt nicht besonders viel, was Ihr dagegen unternehmen könntet, oder?«

Julian verpasste ihm eine so gewaltige Ohrfeige, dass Roland einen Schritt zur Seite wankte.

Aus der dunkelsten Ecke des Raums kam ein Wimmern. Erst jetzt entdeckte Blanche dort am Boden eine zusammengekauerte Gestalt, einen mageren jungen Kerl in Rolands Alter, der angstvoll von einem Kontrahenten zum anderen schaute.

Roland warf ihm einen kurzen Blick über die Schulter zu. »Schon gut, Mel. Alles in Ordnung.« Dann ließ er die Arme sinken und machte einen Schritt auf seinen Onkel zu. »Das solltet Ihr Euch lieber abgewöhnen, Mylord. Aus dem Alter bin ich heraus.«

Julian ging nicht darauf ein. »Diese Ehe wird annulliert«, teilte er Roland mit.

»Meine Frau ist guter Hoffnung«, entgegnete der Jüngere.

Julian hob kurz die Schultern. »Das ist bedauerlich, aber es ändert nichts an meiner Entscheidung.«

»Ihr könnt keine Ehe annullieren lassen, die schon Früchte trägt!« Langsam verlor auch Roland die Fassung.

»Hast du eine Ahnung, Söhnchen. Ich könnte, aber das muss ich noch nicht einmal. Der Earl of Warwick wird keine unfrei geborene Bauerntochter in der Familie dulden und dafür sorgen, dass diese lächerliche Verbindung gelöst wird, ganz gleich, was du tust.«

»Er müsste es niemals erfahren. Er hat sich noch nie für meine Schwestern und mich interessiert.«

»Glaub lieber nicht, ich würde diese Ungeheuerlichkeit decken und es vor ihm verbergen.«

»Julian …«, begann Blanche und trat unsicher näher.

Er fuhr zu ihr herum. »Das geht dich nichts an, Blanche. Warum gehst du nicht hinüber zum Bergfried? Lucas zeigt deinen Kindern die große Halle.«

»Schick mich nicht hinaus wie eine Dienstmagd, sei so gut«, entgegnete sie frostig.

Julian stieß wütend die Luft aus.

Blanche trat zu Roland und lächelte ihm aufmunternd zu. »Ich bin deine unmögliche, missratene Tante Blanche, Roland.«

Er verneigte sich mit einem schiefen Lächeln. »Wir müssen *sehr* nah verwandt sein, Madam.«

Sie biss sich auf die Lippen. »Tröstlich, wenn man feststellt, dass man nicht der Einzige ist, nicht wahr?«

»Blanche, was soll das?«, grollte Julian. »Du fällst mir in einer Sache in den Rücken, die du nicht überblicken kannst.«

»Ich kann mir nicht vorstellen, was daran so kompliziert sein soll. Er hat unter seinem Stand geheiratet. Na und? Wenn es ihn nicht stört, warum solltest du Anstoß daran nehmen? Es ist doch *sein* Leben.«

»Mir scheint, du hast zu viel in Richmonds neuen Büchern

gelesen«, gab er zurück und wandte sich wieder an den Übeltäter. »Also: Du hast eine Woche Zeit, sie irgendwohin zu bringen, wo sie in aller Stille ihr Balg bekommen kann. Und sobald die Annullierung über die Bühne ist, heiratest du Lady Helen of Rochester, wie vereinbart war.«

»Das werde ich nicht tun, Onkel«, teilte Roland ihm mit.

»Du wirst mir gehorchen oder Waringham verlassen.«

»Ihr könnt mich nicht wegjagen.«

»Das wirst du ja sehen.«

»Ich bin rechtmäßiger Eigentümer der Hälfte Eures Gestüts, Mylord.«

Julian und Blanche starrten ihn an, beide einen Moment sprachlos. Dann wechselten sie einen verständnislosen Blick.

Schließlich wandte Julian sich wieder an seinen einstigen Knappen. »Du bist was?«

Roland sah zu Boden und seufzte. »Ich hätte es Euch lieber schonender beigebracht. Aber Ihr wolltet mir ja nicht zuhören, nachdem ich meine Merle erwähnt habe.«

Beim Klang des bäurischen Namens zuckte Julians Mund, aber er fragte lediglich: »Was wolltest du mir schonend beibringen?«

Roland brauchte einen Moment, um seinen Mut zu sammeln. Dann sah er ihm wieder in die Augen und antwortete: »Geoffrey ist fort, Mylord. Er … Ich habe ihm seinen Anteil am Gestüt abgekauft. Er hat mich darum gebeten.«

Julian sank auf einen der schweren gepolsterten Sessel am Tisch, als seien seine Knie plötzlich weich. »Geoffrey hat sich den Yorkisten angeschlossen?«, fragte er. Es klang fast tonlos.

Blanche zog erschrocken die Luft ein.

Roland nickte bekümmert. »Ihr könnt Euch sicher vorstellen, dass ich alles getan habe, um ihm das auszureden. Aber er war fest entschlossen. Er hat gesagt, er wolle Euch nicht wiedersehen, da das nur in Bitterkeit und Blutvergießen enden könne, und dafür schätze er Euch zu sehr. Aber sein Gewissen lasse ihm keine andere Wahl, sagte er.«

»Sein *Gewissen*«, schnaubte Julian verächtlich. »Er war

klug, sich zu verdrücken, eh ich nach Hause kam. Wann ist er gegangen?«

»Im November. Ich nehme an, er ist nach Burgund gesegelt, um sich Edward und den Seinen dort anzuschließen.«

»Und statt mir einen Boten zu schicken und mich vorzuwarnen, hast du ihn ziehen lassen, ja?«

»Was sollte ich tun?«, konterte Roland. »Ihn erschlagen?«

Julian antwortete nicht. »Woher hattest du das Geld?«, fragte er stattdessen.

»Ich habe eins meiner Güter in Lincolnshire verkauft. Ich bin … ein wohlhabender Mann, Onkel.«

»Ja, ich weiß. Und deine Mutter? Was hat sie zu alldem gesagt? Zu der Art und Weise, wie du Kapital aus Geoffreys Verrat geschlagen hast, und zu deiner unerhörten Heirat?«

»Nichts. Sie war nicht entzückt. Vor allem, weil sie fürchtete, dass es zu einer Szene wie dieser hier kommen würde. Aber sie hat das Gleiche gesagt wie Lady Blanche. Und es stimmt, wisst Ihr. Es *ist* mein Leben. Und für Geoffrey gilt das Gleiche. Er ist seinem Gewissen gefolgt, genau wie Ihr es tut.«

Julian ließ krachend die Faust auf den Tisch niederfahren. »Er ist unser Cousin und somit nicht nur ein Verräter an seinem rechtmäßigen König, sondern an seinem eigenen Blut!«

Der junge Mann in der Ecke verschränkte die Arme über dem Kopf und wimmerte wieder.

»Julian …«, sagte Blanche leise. »Du machst ihm Angst.«

»Wieso ist er überhaupt hier?«, fragte ihr Bruder ungehalten. »Kannst du keinen Schritt mehr ohne den Schwachkopf tun, Roland?«

Roland ging zu seinem Freund, nahm seine Hand und zog ihn auf die Füße. »Geh runter in den Hof, Mel. Warte im Pferdestall auf mich. Es ist alles in Ordnung, ehrlich.«

Aber sobald er ihn losließ, sank Melvin wieder in seiner Ecke auf den Boden, vergrub den Kopf in den Armen und weinte leise.

Der Anblick brachte Julian zur Besinnung. Blanche wusste, warum. Melvins schiere Existenz erinnerte jeden Waringham an die Sünden und die abscheulichen Geheimnisse seiner eigenen Familie, und das machte es sehr viel schwerer, andere für ihre Missetaten zu verurteilen.

»Adam ist auch gegangen, Mylord«, sagte Roland.

»Adam?«, wiederholte Julian. »Zu den *Yorkisten*?«

Roland nickte. »Er sagt, ohne Edwards Wollpolitik hätte er es nie so weit bringen können.«

»Ja, und ohne mein Land erst recht nicht«, knurrte Julian.

»Er glaubt, ohne Burgund wird der englische Wollmarkt zusammenbrechen, und darum müsse er sich der Sache der Yorkisten anschließen.«

»Nun, er wird nicht zu Wohlstand und Ansehen zurückkehren, sollte er sich hier je wieder blicken lassen, sondern nur zu einem wartenden Strick. Ich werd ihn enteignen.«

»Damit hat er gerechnet. Aber er gehört inzwischen zu den größten Schafzüchtern in Kent, wisst Ihr«, erklärte Roland behutsam. »Er hat seine Herden von Sevenelms bis Rochester verpachtet und ist ... auf Euer bisschen Land nicht angewiesen.«

»Na dann. Möge er mit seinen Herden zur Hölle fahren.« Julian ruckte das Kinn in Melvins Ecke. »Was macht der Bengel dann noch hier?«

»Er lebt bei mir. Bessy, Adams Frau, ist aus Angst vor Euch mit ihren Kindern zu ihrer Familie nach Sevenelms zurückgekehrt, und sie hatte nie viel für Melvin übrig. Sie wollte ihn nicht mitnehmen. Also hab ich ihn zu mir genommen. Ich hoffe ... Mylord, ich hoffe sehr, dass Ihr ihn nicht für den Verrat seines Bruders büßen lasst.«

Julian stand abrupt auf und ging zur Tür. »Das überleg ich mir noch«, beschied er über die Schulter, ging hinaus, und die Tür fiel krachend zu.

Melvin wimmerte.

Julian war außer sich. Ein halbes Jahr war er aus Waringham fort gewesen, und nun musste er feststellen, dass nichts mehr so war wie vorher. Geoffreys und Adams Seitenwechsel kränkten ihn zutiefst, erfüllten ihn mit einem gewaltigen Zorn, der umso bitterer war, als niemand mehr hier war, den er hätte büßen lassen können. Geoffrey und Adam hatten sich davongeschlichen, kaum dass er Waringham den Rücken gekehrt hatte. Sie hatten nicht nur das Haus Lancaster und den rechtmäßigen König verraten, sondern vor allem Julian selbst. Er glaubte nicht, dass er das verdient hatte. Er hatte Geoffrey immer als Cousin, als einen Mann von ebenbürtigem Stand behandelt, obwohl er das in Wahrheit nicht war. Er hatte Adam ermöglicht, seinen Traum zu verwirklichen, hatte aus einem unfreien Knecht einen reichen Bauern gemacht. Sie schuldeten ihm beide etwas. Und doch hatten sie ihn schändlich verraten. Unweigerlich brachte diese Erkenntnis ihn zu der Frage, was er falsch gemacht hatte. Warum es ihm nicht gelungen war, mehr Ergebenheit in ihnen zu wecken. Seinem Vater, mutmaßte er, wäre das niemals passiert. Er verstand nicht, wieso, aber er war sicher, dass es irgendwie seine eigene Schuld war, und das steigerte seinen Zorn.

Mit langen Schritten lief er den Burghügel hinab, rannte beinah, so als versuche er, seiner Wut und Enttäuschung davonzulaufen. Er erklomm den Mönchskopf, blieb auf der kahlen, runden Kuppe einen Moment stehen, um sich umzuschauen, und ging weiter ins Gestüt. Auch das war etwas, das seinen Zorn erregte: Die berühmte Pferdezucht von Waringham hatte einen neuen Stallmeister bekommen, ohne dass irgendwer es für nötig befunden hätte, Julian nach seiner Meinung zu fragen. Ausgerechnet Roland, der sich zuzeiten immer noch wie ein ungezogener Bengel benahm, den man nur kontrollieren konnte, wenn man ihn an der kurzen Leine hielt. Auf einmal war er Julians Kompagnon, befand sich auf gleicher Augenhöhe mit dem Earl of Waringham, von dem er sich nichts mehr vorschreiben zu lassen brauchte. Dabei konnte nichts Gutes herauskommen, befand Julian.

Er ging zwischen den langgezogenen Stallgebäuden entlang, und allmählich verlangsamten sich seine Schritte. Es war früher Nachmittag – die ruhigste Zeit des Tages im Gestüt.

Trotzdem begegnete er hier und da einem der Stallburschen. Einer führte zwei Jährlinge auf die Weide. Auf der Koppel hinter dem letzten Stallgebäude heizte ein anderer die Esse ein. Offenbar hatte der Schmied sich für den Nachmittag angesagt, um die Zweijährigen neu zu beschlagen. Alle grüßten Julian respektvoll, aber eine Spur nervös. Vermutlich fragten sie sich, wie er auf die Neuigkeit reagieren würde, dass in Waringham in seiner Abwesenheit die Mäuse auf dem Tisch tanzten.

Zu seinem Verdruss musste er feststellen, dass im Gestüt alles zum Besten stand. Eigentlich war das keine Überraschung. Roland hatte die Gabe. Und er hatte im Gestüt vom ersten Tag an eine Sorgfalt walten lassen, die er bei allen anderen Aufgaben vermissen ließ. Er war, das konnte man bereits jetzt erkennen, ein guter Stallmeister. Dennoch wollte Julian die Hoffnung nicht aufgeben und machte einen äußerst kritischen Rundgang. Er ging in die Futterscheune und begutachtete die Bestände und deren Lagerung. In der Sattelkammer überprüfte er Sättel und Zaumzeuge auf deren Zustand. Schließlich betrat er Geoffreys ehemaliges Haus, ging in die Halle, holte die Bücher aus ihrer Truhe und sah die Einträge des letzten Vierteljahres durch. Wie erwartet, stand es hervorragend um das Gestüt. Die Aufzucht und der Verkauf hochklassiger Reitpferde hatten sich als segensreicher Geschäftszweig erwiesen, und auch die Preise für Schlachtrösser hatten wieder angezogen. Wir werden reich dank dieses gottlosen Bruderkrieges, dachte Julian beklommen.

Er klappte die Bücher zu, räumte sie zurück an ihren Platz, ohne sich sonderlich zu bemühen, seine Spuren zu verwischen, und auf dem Weg hinaus stieß er an der Tür fast mit einer jungen Frau zusammen.

Sie wich erschrocken einen Schritt zurück und senkte den Kopf, als fürchte sie einen Schlag.

Julian musterte sie. »Nun, Merle? Ich bin sicher, es gefällt dir, in einem so feinen Haus zu leben, nicht wahr?«

»Ich lebe schon fast zehn Jahre hier, Mylord«, antwortete sie, ohne ihn anzusehen. »Ich war Sir Geoffreys Köchin.«

»Und nun bist du die Frau seines Nachfolgers und kommandierst wahrscheinlich deine Schwestern und Cousinen als deine Mägde herum, hm? Dieser Krieg vollbringt wirklich die sonderbarsten Wunder. Er macht aus Edelleuten Bettler und aus Bauernschlampen feine Ladys.«

Sie hob das Kinn ein wenig und warf ihm einen blitzschnellen Blick zu. Nur ganz kurz, aber es reichte, um ihm zu zeigen, dass sie wütend war. »Es gibt nichts, das Ihr sagen könntet, was ich nicht schon von meinem Vater gehört habe, Mylord. Aber ich bin keine Schlampe.«

»Nein?« Er wies auf ihren Bauch. Sie trug ein schweres Tischtuch gefaltet über dem Arm, das sie wie einen Schild vor ihren Körper hielt, seit sie ihn entdeckt hatte, aber die Schwangerschaft war trotzdem deutlich erkennbar. »Du willst mir nicht im Ernst weismachen, das sei nach der Hochzeit passiert, oder?«

»Doch …«

»Du hast dich von ihm schwängern lassen und dann an seinen Anstand appelliert, gib's zu.«

Sie schüttelte wild den Kopf. »Nein, Mylord. So was hätte Roland niemals getan. Er ist …« In ihrer Furcht hatte sie Mühe, die richtigen Worte zu finden. Schließlich entschied sie sich für: »Er ist wirklich ein Gentleman, Mylord.«

Julian nickte grimmig. »Und darum an dich vollkommen verschwendet. Eine Schande ist das. Aber bilde dir nur nicht ein, das letzte Wort in dieser Angelegenheit sei schon gefallen.«

Damit trat er an ihr vorbei, eilte die Treppe hinab und verließ das Stallmeisterhaus.

Von der Begegnung mit Merle hatte sich seine Laune nicht gebessert. Die Sattlerstochter war ein durchtriebenes Luder, zweifellos, hatte Roland und damit indirekt auch dem Haus Waringham Schande gemacht, aber Julian erkannte sehr wohl, dass sie die schwächste Position von allen hatte, und ausgerechnet sie in Angst und Schrecken zu versetzen war eine schale Genugtuung.

Er sattelte sich einen der Dreijährigen, die nächsten Monat verkauft werden sollten, ritt zwei Stunden durch seinen Wald, wo die Schneeglöckchen noch und die Hyazinthen schon blühten und der Frühling sich redlich mühte, den Winter davonzujagen, und dort kam er allmählich wieder zu Verstand. Ein Gutteil seines Zorns verrauchte, und er begann zu überlegen, ob es möglich und ein gangbarer Weg wäre, Roland und seiner Merle ihren Willen zu lassen. Ob er es durfte, ob er es konnte, und welche Konsequenzen es hätte, wenn er es täte.

»Deine Schwester Kate wäre insgeheim erleichtert«, sagte Janet, als er ihr abends wieder einmal sein Herz ausschüttete. »Sie schüttelt offiziell den Kopf über Roland, aber eigentlich wünscht sie sich, dass er behalten darf, woran sein Herz hängt. Und dass er in Waringham bleibt, dass Merle und das Gestüt ihn hier halten wie eine Kette, auf dass er niemals in die Schlacht zieht und fällt wie sein Bruder.«

»Und sein Vater«, fügte Julian langsam hinzu und nickte versonnen. Er fuhr sich über Kinn und Hals und ließ die Hand dann mit einem ungehaltenen Laut sinken. »Im Grunde sind Roland und seine Sattlerstochter meine kleinste Sorge.«

»Ich weiß, Liebster.« Janet nahm seine Linke und verschränkte ihre Finger mit seinen. »Es ist Geoffreys Entscheidung, die dir zu schaffen macht.«

»Und Adams. Du nennst es Entscheidung, ich nenne es Verrat.«

Janet sagte dazu nichts, denn sie wusste, wenn sie die beiden Abtrünnigen in Schutz nahm, würde Julians so leicht entflammbarer Zorn sich gegen sie richten, und er würde sie als Yorkistin beschimpfen. Und damit wäre niemandem gedient.

Nach einem kurzen Schweigen murmelte er: »Es ist verrückt. Nun, da der Krieg vorbei ist, spaltet er Waringham plötzlich. Was haben sie sich nur dabei gedacht, jetzt noch überzulaufen? Abgesehen davon, dass es mir gegenüber treulos und ehrlos und undankbar ist, aber sie prügeln auf einen toten Gaul ein, verdammt noch mal.«

»Vielleicht gerade deswegen. Weil Yorks Sache aussichtslos scheint, hat ihr Gewissen ihnen keine Ruhe mehr gelassen. Du selbst hast nie mit größerem Eifer für Lancaster gekämpft als in den Zeiten, da alle Hoffnung verloren schien.«

Julian schüttelte den Kopf. »Das stimmt nicht, Janet. Nachdem ich mich einmal entschieden hatte, habe ich nie halbherzig für die Sache Lancasters gekämpft. Aber ich weiß natürlich, dass es keine leichte Entscheidung ist. Das war es für mich ja auch nicht.«

Janet schwieg erstaunt. Sie hatte das gewusst, aber es war das erste Mal, dass er es ihr gegenüber eingestand.

»Ich glaube, was mich an dieser Sache in Wahrheit so verrückt macht, ist, dass sie mir Angst einjagt. Irgendetwas in Waringham fällt auseinander, weil ich es nicht verstanden habe, es besser zu schützen. Es kommt mir vor ... wie ein böses Omen.«

»Julian«, sagte sie leise, halb tadelnd, halb nachsichtig. »Das ist dummes, abergläubisches Zeug.«

»Ja. Du hast vermutlich Recht«, räumte er ein. Aber nachdem er die Kerze ausgeblasen hatte, führte er heimlich den Siegelring am linken Zeigefinger an die Lippen und küsste ihn, um den bösen Zauber zu brechen, der mit einem Mal auf seinem Haus zu lasten schien.

Blanche hatte darauf bestanden, im alten Bergfried zu wohnen, wo sie und Jasper die Kammer ihrer Eltern bezogen hatten. Sie verbrachte viel Zeit dort, spielte mit sehr wechselhaftem Erfolg auf der Harfe ihrer Mutter, schwelgte in Erinnerungen und kramte in der großen Truhe neben dem Fenster, wo sie alle möglichen Schätze fand. Zu manchen fiel ihr eine Geschichte ein, wie zu dem einzelnen Handschuh ihrer Mutter oder dem missglückten Siegelring ihres Vaters etwa. Andere Gegenstände fand sie, die sie nie zuvor gesehen hatte: eine schwarze Haarlocke, die von einem grünen Seidenband gehalten wurde. Eine verblichene blaue Samtschleife. Ein Büchlein mit Gedichten in einer fremden Handschrift. Dann ein Stück Pergament, so uralt, dass es brüchig und dunkel geworden war. Stirnrunzelnd betrachtete sie die energisch geschwungenen, aber verblassten Buchstaben.

»Was hast du da?«, fragte Jasper mit mäßigem Interesse. Er saß auf der Fensterbank und hatte die Harfe gespielt – weitaus besser als Blanche –, aber nun ließ er die Saiten verstummen.

»Weiß der Teufel«, murmelte sie abwesend. »Hier steht: ›Mein Vater sagt, ein Mann solle jedes Mahl so genießen, als sei es sein letztes. Aber lasst uns hoffen, dass dies nicht Eure Henkersmahlzeit wird. Noch ist unsere Partie nicht verloren. Trinkt auf mein Wohl, ich sinne auf das Eure. L.‹ Es sieht aus, als wär es hundert Jahre alt.«

»Lass mal sehen.« Er streckte die Hand aus.

Blanche erhob sich vom Fußboden, rieb sich die schmerzenden Knie und brachte ihm die kryptische Nachricht. Behutsam legte sie das Pergament in seine schwielige, kräftige Hand.

Jasper beugte den Kopf darüber, und wie so oft konnte sie nicht anders, als die Lippen auf den blonden Schopf zu drücken. Doch er ließ sich nicht ablenken. »Das ist in der Tat sehr alt«, sagte er schließlich. »Ich kann dir nicht sagen, was die Botschaft zu bedeuten hat, aber ich kenne die Handschrift und dieses markante L. Das hat John of Gaunt geschrieben, Blanche. Der Urvater des Hauses Lancaster.« Er klang beinah ehrfürchtig.

»Mein Großvater stand in seinen Diensten.«

»Dann galt dies gewiss ihm. Es ist bedauerlich, dass du nicht weißt, was es damit auf sich hatte. Dein Vater und Großvater hätten eure Familiengeschichte besser bewahren müssen.«

Sie hob die Schultern. »Vielleicht weiß Julian etwas darüber. Vater hat ihm viele Dinge erzählt, von denen ich nie etwas gehört habe, glaube ich.«

»Wirklich? Ich dachte, dein Vater und dein Bruder haben nicht mehr als zwingend notwendig miteinander gesprochen.«

Sie schüttelte den Kopf. »Nur die letzten Jahre. Früher waren sie ein Herz und eine Seele. Und ich habe es kaum ausgehalten, als sie sich zerstritten haben. Sie haben beide so furchtbar darunter gelitten.«

»Tja. Wie du weißt, habe ich wenig Mitgefühl für selbst verschuldetes Leid.«

»Und das sagst ausgerechnet du, der selber so große Schwierigkeiten mit seinem Vater hatte.«

Jasper winkte ab. »Ich habe aber nicht erwartet, dass irgendwer mich dafür bedauert.«

»Nein, das ist wahr.« Blanche seufzte leise, nahm ihm das alte Pergament aus der Hand und küsste ihn auf die Stirn. »Spiel noch etwas. Sei so gut.«

Aber Jasper hatte anderes im Sinn. Er schob die Harfe von sich, zog stattdessen Blanche auf seinen Schoß und ließ in unschwer durchschaubarer Absicht die Linke Richtung Rocksaum gleiten. Er strich mit den Lippen über ihren Hals und fragte: »Wo ist unser Nachwuchs?«

»Mit Richmond und Mortimer im Gestüt«, antwortete sie und begann, sein Wams aufzuschnüren, als es vernehmlich an der Tür klopfte.

Seufzend ließ Jasper von ihr ab. »Ja?«

»Vergebt mir, Mylord.«

Jasper stand auf. »Komm rein, Madog.«

Der treue walisische Ritter trat durch die Tür. »Eine Nachricht von Lady Megan Beaufort«, sagte er und streckte Jasper einen Brief entgegen.

Jasper streifte das Siegel mit einem kurzen Blick, erbrach es dann und überflog die wenigen Zeilen. Als er aufschaute, war seine Miene ernst. »Geh hinunter und lass für dich und mich satteln.«

Madog verneigte sich und ging.

»Was ist passiert?«, fragte Blanche.

»Der König hatte einen Anfall. Sein Herz, glaubt sein Leibarzt. Das Schlimmste scheint überstanden, aber er ist sehr verwirrt und schwach, schreibt Megan.«

Blanche erhob sich. »Soll ich nicht lieber mitkommen?«

Aber er schüttelte den Kopf. »Wenn keine Verschlechterung

eintritt, bin ich morgen zurück.« Er küsste sie ein wenig hastig. »Dann machen wir genau da weiter, wo wir eben unterbrochen worden sind.«

»Also geh mit Gott, und komm schnell wieder«, sagte Blanche.

Jasper kam nicht gleich am nächsten Tag zurück, aber sie hörten auch keine Hiobsbotschaften aus Westminster. Also fasste Blanche sich in Geduld und genoss den Frühling in Waringham. Sie verbrachte viel Zeit im Gestüt, lernte die Frau ihres Neffen Roland kennen und schätzen und bemühte sich behutsam, den Groll ihres Bruders auf das junge Paar zu besänftigen. Sie besuchte alte Freunde im Dorf, ritt zu all ihren Lieblingsplätzen im Wald und schwelgte in dem Gefühl, wieder zu Hause zu sein. Die Fremdheit, die sie zu Anfang empfunden und die sie so bedrückt hatte, war nach wenigen Tagen verflogen.

»Hier, Mortimer, ich habe etwas für dich«, sagte sie zum Knappen ihres Bruders, den sie zusammen mit Richmond im Rosengarten entdeckt hatte. Es war sonnig, aber windig und kühl. Trotzdem hatten sie sich mit einem dicken Buch auf einer der steinernen Bänke niedergelassen und beugten die Köpfe über die Seiten. Die beiden jungen Männer waren unzertrennlich, seit sie nach Waringham gekommen waren. Sie übten sich gemeinsam auf dem Sandplatz in ihren Waffenkünsten, ritten das Training der Zweijährigen mit, halfen mit Feuereifer bei den Vorbereitungen für die große Pferdeauktion und den Jahrmarkt, aber auch die Liebe zur Literatur war etwas, das sie verband.

Sie sahen auf, als Blanches Schatten auf sie fiel.

Blanche hielt Mortimer das kleine, in Seide geschlagene Büchlein hin, das sie in der Truhe ihrer Eltern gefunden hatte.

»Was ist es?«, fragte der Junge und nahm es zögernd.

»Schau hinein«, drängte sie.

Mortimer schlug die erste Seite auf, wo in einer gestochenen Handschrift ein Gedicht stand, das von der Liebe eines Vaters zu seiner Tochter sprach.

»Dein Großvater hat diese Gedichte geschrieben«, erklärte Blanche. »Die Tochter, von der er spricht, mag sehr wohl deine Mutter gewesen sein. Lies sie in Ruhe. Sie sind wundervoll. Vielleicht wirst du lernen, dich für deine eigenen Gedichte nicht mehr zu genieren, wenn du siehst, woher deine Gabe kommt.«

Mortimer errötete bis in die Haarwurzeln und hielt den Blick auf die Zeilen seines Großvaters gesenkt. »Woher wisst Ihr, dass ich gelegentlich ein Gedicht schreibe, Mylady?«

»Von Berit. Sie hat in deiner Kammer sauber gemacht und eins gefunden. Und weil sie es nicht lesen konnte, hat sie es mir gebracht. Vor Berit ist kein Geheimnis sicher, weißt du. Aber ich gebe dir dein Gedicht wieder, wenn du willst. Es ist übrigens sehr gut.«

Endlich gelang es Mortimer, sie anzusehen. Ein verlegenes Lächeln erhellte sein hübsches Gesicht. »Danke, Madam. Ich finde sie immer gut, wenn ich sie schreibe, und eine Woche später kommen sie mir grauenvoll vor.«

Sie nickte. »Ich nehme an, das liegt an deiner Jugend. In deinem Alter verändert man sich von einer Woche zur nächsten.«

Richmond nahm seinem Freund den kleinen Gedichtband aus den Händen und blätterte darin. »›Erinnerung an einen Becher Wein an einem Sommerabend‹«, zitierte er amüsiert. »Welch nobles Thema ...«

»Oh, das ist es«, erklärte Blanche mit Nachdruck. »Wenn die Welt um einen herum düster wird, sind es manchmal die Erinnerungen an die kleinen Freuden, die einen davor bewahren, den Verstand zu verlieren.«

»Ja.« Richmond wandte den Blick ab und nickte. »Ich glaube, das stimmt.«

Blanche fragte sich wohl zum hundertsten Mal, was dem Jungen in den Jahren als Black Will Herberts Geisel alles widerfahren war. Aber sie ließ sich ihre Sorge nicht anmerken, denn sie wusste, dass er das verabscheute. Stattdessen sagte sie zu Mortimer: »Ich finde, du solltest das Büchlein behalten. Aber ich will eine Abschrift. Wenn wir nach London zurückkehren, bringen wir es zu einem Kopisten, einverstanden?«

Mortimer schüttelte den Kopf. »Ich schreibe es für Euch ab, Lady Blanche. Kopisten sind oft so schlampig.«

»Abgemacht. Und nun will ich euch nicht weiter bei der Lektüre stören. Habt ihr meinen Bruder zufällig gesehen?«

»Gestüt«, sagten die Jungen wie aus einem Munde.

Doch schon am Torhaus kam Julian ihr entgegen. Er war unrasiert, seine Kleidung staubig, aber seine Wangen hatten eine frische Farbe von der klaren Frühlingsluft, und er wirkte gelöst. Robin lief neben ihm her und schien eifrig zu debattieren. Den stillen Edmund trug Julian auf den Schultern.

Blanche sah ihnen entgegen. »Mögen deine Söhne und du einander immer so innig verbunden sein wie heute, Bruder«, sagte sie lächelnd.

Julian nickte, hob Edmund herunter und stellte ihn auf die Füße. »Es wird nicht einfacher, je größer sie werden«, räumte er ein. »Robin und ich, zum Beispiel, streiten seit dem Frühstück, weil er nicht aus der Kinderstube zu den Knappen und Pagen ziehen will, obwohl er jetzt sieben und ein großer Junge ist.«

Blanche hatte Verständnis für ihren Neffen. »In der Kinderstube ist er der Älteste und hat das Sagen. Bei den Knappen wird er der Kleinste sein, und sie werden ihn nur drangsalieren.«

»Tja, da muss jeder durch«, entgegnete Julian mitleidlos. »Niemand kann sich ewig an die Schürzenbänder seiner Amme klammern.«

»Aber Vater …«, begann Robin flehentlich.

Julian hob abwehrend die Linke. »Ich habe all deine Argumente angehört und deinen Standpunkt zur Kenntnis genommen, mein Sohn. Es ist nicht nötig, noch einmal von vorne zu beginnen. Also, jetzt nimm deinen Bruder und geh.«

Robin wusste, wann es ratsam war, zu gehorchen. Mit einem letzten, vorwurfsvollen Blick auf seinen Vater nahm er Edmund bei der Hand und führte ihn zum Wohnhaus hinüber.

»Lass ihm noch ein halbes Jahr«, bat Blanche impulsiv. »Der Ernst des Lebens kommt zu uns allen früh genug.«

Julian nickte unverbindlich und versprach nichts. »Komm. Lass uns auf die Mauer steigen. Es ist so ein herrlicher Tag.«

Sie erklommen die alten, ausgetretenen Steinstufen zur Brustwehr. Von dort hatte man einen herrlichen Blick über die Felder, Wiesen und Wälder, die das weite, hügelige Umland bedeckten.

»Noch vier Wochen bis Ostern«, bemerkte Blanche. »Fünf bis zur Auktion.«

»Hm. Ich hoffe, das Wetter hält. Wir haben noch viel zu arbeiten mit den Dreijährigen, wenn sie die gleichen Preise wie letztes Jahr bringen sollen.«

Blanche verschränkte die Arme auf der Zinne. »Vermutlich ginge die Arbeit besser voran, wenn du Roland nicht wie Luft behandeln würdest.«

»Das tu ich doch gar nicht«, gab er ungehalten zurück. »Aber er soll ruhig merken, dass ich wütend auf ihn bin.«

»Ich glaube, das ist niemandem verborgen geblieben …«

»Blanche, halt dich da raus, sei so gut.«

»Warum? Er ist mein Neffe so wie deiner.«

»Aber nicht Stallmeister deines Gestüts. Nicht dein einstiger, ewig rebellischer Knappe. Du kennst ihn nicht. Du weißt nicht, was Geoffrey mir da aufgehalst hat.«

Sie betrachtete ihn kopfschüttelnd. Sie glaubte nicht, dass Julian in Wahrheit Zweifel an Rolands Charakter hatte. Er war nur wütend, weil die Entscheidung über seinen Kopf hinweg getroffen worden war. Das waren Männer nicht gewöhnt, Earls schon gar nicht. »Wusstest du, dass unser Großvater seine eigene Tochter einem unfrei geborenen Bastard zur Frau gegeben hat?«, fragte sie im Plauderton.

Julian wandte den Kopf und sah sie an. »Warum um Himmels willen sollte er so etwas tun?«

»Weil er sein bester Freund war.«

Er schnalzte missbilligend mit der Zunge. »Das ist ja fürchterlich … Er war schon ein komischer Kauz.«

»Vater sagte immer, du seiest genau wie er.«

»Na ja. Wer behauptet, ich sei ein komischer Kauz, hat

wahrscheinlich nicht völlig Unrecht. Woher weißt du davon? Von dieser Geschichte mit seiner Tochter und ihrem Gemahl niederer Herkunft? Hast du etwas darüber in dem alten Plunder gefunden, den du seit Tagen durchwühlst?«

Blanche schüttelte den Kopf. »Jasper hat mir von ihnen erzählt. Großvaters Tochter – unsere Tante Anne – hatte ein Gut in Lancashire, wo Jaspers Eltern sich eine Weile versteckt haben. Sie hat Edmund auf die Welt geholt, wie du dich vielleicht erinnerst. Die Tudors halten das Andenken unserer Tante in hohen Ehren und wissen mehr über sie als wir.«

»Ah, verstehe«, spöttelte Julian. »Unsere verrückte Tante Anne ist Teil einer walisischen Legende. Also sind die Geschichten über sie vermutlich ebenso wahr wie die über Drachen und Feen ...«

Blanche seufzte ungeduldig. »Wozu streiten wir eigentlich? Ich weiß so oder so, dass du Roland und seine Merle nicht auseinanderreißen wirst. Ihre *Mesalliance* ist dir peinlich. Wahrscheinlich graut dir davor, dass deine Freunde davon erfahren könnten, aber deswegen wirst du sie nicht unglücklich machen.«

»Tja.« Er überlegte einen Moment. »Ich schätze, du könntest Recht haben. Roland kann sich bei mir fast alles erlauben, weißt du. Was ich an ihm verabscheue, sind all die schlechten Eigenschaften, die ich selber habe. Also wie könnte ich ihm vorhalten ...« Er brach ab, lehnte sich über die Brustwehr und spähte mit verengten Augen auf die Hügel hinauf.

»Besuch?«, fragte Blanche.

»Ich glaube, es ist Jasper.«

Blanche wartete ein paar Herzschläge, bis die galoppierenden Reiter ein Stück näher waren. »Du hast Recht«, sagte sie dann. »Und er sieht nicht glücklich aus.«

»Dann hätt ich ihn auch nicht erkannt«, behauptete Julian boshaft.

Sie warteten im Hof, als Jasper und Madog durchs Torhaus geprescht kamen.

Jasper glitt vor ihnen aus dem Sattel, und Blanche fand ihre Befürchtungen bestätigt: Er sah sehr grimmig aus. Irgendetwas war geschehen.

Sie nahm seine Linke. »Ist der König …?«

»Es geht ihm gut«, unterbrach er sie brüsk und befreite seine Hand. An ihren Bruder gewandt, fuhr er fort: »Edward of March ist zurückgekehrt, Julian. Vor drei Tagen ist er in Ravenspur gelandet.«

Blanche schloss für einen Moment die Augen und bekreuzigte sich. »Mit einer Armee?«, fragte sie tonlos.

Jasper nickte. Er war ein wenig außer Atem, sein Pferd keuchte ausgepumpt. »Aber nur knapp zweitausend Mann. Ein paar standhafte Lancastrianer in Yorkshire wollten ihn festnehmen, aber er hat behauptet, er sei lediglich zurückgekehrt, um seinen Besitzanspruch auf das Herzogtum York geltend zu machen. Da wussten sie nicht, was sie tun sollten, und ließen ihn ziehen. Und dann ist Northumberland zu ihm übergelaufen.«

Julian trat wütend vor einen losen Kiesel. »Oh, Percy, als ob ich's geahnt hätte. Na warte, ich werd dein verfluchtes Verräterherz Fetzen für Fetzen an die Schweine verfüttern …«

»Ja, das klingt verlockend«, entgegnete Jasper. »Aber dazu müssten wir ihn erst einmal haben. Lass uns lieber überlegen, was das Nächstliegende ist.«

Julian nickte und dachte einen Moment nach. »Zweitausend Mann. Edward muss den Verstand verloren haben. Wenn Warwick einmal mit den Fingern schnippt, hat er zehntausend.«

»Das ist wahr. Und genau das tut er, er schnippt mit den Fingern: Warwick wünscht, dass wir an Männern zusammenkratzen, was wir finden können, und uns ihm schnellstmöglich anschließen.«

»Nun, dann sollten wir genau das tun, nicht wahr?«

Jasper machte eine einladende Geste. »Bitte. Geh nur. Aber auf mich wird er noch ein Weilchen warten müssen.« Er wandte sich an Blanche. »Lass unser Zeug zusammenpacken und sammle die Kinder ein. Wir müssen Richmond zurück nach Wales bringen.«

»Jasper, du kannst nicht im Ernst glauben, Edward of March könnte erfolgreich sein«, wandte Julian ungeduldig ein.

Tudor hob die breiten Schultern. »Nein, ich glaube es nicht. Aber vor zehn Jahren haben wir es auch nicht geglaubt, und es ist dennoch passiert, nicht wahr? Ich will, dass der Junge in Sicherheit ist, bis diese Krise ausgestanden ist.«

Julian nickte unwillig. »Du hast Recht.«

»Ich werde in Wales Bogenschützen ausheben, sobald ich dort bin. Wenn ich kann, bring ich sie euch.«

Julian umarmte ihn kurz, was er sonst niemals tat. »Geht mit Gott, Jasper.«

Barnet, April 1471

»Das ist doch lächerlich, Julian«, grollte Tristan Fitzalan. »Wie soll man eine Schlacht schlagen, wenn man vor lauter Nebel nicht die Hand vor Augen sieht?«

Julian antwortete nicht, sondern spähte angestrengt nach vorn. Es war noch fast dunkel, der Tag brach gerade erst an, aber man konnte sehen, dass dieser Nebel sich auch nach Sonnenaufgang nicht so schnell lichten würde. Er bildete eine undurchdringliche graue Mauer, in der sich flüchtige Schatten bewegten wie Geister.

»Nun, ich nehme an, genau wie im Schneetreiben«, sagte Lucas Durham. »Denk an Towton. Da war die Sicht noch schlimmer. Man muss einfach einen nach dem anderen erledigen, wie sie einem vor die Klinge kommen.« Sein Atem drang in weißen Wolken aus den Ritzen seines Visiers.

»Aber bei Towton haben wir verloren«, wandte Mortimer ein und steckte die Hände unter die Achseln. Es war geradezu unchristlich kalt für einen Frühlingsmorgen in Herefordshire.

Lucas lachte und zog den Knappen am Ohr. »Keine Bange, Söhnchen. Bei Towton waren wir Edward auch nicht fünf zu eins überlegen und ...«

»Still«, fiel Julian ihm ins Wort. »Sie sind uns viel näher, als wir dachten.« Er senkte die Stimme zu einem Flüstern. »Mortimer, du und die anderen Jungen verschwindet hinter die Linien. Beeilt euch. Hier kann jeden Moment die Hölle losbrechen.«

Mortimer nickte, und zusammen mit einem guten Dutzend weiterer Knappen führte er die Pferde an den Rand der schlammigen Weide, hinter Warwicks Geschütze, wo im Schutz einer Hecke ihre Zelte standen.

Julian hatte dieses Mal mehr Männer aufgeboten als je zuvor. Fünfzehn Ritter aus Waringham und Hetfield und vier Dutzend Bogenschützen waren ihm auf seinem hastigen Marsch nach Norden gefolgt. Dieses Mal hatte niemand zurückbleiben wollen, sogar Roland hatte Julian sein Schwert angeboten. Doch der Earl hatte abgelehnt. Roland war trotz ritterlicher Ausbildung kein Soldat. Und irgendwer musste in Waringham bleiben und sich um das Gestüt kümmern, zumal auch der Steward, Frederic of Harley, mit Julian gegangen war.

Eine gerüstete Gestalt kam, flankiert von zwei Bannerträgern, von rechts aus dem Nebel herangeprescht. Julian legte die Hand ans Heft, doch dann erkannte er Warwicks Wappen.

Die Pferde hielten direkt vor ihnen an, und Warwick saß ab. »Sie haben über Nacht Stellung bezogen, Julian«, sagte er leise. »Viel näher, als sie selbst vermutlich beabsichtigt haben. Jedenfalls können wir davon ausgehen, dass unsere Artillerie die ganze Nacht über ihre Köpfe hinweggeschossen hat.«

Julian hob gleichmütig die Schultern, soweit die Rüstung es zuließ. »Und wenn schon. Wir sind ihnen trotzdem überlegen.«

»Dafür sei Gott gepriesen. Seht euch vor: Sie stehen uns nicht genau gegenüber. Auf dieser Seite ragt Edwards Flanke über unsere hinaus, am anderen Ende ist es umgekehrt. Ich wünschte, dieser verfluchte Nebel würde weichen.«

»Nur die Ruhe, Cousin. Er behindert ihre Sicht genauso wie unsere. Das hier *kann* einfach nicht schiefgehen.«

»Herrgott, sag doch so etwas nicht!«, fuhr Warwick ihn an.

Julian zog eine Braue in die Höhe, erwiderte aber nichts. Er wusste, Warwick plagten Zweifel und düstere Ahnungen, und das war kein Wunder. Seit Edward of March vor einem Monat in England gelandet war, schien ihm alles zu gelingen, während die Lancastrianer einen Rückschlag nach dem anderen erlitten hatten. Erst war der Earl of Northumberland übergelaufen. Dann hatte Edward dem Earl of Oxford bei Newark eine empfindliche Schlappe beigebracht. Auf Warwicks drängende Bitte um Beistand an den französischen König hatte er statt einer Antwort lediglich die niederschmetternde Nachricht erhalten, dass König Louis einen Frieden mit Burgund geschlossen hatte. Aus Frankreich war also keine Unterstützung mehr zu erwarten, und niemand hatte ein Wort von Marguerite und Prinz Edouard gehört. Keiner wusste genau, wo sie waren. Während Warwick sich in Coventry verschanzt hatte und auf seinen trinkfreudigen Schwiegersohn Clarence und dessen Truppen wartete, hatte Edward seine Burg in Warwick besetzt, und das vermutlich mit diebischem Vergnügen, bedachte man, dass der mächtige Earl ihn vor gut einem Jahr noch genau dort gefangen gehalten hatte. In Warwick Castle – und das war der schlimmste Rückschlag von allen – hatte Clarence sich seinem Bruder angeschlossen. Er hatte die Lancastrianer verraten und wieder einmal die Seiten gewechselt.

Von Warwick aus waren die Yorkisten nach London gezogen, und die Stadt hatte ihnen freudig die Tore geöffnet. Der bedauernswerte König Henry befand sich erneut in der Hand seiner Feinde. London hatte ihn schon wieder verraten. Warwick war nichts anderes übrig geblieben, als seine Truppen in aller Eile nach Süden zu führen, und hier bei Barnet, gar nicht weit von St. Albans entfernt, hatte Edward sich endlich gestellt.

»Hab ein bisschen mehr Vertrauen zu dir selbst und der Entschlossenheit deiner Armee, Richard«, riet Julian leise. »Dazu hast du wirklich jeden Grund, weißt du.«

Warwick nickte mit einem verstohlenen Seufzen. »Du hast Recht. Ich hoffe nur, dass wir in unseren Reihen keine weiteren Überläufer haben.«

Julian winkte ab. »Was redest du denn da. Komm schon, lass

uns tun, wozu wir hergekommen sind, und diesem yorkistischen Spuk ein für alle Mal ein Ende bereiten.«

Warwick trat zu seinem Pferd. »Alsdann. Gott sei mit dir
und den Deinen, Cousin.«

Julian hielt ihm den Steigbügel, wie er es als Junge ungezählte Male getan hatte. »Gott sei mit uns allen. Viel Glück,
Richard.«

Er sah noch einmal in die scharfen blauen Augen, in denen
mehr Furcht und Zweifel als Kampfeslust zu lesen war. Dann
klappte Warwick das Visier herunter und preschte davon.

»Frederic, Lucas«, Julian winkte seine beiden Ritter heran.
»Nehmt unsere Bogenschützen und stellt sie in einem nach
hinten gebogenen Halbkreis auf. Edwards Bruder Gloucester
führt die Flanke auf dieser Seite an, und sie ragt über unsere
hinaus. Seht zu, dass sie uns nicht in den Rücken fällt. Wir
dürfen Gloucester nicht unterschätzen.«

Sie nickten, Lucas gab leise ein paar Befehle, und sie verschwanden im Nebel.

Eigentümlich blecherne Trompetenklänge erschollen aus
der grauen Wand vor ihnen, und ein Pfeilhagel ging auf sie
nieder. Julian duckte sich, zog sein Schwert und sah die ersten
Nebelgeister näher kommen. Zwei Ritter in Gloucesters Livree
griffen ihn an. Tristan Fitzalan sprang ihm zur Seite, und sie
machten sie ohne viel Mühe nieder, aber sofort rückten neue
nach. Es war tatsächlich wie bei Towton: ein mühsames, stu-
pides Abschlachten, Mann gegen Mann, ohne dass man auch
nur die leiseste Chance hatte, zu sehen, welchen Verlauf die
Schlacht nahm. Die Sicht reichte kaum weiter als die Länge
eines Schwertes. Also richtete Julian den Blick stur geradeaus
und nahm die Yorkisten, wie sie kamen. Noch hielten seine und
Exeters Bogenschützen die Flanke, aber ob ihre Pfeile je ein Ziel
trafen, konnte man nur raten.

Es war, wie Julian gesagt hatte: Der Nebel machte beiden
Truppen gleichermaßen zu schaffen. Die linke Flanke der Yorkisten unter Lord Hastings fand sich einer Überzahl an Feinden
gegenüber, die der Earl of Oxford anführte. Er ließ den Vorteil

nicht ungenutzt, führte seine Männer im Schutz einer Hecke um die Feinde herum und fiel ihnen in den Rücken. Hastings' Männer wurden niedergemacht oder flohen – es brauchte kaum eine halbe Stunde, sie aufzureiben.

Und trotz alledem blieb das Glück Edward of March treu. Oxford hatte sich durch sein Manöver zu weit von der Schlacht entfernt. Als er zurückkam, holte ein Pfeil, der direkt von vorn kam, seinen Herold aus dem Sattel. Oxford formierte seine Männer und griff an. Zu spät merkte er, dass es Warwicks Bruder Montague und dessen Männer waren – ihre eigenen Kameraden –, die sie niedermetzelten. Montague erkannte Oxfords Banner und glaubte, Oxford sei zu den Yorkisten übergelaufen. Und so kam es, dass die Lancastrianer sich gegenseitig erschlugen, während Richard of Gloucester auf der anderen Seite die Oberhand gewann und Julian und die Seinen Schritt um Schritt zurückdrängte.

Als der Nebel sich schließlich lichtete, sah der Earl of Warwick, dass seine Sache verloren war. Er stieg auf sein Pferd und floh zurück Richtung St. Albans. Nach kaum einer Meile holte eine Schar yorkistischer Soldaten ihn ein. Die Reiter schnitten ihm den Weg ab, umringten ihn, zogen die Schwerter und erschlugen ihn. Als der mächtige Lord, der inzwischen überall in England der Königsmacher genannt wurde, tot im nassen Gras lag, saßen sie ab, nahmen ihm die Rüstung ab und zogen ihm die Kleider aus. Gerade hatten sie sich im Kreis um den nackten Leichnam postiert, um ihn zu bepinkeln, als ein Reiter in König Edwards Livree herangaloppiert kam und schlitternd zum Stehen kam. »Befehl des Königs!«, rief er ausgepumpt. »Warwick soll geschont und vor ein ordentliches Gericht gestellt werden!«

Ein wenig betreten sahen die Soldaten auf den toten Königsmacher hinab.

»Tja, so ein Pech, Bübchen«, sagte ihr Anführer schließlich achselzuckend. »Ihr kommt ein bisschen zu spät.«

Damit begann er, seine Hose aufzuschnüren. Er tat es erstaunlich geschickt für einen Mann, dessen rechte Hand eine eiserne Klaue war.

Die Kampfhandlungen waren sporadisch geworden. Julian gestattete sich, für einen Moment das Visier hochzuklappen. Seine Rüstung hatte Kratzer und Beulen davongetragen, sein Wappenrock war wieder einmal in Fetzen, doch er selbst war bis auf ein paar blaue Flecken unversehrt. Er sah sich aufmerksam um und versuchte zu ergründen, was diese plötzliche Ruhe zu bedeuten hatte. Doch obwohl der Nebel sich gelichtet hatte, konnte er sich kein Bild machen. Hier und da waren noch Zweikämpfe im Gange, aber die Yorkisten schienen sich zurückgezogen zu haben. Julian blickte an sich hinab. Sein Schwert war bis zum Heft blutbesudelt, selbst von seinem Handschuh und dem gepanzerten Unterarm troff das Blut seiner Feinde. Der Arm selbst und die Schultern schmerzten, und er war erschöpft. Wie lange hatte das Gemetzel gedauert? Er hatte keine Ahnung, aber eins war sicher: Er hatte hart gearbeitet.

Ein Reiter näherte sich im Trab. »Julian!« Es war Tristan Fitzalan.

»Gewonnen oder verloren?«, fragte Julian ihn.

Fitzalan saß ab. Auch er hatte das Visier hochgeklappt, und als er vor ihm stand, sah Julian, wie die Antwort lauten würde.

»Wir haben verloren. Und Warwick ist tot. Auf der Flucht niedergemetzelt, heißt es.«

»Auf der *Flucht*? Ich wette, das ist eine Lüge!«, stieß Julian hervor. Das glitschige Heft rutschte ihm aus den Fingern, und er bekreuzigte sich. »Ist das sicher?«

Fitzalan wandte den Blick ab und nickte stumm.

Julian senkte den Kopf. »Ruhe in Frieden, Cousin. Was in aller Welt sollen wir jetzt ohne dich machen?«

Die Konsequenzen dieses Verlusts stürzten wie ein Steinhagel auf ihn ein und machten seine Knie schwach. Ohne den Earl of Warwick, ohne die Autorität und die Macht, die er in seiner Person vereint hatte, war ihr Kampf aussichtslos. Jeder Mann, der ins Feld zog, brauchte etwas, woran er glauben konnte. Und auch wenn viele Warwicks persönlichen Motiven misstraut hatten, hatten doch alle daran geglaubt, dass er die Sache Lancasters zum Sieg führen konnte.

Julian gestattete sich einen Moment, an seine Jahre in Warwick Castle zu denken, an die guten Stunden, die er dort erlebt hatte, als Knappe eines Mannes, den er über die Maßen bewundert und der ihn in den Jahren danach manches Mal bitter enttäuscht hatte. Der persönliche Verlust legte sich wie eine bleierne Last auf ihn, machte ihm mehr zu schaffen als die politischen Konsequenzen und drohte ihn niederzudrücken. Aber er wusste, er durfte sich jetzt und hier nicht in Trauer ergehen. Die Kämpfe waren vorüber, für den Moment alle Yorkisten verschwunden. Doch sie würden wiederkommen, und sei es nur, um die erbeuteten Kanonen, die entlang der Hecke hinter ihnen aufgereiht standen, in Besitz zu nehmen.

»Wo sind unsere Männer?«, fragte er. »Weißt du etwas über unsere Verluste?«

Ehe Tristan antworten konnte, kam Lucas Durham mit den Männern aus Waringham und Hetfield über den Kamm des Hügels zur Rechten. Er hatte den Helm abgenommen, und Blut rann ihm aus einer Platzwunde an der Stirn ins linke Auge. Vor Julian blieb er stehen und starrte auf das Gras zwischen ihren Füßen. Es hatte zu regnen begonnen.

Julian hatte das Gefühl, als schwanke der Boden unter seinen Füßen, weil er nicht noch mehr auf seine Schultern nehmen konnte, aber er wappnete sich. »Wer?«, fragte er.

»Frederic«, antwortete Lucas.

»Jesus Christus, erbarme dich ...«

»Ich hab ihn gewarnt ... Ich hab ihm gesagt, er hat keine Chance in dem verdammten Nebel, wo man ganz und gar auf seine Ohren angewiesen ist. Aber er wollte nicht auf mich hören. Er hat mir mit dem Handschuh gedroht.«

Julian schloss einen Moment die Augen, ballte die gepanzerten Hände zu Fäusten und riss sich zusammen. »Wo ist er?«

»Drüben, hinter den Geschützen, bei den Jungen.«

»Wer sonst noch?«

Lucas zählte fünfzehn Namen auf, auch Davey Wheeler war darunter. »Es scheint, nirgendwo waren die Verluste so hoch wie auf dieser Seite«, schloss er. »Gloucester und seine Männer haben wie die Metzger gewütet.«

Fünfzehn Bogenschützen, ein Ritter. Sechzehn Witwen saßen in Waringham und warteten auf Nachricht, Gott allein mochte wissen, wie viele Waisen. Und das alles für nichts.

»Kommt«, sagte Julian. »Wir müssen verschwinden und sie von hier wegschaffen.«

Sie setzten sich in Bewegung, aber Fitzalan fragte: »Wohin? Können wir überhaupt nach Waringham zurück, Julian?«

Gute Frage. Er hatte keine Ahnung. Er sagte nichts, sondern führte seine verbliebenen Männer in das Lager jenseits der Straße, die nach St. Albans führte.

Der Earl of Oxford erwartete ihn dort. Auch sein Gesicht war grau vor Erschöpfung und gezeichnet von der erdrückenden Last ihrer Niederlage. »Julian. Hast du's schon gehört?«

Er nickte. »Wer außer Warwick?«, fragte er, obwohl er es eigentlich nicht hören wollte.

»Sein Bruder Montague. Ich weiß noch nicht, wer sonst von Rang. Insgesamt haben wir an die tausend Tote, schätze ich.«

Julian fühlte sich seltsam betäubt. Er hörte die Worte, diese grauenvolle Zahl, aber er konnte nichts empfinden. »Ich …« Er räusperte sich. »John, ich muss meinen Steward nach Hause bringen.«

Oxford schüttelte den Kopf und legte ihm einen Moment die Hand auf die Schulter. »Das wird jemand anderes tun müssen. Ich bin nicht nur gekommen, um mit dir gemeinsam unsere Verluste zu beklagen, sondern ich bringe auch Hoffnung, Julian.«

Julian hob den Kopf und sah ihn stumm an.

Oxford zeigte ein sehr mattes Lächeln. »Du wirst es nicht glauben: Marguerite und Prinz Edouard sind in England gelandet.«

Julian stieß hörbar die Luft aus, wandte den Blick ab und sah über das zertrampelte Feld, das mit Leichen und schreienden Verwundeten übersät war. »Zu spät, denkst du nicht?«

»Ich schätze, das hängt davon ab, wie viele von uns sich zu ihnen durchschlagen. Und wie schnell. Sie warten in Weymouth.«

Julian nahm Handschuhe und Helm ab und fuhr sich über die Stirn. Sein Haar klebte an der Kopfhaut, und es tat gut, den Wind und den Regen zu spüren. Er dachte einen Moment nach und wandte sich schließlich an seine Männer. »Ihr habt Eure Pflicht getan, und mehr kann man von niemandem verlangen. Aber ich bin dankbar für jeden Freiwilligen, der sich mit mir der Königin und dem Prinzen anschließt.«

Alle Ritter, alle Knappen und die Hälfte seiner Bogenschützen traten vor.

Julian nickte. »Sir Francis.«

Francis Aimhurst, der jüngste seiner Ritter, der hier und heute seine Bluttaufe empfangen hatte, hob den Kopf. »Mylord?«

Er war kreidebleich, und Spuren von Erbrochenem klebten an seinem Brustpanzer.

Julian lächelte ihm zu. »Ich hab Euch im Auge gehabt. Ihr wart sehr gut. Besonnen und unerschrocken. Ich bin hochzufrieden.«

Aimhurst zeigte ein klägliches Lächeln. »Danke, Mylord.«

»Aber fürs Erste wünsche ich, dass Ihr die Verwundeten und die Toten nach Hause bringt und meiner Frau und Schwester vom Ausgang der Schlacht berichtet.«

»Aber Mylord …«, begann der junge Ritter zu protestieren.

Julian tat, als wäre er nicht unterbrochen worden. »Lady Janet hat einstweilen die Pflichten des Stewards übernommen. Richtet Ihr aus, es sei mein Wunsch, dass sie dies weiter tut, bis ich heimkehre.«

Aimhurst schluckte und bemühte sich ohne großen Erfolg, seine Erleichterung darüber zu verbergen, dass der Krieg für ihn vorerst vorbei war. »Wie Ihr wünscht, Mylord.«

»Geht nach St. Albans und bleibt zwei Tage dort im Kloster, bis die Yorkisten aus der Gegend abgezogen sind. Bestellt dem

Abt einen ergebenen Gruß und vergesst nicht, eine Messe für meinen Vater singen zu lassen. Er ist in St. Albans gestorben.«

»Ich weiß, Mylord. Und ich werd's nicht vergessen.«

Julian wandte sich an das Häuflein erschöpfter und mehrheitlich blutender Männer, die ihn begleiten wollten. »Wir schlagen uns hier in die Wälder, rasten zwei Stunden und brechen dann zurück nach Kent auf. Die *Edmund* liegt in Sandwich vor Anker. Mit ihr sind wir in wenigen Stunden in Weymouth.«

Er schüttelte Oxford die Hand. »Wir sehen uns dort, John.«

»So Gott will.«

Julian trat zu seinem Pferd. »Brechen wir auf. Vielleicht kommen wir unterwegs an einer Kirche vorbei, wo uns jemand die Messe liest. Man merkt zwar nichts davon, aber heute ist Ostern.«

Königin Marguerite war erwartungsgemäß weit weniger erschüttert über Warwicks unrühmliches Ende als Julian.

»Sie haben ihm die Kleider ausgezogen?« Marguerite gluckste. »Du meine Güte. Der arme Warwick. Welche Entwürdigung …«

»Ja, spottet nur, *Majesté*«, entgegnete Julian grantig. »Aber wir werden ihn noch schmerzlich vermissen, fürchte ich.«

Sie winkte ab. »Du vielleicht. Ich ganz sicher nicht. Er hat einmal zu oft Verrat geübt, Julian. Louis hat sich angewidert von ihm abgewandt und sich mit Burgund ausgesöhnt, sodass mein Sohn und ich in Frankreich nicht länger sicher waren. Nun sind wir hier, und es ist genau das passiert, was ich vermeiden wollte: Edouard ist in England, obwohl es nicht in unserer Hand ist. Und das verdanke ich allein Warwick. Möge er in der Hölle schmoren!«

Julian sagte dazu nichts. Wozu sollte er mit ihr streiten? Warwick war tot, und es spielte keine große Rolle mehr, was die Königin von ihm hielt. Außerdem hatten sie Wichtigeres zu tun. »Ich schlage vor, wir warten nicht länger auf Oxford, sondern brechen schnellstmöglich auf. In Weymouth seid Ihr nicht sicher.«

»Nein, ich weiß«, stimmte sie zu. »Wo ist der König?«

»Die Yorkisten haben ihn, und Edward lässt ihn nicht aus den Augen, nach allem, was man hört.«

Die Königin seufzte. »Nun, er soll lieber nicht hoffen, ich ließe mich damit noch erpressen. Edouards Sicherheit ist jetzt das Einzige, was zählt. Und wenn Edward of March glaubt ...« Sie unterbrach sich und schaute zur Tür, wo sich Schritte näherten »Ah. Wie aufs Stichwort. Mein Sohn und sein Turteltäubchen, Anne Neville.«

»Vielleicht hast du die Güte und ersparst Lady Anne die Einzelheiten über den Tod ihres Vaters«, bat Julian hastig.

Bevor Marguerite antworten konnte, wurde die Tür geöffnet, und der Prinz führte seine junge Gemahlin an der Hand herein. »Ah, Lord Waringham!«

Julian verneigte sich. »Willkommen in England, mein Prinz. Lady Anne.«

Sie befreite sich von Edouards Hand, schlang die Arme um Julians Hals, presste das Gesicht an seine Brust und brach in Tränen aus.

»Herrgott, nicht schon wieder eine Sintflut«, zischte die Königin ungeduldig.

Edouard machte einen unsicheren Schritt auf seine Gemahlin zu. »Anne. Mylady ... so bewahrt doch Haltung.«

Julian schloss Anne behutsam in die Arme und hielt sie. Über ihren gesenkten Kopf hinweg sah er den Prinzen an und schüttelte den Kopf.

Das Mädchen weinte bitterlich, und Julian wartete, bis sie sich ein wenig beruhigt hatte, ehe er leise sagte: »Er ist in der Schlacht für seinen König gefallen, Anne. Nicht jedem Edelmann ist so ein ehrenvolles Ende bestimmt.«

»Ich weiß.« Sie schluchzte, und Julian spürte seine Brust eng werden. »Aber es ist so schrecklich, dass er tot ist.« Einen Moment klammerte sie sich noch an ihm fest, dann hob sie den Kopf und sah ihn an. »Hat er gelitten?«

Julian hatte keine Ahnung. Er hatte Warwicks Leichnam nicht gesehen, den, wie er inzwischen gehört hatte, die Yorkisten mit nach London genommen und vor St. Paul's zur Schau gestellt hatten, damit die Welt sah, dass der Königsmacher tatsächlich tot und seine Macht gebrochen war. »Nein«, sagte er trotzdem mit aller Überzeugung, die er aufbieten konnte. »Es ist schnell gegangen.«

Der Prinz trat näher und nahm seine Gemahlin wieder bei der Hand. Die Geste hatte etwas Eifersüchtiges. »Anne, wir alle teilen Euren Kummer. Aber wir haben jetzt keine Zeit, uns ihm hinzugeben.« Er wandte sich an Julian und seine Mutter. »Wir müssen entscheiden ...«

Wieder wurde die Tür geöffnet, und Ned Beaufort trat ein. Der Bruder des hingerichteten Duke of Somerset war eine Weile in Burgund und dann bei Marguerite und Edouard in Frankreich gewesen und befehligte die kleine Truppe, die sie mit nach England gebracht hatten. Er streifte das weinende junge Mädchen mit einem mitfühlenden Blick. Dann streckte er die Hand aus. »Julian.«

»Ned.« Er schlug ein. »Willkommen zu Hause.«

»Danke. Es wurde auch höchste Zeit, das sag ich dir. Kein Hof der Christenheit kann sich mit dem des Herzogs von Burgund messen, das ist gewiss wahr, aber es ist nicht ganz einfach, seine *Courtoisie* hinreichend zu würdigen, wenn man bei jedem Schritt fürchten muss, einen Dolch in den Rücken zu bekommen.«

»Na ja.« Julian hob unbehaglich die Schultern. »Davor ist man in England derzeit auch nie sicher.«

»Wohl wahr«, räumte Ned ein. »Ich habe gerade Nachricht aus London bekommen. Die Yorkisten haben dem Earl of Oxford aufgelauert. Er konnte entwischen, aber er ist nach Norden geflohen. Vermutlich nach Schottland.« Er hob seufzend die Hände. »Ich schätze, er wird vorerst nicht zu uns stoßen können.«

»Das macht nichts«, befand die Königin. »Wir haben genügend Verbündete hier im Südwesten.«

Julian war der Ansicht, dass sie auf einen Mann wie Oxford nur schwer verzichten konnten, aber im Prinzip gab er ihr

Recht. »Ich schlage vor, wir ziehen los, sodass die Lancastrianer sich hinter dem Banner des Prinzen sammeln können.«

»Und dann nichts wie hinüber nach Wales«, fügte Ned Beaufort hinzu. »Die Yorkisten sind nach Barnet ebenso geschwächt wie wir. Sie haben fast genauso viele Männer verloren. Wenn wir uns mit Jasper Tudor und seinen Walisern vereinen, können wir sie schlagen.«

»Das will ich hoffen«, sagte Marguerite kritisch. »Man kann sich des Eindrucks manchmal nicht erwehren, Ihr alle habt solche Furcht vor diesem Lümmel Edward, dass sein Anblick schon reicht, Euch niederzuwerfen.«

Ned Beaufort war ebenso geübt wie Julian darin, ihren Hohn von sich abperlen zu lassen. »Mag sein, Madame. Aber Edward ist in London, und wenn wir schnell genug sind, erwischt er uns nicht, ehe wir so zahlreich sind, dass selbst Hasenfüße wie wir es wagen, ihm die Stirn zu bieten.«

Doch König Edward hatte aus bitterer Erfahrung gelernt, dass zu langes Zaudern ihn die Krone kosten konnte. Und jetzt, da er sich die Macht aus eigener Kraft zurückgeholt und seinen erbittertsten Feind, den mächtigen Warwick, niedergeworfen hatte, gedachte er nicht, sich von einer Frau und einem Knaben bezwingen zu lassen. Als er hörte, dass Marguerite und ihr Sohn nach Exeter gezogen waren und die Lancastrianer sich in Scharen um sie sammelten, ahnte er, was sie vorhatten. Er gönnte seinen erschöpften Truppen keine Ruhe, sondern führte sie in Eilmärschen nach Westen und nahm die Verfolgung auf. Sobald die Lancastrianer davon Wind bekamen, marschierten sie schneller. Ned Beaufort und Julian waren sich einig, dass es keine Rolle spielte, wenn der Eindruck entstünde, sie seien auf der Flucht vor Edward. Die Peinlichkeit war einer Konfrontation ohne walisische Unterstützung allemal vorzuziehen.

Doch am vierten Mai holte Edward sie ein. Bei Tewkesbury – keinen Tagesritt mehr von der walisischen Grenze entfernt – griffen die Yorkisten im Morgengrauen an. Der Königin und ihrer Schwiegertochter blieb gerade noch Zeit, sich im nahen Kloster in Sicherheit zu bringen.

Die Artillerie der Yorkisten richtete ein furchtbares Blutbad unter den Lancastrianern an. Aber Julian und Ned Beaufort führten im Schutz eines Wassergrabens etwa zweihundert Mann hinter die feindlichen Linien und fielen den Yorkisten in den Rücken. Ihr Angriff kam von oben, Edward und die Seinen mussten bergan kämpfen und erlitten schwere Verluste. Wie bei Barnet drei Wochen zuvor wurde es ein harter, beschwerlicher Kampf, aber Julian sah, dass sie im Begriff waren, die Oberhand zu gewinnen. Die Yorkisten fielen wie Kegel. Er spürte einen wilden, freudlosen Triumph. Jedem, den er erschlug, schrie er die Namen der gefallenen und ermordeten Lancastrianer ins Gesicht: Für Somerset, für Buckingham, für Warwick, für Edmund Tudor und für John of Waringham – wie eine Litanei betete er die Namen herunter, und sie schienen ihn zu schützen wie ein Schild, denn er stürmte den Hang hinab, brüllte, hackte und schlug auf alles ein, was sich ihm in den Weg stellte, und wieder einmal schien er unverwundbar. Bis ihn ein Pfeil von hinten in die Schulter traf.

Julian geriet ins Straucheln, schlug der Länge nach hin und rutschte ein Stück durchs feuchte Gras. Seine Schulter schmerzte höllisch. Er richtete sich stöhnend auf Hände und Knie auf und verdrehte den Kopf, um festzustellen, ob er den Schaft sehen konnte. Was er stattdessen entdeckte, erfüllte ihn mit Grauen: Eine Reiterei unter dem Banner der strahlenden Sonne von York, mehrere hundert Mann stark.

»Ned!«, brüllte Julian und kam auf die Füße. »Ned!«

»Was?« Ned Beaufort, vielleicht zehn Schritte zur Rechten, hörte nicht auf, sich mit seinem Feind zu schlagen, drängte ihn weiter hügelabwärts, aber er wandte für einen Lidschlag den Kopf in Julians Richtung.

Julian wies mit dem Schwert den Hügel hinauf. »Da kommt Richard of Gloucester, dieser Hurensohn.«

Es war das Ende.

Edward hatte sie wieder einmal mit der klügeren Taktik überlistet. Niemand hatte mit einer Reserve gerechnet, und als die Lancastrianer sie kommen sahen, war es schon zu spät. Der yorkistische König vereinigte sich mit der Reiterei seines Bruders, und gemeinsam mähten sie die Lancastrianer nieder. Wer nicht niedergemäht wurde, warf die Waffen von sich und ergriff die Flucht. Julian, von der Pfeilwunde ebenso geschwächt wie behindert, geriet unter die Hufe eines mächtigen Schlachtrosses und ging wieder zu Boden. Die Rüstung schützte ihn vor den schlimmsten Folgen der Huftritte, doch als er auf den Rücken geschleudert wurde und der Pfeil sich erst tiefer in die Wunde bohrte und dann brach, schwanden ihm die Sinne.

Als er die Augen wieder aufschlug, sah er eine kleine Schar hinter einem Anführer in blanker Rüstung unter dem Banner der roten Rose, die einer Übermacht an Yorkisten tapfer entgegenzog.

»Oh, Jesus, erbarme dich«, flehte Julian rau und kam auf die Füße. Stolpernd lief er weiter den Hügel hinab. »Edouard ... Nicht ... Verschwinde da, Junge ...« Er wusste nicht, ob er brüllte oder flüsterte, aber es spielte auch keine Rolle. Das Getöse der Schlacht, das Triumphgeschrei der Yorkisten hätte selbst Donnerschläge übertönt.

Julian rannte immer noch, als die Yorkisten über die kleine Truppe des Prinzen herfielen. Sie bildeten ein scheinbar unentwirrbares Knäuel. Es war wie ein Albtraum; Julian kam ihnen nicht näher, im Gegenteil schien es ihm, als entferne er sich immer weiter von der Szene.

Dann brach plötzlich eine einzelne Gestalt aus dem Knäuel hervor: Der Prinz in der blanken Rüstung rannte, entfernte sich von dem blutigen Durcheinander, ohne zurückzublicken.

Vier berittene Yorkisten nahmen die Verfolgung auf.

»Oh Gott, bitte nicht«, sagte Julian. »Bitte, Gott ...« Er fiel auf die Knie und reckte flehend die Hände gen Himmel.

»Gnade!«, schrie Prinz Edouard und warf sein Schwert weg. »Oh, heilige Jungfrau, beschütze mich ... Tut mir nichts, ich ...

Clarence, Clarence hilf mir … Oh *Gott* …« Dann fuhr die erste Klinge in seine Kehle.

Julian fiel vornüber, landete im blutigen Morast und weinte.

Ein reißender Schmerz in der Schulter brachte ihn zu sich. Mit einem Keuchen fuhr er auf und stellte fest, dass Lucas Durham und sein Knappe Mortimer vor ihm im Dreck knieten. Lucas hielt ihm den abgebrochenen, blutgetränkten Pfeil hin. »Da. Wir haben uns gedacht, wir holen ihn raus, solange du bewusstlos bist. Er steckte ein gutes Stück drin.«

Julian nickte.

Sie hatten ihm den Helm und den oberen Teil der Rüstung abgenommen, und Mortimer machte Anstalten, ihm die Schulter mit einem Fetzen, den er aus seinem Wams riss, zu verbinden.

Julian schüttelte ihn ab. »Lass das. Verschwinde von hier, Junge. Was hast du überhaupt hier verloren?«

»Wir haben Euch gesucht, Mylord. Die Yorkisten haben alle überlebenden Lords gefangen genommen, aber vermutlich haben sie euch übersehen, weil ihr mit dem Gesicht nach unten lagt und …«

»Julian, wir sollten auf der Stelle von hier verschwinden«, unterbrach Lucas eindringlich.

Julian hörte gar nicht richtig hin. Er vergrub den Kopf in den Händen und nahm den Schmerz in der Schulter nur beiläufig war. »Der Prinz ist tot.«

»Ich weiß.« Lucas' Stimme klang nicht ganz fest.

»Das ist das Ende.«

Niemand widersprach ihm. Mortimer, der immer noch neben ihm kniete, wandte den Blick ab und sah blinzelnd nach Süden.

Julian kam auf die Füße. »Bring den Jungen von hier weg, Lucas. Sammle unsere Männer und führ sie …« *Nach Hause* hatte er sagen wollen, aber vermutlich hatten sie kein Zuhause mehr.

»Was hast du vor?«, fragte sein Ritter argwöhnisch.

Julian steckte sein Schwert ein und antwortete nicht. Er ließ sie einfach stehen, ging ein paar Schritte auf unsicheren Beinen, fing ein frei herumlaufendes Pferd ein und hangelte sich ungeschickt in den Sattel.

»Julian! Du hast kein Recht, dich umzubringen, du Narr!«, brüllte Lucas ihm nach.

Julian schaute nicht zurück, sondern ritt vorbei an toten und sterbenden Männern und Pferden zum nahen Kloster. Er musste es Marguerite sagen. Das war der einzige klare Gedanke, dessen er fähig war. Er und kein anderer musste ihr die Nachricht bringen. Das war das Mindeste, was er ihr schuldete. Und das Einzige, was er noch für sie tun konnte.

Aus der mächtigen Klosterkirche waren Waffenklirren und Schreie zu hören. Ein einzelner, mutiger Bruder stand mit ausgebreiteten Armen am Westportal und versuchte, die eindringenden Yorkisten aufzuhalten. Doch sie strömten johlend an ihm vorbei, stürmten die Kirche und erschlugen die zweihundert lancastrianischen Soldaten, die dort Zuflucht gesucht hatten.

Julian starrte einen Moment hinüber. Dann rutschte er aus dem Sattel, kehrte dem Massaker den Rücken, als ginge es ihn nichts an, und machte sich auf die Suche nach dem Gästehaus. Seine Schritte auf dem Pflaster des Innenhofs wurden immer langsamer, aber er hielt erst an, als er die Tür erreichte.

Der Arm, den er hob, kam ihm bleischwer vor. Er klopfte einmal kurz, stieß die dicke Eichentür auf und erkannte, dass er zu spät kam. Klagelaute, wie er sie nie zuvor gehört hatte, drangen ihm entgegen.

Julian schluckte, aber er schluckte nur Luft, und seine Kehle verursachte einen trockenen Laut. Er trat über die Schwelle.

Halb lag, halb saß die Königin von England auf dem steinernen Fußboden, hielt einen niedrigen Holzschemel umklammert, hatte den Kopf in den Nacken gelegt und schrie ihren Schmerz zum Himmel empor. Ihr Gesicht war bleich, die Augen starr, in dicken Strängen standen ihre Halsmuskeln hervor, und sie heulte wie ein verendendes Tier.

Erst mit einiger Verzögerung entdeckte Julian Anne – die jungfräuliche Witwe. Sie hatte sich in einer Ecke des Raums zu Boden gekauert, die Arme um die Knie geschlungen und starrte ihre Schwiegermutter mit einer Mischung aus Furcht und Grauen an. Tränen liefen über ihre Wangen, aber Julian kam in den Sinn, dass sie um ihren Vater mehr trauerte als um ihren jungen Gemahl.

Er nickte ihr zu. »Geht in die Kapelle des Abtes, Lady Anne. Nicht in die Klosterkirche, hört Ihr. Lauft zur Kapelle hinüber und erbittet Asyl.«

Marguerites Kopf fuhr beim Klang seiner Stimme herum. Mit einem wütenden Fauchen sprang sie auf die Füße und stürzte sich auf Julian wie eine Furie. »Verflucht sollst du sein, Julian of Waringham!«, kreischte sie.

Sie trommelte mit den Fäusten gegen seine Brust, und fast wäre er zu Boden gegangen, weil ihre Attacke etwas wie einen Kanoneneinschlag in seiner Schulter auslöste. Aber er blieb stehen.

Er wollte sie halten, doch sie wand sich aus seinen Armen und ließ ihre Fäuste weiter auf ihn niederfahren. »*Du* hast gesagt, ich soll mich mit ihm aussöhnen und gemeinsame Sache mit ihm machen und meinen Sohn nach England zurückbringen. Es war *deine* Idee. Edouards Blut klebt an dir, du *Bastard* ...«

»Ja. Ich weiß, Marguerite.«

»Ich wünschte, du wärst tot. Warum bist du nicht gefallen? Du hast meinen Sohn umgebracht! Meinen Prinzen! Du hast kein Recht, am Leben zu sein ...«

»Madame«, begann Anne zögernd. »Das dürft Ihr nicht sagen. Waringham und die anderen Lords haben doch nur ...«

»Geh mir aus den Augen, du kleine Hexe. Du ... du hast vom ersten Tag an nichts anderes im Sinn gehabt, als ihn mir wegzunehmen! Du konntest es ja nicht erwarten, endlich die Beine für ihn breit zu machen, du Luder ...«

Anne errötete. Mit leicht geöffneten Lippen wich sie in ihre Ecke zurück.

»Habt Ihr nicht gehört, was ich gesagt habe, Anne«, sagte Julian eindringlich. »Ihr müsst ins Asyl gehen. Sofort.«

Marguerite stürzte sich wieder auf ihn. »Mörder! Mörder! Du hast mein Kind auf dem Gewissen ...« Und dann brach sie zusammen, fiel auf den harten Boden, rollte sich zusammen und schrie.

Julian wäre es lieber gewesen, sie hätte ihn weiter beschimpft. Er war hergekommen, um ihr Gelegenheit dazu zu geben. Denn sie hatte mit jedem Wort Recht: Es war seine Schuld. Er hatte die Ereignisse eingefädelt, die zu diesem Ende geführt hatten. Und er wollte es hören. Von ihr. Das stand ihnen beiden zu.

»Edouard«, schrie sie. »Edouard!«, und solch ein hoffnungsloses Sehnen war in ihrer Stimme, dass es Julian eiskalt den Rücken hinabrieselte. Leicht schwankend stand er in der Mitte des freundlichen, kleinen Gästehauses und sah auf die gebrochene Königin hinab. Sie warf sich auf den Rücken, trommelte mit Fäusten und Füßen auf die Erde, und sie hörte nicht damit auf, als ihre Hände zu bluten begannen.

Julian ließ sich neben ihr auf ein Knie nieder und umfasste ihre Hände mit seinen. Marguerite tobte weiter, wollte sich losreißen und verfluchte ihn.

Anne wandte sich unsicher zur offenen Tür, als ein Schatten über die Schwelle fiel.

»Richard!«, rief sie. Es klang überrascht und unendlich erleichtert.

Julian sah auf.

Der Duke of Gloucester stand am Eingang, ein halbes Dutzend seiner Männer folgte ihm dicht auf den Fersen.

Richard?, dachte Julian verwirrt, ehe ihm wieder einfiel, dass Gloucester in Warwicks Haushalt ausgebildet worden war. Vermutlich waren er und Anne Freunde aus Kindertagen.

Richard of Gloucester war nur ein Jahr älter als der gefallene Prinz, aber man konnte sehen, dass er für seinen königlichen Bruder schon so manche Schlacht geschlagen hatte. Er war kein

Knabe mehr, sondern ein stattlicher, junger Ritter. Er strahlte eine enorme Selbstsicherheit aus, und er wäre ebenso gut aussehend gewesen wie sein Bruder, hätte nicht ein Ausdruck berechnender Arroganz seine hübschen Züge verhärtet. Und er hatte immer noch diese seltsame Angewohnheit, die rechte Schulter hochzuziehen, was ihm etwas Verschlagenes verlieh.

Aber jetzt vertrieb ein Lächeln jede Finsternis aus seiner Miene, und er streckte der jungen Witwe die Linke entgegen. »Anne! Welche Freude, dich unversehrt zu sehen, Cousine.«

Sie legte vertrauensvoll die Hand in seine.

»Geh hinüber in die Kapelle des ehrwürdigen Abtes«, riet auch er. »Warte dort, bis ich komme oder jemanden nach dir schicke.«

»Denkst du nicht, ich sollte ins Asyl gehen? Mein Gemahl … mein Vater.« Sie presste für einen Augenblick den Handrücken vor den Mund, um die Fassung zu wahren.

Gloucester küsste ihre Linke. »Sei unbesorgt. Du stehst unter meinem persönlichen Schutz. Du hast nichts zu befürchten, ich gebe dir mein Wort.«

Julian verspürte Erleichterung, dass wenigstens dieses unschuldige, gutartige Geschöpf nicht zwischen die Mühlsteine des Krieges geraten würde.

Während Anne hinausging, ließ er Marguerite los und kam ein wenig mühsam auf die Füße.

»Verwundet, Mylord of Waringham?« Gloucester lächelte nicht mehr. Wenn seine Miene überhaupt etwas preisgab, war es Genugtuung.

Julian antwortete nicht.

Marguerite hatte beide Arme vors Gesicht gehoben, als könne sie die Gegenwart ihres Todfeindes so verleugnen, und wimmerte leise.

Gloucester streifte sie mit einem Blick, als betrachte er einen interessanten, aber doch abstoßenden Käfer. Dann sah er wieder zu Julian.

»Wir werden Euch bald von Euren Qualen erlösen, Mylord.«

»Solche Güte bin ich von euch Yorkisten gar nicht gewohnt«, gab Julian zurück. Es war heraus, ehe er einen bewussten Entschluss gefasst hatte. Er funktionierte wie ein aufgezogenes Spielzeug. In Wahrheit war ihm gleich, was für eine Figur er vor seinen Feinden machte oder was sie mit ihm taten. Er fühlte gar nichts mehr.

Gloucester winkte seine Ritter herein. »Bindet ihn und bringt ihn dem König. Und bindet auch dieses unwürdige Häuflein Elend auf dem Fußboden. Lasst Euch von der Rolle der trauernden Mutter nicht täuschen. Bald wird sie wieder hinreichend beieinander sein, um Gift und Galle zu spucken. Nicht wahr, Madame?«

Sie ließ durch nichts erkennen, dass sie seine Anwesenheit zur Kenntnis genommen hatte. Der Ritter, der sie auf die Füße zog, war wenigstens ein Gentleman und tat es behutsam. Marguerite ließ alles willenlos mit sich geschehen, starrte blicklos ins Leere und wimmerte immer noch.

Der Mann, der Julian die Hände fesselte, war weniger zartfühlend. Julian musste die Zähne zusammenbeißen, denn seine Schulter fühlte sich an, als habe wieder jemand eine Pfeilspitze hineingesteckt – dieses Mal eine glühende.

Sie zerrten ihn rüde hinaus. Er verdrehte den Kopf, um noch einen Blick auf Marguerite zu erhaschen. Er wusste, es war das letzte Mal.

Ihre Augen trafen sich, für einen Moment kehrte Klarheit in Marguerites zurück, und immer noch erinnerten sie Julian an das Blau einer Stahlklinge in der Sonne. Die Königin lächelte ihm zu. »Fahr zur Hölle, Julian of Waringham.«

Gloucester lachte anerkennend vor sich hin. »Noch heute, Madame. Ihr habt mein Wort.«

Unweit des Schlachtfeldes auf einer Weide außerhalb von Tewkesbury hatten die siegreichen Yorkisten ihr Lager aufgeschlagen. Ein prächtiges geräumiges Zelt mit dem königlichen Wappen war für Edward errichtet worden, und gar nicht weit davon entfernt war der Richtplatz.

Ein paar hundert yorkistische Lords, Ritter und Soldaten hatten sich dort im Kreis um den Henkersblock versammelt, für den man in aller Schnelle ein Podest gezimmert hatte, damit auch die Zuschauer in den hintersten Reihen etwas sehen konnten.

Als Gloucesters Ritter Julian durch die Menge schoben, bildete sich eine Gasse. Julian erreichte die Mitte des kleinen Platzes, ohne dass Schmährufe oder Wurfgeschosse ihn trafen, und entdeckte Ned Beaufort und fünf weitere lancastrianische Lords, die genau wie er die Hände gebunden hatten und ihm mit ernsten, aber gefassten Mienen zunickten.

»Das dürften alle sein«, sagte Lord Hastings. »Der Rest der Bande ist gefallen.« Zufrieden betrachtete er die Reihe illustrer Gefangener, und er gab durch nichts zu erkennen, dass er Julian verwandtschaftlich verbunden war.

Ein Trompetenstoß kündigte den König an, und unter dem Jubel seiner Männer trat Edward mit seinen beiden Brüdern in die Mitte des Platzes. Der König hatte einen blutigen Kratzer auf der Stirn. Er hatte frische Gewänder angelegt, aber man konnte sehen, dass er sich während der Schlacht nicht geschont hatte. Er wirkte erschöpft und angespannt.

»Mylords«, sagte er zu den Gefangenen. »Wir bedauern, dass wir uns unter diesen Umständen wiedersehen, aber Ihr zählt zu den Unbelehrbaren, und so bleibt Uns keine andere Wahl. Ihr alle habt Euch zum wiederholten Male in verräterischer Absicht gegen Uns und Unseren Thron erhoben, und Ihr alle werdet dafür mit dem Leben bezahlen. Möge Gott Euch gnädig sein.«

Auf sein Zeichen trat ein Priester zu den Gefangenen, die sich nebeneinander ins Gras knieten.

»Beichtet Eure Sünden, mein Sohn«, sagte der Geistliche zu Julian. »Denn Ihr werdet noch heute vor Euren Schöpfer treten.«

Julian hob den Blick und sah ihm einen Moment in die Augen. Er fand dort keine christliche Barmherzigkeit, sondern nur kühle Feindseligkeit. »Nein, danke, Vater. Ich habe letzte Nacht vor der Schlacht gebeichtet und seither nichts getan, das ich bereue.«

»Ihr habt Männer getötet.«

»Ich habe die Krone des rechtmäßigen Königs verteidigt.«
Und gleichzeitig dachte er: Herr, vergib mir all das Blut, dass
ich heute vergossen habe, aber ich kann diesem yorkistischen
Pfaffen nicht beichten. Ich hoffe, die Lollarden haben Recht,
und du hörst mich auch so. Vergib mir meinen Hochmut, mit
dem ich das Leben meines Prinzen so leichtfertig verspielt
habe. Halte deine schützende Hand über meine Kinder, meine
Schwestern und meine geliebte Janet. Amen.

»Ich fürchte, dann seid Ihr auf dem Weg in die ewige Verdammnis, mein Sohn«, sagte der Priester betrübt.

Julian schloss die Augen, sperrte ihn aus seinem Bewusstsein und betete stumm ein *Paternoster*.

Nur der junge Hugh Courtenay wollte beichten, und auch er
brauchte nicht lange.

»Alsdann, Gentlemen«, sagte Lord Hastings und machte
eine auffordernde Geste. Man hätte meinen können, dass er
sich nur mit Mühe davon abhielt, sich die Hände zu reiben.

Ned Beaufort war derjenige unter den Gefangenen, der von
höchster Geburt war, darum war es sein Privileg, der Erste zu
sein und seine Freunde nicht sterben sehen zu müssen.

Ohne zu zögern, erhob er sich aus dem Gras und murmelte:
»Wohlan, Julian. Heute Abend sitzen wir mit unseren Vätern
und Brüdern und mit unserem Prinzen am Tisch des Herrn.«

Julian unterbrach sein Gebet, hob den Kopf und lächelte
ihm zu. Er bedauerte, dass er sich nie die Mühe gemacht hatte,
Ned Beaufort besser kennen zu lernen. Unter all der Bitterkeit
und dem Hass verbarg sich wahrer Edelmut, stellte er jetzt fest.
»Auf bald also, Ned. Gott sei mit dir.«

Ned Beaufort schüttelte die Hände ab, die sich auf seine
Schultern legen wollten, und trat hoch erhobenen Hauptes auf
das Podest und an den Richtblock. Es war still geworden auf
dem Platz, nur der für den Wonnemonat untypisch scharfe
Wind war zu hören. Er raschelte im Gras und ließ die Zelt-
planen knarren.

Der maskierte Scharfrichter – ein Freiwilliger aus Edwards

Armee, der sich die ganze Zeit an seinen Äxten zu schaffen gemacht und umständlich die Schärfe ihrer Klingen überprüft hatte – griff nach dem ersten Beil, trat an den Block und nahm in der typischen breitbeinigen Haltung Aufstellung.

Ned Beaufort kniete sich vor den Block, legte den Kopf darauf, und als die Soldaten hinzutraten und ihm mit einem Dolch das Haar abschnitten, schloss er die Augen. Dann traten die Henkersgehilfen schleunigst beiseite. Der Scharfrichter schaute zu Edward.

Der König schluckte, aber seine Entschlossenheit war seiner Stimme anzuhören: »Vollstrecken.«

Der Henker holte weit aus, Ned Beaufort rief: »Lang lebe Lancaster!«, und dann fuhr die Klinge nieder, schimmerte silbrig in der Nachmittagssonne und trennte mit einem schaurigen Knirschen den Kopf vom Rumpf.

Als Neds Blut aufspritzte und der kopflose Leib langsam zur Seite sackte, spürte Julian einen Moment würgender Angst, und er beneidete Ned um den Vorzug, der Erste zu sein. *Ich bin der Nächste.* Noch ein paar Atemzüge, dann würde es sein Kopf sein, der durchs Gras rollte. Sein Leben würde verlöschen. Dabei gab es noch so vieles, das er tun wollte, so vieles, was er so vielen Menschen noch zu sagen hatte, vor allem seiner Frau. Er wollte sie noch ein letztes Mal sehen, wollte Robin und Alice und Edmund und John und Juliana noch einmal sehen und das ungeborene Kind, das Janet trug. Aber der Moment verging, und er behielt die Oberhand über seine Blase. Er wusste, er konnte nicht mit der Schuld weiterleben, die er auf sich geladen hatte. Es war gut so. Es war recht.

Er stand auf, ehe irgendwer ihn auffordern konnte.

Während die Soldaten Neds Leichnam wegschleiften, sah Julian zu Hastings. »Nehmt Euch Eurer Schwester und ihrer Kinder an, Mylord.« Es war bitter, ausgerechnet diesem Mann seine Familie anvertrauen zu müssen. Aber Hastings war mächtig, und sie würden mächtigen Schutz brauchen.

Die Miene seines Schwagers war so distanziert und teilnahmslos wie immer, aber er deutete ein Nicken an.

Julian stieg auf das Schafott, legte den Kopf auf den blutbesudelten Block und dachte: *Keine Schande für mein Haus mehr, Vater.* Was er heraufbeschworen hatte, war furchtbar, aber er fand Trost in der Gewissheit, dass sein Vater und jeder Waringham vor ihm genau das Gleiche getan hätte.

Roh packte eine Hand seinen Schopf im Nacken und säbelte die blonden Locken ab.

»Vollstrecken«, sagte der König. »Gott sei Euch gnädig, Julian.«

Weil die Verurteilten allesamt feine Lords waren, wurde jedem eine frisch geschliffene Axt zugestanden, damit es bei den Hinrichtungen keine unappetitlichen Pannen gab, die einen zweiten oder gar dritten Hieb erforderlich gemacht hätten.

Der Henker ergriff das zweite Beil in der Reihe, nahm neben Julian Aufstellung und schwang die mörderische Waffe weit über die rechte Schulter, um auszuholen. Doch noch ehe er zur Abwärtsbewegung ansetzte, löste sich die Klinge vom Schaft und trat einen gänzlich unvorhergesehenen Flug ins Publikum an. Ein Schrei der Überraschung und des Protests erhob sich unter den Schaulustigen, sie duckten sich und zogen die Köpfe ein, und die scharfe Klinge prallte mit einem dumpfen Klirren auf einen Helm. Der Getroffene hatte Glück: Das tödliche Geschoss erwischte ihn nur mit der stumpfen Seite. Er ging benommen in die Knie, aber Helm und Schädel blieben intakt.

Julian wartete mit geschlossenen Augen. Als nichts geschah und das Raunen zunahm, hob er stirnrunzelnd den Kopf.

Auf dem Richtplatz drohte ein Tumult auszubrechen. Alle redeten durcheinander, gestikulierten wild und sahen mit angstvollen Mienen zum Himmel auf.

Der Henker nutzte den Moment der Verwirrung, um sich zu Julian hinunterzubeugen und ihm zuzuflüstern: »Das war ich Euch schuldig, Mylord.«

»Adam …«

»Schsch. Seid still, wenn Ihr nicht wollt, dass es uns beide erwischt.«

Die empörten Stimmen verstummten nach und nach; unsicheres Schweigen breitete sich auf dem Platz aus. Alle blickten zu König Edward.

Dessen Bruder Clarence nickte dem Henker zu. »Worauf wartest du? Nimm eine neue Axt. Du hast doch genug.«

Doch der König hob die Rechte zu einer gebieterischen Geste. »Wir werden Gottes Urteil nicht missachten, Gentlemen.«

Julian, immer noch auf den Knien, wandte sich zu ihm um. »Gott hatte nichts damit zu tun.«

Edward tat, als habe er ihn nicht gehört. »Waringham soll weiterleben«, sagte er zu seinen Brüdern.

»Aber Sire ...«, begann Gloucester zu protestieren.

Der König schüttelte den Kopf. »Wie ich sagte, wir beugen uns Gottes Urteil. Und mir ist gleich, was du davon hältst, Gloucester.«

Der jüngere Bruder errötete ob dieser öffentlichen Zurechtweisung, erhob aber keine Einwände mehr.

Julian stand auf, streifte den gesichtslosen Henker mit einem gehetzten Blick, drehte sich dann zu Edward um und sagte: »Ich habe weit weniger Recht, weiterzuleben, als jeder dieser Männer hier.«

Der König hob die Schultern. »Das zu entscheiden liegt nicht in Eurer Hand.«

»Mylord ... Ihr tut mir keinen Gefallen.«

»Ihr könnt Euch nicht vorstellen, wie gleichgültig mir das ist.«

»Wenn Ihr mich leben lasst, werde ich der Welt kundtun, dass Ihr einen siebzehnjährigen Knaben ermordet habt. Ich werde es in Frankreich und Burgund bekannt machen und in Rom. Das könnt Ihr Euch nicht leisten.«

Edward schüttelte langsam den Kopf. »Edouard wurde nicht ermordet, er fiel in der Schlacht.«

»Er wurde gejagt und abgeschlachtet, nachdem er sein Schwert weggeworfen und um Gnade gefleht hatte. Ich habe es gesehen!«

»Wie mein Bruder Rutland, als die Lancastrianer ihn an der Brücke von Wakefield erschlugen, nicht wahr? Er war genauso alt, Mylord. Auch er hat um Gnade gefleht und keine bekommen. Und wart nicht Ihr derjenige, der einmal gesagt hat, es habe keinen Sinn, dass wir uns gegenseitig unsere Toten vorwerfen?«

»Sire, er ist der Earl of Waringham«, gab Clarence zu bedenken. »Seine Stimme hat an jedem Hof der Christenheit Gewicht. Wir können uns nicht erlauben, dass er uns beim Papst verleumdet.«

»*Verleumdet?*«, wiederholte Julian wütend. »Das hab ich gar nicht nötig. Euch hat er um Hilfe angerufen, ehe vier sich auf ihn stürzten und …« Er verstummte abrupt, als ihm klar wurde, warum Edouard in seiner Todesangst ausgerechnet den Namen seines Schwagers gerufen hatte. Jetzt erkannte er auch die kostbare Rüstung wieder. »*Ihr wart es*«, sagte er, so erschüttert, dass er einen Schritt zurückwich und um ein Haar über den Block gestolpert wäre. »Ihr habt den Jungen abgeschlachtet. Euren eigenen Schwager …«

»Den Mann, der nach der Krone meines Bruders trachtete«, verbesserte Clarence unbeeindruckt.

»So wie Ihr selbst es noch vor einem halben Jahr getan habt, nicht wahr?«, konterte Julian.

Clarence fuhr zu Edward herum. »Sire, dieser Mann *kann* nicht am Leben bleiben!«

»Ich glaube, ich habe meine Wünsche klar geäußert«, antwortete der König, ohne ihn anzusehen.

Gloucester bedachte Clarence mit einem mokanten Lächeln. »Ich nehme an, das soll heißen, dass die Wahrheit nicht verschwindet, wenn man den Mann tötet, der sie ausspricht, Bruder«, bemerkte er, und Julian dachte nicht zum ersten Mal, dass Gloucester und nicht der Erzschurke Clarence der gefährlichste dieser Brüder war.

»Jetzt ist es genug«, beschied der König verdrossen. »Schafft ihn weg und sperrt ihn in den Tower. Ich würde hier gern bald zu einem Ende kommen.«

Zwei Soldaten packten den Earl of Waringham links und rechts und zerrten ihn von dem Podest. Julian schaute seine verurteilten Kampfgefährten an, als er an ihnen vorbeiging. Er sah Neid in einem Augenpaar, Hass in dem nächsten, Fatalismus und einen schon beinah unirdischen Frieden in den letzten beiden.

Julian schämte sich. »Es tut mir leid, Freunde«, sagte er. »Es war nicht meine Wahl, und ich wäre lieber mit Euch gegangen.«

Er bekam keine Antwort, und die Wachen stießen ihn vorwärts.

»Courtenay, Ihr seid der Nächste«, hörte er Hastings sagen, und als die Zuschauergasse sich für Julian geöffnet und dann wieder geschlossen hatte, hörte er noch Edwards Stimme – »Vollstrecken« – und das Fallen des Beils.

»Gott«, murmelte Julian. »Was tust du nur mit mir?«

»Wie es aussieht, ist er noch nicht mit Euch fertig, Mylord«, antwortete einer der Soldaten grimmig. »Vielleicht ist ein Beil ein gar zu leichtes Ende für einen wie Euch.«

London, Mai 1471

 Julian musste in den folgenden Tagen oft an diese Worte denken.

Die Wachen hatten die Befehle des Königs sehr wörtlich genommen, hatten ihn nach London gebracht, in ein modriges Loch unter dem Beauchamp Tower gesperrt und dann vergessen. Er bekam weder zu essen noch eine Decke oder Wasser, und er litt quälenden Durst, weil er hohes Fieber hatte. Er konnte die Schulterwunde nicht sehen, aber sie brannte und pochte, und er wusste, sie hatte sich entzündet. War vermutlich brandig. Also war es offenbar das, wofür Gott und Adam ihm das Henkersbeil erspart hatten: einen langsamen, qualvollen Tod unter Durst und Fieberwahn.

Julian nahm es mit untypischer Ergebenheit. Oft dämmerte er stundenlang in einem unnatürlichen Halbschlaf vor sich hin, sodass er nicht viel spürte, aber wenn er wach war, lag er mit offenen Augen in der Dunkelheit auf dem fauligen Stroh, spürte den Schmerz und den Durst, das Brennen des Fiebers und die bittere Kälte des Schüttelfrosts und erduldete sie fast mit so etwas wie Dankbarkeit, weil er sie verdient hatte. Und jeder Tag, den er im Diesseits länger für Prinz Edouards Tod büßte, vergrößerte vielleicht seine Chancen, für diese furchtbare Sünde nicht in die Hölle zu kommen. Denn auch wenn er sterben wollte, wollte er doch nicht in die Hölle. Er fürchtete sich davor. Je höher das Fieber stieg, desto mächtiger wurde seine Angst vor der ewigen Verdammnis, den Teufeln und Dämonen mit ihren Feuern und Marterwerkzeugen. Er hatte es doch nicht mit Absicht getan. Er hatte es nicht gewollt. Er hatte doch nur sein Bestes getan, um Lancasters Thron zu retten. Und dann fiel ihm ein, was sein Vater oft und gern gesagt hatte: Der Weg zur Hölle ist mit guten Absichten gepflastert. Und wenn ihm das einfiel, lachte er. Er lachte, damit er nicht anfing zu heulen vor Furcht, denn in Wahrheit war er inzwischen gar nicht mehr sicher, ob er nicht längst gestorben und in der Hölle war. Er brannte doch schon. Lichterloh. Er brannte, und niemand gab ihm auch nur einen einzigen Schluck Wasser …

Bis es schließlich doch jemand tat. Julian riss verblüfft die Augen auf, als er eine herrliche, kühle Nässe auf dem Gesicht spürte, dann an den Lippen.

»Julian … Großer Gott, du bist ja mehr tot als lebendig, Mann.«

»Lucas?« Er konnte nicht glauben, dass dieses Rabenkrächzen aus seiner Kehle gekommen sein sollte. Er versuchte, sich zu räuspern, aber es ging nicht.

»Schsch. Bleib liegen. Hier, trink. Aber nur einen kleinen Schluck.«

»Lucas … Der Weg zur Hölle ist mit guten Absichten gepflastert …«

»Vorsätze«, verbesserte Lucas.

»Was?«

»Es heißt, der Weg zur Hölle ist mit guten Vorsätzen gepflastert. Und jetzt trink.«

Eine kühle Hand schob sich in Julians Nacken, hob seinen Kopf an, dann war ein Becher an seinen Lippen. Julian trank gierig, aber der Becher verschwand viel zu schnell wieder, und er gab einen matten Protestlaut von sich. Er wollte eine Hand heben und den Becher festhalten, doch es ging nicht.

»Gleich kriegst du mehr. Warte einen Moment. Ich bin sofort wieder da, sei unbesorgt. Hier, Mortimer, nimm den Becher, gib ihm zu trinken, aber immer nur ein Schlückchen, verstanden?«

Blinzelnd sah Julian sich um, und als seine Augen sich auf das gleißende Licht der Fackel eingestellt hatten, erkannte er seinen Knappen, der weinend neben ihm im verdreckten Stroh kniete.

Hör auf zu flennen, Bengel, wollte er sagen, aber auch das ging nicht. Und vielleicht war es besser so. Womöglich hätte der Junge ihm nichts zu trinken gegeben, wenn er ihn angefahren hätte, und trinken war plötzlich Julians einziges Bestreben.

Lucas Durham trat hinaus in den Wachraum, und er war ein beunruhigender Anblick in seinem Zorn. »Was fällt euch ein, ihr Strolche? Einsperren, hat der König gesagt. Von Verrecken lassen war nicht die Rede. Ich will einen Arzt, und zwar auf der Stelle.«

Der wachhabende Sergeant schüttelte störrisch den Kopf. »Nichts da. Befehl ist Befehl.«

Lucas trat vor ihn. »Wie ist dein Name, Söhnchen?«

»John Weddyngham, Sir.«

»Weddyngham? Aus East Cheap?«

»Ganz recht, Sir.«

»Dein Vater ist Bill Weddyngham der Hutmacher?«

»So ist es.« Der Sergeant schien erstaunt, dass Lucas seine Familie kannte.

Doch das war kein Zufall. Lucas hatte sich die Tatsache zunutze gemacht, dass viele der Wachen im Tower und das gesamte Gesinde Londoner waren. Als Lancastrianer gehörte er jetzt zu den gänzlich Machtlosen in England, aber als Durham konnte er noch einiges bewirken. Sein Cousin Samuel, das Oberhaupt der Londoner Durham, zählte zu den reichsten und mächtigsten Männern der Stadt und war obendrein Yorkist. Dank seiner Hilfe und seines Einflusses war Lucas nicht nur zu Julian of Waringham vorgelassen worden, sondern kannte auch den Namen eines jeden Mannes unter den Wachen, der den Durham etwas schuldig war. Und das, wusste Lucas, war hier unter Umständen mehr wert als Gold oder höchste Befehlsgewalt.

»Und erinnerst du dich, John Weddyngham, wer deinen Vater ein halbes Jahr lang auf Kredit beliefert hat, damit dein alter Herr genügend Geld hatte, um sich für ein Amt als Sheriff zu bewerben, he?«

Der junge Weddyngham sah sich nervös um, aber sie waren allein in der engen Wachkammer. Er senkte verlegen den Blick. »Sir Samuel Durham, Mylord.«

Lucas hob abwehrend die Hand und unterdrückte ein Schmunzeln. »Es besteht kein Grund, vor mir zu kriechen, Mann. Aber ich will einen Arzt, und zwar einen guten. Ich werd ihn bezahlen, keine Bange. Schaff ihn mir innerhalb der nächsten Stunde her, und das kleine geheime Geschäft zwischen deinem Vater und den Durham wird ein Geheimnis bleiben. Habe ich mich klar ausgedrückt?«

Als der Arzt kam, saß Julian aufrecht in seinem schaurigen Verlies, die unverletzte Schulter an die feuchte Mauer gelehnt. Er fieberte unverändert, aber das Wasser hatte ihn belebt. Mortimer hatte ihm auch feinstes weißes Hühnchenfleisch angeboten, das er in einem reinen Leinentuch mitgebracht hatte, aber Julian hatte abgewunken. Allein beim Gedanken an Essen schloss sich seine Kehle.

»Ihr seid Waringham?«, fragte eine barsche Stimme von der Tür.

Julian hob den Kopf. Ein großer grauhaariger Mann trat über die Schwelle, der unter dem Arm eine Lederrolle mit einem Chirurgenbesteck und einen äußerst feinen Mantel trug.

Lucas folgte ihm, und mit vier Mann war das kleine Verlies schon überfüllt. »Julian, dies ist Master Woodroff, ein gelehrter Medicus. Er ist Yorkist, darum guckt er so grantig, aber er ist der beste Arzt in London.«

Der yorkistische Doktor grunzte missgelaunt, und Julian warf seinem Ritter einen argwöhnischen Blick zu.

Ohne eine Aufforderung oder Erlaubnis abzuwarten, hockte der Arzt sich vor Julian, fühlte seine Stirn und seinen Puls, und er brauchte nur seiner Nase zu folgen, um die brandige Wunde zu finden. Nicht gerade sanft zog er das gesteppte Wams, das Julian noch von der Schlacht trug, über die Schulter herunter. Mit einem Ruck löste sich der Stoff, den Blut und Eiter fest mit der Wunde verklebt hatten.

Julian spürte Schweiß auf Stirn und Brust, aber er zuckte nicht zusammen.

»Das müssen wir ausbrennen«, sagte der Doktor mit unverhohlener Befriedigung.

»Das könnte Euch so passen«, knurrte Julian.

Master Woodroff hob die Schultern. »Ich brenne es aus, oder Ihr krepiert. Mir ist es gleich«, erklärte er.

Lucas nickte Mortimer zu. »Besorg ein Kohlebecken.«

Mit furchtsam aufgerissenen Augen ging der Junge hinaus.

Julian ließ sich wieder gegen die Mauer sinken, schloss die Augen und senkte den Kopf. Sein Haar war nur noch kinnlang, aber es reichte, um sein Gesicht zu verdecken, und das war gut so. Er musste eine Entscheidung treffen, und das musste er allein und unbeobachtet tun. Leben oder sterben? Im Grunde war die Sache ganz einfach. Eigentlich stellte die Frage sich überhaupt nicht. Leben bedeutete Unfreiheit, den Verlust von Land, Titel, Ehre und all den anderen Dingen, ohne die ein Edelmann nicht existieren konnte, und vor allem Schuld.

Lucas ließ ihn nicht aus den Augen, schien ein ganzes Arsenal an Argumenten zu sammeln, um Julian zu überzeugen, sobald der den Mund aufmachte, um den Doktor fortzuschicken.

Doch als Mortimer nach einer Viertelstunde mit einer Kohlenpfanne zurückkam, hatte Julian immer noch nichts gesagt. Er war zu keinem befriedigenden Ergebnis gekommen, ob es feige oder ehrenhaft gewesen wäre, aus dem Leben zu scheiden. Er wusste nur, dass er nicht konnte. Nicht freiwillig.

Endlich hob er den Kopf und nickte Lucas zu. »Wenn ich dir hierfür eines Tages dankbar sein sollte, lass ich es dich wissen.«

Lucas grinste schwach. »Das hat keinerlei Eile, Mylord.«

Master Woodroff krempelte die Ärmel auf. Er rollte sein Metzgerbesteck aus, wählte nach kurzem Zögern ein Messer mit einer breiten, matten Klinge und schob es zwischen die glühenden Kohlen.

Mit sanften, leicht bebenden Fingern half Mortimer seinem Herrn aus Wams und Hemd, und als sein Blick auf das weißlich violette, faulige Fleisch fiel, das die Pfeilwunde umgab, wandte er den Kopf hastig ab.

Julian war selber ziemlich mulmig, aber er zwinkerte dem Knappen zu. »Das ist nicht das Ende der Welt, Mortimer. Warte draußen. Und wenn du mich brüllen hörst, denk dran, dass Sir Lucas einen Yorkisten zwingt, einem Lancastrianer das Leben zu retten. Das ist ein hübscher Gedanke, oder?«

Ein befreites Lächeln huschte über Mortimers bleiches Gesicht. »Das ist wahr, Mylord.«

Master Woodroff schnaubte gallig. »Ich bin gespannt, ob Ihr gleich auch noch so große Worte führt, Waringham.«

»Wenn ich das Gefühl hab, dass Ihr es schlimmer als nötig macht, hetz ich Euch die dunklen Bruderschaften auf den Hals, Doktor«, warnte Lucas finster.

»Die was?«, fragte Julian verwirrt.

Er bekam keine Antwort, aber er sah, dass die Drohung Wirkung zeigte. Plötzlich fürchtete der gelehrte Doktor sich mehr als er.

Mortimer ging hinaus, und Lucas rief ihm nach: »Bestell dem Sergeant einen Gruß von mir und sag, wir hätten hier gern einen Becher ordentlichen Wein.«

»Wird gemacht, Sir Lucas.«

Die Klinge des Messers war breit, aber dünn – es dauerte nicht lange, bis sie zu glühen begann. Doktor Woodroff ließ es sich nicht nehmen, sie Julian zu zeigen, als er sie aus dem Feuer holte. Die Ränder waren weiß, die Mitte rot wie ein Sonnenuntergang über der See.

Julian hätte gern verächtlich ausgespuckt, aber sein Mund war wieder staubtrocken. Lucas reichte ihm ein Holzbrettchen, das er unerlaubt aus der Ledertasche des Arztes genommen hatte und das schon eine Vielzahl von Bissspuren aufwies. Julian nahm es zwischen die Zähne, richtete sich auf die Knie auf und legte Lucas, der ihm gegenüber kniete, die Hände auf die Schultern. Lucas packte seine Unterarme und nickte dem Arzt zu.

»Wir wären so weit, Doktor.«

Mit einem Lächeln und einer perversen Zärtlichkeit presste Woodroff die glühende Klinge auf die obere Hälfte der Wunde. Es zischte, Julians Gesicht verzerrte sich zu einer Maske des Leids, und er bleckte die Zähne, aber nur ein schwacher Laut, eine Art wütendes Stöhnen entrang sich seiner Kehle. Er krallte die Hände in Lucas' Schultern und klammerte sich an den Vorsatz, diesem verfluchten yorkistischen Quacksalber keine Handbreit Boden mehr als unbedingt nötig abzutreten. Als der die Klinge umdrehte und auch die untere Hälfte der Wunde ausbrannte, konnte Julian einen Schrei nicht ganz unterdrücken, aber sofort biss er fester zu und schnitt ihn ab.

Ein widerwärtiger Geruch von verbranntem Fleisch und Eiter erfüllte das feuchte Kellerloch, sodass er zusätzlich zu seinem Schmerz auch noch mit Übelkeit zu ringen hatte. Schweiß rann ihm jetzt in Strömen über Brust und Rücken, stand eisig auf seiner Stirn, und er sackte in sich zusammen, sodass Lucas einen Moment sein ganzes Gewicht halten musste. Aber dann war es vorbei. Woodroff nahm die Klinge von der Wunde. Sie brannte immer noch, aber der glühende Schmerz ebbte ein wenig ab, und Julian entspannte sich.

Lucas, der kaum weniger in Schweiß gebadet war, ließ ihn los, nahm ihm das Holzstück aus dem Mund und rieb sich mit der freien Linken das rechte Schlüsselbein. »Junge, Junge. Ich dachte, du brichst sie durch wie Zweiglein.«

»Entschuldige …« Julian keuchte, und noch ehe er sich hinreichend erholt hatte, strich dieser verfluchte Doktor ihm irgendeine Salbe auf die Wunde. Julian fuhr zusammen, hielt aber still und stellte bald fest, dass die Salbe kühl war und das Brennen linderte.

Er stützte die Hände auf die Knie, atmete ein paar Mal tief durch und nickte. »Habt Dank, Master Woodroff.«

Der Doktor brummte, löschte sein Messer im Wasserkrug und begann, seine Siebensachen einzupacken.

Mortimer kam zurück und reichte dem Patienten wortlos einen Zinnbecher.

Julian trank durstig. Es war ein junger fruchtiger Rotwein – zu sauer, um als »ordentlich« durchzugehen, aber Julian war nicht wählerisch. »Tut gut. Danke, mein Junge.«

Mortimer nahm ihm den leeren Becher ab und setzte sich vor ihm im Schneidersitz ins schmuddelige Stroh. »Und was nun?«

Julian schloss die Lider und streckte sich vorsichtig auf der Seite aus. Es tat weh, aber dieser Schmerz war besser als das Pochen und Fressen des Wundbrands. Er fühlte sich irgendwie gesünder an. »Tja. Ihr habt mir das Leben gerettet – möglicherweise jedenfalls –, also seht zu, was ihr damit anfangt.«

Zwei Tage blieb das Fieber unverändert hoch, aber Doktor Woodroff, der täglich kam und den Verband wechselte, hatte Lucas versichert, dass die Wunde sich nicht wieder entzündet hatte, sondern sauber abzuheilen begann.

Als Lucas am dritten Tag in Julians Verlies kam, fand er seinen Dienstherrn wach und vergleichsweise munter vor: Julian saß im Stroh, hielt einen Holzteller auf dem Schoß und aß. Lustlos, aber immerhin.

Lucas sah ihm prüfend in die Augen. »Kein Fieber mehr«, bemerkte er befriedigt.

Julian schüttelte den Kopf, lud ihn mit einer Geste ein, Platz zu nehmen, und hielt ihm den Teller hin. Mehr aus Höflichkeit nahm der Ritter ein Stück Früchtebrot. »Das ist gut!«, bekundete er verblüfft, nachdem er gekostet hatte.

»Hm. Genießbares Essen, reines Stroh, Licht, Decken, saubere Kleider. Alles dein Werk, nehme ich an.«

Lucas lächelte geheimnisvoll. »Ich habe den Verdacht, Gloucester hat den Wachen ausrichten lassen, dass er nicht böse wäre, wenn du Himmelfahrt nicht erlebst. Aber glücklicherweise haben die Wachen vor mir mehr Angst als vor ihm.«

»So wie der gute Doktor. Was sind die dunklen Bruderschaften, Lucas?«

»Die Gilden der Londoner Diebe, Falschmünzer, Beutelschneider, Meuchelmörder und so weiter. Sie sind in gleicher Weise organisiert wie die Handwerker und Kaufleute. So wie die anständigen Londoner einen Lord Mayor wählen, hat auch das lichtscheue Gesindel ein Oberhaupt, das sich der König der Diebe nennt. Und seit fast hundertfünfzig Jahren halten die Durham und der jeweilige König der Diebe eine lose, freundschaftliche Verbindung, weil sie einander gelegentlich nützlich sind. Darum wird nie ein Durham Sheriff von London.«

Julian lauschte fasziniert. »Aber dein Vater war Sheriff von Kent.«

»Das ist etwas anderes. Die dunklen Bruderschaften operieren nicht außerhalb der Stadtgrenzen. Es gab also keinen … Interessenkonflikt.«

»Erzähl mir mehr darüber.«

Aber Lucas schüttelte den Kopf. »Ich hab dir schon mehr gesagt, als ich eigentlich darf. Es ist ein sehr brisantes Familiengeheimnis, wie du dir vorstellen kannst.«

»Schade.« Das Thema hatte verhindert, dass er all die Fragen stellte, die ihn quälten, deren Antworten er aber noch nicht ins Auge blicken konnte.

Lucas wusste das natürlich genau. Er betrachtete Julian mit unzureichend verborgenem Mitgefühl und schien selbst noch nicht den Mut zu finden, davon anzufangen. »Ich schicke dir Mortimer, damit er dich rasiert. Auch wenn du nach der derzeitigen politischen Lage ein verurteilter Verräter bist, musst du ja nicht unbedingt auch so aussehen, richtig?«

Julian schnaubte und wandte den Blick ab. »Die *derzeitige* politische Lage? Ich denke, wir alle tun gut daran, uns mit ihr vertraut zu machen.«

Jetzt war es passiert. Sie waren an dem Punkt angelangt, vor dem ihnen beiden gegraut hatte.

Unbewusst straffte Julian seine Haltung. »Raus damit. Du warst in Waringham, nehme ich an?«

Lucas nickte und sah ihm in die Augen. »Lord Hastings' Bruder Ralph hat die Burg in Besitz genommen, aber er wird sie nicht behalten, hat er mir gesagt. Das nächste Parlament wird dich enteignen und verurteilen. Dann fällt Waringham an den Duke of Gloucester.«

Julian zuckte zusammen, als hätte Lucas ihn geohrfeigt. »Weiter. Mach ein bisschen schneller, sei so gut. Was ist mit Janet und den Kindern? Ich hoffe, ihr Bruder ist höflich zu ihr? Und was ist mit Kate und deiner Familie?«

»Lady Janet und deine Kinder sind nicht mehr in Waringham, Julian. Ich habe sie weggeschickt. Janet wollte nicht, weil das Baby jetzt jeden Tag kommen kann, aber sie hat schließlich eingesehen, dass es das Beste ist. Ich habe den jungen Aimhurst mit ihr geschickt und gesagt, sie soll irgendwo ins Asyl gehen, wo sie sich sicher fühlt.«

»Aber du wolltest nicht wissen, wo.«

Lucas nickte unglücklich. »Was wir nicht wissen, kann uns niemand entlocken, nicht wahr? Deine Kinder haben Lancaster-Blut in den Adern. Unmöglich zu sagen, was Edward und vor allem seine Brüder jetzt tun werden, um den Thron endgültig für York zu sichern. Es schien mir das Beste, kein Risiko einzugehen.«

»Du hast völlig richtig gehandelt«, versicherte Julian. Es klang nüchtern, aber in Wahrheit konnte er den Gedanken kaum aushalten, dass Janet und die Kinder aus Waringham vertrieben waren. Er war einigermaßen sicher, dass er wusste, wohin sie gegangen waren. St. Thomas gehörte zu den größten und mächtigsten Klöstern in England. Es konnte ihnen Schutz bieten. Es lag nicht weit von Waringham entfernt. Und außerdem lebte Janets kleiner Bastard dort. Aber was nützte ihm dieses Wissen? Er war hier eingesperrt, und Gott allein mochte wissen, ob und wann er seine Familie je wiedersehen würde.

»Deine Schwester wollte sich auf ihr Gut in Lincolnshire zurückziehen, aber dort wäre sie ganz allein gewesen«, fuhr Lucas fort. »Ich habe sie und Martha und unseren Jonah nach Sevenelms gebracht. Da ist Platz genug, und mein Bruder und seine Frau haben immer gern das Haus voll. Deine Ritter haben sich zerstreut, soweit sie nicht gefallen sind. Nur Roland ist in Waringham geblieben. Du kennst ihn ja. Er sagt, der Grund und Boden des Gestüts sei sein Eigentum, und wenn die Yorkisten ihm sein Eigentum stehlen wollten, sollten sie nur kommen, aber freiwillig gehe er nicht.«

»Gut möglich, dass sie es ihm lassen. Edward ist kein Despot, er achtet das Recht. Roland hat nie Waffen gegen ihn geführt, sie haben keine Grundlage für eine Anklage.« Julian lauschte seinen vernünftigen Worten mit Befremden und einer eigentümlichen Distanz. Es kam ihm vor, als wäre es ein anderer, der sprach. Er hatte seine Familie verloren. Er hatte seinen Prinzen verloren. Und er hatte Waringham verloren. Seine Wurzeln, sein Zuhause, seine Zukunft. In gewisser Weise hatte er sich selbst verloren. Und er spürte, wie ein gähnender Abgrund sich vor ihm auftat und er ins Leere stürzte.

»Eins solltest du noch wissen«, sagte Lucas nach einem kurzen Schweigen. »Als Janet von Tewkesbury gehört hat, hat sie all deine Pferde in Hetfield versteckt und von dort aus verkauft. Die Bücher hat sie verbrannt und ihrem Bruder weisgemacht, ihr hättet euch schon vor Jahren aus der Zucht zurückgezogen. Das Geld hat sie mir gegeben – es waren zwei Truhen voll – und gesagt, ich solle es meinem Cousin bringen. Ich weiß, es ist ein schwacher Trost, aber du bist immer noch ein ziemlich reicher Mann, Julian.«

Diese Eröffnung berührte Julian nicht, doch sie entlockte ihm zumindest ein mattes Lächeln. »Meine gescheite Frau …«

»Das ist sie«, bestätigte Lucas mit unverhohlener Bewunderung. »Was soll mit dem Geld passieren?«

Zu den unüberschaubar vielfältigen Geschäften, die die Durham in London betrieben, gehörte auch ein florierendes Bankhaus. Julian hob die unverletzte Schulter. »Dein Cousin soll es so anlegen, wie er für sinnvoll hält.«

Lucas nickte, legte das angebissene Stück Früchtebrot zurück auf den Teller und rieb trübsinnig über ein Fleckchen auf dem Ärmel seines kostbaren Gewands. »Tja. Als Nächstes sollten wir versuchen, dich aus diesem Loch herauszubekommen. Schließlich bist du ein Lord, nicht einmal die Yorkisten haben das Recht, dich hier unten einzupferchen.«

Sie können mit mir machen, was immer sie wollen, fuhr es Julian durch den Kopf. Niemand wird sie hindern können, ich am allerwenigsten. »Mach dir um mich keine Sorgen. Ich komm schon zurecht«, versicherte er.

»Doch, ich mach mir eine Menge Sorgen um dich, Julian. Gloucester und Clarence trachten dir nach dem Leben und du selbst ebenfalls. Das ist eine gefährliche Kombination. Aber komm ja nicht auf komische Gedanken, das sag ich dir. Ich habe nicht fünfzehn Jahre meines Lebens damit vertan, dir den Rücken zu decken oder gelegentlich den Arsch zu retten, damit du dich jetzt hier mit deinem Gürtel erhängst, ist das klar?«

Julian sah sich suchend um. »Woran denn?«, fragte er verdrossen. »Hier ist nichts, woran man auch nur einen Hut hängen könnte.«

Lucas winkte ab. »Du hast mich sehr gut verstanden.«

»Ich habe dich verstanden«, bestätigte Julian. »Und ich möchte, dass du jetzt gehst. Nimm Mortimer und verschwinde aus London. Ich danke dir für alles, was du getan hast, aber du bringst dich und den Jungen in Gefahr, wenn ihr euch meiner weiterhin so offensichtlich annehmt. Und das will ich nicht. Klar?«

»Julian, hör zu …«

»Nein«, unterbrach Julian, und seine Stimme trug die ganze Autorität seines verlorenen Standes. »Du hast dafür gesorgt, dass ich weiterlebe, also lade nicht noch mehr Schuld auf mich. Dazu hast du kein Recht.«

Lucas dachte einen Moment nach. Dann nickte er unglücklich. »Also schön. Aber ich werde in der Nähe bleiben und erfahren, was hier vorgeht.«

Julian stand auf, um anzuzeigen, dass diese Unterhaltung vorüber war. »Das ist dir unbenommen.«

Lucas erhob sich ebenfalls. »Auf bald, Mylord.«

»Leb wohl, Lucas.«

Sie umarmten sich kurz, und das frische Stroh raschelte unter Lucas' feinen Stiefeln, als er zur Tür ging. Er klopfte, der Riegel rasselte, und der Ritter trat hinaus, ohne sich umzuschauen.

Julian setzte sich wieder ins Stroh, bettete die Stirn auf die angewinkelten Knie, schloss die Augen und wandelte in Finsternis.

Ein letztes blutiges Werk galt es noch zu vollbringen, ehe König Edward seinen Sieg vollkommen und seinen Thron unantastbar nennen konnte.

Als er London und Westminster Anfang April zurückeroberte, hatte der alte Lancaster-König ihn mit unverhohlener Erleichterung begrüßt: »Willkommen, willkommen, liebster Cousin York. In Euren Händen, dessen bin ich sicher, habe ich wahrlich und wahrlich nichts zu befürchten.« Und Edward hatte ihm die Hand gereicht und erwidert: »Ihr könntet schwerlich in der Obhut eines anderen Mannes sicherer sein, Cousin.«

Doch dann war die Schlacht von Barnet gekommen, und Warwick war gefallen. Die Schlacht von Tewkesbury war gekommen, und Prinz Edouard war gefallen. Das hatte die Lage radikal verändert.

Niemand hatte es für nötig befunden, den einsamen alten Mann im Tower davon in Kenntnis zu setzen, dass er die letzte, doch schon recht welke Blüte am verdorrenden Baum der roten Rose war, und er sah auch den Schlag nicht kommen, der diesen Baum endgültig fällte.

Am Abend des einundzwanzigsten Mai – des Tages, da König Edward, seine Brüder und seine Armee im Triumph in London einmarschiert waren und die gefangene Marguerite in einer Kutsche mit sich führten, wie es einst die römischen Feldherrn getan hatten – öffnete sich plötzlich die Tür zu Julians Verlies.

Er hob den Kopf und sah zwei Wachen eintreten. Wortlos blickte er ihnen entgegen.

Sie lächelten, halb hämisch, halb verschämt. Der Ältere machte eine auffordernde Geste. »Kommt.«

Julian stand auf und fragte nicht, wohin.

Sie fesselten ihm nicht die Hände, wie er erwartet hatte, sondern führten ihn beinah höflich die Treppe hinauf ins Freie, ein Stück durch den Innenhof und zum Eingang des Wakefield Tower. Dort wies der eine auf die Tür. »Geht hinauf, Sir.«

Julian sah ihn einen Moment forschend an, dann drückte er gegen die Tür, trat ein und stieg die vertraute Wendeltreppe hinauf. In König Henrys Quartier war es warm und dämmrig. Nur eine Kerze brannte neben einer aufgeschlagenen Bibel auf dem Tisch am Fenster, ein weiteres kleines Licht flackerte in der Kapelle.

Julian ging langsam darauf zu. »Sire?«

Der unverwechselbare Geruch von Blut stieg ihm in die Nase, ehe er die Füße entdeckte. Sie steckten in alten Lederschuhen, und Julian sah einen Flicken unter der linken Sohle. Er schloss für einen Moment die Augen, dann trat er an den Eingang des kunstvollen Wandschirms.

Henry lag auf der linken Seite, die rechte Hand zum Altar ausgestreckt, und sein grauer, eingeschlagener Kopf war von einer Blutlache umgeben, die im schwachen Licht schwarz glänzte.

Julian stieg vorsichtig über ihn hinweg, kniete sich auf den Boden, nahm den König behutsam bei den mageren Schultern und drehte ihn um. Trübe braune Augen starrten blicklos an ihm vorbei ins Leere.

Julian bettete den blutigen Kopf in seinen Schoß, strich mit der Hand über die Augen und schloss die Lider. »Es tut mir leid,

Cousin Henry«, flüsterte er. »Wir haben nie gut genug auf dich Acht gegeben.«

Dann betete er und wartete. Und er war alles andere als überrascht, als er nach einer Weile Gloucesters Stimme aus der Dunkelheit hörte: »Nun, Waringham? Nicht eine einzige Träne für Euren König?«

Julian wandte den Kopf in die Richtung, aus der die Stimme kam. »Habt Ihr mich herbringen lassen, um mir Gelegenheit zu geben, ihn zu beweinen? Wie großmütig, Mylord.«

Gloucester lachte mit scheinbar gutmütigem Spott und trat in den matten Lichtkreis – eine hohe Schattengestalt, deren Augen leere Höhlen zu sein schienen. »Ich fand es angemessen, dass Ihr ihn seht, um Euch das Ausmaß Eures Versagens vor Augen zu führen. Hieß es nicht einmal, die Waringham seien die Hüter der Lancaster?«

Julian nickte. »Eine Rolle, die mir immer schwergefallen ist. Aber wir alle sind Geiseln der Taten unserer Väter. Ich wünsche Euch, dass Euch diese bittere Erfahrung nicht erspart bleibt.«

»Ah. Mit anderen Worten, Ihr hofft, dass der Fluch, den Euer alter Herr mit seinem letzten Atemzug ausgesprochen hat, sich an mir erfüllt?«

»Wenn Ihr so wollt.«

Gloucester nickte versonnen. »Nun, die Hoffnung ist das, was denen bleibt, die alles andere verloren haben, nicht wahr?«

Julian hatte genug gehört. »Was wollt Ihr von mir, Gloucester? Mein Blut mit dem meines Königs mischen? Bitte. Aber dann tut es auch und erspart mir Eure Narrenweisheiten.«

Gloucesters Lächeln verschwand. Er kam einen Schritt näher. Jetzt erkannte Julian einen bläulichen Bartschatten auf seinem Kinn. »Wenn Ihr ahntet, wie gern ich es täte. Aber der König wäre verstimmt. Er hat eine höchst befremdliche Schwäche für Euch, Waringham. Vermutlich weil Ihr Elizabeth, dieses durchtriebene Miststück, und ihre Bälger ins Asyl gebracht habt letzten Herbst. Ihr haltet Euch immer ein Hintertürchen offen, falls der Wind dreht, wie? In der Hinsicht seid Ihr meinem Bruder Clarence wirklich ebenbürtig.«

»Jetzt werdet Ihr richtig ausfallend, Söhnchen.«

Gloucester kam noch einen Schritt näher. »Ich kann Euch nur raten, mir ein wenig mehr Respekt zu erweisen.«

»Ah ja? Weil sonst was passiert?«

Gloucester antwortete nicht mit einer direkten Drohung, sondern wechselte scheinbar unvermittelt das Thema. »Hat Euch schon jemand die gute Nachricht verkündet, dass der Schweinestall, den Ihr Eure Baronie zu nennen beliebt, in Zukunft mir gehören wird?«

Julian nickte mit größter Gelassenheit. Selten hatte ihn etwas mehr Beherrschung gekostet. »Das Gute daran ist, dass an einem so bescheidenen Besitz selbst Ihr keine wirklich große Katastrophe anrichten könnt.«

Gloucester lächelte wieder. »Kommt. Ich möchte Euch den Mann vorstellen, der dort mein Steward werden soll.«

Julian fiel auf Anhieb niemand ein, den kennen zu lernen er weniger Neigung verspürte. Er wies mit dem Kinn auf den toten König in seinen Armen. »Ihr müsst verrückt sein, wenn Ihr glaubt, ich lasse ihn hier in seinem Blut liegen.«

Gloucester machte eine auffordernde Geste. »Bitte. Tut, was Ihr für angemessen haltet.«

Julian schob einen Arm unter den Nacken des Toten, einen unter seine Knie. Als er aufstand, spürte er, wie die Wunde an der Schulter wieder aufbrach. Falls er den nächsten Tag noch erlebte, würde er von Doktor Woodroff allerhand zu hören bekommen, nahm er an. Aber Henrys Gewicht in seinen Armen erschien ihm kaum schwerer als das seines Ältesten. Ohne Mühe trug er den Leichnam zum Bett hinüber, legte ihn behutsam ab, streckte die Beine ordentlich nebeneinander aus und faltete ihm die Hände auf der Brust. Sofort tränkte Blut das makellos weiße Kopfkissen, aber trotzdem wirkte der König friedlich und würdevoll. Julian küsste ihm die Stirn. »Ruht in Frieden, Sire. Diese gottlosen Zeiten hätten nie die Euren sein dürfen.«

Gloucester hielt ungeduldig die Tür auf. »Können wir?«

Er führte Julian zurück in den Innenhof und auf einen der vielen Türme zu, die die innere Ringmauer des Tower säumten. Gloucester schlenderte gemächlich einher und schaute zum nächtlichen Himmel auf. Über London hing immer eine undurchdringliche Glocke aus Rauch und Ruß, aber hier, am östlichen Stadtrand und so nah am Fluss war der Schleier aufgerissen und bot einen Blick auf den herrlichen Sternenhimmel.

Julian hatte keinen Sinn dafür. Er war über Henrys Ermordung tiefer erschüttert, als er für möglich gehalten hätte. Er hatte für diesen König nie etwas anderes als Verachtung, Scham, bestenfalls eine ungeduldige Art von Mitleid empfinden können, und er war meistens wütend auf ihn gewesen, weil Henry so ein miserabler Herrscher war und den Yorkisten dadurch in die Hände spielte. Aber er war der König gewesen. Gesalbt, gekrönt, im Stande göttlicher Gnade. Einen König zu ermorden war eine grauenvolle Sünde. Es war ein Vergehen gegen Gott selbst und seinen Plan. Wer seine Hände mit dem Blut eines Königs befleckte, musste alle Hoffnung auf Vergebung fahren lassen. Julian betrachtete den jungen Duke of Gloucester verstohlen aus dem Augenwinkel und fragte sich, welchen armen Teufel er und seine Brüder bestochen oder gezwungen hatten, es zu tun.

Sie betraten den runden Turm durch eine gut geölte Tür und stiegen eine Wendeltreppe hinab. Unten erstreckte sich einer der für den Tower so typischen, niedrigen Gänge, der von Fackeln erhellt war, die in regelmäßigen Abständen in rostigen Wandhaltern steckten.

Der Herzog bedeutete Julian mit einer Geste vorauszugehen. »Die letzte Tür auf der linken Seite.«

»Was soll das werden, Gloucester?«, fragte Julian argwöhnisch. »Wohin gehen wir?«

»Wir besuchen eine Dame«, bekam er zur Antwort. Als sie sich dem Ende des Gangs näherten, war ein gedämpftes Stöhnen zu vernehmen, und der Duke of Gloucester lachte leise vor sich hin. »Hört Ihr? Exeters Tochter entlockt den Männern, die bei ihr liegen, die merkwürdigsten Liebeslaute.«

Julian erstarrte für einen Augenblick. Dann zwang er seine Füße, weiterzugehen, und fragte sich, welchen seiner Freunde oder der wenigen verbliebenen Lancastrianer sie auf die Streckbank gelegt hatten, um ihm abzupressen, was immer sie wissen wollten. Er spürte seine Hände feucht werden, und sein Herzschlag hatte sich beschleunigt.

Als er die Tür öffnete, hörte er das Stöhnen wieder, und dieses Mal erkannte er die Stimme. Er schauderte. Es war Roland.

Nackt lag der junge Stallmeister auf dem Rücken auf einer Bank, die wie eine kniehohe Holzpritsche aussah. Seine Arme waren über dem Kopf ausgestreckt und ebenso wie seine Füße an die Balken am Kopf- und Fußende der Streckbank gefesselt, doch diese Balken waren eben nicht fest. Über einen ausgeklügelten Mechanismus, von dem Julian nur ein Zahnrad und eine Kurbel sehen konnte, ließen sie sich auseinanderbewegen. Und der Mann an der Kurbel war Thomas Devereux. Wie alle Fertigkeiten meisterte er auch diese geschickt mit einer Hand. Mit konzentrierter Miene sah er auf den nackten Leib auf der Folterbank hinab, der bereits so angespannt wie eine Bogensehne wirkte, ließ den Blick weitergleiten zu dem schweißnassen Gesicht und drehte die Kurbel behutsam ein Stück weiter, sodass das Zahnrad in die nächste Raste rutschte.

Roland bleckte die Zähne und keuchte. Sein Gesicht erschien Julian grau, gramgefurcht, alt. Wie lange haben sie ihn schon in der Mangel?, fuhr es Julian durch den Kopf. Und wie sind sie ausgerechnet auf ihn – den unpolitischsten aller Neville – gekommen?

Roland öffnete die Augen einen Spalt breit und entdeckte seinen Onkel, der mit versteinerter Miene auf ihn hinabschaute.

»Was immer sie tun, Mylord ... und egal, wie ich bettle, sagt ihnen nichts«, brachte Roland hervor. Es klang kurzatmig. Die Brust, wusste Julian, konnte sich nicht mehr richtig heben und senken. Er wusste auch, dass die Männer, die auf der Streckbank starben, in der Regel erstickten.

Er bewunderte Rolands Schneid, verspürte zum ersten Mal so etwas wie väterlichen Stolz auf diesen ungebärdigen Hitzkopf, der sich immer so stur geweigert hatte, ein Ritter zu werden, und erkannte in diesem – dem denkbar ungünstigsten – Augenblick, dass er diesen missratenen Bengel genauso liebte wie einst dessen so perfekt gelungenen Bruder Alexander.

»Ich nehme an, Ihr erinnert Euch an Euren Schwager, Waringham?«, sagte Gloucester. »Sir Thomas hat Interesse bekundet, mein Steward in dieser malerischen kentischen Güllegrube zu werden, die Ihr bis vor kurzem den Stammsitz Eures Hauses nennen durftet. Ich finde, das ist eine hervorragende Idee. So bleibt Waringham quasi in der Familie, nicht wahr?«

Julian sah zu Devereux, der aus seiner Häme und Befriedigung keinen Hehl machte. Und warum auch. Die Waringham hatten ihm wahrhaftig übel mitgespielt. Doch bei dem Gedanken, dass dieser *Bauer* über sein Land und die Menschen darin herrschen, in seinem Bett schlafen würde, wurde Julian flau vor Zorn. »Glückwunsch, Devereux. Für Euch macht es sich bezahlt, dass Ihr jahrelang die Drecksarbeit für die Yorkisten getan habt, nicht wahr? So wie hier, zum Beispiel.« Er wies auf Roland hinab und wandte sich zu Gloucester um. »Seid Ihr sicher, dass Ihr noch bei Verstand seid? Bindet ihn los. Dieser Mann ist ein Neville, ein Kronvasall. Und was Ihr hier tut, verstößt gegen jedes Recht.«

Gloucester hob gleichmütig die breiten Soldatenschultern, sah auf den so grausam gestreckten Leib hinab, holte einen Apfel aus dem Beutel am Gürtel, polierte ihn einen Moment an seinem Ärmel und biss dann hinein. »Ansehen und Einfluss der Nevilles haben in letzter Zeit ein wenig gelitten, Sir«, antwortete er kauend. »Ich glaube nicht, dass der König an der Klage dieses Mannes besonders interessiert wäre. Und natürlich liegt es allein in Eurer Hand, ob und wann wir den armen Tropf erlösen. Also?«

Julian schüttelte den Kopf. »Ich kann nicht glauben, dass Ihr es auf meine Kinder abgesehen habt. Wenn Ihr jeden ermorden wollt, der noch einen Tropfen Lancaster-Blut in sich trägt, werdet Ihr verdammt viel zu tun haben.«

Gloucester verzog amüsiert den Mund. »Ich könnte gleich mit Euch und mit Eurem Neffen hier anfangen. Und glaubt lieber nicht, das würde mir den Schlaf rauben.«

»Ich schätze, nichts könnte Euch je den Schlaf rauben.«

Gloucester hörte auf zu lächeln. »Eure Zunge sei so scharf wie Euer Schwert, heißt es. Ich merke, es ist wahr. Was würdet Ihr sagen, wenn sie Euren Neffen heute einen Arm oder ein Bein kosten würde?«

Ohne auf seine Aufforderung zu warten, drehte Devereux an der Kurbel, ein gutes Stück dieses Mal, und Roland schrie. Es knackte abscheulich in seinen Gliedern, und dann rang er quälend um Atem.

Julian brach der Schweiß aus.

»Ich habe nicht das geringste Interesse an Euch und Eurer erbärmlichen Bastardlinie«, eröffnete Gloucester ihm. »Aber was ich gern von Euch wüsste, ist, wo wir den jungen Henry Tudor finden, den ihr Lancastrianer so stur den Earl of Richmond nennt.«

Das war ein unerwarteter Schlag. Aber wie schon zuvor verbarg Julian seinen Schrecken hinter einer Maske höflichen Desinteresses. Er war dankbar, dass er in all den Jahren in Marguerites Diensten so viel Gelegenheit gehabt hatte, sich in dieser Kunst zu üben. »Richmond? Ich habe nicht die geringste Ahnung, wo er ist. Aber wo immer er sein mag, Ihr werdet ihn niemals bekommen, denn jeder Mann in Wales steht zwischen Euch und ihm.«

Gloucester schüttelte seufzend den Kopf. »Falsche Antwort.«

Devereux drehte die Kurbel, und Roland stieß einen so gellenden Schrei aus, dass Julian sich wunderte, woher er die Luft dafür bekam. Wieder knirschte und knackte es in den zum Zerreißen gespannten Sehnen und Knochen. Wie lange werden sie weitermachen?, fragte Julian sich in aufsteigender Panik. Bis das Bein, das Roland sich gebrochen hatte, wieder entzweiriss? Würde der Junge so lange überhaupt noch leben? Sein Gesicht war zu einer schaurigen Fratze verzerrt, er rang wimmernd nach Luft, und er hatte sich nass gemacht. Das passierte jedem auf der Streckbank, wusste Julian. Wenn ein bestimmter Punkt an Schmerz überschritten war, folgte der Körper seinen eigenen Regeln und entzog sich jedem bewussten Befehl.

Dass sie Roland die Würde stahlen, machte Julian wütender als die Schmerzen, die sie ihm zufügten. Der Krieg war nun einmal ein bitteres Geschäft, und Schmerz gehörte ebenso dazu wie Blut und Tod. Aber dass ein Edelmann einem anderen die Würde nahm, war unverzeihlich, war ebensolch ein Beweis für das Auseinanderbrechen der Welt wie der Königsmord.

Devereux legte wieder die Hand an den Griff und beobachtete mit einer Mischung aus Faszination und Abscheu, welche Folgen jetzt selbst die kleinste Bewegung des Balkens hervorrief. Auch Gloucester hielt den Blick unverwandt auf den gequälten, nackten Leib seines Opfers gerichtet, aber sein Interesse war distanzierter, zielgerichtet. Er biss in seinen Apfel. »Nun, Waringham? Habt Ihr mir nicht vielleicht doch etwas zu sagen? Ein klitzekleiner Hinweis wäre schon genug. Ein Ort. Ein Name.« Er sah nicht auf. »Heiliger Georg … gleich reißt der Kerl in der Mitte durch. Stellt Euch die Sauerei vor.«

Er sah die Bewegung aus dem Augenwinkel und reagierte sofort, aber Julian war zu schnell für ihn. Er stahl dem Duke of Gloucester das Schwert aus der Scheide, setzte ihm die Klinge an die Kehle und ritzte ihm die Haut ein, noch ehe Gloucester auch nur die Hände heben konnte.

»Bindet ihn los«, befahl Julian. »Sofort. Ich zähle bis drei, Devereux. Eins …«

Der junge Gloucester sah seinen eigenen Tod in Julians Augen, und er fürchtete sich nicht. Gedanken wirbelten wie Schneeflocken durch Julians Kopf, während er Gloucester und Devereux gleichzeitig im Blick behielt und seine Hand mit größter Mühe hinderte, zuzustoßen. Und der Gedanke, an den er sich später erinnerte, war, dass Richard of Gloucester zu den mutigsten Männern zählte, denen er je begegnet war.

»Zwei …«

»Tut es, Devereux«, bat Gloucester höflich.

Thomas Devereux betätigte einen Hebel, und das Zahnrad löste sich. Es drehte sich einige Male blitzschnell, und die Ketten, die Rolands Leib gestreckt hatten, wurden schlaff. Während Devereux einen Schlüssel zückte und die Hand- und Fußfesseln löste, blieb Roland reglos liegen und rang rasselnd um Atem. Als er spürte, dass er nicht länger gebunden war, drehte er sich langsam auf die Seite, stöhnte, rollte von der Streckbank und erbrach sich.

Julian ließ Gloucester nicht einen Lidschlag aus den Augen. »Und jetzt lasst ihn gehen. Wo sind seine Kleider?«

Devereux schob ein unordentliches Kleiderbündel, das am Boden lag, verächtlich mit dem linken Fuß in Rolands Richtung.

Roland kam langsam auf die Füße. Er schwankte ein wenig, aber er stand vollkommen aufrecht, sah zu Gloucester, dann weiter zu Thomas Devereux. Er spuckte ihm vor die Füße, ging torkelnd einige Schritte nach rechts, wo neben einem steinernen Pfeiler ein Eimer Wasser stand. Mit der Hand schöpfte Roland Wasser, spülte sich den Mund aus, trank, dann schüttete er sich den restlichen Inhalt des Eimers über den Kopf. Erst danach stieg er – tropfnass – in seine Hosen. Die übrigen Kleider hängte er sich über den Arm. »Und was nun, Onkel?«, fragte er. Es klang heiser und zutiefst erschöpft.

»Devereux, Ihr bringt ihn hinaus«, befahl Julian. »Wenn ihr ans äußere Torhaus kommt und Ihr die Wachen fortgeschickt habt, wird er Euch einen Namen nennen. Den … den Namen seines Freundes, der niemals erwachsen wird.« Er tauschte einen kurzen Blick mit Roland und sah, dass sein Neffe ihn verstanden hatte. »Dann kommt Ihr wieder und bringt mir den Namen.«

Rolands Adamsapfel glitt sichtbar auf und ab, als er schluckte. »Aber … aber kommt Ihr nicht mit, Mylord?«

Julian schüttelte den Kopf. Er wusste, dass er und Roland den Tower zusammen niemals lebend verlassen würden. »Geh. Mach dir um mich keine Gedanken. Verschwinde.«

Devereux öffnete die Tür, machte eine ärgerliche, auffordernde Geste, und sie gingen hinaus.

»›Mach dir um mich keine Gedanken‹?«, wiederholte Gloucester und gluckste vergnügt. »Denkt Ihr nicht, das war ein bisschen zu optimistisch? Was, glaubt Ihr, wird der König mit Euch tun, wenn er hört, dass Ihr seinen Bruder mit der Waffe bedroht habt? Und sein Blut vergossen, wie mir das warme Rinnsal auf meinem Hals verrät. Wird er Euch nur ausweiden lassen oder auch vierteilen, was meint Ihr, hm?«

»Vielleicht sollte ich Euch erschlagen, damit es den Preis wenigstens wert ist.«

Gloucesters dunkle Augen sahen unverwandt in seine. »Ihr würdet es furchtbar gern tun, nicht wahr? Es hat eben wirklich nicht viel gefehlt.«

Julian deutete ein Nicken an. »Ich habe nichts mehr zu verlieren, und ich würde England einen letzten Dienst erweisen, wenn ich es täte.«

»Darf ich in meinen Apfel beißen, während Ihr mit Euch ringt, Sir?«

»Eure Hände bleiben, wo sie sind.«

Es dauerte nicht lange, bis Thomas Devereux zurückkam. Er trat über die Schwelle, sah erst Gloucester an, dann Julian und sagte: »Melvin.« Es klang unwillig. Er verabscheute die Botenrolle, in die Julian ihn gezwungen hatte.

Julian atmete tief aus, trat einen Schritt zurück und gab Gloucester sein Schwert zurück.

»Warum habt Ihr's nicht getan?«, fragte der junge Herzog neugierig.

»Weil meine Söhne früher oder später dafür hätten büßen müssen.«

»Ach ja. Ich entsinne mich. Die Söhne sind Geiseln der Taten ihrer Väter, war's nicht so oder so ähnlich?«

Julian nickte. Er hatte einen Geschmack im Mund, als hätte er auf einem Penny gelutscht.

Devereux schloss die Tür und schob den Riegel vor.

Gloucester steckte sein Schwert ein. »Bleibt immer noch die offene Frage über den Verbleib des Tudor-Lümmels.«

Julian schüttelte den Kopf. »Ich weiß nicht, wo Richmond ist. Selbst wenn ich gefragt hätte, hätte Jasper Tudor mir vermutlich nicht gesagt, wo er ihn hinbringt. Er ist ein sehr argwöhnischer Mann. Darum lebt er noch.«

»Hm, das klingt vollkommen plausibel. Aber es geht seit Jahren ein Gerücht, dass es einen geheimen Nachrichtenaustausch zwischen den Lancastrianern in England und in Wales gibt und dass Ihr und Eure Schwester – oder sollte ich Lady Devereux sagen? – dieses wundersame Nachrichtennetz gesponnen habt. Darum wollen wir ganz sichergehen, ob Ihr nicht vielleicht doch mehr wisst, als Ihr uns weismacht, ja?« Er machte eine einladende Geste. »Seht nur, Waringham. Exeters Tochter ist eine Hure, wie Eure Schwester und Eure Gemahlin. Immer begierig auf ihren nächsten Liebhaber.«

Pembroke, Juni 1471

»*Ich?*«, fragte Richmond und wich unwillkürlich einen Schritt zurück. »Aber … aber wieso ausgerechnet ich?«

»Weil du jetzt der Nächste in der Erbfolge bist«, erwiderte sein Onkel Jasper mit einem Achselzucken, das zu sagen schien: Stell dich nicht dümmer, als du bist, Bengel.

Blanche saß auf einem sonnenwarmen Findling und klopfte einladend neben sich. »Setz dich, dann erkläre ich es dir«, forderte sie den schlaksigen jungen Mann auf, dessen angstvoll geweitete Augen sie plötzlich daran erinnerten, dass er noch keine fünfzehn Jahre alt war. Man vergaß das leicht, weil er so ernst und so wenig jungenhaft war.

Mit einem unsicheren Blick auf seinen Onkel folgte Richmond ihrer Aufforderung, legte die Hände auf die Knie und wandte ihr das Gesicht zu. »Aber ich kann keinen Anspruch auf die englische Krone haben«, stieß er hervor, als wolle er ihren

Argumenten zuvorkommen. »Mein Vater mag König Henrys Halbbruder gewesen sein, aber deswegen entstammt er doch keiner englischen Königsdynastie.«

Blanche schüttelte den Kopf. »Es hat nichts mit deinem Vater zu tun, sondern mit deiner Mutter. Aber lass uns mit dem Anfang der Lancaster beginnen, dann ist es einfacher zu begreifen. Der erste Lancaster-König, Henry – der vierte König dieses Namens auf Englands Thron – hatte vier Söhne. Aber nur der älteste, König Harry, brachte seinerseits einen Erben hervor.«

Richmond nickte. »Meinen Onkel, König Henry, den die Yorkisten nun im Tower ermordet haben.«

»So ist es. Und sein Sohn wiederum wurde bei Tewkesbury erschlagen.«

Jasper wandte ihnen den Rücken zu und trat ohne Eile ans Ufer des Flüsschens, wo sie rasteten. Er war noch so erschüttert über die Ermordung seines Bruders und Neffen, dass er unfähig schien, jemanden davon sprechen zu hören, ohne wenigstens ein paar Schritte auf Distanz zu gehen. Blanche war überzeugt, dass er sich dessen gar nicht bewusst war.

»Damit, fürchte ich, ist die Hauptlinie der Lancaster erloschen«, fuhr sie fort. »Doch zum Glück hatte der erste Lancaster-König, von dem wir eben sprachen, noch Geschwister: Die Jüngste war seine Schwester, Lady Joan Beaufort, deren Nachkommen die zahlreichen und fruchtbaren Nevilles sind. Der jüngste Bruder war der Duke of Exeter, und er starb kinderlos. Der nächste Bruder war der Kardinal – mein Großvater. Und dann gab es noch den ältesten Bruder, John. Er war der Earl of Somerset und der Großvater deiner Mutter. Da die Hauptlinie der Lancaster erloschen ist, geht der Anspruch nun auf den ältesten männlichen Nachkommen dieses John of Somerset über. Und weil all seine anderen männlichen Nachkommen in den Schlachten der letzten fünfzehn Jahre gefallen sind oder hingerichtet wurden, bist nur noch du übrig, Richmond. Ich weiß, dass der Gedanke dich erschreckt und dir absurd erscheint. Aber es ist eine Tatsache: Du bist jetzt der rechtmäßige Erbe des englischen Throns.«

Der Junge schwieg. Er sah auf seine Hände hinab, die immer noch lose auf den Knien lagen, rührte sich nicht und sagte kein Wort. Blanche wusste, er war erschüttert. Es waren ja auch weiß Gott erschütternde Neuigkeiten. Für einen walisischen Waisenjungen, der den Großteil seines Lebens als schlecht gelittene Geisel in den Klauen eines unbarmherzigen Feindes verbracht hatte, wo niemand ihm beigebracht hatte, wer genau er eigentlich war, galt das natürlich in besonderem Maße. Wir müssen ihm Zeit lassen, schärfte sie sich ein. Er muss sich damit vertraut machen.

Schließlich stand Richmond auf und trat vor seinen Onkel. »Das könnt ihr euch aus dem Kopf schlagen!«, erklärte er wütend.

Jasper betrachtete ihn aufmerksam und nickte schließlich. »Es liegt allein bei dir. Niemand kann dich zwingen, deinen Anspruch geltend zu machen. Zumal du das auf dem Schlachtfeld gegen die Yorkisten tun müsstest.«

Richmond stieß hörbar die Luft aus. »Aber ich bin doch *Waliser*. Ich habe überhaupt nicht das Gefühl, dass dieser endlose Krieg um die englische Krone mich etwas angeht.«

»Und doch hat er deinen Vater und deinen Großvater das Leben gekostet, dieser Krieg«, erinnerte Jasper ihn. »Bedauerlicherweise haben wir selber oft nur wenig Einfluss darauf, ob ein Krieg uns etwas angeht oder nicht.«

»Du darfst nicht denken, sie wären mir gleichgültig. Mein Vater, mein Großvater, mein armer Onkel Henry oder mein Cousin Edouard.«

»So etwas würde ich nie von dir denken«, entgegnete Jasper kopfschüttelnd. »Ich weiß, dass sie dir nicht gleichgültig sind. Das musst du weder mir noch dir selbst beweisen, indem du die Bürde dieses Thronanspruchs auf dich nimmst, denn das wäre der falsche Grund.«

Richmond nickte unglücklich. Es war eine Weile still. Nur das Plätschern des Bachs und das Zirpen der Grillen im Ufergras waren zu hören. Schließlich murmelte der Junge: »Meine Mutter sagt, wir können nicht wählen, in welche Rolle wir geboren werden oder an welchen Platz Gott uns stellt. Wir hätten indes einen freien Willen, um zu entscheiden, was wir damit anfangen. Ob wir Gottes Werkzeug sein wollen, uns seinem Willen unterwerfen oder nicht.«

»Sie hat wie immer Recht«, bemerkte Jasper, auch wenn die Erkenntnis ihm wenig Freude zu bereiten schien.

»Hat sie es gesagt, weil sie geahnt hat, vor welche Wahl ich mich gestellt finden würde?«

»Ich finde es immer schwierig, zu erraten, welche Absichten deine Mutter verfolgt mit den Dingen, die sie sagt.«

»Unsinn«, warf Blanche ein. »Wie hätte sie das ahnen können? Und mit Verlaub, Gentlemen, bevor Richmond entscheiden kann, was sein Wille oder Gottes Wille ist, sollten wir ihn erst einmal in Sicherheit bringen. Wir rasten hier schon zu lange.«

Jasper und Richmond nickten. Sie wickelten ihren restlichen Proviant – dunkles Brot, eine halbe Zwiebel und ein Stück Wurst – in Leinenbeutel und verstauten sie in den Satteltaschen, während Blanche das kleine Feuer löschte. Dann brachen sie auf.

Die Nachricht von der vernichtenden Niederlage bei Tewkesbury, von Edouards und König Henrys Tod hatte sie in Chepstow erreicht. Dort hatten sie auf Marguerites Boten gewartet. Stattdessen war ein yorkistischer Marcher Lord gekommen – Sir Roger Vaughan –, den König Edward geschickt hatte, um die Tudors gefangen zu nehmen. Aber Jasper und seine Männer hatten den Marcher Lord in einen Hinterhalt gelockt. Roger Vaughan hatte zu denen gezählt, die nach der Schlacht von Mortimer's Cross die Hinrichtung des alten Owen Tudor beschlossen hatten. Jasper hatte ihm die Hände gefesselt und die Augen verbunden, ihn auf die Knie gezwungen, eine geschlagene Viertelstunde winseln lassen und ihm dann den Kopf abgeschlagen, ohne ihn zuvor beichten zu lassen. Es war eine bittere Rache gewesen, die seinen Schmerz nicht gelindert hatte, wusste Blanche.

Von Chepstow aus hatte Jasper Meilyr mit den Frauen und

Kindern nach Penmynydd geschickt, um sie später nachzuholen, sobald er wusste, ob ihre Flucht glückte und wohin sie führen würde. Nur Madog und Rhys wollte er mitnehmen und hatte auch Blanche gebeten, in Penmynydd zu warten.

Stattdessen hatte sie sehr schweren Herzens Abschied von ihren Kindern genommen, um Jasper und seinen Neffen auf ihrer Flucht ins Ungewisse zu begleiten. Sie hatte ein schlechtes Gewissen deswegen. Rabenmutter, raunte eine missfällige Stimme in ihrem Kopf, die sie in unheimlicher Weise an Thomas Devereux erinnerte. Es waren ungewisse, düstere Zeiten. Lancaster war besiegt. Niemand konnte ahnen, ob ihre und Jaspers Kinder nicht in Gefahr gerieten, sollten die Yorkisten sich je an den Stammsitz der Tudors auf Anglesey erinnern. Aber Blanche konnte nicht anders. Sie wusste, dass dies etwas war, das sie tun musste. Sie war keineswegs sicher, woher sie das wusste. Vermutlich aus einem der obskuren Träume, die sie manchmal heimsuchten, die ihr zeigten, was kommen würde, nur um sich ihr beim Aufwachen wieder zu entziehen, sodass sie mit nichts als Ahnungen dastand und ein paar halb verschütteten, zusammenhanglosen Bildern.

Jasper hatte nicht versucht, sie umzustimmen. Ihre Entscheidung gefiel ihm nicht, aber er hatte sie respektiert, wie er vom ersten Tag an jeden von Blanches Entschlüssen respektiert und sie immer so genommen hatte, wie sie war.

Meist schweigend ritten sie durch den Wald, der sich östlich von Pembroke Castle über die Hügel zog. Sie alle kannten in diesem Forst jeden Baum und Stein, Jasper und Madog aus den langen Jahren, da Jasper als Earl über Pembrokeshire geherrscht hatte, Richmond und Rhys aus der Zeit, die der Junge als Geisel in Black Will Herberts Haushalt auf dieser Burg gelebt hatte, und Blanche, weil sie sowohl die guten als auch die schlechten Tage in Pembroke mit beiden geteilt hatte. Als sie auf einer Hügelkuppe zu einer Lichtung kamen, hielten sie an, da sie wussten, dass man von hier den ersten Blick auf Pembroke Castle erhaschen konnte.

»Seht nur ausgiebig hin«, brach Jasper schließlich die Stille. »Dieser Blick ist alles, was uns auf lange Sicht von Pembroke vergönnt sein wird. Uns ergeht es wie Moses mit dem Gelobten Land: Wir dürfen es nur anschauen, aber nicht betreten.«

König Edward wusste natürlich, dass Jasper Tudor und seine loyale Anhängerschaft in Pembrokeshire die größte Gefahr für Yorks Macht in Wales darstellten, und weil er ein kluger Stratege war, hatte er noch am Tag der Schlacht von Tewkesbury Besatzungstruppen nach Pembroke Castle entsandt.

Somit befanden sie sich hier in der Höhle des Löwen. Aber ihnen war nichts anderes übrig geblieben, als das Risiko einzugehen, denn die *Red Rose* lag in dem kleinen Schmugglerhafen nahe der Burg versteckt, und um den Erben des Hauses Lancaster in Sicherheit zu bringen, brauchten sie ein Schiff.

»Madog«, sagte Jasper leise. »Reite hinunter und stell fest, ob die *Rose* noch da ist.«

»Ich geh«, erbot sich Rhys. »Wenn hier plötzlich eine Patrouille auftaucht, braucht ihr Madog dringender als mich.«

Jasper sah ihn verwundert an – Selbstironie war er von seinem mürrischen Bruder nicht gewohnt –, aber nach kurzem Zögern willigte er ein. »Wir warten an der Furt südlich der Köhlerei, wo die dicken runden Steine im Wasser liegen. Kennst du die Stelle?«

Rhys nickte und wendete sein Pferd.

Die anderen ritten weiter, bis sie erneut auf einen schmalen, eiligen Fluss stießen, dessen Verlauf sie im Schutz des Waldes folgten. Sie sahen und hörten keine anderen Reiter; der Sommernachmittag war friedlich, erfüllt vom trägen Summen der Bienen und dann und wann dem Ruf eines Vogels. Trotzdem schärfte Jasper ihnen ein, sich still zu verhalten und wachsam zu sein.

Bald stieg ihnen der bittere Brandgeruch der Kohlenmeiler in die Nase, und wenig später kamen sie an die Furt. Jasper und Madog postierten ihre Pferde Schweif an Schweif und ließen die Blicke über den Wald dies- und jenseits des Flüsschens gleiten. Richmond saß ab und hob den rechten Vorderhuf seines

Waringham-Rosses an. »Er verliert ein Eisen«, berichtete er gedämpft.

»Großartig ...«, knurrte sein Onkel.

»Lass sehen.« Blanche glitt ebenfalls zu Boden und betrachtete den Huf mit geübtem Kennerblick. »Du hast Recht«, sagte sie besorgt. »Lass uns beten, dass das Schiff noch unentdeckt im Hafen liegt. Mit diesem Huf kannst du nicht mehr weit reiten.«

Jasper dachte einen Moment nach. Dann wies er auf die Bäume zur Rechten. »Blanche, bring den Gaul hundert Schritte weit in den Wald und binde ihn irgendwo an, wo die Köhler ihn finden. Richmond, du nimmst Blanches Pferd, sie sitzt hinter mir auf.«

»Du willst ein Pferd, das *dreihundert* Pfund wert ist, einfach so hier im Wald zurücklassen, weil es ein loses Eisen hat?«, fragte sein Neffe ungläubig.

»Tu, was ich sage, und widersprich mir nicht«, entgegnete sein Onkel, leise, aber unverkennbar scharf.

Richmond zögerte einen Moment, hatte offenbar eine hitzige Erwiderung auf der Zunge. Aber er beherrschte sich. Bedauernd klopfte er dem wundervollen Tier den Hals und drückte Blanche dann die Zügel in die Hand.

Sie strich dem Rappen mit der hübschen schmalen Blesse über die Nüstern, und er folgte ihr willig zurück in den Wald. Sie konzentrierte sich darauf, sich ihren Weg einzuprägen, denn in diesem dichten Gehölz, wo selbst mittags Dämmerung zu herrschen schien, konnte man sich innerhalb von zehn Schritten verirren. Als sie in einer Baumlücke vor sich eine dünne Rauchfahne aufsteigen sah, hielt sie an, legte dem Pferd von unten den Arm um den Hals, zog den edlen Kopf zu sich herunter und berührte die Stirn mit der ihren. Dann befestigte sie die Zügel, sodass der junge Hengst nicht darüber stolpern konnte, trat zurück und versetzte ihm einen Klaps. Folgsam trottete er Richtung Köhlerei davon. Fast augenblicklich verschmolz das dunkle Fell mit den Schatten.

Als Blanche sich umwandte, hörte sie Waffenklirren.

Sie rannte los, war sich vage bewusst, dass sie erschrocken, aber keineswegs überrascht war, und sobald sie sich der Furt näherte, verlangsamte sie ihre Schritte und senkte den Kopf, damit die Helligkeit ihrer Gesichtshaut keine unwillkommene Aufmerksamkeit erregte. Dann spähte sie angstvoll zwischen dem dicht belaubten Unterholz zum Ufer hinüber.

Rhys war zurückgekehrt, und wie es aussah, hatte dieser Unglücksrabe die Yorkisten geradewegs zu ihnen geführt. Eine Patrouille von einem Dutzend Reitern hatte Jasper, Madog, Rhys und Richmond umringt. Vier von ihnen lagen erschlagen im langen Ufergras oder im Wasser, aber mehr hatten Jasper und Madog nicht ausrichten können, ehe sie überwältigt und entwaffnet wurden. Genau wie Rhys und Richmond standen sie nun mit gebundenen Händen vor ihren Häschern, anscheinend unverletzt, mit grimmigen, bleichen Gesichtern.

Der Anführer der Yorkisten war abgesessen, schritt gemächlich an den vier Gefangenen entlang und blieb schließlich vor Richmond stehen. »Henry Tudor«, grüßte er mit einem zufriedenen Lächeln in der Stimme. »Du ahnst ja nicht, wie ich mich freue, dich wiederzusehen.«

»Ich hoffe, du vergibst mir, wenn ich nicht das Gleiche behaupte«, entgegnete Richmond bissig.

Der Yorkist lachte leise, legte ihm scheinbar freundschaftlich die Linke auf die Schulter, ehe er ihm die Rechte in den Magen rammte.

Ohne einen Laut, verblüffend langsam sank Richmond auf die Knie und fiel zur Seite, wo er reglos liegen blieb, starr in die Baumkronen hinaufsah und offenbar geduldig darauf wartete, dass Luft in seine Lungen zurückkehrte.

»Setzt ihn und die anderen auf ihre Gäule und fesselt sie an die Steigbügel«, befahl der Yorkist, und als er sich umwandte, fiel ein Sonnenstrahl auf sein Gesicht.

Es war Malachy Devereux.

»Die Yorkisten haben den Earl of Oxford und Erzbischof Neville auf der Flucht nach Frankreich geschnappt und in Calais eingesperrt«, berichtete Lucas, als er eintrat.

»Schsch«, mahnte Mortimer gedämpft. »Ich schätze, dass er gleich aufwacht. Und das Letzte, was ihm fehlt, sind schlechte Neuigkeiten, Sir Lucas.«

»Da hast du vermutlich Recht. Aber derzeit gibt es leider nie andere.«

Tatsächlich war Julian schon eine ganze Weile wach. Aber noch hielt er die Augen geschlossen und rührte sich nicht. Er zögerte es immer so lange wie möglich hinaus, in die Wirklichkeit zurückzukehren, denn sie war ihm unerträglich.

Seine Träume waren allerdings kaum besser. Und sie wiederholten sich mit qualvoller Regelmäßigkeit: Prinz Edouard, der in seiner blanken Rüstung niedergemetzelt wurde. Marguerite, die trommelnd und kreischend am Boden lag und ihn einen Mörder nannte. Ned Beauforts rollender Kopf. Der alte König Henry in einer Blutlache vor dem Altar. Und schließlich Gloucester, Devereux und Exeters Tochter.

Gnädigerweise hatte Julian nur bruchstückhafte Erinnerungen daran. Gloucester hatte noch einen Apfel verspeist, daran entsann er sich. Und Devereux hatte irgendwann die Nerven verloren und gedrängt: *Lasst uns aufhören, eh er uns wie eine abgestochene Sau verblutet, Euer Gnaden.* Julian hatte nicht verstanden, was er meinte. Inzwischen war ihm klar, dass es die aufgebrochene Schulterwunde gewesen sein musste, die seinen Schwager in so grotesker Weise reagieren ließ. In dem Moment hatte Julian sie kaum gespürt – zu überwältigt von der Atemnot und dem kreischenden Protest, den Arme, Schultern, Brustkorb, Bauch und vor allem seine Beine aussandten. Aber die Erinnerung an den Schmerz war vage und barg keinen Schrecken. Manchmal kam es ihm vor, als habe ein anderer diesen Schmerz erlitten. Und er wusste, dass er weder *Chepstow* noch *Pembroke* noch *Red Rose* gesagt hatte. Dieser kleine Sieg, so bedeutungslos er vermutlich auch war, machte ihn ein bisschen stolz. Alles andere, was ihn je mit Stolz erfüllt hatte – sei es zu Recht oder zu Unrecht – hatten die Yorkisten ihm genommen, darum war er dankbar für diesen kleinen Triumph. Julian war bescheiden geworden.

»Was gibt es sonst Neues?«, fragte Mortimer leise.

»Nicht viel«, musste Lucas einräumen. »Die Sieger raufen um ihre Beute. Edward will Warwicks märchenhaftes Vermögen zu gleichen Teilen an seine Brüder geben: Clarence die Ländereien im Süden, Gloucester die im Norden. Aber sie fühlen sich beide ungerecht behandelt, scheint es.«

Mortimer schnaubte angewidert. »Sie können sich beide nicht beklagen. Gloucester hat doch zusätzlich noch halb Wales bekommen und Waringham obendrein. Und was Clarence betrifft: Wäre er *mein* Bruder, hätte ich ihn hier irgendwo in ein Verlies gesperrt und den Schlüssel in die Themse geworfen. Ich finde, er hat seinen Bruder und König einmal zu oft verraten.«

»Hm«, machte Lucas zustimmend. »Aber König Edward wird in dieser Beziehung niemals klüger und vergibt ihm immer wieder. Es ist geradezu rührend.« Julian hörte ihn näher kommen. Gleich neben seinem Lager verstummten die Schritte, und dann murmelte Lucas: »Wenn du wüsstest, wie du aussiehst, Waringham. Aber falls du glaubst, ich lasse zu, dass du dich hier zu Tode grämst, dann irrst du dich …«

»Wie so oft«, entgegnete Julian mit geschlossenen Augen. »Die Auflistung meiner folgenschweren Irrtümer würde Bücher füllen.«

»Mylord!«, rief Mortimer aus. »Ihr seid aufgewacht.«

»Wahrscheinlich schon vor Stunden«, mutmaßte Lucas. »Er belauscht uns heimlich, um sich auf unsere Kosten die Zeit zu vertreiben.«

»Leider eine höchst unzureichende Zerstreuung, wie alles im Tower.« Julian öffnete die Lider und setzte sich langsam auf. Alles, was er tat, musste er derzeit langsam tun. Er hatte so viel Blut verloren, dass ihm von der kleinsten Anstrengung schwarz vor Augen wurde. Aber wie Lucas ihm regelmäßig versicherte: Es hätte schlimmer kommen können.

Julian wusste, sein Ritter hatte Recht. Es hatte einen Moment gegeben dort unten in dem schaurigen Kellerloch, wo Exeters Tochter residierte, da Gloucester ihm gedroht hatte, zwei Wachen mit Knüppeln auf ihn loszulassen, die ihm die zum Zerreißen gespannten Glieder zerschmetterten. Julian hatte gehört, dass das üblich war, wenn die Streckbank allein nicht zu den gewünschten Ergebnissen führte. Und er war überzeugt gewesen, Gloucester werde seine Drohung wahr und einen Krüppel aus ihm machen. Aber irgendetwas hatte den grausamen jungen Herzog davon abgehalten – womöglich die Furcht vor dem Zorn seines königlichen Bruders.

Julian war geschwächt, aber das würde vergehen. Er war im Tower gefangen, aber in einem hellen, geräumigen Quartier unter dem Dach des Wakefield Tower, nicht länger in einem grausigen Kellerverlies – es hätte in der Tat schlimmer kommen können.

»Hier.« Lucas stellte einen ausladenden Weidenkorb auf den Tisch und breitete aus, was er mitgebracht hatte. »Wachteln, Schweinebauch, Erbsenpüree, Kalbsnieren, Hühnersuppe, Weißbrot, Erdbeeren«, zählte er auf. »Und das Beste von allem: Ein Krug burgundischer Rotwein. Ein *großer* Krug. Mit den besten Empfehlungen deiner ehemaligen Dienstmagd Anabelle, jetzt bekannt als die hochgeachtete Mistress Newton.«

Mortimer trat an den Tisch und schnupperte genießerisch. »Hm. Wir speisen feiner als der König, möcht ich wetten.«

Julian stand auf, folgte seinem Ritter und Knappen an den Tisch, setzte sich und nahm den Becher, den Mortimer ihm einschenkte. Dann sah er auf die reich gedeckte Tafel hinab. Anabelle musste ein Vermögen für dieses Festmahl ausgegeben haben, ganz zu schweigen von der stundenlangen Arbeit, die sie sich damit gemacht hatte. Obwohl Julian seinen Unterhalt im Tower doch mühelos selbst hätte bestreiten können, hatte er bislang keine Gelegenheit dazu bekommen. Anabelle war nicht die Einzige, die ihm und seinen beiden Gefährten Wein und

Speisen schickte. Seine Pächter und Nachbarn aus Farringdon und ein paar mutige lancastrianische Londoner Kaufherren oder Ritter sandten ebenfalls gute Gaben. Das beschämte Julian ein wenig, aber er wusste, sie alle meinten es gut. Sie wollten ihn wissen lassen, dass er nicht ganz allein und vergessen war. Und das wusste er zu schätzen.

»Anabelle lässt außerdem ausrichten, dass sie einen sicheren Platz für deine Frau und deine Kinder wüsste«, berichtete Lucas, füllte sich einen Teller und begann, das gute Essen in sich hineinzuschaufeln.

»Sie ist wahrhaftig eine treue Seele«, sagte Julian. »Aber da wir nicht wissen, wo Janet und die Kinder sind, können wir das Angebot kaum weiterleiten, nicht wahr?«

Lucas nickte.

»Lady Janet würde eher unter einer Brücke schlafen, als Anabelles Hilfe anzunehmen«, bemerkte Mortimer unerwartet. Es hörte nie auf, Julian zu verwundern, was dieser Junge alles sah, hörte und spürte, obwohl er doch meistens zerstreut wirkte, so als sei er in Gedanken noch bei dem Buch, das er zuletzt gelesen hatte.

»Da hast du wohl Recht«, stimmte Lucas grinsend zu. Dann wies er Julian an: »Iss.«

Es war halb eine Bitte, halb ein Befehl. Julian ahnte, dass seine anhaltende Lethargie die Geduld seines Freundes auf eine harte Probe stellte. Vermutlich fand Lucas es unritterlich, sich kampflos der Schwermut zu überlassen, aber das sagte er nicht, und er vergriff sich niemals im Ton.

Julian nahm sich von den Nieren und dem Püree und begann zu essen, um seinen guten Willen unter Beweis zu stellen. »Herrje …«, murmelte er kopfschüttelnd. »Wann habe ich zuletzt etwas so Köstliches gegessen?« Ohne es zu merken, aß er schneller, und als Mortimer ihm ein zweites Mal auffüllte, aß er gedankenverloren weiter.

Mortimer und Lucas wechselten ein verstohlenes Grinsen. Sie hatten sich über seinen ausdrücklichen Befehl hinweggesetzt und beschlossen, bei ihm im Tower zu bleiben, was bedeutete, dass sie seine Gefangenschaft von ungewisser Dauer teilten. König Edward hatte sich trotz all der wichtigen Regierungsgeschäfte, die er jetzt wieder zu führen hatte, die Zeit genommen, die Regeln für Julians Verbleib im Tower genauestens festzulegen: Er sollte nicht in Ketten gelegt und seinem Stand gemäß und höflich behandelt werden, aber ohne ausdrückliche Erlaubnis des Königs durfte er niemanden sehen und sprechen außer den Wachen. Wer von seinem Gefolge darauf bestand, ihn aufzusuchen, musste bleiben. Offenbar fürchtete Edward, die verbliebenen Lancastrianer im Untergrund würden Julians Flucht planen, wenn sie Kontakt zu ihm aufnehmen könnten.

Obwohl sie wussten, was es bedeutete, waren Mortimer und Lucas wieder zu ihm gekommen, um ihm die Zeit zu vertreiben, seine Stellung zu wahren und ein Auge auf ihn zu haben. Es war ein gewaltiges Opfer, das sie für ihn erbracht hatten. Das galt insbesondere für Lucas, der seine Frau und seinen Sohn auf lange Zeit nicht wiedersehen würde und der darüber hinaus einen beinah kindlichen, abergläubischen Schrecken vor dem Tower of London empfand. Julian plagte ein schlechtes Gewissen, aber er hatte weder Lucas noch seinem Knappen Vorwürfe gemacht. Ihre Treue und Ergebenheit waren ihm ein echter Trost – von ihrer Gesellschaft ganz zu schweigen –, und er zeigte sich erkenntlich, indem er sich duldsam und gut aufgelegt gab und sich bemühte, sie das Ausmaß seiner Düsternis nicht sehen zu lassen.

»Woher weißt du, dass Oxford und der Erzbischof in Gefangenschaft sind?«, fragte er Lucas.

»Die Wachen sprachen darüber. Und Anabelle hatte es auch schon gehört. Na ja, du weißt ja, wie Nachrichten sich in London verbreiten. Aber sie hat nicht viel darüber gesagt – sie wollte so schnell wie möglich wieder verschwinden. Die Wachen machen ihr Angst, schätze ich. Sie haben den Korb durchsucht, als wär der Heilige Gral darin verborgen, und haben ihr mit finsteren Blicken geraten, keine Waffen oder Briefe reinzuschmuggeln. So was macht ihnen Spaß.«

»Hast du irgendetwas über Oxfords Frau gehört?«, wollte Julian wissen.

»Oxfords Frau?«, wiederholte Lucas verblüfft. »Was soll mit ihr sein?«

»Sie ist Margaret Neville, Lucas. Warwicks Schwester. Und nun ist ihr Mann in Gefangenschaft und enteignet. Ich schätze, sie braucht dringend Hilfe.«

»Lady Megan wird sich ihrer annehmen«, sagte Mortimer zuversichtlich. »Und König Edward wird sie gewähren lassen, da bin ich sicher, denn er schätzt sie sehr.«

»Woher weißt du das?«, fragte Lucas erstaunt.

»Von Richmond. Seine Mutter kümmert sich seit zehn Jahren um die Witwen und die Kinder gefallener oder hingerichteter Lancastrianer. Ich nehme nicht an, dass sie jetzt damit aufhört, oder?«

»Ihre Lage ist auch nicht gerade einfacher geworden«, gab Julian zu bedenken. »Ausgerechnet ihr Sohn ist jetzt der lancastrianische Thronanwärter. Ich bete, dass die Yorkisten nicht zur Abwechslung jetzt Megan als Geisel nehmen.«

»Nie im Leben.« Lucas winkte ab. »Jeder, der Hand an diese Frau legt, müsste befürchten, dass Gott Blitze auf ihn herniederschleudert. Jedenfalls ist es das, was alle glauben. Die Yorkisten werden sie in Ruhe lassen. Wenn du für jemanden beten willst, dann für ihren Jungen. Ich hoffe, Jasper hat ihn rechtzeitig aus Wales herausgeschafft.«

Julian nickte und sagte nichts, aber ihn plagten Zweifel. Wann immer er an seine Schwester und an Richmond dachte, wurde sein Herz bleischwer, und etwas wie glimmende Kohlen lag in seinem Bauch. Er stand auf, trat mit dem Weinbecher in der Hand an das schmale Fenster und schaute auf den vorgebauten St. Thomas Tower hinab.

»Kein schöner Anblick, was?«, sagte Lucas in seinem Rücken. »Ganz gleich, wohin man hier schaut, man sieht nichts als Mauern, Türme und Gräben. Ich schätze, hier kommt keiner raus, den sie nicht laufen lassen.«

Mortimer zeigte unfein mit dem Finger auf Julian. »Sein Großvater und sein Onkel sind mal aus dem Tower geflohen.«

Lucas fiel aus allen Wolken. »Ist das wahr? Wie?«

Der Knappe hob die Schultern. »Keine Ahnung.«

»Julian?«, fragte Lucas.

»Durch einen geheimen Tunnel und eine winzige Ausfall-
pforte in der äußeren Ringmauer«, antwortete Julian, ohne sich
zu ihnen umzuwenden.

»Da hol mich doch der Teufel«, murmelte Lucas. »Wie
kommt es, dass nicht jeder Londoner von dieser Pforte und dem
Tunnel weiß?«

»Ich glaube, sie sind eigentlich ein Geheimnis der königlichen Familie.«

»Nun, du hast keine Veranlassung, die Geheimnisse der derzeitigen königlichen Familie zu schützen, nicht wahr?«

»Da hast du verdammt Recht«, stimmte Julian zu, wandte
den Kopf und zeigte zumindest ein mattes Lächeln. »Aber
davon abgesehen, ist es durchaus möglich, dass der Gang längst
eingestürzt und die Pforte zugemauert ist. Das ist ja alles Ewigkeiten her.«

»Und weißt du, wo der Eingang zu diesem Tunnel war oder
ist?«

»Im Keller des White Tower.«

Lucas seufzte. »Tja. Zu dumm. Trotzdem. Wir haben todsicher bessere Chancen, in den Keller des White Tower zu kommen, als über zwei Mauern und einen Graben.«

Julian war anderer Ansicht, aber das sagte er nicht.

»Bevor wir uns mit wilden Fluchtplänen befassen, sollten
wir überlegen, wo wir überhaupt hinkönnen«, warf Mortimer
ein.

Lucas zog verwundert die Augenbrauen hoch und fuhr
dem Knappen unsanft über den Schopf. »Hör sich das einer an.
Unser stiller Mortimer wird plötzlich ein Flegel und mischt
sich in die Unterhaltung erwachsener Männer. Das erleichtert
mich, Bübchen, ehrlich.«

Grinsend bog der Knappe den Kopf weg. »Ich hoffe, Ihr
könnt mir verzeihen, Sir Lucas. Und zugeben, dass ich Recht
habe.«

»Du hast absolut Unrecht«, teilte Lucas ihm freundschaftlich mit. »Ein zahmes Vögelchen bleibt vielleicht lieber im Käfig, als es ohne ein sicheres Plätzchen draußen in der rauen Welt zu versuchen, aber bei Männern ist das anders.« Er wandte sich an Julian. »Oder?«

Julian nickte. Dennoch war Mortimers Einwand durchaus berechtigt, wusste er. Wenn sie flohen – immer vorausgesetzt, dass es ihm gelang, dieses viel gerühmte Kunststück seines Großvaters zu wiederholen –, würden die Yorkisten sie jagen. Gnadenlos. Sie würden jeden bestrafen, der ihnen Unterschlupf bot, und sie würden die Flüchtlinge büßen lassen, sollten sie diese wieder einfangen.

»Wie wär's, wenn ihr eine Partie Schach spielt, Gentlemen«, schlug er vor.

»Wozu?«, fragte Lucas argwöhnisch. Er hatte nicht viel mehr für das Schachspiel übrig als Julian.

»Es hätte zur Folge, dass du mal für eine halbe Stunde den Mund hältst, und ich könnte in Ruhe ein bisschen nachdenken.«

Aber er kam nicht dazu. Kaum hatte Mortimer Lucas den ersten Bauern abgenommen, öffnete sich die Tür, und eine Wache steckte den behelmten Kopf hindurch. »Mitkommen, Waringham.«

Julian stand auf, fragte aber: »Wohin?«

»Ihr habt Besuch.«

»Tatsächlich? Und ich dachte, der König hätte das ausdrücklich verboten.«

»Ausnahme«, brummte der Mann und wich seinem Blick aus.

Julian sah kurz zu Lucas und Mortimer. Furcht stand in ihren Augen. Sie glaubten genau wie er, dass der Mann log. Julian lächelte ihnen zu, strich sein Surkot glatt, so gut es ging, und schnürte den Halsausschnitt ordentlich zu. Wo immer die Reise hingehen sollte, er wollte nicht als verlotterter Gefangener, sondern als Waringham dort ankommen.

Er trat in den Vorraum hinaus, und zwei Wachen flankierten

ihn zur Treppe. Weil die Stiege so eng war, mussten sie hinter ihm gehen. Einer legte ihm schwer die Hand auf die Schulter.

Julian versuchte, sich für eine neuerliche, schaurige Begegnung mit Gloucester oder einem seiner Schergen zu wappnen, doch die Wachen brachten ihn nur ins Freie und zu der kleinen Birkengruppe, die in dem Winkel zwischen Süd- und Westmauer wuchs und das einzige Grün in dieser grimmigen Festung darstellte. Auf einer Bank im Schatten saß eine zierliche junge Frau.

»Lady Anne?« Julian fegte beiläufig die Hand von seiner Schulter und trat näher. Die Wachen machten kehrt und verschwanden.

Warwicks Tochter trug ein herrliches, verschwenderisch mit Perlen besticktes Kleid aus blauer Seide, das ihre schönen Augen zur Geltung brachte. »Mylord of Waringham.« Sie lächelte ihm entgegen. Es war nur ein kleines Lächeln, aber Julian sah, dass sie ihren Kummer über den Tod des Vaters und des Gemahls überwunden hatte.

»So solltet Ihr mich lieber nicht mehr nennen, Mylady. Das bin ich nicht mehr.« Er beugte sich über die Hand, die sie ihm reichte. Zierlich, lilienweiß und kühl.

»Nein, ich weiß. Aber für mich werdet Ihr das immer sein. Auch wenn Ihr vorgegeben habt, ein Stallbursche zu sein, als wir uns kennen lernten.«

So sehr ihr Übermut ihn auch befremdete, fand er sich dennoch davon angesteckt. »Das ist eine alte Familientradition.«

Sie rückte ein Stück zur Seite. »Setzt Euch zu mir«, lud sie ihn ein.

Julian nahm Platz, schlug die langen Beine übereinander und wandte ihr das Gesicht zu. Ein Hauch ihres Parfüms stieg ihm in die Nase, ein schwerer, betörender Lilienduft. Der Wind flüsterte in den Birkenblättern, und die Sonne schien warm auf Julians Hände. Wie schön die Welt sein kann, dachte er flüchtig.

Verstohlen atmete er tief durch. »Was verschafft mir diese unverhoffte Ehre?«, fragte er.

»Die Königin hat dafür gesorgt, dass der König mir erlaubte,

Euch zu besuchen. Sie ist Euch so dankbar dafür, dass Ihr sie und ihre Töchter letztes Jahr davor bewahrt habt, den Lancastrianern in die Hände zu fallen, wisst Ihr. Und insgeheim ist auch der König Euch dafür dankbar. Aber als sie ihn gebeten hat, Euch freizulassen, hat er abgelehnt. Sie haben gezankt wie die Marktweiber, Mylord.«

Julian lächelte. Dann lehnte er sich zurück und sah in das silbrige, sonnenbetupfte Blätterdach hinauf. »Tja. Letzten Herbst hatten wir alle Trümpfe in der Hand und konnten uns den Luxus schöner Gesten leisten. Das ist nicht einmal ein dreiviertel Jahr her. Jetzt sind wir endgültig geschlagen und in der demütigenden Lage, die schönen Gesten und die Barmherzigkeit unserer Feinde über uns ergehen lassen zu müssen.«

»Ich hoffe, Ihr meint damit nicht die Freundschaft, die die Königin für Euch hegt. Sie sollte Euch nicht demütigen, denn sie kommt von Herzen.«

Julian nickte. »Ich weiß. Trotzdem. Der Graben ist unüberbrückbar geworden. Jede Freundschaft zwischen Lancastrianern und Yorkisten wäre in Anbetracht der Dinge, die passiert sind, der pure Hohn, denkt Ihr nicht?«

Sie sah ihn unglücklich an und wich einer Antwort aus. »Sagt mir, wie es Euch geht, Mylord. Es hieß, Ihr hattet eine schwere Schussverletzung.«

»Oh, das ist längst vergessen«, versicherte er. »Und meine derzeitige Lage verurteilt mich zum Müßiggang, sodass mir nichts anderes übrig bleibt, als mich zu erholen.«

»Das beruhigt mich. Und was ist mit Eurer Gemahlin und Euren Kindern? Nicht einmal Lord Hastings scheint zu wissen, wo sie sind. Sind sie in Sicherheit? Kann ich irgendetwas für sie tun?«

Julian schüttelte den Kopf. »Ich bin überzeugt, dass es ihnen an nichts mangelt. Lady Janet weiß sich immer zu helfen, wie Ihr Euch wahrscheinlich erinnert.«

»Trotzdem wäre mir wohler, ich könnte mich davon überzeugen. Habt Ihr denn nicht einmal eine Ahnung, wo sie sein könnten?«

Julian sah ihr einen Moment in die Augen. Groß, blau, unschuldig und voller Anteilnahme. »Wie kommt es, dass Ihr keine Trauer mehr tragt, Mylady?«, fragte er scheinbar unvermittelt.

»Was?«, fragte sie verdutzt. »Ich verstehe nicht …«

»Ihr versteht mich sehr gut«, widersprach er leise. »Euer Gemahl und Euer Vater sind erst wenige Wochen tot, und Ihr kleidet Euch, als seiet Ihr zu einem Bankett bei Hofe geladen. Vermutlich seid Ihr das«, fügte er nach einem Moment hinzu. »Ihr steht dem yorkistischen König und seiner Königin nahe genug, um zu wissen, wann und worüber sie streiten, und erwartet, dass ich Euch meine Vermutungen bezüglich des Verbleibs meiner Frau und meiner Kinder anvertraue? Ihr müsst mich wirklich für den König aller Einfaltspinsel halten.«

Sie besaß zumindest genügend Anstand, um bis in die Haarwurzeln zu erröten. Es dauerte einen Moment, ehe sie ihn wieder anschauen konnte, und sie schüttelte inbrünstig den Kopf dabei. »Ihr tut mir Unrecht, Mylord.«

»Ja, das hoffe ich«, erwiderte er kühl.

»Ich bin keine yorkistische Spionin. Aber Ihr solltet nicht vergessen, dass ich den Schritt meines Vaters, sich auf die Seite der Lancastrianer zu schlagen, nie verstanden, geschweige denn gebilligt habe. Er hat mich beschämt, wenn Ihr die Wahrheit wissen wollt. Und ich habe Edouard geheiratet, weil eine Tochter, die ihre Ehre bewahren will, tun muss, was ihr Vater wünscht, aber es war nicht meine freie Wahl. Edouard … war ein höfischer Prinz mit vollendeten Manieren, aber er hatte nicht mehr Interesse an mir als ich an ihm. Er hatte nichts als Krieg und Rache im Sinn. Seine Mutter hat immer dafür gesorgt, dass wir keine Gelegenheit bekamen, einander näherzukommen. Und sein Hass auf die Yorkisten hatte etwas Beängstigendes. Er hat mich abgestoßen, dieser Hass. Wieso soll ich Trauer heucheln, wenn ich keine empfinde? Es tut mir leid, dass er so jung sterben musste. Aber ich müsste lügen, wollte ich behaupten, es wäre ein persönlicher Verlust für mich. Und mein Vater …« Sie wischte sich mit einer verschämten Geste die Tränen von den Wangen und faltete dann die Hände im Schoß. »Früher habe ich meinen Vater angebetet. Aber er hat meinen König verraten, Mylord. Es macht mich traurig, dass er tot ist. Dass ich ihn nie wieder sehen, sein Lachen nie wieder hören werde. Aber meine Liebe war nicht mehr so ungetrübt wie früher. Es ist mir nie gelungen, ihm seinen Verrat an König Edward, diese *Hinterhältigkeit* zu verzeihen.« Sie sah auf. »Ich bin dazu erzogen worden, zu glauben, dass die Krone York gehört. Darum fühlt es sich für mich so an, als seien die Dinge jetzt wieder so, wie sie sein sollen. Mein Vater und Edouard standen auf der Seite des Unrechts und mussten die Folgen tragen.«

»Es ist so unglaublich borniert, was Ihr da sagt, dass ich kaum glauben kann, wirklich Anne Neville vor mir zu haben.«

»Richard hat mir diese Dinge erklärt«, räumte sie ein. »Aber er hat Recht. Ich fühle in meinem Herzen, dass er Recht hat.«

»Richard?«, wiederholte Julian verwirrt.

Anne nickte. »Der Duke of Gloucester, Mylord. Mein Verlobter.«

Julian stand abrupt auf, brachte ein paar Schritte Abstand zwischen sie, kreuzte die Arme, kehrte zu ihr zurück. »Anne … Um Himmels willen, Kind, das dürft Ihr nicht tun. Ihr müsst Euch wehren. Bittet die Königin um Hilfe, sie wird mit dem König sprechen. Und Edward wird Euch nicht zwingen, seinen Bruder zu heiraten, wenn Ihr …«

Ihr glockenhelles Lachen unterbrach ihn. »Aber Ihr missversteht mich, Mylord. Ich liebe Richard, seit ich ein kleines Mädchen war. Es ist mein größter Traum, der in Erfüllung geht.«

»Ihr liebt ein Ungeheuer, Madam«, teilte er ihr knapp mit.

Anne hob das Kinn, und er sah in ihren Augen, wie er von ihrem Freund zu ihrem Feind wurde. Es ging so rasant schnell, dass es ihm beinah den Atem verschlug. »Und ich dachte, Ihr wäret anders«, sagte sie. Es klang angewidert. »Aber Ihr seid genauso verbohrt und verblendet wie alle anderen Lancastrianer.«

»Mag sein, aber meine Einschätzung des Duke of Gloucester beruht nicht auf meiner politischen Gesinnung, sondern auf persönlicher Erfahrung.«

»Richard ist der ehrenhafteste Gentleman, den ich kenne, und ich werde mir keine weiteren Verleumdungen gegen ihn anhören«, beschied sie hitzig.

»In dem Fall bleibt mir nichts, als Euch für Euren Besuch zu danken, Lady Anne.« Er erwog, ohne ein weiteres Wort zu gehen, aber das brachte er nicht fertig. Er hatte dieses Mädchen vor so langer Zeit ins Herz geschlossen, dass er sie jetzt nicht so ohne weiteres daraus verstoßen konnte. »Ich fürchte, Ihr werdet Eurem Verlobten ausrichten müssen, dass auch diese List ihn nicht zu meiner Frau und meinen Kindern führen wird, denen er nach dem Leben trachtet.«

»Wie könnt Ihr so etwas Ungeheuerliches behaupten?«

»Nun, es ist völlig unerheblich, ob Ihr es glauben wollt oder nicht, denn das ändert nichts an den Tatsachen.«

Anne erhob sich ebenfalls, streckte zaghaft die Hand aus und ließ sie dann wieder sinken. »Mylord, geht so nicht fort, ich bitte Euch. Warum seid Ihr so kühl? Könnt Ihr mir mein Glück wirklich nicht gönnen?«

Er betrachtete sie noch einen Moment, und er hatte Mühe, seinen Zorn über seine Machtlosigkeit nicht zu zeigen. »Ich gönne Euch jedes Glück der Welt, Anne. Aber Richard of Gloucester wird Euch keines bringen. Er will Euch heiraten, um seine Ansprüche auf die Ländereien Eures Vaters zu sichern. Es tut mir leid, wenn meine Offenheit Euch kränkt, aber es ist die Wahrheit.«

»Er liebt mich«, widersprach sie wütend. »Seit er als Knappe an den Hof meines Vaters gekommen ist, war er mir der Bruder, den ich nie hatte, mein Freund und Beschützer, und jetzt, da ich erwachsen bin, wird er mein Gemahl. Ihr verkennt ihn und tut ihm Unrecht! Er liebt mich, und ich hasse Euch dafür, dass Ihr mich glauben machen wollt, er nutze mich nur aus!«

Sie schluchzte, und Julian schämte sich, dass er sie in diesen Zustand versetzt hatte. *Das hast du großartig hinbekommen,*

Waringham, man merkt, dass du das diplomatische Genie
deines Großvaters geerbt hast …

»Anne«, er wollte ihre Hand nehmen, aber sie machte einen
Schritt zurück, entzog sich ihm und schüttelte den Kopf.

»Na schön. Also hasst mich, wenn Ihr wollt. Aber ich werde
immer Euer Freund sein.« Er verneigte sich, obwohl sie den
Kopf abgewandt hatte und es wahrscheinlich nicht sah.

»Ich pfeife auf Eure Freundschaft!«

»Sie ist Euch trotzdem gewiss. Und vielleicht werdet Ihr
Eure Meinung ja irgendwann noch einmal ändern.«

»Das werde ich ganz sicher nicht«, teilte sie ihm mit. »Ich
hoffe, der König lässt Euch hier vermodern, bis Ihr alt und grau
seid! Ihr habt nichts Besseres verdient! Meine Mutter hatte
Recht, was Euch betrifft, mein Vater Unrecht.«

Obwohl ihre Worte ihn trafen, war sie so hinreißend in ihrem
Zorn, dass er Mühe hatte, nicht zu lächeln. »Gott schütze Euch,
Anne«, murmelte er, wandte sich ab und machte sich schweren
Herzens auf den Rückweg zu seinem freudlosen Quartier. Ehe
er den Wakefield Tower betrat, sah er noch einmal zurück. Er
bangte um Anne. Ihre Zukunft erschien ihm ebenso gefahr-
voll, düster und ungewiss wie seine eigene, die seiner Frau und
seiner Kinder. Und trotzdem spürte er beim Anblick der kleinen Wiese und der schönen jungen Frau im Schatten der Birken
voller Erstaunen, wie sich etwas in ihm regte, das zumindest
Ähnlichkeit mit wieder erwachendem Lebensmut hatte.

Pembroke, Juni 1471

»Sie haben Lord Jasper und den Jungen in Ketten gelegt«,
berichtete Mabilia mit gedämpfter Stimme. »Wie's
aussieht, wissen sie von dem Geheimgang, aber nicht, wo er
ist. Sie fürchten, dass seine Lordschaft wieder auf dem Weg
entkommen könnte, genau wie damals während der Belagerung.«

Blanche nickte. Ein schmerzhafter Knoten der Angst hatte sich in ihrem Bauch gebildet, der sich mit jeder Minute fester zusammenzog, aber sie hatte gelernt, sich von diesem Gefühl nicht beherrschen zu lassen. Sie musste einen kühlen Kopf bewahren. Alles hing jetzt von ihr ab.

Scheinbar seelenruhig setzte sie sich neben der alten Köchin auf die Bank vor der Küche und half ihr, die Hühner zu rupfen, die Mabilia geschlachtet hatte und Malachy Devereux und seinen Männern zum Abendessen vorsetzen wollte. Wie schon bei vergangenen Gelegenheiten hatte Blanche sich bei einer der Mägde auf der Burg ein schlichtes Kleid und ein Kopftuch geborgt, sodass sie mit dem Gesinde verschmolz und beinah unsichtbar wurde. Jedenfalls hoffte sie das.

»Das macht Ihr ziemlich geschickt«, bemerkte die Köchin beifällig und wies auf das Huhn in Blanches Händen. »Für eine feine englische Lady jedenfalls.«

»Oh, ich glaube, das bin ich schon lange nicht mehr«, erwiderte Blanche abwesend.

»Trotzdem war es keine gute Idee, herzukommen, Lady Blanche«, sagte Mabilia. »Dieser Devereux ist ein Teufel. Und er kennt Euch.«

Damit mussten sie rechnen, wusste Blanche. Die Frau, die ein Jahr lang seine Stiefmutter gewesen war, hätte Malachy Devereux vielleicht vergessen, aber sicher nicht die, die ihm einmal gedroht hatte, ihm genau wie seinem Vater die rechte Hand zu nehmen. »Und was hätte ich deiner Meinung nach tun sollen?«, fragte sie die Köchin gereizt. »Mit meinen Kindern nach Irland fliehen?«

»Das ist gar keine dumme Idee«, bekam sie zur Antwort. »Lord Jasper hat viele Freunde in Irland …«

»Mabilia, wir müssen sie da rausholen.«

Die Köchin winkte mit einer ihrer geröteten Hände ab. »Lord Jasper weiß sich schon zu helfen. Er hat schon ganz andere Kunststücke vollbracht, als aus einem Verlies in seiner eigenen Burg zu entkommen.«

Aber Blanche war anderer Ansicht. »Gerade weil alle das

glauben, werden die Yorkisten umso wachsamer sein. Und wenn sie ihn wirklich in Ketten gelegt haben, gibt es *nichts*, was er tun kann. Ich muss irgendetwas unternehmen. Und zwar ehe der yorkistische König eine Armee herschickt, um seine kostbarste Geisel nach England zu schaffen.«

»Wer soll das sein?«, fragte Mabilia verwirrt.

»Richmond.« Blanche erklärte der Köchin, warum der junge Tudor von so großem Interesse für König Edward war.

Mabilia ließ ihr Huhn sinken und saß da wie vom Donner gerührt. »Unser junger Lord Richmond soll König von England werden?«, fragte sie fassungslos.

Blanche verbiss sich ein freudloses Lächeln. »Na ja. Von Rechts wegen sollte er das. Aber seine Chancen standen nie schlechter als heute.«

»Ein *Waliser*? Auf dem *englischen* Thron?«

»Schsch, sei doch leise, um Himmels willen«, zischte Blanche und sah sich verstohlen um. Es war still im sonnenbeschienenen Burghof. Ein paar Wachen lungerten an der Waffenschmiede herum, im Schatten der Kapelle saßen drei Knappen im Gras um einen ausgebreiteten Mantel, auf dem sie die Würfel rollen ließen. Niemand war in der Nähe, der sie belauschen konnte.

»Heiliger David«, murmelte die Köchin. »Lass es wahr werden, auf dass die Knechtschaft deines Volkes ein Ende nehme ...« Verstohlen wischte die alte Frau sich mit dem Ärmel über die Augen.

Blanche war erstaunt. Mabilia war ihr immer unerschütterlich wie ein Findling erschienen, und hätte ein Findling plötzlich Tränen vergossen, hätte Blanche kaum überraschter sein können. Aber wenn man darüber nachdachte, war die Erschütterung der alten Köchin gar nicht so verwunderlich. Blanche hatte lange genug in Wales gelebt, um zu wissen, wie sehr dieses stolze Volk unter der englischen Herrschaft litt, die ihnen ihr Land, ihre althergebrachten Sitten, vor allem ihre Selbstachtung zu rauben trachtete. »Ja«, sagte sie langsam. »Ich nehme an, für Wales würde sich alles ändern, wenn Richmond je zu seinem Recht käme.«

Die Köchin nickte, sah auf den Korb mit den geschlachteten Hühnern hinab, zur Halle hinüber, dann zum Westturm.

Blanche folgte ihrem Blick und fragte: »Was heckst du aus? Woran denkst du?«

»Daran, wie leicht man Bärlauch mit Schierling verwechseln kann. Und wenn mir dieser Irrtum nun unterliefe, Lady Blanche, und Malachy Devereux und seine Raufbolde heute Abend alle Schierling statt Bärlauch im Eintopf hätten, was wäre dann?«

»Dann hätten du und ich uns schwer versündigt, weil wir Giftmörderinnen wären«, entgegnete Blanche versonnen. »Nähmen wir aber Bilsenkraut statt Schierling, würden sie morgen früh alle wieder aufwachen. Mit einem dicken Schädel, der eine oder andere mit Übelkeit und Bauchkrämpfen, aber ich nehme an, eine kleine Buße täte ihnen allen ganz gut, nicht wahr?«

Ein gefährliches Lächeln, das Schadenfreude und Rachgier zu gleichen Teilen ausdrückte, malte sich auf dem faltigen Gesicht der Köchin ab, und ihre Augen leuchteten. Doch dann fiel ihr ein, wo der Haken an diesem Plan war. »Wenn sie wieder aufwachen, hängen sie mich auf. Der junge Devereux ist kein Dummkopf, Mylady. Er wird genau wissen, was passiert ist.«

»Dann musst du eben mit uns kommen«, schlug Blanche vor.

»Wohin?«

Blanche schüttelte den Kopf. »Ich weiß es nicht. Nach Frankreich, schätze ich. Jedenfalls vorerst.«

Mabilias Augen wurden groß und unruhig. »Fort aus Pembroke? Aus Wales ? Oh Gott ...«

Blanche legte ihr die Hand auf den Arm. »Ich weiß, es wäre ein großes Opfer. Denk darüber nach und triff deine Entscheidung in Ruhe. Ich schleich mich hinunter zum Hafen und sehe zu, wie es mit der *Red Rose* steht.« Und sammle ein wenig Bilsenkraut, fügte sie in Gedanken hinzu.

»Verfluchtes Engländerpack!«, schimpfte Rhys vor sich hin. »Wollen sie uns verhungern lassen?«

Sein älterer Bruder wandte sich ungeduldig zu ihm um, und die Kette, die von seinem rechten Knöchel zu einem Eisenring in der Wand führte, rasselte. »Hör auf zu jammern«, fuhr er ihn an. »Wir haben ganz andere Sorgen als Hunger.«

»Ihr vielleicht«, konterte Rhys. »Aber ich will verdammt sein, wenn ...«

»Sie bringen uns nichts zu essen, weil sie wissen, dass wir es ohnehin nicht anrühren würden«, fiel Jasper ihm ins Wort. »Jedenfalls würde keiner außer einem Narren wie dir Brot aus der Hand seines Feindes essen, das mit großer Wahrscheinlichkeit vergiftet wäre.«

»Hört auf zu streiten.«

Richmond hatte gesprochen, ohne aufzusehen, und seine Stimme klang ein wenig matt, aber seine Onkel schwiegen beide.

Vor ihren Augen hatte Malachy Devereux den Jungen geschlagen und getreten, bis Richmond blutend im Stroh lag und sich nicht mehr rührte. Jasper hatte geglaubt, der Anblick werde ihn um den Verstand bringen, und er hatte getobt und gebrüllt, während es passierte, was so vollkommen wider seine Natur war, dass Rhys und Madog ihn mit einer Mischung aus Fassungslosigkeit und Furcht betrachtet hatten. Nicht, dass es irgendetwas genützt hätte. Er war angekettet – in einer Weise machtlos und ausgeliefert wie nie zuvor in seinem Leben –, und so hatte er tatenlos zusehen müssen, wie es geschah. Er hatte einmal geschworen, diesen Jungen notfalls mit seinem Leben zu beschützen. Und er wusste nicht, wie er es aushalten sollte, so vollkommen versagt zu haben.

Richmond richtete sich auf, und auch die Kette an seinem Fußgelenk klirrte. Er zog die Knie an, schlang die Arme darum, und schließlich hob er den Kopf. Sein linkes Auge war zugeschwollen, und Blut war ihm aus der Nase über Lippen und Kinn gelaufen und dort getrocknet, aber er lächelte. »Es besteht keine Veranlassung, mich anzusehen, als sei das hier meine Beerdigung, Gentlemen«, murmelte er.

Er ist verlegen, erkannte Jasper verblüfft. Er ist kein kleiner Bengel mehr. Das war keine neue Erkenntnis, aber sie konnte ihn trotzdem immer noch überraschen. »Wie fühlst du dich?«

»So, als hätte Malachy Devereux sich die Stiefel an mir abgetreten«, lautete die bissige Antwort. »Es war nicht das erste Mal.«

»Aber hoffentlich das letzte Mal«, erwiderte Jasper grimmig.

Richmond betastete behutsam seine Nase und hob die Schultern. »Ich bin nicht sehr zuversichtlich, wenn ich ehrlich sein soll«, bekannte er mit einem kleinen, grimmigen Lächeln. »Aber er soll nur kommen.«

Jasper war es, als sei sein Herz plötzlich zu groß für seine Brust, so voller Stolz und Liebe war es mit einem Mal. Richmond fürchtete sich. Aber er wahrte seine Haltung mit einer Selbstverständlichkeit, die beinah instinkthaft schien, und dieses trotzige Glimmen in den Augen, diesen »Zur-Hölle-damit«-Ausdruck kannte Jasper von seinem Bruder Edmund und seinem Vater.

»Ein echter Tudor mit dem Herz eines Drachen«, murmelte er.

Richmond wandte hastig, beinah erschrocken den Kopf ab. Solche Worte war er von seinem Onkel, der für gewöhnlich sehr sparsam mit Lob umging, nicht gewöhnt.

»Ihr hofft nicht im Ernst darauf, dass *sie* uns hier rausholt, oder?«, fragte Rhys seinen Bruder. »Wie soll sie das anstellen? Was in aller Welt kann sie allein gegen zwanzig oder dreißig dieser englischen Schweinehunde ausrichten? Eine Frau obendrein?«

Jasper hatte keine Ahnung. Aber in Anbetracht seiner völligen Ratlosigkeit blieb ihm nichts anderes übrig, als darauf zu hoffen, dass Blanche wieder einmal irgendein Wunder vollbrachte. Sie hatte so unbeirrbar darauf bestanden, ihn und Richmond zu begleiten. Sie hatte irgendetwas geahnt. Und wenn das der Fall war, war es dann so vermessen zu glauben, dass Gott ihr diese Ahnung geschickt hatte, um seinen auserwählten König aus dieser kolossalen Klemme zu befreien? »Ich weiß es nicht, Bruder«, erwiderte er mit einer Art Verbindlichkeit, die jeder, der ihn kannte, sofort als Gefahr erkannte. »Aber da du derjenige bist, dem wir es verdanken, überhaupt in diese Lage geraten zu sein, wäre ich dankbar, wenn du aufhören würdest, Missmut zu verbreiten. Das bringt uns nämlich ganz gewiss nicht hier raus.«

Das hatte den gewünschten Effekt: Rhys kniff die Lippen zusammen, wandte ihm demonstrativ den Rücken zu, setzte sich ins Stroh und hielt endlich den Mund. Gott sei gepriesen für seine kleinen Gnaden, dachte Jasper.

Derweil brachte Madog Richmond einen Krug mit Wasser, den die Wache neben der Tür abgestellt hatte. »Hier, Mylord. Kühlt Euer Gesicht. Aber trinkt lieber nicht davon«, riet er.

»Ihr denkt wirklich, sie würden uns vergiften?«, fragte der Junge.

Madog wechselte einen Blick mit Jasper und hob dann die Schultern. »Nun, wenn ich an ihrer Stelle wäre, hätte der Gedanke zweifellos einen gewissen Reiz«, antwortete er vorsichtig. »Ein unliebsamer Thronanwärter, der in einem entlegenen walisischen Verlies ein rätselhaftes Ende findet, ist allemal besser als ein lebendiger unliebsamer Thronanwärter, nicht wahr?«

»Warum töten sie uns dann nicht einfach?«, fragte Richmond.

»Weil man in die Hölle kommt, wenn man königliches Blut vergießt«, erklärte Jasper. »Das Gift würdest du selbst zu dir nehmen. Das ist etwas anderes, technisch gesehen.«

»Königliches Blut«, murmelte Richmond spöttisch vor sich hin und formte mit den Händen eine Schale, sodass Madog Wasser hineingießen konnte.

Er kann immer noch nicht glauben, wer er ist, fuhr es Jasper durch den Kopf. Oder vielleicht *will* er es nicht glauben.

Richmond wusch sich das Blut vom Gesicht, ließ das rötliche Wasser ins Stroh rinnen und zeigte mit dem Finger darauf. »Was denkst du, Onkel? Müssen wir es einsammeln und bei Gelegenheit in ein Reliquiar stecken, weil königliches Blut darauf getropft ist?«

Jasper und Madog lachten.

Mit untypisch verschmitzter Miene riss der Junge ein Stück aus seinem Wams, tauchte es in den Krug und kühlte sein geschwollenes Auge. »Wir könnten die blutgetränkten Strohhalme einzeln verkaufen und so unsere Kriegskasse aufbessern«, schlug er vor.

»Und wenn der Vorrat schwindet, brauchen wir Euch nur wieder die Nase blutig zu schlagen«, stimmte Madog zu. »Eine Quelle des Reichtums, die niemals versiegt.«

Sie alberten noch ein bisschen herum, und obwohl es lästerliche Reden waren, ließ Jasper sie gewähren. Wenn das ihre Art war, ihrer Furcht Herr zu werden, hatten sie seinen Segen. Er selbst tat das, was er immer getan hatte: Er betete um die Kraft und den Mut, die er brauchen würde für das, was geschah, wenn diese Tür sich das nächste Mal öffnete. Jasper Tudor hatte früh gelernt, dass Gott ihn nie erhörte, wenn er um Erlösung oder einen leichten Ausweg bat. Aber dieses Gebet war noch nie auf taube Ohren gefallen.

In der kleinen Halle von Pembroke Castle war es geradezu unheimlich still. Nur das Knarren eines losen Fensterflügels in der sachten Meeresbrise war zu hören, das Zischen einer unruhigen Kerze. Aber keiner der Männer, die in den Binsen am Boden oder mit dem Kopf auf der Tafel eingeschlafen waren, verursachte einen Laut.

»Sie schlafen wie tot«, murmelte Mabilia nervös.

»Aber das sind sie ja nicht«, erinnerte Blanche sie beschwichtigend. Jedenfalls hoffte sie das. Auch Bilsenkraut konnte gefährlich sein, wenn die Dosis zu hoch war. Doch wie zu ihrer Beruhigung regte sich plötzlich einer der Schläfer, sein Arm rutschte von der Tischplatte, und seine Wange landete im erkalteten Eintopf. Er wachte nicht auf.

Blanche atmete verstohlen tief durch. Sie zählte. »Das sind sieben«, flüsterte sie. »Wo sind die anderen?«

»Sir Malachy und einige seiner Männer, die nicht so viel getrunken hatten, haben es noch bis in die Betten geschafft, als die Schläfrigkeit sie überkam«, wusste die Köchin zu berichten.

»Meinst du, sie haben Verdacht geschöpft, als sie plötzlich alle so müde wurden?«

Die alte Frau hob die Schultern. »Glaub nicht. Aber selbst wenn? Sie werden trotzdem selig schlummern, Mylady.«

Blanche nickte. »Also schön. Lass uns verschwinden. Ich habe sechs Pferde gesattelt und hinter der Schmiede angebunden. Geh dorthin und warte.«

»Ich kann nicht reiten, Lady Blanche.«

»Doch, du kannst, glaub mir.«

Aber die Köchin schüttelte den Kopf. »Ich würde Euch nur aufhalten. Ich hab's mir überlegt. Ich gehe zu meiner Schwester nach Carmarthen. Das schaffe ich in zwei Tagen, und kein Engländer wird mich je dort finden.«

Blanche sah sie einen Moment an, nickte dann und umarmte sie kurz. »Gott segne dich für alles, was du für uns getan hast, Mabilia.«

Ein wenig schroff befreite die alte Frau sich. »Ja, ja«, brummte sie. »Sagt dem Jungen, er soll das walisische Volk von der Knechtschaft erlösen, wenn er König wird, damit ich zufrieden sterben kann.«

»Ich werd's nicht vergessen«, versprach Blanche.

Sie wartete, bis die leisen Schritte der Köchin auf der Treppe zur Küche verhallt waren, dann nahm sie vier der schlummernden Ritter die Schwerter ab und trug sie hinunter in den Burghof. Es war eine schwere Last, und bald geriet sie ins Schwitzen. Die Burg war so still, dass einem gruselig davon werden konnte, und es war Neumond. Ein Glück, dass ich mich hier so gut auskenne, dachte Blanche flüchtig, und prompt stolperte sie über einen hochstehenden Pflasterstein im Hof, und die Waffen fielen scheppernd zu Boden. Sie erstarrte, zog den Kopf ein und lauschte in die Finsternis. Nichts.

Sie hob die Schwerter mühsam wieder auf, trug sie zu den

Pferden hinter der Schmiede, und auf dem Weg zum Westturm warf sie einen Blick zum Haupttor hinüber. Zwei Mann standen dort auf Wache. Zwei sollten kein Problem sein, wusste sie. Vorausgesetzt, dass es den Gefangenen gut genug ging, um eine Flucht zu versuchen. Sie hatte schließlich gesehen, was Malachy Devereux getan hatte. Und sie wusste, wie er war ...

Die Stiege, die ins Kellergeschoss des Westturms führte, war von einer einzelnen Fackel erleuchtet. Rasch und lautlos huschte Blanche hinunter. Die Treppe endete in einem fast kreisrunden Vorraum mit drei Türen. Welche?, überlegte sie. Jasper hatte ihr diese Verliese einmal gezeigt, in den lang entschwundenen, glücklichen Tagen, als sein Bruder noch König von England und er noch Earl of Pembroke gewesen war. Er war übermütiger Stimmung gewesen und wollte, dass Blanche sich ein wenig gruselte. Darum hatte er ihr die Ketten gezeigt, die rauen, rostigen Schellen um ihre Handgelenke gelegt, damit sie spürte, wie es sich anfühlte. *Und jetzt könnte ich sie zuschließen und dann mit dir tun, was immer mir beliebt,* hatte er gesagt. *Tu's doch, wenn du dich traust ...*

Bei der Erinnerung biss Blanche sich unbewusst auf die Unterlippe, aber dann rief sie sich zur Ordnung. Jetzt war wirklich nicht der geeignete Zeitpunkt für nostalgische Erinnerungen. »Ketten«, murmelte sie vor sich hin. »Es gibt nur in einem Verlies Ketten. Das da.« Sie trat an die linke der Türen. »Und wo zur Hölle sind die Schlüssel?«

»An meinem Gürtel, Madam«, sagte eine höfliche junge Stimme hinter ihr.

Blanche wirbelte herum. Im Lichtschimmer von der Treppe sah sie eine hohe, schlanke Gestalt näher kommen, aber sie konnte keine Züge erkennen. »Wer seid Ihr?«, fragte sie erschrocken. »Was habt Ihr hier unten verloren?«

»Mit Verlaub, aber die gleichen Fragen könnte ich Euch stellen. *Ich* halte hier die Nachtwache.«

Blanche wusste nichts zu sagen. Reglos stand sie da, mit herabbaumelnden Armen, und fragte sich, wie sie es aushalten sollte, so kurz vor dem Ziel gescheitert zu sein.

Der gesichtslose Wächter wandte sich zur Treppe. Blanche huschte zur Tür hinüber und tastete nach einem Riegel, fand aber nur ein großes Schlüsselloch.

»Auch dieser Schlüssel ist an meinem Gürtel«, erklärte der Nachtwächter. Fackelschein fiel auf die schwere Eichentür und malte ihren Schatten darauf. »Wäret Ihr wohl so gut, Euch umzudrehen, Madam?«

Was blieb ihr übrig? Langsam wandte sie sich zu ihm um, und im flackernden Licht sahen sie einander mit unverhohlenem Schrecken an.

»Mutter …«, entfuhr es dem jungen Mann, dann wich er einen Schritt zurück, schüttelte verwirrt den Kopf und errötete.

Es war Andrew Devereux, der jüngste ihrer drei Stiefsöhne. Er musste jetzt um die zwanzig sein, rechnete sie aus, aber in diesem Moment der Verlegenheit wirkte er sehr viel jünger.

Blanche trat einen Schritt auf ihn zu und ergriff seine freie Hand. »Andrew. Mein kleiner Andrew.« Sie lachte leise, genauso verlegen wie er. »Es tut mir leid, dass ich dich im Stich gelassen habe. Du warst der Einzige, um den es mir leid getan hat. Ich weiß, dass das nichts nützt, aber ich bin trotzdem froh, dass ich Gelegenheit bekommen habe, dir das zu sagen.«

Er sah ihr noch einen Moment mit weit aufgerissenen Augen ins Gesicht, dann befreite er seine Hand und senkte den Blick. »Ich …« Er räusperte sich. »Ich bin Euch nicht böse. Zuerst war ich kreuzunglücklich, aber richtig böse war ich Euch eigentlich nie. Ich habe verstanden, warum Ihr es getan habt. Vater war … ist so ein harter Mann. Und Ihr wart ein Schmetterling. Ich war froh, dass Euch die Flucht gelungen ist.«

Blanche war sprachlos. Diese Absolution war der unglaublichste Akt von Großzügigkeit, der ihr je zuteil geworden war. »Ich merke, du bist anders als er und dein Bruder.«

Ein Lächeln huschte über das fast noch bartlose Gesicht, und er hob unbehaglich die Schultern. »Das hat sie nie sonderlich für mich eingenommen«, bemerkte er ironisch. »Sie sagen übrigens, es sei Eure Schuld. Und sie haben Recht. Ich …

konnte nie vergessen, wie es war, solange Ihr da wart. Ihr wart immer gütig zu mir.«

Blanche verzog schmerzlich den Mund. »Bis ich dich im Stich gelassen habe.«

»Vielleicht habt Ihr das, ich bin nicht sicher. Und es war schlimm, zuerst, als Ihr fort wart. Aber ich habe diese … Wärme immer noch gespürt.« Er tippte kurz auf seine linke Brust. Plötzlich erstrahlte sein Gesicht in einem unkomplizierten Jungenlächeln. »Es ist schön, Euch wiederzusehen, wisst Ihr.«

Blanche stellte verwundert fest, dass es ihr ebenso erging. Für einen winzigen Augenblick spielte sie mit dem Gedanken, wieder näher auf ihn zuzugehen, ihm in mütterlicher Güte die Stirn zu küssen, um ihm dabei den Dolch zu stehlen und an die Kehle zu setzen, damit er die Schlüssel herausrückte. Aber sie musste feststellen, dass sie das nicht fertigbrachte.

»Ich bin so froh, dass ich dir irgendetwas geben konnte, das von bleibendem Wert für dich war, Andrew. Und ich bin keineswegs sicher, ob ich deine Vergebung verdient habe, die du mir so bereitwillig schenkst. Aber die Männer hinter dieser Tür dort haben ganz gewiss nicht verdient, was sie in England erwartet und was dein Bruder mit ihnen tun wird, bis der yorkistische König sie abholen lässt.«

»Nein, vermutlich nicht«, antwortete Andrew. Es klang eine Spur kühl. »Aber es steht nicht in meiner Macht, das zu ändern.«

»Oh doch, das tut es. Du hast die Schlüssel. Du bräuchtest sie mir nur zu geben …«

»Und morgen früh würde Malachy mich als Verräter aufhängen. Vielleicht würde er mir aus brüderlicher Liebe auch den Strick ersparen und nur den Kopf abschlagen, aber das Ergebnis wäre doch mehr oder minder dasselbe, nicht wahr? Oder habt Ihr ihn etwa getötet?«

Blanche war nicht sicher, aber sie glaubte, einen leisen Hoffnungsschimmer in der Stimme zu hören. Sie schüttelte den Kopf. »Schlafen gelegt. Mit Bilsenkraut. Ihn und jeden seiner Männer in der Halle.«

Andrews Mund zuckte. »Er wird so richtig strahlender Laune sein, wenn er aufwacht. Er schätzt es nicht sonderlich, von einer Frau vorgeführt zu werden.«

»Wie sein Vater«, murmelte Blanche.

»Ja, sie sind aus einem Guss, weiß Gott.« Andrew machte aus seinem Abscheu keinen Hehl.

»Warum stehst du im Dienst deines Bruders, wenn du so denkst?«, fragte sie neugierig.

Der junge Mann schnaubte. »Was glaubt Ihr wohl? Ich bin der Jüngste, mein Vater hat es befohlen, und ich besitze keinen Penny, um auf eigenen Füßen zu stehen. Was soll ich denn machen?«

»Das Gleiche wie ich, Andrew. Befreie dich und nimm dein Schicksal selbst in die Hand. Es ist nicht so schwer, wie du glaubst.«

»Das sagt Ihr nur, weil Ihr wollt, dass ich Euch die Schlüssel gebe«, entgegnete er niedergeschlagen. »Aber für mich gibt es keinen Ausweg. Ganz gleich, wo in England oder Wales ich mich verkriechen würde, Malachy würde mich finden. Es tut mir leid, Lady Blanche. Auch für den Tudor-Jungen. Ich war Knappe in Black Will Herberts Haushalt, als er dort als Geisel war, und ich hab ihn immer gemocht. Ich würde ihm gern helfen. Aber ich bin nicht so mutig wie Ihr.«

Blanche betrachtete ihn nachdenklich, die Arme verschränkt. Es war eine Weile still. Schließlich fragte sie: »Und was wäre, wenn du dich in Frankreich verkriechen würdest?«

Richmond und Rhys schliefen, als der Schlüssel im Schloss rasselte, aber Jasper und Madog waren bereit. Der walisische Ritter stand mit dem leeren Wasserkrug in der erhobenen Hand flach an die Wand neben der Tür gepresst, und Jasper hatte seine Fußkette gespannt, sodass der Erste, der das dunkle Verlies betrat, mit ein wenig Glück darüber stolpern würde.

Die Tür öffnete sich indes nur einen Zoll. »Ich komm jetzt rein«, sagte Blanche durch den Spalt. »Seid so gut und schlagt mir nicht den Schädel ein.«

Madog stieß einen zu lang angehaltenen Atem aus und ließ die Hand mit dem Krug sinken.

Jasper trat rückwärts an die Wand gegenüber der Tür. »Wir sind derzeit nicht sonderlich gefährlich, weißt du.«

Blanche stieß die Tür auf und trat über die Schwelle. »Ha. Ich wette, das war eine Lüge. Gentlemen: Darf ich vorstellen?« Sie streckte den Arm durch die Türöffnung und zog Andrew Devereux mitsamt Fackel in den engen Raum. »Ich habe einen neuen Lancastrianer rekrutiert.«

Richmond schreckte aus dem Schlaf und sah sich einen Moment gehetzt und blinzelnd um. »Andrew?«, fragte er ungläubig. »Andrew Devereux?« Langsam kam er auf die Füße.

Andrew warf Jasper einen nervösen Blick zu. Dann reichte er Blanche die Fackel, trat vor Richmond, zog sein Schwert, sank auf ein Knie und reichte dem Jungen die Waffe mit dem Heft voraus. »Erlaubt mir, wiedergutzumachen, was mein Haus Euch angetan hat, Mylord.«

Richmond starrte ihn mit großen Augen an. Dann sah er hilfesuchend zu seinem Onkel, und als Jasper ihm zunickte, umfasste er das Heft für einen Moment mit der Rechten. »Seid mir willkommen, Devereux. Ich hoffe, Ihr wisst, was Ihr tut.«

Andrew stand auf, steckte sein Schwert ein und überraschte sie alle mit einem verwegenen Grinsen. »Das hoffe ich auch, Mylord.« Dann nahm er den Schlüsselbund vom Gürtel und hielt ihn einen Moment hoch. »Woll'n wir?«

Er hockte sich vor Richmond, schloss die Eisenschelle auf, befreite den Schlüssel aus dem Loch und warf den Ring Jasper zu, der ihn mühelos auffing und seine eigene Kette löste. Inzwischen war auch Rhys auf die Füße gekommen und traktierte Andrew mit argwöhnischen Blicken.

»Zwei Wachen am Tor«, berichtete Blanche Jasper mit gedämpfter Stimme. »Allen anderen habe ich zu einem tiefen Nachtschlaf verholfen. Ich habe Waffen und Pferde im Hof versteckt. Und die Besatzung hat die *Rose* klargemacht und erwartet uns.«

Jasper schloss sie ungewöhnlich stürmisch in die Arme.

»Gott segne dich, Blanche of Waringham. Das Haus Tudor wird auf immer in deiner Schuld stehen.«

Sie lächelte zufrieden. »Ich werde dich bei Gelegenheit daran erinnern.«

»Ja, darauf wette ich«, murmelte er, wandte sich an Andrew und reichte ihm die Hand. »Jasper Tudor. Habt Dank, Devereux. Auch Euch sind wir etwas schuldig.«

Sprachlos vor Ehrfurcht schlug Andrew ein. Es geschah schließlich nicht jeden Tag, dass man einer Legende begegnete. Sein Vater hatte Jasper Tudor verteufelt, hatte ihn als Verräter und Strauchdieb bezeichnet und ihn ehrlos und verschlagen genannt. Aber Andrew hatte insgeheim immer Bewunderung für den Mann empfunden, den die Umstände gezwungen hatten, die Rolle als mächtiger Lord abzulegen und stattdessen in die des Rebellen zu schlüpfen. Und als er ihm jetzt in die schwarzen Augen sah, ahnte er, dass er endlich, endlich jemanden gefunden hatte, dem er dienen und nacheifern konnte, ohne dabei seine Seele zu verkaufen; das Vorbild, das sein Vater und seine bisherigen Dienstherrn – Black Will Herbert und sein eigener großer Bruder – nie hatten sein können.

»Wenn Ihr wirklich bereit wäret, mir trotz meines Namens eine Chance zu geben und mich mitzunehmen, wäre das mehr als reichlicher Lohn, Mylord.«

Seine Schüchternheit verlieh der floskelhaften Antwort Glaubwürdigkeit, und Jasper zeigte sein seltenes Lächeln. »Dann lasst uns nur hoffen, dass am Ende unserer Reise nicht ein feuchtes Grab auf uns alle wartet.«

Blanche seufzte vernehmlich. »Deine unerschütterliche Zuversicht gehört wirklich zu deinen bestechendsten Eigenschaften. Wie wär's, wenn wir uns erst einmal um die Torwachen kümmern?«

Jasper nickte knapp. »Geh'n wir. Und gebe Gott, dass wir Wales noch einmal wiedersehen.«

»Weiter, Mortimer«, sagte Julian mit einer aufmuntern-
den Handbewegung. »Zeig mir noch ein, zwei Dutzend.«

»Aber Mylord«, protestierte der Knappe keuchend. »Das
waren jetzt schon zehn Dutzend. Einhundertundzwanzig Liegestütze!«

Julian nickte ungerührt. »Ich beglückwünsche dich zu deinen Rechenkünsten, aber die Kraft deiner Arme und Schultern
hat in all den Wochen des Müßiggangs ein wenig nachgelassen,
fürchte ich.«

»Man merkt, dass er allmählich wieder der Alte ist, was,
Mortimer?«, warf Lucas ein. Er lag auf seinem Bett, die Knöchel
gekreuzt und balancierte einen Becher auf der Brust. »Er lässt
einem keine ruhige Minute.« Es klang schläfrig. Die Luft in
ihrem geräumigen Quartier war schwül und reglos. Ein Gewitter lag in der Luft, und Lucas hatte der drückenden Hitze mit
ein wenig zu viel Bier getrotzt.

»Wie wär's, wenn du ihm Gesellschaft leistest?«, schlug Julian vor.

»So weit kommt's noch«, brummte der Ritter.

Mortimer legte sich auf den Bauch, ergab sich einen Moment
der wunderbaren Kühle, die aus den Steinfliesen unter den
Binsen strömte, winkelte die Arme an und stemmte sich in die
Höhe.

Julian ließ sein Schnitzwerk in den Schoß sinken und sah
dem Knappen einen Moment kritisch zu. »Weiter runter, du
Faulpelz«, schalt er.

Mortimer biss sichtlich die Zähne zusammen und gab sich
mehr Mühe.

Julian nahm sein Holzstück wieder auf. »Zähle laut, sei so
gut.«

»Sieben … acht … neun«, keuchte der bedauernswerte
Knappe. »Elf … zwölf …«

»He, he«, protestierte Lucas lachend. »Du kleiner Gauner
hast einen unterschlagen.«

»Ich schlage vor, du fängst noch einmal von vorn an, Mortimer«, sagte Julian liebenswürdig.

Mortimer blinzelte den Schweiß aus den Augen, mobilisierte seine nicht unbeträchtlichen Reserven und absolvierte zwei Dutzend perfekter Liegestütze.

Julian nickte zufrieden. »Steh auf. Mach eine Pause und trink einen Schluck von Lucas' Bier.«

Mortimer kam der Aufforderung dankbar nach, trat an den Tisch und ergriff den Krug mit beiden Händen.

»Sauf mir ja nicht alles weg, Bübchen«, warnte Lucas. Es klang nicht so gut gelaunt, wie er es noch vor einer Woche gesagt hätte.

Julian betrachtete seinen Ritter aus dem Augenwinkel. Lucas war bleich und unrasiert. Er trank zu viel und war untypisch grantig. Allmählich begann diese selbst gewählte Gefangenschaft, an ihm zu zehren.

»Was belauerst du mich so verstohlen, Waringham?«, fragte er verdrossen.

Julian zog eine Braue in die Höhe und schüttelte den Kopf. »Wieso in aller Welt sollte ich das tun?«

»Komm schon. Raus damit.«

Julian unterdrückte ein Seufzen. »Ich habe dir nichts zu sagen, was du nicht selbst genau wüsstest, Lucas.«

Der Ritter brummte, richtete sich auf und stellte die Stiefel auf den Boden. Sie waren staubig. Trübsinnig sah er darauf hinab und nickte. »Ich lass mich gehen. Das ist es doch, was du meinst, oder? Du denkst, ich bin dem Jungen ein schlechtes Vorbild und euch beiden ein schlechter Gefährte.«

Das war in der Tat genau das, was Julian dachte. »Man kann wohl sagen, dass ich mich der gleichen Versäumnisse schuldig gemacht habe. Also habe ich kaum das Recht, dir etwas vorzuwerfen.«

»Ja, nur warst du halb tot. Diese wunderbare Entschuldigung habe ich leider nicht. Ich weiß nur, wenn wir nicht bald von hier verschwinden, werden sie mich mit den Füßen voraus aus dem Tower tragen.«

Julian nickte. Er ahnte, dass sein Ritter nicht übertrieb, und das bereitete ihm Sorgen.

Im gleichen Maß, wie seine Genesung fortgeschritten war, hatte Julian auch zu sich selbst zurückgefunden, und nun tat er wieder das, was seiner Natur entsprach: Er machte mit dem weiter, was ihm geblieben war. Und er schmiedete Pläne. Doch noch konnte er den ersten seiner Pläne nicht in die Tat umsetzen. Das stellte seine Geduld auf eine harte Probe, und Lucas' bedenklicher Gemütszustand drängte ihn ebenso dazu, etwas zu unternehmen.

Es klopfte. Ohne erkennbare Hast ließ Julian sein Schnitzwerk zwischen den Kissen seines Sessels verschwinden und griff nach einem anderen, einem halb fertigen Tierfigürchen, das auf dem Tisch lag. »Nur herein«, rief er einladend.

Die Tür öffnete sich zögernd, und Vater Ambrose kam hereingehuscht. »*Dominus vobiscum.*«

Mortimer und Lucas wechselten einen Blick und verdrehten die Augen, erwiderten den Gruß aber ebenso höflich wie Julian: »*Et cum spiritu tuo.*«

Vater Ambrose war ein junger, nicht übermäßig gescheiter Priester, den man ihnen als seelischen Beistand zugeteilt hatte. Er war ein glühender Verehrer König Edwards und des Hauses York, darum nahmen sie an, dass er ihnen nicht nur die Messe lesen und die Beichte abnehmen sollte, sondern nebenbei ein wenig für seinen angebeteten König spionieren. Julian verübelte ihm das nicht. An Stelle der Yorkisten hätte er das Gleiche getan.

»Nun, Vater? Wir fingen schon an, zu befürchten, Ihr würdet uns heute versetzen«, sagte Julian. Es musste fast elf sein, und sonst kam der eifrige junge Geistliche meist kurz nach Sonnenaufgang.

Vater Ambrose errötete ein wenig. »Ich hoffe, Ihr könnt mir vergeben, Sir. Aber ich wurde unerwartet in den Palast des Bischofs bestellt.« Er bemühte sich vergeblich, seine Erregung ob dieses Umstandes zu verhehlen.

»Verstehe. Tja. Nun ist Sir Lucas halbwegs betrunken und

kaum in der geeigneten Verfassung, den Leib des Herrn zu empfangen. Es sieht so aus, als sei unser Seelenheil Eurer Karriere zum Opfer gefallen. Zumindest für heute.«

Vater Ambrose machte große Augen. »Sir, wie könnt Ihr nur glauben ... Ich würde niemals ...«

»Er zieht Euch nur auf, Vater«, erklärte Mortimer und wahrte mit Mühe ein ernstes Gesicht. Die Einfältigkeit dieses Priesters hörte nie auf, ihn zu amüsieren. »Ich jedenfalls habe noch nichts zu mir genommen und würde gerne die Messe hören.«

»Gewiss, mein Sohn, gleich«, versprach Vater Ambrose fahrig. »Aber das ist nicht der einzige Grund, warum ich heute zu Euch gekommen bin.« Er sah zu Julian. Hektische rote Flecken brannten auf seinen Wangen, und ein eigentümlicher Glanz lag in seinen Augen. Julian kannte diese Symptome, und darum war er nicht sonderlich überrascht, als der Priester erklärte: »Nicht der Bischof hat mich zu sich bestellt, sondern einer seiner höchst geschätzten Gäste.«

»Lady Megan Beaufort«, tippte Julian.

Das brachte Ambrose aus dem Konzept. Seine Augen wurden noch ein wenig runder. »Woher wusstet Ihr das?«, fragte er, ebenso argwöhnisch wie enttäuscht.

Weil sie der einzige Mensch ist, den ich kenne, der Kerle wie dich glauben macht, die Heilige Jungfrau sei ihnen erschienen, hätte Julian sagen können, aber er hielt seine lose Zunge im Zaum. »Geraten.«

»Sie ...« Ambrose öffnete den Beutel, den er über der Schulter trug, und holte einen etwas eselsohrigen, gefalteten Pergamentbogen hervor, den er Julian entgegenstreckte wie eine kostbare Reliquie. »Sie hat mich gebeten, Euch diese Nachricht zu überbringen.«

Julian nahm den Brief nicht sofort, obwohl er darauf brannte, ihn zu lesen. So viel hing davon ab. Für ihn selbst und für alle, die ihm teuer waren. Es fiel ihm nicht leicht, sich zu beherrschen. »Und Ihr habt ihren Brief getreulich Lord Hastings oder dem Constable des Tower übergeben, nehme ich an?«

Vater Ambrose schüttelte den Kopf und sah ihm offen, geradezu treuherzig in die Augen. »Das hätte ich eigentlich tun müssen. Ich darf Euch keine Nachrichten überbringen, weder schriftlich noch mündlich. Aber die Wünsche dieser frommen Dame ...«

»... kann man schwer abschlagen, ich weiß«, vollendete Julian den Satz für ihn.

Ambrose senkte verlegen den Blick und nickte. »Vor allem nicht, wenn sie so unglücklich ist, Sir.«

Julian spürte sein Gesicht kalt werden, und plötzlich hatte er eine Gänsehaut auf Armen und Beinen. Seine Hände krampften sich um die Sessellehnen. »Unglücklich?«, fragte er und staunte, wie gemessen es klang. »Hat sie schlechte Nachrichten über ihren Sohn bekommen?«

»Ja, habt Ihr es denn nicht gehört, Sir?«

Julian fand das Atmen mühsam. Raus damit, du hässliche kleine Krähe, dachte er. Wenn du mich noch einen Atemzug länger zappeln lässt, dreh ich dir den mageren Hals um. »Wir hören hier nichts, was Ihr uns nicht mitteilt, Vater. Also, wäret Ihr wohl so gut, mir zu sagen, warum meine Cousine unglücklich ist?«

»Sie ist Eure Cousine?«, fragte Ambrose verdattert.

Plötzlich schoss Julian aus dem Sessel hoch. »Wird's bald, Pfaffe?«

Ambrose wankte erschrocken einen Schritt zurück. »Es ist Ihr Gemahl, Sir. Er ist gestorben. Letzte Woche schon.«

So viele widerstreitende Empfindungen stürzten auf Julian ein, dass ihm beinah schwindelig davon wurde. Mitgefühl für Megan, die mit Mitte zwanzig bereits zum zweiten Mal verwitwet war. Scham, weil das Ableben ihres Gemahls ihn selbst völlig kalt ließ. Vor allem jedoch Erleichterung, dass es nicht Richmond war, um den sie trauern musste.

Julian sank ein wenig matt in seinen Sessel zurück. »Vergebt mir, Vater Ambrose«, murmelte er.

»Natürlich«, antwortete der junge Priester frostig. Er war eingeschnappt. Vielleicht bereute er schon, dass er sich als Bote hatte missbrauchen lassen, und ganz gewiss würde er Julian nicht die gleiche Gefälligkeit erweisen wie Megan.

»Habt Dank für die Güte und Barmherzigkeit, die Ihr einer trauernden Witwe habt angedeihen lassen. Gott segne Euch dafür, Vater. Aber wenn Ihr mich jetzt entschuldigen wollt …«

»Ihr wollt nicht die Messe hören und für die arme Seele Eures verstorbenen Cousins beten? Oder beichten, dass Ihr um ein Haar Hand an einen Gottesmann gelegt hättet?«, fügte er hinzu. Die Andeutung einer Drohung schwang in seiner Stimme.

Julian verabscheute Priester, die keinen Funken Rückgrat hatten und sich hinter der Autorität der Kirche versteckten wie ein Feigling in der Schlacht hinter einem Baum. »Später vielleicht«, antwortete er kurz angebunden. »Falls es mir hinreichend leid tut.«

Endgültig beleidigt, schritt Vater Ambröse hoch erhobenen Hauptes hinaus.

»Hast du gesehen, Mortimer?«, fragte Lucas. »Das war eine wirklich eindrucksvolle Lektion in der Disziplin, wie man sich Freunde schafft.«

Julian hörte nicht hin. Er hatte das ungekennzeichnete Siegel kurz untersucht und festgestellt, dass es nicht erbrochen und dann wieder geflickt worden war. Aber er hätte sich nicht zu sorgen brauchen, denn Megan war kein Risiko eingegangen.

Liebster Cousin, hatte sie geschrieben. *Selten war mein Herz so leicht und so schwer zugleich. Gott hat in seiner unendlichen Weisheit beschlossen, mir den zu nehmen, der mir der Zweitliebste auf Erden war, und mich am selben Tage aus der quälenden Sorge um denjenigen, der mir der Liebste auf der Welt ist, zu erlösen. Sie sind in Sicherheit. Das Wetter hat sie ins Land der Lais abgetrieben, aber dort haben sie mächtigen Schutz gefunden. Ich ziehe mich vorerst dorthin zurück, wo du früher so gern Tennis spieltest. Leb wohl und Gott schütze dich. M.*

Julian ließ den Brief sinken und bekreuzigte sich mit der freien Rechten. Dann sah er in die beiden Gesichter, die ihm so voller Anspannung zugewandt waren.

Er stand auf, winkte, und sie traten so dicht zusammen, dass sie flüstern konnten. »Richmond, Tudor und meine Schwester sind in Sicherheit«, berichtete Julian tonlos. »Aber ich verstehe nicht, wo. Im ›Land der Lais‹, schreibt Megan.«

Mortimers Augen leuchteten auf. »Dann sind sie in der Bretagne«, wisperte er. »Lais sind bretonische Gedichte.«

Julian klopfte ihm anerkennend die Schulter. »Wie gut, dass wenigstens einer von uns höfische Bücherbildung besitzt.«

»Und jetzt?«, fragte Lucas.

»Jetzt, da wir das endlich wissen, werden wir die Gastfreundschaft der Yorkisten nicht länger in Anspruch nehmen, Gentlemen«, erklärte Julian. »Heute Nacht verschwinden wir aus dem Tower.«

Ein erlöstes Lächeln erstrahlte auf Lucas' Gesicht. »Durch den Geheimgang im White Tower?«

Julian schüttelte den Kopf und wies auf das schmale Fenster ihres Quartiers. »Da hinaus.«

Ritter und Knappe wechselten einen ungläubigen Blick und traten dann nebeneinander ans Fenster. Julian folgte und sah Mortimer über die Schulter.

Das Fenster – gerade breit genug, dass ein Mann sich hindurchzwängen konnte – bot einen Blick auf den vorgelagerten St. Thomas Tower. Wenn man sich ein wenig hinausbeugte, sah man den Graben und das gewaltige Gittertor, das halb aus dem grauen Wasser ragte.

»Da durch?«, fragte Lucas. Sie flüsterten immer noch, aber seine Skepsis war dennoch unüberhörbar.

»Unsinn. Schau nach links«, wies Julian seinen Ritter an. »Keine drei Yards vom Fenster entfernt liegt der Verbindungsgang vom Wakefield zum St. Thomas Tower. Wir klettern hinüber, laufen den Wehrgang entlang bis zur Vorderseite des St. Thomas Tower und seilen uns ab ins Wasser. Der Tower-Kai bildet die Trennung zwischen Burggraben und Fluss. Aber ein

Tunnel unter dem Kai hindurch verbindet den Graben mit der Themse. Dieser Tunnel hat kein Tor, wir können einfach hindurchschwimmen. Bei Flut müssen wir tauchen, aber er ist ja nur so lang, wie der Kai breit ist.«

»Trotzdem könnten wir ersaufen«, warf Lucas kritisch ein.

Julian nickte. »Das Risiko besteht.«

»Womit seilen wir uns ab?«

»Bettlaken.«

»Ich hab mal von einem walisischen Prinzen gelesen, der das versucht hat und zu Tode gestürzt ist«, berichtete Mortimer. Er schien beim Gedanken an eine Flucht plötzlich verzagt.

»Gruffydd ap Llewelyn, ich weiß«, sagte Julian. »Edmund Tudor hat mir von ihm erzählt. Aber der arme Gruffydd konnte keine Seemannsknoten. Ich schon.«

»Tatsächlich?«, fragte Lucas erstaunt. »Woher?«

Julian hob kurz die Schultern. »Die Matrosen der *Edmund* haben sie mir beigebracht. Also, Männer. Machen wir uns an die Arbeit. Wir haben viel zu tun.«

»Soll ich im Ernst glauben, dass nachts keine Wachen auf dem St. Thomas Tower stehen?«, erkundigte sich Lucas.

Julian lächelte ihm zu. »Nur ein Narr wie du könnte so etwas glauben.«

Das Gewitter brach los, sobald das letzte Abendlicht gewichen war, als habe es absichtlich so lange gewartet, um die Bewohner der großen Stadt mit seinen gleißenden Blitzen umso besser in Angst und Schrecken versetzen zu können. Julian war hochzufrieden. »Das Dröhnen des Donners wird jedes Geräusch übertönen, das wir verursachen, und der Regen macht uns so gut wie unsichtbar.«

Lucas nickte. »Bis zum nächsten Blitz.«

Julian stieß die Luft aus. »Willst du nun gehen oder bleiben, Sir Lucas Durham of Sevenelms?«, fragte er ungehalten.

Sein Ritter musste nicht lange überlegen. »Gehen.«

»Na, siehst du. Du machst den Anfang. Dann du, Mortimer. Ich komme zum Schluss.«

Es war alles genauestens abgesprochen, und Julians Ritter und Knappe hatten mächtig gestaunt, als sie feststellten, wie akribisch Julian ihre Flucht geplant und vorbereitet hatte. Den Nachmittag hatten sie damit verbracht, die Bettlaken nach seinen Anweisungen in Streifen zu reißen, zu flechten und zu verknoten, während Julian die letzten seiner kleinen Schnitzereien fertigstellte. Genau wie einst in Warwick Castle stand ihm nur ein Speisemesser zur Verfügung, und er war nicht wirklich zufrieden mit seinen Werken, aber sie würden ihren Zweck erfüllen. Jedenfalls hoffte er das.

Lucas stand am offenen Fenster und spähte angestrengt in das Wechselspiel aus Blitzen und Finsternis hinaus. Dann nickte er Julian zu. »Die Wachen sind verschwunden.«

»Dann nichts wie los. Wir haben nicht viel Zeit.«

Während zahlloser Nachtwachen am Fenster hatte Julian herausgefunden, dass zwei Posten auf den Ecktürmen des St. Thomas Tower standen. Sie waren gewissenhaft und rührten sich nicht von der Stelle – bis auf ein paar Minuten etwa eine Stunde nach Einbruch der Dunkelheit. Dann kam ein Boot, jede Nacht. Sie verließen ihren Posten, um im Innern des Gebäudes die Winde zu betätigen, die das Fallgitter im Wasser öffnete, warteten, bis das Boot hindurch war, und ließen das Gitter wieder herunter. Julian wusste nicht, wer oder was an Bord dieses Bootes war, aber er erinnerte sich, dass Königin Marguerite ihm einmal erzählt hatte, der yorkistische Constable des Tower habe eine adlige Geliebte, die er nachts in die Festung schmuggelte. Offenbar war dies ausnahmsweise einmal ein wahres Gerücht.

»Hier, Waringham«, sagte Lucas nervös. »Wirf du lieber.«

Sie hatten das Ende des Seils an eine ausgebrannte Fackel geknotet. Julien lehnte sich damit aus dem kleinen Fenster, ließ das Seil einige Male hin und her schwingen, und dann warf er es zum Wehrgang hinüber. Beim ersten Versuch landete der Fackelstock auf der Mauerkrone und fiel wieder herunter. Julian schloss für einen Herzschlag die Augen, mahnte sich zur Ruhe und versuchte es noch einmal. Der provisorische Haken flog genau zwischen zwei der Zinnen über die Mauer, und als Julian am Seil zog, spürte er Widerstand. Er zog fester. Es hielt.

Er reichte Lucas das Seil. »Gott beschütze dich.«

»Uns alle«, antwortete Lucas, zwängte sich auf die Fensterbank, ließ einen Moment die Füße baumeln, packte das Seil fest mit beiden Händen und sprang. Im Licht des nächsten Blitzes sah Julian ihn hart gegen die Mauer prallen, aber dann kletterte Lucas geschickt zur Bekränzung hinauf und schwang sich auf den offenen Gang. Sofort warf er das Seil zurück, das Julian auffing.

Auch Mortimer kam mühelos hinüber. Als das Seil zum zweiten Mal zurückkam, sah Julian sich noch einmal kurz in dem Gemach um, das sie beinah zwei Monate lang beherbergt hatte. Er würde ihm weiß Gott keine Träne nachweinen, aber ein so komfortables Bett, wusste er, würde er lange nicht wiedersehen. Mit einem letzten Blick vergewisserte er sich, dass der hölzerne Keil unter der Tür steckte, den er ebenfalls in den letzten Tagen gefertigt hatte und der verhindern sollte, dass Vater Ambrose oder sonst irgendwer unerwartet zurückkam und ihre Flucht bemerkte, ehe sie über alle Berge waren. Dann stieß er sich von der Fensterbank ab und folgte Lucas und Mortimer zum St. Thomas Tower hinüber. Als er sicher gelandet war, zogen sie ihr Kletterseil ein und liefen geduckt zum östlichen der beiden Ecktürme. Hagel vermischte sich mit dem prasselnden Regen, traf sie wie Nadelstiche auf Gesicht und Armen und kühlte die Luft auf einen Schlag ab. Donner grollte, und als Julian vom Turm auf das schäumende Wasser des Flusses jenseits des Tower-Kais blickte, fiel ihm die Nacht in Windsor ein, als Richard of York ihn um ein Haar von einem Turm wie diesem gestoßen hätte und der Mann, der jetzt König von England war, ihm das Leben gerettet hatte. Das erste von drei Malen. »Ich werde trotzdem nicht rasten, bis der Earl of Richmond dir deine erbeutete Krone entreißt, Edward of March«, murmelte er.

Dann klemmte er den stabilen Fackelstock wieder zwischen zwei der Zinnen und ließ das geflochtene und gekonnt geknotete Bettlakenseil zum Wasser hin fallen. Er spähte über die Mauer und wartete den nächsten Blitz ab. »Es reicht nicht bis unten. Vier, fünf Yards müssen wir springen.«

Auch Lucas und Mortimer blickten kurz nach unten. Das Seil tanzte in den Gewitterböen, und das Wasser gurgelte und zischte, pockennarbig von Regen und Hagel.

»Es geht doch nichts über ein Bad in der Themse«, bemerkte Lucas grinsend, packte das Seil und kletterte über die Mauerkrone. Er hatte noch kein Drittel der Strecke hinter sich gebracht, als er plötzlich den Halt verlor und mit einem markerschütternden Schrei ins Wasser stürzte.

»Oh, Jesus Christus, erbarme dich«, keuchte Julian. Seite an Seite mit seinem Knappen beugte er sich gefährlich weit über die Mauer und versuchte zu erkennen, ob unten ein Kopf auftauchte. Aber es war hoffnungslos. Die Blitze waren zu kurz, um die schäumende Wasseroberfläche abzusuchen.

»Los, Mortimer, worauf wartest du«, drängte Julian und wischte sich den Regen aus den Augen. »Schnell. Und halt dich besser fest als Durham, dieser Ochse.«

»Ja, Sir.« Es klang kleinlaut, und der Junge rührte sich nicht. Er hatte Angst.

»Vorwärts«, befahl Julian unwirsch. »Du wirst sehen, ihm ist nichts passiert, und …«

Er brach ab, als eine schwere Hand auf seine Schulter fiel. »Wo soll's denn hingehen, Waringham, du lancastrianischer Hurensohn?«

Julian verharrte einen Augenblick reglos, um sich zu sammeln, und drehte sich dann langsam um. Hagel klimperte auf den Helm des Wachsoldaten, Regen rann in Strömen über seine gefurchten Wangen, und er blinzelte emsig dagegen an. Julian sah das flackernde Licht eines Blitzes auf der gezückten Klinge und gestattete sich nicht zu zögern. Er hob die rechte Faust, in der er einen kleinen Gegenstand hielt, der sein Dasein einmal als hölzerner Suppenlöffel begonnen hatte und inzwischen aussah wie ein Spielzeugpfeil – harmlos, geradezu absurd. Doch der Schein trog. Julians Waffe war nur aus Holz, aber mörderisch spitz, und er rammte sie dem Wachsoldaten ins linke Auge.

Der Mann ließ sein Schwert fallen, schlug die Hände vors Gesicht, stieß ein Jaulen aus und brach in die Knie. Ehe er nochmals schreien konnte, riss Mortimer ihm den Helm vom Kopf, und Julian trat ihm gegen die Schläfe. »Ich kann es wirklich nicht leiden, wenn jemand meine Mutter beleidigt«, erklärte er dem Bewusstlosen. »Du kannst froh sein, dass dich das nur ein Auge gekostet hat.« Dann nickte er seinem Knappen zu. »Nichts wie runter, Junge. Ehe die zweite Wache uns entdeckt und herüberkommt.«

Mortimer nickte, schien noch etwas sagen zu wollen, überlegte es sich dann anders und schwang sich über die Mauer.

Julian kauerte sich in den Schatten der Brüstung und wartete und betete. Er wagte nicht, Mortimer nachzuschauen, denn er wusste, dass auf dem gegenüberliegenden Eckturm die zweite Wache stand. Als er schätzte, dass sein Knappe angekommen sein musste, richtete er sich vorsichtig auf und spähte in die Tiefe. Er wartete einen Blitz ab, einen zweiten. Nichts zu sehen.

Fluchend schwang er sich auf die Mauer, packte das tropfende Bettlaken mit beiden Händen und begann, langsam hinabzuklettern, die Füße gegen die nasse, schlüpfrige Mauer des St. Thomas Tower gestemmt. Seine Nackenhaare richteten sich auf, und er spürte einen leichten Schwindel, der nichts mit der Höhe zu tun hatte. Jeden Moment rechnete er damit, dass ihn ein Pfeil von oben traf. Aber er zwang sich, besonnen zu klettern, damit nicht auch er noch abstürzte.

Er erreichte das Wasser unbeschadet. Es war unerwartet kalt, und es stank nach allem Unrat Londons. Julian hatte natürlich damit gerechnet, nur hatte er nicht geahnt, *wie* schlimm es werden würde. Er verzog angewidert das Gesicht, schwamm ein paar Züge auf den Kai zu – die Mauer eine tintenschwarze Wand in der Finsternis –, und plötzlich tauchte neben ihm ein Kopf auf, Arme planschten und ruderten panisch im Wasser.

Julian packte einen davon und hörte ein ersticktes Husten. Im Licht des nächsten Blitzes erkannte er seinen Knappen. Mortimers Augen waren schreckgeweitet. »Mylord ...«, keuchte er, ehe ihn erneut Husten schüttelte.

Julian riss ihn herum, sodass der Junge ihm den Rücken zuwandte, griff unter seinen Achseln hindurch und nahm seinen Unterarm mit beiden Händen. »Warum zum Henker hast du mir nicht gesagt, dass du nicht schwimmen kannst, du Schwachkopf!«, schimpfte er, während er mit kräftigen Zügen auf die Kaimauer zuhielt.

»Weil ... weil Ihr dann niemals gegangen wärt«, kam die röchelnde Antwort.

Julian sagte nichts. Er war sprachlos. Dieser Bengel hatte dem Tod ins Auge geblickt, um die Flucht seines Herrn nicht zu gefährden. Was für ein Heldenmut. Fassungslos, beinah ungeduldig schüttelte Julian den Kopf. Jetzt war wirklich nicht der geeignete Moment, um darüber nachzudenken. »Was hab ich verbrochen, dass ich mit Knappen geschlagen bin, die nicht schwimmen können?«, grollte er stattdessen.

»Ich hoffe, Ihr könnt mir vergeben, Mylord.«

»Das überleg ich mir noch. Jetzt halt still und mach dich steif, sonst ist es, als müsste ich einen Sack Steine mit mir ziehen. Und wo ist Durham?«

»Hier, Mylord.« Lucas' Stimme drang deutlich an sein Ohr, und sie hallte merkwürdig. Er musste die Öffnung des Tunnels gefunden haben.

»Sag was, damit ich dich finde«, rief Julian. Es war fast unmöglich, sich über das Tosen des Unwetters hinweg verständlich zu machen, und die Wellen des widerwärtigen Wassers schwappten über ihn hinweg und schienen entschlossen, ihn zu ersäufen. Aber er war froh und dankbar für das Wetter. Niemand würde sie von oben sehen oder hören.

»*Die Novizin von Blois war ein geiles Luder, war mir immer gewogen, wie auch meinem Bruder. Nacht um Nacht haben wir sie geritten, hatte sie doch so prachtvolle ...*«

Julian brach in hilfloses Gelächter aus, ebenso verursacht

durch Anspannung wie durch Heiterkeit darüber, dass sein Ritter sich ausgerechnet für eines der weniger frommen Soldatenlieder entschieden hatte, um ihm den Weg zu weisen. Lucas schmetterte die zotige Ballade mit mehr Stimmgewalt als Sangeskunst aus der Tunnelöffnung – laut genug, dass Julian zu fürchten begann, man könne ihn vielleicht doch bis oben auf den Mauern des Tower hören.

»Hör auf, um Himmels willen«, schalt er, als er ihn endlich erreichte. Immer noch zuckte hilfloses Kichern in seinen Bauchmuskeln.

Lucas verstummte folgsam, sagte dann aber: »Es hat noch ungefähr fünf weitere Strophen.«

»Ein andermal vielleicht. Ich dachte, du wärst ertrunken.«

»Das dachte ich auch.« Dann ruckte er den Daumen zu der schwarz gähnenden Tunnelöffnung. »Es ist Ebbe, Mylord. Wir müssen nicht tauchen.«

»Gott sei gepriesen. Der Bengel hier kann nämlich nicht schwimmen.«

»Allmächtiger. Und hat kein Sterbenswort gesagt. Du bist ein Mordskerl, Mortimer Welles.«

»Danke, Sir Lucas.« Es klang nicht so, als fühle Mortimer sich im Augenblick wie ein Mordskerl, und der Verdacht bestätigte sich, als er sagte: »Ich werde Gott auf Knien danken, wenn ich wieder festen Boden unter den Füßen habe.«

»Was machen wir jetzt, Julian?«, fragte Lucas. »Was immer wir tun, wir sollten weit weg von London sein, wenn die Sonne aufgeht.« Ein Blitz zeigte Julian, dass sein Freund sich mit sachten Ruderbewegungen mühelos über Wasser hielt.

Julian hatte die Absicht gehabt, die Themse zu durchqueren und am Southwark-Ufer an Land zu gehen, um bei den Benediktinern in Bermondsey um ein Bett für den Rest der Nacht zu bitten. Aber mit einem Nichtschwimmer war das natürlich undenkbar.

»Lass uns erst einmal durch diese Unterführung schwimmen. Ich bin das Gefühl satt, die Mauern des Tower im Rücken zu haben.«

Lucas folgte ihm in den Tunnel, warnte aber: »Sobald wir auf den Fluss hinaus kommen, reißt die Strömung uns nach Osten.«

Das ist gut, dachte Julian. Genau dort wollen wir hin. »Ich fürchte, es wird uns nichts anderes übrig bleiben, als ein Boot zu stehlen«, sagte er zögernd. Es war ein abscheulicher Gedanke, einem der kleinen Londoner Fischer oder Kaufleute etwas so Kostbares zu nehmen.

Lucas kannte seinen Dienstherrn gut, darum sagte er beschwichtigend: »Mein Cousin kann herausfinden, wem es gehört, und den Schaden aus deinen Reichtümern ersetzen.«

Julian nickte erleichtert. »Also dann.«

Sie schwammen unter dem Tower-Kai hindurch, und als sie auf der anderen Seite auf den Fluss hinauskamen, hörte der Regen so plötzlich auf, als habe Gott einen Hahn zugedreht.

St. Thomas, Juli 1471

In der folgenden Nacht kam Julian zu dem abgelegenen Benediktinerkloster, wo er seine Familie zu finden hoffte. Der Sternenhimmel wölbte sich wie ein schwarzblauer, juwelenbestickter Baldachin über Kent, und die Düfte der Wiesen, die das Kloster umgaben, waren herb und süß und vertraut. Julian sog sie tief ein und spürte, wie Zuversicht und Gottvertrauen in sein Herz zurückkehrten.

Mit dem erbeuteten Boot waren sie stromabwärts bis Tickham gefahren, einem Hafen im Mündungsdreieck von Rhye und Themse, wo die reichen Durham große Lagerstätten unterhielten. Dort hatte Lucas ihm Obdach für den Rest der Nacht, ein dringend benötigtes Bad, saubere Kleider und ein Pferd besorgt, ehe er mit Mortimer weiter nach Sevenelms gerudert war, wo seine eigene Familie auf ihn wartete.

Voller Ungeduld hatte Julian den Tag in einem Versteck zwischen Wollsäcken und Tuchballen verbracht und gewartet, dass es endlich wieder dunkel wurde. Er wusste, dass er sich daran würde gewöhnen müssen, ein Geschöpf der Nacht zu sein – wie ein Dieb oder ein Satansjünger. Die Yorkisten würden ihn jagen. Suchten vermutlich jetzt schon nach ihm. Und bevor er mit ihnen fertig war, würden sie ihn für vogelfrei erklären und einen Preis auf seinen Kopf aussetzen. Also musste er lernen, unsichtbar zu sein ...

Tatsächlich war er auf seinem schwarzen Pferd und in seinem dunklen Mantel nur ein Schatten in der Nacht. Er hielt am Fuß der Klostermauer, wo eine Weide stand, band den etwas behäbigen, aber ausdauernden Gaul an einen der Äste und kletterte behände in den alten Baum. Mühelos gelangte er so über die Einfriedung, ließ sich auf der anderen Seite herunter und landete fast lautlos in einem Kräuterbeet. Dort verharrte er einen Moment, sah zur dunklen Kirche hinüber und lauschte. Nichts rührte sich.

Er umrundete das Gotteshaus und den Kapitelsaal der Mönche, kam in den Innenhof der Anlage und zu dem jenseitig gelegenen Gästehaus. Behutsam schob er die hölzerne Tür auf. Sie verursachte keinen Laut.

Mit klopfendem Herzen wartete Julian, bis seine Augen sich auf das Dunkel im Innern eingestellt hatten, und dann sah er sie – fast plötzlich: Zwei schlichte Holzbetten standen sich an der linken und rechten Wand gegenüber. Edmund, Alice und John schlummerten aneinandergekuschelt in dem rechten. Seine Frau schlief mit der kleinen Juliana in dem linken. Robin, sein Ältester, lag in eine Decke gerollt quer vor den beiden Betten im Bodenstroh, das blanke Schwert seines Großvaters neben sich. Auf dem Tisch, der zwischen den Schlafstätten an der Wand stand, lag ein Säugling in einem Weidenkorb.

Julian spürte einen Kloß in der Kehle, der ihm dick wie eine Kanonenkugel erschien. Er stand mit kraftlos herabbaumelnden Armen da und wagte kaum zu atmen, weil er fürchtete, sie aufzuwecken. Flüchtig fragte er sich, ob ein Mann an einem Übermaß an Liebe sterben konnte, denn er fühlte sich so überwältigt davon, dass er sicher war, sein Herz werde einfach stehen bleiben. Er hätte nicht einmal Einwände erhoben. Das Bild, welches sich ihm hier bot, hatte er sich ungezählte Male vorgestellt, und es hatte ihn durch seine finstersten Stunden gebracht. Und obwohl er befürchtet hatte, Gott habe ihn verlassen und höre ihn schon lange nicht mehr, hatte er gebetet: Lass mich noch ein einziges Mal meine Frau und meine Kinder sehen. Aber erst jetzt, da es geschehen war, merkte er, wie groß das Geschenk war, das Gott ihm machte. Er küsste das Kruzifix, das gleich neben der Tür hing, und sank auf die Knie, die ohnehin so butterweich waren, dass er nicht mehr viel länger auf den Füßen hätte bleiben können.

Mit einem Rascheln, das so sacht war wie eine Sommerbrise im Gras, richtete Janet sich auf. Stumm sahen sie sich über die Länge des Gästehauses hinweg an; für einen Augenblick beide reglos. Dann stand sie leise auf und stieg behutsam über Robin hinweg. Als sie näher trat, sah Julian den Ausdruck ungläubigen Staunens auf ihrem Gesicht.

Er kam auf die Füße, und sobald sie in Reichweite war, schlang er die Arme um seine Frau und presste sie an sich. Er vergrub das Gesicht in ihren offenen Haaren, sog ihren Duft ein, spürte die Schlafwärme ihrer Haut.

Janet sah zu ihm hoch, fuhr mit dem Zeigefinger die Tränenspur auf seiner Wange nach und lächelte.

Julian nahm ihre Hand, führte sie hinaus ins Freie und auf die Rückseite des Gästehauses, wo sie sich auf die Erde legten und liebten, ehe sie ein einziges Wort gesprochen hatten.

»Junge oder Mädchen?«, fragte er, als ihre Gier nacheinander schließlich gestillt war und sie nebeneinander im sonnenversengten, etwas stacheligen Gras lagen wie zu Hause in Waringham in ihrem vornehmen Bett, Janets Kopf auf seiner Schulter.

»Ein Sohn«, antwortete sie. »Ich habe ihn Henry genannt, zum Andenken an den ermordeten König. Es schien mir angemessen.«

Julian küsste ihre Schläfe. »Danke.« Und um seine Rührung

zu verbergen, fügte er hinzu: »Das war verdammt anständig für eine Yorkistin.«

Aber Janet ließ sich von der Leichtigkeit seines Tons weder blenden noch anstecken. Sie schüttelte den Kopf. »Das bin ich nicht mehr, Julian. Das ist endgültig vorbei. Ich bin Edward dankbar, dass er dein Leben geschont hat, aber ein König, der seinen greisen, kranken Rivalen und dessen Sohn ermorden lässt, kann nicht länger der meine sein.«

Er nickte in der Dunkelheit. »Ich merke, du bist über alles im Bilde, was passiert ist.«

»Nicht über alles. Roland war hier und hat mir berichtet, was passiert ist. Aber ich habe gemerkt, dass er mir vieles nicht gesagt hat. Zum Beispiel, was ihm im Tower passiert ist. Oder dir.«

»Oh, das ist eine wirklich langweilige Geschichte, weißt du …«

»Haben sie dich laufen lassen?«

»Nein. Wir sind geflohen. Letzte Nacht.«

Er berichtete ihr, was sie wissen musste. Genau wie Roland ließ er die gruseligeren Episoden aus, damit sie sich nicht damit quälte, denn welchen Nutzen hätte das gehabt? Und als sie an der Reihe war und ihm erzählte, wie sie hochschwanger und mit fünf Kindern Hals über Kopf von Waringham nach St. Thomas geflüchtet war, merkte er, dass sie das Gleiche tat. Die Furcht, die Ungewissheit, die einsame Niederkunft in einem Kloster voller Männer, die für Frauen meist nicht viel übrig hatten und ihr vermutlich bestenfalls ein altes Kräuterweib aus dem nahen Dorf zur Hilfe geholt hatten – all das erwähnte sie mit keinem Wort.

Julian zog sie ein wenig fester an sich.

»Und was wird nun aus uns?«, fragte Janet nach einem längeren Schweigen. »Müssen wir England verlassen?«

»Das wäre vermutlich das Klügste. Für dich und die Kinder ganz gewiss. Jasper Tudor und meine Schwester haben Richmond in die Bretagne gebracht. Dort ist er sicher, zumindest vorläufig. Ihr könntet euch ihnen anschließen.«

»Aber ich merke, das ist nicht das, was du zu tun gedenkst.«

»Nein«, gestand er. »Ich kann Waringham und den Lancastrianern, die in England geblieben sind, nicht den Rücken kehren und in der Bretagne auf bessere Zeiten hoffen. Ich will den Widerstand organisieren und Edward of March und seinen verfluchten Brüdern das Leben zur Hölle machen. Genau wie meinem Schwager Devereux, dem neuen Steward von Waringham. Sie sollen keinen Moment Frieden haben, wenn ich es verhindern kann. Dank deiner Geistesgegenwart bin ich immer noch ein wohlhabender Mann. Ich wäre in der Lage, Freunden in Not zu helfen – und davon gibt es viele. Ich werde in England das tun, was Jasper Tudor in Wales getan hat, und so den Boden bereiten für den Tag, da der rechtmäßige Thronerbe nach England kommt, um seine Krone einzufordern. Seine Mutter – Megan Beaufort – ist wieder verwitwet und auf ihr Gut in Bletsoe zurückgekehrt. Sie könnte eine wertvolle Verbündete sein, und wir stehen uns nahe. Ich … ich werde hier gebraucht, Janet.«

»Ja. Ich weiß. Aber sie werden dich jagen, und sie werden dich finden, und noch einmal wird Edward dich nicht leben lassen.«

»Sie werden ihre liebe Mühe haben, mich zu finden, denn mein Unterschlupf wird beweglich sein. Schnell wie der Wind.«

»Was soll das bedeuten?«, fragte sie verständnislos.

»Die *Edmund*, Janet. England ist eine Insel. Es gibt keinen Flecken in diesem Land, der nicht in ein paar Stunden von der Küste aus erreichbar ist, aber es gibt kein besseres Versteck als die weite See. Die *Edmund* wird meine Basis sein.«

»Wir werden dich niemals sehen. Nie wissen, wie es dir geht, ob du lebst oder tot bist.« Sie sagte es weder vorwurfsvoll noch flehentlich, aber ihre Stimme klang dünn.

Julian wandte den Kopf, legte einen Finger unter ihr Kinn und sah ihr in die Augen. »Du wirst mich oft sehen. Was immer wir hier in England tun, Jasper Tudor muss darüber informiert sein. Die Verbindung zu ihm und dem Jungen zu halten wird unsere wichtigste Aufgabe sein. Ich schwöre dir, du wirst mich öfter sehen als in den vergangenen Jahren. Aber geh in die Bretagne, Janet, ich bitte dich. Ich kann nicht tun, was ich tun muss, solange unsere Kinder in England sind.«

Janet schnaubte ungeduldig. »Oh, das alte Schauermärchen von dem yorkistischen König, der unseren Kindern wegen ihres Lancaster-Blutes nach dem Leben trachtet.«

»Nein, das ist es nicht, was mir Sorgen macht. Aber solange ihr in England seid, bin ich erpressbar.«

»Edward würde sich niemals an unseren Kindern vergreifen«, protestierte sie.

»Nein. Sein Bruder hingegen schon. Glaub mir, Janet, Richard of Gloucester würde bedenkenlos über Kinderleichen gehen, um zu bekommen, was er will.«

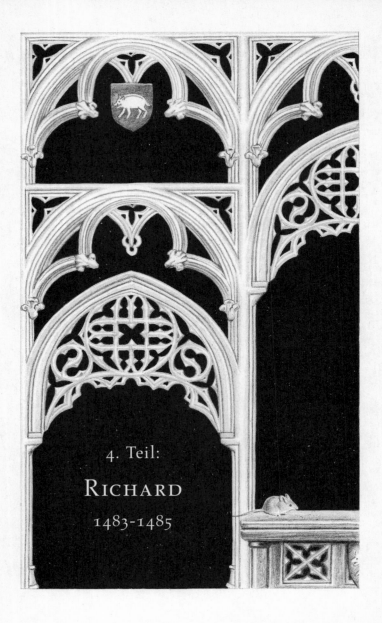

4. Teil:

RICHARD

1483-1485

Ärmelkanal, April 1483

»Englische Karacke backbord voraus!«, rief der Ausguck. Seine Stimme schien der einzige Laut auf der Welt zu sein. Es hörte nie auf, Julian zu faszinieren, wie still der Tagesanbruch auf See sein konnte.

Er trat an die Reling des Vordecks und spähte in die gewiesene Richtung. Die aufgehende Sonne schien ihm von links ins Gesicht, war jedoch hinter einem dünnen Wolkenschleier verborgen, der harmlos aussah, indes nichts Gutes für den späteren Tag verhieß. Das zarte, messingfarbene Licht glitzerte auf den Wellen, dennoch konnte Julian das viereckige Hauptsegel mit dem breiten roten Georgs-Kreuz darauf erkennen. »Oh, Edward«, murmelte er und sog genießerisch die salzige Morgenluft ein. »Wie anständig von dir, deine Flotte so unübersehbar zu kennzeichnen ...«

Systematisch suchte er das Meer nach weiteren Schiffen ab. Aber nichts war zu entdecken. Bis auf die *Edmund* und die königliche Karacke war die See wie leergefegt.

Julian wandte den Kopf. »Master Lydd. Mars- und Focksegel setzen, Drehbrassen backbord klarmachen, Lancaster-Flagge hissen.«

»Aye, Captain.« Der Bootsmann beugte sich über die Reling nach mittschiffs und gab die Befehle weiter. Er brüllte nicht lauter als nötig. Auch wenn die Karacke noch weit entfernt war, wusste er doch, wie Stimmen auf der stillen See tragen konnten.

Schnell und diszipliniert machten die Matrosen der Frühwache sich an die Arbeit. Zwei erklommen die Leiter zum Vordeck, um das Focksegel zu setzen, dessen kurzer Mast von hier aus erreichbar war. Sechs Mann kletterten in die Takelage und setzten über dem Großsegel das kleinere Marssegel. Vier Matrosen luden die beiden drehbaren Kanonen an der Backbordreling und richteten sie aus, und Edmund enterte mit der Flagge unter dem Arm auf, um das stolze Banner mit der roten Rose zu hissen. Julian sah ihm mit sorgsam verborgenem Stolz nach. Der Siebzehnjährige kletterte mit dem Geschick und der Unbekümmertheit einer Katze. Julian machte sich keine Sorgen um die Knochen seines Sohnes. Es sah gefährlicher aus, als es war, wusste er, denn er selbst hatte das ungezählte Male getan. Nachdem Fortuna und die Yorkisten einen Seemann aus ihm gemacht hatten, hatte er das Matrosenhandwerk von der Pike auf gelernt.

Er verließ das Vordeck und ging nach mittschiffs, wo Lucas Durham am Ruder stand. »Sobald wir sie eingeholt haben, schneidest du ihnen den Weg ab, und wenn sie manövrierunfähig sind, drehen wir bei.«

»Aye, Captain«, sagte Lucas in einer gekonnten Imitation des Bootsmanns. »Ich hoffe, sie schießen uns nicht zu Klump, wenn sie merken, dass wir aufholen.«

Julian grinste flüchtig. »Sei unbesorgt. Sie haben keine beweglichen Geschütze wie wir, sondern nur ihre Backbord- und Steuerbordkanonen. Edward hat beim Bau seiner Schiffe mehr an die Einnahme französischer Hafenstädte denn an lancastrianische Piraten gedacht.«

»Ich dachte, wir sind keine Piraten«, brummte Lucas. Das Wort bereitete ihm Unbehagen.

Julian klopfte ihm tröstend die Schulter. »Nur ab und zu.«

Sie holten schnell auf. Als die Besatzung der Karacke die Verfolger bemerkte, ließ ihr Kommandant ebenfalls zusätzliche Segel setzen, aber es war zu spät. Es gab nicht viele Schiffe, die es an Schnelligkeit mit der *Edmund* aufnehmen konnten.

Ehe Julians Schiff gleichzog und in Reichweite der yorkistischen Geschütze kam, wies er seine Kanoniere an den beweglichen Brassen an: »Feuer frei, sobald wir nah genug sind. Wer ihren Großmast fällt, bekommt ein Pfund in Goldmünzen von mir.«

»Oh, das käm mir gerade recht«, sagte sein Sohn plötzlich neben ihm. Dann bat er den Bootsmann: »Darf ich es versuchen, Master Lydd?«

Der Angesprochene sah fragend zu Julian.

Der zuckte die Schultern. »Die Entscheidung liegt bei Euch. Aber trefft sie bald. Es ist so weit.«

Der Bootsmann nickte dem jungen Mann zu. »Also dann. Woll'n mal sehen, ob du mehr zuwege bringst, als ihnen ein Loch ins Großsegel zu schießen.«

Niemand murrte. Nicht nur Master Lydd, sondern auch die Matrosen wussten, dass Edmund ein gutes Auge hatte. Außerdem mochten sie ihn gern, den Sohn ihres Captains, der den gleichen Namen trug wie ihr Schiff. Sie glaubten, er bringe ihnen Glück, denn seit er vor fünf Jahren als Schiffsjunge an Bord gekommen war, schien ihnen alles zu gelingen, ganz gleich, welch gewagte Schurkenstücke Lord Waringham sich ausdachte, und sie alle waren stolz darauf, dass der yorkistische König dem Mann, der die *Edmund* versenkte oder ihren Captain gefangen nahm, einen Ritterschlag und eine großzügige, lebenslange Jahrespension versprochen hatte.

Der Kanonier an der hinteren Drehbrasse feuerte, und die Kugel schlug auf dem Achterdeck der Karacke ein.

Edmund richtete seine Brasse aus, sah über das kurze, dicke Rohr hinweg zu seinem Ziel, kniff das linke Auge zu und zielte.

Julian biss sich auf die Zunge, um ihm keine Ratschläge zu geben. Er wusste, der Junge war ein guter, besonnener Schütze. Mit der Rechten nahm Edmund eine letzte, winzige Korrektur an der Ausrichtung vor, dann führte er die kleine Fackel in der Linken an die Lunte. Unter ohrenbetäubendem Getöse wurde die steinerne Kugel aus dem Lauf geschleudert, flog pfeifend durch die Morgenluft und traf den Großmast der Karacke etwa auf halber Höhe. Unter vernehmlichem Splittern krachte das Großsegel auf das Deck des Schiffes, wo augenblicklich ein großes Durcheinander ausbrach.

Die Mannschaft der *Edmund* jubelte.

Julian legte seinem Sohn kurz die Hand auf den Unterarm. »Gut gemacht, Edmund.« Dann wandte er sich an seine Männer: »Nachladen und weiterfeuern. Es soll denen da drüben ja nicht langweilig werden. Und bereit machen zum Entern.«

Edmund überließ die Brasse einem der Kanoniere und wollte mit der restlichen Mannschaft zu der Kiste mit den Enterhaken eilen, aber sein Vater hielt ihn kopfschüttelnd zurück. »Nein.«

Fast gleichzeitig donnerten die beiden Geschütze.

»Aber Vater ...«, protestierte Edmund, und die Enttäuschung in den blauen Augen ließ ihn mit einem Mal sehr jung erscheinen. »Ich hab ihr Großsegel runtergeholt ...«

»Und dafür wirst du den versprochenen Lohn bekommen. Aber wir werden nicht bei jeder Gelegenheit wieder die gleichen Debatten führen, hast du verstanden? Vergiss nicht, was du deiner Mutter geschworen hast.«

Janet fiel es jedes Mal schwer, ihren Sohn mit seinem Vater davonsegeln zu lassen. Sie war insgeheim überzeugt, dass die ewig hungrige See sie früher oder später beide verschlingen werde. Darum hatte sie ihnen das Versprechen abgenommen, dass Edmund an keinen Gefechten teilnahm, ehe er den Rang eines Bootsmannsmaat bekleidete. Und davon trennten ihn noch wenigstens zwei Jahre.

Der Junge verschränkte die Arme und schnaubte untypisch bockig. »Das ist doch *lächerlich* ...«

»Mag sein. Aber ebenso unabänderlich. Es wird Zeit, dass du lernst, dich in das Unvermeidliche zu fügen, wenn du ein Mann sein willst.«

Edmund schnitt eine so freche Grimasse, dass er haarscharf an einer Ohrfeige vorbeischrammte.

Sein Vater ließ ihn stehen und trat mit einem Enterhaken an die Backbordreling zu seinen Matrosen. Die beiden Geschütze hatten ein paar beachtliche Löcher in das Deck und die Bordwand der Karacke gerissen, und eins der Geschosse musste achtern eine Lampe oder die Kombüse getroffen haben. Ein Feuer war dort ausgebrochen.

Sobald die *Edmund* nah genug war, warfen Julian und seine Männer ihre Haken, legten sich in die Seile, um das manövrierunfähige Schiff näher zu ziehen, und schwangen schließlich hinüber – mitten in das Feuer yorkistischer Büchsen. Wie üblich schlugen diese Waffen mehr Krach als Wunden, doch in den letzten zwanzig Jahren hatte sich viel auf diesem Gebiet entwickelt, und links von Julian stürzte sein Smutje mit einem gellenden Schrei getroffen ins Meer.

Julian hatte keine Zeit, um nachzuschauen, ob er noch einmal auftauchte. Sobald er auf den Füßen stand, zog er sein Schwert, und er brauchte nicht lange auf Kundschaft zu warten.

Die Angreifer brachten das Schiff schnell unter ihre Kontrolle. Die Mannschaft der Karacke entsprach etwa der auf Julians Karavelle, aber viele Männer waren noch unter dem Großsegel gefangen oder kämpften gegen das Feuer auf dem Achterdeck.

Julian und Lucas standen mittschiffs Rücken an Rücken, und nachdem jeder drei der yorkistischen Matrosen erschlagen hatte, verloren die anderen die Lust und wichen zurück. Nur ihr Kommandant schien noch nicht geneigt, sich zu ergeben. Mit erhobenem Schwert trat er auf Julian zu, und die Haltung der schweren Waffe, die langen, sicheren Schritte verrieten seine Kampferfahrung. Doch als er den ungerüsteten Mann erkannte, der sein Schiff gekapert hatte, geriet er ins Stocken. »Julian of Waringham?«, fragte er ungläubig und klappte das Visier seines Helms hoch.

Julian ließ das Schwert sinken. »Teufel noch mal. Ralph Hastings. Das … ist mir höchst unangenehm, Schwager.«

Seine Männer lachten, dabei meinte Julian es fast ernst. Er hatte den jüngeren von Janets beiden Brüdern immer gemocht – Yorkist oder kein Yorkist –, und vermutlich würde der bedauernswerte Tropf allerhand zu hören kriegen, wenn er ohne Schiff und Ladung nach Hause kam.

»Ihr wart auf dem Weg nach Calais?«, tippte Julian. Seit Warwicks Tod war Lord Hastings Kommandant der Garnison von Calais, aber da er als Lord Chamberlain in England meist unabkömmlich war, vertrat sein Bruder ihn dort häufig.

Der nickte. »Mit Sold und Lebensmitteln für zwei Monate«, sagte er verdrossen. Er wusste, es hatte keinen Sinn, das zu verheimlichen – Julians Männer würden die Ladung so oder so durchsuchen.

Julian hatte seine liebe Müh', ein breites Grinsen zu unterdrücken. Er hatte geglaubt, Edward einen kleinen Nadelstich zuzufügen. Aber zwei Monate Sold für die zweitausend Mann starke Truppe von Calais – das hatte schon mehr Ähnlichkeit mit einer klaffenden Wunde. »Ich warte, Sir Ralph«, sagte er nicht unfreundlich. »Oder wollt Ihr Euch noch ein wenig mit mir schlagen?«

Sein Schwager schüttelte kurz den Kopf. »Die *St. Peter* ist Euer, Mylord«, erklärte er steif.

Julian verneigte sich knapp und wandte sich an seinen Bootsmann. »Ihr habt es gehört, Master Lydd. Bringt die Ladung an Bord der *Edmund*.«

»Aye, Captain.« Mit einem Wink führte er die Männer zur Luke, die zum Laderaum hinabführte. Er gab den Matrosen ein paar Anweisungen und ging dann mit zwei kräftigen Kerlen weiter zu der brennenden Kapitänskajüte im Heck, wo er die Geldtruhe vermutete.

Julian steckte unterdessen sein Schwert ein, und Lucas sagte aufmunternd zu Hastings: »Kopf hoch, Sir Ralph. Sein schlachtenloser Frankreichfeldzug hat Euren König doch zu einem steinreichen Mann gemacht. Ich wette, es macht ihm nichts aus, den Sold der Garnison zweimal zu zahlen, he?«

Ralph Hastings' Kopf ruckte hoch. »Ihr … Ihr *spottet* über ihn? Habt Ihr denn nicht einen Funken Anstand im Leib, Mann?«

Lucas war verwundert. »Ihr Yorkisten seid doch allesamt schlechte Verlierer«, brummte er. »Spottet Ihr über uns etwa nicht? Und mal ehrlich, ein König, der mit einer Armee nach Frankreich segelt, um sich endlich die Krone zu holen, und sich mit einem Lösegeld abspeisen lässt, *ist* eine etwas komische Figur, oder? Auch wenn es ein wahrhaft königliches Lösegeld war …«

Sir Ralph verengte die Augen und blickte von Lucas zu Julian. »Jesus ... Ihr wisst es noch nicht«, ging ihm auf. Es klang beinah wie ein Seufzen.

»Was sollen wir nicht wissen?«, fragte Lucas angriffslustig.

Julian legte ihm kurz die Hand auf den Arm und sah seinen Schwager wortlos an.

Ralph Hastings erwiderte seinen Blick. Für einen Moment schienen seine Augen im Morgenlicht zu strahlen, dann rannen zwei Tränen über seine Wangen. »Er ist tot«, sagte er und schüttelte den Kopf, als könne er es selbst noch nicht fassen. »König Edward ist tot, Waringham.«

Julian und Lucas starrten sich einen Moment an, dann bekreuzigten sie sich. »Tot?«, fragte Julian verständnislos. »Was ist passiert? Ein Turnierunfall?« Und er dachte: Bitte, Gott, gib, dass er nicht sagt, Edward of March ist ermordet worden, denn dann werden sie die letzten versprengten Lancastrianer in England zusammentreiben und abschlachten wie Vieh.

Sir Ralph hatte Helm und Handschuhe abgenommen und fuhr sich ohne Scham mit dem Handballen über die Augen. Kopfschüttelnd antwortete er: »Es war kein Unfall. Er ist einfach ... gestorben.«

»Was redet Ihr da, Mann? Er war vier Jahre jünger als ich«, knurrte Julian. Er wusste, es war ein schwaches Argument. Er war sechsundvierzig, und Männer, die halb so alt waren, starben jeden Tag – ohne ersichtlichen Grund. Das Leben war flüchtig. Aber Edward of March hatte immer eine solche Vitalität ausgestrahlt, dass Julian insgeheim geglaubt hatte, er werde ewig leben.

»Wann habt Ihr ihn das letzte Mal gesehen?«, fragte sein Schwager.

»Am Tag der Schlacht von Tewkesbury«, antwortete Julian. »Bei meiner verunglückten Hinrichtung.«

»Das ist zwölf Jahre her«, entgegnete Sir Ralph. »Er ... er hatte sich verändert.«

»Ihr könnt Euch nicht vorstellen, wie fett er geworden war, Waringham«, berichtete Sir Ralph, als sie mit einem Becher Wein in Julians Kajüte saßen. Das Feuer auf der *St. Peter* war außer Kontrolle geraten, und Julian hatte das Schiff räumen lassen und die Mannschaft an Bord genommen. Sie hatten wieder Segel gesetzt, und als die brennende, zerschossene Karacke sank, hatten sie sich schon ein gutes Stück entfernt. Julian schätzte, dass sie am nächsten Morgen an der bretonischen Küste landen würden, und dort wollte er seine unfreiwilligen Gäste absetzen.

»Fett?« Julian hatte Mühe, sich Edward of March anders als rank und schlank vorzustellen.

»Dann war's wahrscheinlich die Wassersucht«, mutmaßte Lucas. »Die zieht sich durch die Geschichte der Plantagenet wie Pferdebesessenheit durch die deine.«

Aber Julians Schwager schüttelte den Kopf. »Ich glaube nicht, dass er die Wassersucht hatte. Vielleicht sollte ich das nicht gerade Euch sagen, weil Ihr Feinde seid, aber ich glaube, König Edward ist an Maßlosigkeit gestorben. Er hat Schindluder mit sich getrieben, bis sein Herz einfach stehen geblieben ist. Das ist es jedenfalls, was sein Leibarzt denkt, auch wenn er es so nicht sagt.«

»Schindluder?«, wiederholte Julian.

Sir Ralph nickte. »Er hat nicht gegessen und getrunken, sondern gefressen und gesoffen.«

»Hm«, machte Lucas verblüfft. »Offene Worte ...«

Sir Ralph schien ihn gar nicht gehört zu haben. »Aber noch schlimmer war es mit den Frauen. Sein Verschleiß an Frauen war beispiellos. Manchmal kam es mir vor, als könne er an gar nichts anderes mehr denken. Und mein Bruder hat ihm immer neue Mädchen ins Bett gelegt, statt ihn zur Vernunft zu bringen. Das ... das hab ich nie verstanden. Mein Bruder trägt zumindest einen Teil der Schuld am frühen Tod des Königs, auch wenn er mich vermutlich erschlüge, wenn ich ihm das ins Gesicht sagen würde, denn er ist halb wahnsinnig vor Kummer.«

So wie du, dachte Julian. Er erkannte sehr wohl, dass es

Trauer war, die den yorkistischen Ritter so redselig und freimütig stimmte.

»Ihr hattet schon ganz Recht, Durham«, fuhr dieser fort.
»Das Geld, das der König von Frankreich damals gezahlt
hat, damit König Edward wieder nach Hause. segelte, statt
einen neuen Krieg zu beginnen, hat ihn märchenhaft reich
gemacht. Daran hatte er ein ... wie soll ich sagen ... ein fast
kindliches Vergnügen. Es hat ihm solche Freude gemacht,
dieses Geld zu verprassen, dass er einfach nicht mehr damit
aufhören konnte. Tage-, manchmal wochenlang war er mit
meinem Bruder auf irgendeiner verschwiegenen Burg in den
Midlands, und ich möchte lieber gar nicht wissen, was sie
dort alles getrieben haben. Und er hörte auf niemanden, der
ihm ins Gewissen redete, weder auf Gloucester noch auf die
Königin.«

Julian hatte natürlich gehört, dass die Ausschweifungen
des yorkistischen Königs mit den Jahren schlimmer geworden
waren. Aber er hatte keine Ahnung gehabt, welche Ausmaße
das angenommen hatte. Und er fragte sich ein wenig säuerlich,
wieso Megan Beaufort ihm das nicht berichtet hatte, die es
doch auf sich genommen hatte, ihn und ihren Sohn über alles
auf dem Laufenden zu halten, was sich am yorkistischen Hof
zutrug.

Edwards Tod bekümmerte ihn, stellte er ohne große Überraschung fest. Das Schicksal hatte sie zu Feinden gemacht, und
sie hatten beide einen Großteil ihres Lebens damit verbracht,
alles daranzusetzen, dem anderen die Hölle auf Erden zu
bereiten, aber selbst nach Prinz Edouards Ermordung auf dem
Schlachtfeld, selbst als Julian den Kopf auf den Richtblock legte,
hatte er nicht aufgehört, Edward of March persönlich zu schätzen. Und er erkannte, er würde nicht nur den Freund vermissen,
der Edward hätte sein können, sondern ebenso den Feind. Ganz
gleich, wer nun im Namen des minderjährigen Prince of Wales
die Macht über England an sich riss, es würde nicht mehr den
gleichen Spaß machen wie bisher, den Yorkisten in die Suppe zu
spucken. Seufzend hob Julian seinen Becher. »Ruhe in Frieden,

Edward. Du warst der anständigste Thronräuber, dem die Stirn zu bieten ich je die Ehre hatte.«

»Amen«, murmelte Lucas bedrückt und leerte seinen Becher mit dem gewaltigen Zug eines waschechten Seemanns.

»Und was wird nun?«, fragte Edmund nach einem längeren Schweigen.

Sir Ralph schaute erschrocken auf. Er hatte offenbar nicht bemerkt, dass der Junge mit dem Rücken am Türrahmen auf den Planken saß.

Julian hingegen war nicht entgangen, dass Edmund nicht auf seinen Posten zurückgekehrt war, nachdem er ihnen den Wein gebracht hatte, und hatte keine Einwände erhoben. Edmund war nicht nur der einzige seiner Söhne, der nicht seekrank wurde und das Meer ebenso liebte wie sein Vater, sondern er war auch der nachdenklichste und vielleicht der neugierigste. In einem fort löcherte er seinen Vater mit Fragen über die Vergangenheit und den langen Krieg zwischen Lancastrianern und Yorkisten. Und was immer jetzt geschehen mochte, Edwards Tod war ein Ereignis von weitreichender Bedeutung. Julians Instinkt sagte ihm, dass Edmund all dies hören sollte.

»Das weiß Gott allein«, antwortete Sir Ralph.

Edmund erhob sich von seinem Platz am Boden, um ihm nachzuschenken. »Seid Ihr hungrig, Onkel?«, fragte er. »Unser Schiffskoch ist beim Entern Eures Schiffes draufgegangen, fürchte ich, aber ich könnte Euch Brot und Käse holen. Es ist bretonischer Käse. Sehr gut.«

Ralph Hastings lächelte flüchtig und schüttelte den Kopf. Zum ersten Mal schien er den jungen Mann wirklich wahrzunehmen. »Mir scheint, du hast das freundliche Wesen deiner Mutter geerbt, mein Junge, aber danke, ich will nichts. Der Tod des Königs hat mir nachhaltig den Appetit verschlagen, scheint es.«

Edmund nickte und rieb ein wenig verlegen mit der freien Linken über die Hosennaht. Fragend hielt er Lucas den Weinkrug hin, aber auch der winkte ab.

Julian rutschte zur Seite und lud seinen Sohn mit einer

Geste ein, neben ihm Platz zu nehmen. Die Kapitänskajüte war beengt – wie jeder Raum an Bord –, aber behaglich. Sie hatte zwei kleine Fenster nach achtern, unter denen ein schmaler Tisch mit zwei Schemeln stand, die Lucas Durham und Ralph Hastings eingenommen hatten. Julian saß auf seinem Bett an der linken Wand, und Edmund gesellte sich zu ihm. Zwischen ihren Schultern hing ein kleiner Wandteppich mit dem Wappen des Hauses Waringham – der einzige Wandschmuck bis auf das Kruzifix über der Kommode an der gegenüberliegenden Seite der Kajüte.

»Nun, der Thronräuber hat zwei gesunde Söhne«, bemerkte Lucas schließlich. »Der Älteste ist … wartet mal.« Er rechnete kurz. »Zwölf. Sie werden ihn krönen und, bis er erwachsen ist, irgendeinen seiner Onkel zum Lord Protector machen, der in seinem Namen zusammen mit dem Kronrat regiert.«

»Fragt sich, welchen seiner zahlreichen Onkel«, sagte Julian. »Einen der raffgierigen Brüder seiner Mutter? Oder Gloucester, das Ungeheuer? Was für ein Dilemma …«

Sir Ralph sah betreten von einem zum anderen. Ihre Respektlosigkeit dem yorkistischen Königshaus gegenüber schien ihn zu befremden. Natürlich, fuhr es Julian durch den Kopf, solche Reden ist er nicht gewöhnt. Es gibt kaum noch jemanden in England, der solche Dinge sagt.

Ein wenig steif erklärte sein Schwager: »Nun, das Testament des Königs sieht vor, dass der Duke of Gloucester das Protektorat übernehmen soll. Aber die Königin traut Gloucester nicht, wie Ihr vermutlich wisst, und wünscht, dass ihr Bruder, Earl Rivers, der den jungen Prinzen ja schon seit vielen Jahren erzieht und unterrichtet, das Amt bekommt. Wir … Na ja. Wir werden sehen. Es wird sich schon alles finden. Das Wichtigste ist jetzt, dass sie den Jungen schnell krönen, ehe …« Er brach ab und errötete.

Julian tauschte einen Blick mit Lucas.

»Ehe der lancastrianische Thronanwärter in der Bretagne auf die Idee kommt, dies könnte seine Stunde sein?«, fragte Edmund liebenswürdig. »Wolltet Ihr das sagen, Onkel?«

Ralph Hastings wirkte verlegen. Aber dann sah er seinem Neffen freimütig ins Gesicht und schüttelte den Kopf. »Wenn du sein Freund bist, sag ihm, er soll seine Träume begraben. England ist seit zwölf Jahren fest in yorkistischer Hand, und es waren Jahre des Friedens und des Wohlstands. Kein einziger Mann in England, egal ob Bauer oder Edelmann, will den Krieg im eigenen Land wieder anfachen, und ganz gleich, wer die Regierung für den jungen König Edward übernehmen wird, er wird eine neuerliche Rebellion der Lancastrianer mit eiserner Faust zerschlagen.« Sein Blick wanderte weiter zu Julian. »Wenn ich eine Wette abschließen sollte, wer Protektor wird, würde ich mein Geld auf Gloucester setzen. Und ich glaube, Ihr wisst, dass mit ihm nicht zu spaßen ist, nicht wahr?«

Vannes, April 1483

 »Ich soll sie in den *Mund* nehmen?«, fragte Harry angewidert.

»Richtig«, bestätigte Robin mit vorgetäuschter Geduld. »Nur so kannst du sie spucken, oder?«

Harry – dessen Name eigentlich Henry war – blickte unsicher von dem grauschwarzen Schneckenhaus in seiner Handfläche zu den jungen Männern am Strand: seinen Brüdern Robin und John, seinen Cousins Owen und Goronwy, Mortimer Welles, der ein Ritter seines Vaters war, und schließlich zu Richmond. Sie alle waren schon groß oder sogar erwachsen, und der zwölfjährige Harry hatte sich vor Freude kaum zu lassen gewusst, als sie ihn mit an den Strand genommen hatten. Aber langsam beschlichen ihn Zweifel, ob es sich wirklich als ein so wunderbarer Ausflug erweisen würde. »Ihr wollt mich auf den Arm nehmen«, sagte er vorwurfsvoll. Das taten sie nämlich andauernd.

Robin schnaubte verächtlich. »Tust du's jetzt, Brüderchen,

oder sollen wir dich das nächste Mal bei den Mädchen lassen? Vielleicht darfst du ja mit ihren Puppen spielen …«

»Dann spuck du doch zuerst«, konterte der Jüngere und wies auf die Strandschnecke, die in Robins Pranke lag: Ein echtes Prachtexemplar von der Größe einer dicken Kirsche.

Robin runzelte die Stirn und setzte zu einer barschen Erwiderung an, aber Richmond kam ihm zuvor. »Harry.« Er winkte ihn mit einem Finger näher.

Der Junge trat vor ihn und sah ihm einen Moment in die dunklen Augen, aber das hielt er nicht lange aus. Bald musste er den Blick senken. So groß war seine Verehrung für Lord Richmond, dass ihm das Herz immer bis in die Kehle schlug, sobald der das Wort an ihn richtete. Harry fand, man konnte merken, dass dieser Mann dazu geboren war, eine Königskrone zu tragen. Er war vornehm und konnte so streng und würdevoll sein, dass er einem Furcht einflößte. Meist war er jedoch freundlich – wenn auch eine Spur unnahbar –, und niemals beteiligte er sich an den grausamen Späßen, die die älteren Brüder und Cousins manchmal auf Harrys Kosten trieben.

Jetzt legte er dem Knaben die Hände auf die Schultern. »Vertraust du mir, Harry?«

Der Junge starrte auf den klebrigen Sand zu seinen Füßen, nickte aber heftig.

»Dann lass dir gesagt sein: Das Schneckenweitspucken ist ein sehr alter bretonischer Brauch. Eine Art Mutprobe, wenn du so willst. Man stellt seine Geschicklichkeit ebenso wie seine Männlichkeit damit unter Beweis, verstehst du?«

»Mit etwas so Ekligem?«, fragte Harry und hob zweifelnd den Blick.

Richmond nickte. »Gerade deswegen«, antwortete er mit einem schwachen Lächeln. »Und die Regel sagt, der Jüngste fängt an. Also? Wirst du's wagen?«

Harry zögerte nicht länger. Wenn Robin oder ihr Cousin Owen – die beiden schlimmsten Flegel, die Gott je erschaffen hatte – ihm diese hanebüchene Geschichte aufgetischt hätten, hätte Harry gewusst, dass sie ihn anlogen. Aber wenn Lord

Richmond sagte, es sei ein Beweis von Männlichkeit, eine Schnecke in den Mund zu nehmen, dann musste es einfach stimmen.

Sie gingen ein Stück näher ans Wasser, wo Goronwy eine Linie in den Sand gezogen hatte. Hier im Süden der Bretagne unweit von Vannes war die Küste nicht felsig und zerklüftet, sondern flach und anmutig, und ein lieblicher, langer Strand zog sich am Ufer des Meeres entlang. Der Seewind war kühl, aber seit einer Woche war das Aprilwetter mild und sonnig, und die sieben jungen Männer warfen lange Schatten. Möwen segelten kreischend über dem dunkelblauen Wasser und stießen herab, um sich Fische aus der Brandung zu holen.

Harry straffte die Schultern, trat an die Markierungslinie und blickte den Strand entlang. Dann warf er sich mit einer plötzlichen Bewegung das Schneckenhaus in den Mund, kniff die Augen zu und spuckte es wieder aus, ehe Zunge und Gaumen so recht merken konnten, was ihnen hier zugemutet wurde. Trotzdem blieb ein Tröpfchen kühler Schleim an der Innenseite seiner Lippe haften, und Harry rieb sich mit dem Ärmel wild über den Mund und stieß halb unterdrückte Laute des Ekels aus.

Owen, Goronwy und John lachten schallend.

Robin trat von der Linie zu der Stelle, wo die Schnecke im Sand lag. »Hm. Etwa zwei Schritt weit, würde ich sagen. Damit muss John die Trophäe des miserabelsten Schneckenspuckers aller Zeiten leider an Harry abgeben.«

»Hör nicht auf ihn«, raunte Richmond dem Jungen zu, der über seine mäßige Leistung und den Spott sichtlich beschämt war. »Du hast dich überwunden. Das war der wichtigste Schritt. Der Rest kommt mit der Zeit.«

Harry spürte seine Wangen noch heißer werden, aber da Richmond weder gönnerhaft noch mitleidig gesprochen hatte, konnte er es ertragen.

Der Erfolg bei diesem Wettstreit hatte nichts mit Körpergröße zu tun, lernte er schnell, sondern allein mit Geschick und Erfahrung. So spuckte sein fünfzehnjähriger Bruder John ein gutes Stück weiter als Robin, der Älteste. Mortimer wiederum musste sich Goronwy geschlagen geben. Owen schied aus, weil er beim Anlauf zu viel Schwung genommen hatte und die Linie übertrat. Murrend warf er zwei kleine Münzen in den chronisch leeren Beutel, aus dem die Älteren ihre Zeche bezahlten, wenn sie gelegentlich abends in ein Wirtshaus gingen.

Richmond kam als Letzter an die Reihe. Mit verengten Augen und konzentrierter Miene trat er fünf Schritte zurück, stemmte die Hände in die Seiten und maß die Entfernung zur Linie. Dann hockte er sich hin und wälzte seine Schnecke im Sand.

»Warum tut Ihr das, Mylord?«, fragte John. »Ihr werdet den Mund voller Sand haben.«

»Hm«, machte Richmond versonnen und stand wieder auf. »Das kleinere Übel, denkst du nicht? Außerdem verleiht die raue Oberfläche der Schnecke ein besseres, wie soll ich's nennen … Spuckverhalten.«

Der Erfolg gab seiner sonderbaren Theorie Recht. Richmond nahm einen kurzen Anlauf, sprang und warf gleichzeitig den Oberkörper nach vorn. Am höchsten Punkt seines Sprungs ließ er die Schnecke aus dem Mund schnellen, und Harry traute seinen Augen kaum, als er sah, wie weit sie flog.

Robin maß die Strecke. »Neun Schritte und ein Fuß!«, rief er zu ihnen hinüber. »Und ich bin nicht sicher, ob der Trick mit dem Sand regelkonform war!«

Richmond hob das Kinn. »Was genau willst du damit sagen, Robert of Waringham?«

»Oh, gar nichts, Mylord«, beteuerte Robin unschuldig.

»Du bist nur eingeschnappt, weil du nicht selbst drauf gekommen bist«, mutmaßte Harry. Er wusste, es war unklug, aber er konnte der Versuchung nicht widerstehen, Salz in die Wunde seines großen Bruders zu streuen, der sich gern so überlegen und unbesiegbar gab.

Robin kam zurück, raunte ihm im Vorbeigehen zu: »Wenn du dich nicht vorsiehst, nimmst du ein Bad«, und verneigte sich mit übertriebener Ehrerbietung vor Richmond. »Der beste Mann hat gesiegt.«

Der Gewinner nickte.

»Solltet du je König von England werden, mach Robin zu deinem Chamberlain, Richmond«, riet Mortimer. »Er hat diese Neigung zum Stiefellecken, die so viele Träger dieses Amtes auszeichnet.«

Es klang nicht besonders humorvoll und war auch nicht so gemeint, aber niemand gab einen Kommentar ab. Sie alle waren daran gewöhnt, dass Robin und Mortimer einander nicht ausstehen konnten. Harry hatte schon manches Mal gerätselt, woran das liegen mochte. Eifersucht spielte auf jeden Fall eine Rolle. Beide argwöhnten, dass Richmond dem anderen in tieferer Freundschaft verbunden sei als ihm. Aber selbst dem Zwölfjährigen erschien dieser Grund reichlich kindisch.

»Sammelt die Schnecken wieder ein.« Richmond wies auf den Holzeimer im Sand, den sie zuvor mit Strandschnecken gefüllt hatten.

»Was wollen wir eigentlich damit?«, fragte John.

»Essen«, bekam er zur Antwort. »Lady Blanche kocht sie mit Zwiebeln und Pfeffer. Sie schmecken hervorragend.«

»Igitt.« Goronwy schüttelte sich. »Es ist schlimm genug, sie zum Ausspucken in den Mund zu nehmen. Aber *essen*?«

»Niemand zwingt dich, Cousin«, erwiderte Richmond. »Du kannst ebenso gut fasten. Aber wir sollten eine kostenlose Mahlzeit nicht verschmähen, denn wie du sicher weißt, sind wir wieder einmal in Geldnöten.«

Alle nickten, und John und Goronwy liefen den Strand entlang und sammelten die Wettkampfschnecken ein.

»Und was machen wir nun?«, fragte Owen. Er war zweiundzwanzig – drei Jahre älter als Robin – und zählte mit diesem und Mortimer zu Richmonds engsten Vertrauten. Aber er schien sich nie mit der albernen Frage zu befassen, welchem von ihnen der Prätendent denn nun am nächsten stand. Owen, glaubte Harry, war das herzlich egal.

»Ich weiß auf jeden Fall, was *ich* jetzt tue«, erklärte Richmond mit einem kleinen, geheimnisvollen Lächeln und machte sich gemächlich auf den Rückweg zu den Pferden.

Er reitet zu *ihr*, schloss Harry. Richmond hatte eine Geliebte, die ihm vor ein paar Jahren einen Sohn geboren hatte. Sie war die Tochter eines bretonischen Ritters, und wenngleich Richmond ihr weder Luxus noch Annehmlichkeiten, geschweige denn eine Zukunft zu bieten hatte, folgte sie ihm, wohin es ihn mitsamt dem bretonischen Hof verschlug.

»Oh, ich komme ein Stück mit in die Richtung«, verkündete Robin. »Ich müsste eigentlich unbedingt …«

Er brach ab, weil Richmond mit einem Mal stehen geblieben war, Harry und Goronwy in seinen Rücken schob und das Schwert zog. Mortimer stellte sich vor John und tat es ihm gleich.

»Drei Reiter«, murmelte Owen.

Robin nahm den Fuß aus dem Steigbügel, legte die Hand ans Heft und spähte den Reitern entgegen. Dann entspannte er sich. »Lord Jasper, Andrew Devereux und der treue Madog«, sagte er.

Die anderen wussten, Robin hatte die schärfsten Augen. Erleichtert steckten sie ihre Waffen wieder ein.

»Manchmal frag ich mich, wie wir das aushalten«, murmelte Mortimer. »Seit zwölf Jahren immer auf dem Sprung. Ständig droht Herzog François uns an die Yorkisten oder an Frankreich zu verscherbeln, und andauernd will irgendwer dich entführen, Richmond. Hast du nie den Wunsch, alldem den Rücken zu kehren?«

Aber Richmond schüttelte den Kopf. »Nur am allerersten Tag, als mein Onkel mir erzählte, ich sei der Erbe der Lancaster-Krone. Da habe ich mich gefürchtet. Jetzt nicht mehr.«

»Und je gnadenloser die Yorkisten dich jagen, desto unbezähmbarer wird deine Lust, ihnen die Krone zu entreißen«, mutmaßte Robin.

Richmond deutete ein Schulterzucken an und nickte dann.

Sie ritten Jasper und dessen Rittern entgegen, und als sie sich trafen, zügelte Richmond sein Pferd.

»Herzog François hat ein halbes Dutzend Männer ausgeschickt, nach dir zu suchen«, berichtete sein Onkel ihm grußlos. »Er will dich unter Hausarrest stellen, wie es scheint.«

»Tatsächlich?«, fragte Richmond, offenbar wenig erschüttert. »Was mag ich verbrochen haben?«

Jasper Tudor schüttelte ratlos den Kopf. »Niemand hat es für nötig befunden, uns einen Grund zu nennen.«

»Hausarrest …«, murmelte Mortimer. »Das gefällt mir ganz und gar nicht.«

Es war nicht das erste Mal, dass der Herzog der Bretagne Richmond in seiner Bewegungsfreiheit einschränkte. Es gab indessen nicht viel, das sie dagegen tun konnten. Sie waren hier zu Gast, aber in Wahrheit waren sie gleichermaßen François' Gefangene, und außerdem waren sie finanziell von ihm abhängig. Julian of Waringham und andere treue Lancastrianer in England brachten oder schickten Richmond an Geld, was sie nur irgendwie beschaffen konnten, aber es war selten genug, um ihren Lebensunterhalt zu bestreiten. Ganz gleich, wie sie sich einschränkten.

»Ich habe mich beeilt, um dich vor den Männern des Herzogs zu finden«, sagte Jasper seinem Neffen. »Damit du selbst entscheiden kannst, ob du dich seinem Befehl beugen willst oder nicht.«

Er erteilte ihm keine Ratschläge. Unaufgefordert tat er das nie. Vor fünf Jahren hatte Jasper Tudor die Erziehung seines damals zwanzigjährigen Neffen für abgeschlossen erklärt und Richmond – dem Anwärter auf die englische Krone – die Stellung als Oberhaupt der Tudors abgetreten.

Richmond sah aufs Meer hinaus und dachte einen Moment nach. Lose lagen seine Hände übereinander auf dem Sattelknauf; er wirkte alles andere als angespannt. Schließlich blickte er Jasper wieder an und nickte. »Hab Dank, Onkel. Ich werde mich François fürs Erste beugen. Aber noch nicht jetzt gleich. Ich erlaube mir, meinen Hausarrest erst heute Abend anzutreten«, schloss er mit einem süffisanten kleinen Lächeln, das ihn für einen Augenblick mehr wie einen Lancaster denn einen Tudor aussehen ließ.

»Nur gut, dass hier niemand Angst vor harter Arbeit hat«, sagte Blanche, betrachtete missvergnügt den Wäscheberg auf dem Fußboden und krempelte die Ärmel auf.

Janet ließ zwei Laken in den dampfenden Kessel über dem Feuer gleiten und tunkte sie mit einer langen Stange unter. »Das gilt für dich und mich«, bemerkte sie. »Mit den jungen Ladys sieht es ein bisschen anders aus, fürchte ich.«

Blanche nickte und trat entschlossen an die Tür. »Angharad! Alice! Juliana!«, rief sie in den Garten hinaus. »Kommt herein und helft mit der Wäsche!«

Mit langen Gesichtern kamen die drei jungen Mädchen um die Hausecke gebogen.

Blanche ging zu ihrem Wäscheberg zurück. »Ich wünschte, unsere Caitlin wäre noch hier«, gestand sie ihrer Schwägerin. »Sie hat immer ordentlich mit angepackt, ohne sich zu beklagen.«

Doch ihre älteste Tochter hatte im vergangenen Jahr einen bretonischen Edelmann geheiratet. Jasper war es schwergefallen, sein Kind außerhalb Englands oder Wales' zu verheiraten, sodass sie es hier eines Tages würden zurücklassen müssen, aber selbst er hatte eingesehen, dass es höchste Zeit für Caitlin wurde, denn sie war damals schon neunzehn gewesen. Sie hat den Großteil ihres Lebens hier verbracht, hatte Blanche dem unwilligen Brautvater erklärt. Sei lieber froh, dass sie Wurzeln geschlagen hat.

Ihre zweite Tochter Angharad trat mit ihrer Cousine Alice ins Haus. »Juliana kommt gleich nach«, sagte Letztere. »Sie wollte nur noch schnell zum Markt hinunter, neue Seife holen.«

»Wie umsichtig«, murmelte Janet. »Und vermutlich wird sie zwei Stunden dafür brauchen, nicht wahr?«

»Du kannst ihr kaum einen Vorwurf machen, dass sie keine Lust hat, wie eine Magd zu schuften«, gab ihre älteste Tochter zurück. Es klang ein wenig schnippisch.

Janet versetzte ihr einen ziemlich unsanften Schubs Richtung Wäsche. »Ich weiß, euch wäre es lieber, eure Tante und ich würden das für euch erledigen. Los, an die Arbeit.«

Lustlos stopfte Alice Wämser und Hosen in einen Weidenkorb, um sie zum Fluss hinunterzubringen. »Es ist nicht fair«, raunte sie einer dreckverkrusteten Schecke zu, die, nach der Größe zu urteilen, John oder Goronwy gehören musste. »Wir arbeiten uns die Hände wund, während unsere Brüder sich am Strand vergnügen.«

»Deine wunden Hände möcht ich sehen«, gab ihre Mutter kurz angebunden zurück.

»Recht hat sie trotzdem«, warf Blanche ein. »Fair ist es nicht.«

»Mag sein, aber so ist nun einmal das Los der Frauen«, entgegnete Janet und warf ihrer Schwägerin einen Blick zu, der sagte: Setz ihr nicht noch mehr Flausen in den Kopf.

Es war für keinen von ihnen leicht. Selbst wenn Julian und Edmund auf See oder in England waren, umfasste der Haushalt immer noch vierzehn Personen, und sie hatten kein Gesinde, weil sie zu arm waren. Sie hatten auch nie genug Platz. Der bretonische Hof hatte keinen festen Sitz, sondern zog durchs Land, so wie die englischen Könige es bis vor zweihundert Jahren auch noch getan hatten, und wo sie hinkamen, wies der Haushofmeister des Herzogs den englischen und walisischen Gästen ein Haus zu, welches immer zu klein war. Sowohl Jasper als auch Julian hatten versucht, mit ihm zu reden. Sie hatten ihn sogar bestochen. Er hatte lächelnd ihr Geld eingestrichen, und alles war geblieben wie zuvor.

Es war heiß und feucht in der Küche, und auf Alice' Oberlippe hatte sich ein feiner Schweißfilm gebildet. Sie nickte ihrer Cousine zu. »Lass uns lieber gehen, ehe ich hier drin zerfließe.«

Sie nahmen den schweren Wäschekorb in die Mitte und traten in den sonnigen und windigen Apriltag hinaus.

Blanche ging an die offene Tür, um ebenfalls ein wenig Kühlung zu erhaschen, und schaute den beiden gleichaltrigen, aber so verschiedenen Cousinen nach. Angharad war Blanche wie aus dem Gesicht geschnitten. Das Haar, das ihr offen bis auf die Hüften fiel, war ebenso schwarz und gelockt, ihre Augen von dem gleichen warmen Braun. Aber das Mädchen hatte das Gemüt seines Vaters geerbt, begegnete der Welt voller Skepsis und oft schweigend. Angharad war ein gutes Kind, wusste Blanche, aber man musste manchmal genau hinsehen, um das zu merken. Julians und Janets älteste Tochter hingegen machte aus ihrem Herzen keine Mördergrube. Ihre Brüder nannten sie zickig. Ihre Mutter nannte sie »einen typischen unbelehrbaren Waringham-Dickschädel«. Blanche fand, sie alle taten ihr unrecht, und von ihren zahlreichen Nichten und Neffen liebte sie Alice am meisten, weil das Mädchen ihr ähnlich war – auch wenn es seinem Vater nachschlug und somit zumindest äußerlich eine typische Waringham war.

»Ich hoffe, wir haben das Richtige für unsere Töchter getan«, sagte Blanche, als sie an die Arbeit zurückkehrte. »Unter diesen Umständen ist es so schwierig, ihnen zu vermitteln, wer sie eigentlich sind. Keine von ihnen besitzt wirklich genug höfische Bildung – außer eurer Juliana vielleicht, weil sie immerzu mit Mortimer zusammensteckt. Womöglich hatte Jasper Recht, und wir hätten zumindest die Mädchen in Megans Obhut in England lassen sollen.« Sie breitete einen fadenscheinigen Mantel, der vom Einweichen tropfnass war, auf dem Küchentisch aus, fuhr mit der Wurzelbürste über den Seifenklumpen und rückte dem Mantel dann zu Leibe. Kleine Rinnsale liefen über die Tischkante und versickerten im Bodenstroh.

»Ich musste als Mädchen auch hart arbeiten«, wandte Janet ein. »Es hat mir nicht geschadet, glaube ich.« Aber sie klang nicht mehr so streng wie eben. »Ich weiß natürlich, was du meinst, aber wir müssen doch realistisch sein, Blanche. Wer kann sagen, ob unsere Töchter je etwas Besseres zu erwarten haben, als einen bretonischen Ritter zu heiraten oder in ein bretonisches Kloster einzutreten? Wäre es nicht sträflich, sie für ein höfisches Leben in England zu erziehen, das sie vielleicht niemals haben werden?«

»Aber was soll werden, wenn sie dieses Leben zurückbekommen, aber nicht darauf vorbereitet sind?«

Janet lächelte ein wenig wehmütig. »Darüber können wir uns sorgen, wenn dieses Wunder eintreten sollte.«

»Ja, ich weiß, du glaubst nicht daran, dass wir eines Tages nach England zurückkehren und Richmond König wird«, gab Blanche zurück. Aus dem Garten waren ein dumpfer Schlag und das Splittern von Holz zu hören. Blanche warf einen Blick zum Fenster. »Guter Junge, Andrew«, murmelte sie. Ihr Stiefsohn stand mit bloßem Oberkörper am Hackklotz und spaltete das Holz, welches die Gehilfen des herzoglichen Försters ihnen am Vortag geliefert hatten.

»Manchmal sehne ich mich so schrecklich nach Waringham, dass es sich anfühlt, als werde mein Herz mittendurch brechen«, gestand Janet unerwartet. »Und ich weiß, wie sehr Julian unsere Verbannung quält. Aber wir dürfen nicht undankbar sein. Gott hat uns alle leben lassen damals und uns sicher hierher geführt. Wieso haben wir in zwölf langen Jahren nicht gelernt, damit zufrieden zu sein? Es war solch eine große Gnade.«

Blanche gab ihr Recht. »Das war es ohne Zweifel. Und ich hadere nicht mit Gottes Ratschluss. Aber wie könnten wir uns damit zufrieden geben, dass die Yorkisten – nicht Gott – uns das Leben gestohlen haben, das uns eigentlich zugedacht war?«

»Wenn wir es nicht tun, werden unsere Männer und Söhne sterben. Richmond hat doch nicht die geringsten Aussichten, jemals König von England zu werden. Sei mal ehrlich, nicht einmal du glaubst wirklich daran.«

»Oh doch, ich glaube daran«, widersprach Blanche hitzig, ohne sich die Zeit zu nehmen, darüber nachzudenken. Sie wusste, das wäre zu gefährlich gewesen.

Janet bedachte sie mit einem Kopfschütteln. »Aber niemand in England kennt ihn. Wer den Namen Tudor hört, denkt an Wales. Edward hingegen ist, bei all seinen Schwächen, ein guter König, der den Menschen Frieden und Recht zurückgebracht hat. Warum bei allen Heiligen sollten die Engländer einen neuen blutigen Bruderkrieg riskieren, um einen guten König gegen einen Unbekannten auszutauschen?«

Blanche hatte stirnrunzelnd gelauscht. Mit wütenden Bürstenstrichen fuhr sie über den Mantel, und noch ehe sie die passende Erwiderung gefunden hatte, sagte eine tiefe Stimme von der Tür: »Meine Frau ist immer noch überzeugend mit ihren yorkistischen Parolen, nicht wahr?«

Die Schwägerinnen sahen auf. »Julian!«, riefen sie wie aus einem Munde.

Er lehnte mit verschränkten Armen im Türrahmen: die blonden Haare windzerzaust, das Gesicht wettergegerbt und gebräunt, die Augen bestürzend blau und voller Leben. Blanche lächelte ihm wissend zu. Vermutlich hatte Janet Recht, wenn sie sagte, Julian leide unter dem Verlust von Waringham und allem, was früher sein Leben ausgemacht hatte, aber er wirkte alles andere als unglücklich. Sie argwöhnte, dass er sein Seemannsleben weitaus mehr liebte, als er je zugegeben hätte.

Janet trocknete sich die Hände an der Schürze ab, trat ihm entgegen und legte die Arme um seinen Hals. Blanche wandte den Blick ab, um das Wiedersehen nicht zu stören. Die beengten Verhältnisse, in denen sie lebten, hatten sie alle Diskretion gelehrt.

»Wo ist Edmund?«, fragte Janet, nachdem sie sich von Julian gelöst hatte.

»Auf dem Weg vom Hafen hierher trafen wir Juliana. Er begleitet sie zum Markt«, antwortete Julian, trat ein, küsste seiner Schwester im Vorbeigehen die Wange und spähte in den Brottopf. Er war leer.

»Ich gehe später zum Bäcker«, versprach Blanche.

»Du brauchst nicht anschreiben zu lassen«, eröffnete er ihr. »Ich bringe Geld. Ziemlich viel Geld, um genau zu sein.«

Blanche fiel ein Stein vom Herzen. Selten waren sie so klamm gewesen wie derzeit, und es war nicht nur der Hunger, den sie gefürchtet hatte, sondern mehr noch die Düsternis, in welche Jasper jedes Mal stürzte, wenn ihnen Not drohte.

»Woher hast du es?«, fragte Janet neugierig.

»Das erzähl ich euch später. Wo sind Jasper und Richmond? Ich bringe Neuigkeiten, und wir müssen reden.«

»Jasper ist bei Herzog François, der gerade wieder einmal damit liebäugelt, uns nach Frankreich auszuliefern«, berichtete Blanche. »Wo Richmond sein mag, weiß Gott allein. Was für Neuigkeiten?«

Aber Julian ließ sich nichts entlocken. Blanche spürte, dass er hinter seinem geheimnisvollen Lächeln eine eigentümliche Mischung aus Anspannung und Euphorie verbarg, die ihre Neugierde nur noch steigerte. Doch ehe sie ihm weiter zusetzen konnte, kam Alice mit den ersten fertigen Wäschestücken vom Fluss zurück, fiel ihrem Vater jubelnd um den Hals und belegte ihn mit Beschlag. Kurz darauf kamen auch Edmund und Juliana vom Markt, dann kehrten die Jungen mit einem riesigen Eimer voller Schnecken vom Strand heim, und allmählich füllte sich das Haus. Blanche und Janet kommandierten die Horden mit der Routine und Umsicht erfahrener Feldherrn: Zwei der älteren Söhne wurden mit einem verheißungsvoll klimpernden Beutel aus Julians Raubzug auf den Markt und zum Bäcker geschickt. Den wenig entzückten Töchtern wurde aufgetragen, mit der Wäsche fortzufahren, während das übrige Jungvolk zum Holzstapeln und zur Arbeit im Gemüsegarten eingeteilt wurde.

Julian verdrückte sich lieber, ehe seine Frau oder Schwester auch ihn noch zu irgendeiner sinnvollen Betätigung verdonnern konnten, trat in den engen, dunklen Flur und stieg die Treppe zur Halle hinauf. Der schlichte Wohnraum über der Küche hatte einen unzureichenden Kamin in der Giebelwand, zwei Fenster nach Osten und einen langen Tisch mit Bänken, auf welchen der große Haushalt vollzählig Platz fand, wenn alle zusammenrückten. Die klobigen Deckenbalken waren unverziert, der offene Dachstuhl solide gezimmert, aber mit zu altem Stroh gedeckt. Hier legten seine und Blanches Söhne und die Ritter des Haushalts sich nachts schlafen. Die Mädchen – Angharad, Alice und Juliana – schliefen unten in der wärmeren Küche. Nur zwei kleine Schlafkammern lagen neben der Halle, von denen eine Richmond, die andere Jasper und Blanche bewohnten. War Julian hier, nahm er seine Gemahlin nachts mit an Bord seines Schiffes, war er fort, kampierte sie mit den Mädchen in der Küche. Es waren erbärmliche Verhältnisse, wusste Julian. Beschämend und erniedrigend. Nur seltsamerweise schämte er sich nicht und fühlte sich auch nicht sonderlich gedemütigt, wenn er sich hier umschaute. Vielleicht hatte er sich einfach daran gewöhnt. Es war schlicht, aber es war bewohnbar. Ein Dach über den Köpfen all seiner Lieben. Es hätte ja so viel schlimmer kommen können …

Der Klang von Hufschlag riss ihn aus seinen Gedanken. Er trat ans Fenster und sah Richmond – wie stets in Robins, Owens und Mortimers Begleitung – von der staubigen Dorfstraße in den kleinen Hof vor dem Haus einbiegen. Goronwy und John kamen aus dem rückwärtigen Garten herbeigelaufen – jeder wollte der Erste sein, um Richmond den Steigbügel zu halten. John machte das Rennen, beobachtete Julian lächelnd. Die jungen Männer saßen ab, blieben einen Moment mit den Knaben zusammen im schlammigen Hof stehen und flachsten herum, während zwei bretonische Soldaten in der Livree des Herzogs und bis an die Zähne bewaffnet vor der Gartenpforte aufzogen und sich links und rechts davon postierten.

Richmond und die übrigen jungen Männer im Hof gaben vor, sie gar nicht zu bemerken. Julian hingegen schaute stirnrunzelnd hinab. Die Bretonen sahen aus wie eine Ehrenwache, aber irgendwie hatte er Zweifel, dass sie das waren.

»Er hat ihn wieder unter Hausarrest gestellt«, hörte Julian Jaspers Stimme in seinem Rücken sagen.

Er wandte sich um. »Warum?«

Jasper trat näher, und sie begrüßten einander mit der unter Rittern üblichen Umarmung, die ebenso brüsk ausfiel wie früher, aber weniger kühl. Irgendwann hatten Jasper und Julian einfach aufgehört, sich gegenseitig zu misstrauen. Keine Aussprache war dem vorausgegangen, es war einfach passiert. Vielleicht, weil das Schicksal ihre Familien zu einer hatte zusammenwachsen lassen.

»Der bedauernswerte Herzog François ist ausgesprochen

nervös«, berichtete Jasper und hob leicht die Schultern. »Er hat mir anvertraut, dass Louis wieder einmal Richmonds Auslieferung verlangt und andernfalls damit droht, in die Bretagne einzumarschieren. Jetzt, da König Louis Burgund praktisch seinem Reich einverleibt hat, richtet er seinen begehrlichen Blick nach Westen. Dieses Mal könnte es eng für uns werden, Julian.«

Der winkte ab. »Vielleicht müssen wir uns gar nicht mehr lange mit den verdammten Bretonen und Franzosen herumplagen. Der yorkistische Thronräuber hat das Zeitliche gesegnet, Jasper. Edward of March ist tot.«

Es gab nicht viele Dinge, die Jasper Tudor aus der Ruhe bringen konnten, aber nun weiteten sich seine Augen, und er packte Julian beim Arm. »*Was?*«

»Möchtest du's noch mal hören?«, erkundigte sich Julian mit einem etwas matten Grinsen. Es war und blieb abscheulich, über den Tod eines Mannes zu frohlocken.

»Ist das sicher?«, fragte Jasper.

Julian nickte. »Ralph Hastings hat es mir gesagt.«

Jasper ließ die Hand sinken und starrte einen Moment blicklos aus dem Fenster.

Julian ließ ihn zufrieden. Er wusste, Jasper hatte im Gegensatz zu ihm selbst nie etwas anderes als bitteren Hass für Edward empfunden, der ihn bei Mortimer's Cross so vernichtend geschlagen hatte. Er machte ihn für die ungesetzliche Hinrichtung seines Vaters ebenso verantwortlich wie für Richmonds jahrelange Geiselhaft. Vermutlich war es ein Reigen schauderhafter Erinnerungen, den er gerade vor seinem geistigen Auge vorbeiziehen sah.

Doch es dauerte nicht lange, bis Jasper sich fasste. »Ich habe Dutzende Fragen, aber vermutlich ist es besser, ich hole die anderen, nicht wahr? Damit du nicht alles dreimal erzählen musst.«

Julian nickte. »Aber nicht die ganze Bande. Und bring etwas zu essen mit.«

»Abgemacht.«

Jasper wandte sich zur Stiege und ging in die Küche hinunter. Julian trat an den Schrank zwischen den Fenstern und holte optimistisch ein paar Tonbecher heraus. Und tatsächlich brachte Blanche, die als Erste die Treppe heraufkam, einen Krug Wein mit. »Sieh dich vor«, warnte sie. »So etwas Saures hast du vermutlich noch nie getrunken. François meint offenbar, weil wir Engländer sind, könne man uns alles vorsetzen.«

»Nicht weil wir Engländer, sondern weil wir Bettler sind«, mutmaßte Janet seufzend, stellte einen Schmalztopf und ein Holzbrett mit dicken Brotscheiben auf den Tisch und setzte sich auf die Bank.

Jasper, Richmond und Mortimer folgten, und Letzterer schloss hinter sich die Tür.

Richmond begrüßte Julian mit großer Wärme. »Gott sei gepriesen, dass er dich wieder einmal sicher hierhergeleitet hat. Willkommen in Vannes.«

»Danke, Richmond.« Julian legte ihm lächelnd die Hand auf den Arm, ließ es sich aber nicht nehmen, dabei eine Verbeugung anzudeuten, obwohl er wusste, dass Richmond das peinlich war.

Julian begrüßte auch seinen einstigen Knappen Mortimer, der beinah so seeuntauglich war wie die meisten seiner Söhne und den er daher schweren Herzens an Richmond abgetreten hatte, und schließlich saßen sie alle am Kaminende der Tafel und schauten Julian erwartungsvoll an.

Verstohlen ergriff er unter dem Tisch die Hand seiner Frau. Er wusste, die Nachricht würde ein Schock für sie sein.

»Edward of March ist vor zwei Tagen gestorben«, sagte Julian beinah mit so etwas wie Förmlichkeit.

Janets Hand in seiner zuckte fast unmerklich, und er drückte sie ein wenig fester. Ganz gleich, was Edward Janet angetan hatte, sie hatte nie ganz aufhören können zu glauben, dass die Krone ihm zustand, und sie hatte ihm ein Kind geboren.

Er sah ihr in die Augen, als er fortfuhr: »Gestern früh haben wir eine englische Karacke aufgebracht, und wie sich herausstellte, stand sie unter dem Befehl deines Bruders Ralph.

Er hat es mir erzählt.« Er berichtete ihnen alles, was er von Ralph Hastings erfahren hatte, hielt sich mit Schlussfolgerungen jedoch zurück.

Nachdem er geendet hatte, herrschte ein längeres Schweigen. Richmond hatte den Rücken an die Wand gelehnt, die Beine unter dem Tisch ausgestreckt und trank versonnen einen Schluck Wein. Abwesend verzog er das Gesicht ob dessen Säure, verlor aber anscheinend nicht den Faden seiner Gedanken.

Auch Jasper schwieg und überließ es seinem Neffen, all die Fragen auszusprechen, die ihm selbst durch den Kopf gingen.

Schließlich stellte der junge Mann den Becher ab und sah Julian an. »Das heißt also, es wird einen Machtkampf zwischen der Sippschaft der Königin und Richard of Gloucester geben?«

»Das halte ich für wahrscheinlich«, bestätigte Julian. »Laut Testament soll Gloucester Lord Protector werden. De facto aber hat Earl Rivers das Vertrauen des kleinen Thronfolgers und eines Gutteils des Kronrates.«

»Wie die Geschichte sich wiederholt«, bemerkte Richmond. »Als mein Onkel Henry mit neun Monaten die Krone erbte, hat auch ein Duke of Gloucester mit dem Kronrat um die Macht gerungen.«

Julian tauschte einen ebenso verstohlenen wie anerkennenden Blick mit Jasper. Es schien kein Detail der englischen Geschichte mehr zu geben, das Richmond nicht kannte, sich nicht in mühevollen Studien zu eigen gemacht hatte. Es war ein Segen, dass der junge Mann beinah so süchtig nach Büchern war wie seine Mutter.

»Und genau wie damals wird sich vermutlich alles an der Frage entscheiden, wie viel Machtbefugnis dem Lord Protector zugestanden wird. Ob er im Zweifel auch gegen den Kronrat regieren kann«, fügte Jasper hinzu.

»Was wohl entscheidend von der Zusammensetzung dieses Kronrates abhängen wird«, warf Blanche ein.

»Nun, eins ist jedenfalls sicher«, sagte Julian. »Richard of Gloucester wird sich von den Brüdern der Königin und den übrigen Woodvilles nicht so ohne weiteres verdrängen lassen.

Er hat viel Rückhalt im Norden. Notfalls könnte er eine Armee nach Westminster führen.«

»Und wird er das?«, fragte Richmond, mit einem Mal angespannt.

»Das weiß Gott allein«, musste Julian gestehen.

»Doch wenn Gloucester es täte, gäbe es einen Krieg unter den Yorkisten, richtig?«

»Irgendwie ein reizvoller Gedanke«, pflichtete Mortimer ihm bei. »Vor allem, wenn man noch einen Schritt weiter denkt und zu dem Schluss kommt, dass Lancaster der lachende Dritte sein könnte, wenn zwei yorkistische Parteien sich streiten.«

Richmond nickte langsam und strich mit dem linken Ringfinger über das Silberkreuz seines Großvaters, das er um den Hals trug. Jeder, der ihn kannte, hatte diese Geste schon ungezählte Male gesehen – wenn er las, wenn er ins Feuer schaute und eine Geschichte erzählte, wenn er mit seinen Freunden beisammensaß und trank. Es war Richmonds Denkerpose. »Ja, ein hübscher Traum«, sagte er schließlich und ließ die Hand sinken. Seine Stimme klang scharf, als weise er irgendwen zurecht. Vielleicht sich selbst. »Aber wir können überhaupt nichts tun, solange wir nicht mehr Unterstützung in England haben. Die Frage ist, können wir sie jetzt vielleicht finden? Edward of March hat es verstanden, seine Lords im Zaum zu halten, aber werden sie alle treu zu seinem minderjährigen Sohn stehen? Zu seinem Bruder Gloucester, den man südlich von York seit zehn Jahren kaum gesehen hat und den die Königin – die zukünftige Königinmutter – und ihre ganze Familie verabscheuen?«

»Das sind in der Tat die entscheidenden Fragen«, pflichtete Jasper seinem Neffen bei.

»Ich werde morgen nach England zurückkehren und versuchen, ein paar Antworten zu finden«, versprach Julian.

Leise plätscherten die Wellen gegen die Bordwand. Knarrend zerrte die *Edmund* an ihrer Ankerkette und schaukelte sacht. Es hatte zu regnen begonnen, der Wind war aufgefrischt, aber noch war die Bewegung des Schiffes nicht viel mehr als ein sanftes Wiegen.

Umso stürmischer war es in Julians Kajüte zugegangen, wo er, weil das Bett so schmal war, kurzerhand eine Decke auf den Planken am Boden ausgebreitet und nach mehr als einem Monat der Trennung das Wiedersehen mit seiner Frau gebührend begangen hatte. Jetzt lagen sie dicht beieinander auf dem Rücken, ihr Atem wurde allmählich ruhiger, und als Julian eine Gänsehaut auf Janets Oberarm ertastete, angelte er die zweite Decke vom Bett und breitete sie aus.

Janet kuschelte sich mit einem wohligen Laut zurecht, drehte sich auf die Seite und legte das Kinn auf seine Schulter. »Wirklich schon morgen?«, fragte sie.

Er zog sie näher. »Ich fürchte, uns bleibt nichts anderes übrig. Ich muss mit Megan sprechen. Jetzt wird sich herausstellen, welche Früchte ihre jahrelangen Intrigen tragen. Ich hätte ehrlich nie gedacht, dass sie so durchtrieben sein kann. Aber es ist in den letzten zwölf Jahren wohl kein Tag vergangen, da sie keine Ränke für ihren Sohn geschmiedet hat. Daran merkt man, dass sie eine Lancaster ist«, schloss er mit einem anerkennenden Grinsen.

Janet brummte missfällig. »Ich kann darin keine große Tugend erkennen.«

»Warum überrascht mich das nicht …«

»Und mein Bruder? Ging es ihm gut?«

Julian nickte. »Bevor wir uns begegnet sind, ging es ihm besser«, räumte er ein. »Aber unser Edmund hat ihn vortrefflich bewirtet und über Calais ausgefragt, und es dauerte nicht lange, bis sie die besten Freunde waren. Als ich deinen Bruder heute früh an Land gesetzt habe, war er strahlender Laune. Na ja, fast. Immer, wenn jemand Edward erwähnt, kriegt er feuchte Augen.«

Eine Spur zu hastig wandte Janet den Blick ab und nickte. Schließlich bemerkte sie: »Was immer sein Tod für England bedeuten mag, auf jeden Fall macht er deine Lage gefährlicher. Wenn Gloucester die Macht übernimmt und du ihm in die Hände fielest …«

»Ich habe nicht die Absicht, Gloucester je wieder in die Hände zu fallen«, entgegnete Julian. Natürlich war es gefährlich, was er in England tat, das war ihnen allen bewusst. Aber das war es zu Edwards Lebzeiten auch schon gewesen, und abgesehen davon war es das, was er tun wollte. Er wusste sehr wohl, seine Frau wünschte sich insgeheim, er bliebe hier an Richmonds Seite, so wie Jasper es tat, doch das konnte er nicht. Irgendwer musste den Kontakt zu Megan Beaufort und den übrigen Lancastrianern in England halten. Und es gab andere Dinge, die Julian regelmäßig nach England zurückführten.

»Nun, wenn du schon gehen musst, dann tu mir den Gefallen und nimm unsere Alice mit«, bat Janet.

Julian war erstaunt. »Alice? Aber wieso? Ich dachte, wir waren uns einig, dass es für unsere Kinder zu riskant ist in England.«

Janet hob ratlos die Schultern. »Seit zwölf Jahren hat sie niemand dort gesehen.«

»Doch viele werden erkennen, wer sie ist«, gab Julian zu bedenken.

»Lancastrianer vielleicht. Aber Yorkisten? Welcher von denen kennt dich denn gut genug, um die Ähnlichkeit zu bemerken?«

Julian setzte sich auf und lehnte sich mit dem Rücken an den schlichten Holzrahmen seiner Schlafstatt. »Verrat mir den Grund, Janet.«

Sie folgte seinem Beispiel, setzte sich neben ihn und nahm seine Hand. »Es ist wegen Richmond«, gestand sie bekümmert.

Er lächelte ein bisschen wehmütig. »Es ist nun wirklich nichts Neues, dass sie in ihn verliebt ist. Das vergeht.«

»Ja, das sagst du seit drei Jahren. Aber es vergeht *nicht*. Es wird immer nur schlimmer. Sie verzehrt sich nach ihm, und er sieht sie nicht einmal.«

»Das glaub nur nicht. Ich wette, Richmond weiß ganz genau, wie es um sie steht. Er ist lediglich diskret. Und rücksichtsvoll.«

»Du nennst es rücksichtsvoll, dass er sie wie ein Möbelstück behandelt?«

Julian runzelte ärgerlich die Stirn. »Was soll er deiner Ansicht nach tun? Ihr einen Bastard schenken wie seiner kleinen Bretonin? Sei lieber froh, dass er auf Distanz geht. Nicht jeder junge Kerl brächte das bei einem so schönen Mädchen fertig.«

»Er könnte sie heiraten«, gab Janet ungehalten zurück.

»Er will Elizabeth of York heiraten, und das weißt du ganz genau.«

Janet schnaubte unfein. »Die kann er nur leider nicht haben.«

»Das werden wir ja sehen.«

Sie schwiegen einen Moment, wie sie es oft taten, wenn sie Gefahr liefen, sich wegen ihrer unterschiedlichen politischen Ansichten zu streiten.

Schließlich bat Janet: »Nimm sie mit und bring sie irgendwohin, wo sie sicher ist und ihn vergessen kann. Sie ist so unglücklich, Julian. Ich kann das nicht mehr länger mitansehen.«

»Herrgott noch mal, das hat mir so gerade noch gefehlt ...«, grollte er.

»Ich bedaure, wenn der Kummer deiner Tochter dir ungelegen kommt«, gab sie bissig zurück.

Julian hatte eine scharfe Erwiderung auf der Zunge, aber er schluckte sie hinunter. Janet hatte ja Recht. Und auch wenn er der Auffassung war, dass die romantische Schwärmerei einer Achtzehnjährigen gemessen an all ihren derzeitigen Problemen nicht von so großer Bedeutung war, fand er den Gedanken doch schmerzlich, dass seine Tochter litt. »Also schön, meinetwegen«, räumte er unwillig ein. »Ich nehm sie mit.«

Erleichtert küsste Janet ihn auf den Mundwinkel. »Danke. Wo bringst du sie hin?«

»Das überleg ich mir noch«, antwortete er ausweichend. Aber in Wahrheit gab es nur einen Ort in England, wo er seine Tochter in Sicherheit wusste.

Bei Hagel, Blitz und Donner und mitten in der Nacht kamen sie an.

Trotz des schauderhaften Wetters brachten sie die Pferde in den Stall der Zweijährigen, wo immer ein paar Boxen freigehalten wurden, denn niemand sollte die fremden Tiere vor dem Haus des Stallmeisters stehen sehen. Wann immer Julian und die Seinen herkamen, achteten sie darauf, für unfreundliche Augen so unsichtbar wie Geister zu sein.

Nachdem sie die Pferde abgesattelt und versorgt hatten, führte Julian seinen Sohn und seine Tochter zum Stallmeisterhaus. Er wartete das Donnergrollen ab, dann klopfte er vernehmlich an die schwere Eichentür.

»Aber Vater, hier schläft doch sicher längst alles«, wandte Edmund ein und wischte sich die tropfnassen Haare aus dem Gesicht.

»Bei dem Getöse gewiss nicht«, widersprach Julian.

Tatsächlich brauchten sie nicht lange zu warten. Mit einem Licht in der Hand öffnete Roland ihnen, trat wortlos beiseite und warf mit verengten Augen einen kurzen Blick in die unwirtliche Gewitternacht hinaus. Dann schloss er die Tür und schob den Riegel vor.

Erst danach wandte er sich seinen Besuchern zu, verneigte sich höflich vor Julian und sagte: »Willkommen zu Hause, Mylord.«

Julian legte ihm zum Gruß die Hand auf den Arm. »Danke. Ich war selten so froh, hier anzukommen wie heute«, fügte er mit einem Grinsen hinzu. Er bemühte sich immer, sich nicht anmerken zu lassen, wie sehr es ihn aufwühlte, nach Waringham zu kommen.

Roland begrüßte auch seine anderen Gäste. »Edmund. Und du musst … Alice sein«, tippte er.

Sie streifte ihn nur mit einem kurzen Blick, dann senkte sie den Kopf wieder. Alice war sehr blass, ihre Augen rot verweint. Sie hatte ihren Vater angefleht, sie nicht von ihrer

Mutter, ihren Geschwistern und allen anderen fortzureißen und aus der Bretagne zu verschleppen. Als er gesehen hatte, wie groß ihre Verzweiflung war, hatte er erkannt, dass Janet Recht hatte: Das Mädchen musste unbedingt von dort weg. Also hatte er ihr schließlich befohlen, ihre Tränen zu trocknen und sich reisefertig zu machen – schroffer, als sonst seine Gewohnheit war –, und seither hatte Alice kein Wort mehr mit ihm gesprochen.

»So ist es«, bestätigte Julian seinem Neffen nun. »Alice, dies ist dein Cousin Roland Neville, der Eigentümer und Stallmeister des Gestüts.«

Sie knickste höflich und sagte nichts.

Roland sah mit erhobenen Brauen zu Julian, der die Augen verdrehte und ratlos mit den Schultern zuckte.

»Kommt in die Halle«, lud der jüngere Mann sie mit einer Geste ein. »Wo ist Lucas?«

»Sevenelms«, antwortete Julian knapp.

Wann immer sie in England waren, ritt Lucas Durham nach Hause, denn auch er hatte viel zu selten Gelegenheit, seine Frau und Kinder zu sehen.

»Beschwerliche Reise gehabt?«, erkundigte sich Roland, während er sie die Treppe hinauf in seine vornehme Halle brachte.

»Bis zur Themsemündung ging's«, berichtete Edmund. »Wir hatten ein wunderbares, frisches Windchen auf dem Kanal, aber gutes Wetter. Nur sobald wir die englische Küste erreichten …« Er winkte ab.

Sie waren wie so oft in der Vergangenheit die Themse bis nach Tickham hinaufgesegelt, wo Julian mit der Duldung der Durham ein paar Pferde stehen hatte. Dort hatten sie auf den Anbruch der Nacht gewartet, ehe sie sich auf den kurzen Weg nach Waringham gemacht hatten. Und die ganze Zeit hatte es unablässig geregnet. Sie waren bis auf die Haut durchweicht.

Roland betrachtete sie im hellen Kerzenschein in der Halle eingehend. »Ich glaube, ich hole die Köchin und eine Magd«, entschied er dann.

Aber Julian hielt ihn mit einer Geste zurück. »Ein paar Handtücher und ein Becher Ale reichen völlig. Es ist nicht nötig, das ganze Haus zu wecken.«

Sein Neffe hörte nicht auf ihn – genau wie der rebellische Knappe von einst. »Hier sind alle an unterbrochenen Nachtschlaf gewöhnt«, entgegnete er. »Vor allem jetzt, da die Fohlzeit begonnen hat. Edmund, vielleicht könntest du das Feuer aufschüren? Bin gleich wieder da.« Mit diesen Worten verließ er die Halle, und sie hörten seine Schritte auf der Treppe zum Obergeschoss.

Edmund ging zum Kamin und griff nach dem Schürhaken. Julian nahm Alice den tropfnassen Mantel ab und zeigte auf die Bank am Tisch. »Setz dich, du musst völlig erledigt sein. Gleich kriegen wir etwas Heißes.«

Alice sank müde auf die Bank nieder.

Julian trat an das wiedererwachende Feuer und wärmte sich dankbar die Hände.

Es dauerte tatsächlich nicht lange, bis Roland zurückkehrte und Handtücher verteilte, eine verschlafene, aber freundliche junge Magd ihnen einen großen Krug Bier brachte und in Aussicht stellte, dass die Köchin sich sofort an die Arbeit machen werde. Wen Roland indessen nicht geweckt hatte, war seine Frau. Merle fürchtete sich immer noch vor Julian, und der Stallmeister war der Ansicht, es reichte, wenn sie am nächsten Morgen von dessen Ankunft erfuhr.

Sie setzten sich an den Tisch und redeten über das Thema, welches derzeit ganz England bewegte: den Tod des yorkistischen Königs.

»Earl Rivers, der Bruder der Königin, ist mit dem Prince of Wales unterwegs nach London, hört man«, wusste Roland zu berichten. »Königin Elizabeth und ihre Fraktion drängen darauf, den Jungen so schnell wie möglich zu krönen. Die Rede war vom vierten Mai.«

Julian zog eine Braue in die Höhe. »Welch unwürdige Hast. Ich hoffe, sie nehmen sich die Zeit, Edward of March anständig unter die Erde zu bringen, ehe sie seinem Söhnchen die Krone aufs Haupt setzen.«

Roland verzog spöttisch den Mund. »Ich nehme an, dafür wird Lord Hastings sorgen. Es heißt, er sei untröstlich über den Verlust seines Königs.«

»An dessen vorzeitigem Hinscheiden er aber nicht ganz schuldlos ist, wie mir sein Bruder Ralph anvertraute. Doch wie dem auch sei, ich bin überzeugt, Lord Hastings wird Trost finden, sobald er sicher sein kann, dass er auch am Hof des neuen Königs sein Amt als Lord Chamberlain behält.«

»Das wird wohl davon abhängen, ob er sich beim Machtkampf im Kronrat auf die richtige Seite schlägt«, meinte Edmund.

Julian hob sein Bier. »Aber welche mag das sein? Mögest du bei der Wahl deines Wahrsagers eine glückliche Hand haben, Schwager Hastings.« Er nahm einen tiefen Zug.

Die Köchin kam mit einem Stapel Schalen unter dem Arm und einer großen Schüssel in der anderen Hand in die Halle, stellte ihre Last auf dem Tisch ab und knickste vor Julian. »Willkommen, Mylord.«

»Danke, Mary.«

Sie war die Tochter seiner Amme, erinnerte sich Julian, und genau wie einst ihre Mutter hatte Mary einen Vormann des Gestüts geheiratet. Sie füllte eine Schale mit dem Eintopf, der offenbar vom Abendessen übrig geblieben war, reichte sie ihm mit einem Löffel und einem großzügigen Stück Brot und sagte unvermittelt: »Der Schmied sagt, unser Micky hätt ihm ein Ferkel gestohlen, Mylord, und ...«

Roland seufzte unüberhörbar. »Mary, nicht heute Abend.«

Aber Julian hob die Hand. »Nein, ist schon gut, Roland.« Er bekreuzigte sich eilig, murmelte ein sehr kurzes Dankgebet und begann zu löffeln, denn er war ausgehungert. Gleichzeitig forderte er die Köchin aber auf: »Weiter.«

Sie fasste Mut, trat einen Schritt näher auf ihn zu und knetete ihren Rock. »Er hat's auch genommen, aber es war nur ein Streich, versteht Ihr. Er und seine Freunde haben dem Ferkel ein Wämschen aus Schilf angezogen und ein Strohhütchen aufgesetzt und es durchs Fenster in die Schmiede gesetzt. Was junge Burschen eben so anstellen.«

»Aber?«, hakte er nach, während die Köchin auch Edmund und Alice eine volle Schale reichte.

Sie senkte den Blick. »Das arme Ferkelchen ist in Panik geraten und wie besessen in der Schmiede umhergerannt.«

»Genau wie sie's wollten, nehme ich an«, warf Julian trocken ein.

Das bestritt die Köchin nicht. »Es hat alles Mögliche umgestoßen und schließlich auch Matt Carpenters neue Pflugschar, und die hat das Ferkel erschlagen, Mylord. Egbert, mein Mann, hat dem Jungen das Fell versohlt und dem Schmied angeboten, das Ferkel zu bezahlen. Aber der Schmied besteht drauf, unseren Micky vor dem Gerichtstag übermorgen anzuklagen. Wegen Diebstahls. Und ich weiß nicht … was dann passiert.« Tränen rannen ihr über die Wangen. »Er wird irgendwas Furchtbares mit meinem Jungen tun, Mylord. Er wird ihn als Dieb dem Sheriff übergeben oder Gott weiß was sonst. Er versteht überhaupt keinen Spaß, und er kennt kein Erbarmen.«

Er, wusste Julian, war natürlich Blanches Gemahl Thomas Devereux, den der Duke of Gloucester zum Steward von Waringham ernannt hatte und der hier seit zwölf Jahren unangefochten herrschte. Nicht nur wegen seiner Stahlklaue, sondern auch wegen seiner Unnachgiebigkeit und Strenge nannten die Menschen von Waringham ihn »Tom Eisenfaust«.

Während die Köchin sich ohne großen Erfolg bemühte, ihr Schluchzen zu unterdrücken, ließ Julian sich diese unglückselige Geschichte durch den Kopf gehen. Schließlich fragte er: »Was um Himmels willen ist in den Schmied gefahren?«

Es war Roland, der antwortete: »Er und mein Vormann streiten seit mehr als einem Jahr über eine gebrochene Trense.« Es klang resigniert. »Es ist eine bittere Fehde. Der Schmied will Egbert mit dieser Anklage eins auswischen.«

Julian schüttelte langsam den Kopf. »Trotzdem. Es sieht Matthew nicht ähnlich, eine Fehde auf dem Rücken eines Knaben auszutragen.«

Niemand antwortete ihm. Erst später, als sie allein waren, erklärte ihm Roland, dass es mittlerweile mehrere solcher

Fehden im Dorf gebe. Die Leute lebten in Angst vor Thomas Devereux. Und Angst machte Menschen in aller Regel nicht umgänglicher ...

Julian ahnte dies, ohne dass irgendwer es ihm erklären musste, und natürlich fühlte er sich verantwortlich dafür und hatte ein schlechtes Gewissen. Weil er versäumt hatte, zu verhindern, dass Waringham Devereux anheimfiel.

»Ich werd sehen, was sich machen lässt, Mary«, versprach er. »Ich rede mit dem Schmied. Und sag deinem Egbert, dass ich ihn morgen Abend nach Sonnenuntergang hier erwarte. Ich will wissen, was es mit der gebrochenen Trense auf sich hat. Vielleicht können wir die Geschichte beilegen.«

Und so wurde in der nächsten und den darauffolgenden Nächten in Waringham ein Gericht abgehalten, von dessen Existenz der Steward oben auf der Burg nichts ahnte. Wann immer Julian für ein paar Tage kam und sich auf dem Gestüt verbarg, sprach sich das mit der Geschwindigkeit eines Bogenschusses in Waringham herum, und sobald es dunkel war, stellten die Leute sich ein, um Julian ihre Streitigkeiten vorzutragen, von ihren Sorgen zu berichten, ein Fässchen selbstgebrautes Bier zu bringen oder stolz ihren jüngsten Nachwuchs zu zeigen.

Julian hatte heute ein offeneres Ohr für ihre Nöte als früher. Auch ihre Ergebenheit und ihr Vertrauen schätzte er heute viel höher. Früher waren diese Menschen ihm oft derb, ihre Belange im Vergleich zu dem furchtbaren Krieg im Land unbedeutend erschienen. Heute hatte er Verständnis dafür, dass ein Nachbarschaftsstreit um den Besitz eines Apfelbaums sie mehr bewegte als dieser Krieg, denn für die kleinen Leute war es im Grunde gleich, wer auf Englands Thron saß. Ob es ein York oder ein Lancaster war, der ihre Geschicke in der Hand hielt. Weder die einen noch die anderen interessierten sich für ihr Schicksal. Ganz anders verhielt es sich jedoch mit ihrem Lord, der unmittelbar über sie und über Waringham herrschte, und die Pächter und kleinen Handwerker in Waringham hingen mit einer unerschütterlichen Loyalität an Julian und seiner Familie, die ihn rührte. Tor, der er war, hatte Julian diese Menschen erst zu schätzen gelernt, nachdem er sie verloren hatte.

»Was macht Devereux?«, fragte er Roland, als sie am Abend vor der Walpurgisnacht im Hof der Jährlinge von Tür zu Tür gingen. Es dämmerte bereits, und hier in den Stallungen konnte Julian sich einigermaßen sicher fühlen. Das Gestüt war eine Enklave – gehörte nicht zur Baronie –, und der Steward fand selten Grund, sich hier blicken zu lassen oder einen seiner Männer herzuschicken. Wäre dennoch plötzlich einer aufgekreuzt, hätte Julian mühelos in einer der Boxen verschwinden können.

Roland strich der kleinen Stute, an deren Tür sie standen, über die Stirnlocke und fühlte dann ihre linke Vorderhand. »Na ja, du weißt ja, wie er ist«, antwortete er über die Schulter. »Er wird immer frömmer und füllt deine Burg mit Mönchen und Priestern. Er lebt beinah selbst wie einer, und das heißt, dass er die Finger von den Mädchen lässt. Darüber sind die Leute froh. Aber sie hassen ihn auch, vor allem für das, was er deiner Schwester angetan hat. Er weiß das ganz genau, und es erzürnt ihn. Am Tag der unschuldigen Kindlein haben ein paar junge Burschen im Dorf vor der Kirche einen Schwank aufgeführt, der davon handelte, dass eine Bäurin ihrem treulosen Gemahl mit dem Beil die Hand abhackt.«

Julian pfiff leise durch die Zähne. »Unklug«, bemerkte er.

»Mag sein«, entgegnete Roland. »Aber eigentlich ist es der Tag, da Kinder alles dürfen, nicht wahr? Jedenfalls hörte Devereux von der Geschichte, und nach den Feiertagen hat er sich jeden einzelnen der Jungen geholt, hat sie windelweich geprügelt und drei Tage ohne irgendetwas zu essen oder zu trinken im Burgkeller eingesperrt.«

Julian war nicht überrascht. »Das wird sie lehren, sich in Zukunft ein Thema zu suchen, mit welchem sie die Autorität ihrer Obrigkeit nicht in Frage stellen, schätze ich.«

Roland richtete sich auf und wandte sich zu ihm um. »Du nimmst ihn in Schutz?«, fragte er fassungslos.

Julian schüttelte den Kopf. »Er ist ein Wüterich, der immer

sofort wild um sich schlägt, wenn ihm irgendetwas nicht passt. Und er ist grausam. Niemand hat mehr darunter gelitten als meine Schwester, und ich verfluche mich heute noch dafür, dass ich nicht wenigstens versucht habe, die Ehe zu verhindern. Aber was Blanche ihm angetan hat, war ungeheuerlich, Roland. Sie hat ihren Mann nicht nur verstümmelt, sondern ihn obendrein zum Gespött gemacht. Ich … na ja, ich schätze, ich schäme mich immer noch ein wenig dafür.«

Roland schnaubte. »Ich hingegen bewundere sie dafür.«

»Ja. Das sieht dir ähnlich.« Julian lächelte schwach. »Aber dir macht Devereux keine Scherereien?«

»Nein«, antwortete der Stallmeister. »Inzwischen nicht mehr.« Vor zwölf Jahren hatte Thomas Devereux in Gloucesters Namen vor dem königlichen Gericht auf Rückgabe des Gestüts an die Baronie geklagt, aber Roland hatte Verträge und Urkunden vorlegen können, die zweifelsfrei bewiesen, dass das Land sein rechtmäßiges Eigentum war. »Man kann über den yorkistischen König sagen, was man will, aber vor seinen Richtern blieb Recht immer noch Recht, selbst wenn der Beklagte ein Neville war. Seit Devereux eingesehen hat, dass er mich als Nachbarn ertragen muss, verhält er sich meistens friedlich. Er erwägt sogar, eine Zuchtstute zu kaufen, sagt er hin und wieder. Aber es wird nie etwas daraus. Ich schätze, er will keine geschäftliche Verbindung mit mir.«

»Warum nicht?«, fragte Julian neugierig.

Roland hob kurz die Schultern und schloss die Stalltür. »Er fürchtet, ich könnte sie ausnutzen, um für säumige Pachtzahler oder sonstige Unglücksraben zu bitten, die sein Missfallen erregen. Er bleibt lieber auf Distanz. Und meine Mutter hat nie einen Hehl daraus gemacht, wie sehr sie ihn verabscheut. Das hat ihn gekränkt, und er hat es nicht vergessen.«

Kate hatte nach der Niederlage der Lancastrianer und der Ermordung Königs Henrys ein paar Jahre im Haushalt ihres Sohnes gelebt, und das Gestüt war ihr ein sicherer Hafen gewesen. Der Verlust ihrer Stellung hatte ihr nie viel ausgemacht, denn sie hatte das Leben mit Pferden seit ihrer Kindheit geliebt.

Mit Freude und großer Anteilnahme hatte sie ihre Enkelkinder sowohl hier als auch im nahen Sevenelms aufwachsen sehen. Doch im Winter vor drei Jahren hatte sie das Lungenfieber bekommen und war gestorben. Devereux hatte ihr die Grabstätte oben auf der Burg verweigert, die ihr zugestanden hätte, und so lag Kate nun auf dem Kirchhof im Dorf. Julian war froh darüber. So konnte er sich wenigstens hin und wieder nachts zu ihrem Grab schleichen und sich erinnern. Immer, wenn er nach Waringham kam, vermisste er Kate.

Sie beendeten die Abendrunde bei den Jährlingen und sprachen wie eh und je über Pferdekrankheiten, die Fohlzeit und die Zucht, während sie zum Stallmeisterhaus zurückschlenderten. Ein Stallbursche kam von der Futterscheune herübergelaufen, verneigte sich artig vor Julian und fragte Roland um Erlaubnis, schon jetzt ins Dorf hinübergehen zu dürfen. Offenbar ging es um die Errichtung eines Scheiterhaufens für das Maifeuer.

Julian hörte nicht richtig hin, sondern ließ den Blick über die großzügige Anlage schweifen, der der Wohlstand anzusehen war, und beobachtete aus dem Augenwinkel, mit welch müheloser Autorität und Freundlichkeit Roland über sein Reich herrschte.

»Weißt du, es ist gut, dass alles so gekommen ist«, sagte Julian impulsiv, als sie die Halle betraten. »Dass du das Gestüt übernommen hast, meine ich. So ist wenigstens das in der Familie geblieben, und ich hätte hier niemals das schaffen können, was du erreicht hast. Du bist ein besserer Stallmeister als jeder deiner Vorgänger, den ich gekannt habe. Hab ich dir das schon mal gesagt?«

Roland war sechsunddreißig Jahre alt, ein gestandener Pferdezüchter und Vater von fünf Kindern, trotzdem errötete er wie ein Bengel. »Ähm ... glaub nicht, nein.«

Julian erkannte die Verlegenheit seines Neffen, lachte in sich hinein und wechselte das Thema. »Wie war die Auktion?«

»Gut«, antwortete Roland, seine Zufriedenheit unüberhörbar. »Ich habe oben deine Abrechnung und dein Geld.«

Anders als Thomas Devereux hatte Julian die Vorzüge erkannt, die eine stille Teilhaberschaft am Gestüt barg, und er hatte schon vor Jahren wieder begonnen, hin und wieder eine gute Zuchtstute zu kaufen und sie Roland heimlich zu schicken. »Das hat keine Eile«, sagte er.

»Gloucester war hier«, berichtete Roland scheinbar beiläufig.

Wie immer verspürte Julian ein warnendes Kribbeln im Nacken, wenn dieser Name fiel. »Gloucester?«, wiederholte er ungläubig. »Zur Auktion?«

Roland nickte. »Er kommt schon seit Jahren und nutzt die Gelegenheit, sich vom Stand der Dinge in Waringham zu überzeugen. Schließlich gehört es ihm ja. Ich wette, Devereux zittert jedes Jahr um die Osterzeit. Und er kauft Pferde. Gloucester, meine ich.«

»Das hast du mir nie erzählt«, bemerkte Julian verwundert.

Roland schenkte ihm einen Becher Wein ein und stellte ihn vor ihn. »Wir reden nie über Gloucester, nicht wahr? Wir tun so, als wär es nie passiert.«

Julian stierte einen Augenblick in den Becher, hob ihn dann und nahm einen ordentlichen Zug. »Mir fällt immer noch nicht viel ein, was ich dazu sagen könnte«, bekannte er dann. »Außer, dass es mir leid tut.«

Roland zuckte gleichmütig die Schultern. »Es war nicht deine Schuld. Darum besteht keine Veranlassung, dass du es sagst.«

»Was ist es dann, das du hören willst?«

»Ich weiß nicht.« Roland lehnte sich ihm gegenüber an die Wand neben dem Fenster, kreuzte die Knöchel und trank versonnen einen Schluck. »Jetzt wird dieses Ungeheuer Lord Protector, Onkel.«

»Das ist mir gleich«, erwiderte Julian. »Je eher er in England Unfrieden stiftet und einen Scherbenhaufen anrichtet, desto besser für unsere Sache. Für Richmond.«

Roland nickte, aber er wirkte alles andere als glücklich. Vielleicht hatte er insgeheim gehofft, Edward of March werde so lange leben, bis auch der letzte Lancastrianer sich mit einem

York auf dem Thron abgefunden hatte, argwöhnte Julian. Roland hatte politisch nie gewankt, aber er war kein Soldat, und die letzten Jahre waren für ihn friedlich und profitabel gewesen.

»Er hatte seine Frau mitgebracht«, bemerkte der Jüngere unvermittelt. Dann schüttelte er den Kopf. »Ein armes Geschöpf, das sag ich dir. Bleich und apathisch. Todunglücklich.«

»Tja«, machte Julian. »Sie wollte ja nicht auf mich hören.« Trotzdem bedauerte er Anne. Er hatte nicht vergessen, was für ein hinreißendes Kind sie gewesen war und wie sehr sie ihn an seine Schwester Blanche erinnert hatte. Wie so viele Frauen ihrer Klasse war Anne Neville zum Spielball politischer Ereignisse geworden. Warwick hatte sie dazu gemacht, als er sie mit Prinz Edouard verheiratete, und Julian hatte nichts unternommen, um es zu verhindern. »Wieso bekümmert ihr Schicksal dich?«, fragte er seinen Neffen. »Du kennst sie doch gar nicht.«

»Ich bin ihr Cousin«, erklärte Roland.

Sind wir das nicht alle, dachte Julian. »Ich könnte dir aus dem Stegreif ein Dutzend Cousinen nennen, die dein Mitgefühl eher verdient hätten, Witwen gefallener oder ermordeter Lancastrianer, die in Armut leben und in ständiger Angst um die Zukunft ihrer Kinder. Anne Neville hingegen hat den Mann, den sie unbedingt wollte, und ihr Söhnchen lebt in Überfluss und Sicherheit.«

Roland seufzte. »Du hast Recht«, gestand er. »Aber du bedauerst sie ja selbst.«

Julian wechselte das Thema. »Wo wir gerade von unglücklichen Frauen reden, wo ist Alice denn eigentlich?«

»Im Dorf, nehme ich an. Heute ist schließlich Walpurgisnacht, da wird gefeiert.«

»Hm. Ich wäre erleichtert, wenn sie in Feierlaune ist, aber es gehört sich nicht, dass sie sich allein unter Bauern rumtreibt.«

»Edmund ist bei ihr. Sei unbesorgt. Devereux geht nie zu Dorffesten, und er würde sie so oder so nicht erkennen. Wenn du mir deine Tochter hier lässt, kann ich sie ohnehin nicht ewig auf dem Gestüt einsperren.«

»Wie kommst du auf so einen Gedanken?«, entgegnete Julian. »Ich bringe sie zu Megan Beaufort.«

»Das würde ich mir an deiner Stelle noch mal gut überlegen«, gab Roland mit dem ihm eigenen Mangel an Respekt zurück.

»Ah ja?« Julian war eher amüsiert als verärgert. »Denk nur, das hab ich bereits getan. Megan wird sie auf andere Gedanken bringen. Ihre Ausgeglichenheit und Heiterkeit werden Alice gut tun, da bin ich sicher.«

»Und darauf, dass Lady Megan unter den neuen Machtverhältnissen selbst in Gefahr geraten könnte, kommst du nicht, wie?«, konterte sein Neffe.

Julian schüttelte den Kopf. »Niemals. Schließlich hat sie Lord Stanley geheiratet. Alle Lancastrianer haben sie verflucht und eine Verräterin genannt, aber wie immer wusste Megan, was sie tat. Der Gemahlin des Lord Steward des königlichen Haushalts kann nicht einmal Richard of Gloucester gefährlich werden, würde ich sagen.«

Roland lächelte unfroh. »Dann hoffe ich, Gott hört dir zu, Onkel.«

Der Abend war windig, aber trocken, und als das mächtige Maifeuer auf dem Dorfanger ein wenig heruntergebrannt war, schien ein dreiviertel voller Mond, vor welchem dann und wann ein paar Wolken vorbeizogen wie silbrige Segel. In großen und kleinen Gruppen standen die Bauern um das Feuer herum, redeten und lachten, und die jungen Burschen und Mädchen waren am Tain entlang in den Wald gezogen, die einen an diesem, die anderen am jenseitigen Ufer. Über das plätschernde Flüsschen hinweg sangen sie sich gegenseitig Lieder mit immer wagemutigeren, zweideutigeren Versen vor. Im Schutz des Waldes würden die jungen Männer den Tain überqueren, um den Mädchen ihre Kränze aus Frühlingsblumen zu rauben, erklärte Edmund seiner Schwester. »Und hoffentlich nichts sonst«, fügte er mit einem Grinsen hinzu.

Alice war nicht entgangen, dass so manche Mutter den entschwindenden jungen Leuten mit besorgter Miene nachschaute.

»Ich bin verwundert, dass der Dorfpfarrer es duldet«, bemerkte sie.

»Es ist eine uralte Tradition«, erwiderte Edmund achsel-zuckend. »Wenn Vater Michael es verbieten würde, täten sie es vermutlich heimlich. Und es ist harmlos. Ich hab noch nie gehört, dass irgendwas passiert wäre.« Er hob die Hand und winkte einem untersetzten Mann zu, der vorbeikam. »Der Sattler«, raunte er seiner Schwester zu. »Wichtiger Mann im Dorf.«

Alice nickte. Sie beneidete ihren Bruder ein wenig darum, dass er ihren Vater seit fünf Jahren immer nach England begleitet hatte und sich in Waringham offensichtlich heimisch fühlte. Sie selbst hatte nur sehr verschwommene Erinnerungen an diesen Ort, den die Yorkisten ihnen vor so langer Zeit gestohlen hatten.

»Ich werde vor Einsamkeit eingehen, wenn er mich hier-lässt«, sagte sie leise.

»Hat er das denn vor?«, fragte Edmund erstaunt.

»Ich weiß es nicht. Er hat mir nicht gesagt, was aus mir wer-den soll.«

»Was vielleicht daran liegt, dass du nicht mit ihm sprichst«, entgegnete ihr Bruder. »Wenn du ihn fragst, sagt er es dir be-stimmt.«

»Ich werde dann wieder mit ihm reden, wenn er mich nach Hause bringt«, gab sie entschieden zurück.

»Das ist hier.«

Alice schüttelte den Kopf, und plötzlich musste sie gegen Tränen ankämpfen. »Für dich und für ihn vielleicht. Aber nicht für mich.«

Edmund wusste nichts zu sagen. Er hatte keine Ahnung, was seinen Vater veranlasst hatte, seine Schwester mit nach Eng-land zu bringen. »Alice«, murmelte er schließlich beschwichti-gend. »Er tut das, was das Beste für dich ist. Das weißt du doch ganz genau.«

»Ich weiß nichts dergleichen«, brauste sie auf. »Ich nehme an, er hat mich hierher verschleppt, um mich mit irgendeinem alten Kriegskameraden zu verheiraten, und wenn er das tut, dann sterbe ich, Edmund.«

Mit dieser fürchterlichen Drohung wandte sie sich ab, ließ ihren Bruder einfach stehen und ging Richtung Holzsteg davon.

Edmund ließ sie in Ruhe. Da er ein Jahr jünger war als Alice, fühlte er sich in der Rolle des Trost spendenden Bruders noch nicht so recht wohl, und ihm fiel nichts ein, was er hätte sagen oder tun können, um seiner Schwester zu helfen. Er behielt sie am anderen Flussufer im Auge, gesellte sich zu der Gruppe, bei welcher er Vater Michael entdeckt hatte, und weil die Leute ihn so hartnäckig drängten, spann er ihnen schließlich ein bisschen Seemannsgarn über ihre Abenteuer auf See. Er musste nicht einmal lügen. Sein Vater hatte sich über die Jahre allerhand einfallen lassen, um den Yorkisten das Leben bitter zu machen ...

Alice schlenderte ziellos über die feuchte Wiese und schaute in die Richtung, wohin das Jungvolk von Waringham gezogen war. Sie konnte niemanden mehr entdecken und hörte sie auch nicht mehr. Einen Moment fragte sie sich, wie es wohl war, als Bauernmagd in Waringham aufzuwachsen und zu leben, einen dieser jungen, rotwangigen, prahlerischen Burschen zu heiraten, mit ihm und der wachsenden Kinderschar in einer Kate zu hausen und niemals aus Waringham herauszukommen. Es klang nicht einmal so übel, fand sie. Es war einfach und sicher. Diese Menschen hier wussten wenigstens, wo ihr Platz in der Welt war und was sie vom Leben zu erwarten hatten.

Alice hingegen fühlte sich entwurzelt und Fortunas Launen wehrlos ausgeliefert. Nicht erst, seit ihr Vater sie hierher gebracht hatte. Immer schon, solange sie denken konnte. Und weder ihr Vater, der so oft fort war, hatte ihr Sicherheit geben können, noch ihre Mutter oder ihre älteren Brüder und Cousins, sondern allein Richmond. Er war ihr immer vollkommen unerschütterlich erschienen. Weder Armut noch yorkistische Meuchelmörder oder Herzog François' Wankelmut und Tücke machten ihm Angst, weil er die Gabe besaß, sich Gottes Vorsehung anzuvertrauen. Jedenfalls glaubte sie, dass das die Quelle seines Gleichmuts war. Sie hatte nie mit ihm darüber gesprochen. Sie hatte genau genommen überhaupt nicht oft mit Richmond gesprochen. Er war immer freundlich zu ihr und den anderen Mädchen im Haushalt gewesen, hatte ihnen an Winterabenden oft wunderbare, lange Geschichten erzählt, ihnen Wasser oder Feuerholz getragen und all diese Dinge, aber er war stets auf Distanz geblieben. Falls er überhaupt irgendwen in sein Herz schauen ließ, dann seinen Onkel Jasper, ihren Vater, und Mortimer, Robin und Owen, die ihre Tante Blanche gern »die drei Richmond-Jünger« nannte. Diese Unnahbarkeit hatte Richmond für Alice natürlich nur noch unwiderstehlicher gemacht, und sie konnte sich an keine Zeit erinnern, da sie nicht verliebt in ihn gewesen war. Als Mädchen hatte sie sich immer ausgemalt, wie es sein würde, wenn sie und Richmond eines Tages heirateten. Nie hatte sie den geringsten Zweifel zugelassen, dass das passieren würde. Doch je älter sie wurde, umso klarer war ihr, welche Hindernisse dieser Ehe im Wege standen. Richmond war der rechtmäßige König von England. Er konnte nicht einfach der Stimme seines Herzens folgen und heiraten, wen er wollte. Also hatte sie sich mit dem Gedanken vertraut gemacht, seine Geliebte zu werden. Das hatte eine Weile gedauert und war ein schwieriger, schmerzvoller Prozess gewesen. Sie hatte gewusst, wie tief sie ihren geliebten Vater verletzen würde, wenn sie das täte. Und sie hatte auch geahnt, dass er ihre Tante Blanche dafür verantwortlich machen würde, die durch ihre skandalöse Liaison mit Jasper Tudor so ein schlechtes Beispiel abgab. Dabei war es gerade dieses Beispiel, das Alice die meiste Angst machte, denn ihre Tante Blanche lebte nur in einem Anschein von Normalität mit ihrem Geliebten und ihrer Kinderschar. Sollten sie je aus dem Exil heimkehren können, wäre sie in England verfemt. Ihre Kinder würden nur ein Schattendasein am Rande der adligen Gesellschaft führen können. Und jetzt, da Blanche älter wurde, musste sie nicht befürchten, dass Jasper Tudor sich einer anderen Frau zuwenden, vielleicht gar heiraten wollte. Ob Blanche nicht manche Nacht wach lag und sich vor ihrer ungewissen Zukunft fürchtete? Ob ihr nicht vor der ewigen Verdammnis graute, die ihr nach einem Leben in Sünde drohte?

Dennoch war Alice entschlossen gewesen, den gleichen Weg einzuschlagen. Aber ehe sie dieses skandalöse Vorhaben in die Tat umsetzen konnte, hatte ihr Vater sie nach England verschleppt. Und jetzt quälte sie der Verdacht, dass ihr Plan, den sie für so geheim gehalten hatte, für alle offensichtlich gewesen sein könnte. Dass ihr Vorgehen nicht diskret, sondern plump gewesen sei. Dass sie sich Richmond an den Hals geworfen und ihr Vater sie weggebracht hatte, damit das peinliche, erbärmliche Schauspiel ein Ende nahm. Dass Richmond jetzt in Vannes am Feuer saß und sich mit einem kleinen mitleidigen Lächeln, aber voller Erleichterung über ihr Verschwinden an sie erinnerte. Die Scham bei dieser Vorstellung verursachte ihr Bauchkrämpfe. Ihr war danach, sich in den Tain zu stürzen und zu ertrinken, damit sie die Schande nicht mehr spüren musste. Aber die Schneeschmelze war lange vorbei und der Bach führte nicht wirklich genug Wasser, und außerdem …

Ein vielstimmiges Kinderlachen riss sie aus ihrer Düsternis, und sie blieb stehen. Es war kein besonders unschuldiges, fröhliches Gelächter, sondern klang rau und hämisch, und sie vernahm nur Jungenstimmen. Dann hörte sie ein gruseliges Heulen, und im nächsten Moment kam über die Kuppe des Mönchskopfes ein Licht und hielt mit großer Geschwindigkeit auf sie zu.

Als es sich näherte, erkannte sie ein paar Schatten, und dann begriff sie, was sie sah, auch wenn sie sich keinen Reim darauf machen konnte: Ein großer, hagerer Mann kam schreiend auf sie zugerannt. Er zog einen brennenden Ast hinter sich her, der offenbar an seinem Gürtel festgebunden war. Alice hätte das bizarre Schauspiel für eins der merkwürdigen Walpurgisrituale dieser Menschen hier gehalten, hätte nicht das nackte Grauen in den Augen des Mannes gestanden. Und hätten ihn die Flegel, die sie hatte lachen hören, nicht verfolgt und mit Steinen und Dreckklumpen beworfen.

Ohne eine bewusste Entscheidung zu treffen, stellte Alice sich dem Fliehenden in den Weg. Erwartungsgemäß rannte er sie über den Haufen, denn in seiner Panik war er außerstande, die Gestalt im Mondlicht zu erkennen.

Alice wurde hart ins Gras geschleudert und riss ihn mit sich zu Boden, klammerte die Hände um seinen Arm und rollte ein Stück mit ihm bergab. Seine Schreckensschreie steigerten sich zu einem schrillen Winseln. Alice ließ ihn nicht los, selbst als der Geruch ihres versengten Haares ihr warnend in die Nase stieg. Noch ehe sie ausgerollt waren, nahm sie die Rechte von seinem Arm und riss ihm mit einem Ruck den Stoffgürtel vom Leib. Unter unartikuliertem Gejammer befreite er sich von ihr, sprang wieder auf die Füße und floh.

Alice rief ihm nach: »Schau dich um! Das Feuer ist weg!« Sie war außer Atem.

Er schien sie nicht zu hören. Unter dem grölenden Gelächter seiner Peiniger rannte er weiter, bis er über die eigenen Füße stolperte und der Länge nach hinschlug.

Alice stand auf und trat auf die kleinen Plagegeister zu. »Was fällt euch ein, ihr Unholde! Was denkt ihr euch nur dabei?«

Natürlich wussten sie, wer sie war.

»Ach, Lady Alice, er ist so ein Schwachkopf!«, entgegnete der Rädelsführer lachend. »Mit dem darf man ruhig ein bisschen Schabernack treiben, der ist nicht so wie wir. In einer Viertelstunde hat er's vergessen.«

»Wirklich?«, entgegnete sie wütend. »Aber ich nicht, Bübchen. Und ich wüsste jetzt gern, wer dein Vater ist.«

Dem kleinen Anführer wurde mulmig.

»Na los, wird's bald?«, hakte sie nach.

Der Junge wechselte einen verstohlenen Blick mit seinen Freunden, dann machten sie auf dem Absatz kehrt und flohen in die Dunkelheit.

Alice sah ihnen mit einem unwilligen Kopfschütteln hinterher, dann ging sie zu der erbarmungswürdigen Kreatur, die reglos im Gras lag. Aber der Mann hatte sich offenbar nicht den Hals gebrochen, er war auch nicht bewusstlos. Alice hörte ihn schluchzen.

»Schsch«, machte sie und hockte sich neben ihn ins Gras. Sie bewegte sich langsam, um ihn nicht aufs Neue zu erschrecken, hob zögernd die Hand und legte sie auf seinen Kopf. »Es ist gut«, sagte sie beschwichtigend. »Die Rabauken sind weg. Du musst nicht mehr weinen. Jetzt ist alles gut.«

Aber es dauerte lange, bis er sich beruhigte. Alice strich ihm über den Schopf und hatte reichlich Gelegenheit, sich zu fragen, warum sie ihre Zeit hier mit dem Dorftrottel vergeudete. Die Antwort war indes ganz einfach: Sie hatte nichts Besseres vor. Sie war unter Fremden gestrandet, und diese verängstigte, gepeinigte Seele war der erste Mensch in Waringham, dem sie sich verbunden fühlte.

Schließlich ließ das Schluchzen und Wimmern nach, und er lag still. »Wie heißt du?«, fragte er unvermittelt.

»Alice.«

»Bist du ein Engel?«

Sie grinste und biss sich auf die Unterlippe. Schade, dass meine Mutter das nicht hört … »Nein, ich bin kein Engel. Du kannst mich anschauen, dann wirst du sehen, dass ich ein gewöhnlicher Mensch bin.«

Er reagierte nicht sofort. Vielleicht bedurfte es eines langen, komplizierten Denkprozesses in seinem verwirrten Kopf, um zu entscheiden, ob es wirklich ungefährlich wäre, sie anzusehen.

Schließlich richtete er sich auf die Knie auf und hob langsam den Kopf. Seine Wangen waren noch nass von Tränen, aber er lächelte, und Alice war gerührt von diesem vollkommen arglosen Kinderlächeln in dem nicht mehr jungen Gesicht.

Sie erwiderte es unwillkürlich. »Und wie ist dein Name?«, erkundigte sie sich.

»Melvin.«

»Wo wohnst du, Melvin?« Geben die Bauern so einem überhaupt ein Zuhause?, überlegte sie.

Doch ihre Sorge erwies sich als unbegründet. »Gestüt«, antwortete er. »Bei Roland.«

Wohl eher bei den Stallknechten, nahm sie an, denn sie hatte ihn noch nie gesehen.

»Darf ich …« Melvin hob unsicher die Hand. »Darf ich mal dein Haar anfassen?«

Eine innere Stimme warnte Alice. Schwachsinnigen ist nicht zu trauen, hatte man sie gelehrt. Nicht wenige sind vom Satan oder einem Dämon besessen, und eine Frau ist in ihrer Nähe niemals sicher. Aber sie hatte nie zuvor so unschuldige Augen gesehen. Wenn die Augen wirklich die Fenster zur Seele waren, dann wohnte in diesem Leib kein Satan. Sie entschied sich für einen Kompromiss. »Aber nur ganz kurz.«

Mit einem seligen Lächeln nahm er eine Hand voll ihrer offenen blonden Haarpracht, befühlte sie einen Moment zwischen seinen rauen Fingern und ließ sie sofort wieder los.

Na bitte, dachte Alice eine Spur erleichtert.

»Mel, was um Gottes willen tust du da?«, rief plötzlich eine Stimme vom Flussufer herüber.

Melvin und Alice sprangen beide auf die Füße, schuldbewusst, obwohl sie doch gar nichts Verbotenes getan hatten.

Ein großer Mann eilte mit langen Schritten auf sie zu, und als er näher kam, dachte Alice einen Augenblick, es sei ihr Vater. Dann erkannte sie ihren Irrtum. Dieser Mann war ohne jeden Zweifel ein Bauer, und wenngleich er sich für das Dorffest gewiss ordentlich geschrubbt hatte und seine Kleidung sauber zu sein schien, roch er doch eindeutig nach Schafen. Er verneigte sich vor ihr. »Ich hoffe, er hat Euch nicht belästigt, Lady Alice.«

»Woher denn.« Sie wies auf den Ast, der einen Steinwurf hügelaufwärts lag und immer noch schwelte. »Ein paar Lausebengel haben ihm einen üblen Streich gespielt, und bei der Gelegenheit ist er mir in die Arme gelaufen.«

Der Mann senkte den Blick. »Verfluchtes Lumpenpack …«, schimpfte er vor sich hin, dann besann er sich. »Vergebt mir, Mylady. Mein Name ist Adam. Adam Robertson nennen sie mich. Melvin ist mein Bruder.«

»Jesus«, entfuhr es ihr. »Du bist der Mann, der zu den Yorkisten übergelaufen ist und meinem Vater nicht den Kopf abschlagen wollte.«

Adam starrte sie fassungslos an. Im Mondschein konnte sie nicht sicher sein, aber sie hatte den Eindruck, als sei er errötet. »Das hat er erzählt?«, fragte er.

Sie schüttelte den Kopf. »Nicht uns. Aber meiner Mutter. Sie hat irgendwann einmal mit meiner Tante Blanche darüber geredet, und das hat meine Schwester Juliana gehört. Wir haben die letzten Jahre meist auf sehr engem Raum gelebt, da kommen früher oder später alle Geheimnisse ans Licht.« So wie das meine, fügte sie in Gedanken hinzu.

Adam zeigte ein kleines Lächeln. »Oh ja, das kenne ich. Darum wissen die Leute in Waringham immer alles über jeden.« Er schien nicht besonders glücklich über diesen Umstand.

Alice nickte. Einen Moment herrschte ein etwas verlegenes Schweigen. Dann sagte sie: »Ich denke, ich geh zum Gestüt zurück. Soll ich deinen Bruder mitnehmen? Er sagt, er lebt dort.«

Adam schüttelte den Kopf. »Mel, wie oft hab ich dir erklärt, dass du bei uns wohnst, solange seine Lordschaft bei Roland zu Besuch ist, hm?«

Melvin gab vor, ihn nicht zu hören, und schaute mit leicht geöffneten Lippen zum Himmel auf. Adam seufzte.

Seltsam, dachte Alice. Es ist doch Platz genug im Stallmeisterhaus. Aber sie fragte nicht. Sie wollte nicht neugierig erscheinen – obwohl sie es war.

Adam schien jedoch selbst das Bedürfnis zu haben, die etwas vertrackte Situation zu erklären: »Meine Frau, Rose, will ihn nicht im Haus haben. Meine erste Frau, Bessy, wollte ihn auch nicht.« Er lächelte ein wenig traurig. »In der Hinsicht hab ich kein Glück mit den Frauen, schätze ich. Er ist ihnen unheimlich.«

Impulsiv nahm Alice Melvins Hand und schalt dessen Bruder: »Du solltest so etwas nicht in seinem Beisein sagen.«

»Warum nicht?«, gab Adam zurück. »Er weiß es sowieso.«

Alice war ein wenig verdattert über die Respektlosigkeit dieser fast patzigen Antwort.

Melvin schien der Unterhaltung nicht zu folgen. Er sah halb verschreckt, halb entzückt auf Alice' Finger hinab, die seine Hand umschlossen, dann verdrehten sich seine Augen, bis nur noch das Weiße sichtbar war.

»Jedenfalls, Roland und Merle stört er nicht«, fuhr Adam fort. »Und ich bin heilfroh, dass mein Bruder bei ihnen ein Zuhause gefunden hat. Vor allem, als ich im Krieg war. Aber ich will nicht, dass Euer Vater Melvin begegnet.«

»Warum nicht?«, fragte Alice.

Adam zuckte unbehaglich die Schultern. »Mir ist lieber, seine Lordschaft wird so selten wie möglich an uns erinnert. Er ist nicht gerade gut auf mich zu sprechen. Er hat mich enteignet und verbannt, als ich damals zu den Yorkisten gegangen bin, und als der Krieg aus war, bin ich einfach nach Haus gegangen und hab meine Herden zurückgeholt. Ohne ihn um Erlaubnis zu fragen, versteht Ihr. Na ja, er war ja gar nicht mehr hier, aber trotzdem ...«

Er wusste nicht so recht weiter, aber Alice verstand. Das Band aus Dienst, Pflicht und Treue, das zwischen Bauer und Grundherr ebenso existierte wie zwischen Adel und König, das praktisch die ganze Welt zusammenhielt, war zwischen Adam und ihrem Vater zerrissen.

»Aber du hast ihm das Leben gerettet«, wandte sie ein.

»Das macht alles nur schlimmer. Ich würd's trotzdem morgen wieder tun, wisst Ihr. Er ist ein großartiger Mann.«

Alice nickte vorbehaltlos.

»Alle hier vermissen ihn. Ich auch«, schloss er.

»Ich bin überzeugt, er wird beglückt sein, das zu hören, Adam«, sagte Edmunds Stimme plötzlich zu ihrer Linken.

Alice schreckte leicht zusammen; sie hatte ihren Bruder nicht kommen sehen.

Edmund blickte von ihr zu Adam und weiter zu Melvin. Dann legte er seiner Schwester einen Arm um die Schultern.

Adam verneigte sich vor ihm. »Sir Edmund.«

Der zeigte ein frostiges Lächeln, welches sofort wieder verschwand, ehe er zu Alice sagte: »Wie ich sehe, hast du die yorkistische Fraktion von Waringham schon kennen gelernt. Gehen wir zurück?«

Adam stieß hörbar die Luft aus. »Seht Ihr?«, fragte er Alice.

Sie ließ Melvins Hand los und zwinkerte ihm zu. »Gute Nacht, Melvin. Und nimm dich vor den Lausebengeln in Acht, hörst du.«

»Ich fürchte, das lernt er nicht mehr, Mylady«, bemerkte Adam. »Habt Dank, dass Ihr ihm geholfen habt.«

Zögernd wandte sie sich ab und ging Seite an Seite mit ihrem Bruder den Mönchskopf hinauf.

London, Mai 1483

»Mylady, da ist ein abgerissener bretonischer Franziskaner an der Tür, der darauf besteht, Euch zu sprechen«, hörte Julian den jungen Priester sagen. »Ein Frère Julien.« Er bemühte sich, neutral zu klingen, aber er brachte es nicht fertig, seine Skepsis gänzlich zu unterdrücken.

»Lasst ihn eintreten«, antwortete Megan mit einem Lächeln in der Stimme. »Er ist ein sehr alter Freund.«

Die angelehnte Tür wurde geöffnet, und der Priester nickte dem Minoriten knapp zu.

Ohne die große Kapuze abzustreifen, trat Julian über die Schwelle und verneigte sich tief vor seiner Cousine. »Madame.«

»Schließt die Tür, Vater Christopher«, bat sie ihren Kaplan.

»Von innen oder von außen, Mylady?«, fragte er.

»Nein, nein, bleibt nur hier. Ich weiß, Ihr habt eine Schwäche für Überraschungen«, erwiderte sie trocken. Und an ihren Gast gewandt, fügte sie hinzu: »Du kannst diesem lästerlichen Mummenschanz ein Ende machen, Julian. Vater Christopher ist mein neuer Beichtvater und folglich über all meine dunklen Geheimnisse im Bilde.«

Julian streifte die Kapuze ab, lächelte ihr zu, ergriff ihre filigrane Hand und führte sie an die Lippen. »Dunkle Geheimnisse? Du? Ich wette, kein Priester in England langweilt sich beim Hören der Beichte so fürchterlich wie der arme Vater Christopher.« Er ließ sie los und streckte dem Priester die Rechte entgegen. »Julian of Waringham.«

Der junge Geistliche in der strengen Soutane bekreuzigte sich und murmelte: »Jesus Christus, beschütze uns«, schlug dann aber ein. Sein Händedruck war unerwartet kräftig. »Eine Ehre, Mylord. Christopher Urswick.«

Wie üblich hatte Megan gut gewählt, erkannte Julian. Er mochte Urswick auf Anhieb.

Megan erhob sich von dem harten Schemel am Tisch, wo sie gesessen und wie üblich in einem dicken, vermutlich frommen Buch gelesen hatte, legte jedem der Männer eine Hand auf den Arm und führte sie zu den Sesseln am Kamin, über dem eine kunstvolle Tapisserie mit dem Wappen der Stanleys hing. Es war ein luxuriöses, helles Gemach mit schwarz-weißen Bodenfliesen, schweren Möbeln und zwei Fenstern, die auf den herrlichen Garten des Hauses zeigten.

»Wir wollen ganz offen sein«, sagte Megan, nachdem sie Platz genommen hatten. »Vater Christophers Familie ist den Stanleys schon seit Generationen verbunden. Mein fürsorglicher Gemahl hat ihn für mich ausgewählt, auf dass Vater Christopher über mein Seelenheil wache und es ihn sofort wissen lasse, sollte ich vom Pfad yorkistischer Gesinnung abweichen.« Sie zeigte das kleine mokante Lächeln, das Spott und mitleidige Herablassung zu gleichen Teilen ausdrückte und das nur Lancaster beherrschten. »Doch Vater Christopher hat in aller Stille die Seiten gewechselt und unterstützt unsere Sache. Ich vertraue ihm vollkommen und bitte dich, das Gleiche zu tun, Julian.«

»Ich verlasse mich auf dein Urteil«, erwiderte er. Aus dem speckigen Beutel, der an der Kordel baumelte, welche ihm als Gürtel diente, nahm er einen unversiegelten Bogen. »Hier.« Er brachte ihr immer einen Brief von ihrem Sohn mit, wenn er aus der Bretagne kam, und beförderte die ihren in Gegenrichtung.

Megan nahm den Bogen in die Linke, und ihre Augen strahlten vor Freude. »Entschuldigt mich einen Augenblick«, bat sie, stand auf und ging ans Fenster, um Richmonds Schreiben zu lesen.

Julian lehnte sich in seinem Sessel zurück und betrachtete seine Cousine. Kopf und Hals waren wie schon seit Jahren von einem weißen Schleier bedeckt, der ihr das Aussehen einer Nonne verlieh. Es ging ein Gerücht, unter dem dunklen Kleid trage sie ein härenes Gewand. Ihre Bewegungen waren ein wenig zögerlich, beinah greisenhaft, was daran lag, dass sie an Rheumatismus litt, aber ihre schönen Augen strahlten dieselbe heitere Gelassenheit aus wie eh und je. Dabei waren es alles andere als leichte Jahre für sie gewesen.

Nachdem ihr Sohn in die Bretagne geflohen und ihr zweiter Gemahl gestorben war, hatte der yorkistische König ihr zu verstehen gegeben, dass er es außerordentlich begrüßen würde, wenn sie dieses Mal einen Yorkisten heiratete. Megan hatte es nie ausdrücklich gesagt, aber Julian ahnte, dass Edward of March sie erpresst und ihr mit Enteignung gedroht hatte. Wäre es nur um sie allein gegangen, hätte Megan sich vermutlich mit einem duldsamen Lächeln enteignen lassen und in ein Kloster zurückgezogen. Aber ihr Geld und ihr Einfluss waren vonnöten, wenn ihr Sohn je die Chance haben sollte, den englischen Thron zu besteigen. Also hatte sie Thomas Lord Stanley geheiratet, den Steward des königlichen Haushalts, der den Lancastrianern im langen Krieg gegen die Yorkisten so manche bittere Niederlage beigebracht hatte.

Viele der verbliebenen Lancastrianer in England hatten sich von Megan abgewandt und ihr Verrat vorgeworfen. Julian war es nicht gelungen, ihnen vor Augen zu führen, dass Megan keine andere Wahl gehabt hatte. Was ihre einstigen Freunde und Verbündeten ihr vor allem so übel nahmen, war dies: Stanley betete seine Frau an und machte keinen Hehl daraus. Er trug sie auf Händen. Megan dankte es ihm mit Zuneigung und Herzlichkeit, auch wenn sie hinter seinem Rücken Ränke schmiedete, um ihren Sohn auf den Thron zu bringen. Es war auf eine etwas bizarre Weise eine glückliche Ehe. Und das konnten ihr viele nicht vergeben.

Mit langsamen, kleinen Schritten kam sie zum Kamin zurück, und Vater Christopher stand auf, um ihr in den Sessel zu helfen. Er tat es umsichtig und ohne Übereifer, und sie akzeptierte es mit einer Selbstverständlichkeit, die Julian allerhand über ihr Vertrauensverhältnis und ebenso über Megans Rheumatismus verriet.

»Hast du endlich einmal mit Edwards Leibarzt gesprochen?«, fragte er.

Megan winkte ab. »Man kann nichts dagegen machen, wie du sehr wohl weißt. Mein Gemahl bringt mir von einer Kräuterfrau in East Cheap eine Tinktur mit. Es ist so viel Branntwein darin, dass man vom Einreiben ganz benebelt wird, aber sie hilft ein wenig.«

»Bist du sicher, dass die Tinktur zum Einreiben gedacht ist?«, fragte Julian.

Vater Christopher lachte in sich hinein.

Megan wedelte das Thema mit dem Brief in ihrer Hand beiseite. »Was schreibt er mir nicht?«, fragte sie.

Julian breitete kurz die Hände aus. »Ich weiß ja nicht, was drinsteht. Und ich hätte jeden Eid geschworen, dass dein Sohn zu niemandem offener ist als zu dir.«

»Nein. Unangenehmes berichtete er mir nur, wenn es unvermeidbar ist.«

Diesen Fehler beging Julian nicht. »Herzog François hat ihn wieder einmal unter Hausarrest gestellt, sobald er von Edwards Tod erfahren hat. Der Herzog ist nervös. Sein Nachbar, der König von Frankreich, trachtet danach, sich die Bretagne einzuverleiben. Vermutlich glaubt François, dass er ihn sich nur mit Unterstützung des englischen Königs vom Leibe halten kann. Und zufällig verwahrt er etwas, das das yorkistische Königshaus so furchtbar gern in die Finger bekommen würde. Andererseits schätzt er deinen Sohn und Jasper sehr. Ich glaube,

er ist unentschlossen. Hin- und hergerissen zwischen Staats-
räson und seinem Gewissen.«

»Louis von Frankreich ist schwer krank, hört man«, warf
Vater Christopher ein. »Ich denke nicht, dass er François noch
lange Schwierigkeiten machen wird.«

Julian zog eine Braue in die Höhe. »Welch unchristlicher
Pragmatismus, Vater.«

Christopher lächelte unschuldig. »Wieso sollte es mich
betrüben, wenn ein großer Herrscher dieses irdische Jammertal verlässt und ins Paradies eingeht?«

Julian brummte. »Wenn Ihr mich fragt, wird seine Reise ins
Jenseits eher abwärts führen.«

»Die erste entscheidende Frage ist, ob sein Sohn die rücksichts-
lose Expansionspolitik fortsetzt oder nicht«, unterbrach Megan
das Geplänkel. »Und die zweite entscheidende Frage ist, wie sich
der Machtkampf zwischen Gloucester und dem Bruder der Königin hier in England entscheidet. Elizabeth war mir immer zuge-
tan und hatte Mitgefühl für meinen Sohn im Exil. Sie würde
ihren Bruder und den kleinen König sicher dazu bewegen, ihn
in Frieden zu lassen, was unserer Sache äußerst förderlich wäre.
Wenn aber Richard of Gloucester sich durchsetzt, dann wird es
sehr finster für uns aussehen«, prophezeite sie.

»Ehe es brenzlig wird, stelle ich eine Truppe auf, die groß
genug ist, um Richmond mit einem Überraschungsangriff aus
diesem albernen Hausarrest zu befreien«, versprach Julian. »Das
wird nicht schwierig – François stellt lediglich zwei Wachen vor
die Tür und ein paar hinters Haus. Und dann suchen wir uns
ein neues Exil. Vielleicht bei deinem Cousin, dem König von
Portugal.«

»Zu weit weg von England«, widersprach sie.

»Besser lebendig in Portugal als tot in der Bretagne«, warf
Vater Christopher ein.

Sie richtete die dunklen Lancasteraugen auf ihn. »Die Mutter in mir würde Euch gern zustimmen, aber mein Sohn ist der
rechtmäßige König, und er wird seine Krone nicht bekommen,
indem er davonläuft.«

»Das Gleiche würde er selbst mit Sicherheit auch sagen«, warf Julian ungeduldig ein, »doch ihr habt beide Unrecht. Mit einem modernen Schiff wie meinem, das schnell und beinah unabhängig von der Windrichtung jedes Ziel ansteuern kann, ist Portugal *nicht* zu weit weg, um rasch handeln zu können.«

»Mir scheint, es hat wenig Zweck, darüber zu spekulieren, solange wir …« Megan unterbrach sich verdutzt, weil Julian plötzlich aufgesprungen war, die Kapuze hochschlug, zu der kleinen Gebetsbank in der Ecke des Raumes stürzte und sich dort auf die Knie warf. »Julian, was in aller Welt …« Dann hörte sie, was ihn aufgeschreckt hatte: Schwere Schritte näherten sich. Eilige Schritte. Im nächsten Moment wurde die Tür aufgestoßen, und Thomas Lord Stanley kam hereingestürmt. »Megan, Vater Christopher, Bruder …« Er streifte den betenden Franziskaner nur mit einem flüchtigen Blick. »Ich bedaure, Eure Einkehr zu stören.«

»Was ist denn geschehen, mein Lieber?«, fragte Megan.

»Ein Bote kam vorhin aus Northampton«, berichtete ihr Gemahl. »Gloucester und der Duke of Buckingham haben den Prince of Wales auf dem Weg nach Süden abgefangen und dessen Onkel, Earl Rivers, verhaftet.«

Obwohl es sie sichtlich Mühe kostete, stand Megan auf. »Richard of Gloucester hat den Bruder der Königin verhaftet?«, wiederholte sie ungläubig. »Mit welchem Recht? Aus welchem Grund?«

»Er behauptet, Rivers habe ein Komplott gegen den Prinzen geschmiedet.«

»Und glaubst du das?«

Stanley hob vielsagend die Schultern. »Es ist fast unvorstellbar. Earl Rivers war dem Jungen seit Jahren so etwas wie Vater und Mutter in einer Person, nicht wahr? Aber ich habe auch keinen Grund, Gloucesters Wort anzuzweifeln. Er hat seinem Bruder, dem König, jahrelang aufopferungsvoll und selbstlos gedient, und ich schätze, genauso dient er nun dessen Sohn.«

Julian erstickte fast an der Bemerkung, die ihm auf der Zunge lag.

»Doch die Königin hat offenbar Zweifel an Gloucesters Motiven«, fuhr Stanley fort. »Sie ist in Westminster Abbey ins Asyl gegangen, Megan. Mit ihren Töchtern und ihrem jüngeren Sohn, dem kleinen Duke of York. Sie war völlig kopflos. In Panik, um die Wahrheit zu sagen. Und weil ihre großen Kleidertruhen nicht durch die Verbindungspforte passten, hat sie der Wache befohlen, ein Loch in die Mauer zu stemmen.«

»Nicht zu kopflos, um an ihre kostbare Garderobe zu denken«, murmelte Megan nicht ganz ohne Spott, doch dann fügte sie hinzu: »Arme Elizabeth. Wünschst du, dass ich nach ihr und ihren Kindern sehe?«

»Das wäre ein Segen«, gestand er erleichtert. »Ich muss zurück in den Palast. Der Kronrat ist in heller Aufregung.«

»Dann überlass die Königin mir«, erbot Megan beschwichtigend.

Aus dem Augenwinkel sah Julian, wie Stanley ihr dankbar beide Hände küsste. Dann eilte der Steward des königlichen Haushalts wieder hinaus.

Julian stand von der Gebetsbank auf, verschränkte die Arme und fragte: »Woher deine plötzliche Sorge um die yorkistische Königin?«

»Meine Sorge um Elizabeth kommt keineswegs plötzlich, Cousin«, gab Megan ein wenig spitz zurück. »Die letzten Jahre waren sehr bitter für sie. Edward hat es an jeglicher Diskretion mangeln lassen und sie mit seinen Schamlosigkeiten zum Gespött gemacht. Eine betrogene Königin hat nicht viele Freunde, weißt du.«

»Aber sie hatte dich«, erwiderte er mit einem Lächeln.

»So ist es«, bestätigte Megan. »Und wie der Zufall es wollte, habe ich bei unseren vertraulichen Gesprächen von Mutter zu Mutter hin und wieder Gelegenheit gefunden, bei Elizabeth für eine Ehe zwischen meinem Sohn und ihrer Tochter zu werben.«

Julian brach in Gelächter aus und presste hastig den Ärmel seiner rauen Wollkutte vor den Mund. »Wärst du nicht meine beinah heilige Cousine Megan Beaufort, käme ich kaum umhin, dich ein durchtriebenes Luder zu nennen.«

Am vierten Mai zog Richard of Gloucester mit dem zwölfjährigen Prince of Wales in London ein, begleitet von seinem neuen Gefolgsmann, dem Duke of Buckingham. Sie brachten den jungen Erben des yorkistischen Throns mit einigem Pomp zum Tower, wo er nach alter Tradition bis zu seiner Krönung residieren sollte.

Schon am nächsten Tag trat der Kronrat zu einer Sitzung zusammen, und niemand war im Mindesten verwundert, als das Gremium Richard of Gloucester in seiner Eigenschaft als Lord Protector mit der Macht ausstattete, »wie ein zweiter König« über die Geschicke des Reiches zu entscheiden, und ihm die Vormundschaft über den Prinzen übertrug. Durch sein rasches Handeln in Northampton hatte Gloucester den Machtkampf mit der Fraktion der Königin praktisch im Handstreich für sich entschieden, und es dauerte nur wenige Tage, bis die neue Regierung ihre Arbeit aufnahm. Janets Bruder Lord Hastings und Megans Gemahl Lord Stanley bildeten mit dem Bischof von Ely zusammen die Stützpfeiler dieser Regierung und nahmen die Vorbereitungen für die Krönung des jungen Edward, die auf Ende Juni festgesetzt worden war, in Angriff. Doch niemanden sah man öfter in Gloucesters Begleitung als den jungen Duke of Buckingham.

Julian verbarg sich derweil in seinem Haus in Farringdon, wo Megan oder Vater Christopher auf dem Ritt von und nach Westminster unauffällig Halt machen konnten, denn es lag auf dem Weg. Er war froh, dass er Alice und Edmund fürs Erste in Waringham gelassen hatte, denn Megan hätte kaum Zeit gehabt, sich Alice zu widmen.

Das Zerwürfnis mit seiner Tochter lastete auf ihm. Dergleichen war er nicht gewöhnt. Da er in den Jahren seit der Geburt seiner Söhne und Töchter meistens im Krieg oder auf See gewesen war, war ihm die scheinbar so dankbare Rolle des

Gelegenheitsvaters zugefallen. Seine Kinder jubelten, wenn er kam, und weinten, wenn er fortging. In seiner Abwesenheit waren es Janet und in gewisser Weise auch Blanche und Jasper gewesen, die seine Brut großgezogen, die Regeln und Verbote aufgestellt und durchgesetzt hatten – eben all die Dinge taten, mit denen Eltern sich bei ihren Kindern unbeliebt machten. Doch dieses Mal war Julian selbst derjenige gewesen, der eine unpopuläre Entscheidung hatte treffen müssen, und die eisige Zurückweisung, mit der Alice sich rächte, erinnerte ihn an seinen Vater. Julian war niedergeschlagen und ratlos.

»Was fängt man bloß mit einer trotzigen, unglücklich verliebten Achtzehnjährigen an, Megan?«, fragte er seine Cousine, als er mit ihr und Vater Christopher an einem lauen Maiabend in der Halle seines Hauses saß. »Weißt du keinen geeigneten Kandidaten, mit dem wir sie verheiraten könnten?«

»Doch, ein paar fielen mir bestimmt ein. Der Älteste deines Cousins Edward Fitzroy, des Earl of Burton, zum Beispiel. Seine Verlobte, eine de la Pole, ist letzten Winter gestorben. Aber wenn du wirklich meinen Rat willst und nicht nur eine einfache Lösung, dann lass Alice den Sommer in Waringham verbringen, bis sie sich meinen Sohn aus dem Kopf geschlagen und ihren Kummer überwunden hat.«

Julian fiel aus allen Wolken. Er hatte mit keinem Wort erwähnt, wer es war, an den Alice ihr Herz verloren hatte.

Megan sah seine Verblüffung und erklärte: »Richmond hat mir schon vor Monaten davon geschrieben.«

Stellvertretend für seine Tochter fühlte Julian sich gedemütigt. »Ihm entgeht nicht viel, was? Ich hoffe, er hat sich nicht mit seinen Freunden hinter ihrem Rücken über sie lustig gemacht.«

Megan schüttelte den Kopf, nicht empört, aber entschieden. »Ich glaube, das ist nicht seine Art. Es hat ihn bekümmert, sie so unglücklich zu sehen. So groß war seine Besorgnis, dass ich mich sogar für einen Moment gefragt habe, ob er ihre Gefühle nicht vielleicht erwidert. Doch die Frage ist wohl müßig. Er ist entschlossen, Elizabeth of York zu heiraten.«

»Nun, das muss er auch, wenn er hofft, dem Hader zwischen Yorkisten und Lancastrianern je ein Ende zu machen«, räumte Julian seufzend ein. »Wenngleich ich zugeben muss, dass ich ihn gern als Schwiegersohn gehabt hätte.« Er grinste verschämt und senkte den Blick dann auf das Schnitzwerk in seinen Händen: den Rumpf einer Karavelle. Da er im Augenblick zum Müßiggang verurteilt war, hatte er schon eine kleine Flotte beisammen, die auf dem hüfthohen Schrank unter dem Fenster stand.

Freda, die junge Magd, die Anabelle ihm geschickt hatte, kam herein und brachte den Krug mit dem verdünnten Wein, um den er gebeten hatte. Er persönlich hielt keine großen Stücke auf verdünnten Wein, aber es war das Äußerste, wozu Megan sich verführen ließ, und neben ihrer Enthaltsamkeit kam er sich immer schnell wie ein Prasser und Säufer vor, wenn er seinen normalen Ess- und Trinkgewohnheiten folgte.

»Soll ich einschenken, Mylord?«, fragte die junge Frau und hielt den Blick gesenkt.

»Sei so gut.«

Sie holte die guten Glaspokale aus dem Schrank, füllte sie und stellte sie vor den Hausherrn und die Gäste. Dann knickste sie und ging hinaus.

Diese sittsame Scheu war ebenso geheuchelt wie Julians neue Vorliebe für verwässerten Wein: Freda war nicht nur diskret und bekochte ihn vorzüglich, sondern hatte ihm gleich am zweiten oder dritten Abend zu verstehen gegeben, dass sie durchaus gewillt sei, ihm die einsamen Nächte zu versüßen. Wie seit jeher hatten sich seine guten Vorsätze bezüglich ehelicher Treue als nur zu leicht erschütterlich erwiesen. Aber davon sollte Megan freilich nichts ahnen.

Darum schnitzte er eine ungewollte Scharte in den Bug seines Schiffchens, als sie scheinbar unvermittelt bemerkte: »Ich habe gehört, du seiest bei Marguerites Beerdigung gewesen, Julian?«

Er sah nicht auf. »Es war das Einzige, was ich noch für sie tun konnte, nicht wahr?«

»Sie ist gestorben?«, fragte Vater Christopher verwundert.

»Ende August«, antwortete Megan.

»Davon habe ich gar nichts gehört.«

»Wie die meisten hier«, brummte Julian. »England hat seine ungeliebte Königin schnell vergessen.«

»Wo liegt sie begraben?«

»In der Kathedrale von Angers. Wenigstens im Tod hat König Louis seine Cousine standesgemäß behandelt.«

Der König von Frankreich hatte Marguerite den Yorkisten vor einigen Jahren abgekauft und ihr ein sicheres Plätzchen geboten, wenn sie im Gegenzug auf alle Erbansprüche auf französischem Gebiet verzichtete. Marguerite hatte eingewilligt, weil ihr keine andere Wahl geblieben war. Und vermutlich auch, dachte Julian, weil ihr alles im Leben so gleichgültig geworden war, dass es sie nicht gekümmert hatte, um ihre Ländereien und Titel betrogen zu werden. Einsam und in sehr bescheidenen Verhältnissen hatte sie auf einer Burg in der Nähe von Angers ihre letzten Jahre gefristet. Doch als Julian einmal die Loire hinaufgesegelt war, um sie zu besuchen, hatte sie ihn abgewiesen. Sie habe kein Verlangen, den Mörder ihres Sohnes zu sehen, hatte sie ihm ausrichten lassen. Die Jahre der Trauer und der Einsamkeit hatten sie nicht milder oder gar langmütiger gemacht, hatte er ohne Überraschung festgestellt und war deprimiert in die Bretagne zurückgekehrt. Doch wenigstens bei ihrer Beerdigung hatte sie ihn nicht davonjagen können.

Julian legte das Messer aus der Hand und trank einen Schluck, als könne er die düsteren Gedanken damit fortspülen. Dann fragte er Megan: »Sag, dieser Buckingham. Wer ist er eigentlich? Aus welchem Loch ist er plötzlich gekrochen, und wieso hat Richard of Gloucester ihn so in sein Herz geschlossen?«

»Er ist aus keinem Loch gekrochen, Julian«, antwortete sie mit leisem Tadel. »Er steht mir verwandtschaftlich sehr nah, denn seine Mutter war meine Cousine Margaret Beaufort, und sein Vater war Humphrey Stafford, der Bruder meines zweiten

Gemahls. Humphrey starb, als der kleine Buckingham drei Jahre alt war, und der Junge wurde ein Mündel der Königin.«

»Ah«, machte Julian vielsagend. »Eine fette Beute für die raffgierigen Woodvilles. Und? Mit wem ihrer weitverzweigten Verwandtschaft hat sie ihr Mündel verheiratet?«

»Mit ihrer Schwester Katherine. Es ist … keine sehr glückliche Ehe, fürchte ich.«

»Buckingham verabscheut seine Frau und die ganze Sippschaft der Königin«, übersetzte Julian. »Und das macht ihn und Gloucester zu Verbündeten?«

Megan nickte. »Ich kann mir nichts sonst vorstellen, was sie gemeinsam haben könnten.«

Julian nahm sein Messer wieder auf und werkelte eine Weile schweigend am Bug der Karavelle herum. »Schade, dass wir es versäumt haben, aus Buckingham einen Lancastrianer zu machen«, sagte er schließlich. »Immerhin ist sein Großvater für unsere Sache bei Northampton gefallen. Und nun steigt er zu Gloucester ins Boot. Eine Schande ist das …«

»Nun, vielleicht ist es ja noch nicht zu spät, Buckingham auf unsere Seite zurückzuholen«, gab Vater Christopher zu bedenken.

»Vielleicht nicht«, stimmte Megan zu. »Aber wir sollten gut überlegen, ob wir ihn auch kontrollieren könnten, wenn wir ihn haben. Er ist ein sehr ehrgeiziger junger Mann. Und er stammt ebenso unmittelbar von König Edward III. ab wie jeder York und jeder Lancaster.«

Früher als üblich brach eine Hitzewelle über London herein. Die Abfälle auf den Straßen und der Fluss stanken zum Himmel, und eine eigentümliche Trägheit legte sich über die sonst so betriebsame Metropole, als habe sie den Kopf eingezogen und warte auf das erlösende Gewitter.

Geordnet und mit Umsicht bereitete der Duke of Gloucester die Krönung seines Neffen und den Beginn des anschließenden Parlaments vor. Allein die Londoner Schneider und Tuchhändler wurden allmählich nervös, da niemand kam, um die

Krönungsroben für den jungen König und seinen Hofstaat in Auftrag zu geben. Lucas Durham erzählte, es gehe ein Gerücht in Tuchhändlerkreisen, Gloucester wolle diesen fetten Auftrag an die Gilden von York vergeben, denn eine enge Freundschaft verband den Lord Protector mit der großen Stadt im Norden.

Es war nicht das ersehnte Gewitter, sondern ein Skandal, der London und Westminster schließlich aus dem Schlummer riss: Am 13. Juni bezichtigte Gloucester im Kronrat zwei seiner engsten Vertrauten des Hochverrats. John Morton – der höchst ehrwürdige Bischof von Ely – und ausgerechnet Julians Schwager Lord Hastings wurden beschuldigt, mit der verwitweten Königin in Westminster intrigiert zu haben, um Gloucester zu entmachten und sein Protektorat gewaltsam zu beenden.

»William Hastings?«, fragte Julian ungläubig, als Lucas ihm die Nachricht brachte. »Aber das ist vollkommen absurd. Hastings und Elizabeth können einander nicht ausstehen. Immerhin war er derjenige, der Edward of March ewig neue Mädchen besorgt hat und ...«

»Nun, mit Hastings' Ausschweifungen ist es vorbei, Julian«, unterbrach sein Ritter grimmig. »Gloucester hat ihn noch während der Ratssitzung im Tower verhaften, hinausführen und ihm den Kopf abschlagen lassen. Ohne Prozess. Ohne Parlamentsbeschluss.« Er breitete hilflos die Hände aus. »Ohne alles.«

»Oh mein Gott ...« Julian bekreuzigte sich und wich unwillkürlich einen Schritt zurück. Er stieß gegen eine dicke steinerne Säule und lehnte sich mit dem Rücken dagegen. Sie hatten sich in der großen St.-Paul's-Kathedrale getroffen, denn Julian wollte nicht, dass irgendwer Lucas Durham sein Haus betreten sah. Die Durham waren zu bekannt in London.

»Und Bischof Morton?«, fragte er.

»Gloucester hat auch ihn festnehmen lassen, aber natürlich nicht gewagt, mit ihm genauso zu verfahren. Morton wird seiner Ämter enthoben und dem Duke of Buckingham als Gefangener überstellt.«

Julian schüttelte wie benommen den Kopf. Blicklos starrte er auf die Statue John of Gaunts hinab, an dessen Grab sie standen, und dachte an Hastings. So auf Anhieb fiel ihm nicht eine einzige gute Erinnerung an seinen Schwager ein. Dennoch schloss er einen Moment die Augen und betete für dessen Seele. Das war er seiner Frau schuldig. Julian wusste, trotz allem, was vorgefallen war, würde diese Nachricht Janet schwer treffen.

»Was, denkst du, hat das zu bedeuten, Julian?«, fragte Lucas. Er klang nervös, und sein Blick glitt zu den beiden jungen Kaplänen hinüber, die die Altarkerzen für die Abendmesse anzündeten. Die Kathedrale war alt, wuchtig und dämmrig. Aber nach und nach wurde das Halbdunkel vom warmen Schimmer der Kerzen zurückgedrängt.

Julian fuhr sich mit der Rechten über Kinn und Hals, während er nachdachte. Die Vorwürfe gegen Bischof Morton und William Hastings waren absurd, Hastings' Hinrichtung – die eigentlich eine Ermordung war – eine Ungeheuerlichkeit. Aber Richard of Gloucester tat niemals irgendetwas, ohne eine bestimmte Absicht zu verfolgen. Er war ein Mann, der sein Ziel nie aus den Augen verlor, wusste Julian. Also gab es einen Grund für diese blutige Farce. Welchen? Warum ausgerechnet diese beiden Männer?

»Bischof Morton ist Edwards Nachlassverwalter«, sagte er langsam. »Der Mann, der das Testament des toten Königs am besten kennt und über seine Einhaltung wacht. William Hastings war Edwards engster Freund. Zugegeben, er und die Königin können einander nicht ausstehen, aber er würde mit seinem letzten Atemzug dafür eintreten, dass Edwards Sohn zu seinem Recht kommt, nicht wahr? Vermutlich hat er genau das getan.« Julian sah Lucas an, ein freudloses Lächeln auf den Lippen. »Was sagt dir all das?«

Lucas' Augen hatten sich geweitet. »Du denkst … du meinst, Gloucester will …? Aber wie? Wie will er das anstellen? Damit kommt er niemals durch.«

Julian dachte immer noch nach. Schneller jetzt, beinah fieberhaft. »Ich reite nach Westminster«, eröffnete er seinem Ritter schließlich.

»Julian, das kannst du nicht«, widersprach Lucas ungeduldig. »Irgendwer dort wird dich erkennen. Sie werden dich verhaften, und niemandem ist damit gedient, wenn heute auch noch dein Kopf rollt.«

Julian winkte ungeduldig ab. »Niemand wird mich in dieser Aufmachung erkennen.« Wie immer, wenn er sein Haus verließ, trug er seine schäbige Franziskanerkutte. »Ich muss mit der Königin reden, und zwar sofort.«

Er wandte sich ab und wollte den Mittelgang des langen Hauptschiffes einschlagen, als er aus dem Augenwinkel einen der Kapläne vom Altar auf sich zukommen sah. Noch ehe er begriffen hatte, wieso, spürte Julian ein warnendes Kribbeln auf Nacken und Schultern, packte Lucas am Ellbogen und raunte ihm zu: »Lauf!«

Lucas warf ihm einen verwirrten Blick zu, verschwendete aber keine Zeit mit Fragen. Seite an Seite rannten sie Richtung Westportal.

»Ich glaub, es ist Waringham!«, brüllte der Kaplan plötzlich in ihrem Rücken. »Haltet sie auf!«

Ein Wurfmesser schnellte an Julians Kopf vorbei und landete schlitternd vor ihm auf den steinernen Fliesen. Im Laufen bückte er sich und hob es auf, und als er wieder nach vorn schaute, versperrten ihm zwei Wachen in der Livree des Bischofs von London die Tür.

Er tauschte einen Blick und ein Nicken mit seinem Ritter. Lucas zog sein Schwert, Julian warf einen Lidschlag später das Messer. Es traf den kleineren der Männer in die linke Brust, der lautlos zusammenbrach. Sein Kamerad blickte erschrocken auf den Toten hinab – bischöfliche Wachen hatten es selten mit dem bitteren Geschäft des Blutvergießens zu tun – und ergriff die Flucht.

Lucas und Julian verlangsamten ihr Tempo nicht, denn hinter sich hörten sie laufende Schritte näher kommen. Schritte in schweren Stiefeln.

Sie preschten durch das offene Kirchenportal auf den Vorplatz der Kathedrale, wo der getrocknete Staub der Erde im

Abendlicht rötlich schimmerte. Einige frühe Kirchgänger stoben vor den laufenden Männern auseinander und brachten sich hastig in Sicherheit.

Ehe sie ihre Pferde erreichten, wirbelten Julian und Lucas herum, weil sie hörten, dass ihre Verfolger sie eingeholt hatten. Die beiden Kapläne hatten höchst unpriesterliche Schwerter gezogen. Der Linke griff Lucas an, während der andere sich bedenkenlos auf Julian stürzte, obwohl dieser nun unbewaffnet war.

»Was ist nur aus den Regeln des ritterlichen Zweikampfs geworden?«, knurrte Julian und machte einen Satz nach hinten, um der niederfahrenden Klinge auszuweichen. Lange würde er ohne Waffe gegen diesen wehrhaften Pfaffen nicht aushalten, so viel stand fest. Aber noch ehe er auch nur einen Tropfen Blut verloren hatte, entwaffnete Lucas seinen Gegner, dessen Schwert praktisch vor Julians Füßen landete. Der hob es auf, durchbrach die Deckung seines Widersachers ohne große Mühe und rammte ihm die Klinge in die Kehle.

Die Kirchgänger applaudierten gut gelaunt.

Julian und Lucas saßen auf und preschten die Old Dean's Lane hinauf, ehe irgendwer auf die Idee verfallen konnte, sie aufzuhalten und nach dem Sheriff zu rufen.

»Woher hast du's gewusst?«, fragte Lucas, als sie tief genug in das Gassengewirr von Cheapside eingetaucht waren, um sich fürs Erste sicher zu fühlen.

»Der Kerl hat sich vom Altar abgewandt, ohne das Knie zu beugen«, antwortete Julian. »Das hab ich noch nie einen Priester tun sehen.«

Lucas schüttelte mit einem grimmigen Lächeln den Kopf. »Gott sei gepriesen für deinen Scharfblick. Aber wieso haben sie ausgerechnet in der Kathedrale gelauert? Wie konnten sie ahnen, dass wir uns dort treffen würden? Ich habe keiner Menschenseele etwas davon gesagt.«

»Ich auch nicht«, erwiderte Julian. Er überlegte einen Moment. »Vermutlich war es eine Dummheit, sich ausgerechnet am Grab des Gründervaters der Lancaster zu verabreden«, sagte er schließlich. »Wahrscheinlich lässt Gloucester die Kathedrale Tag und Nacht bewachen.«

»Er muss ja große Angst vor uns haben«, spottete Lucas.

»Wenn er das vorhat, was ich glaube, muss er vor jedem Schatten Angst haben«, gab Julian zurück.

»Und was nun?«

»Hol meine Kinder aus Waringham, Lucas«, bat Julian. »Versteck Alice bei deinem Bruder in Sevenelms und kehr mit Edmund in die Bretagne zurück. Du musst Janet berichten, was mit ihrem Bruder geschehen ist.«

Lucas seufzte, nickte aber bereitwillig. »Und du?«

»Wie ich sagte. Ich reite nach Westminster. Vielleicht wäre es keine dumme Idee, wenn ich dort ins Asyl ginge.«

Dank seiner Verkleidung gelangte er unangefochten in die Benediktinerabtei zu Westminster, und als er den Bruder Pförtner bat, nach Owen Tudor zu schicken, erregte das keinerlei Argwohn. Alle Welt wusste, dass die Tudor eine besonders enge Bindung an den Franziskanerorden hatten.

Als der rothaarige Mönch in den Hof an der Pforte kam, erkannte er sofort, wer sich unter der weiten Kapuze verbarg, und er winkte Julian schweigend, ihm zu folgen. Er brachte ihn in die große Klosterkirche, wo die Mönche sich bereits zur Komplet einfanden, denn der Tag ging zu Ende.

In der Marienkapelle hielt Bruder Owen an. »Bist du verrückt geworden, Julian?«, fragte er zur Begrüßung.

Julian schlug die Kapuze zurück und streifte Owen mit einem verlegenen Blick. »Ich erbitte Asyl«, sagte er förmlich, kniete nieder und legte die Hand auf den Altar.

Owen verschränkte die Arme – eine Geste der Ungeduld, die Julian von Owens Bruder Jasper nur zu gut kannte.

»Das Kirchenasyl ist zu heilig, um Späße damit zu treiben«, erklärte Bruder Owen streng.

Julian stand wieder auf. »Mir ist nicht zum Spaßen zumute, glaub mir.«

»Aber du bist ein verurteilter Verräter und Pirat. In vierzig

Tagen müssen wir dich dem Sheriff ausliefern, ob es uns gefällt oder nicht, und …«

»Ich bin über das Gesetz im Bilde, Owen«, unterbrach Julian unwirsch. »Denkst du, ich wäre hier, wenn ich einen anderen Weg gesehen hätte?«

Owen schaute ihm einen Moment in die Augen, und plötzlich gab er seine ablehnende Pose auf. »Was ist passiert?«

Julian berichtete, was sich an diesem Tag im Kronrat zugetragen hatte, und ebenso erzählte er von ihrem knappen Entkommen in St. Paul's.

Owen lauschte mit schreckgeweiteten Augen. Schließlich bekreuzigte er sich, dachte einen Moment nach und sagte dann: »Du musst mit der Königin reden.«

»Deswegen bin ich hier. Aber wenn du so gut sein willst, besorg mir vorher einen Priester. Ich will beichten.«

Er hatte auf geweihtem Boden einen Mann erschlagen. Er hatte es tun müssen, um sein eigenes Leben zu retten, aber das änderte nichts an der Schwere der Sünde. Julian fühlte sich von ihrer Last ebenso beladen wie von dem furchtbaren Verdacht, der ihn beschlichen hatte, seit er von Hastings' Hinrichtung erfahren hatte.

Lucas Durham kam niemals in Waringham an. Da er und Julian einen der yorkistischen Spione in St. Paul's hatten leben lassen, war dem Lord Protector zu Ohren gekommen, was dort vorgefallen war, und Lucas wurde verhaftet, als er das innere Stadttor an der London Bridge passieren wollte. Hätte man ihn in eins der Stadtgefängnisse gesperrt, wären die Chancen auf eine Flucht dank der hervorragenden Beziehungen der Durham gar nicht schlecht gewesen. Doch auf Anweisung des Lord Protector landete Lucas an dem Ort auf der Welt, den er am meisten verabscheute: im Tower of London.

Julian erfuhr davon nichts. Er harrte im Kloster zu Westminster aus und wartete mit zunehmender Ungeduld darauf, dass die Königin ihn empfing. Doch Elizabeth weigerte sich. Es gebe nichts, was sie mit einem lancastrianischen Verräter zu erörtern habe, ließ sie ihm durch Bruder Owen ausrichten.

Julian schnitt eine Grimasse des Unwillens. »Ich bin es langsam satt, so genannt zu werden«, erklärte er hitzig. »Würdest du sie daran erinnern, dass sie selbst mit Haut und Haar Lancastrianerin war, ehe Edward of March sie in sein Bett gelockt hat?«

»Nein«, beschied Owen. »Ich bin überzeugt, sie hat es nicht vergessen.«

»Dann sei wenigstens so gut und sag ihr, ich wolle nicht in meiner Eigenschaft als Verräter, sondern als alter Freund mit ihr sprechen.«

»Schon besser. Ich fürchte nur, es wird nichts nützen. Die Königin ist eine sehr verbitterte Frau, Julian. Voller Misstrauen. Und man kann es ihr kaum verdenken. Viele, die sich ihre alten Freunde nannten, haben sie im Stich gelassen.«

»Na ja, das ist kein Wunder«, knurrte Julian. »Sie hat ihre alten Freunde immer leer ausgehen lassen und stattdessen ihre Geschwister und Onkel und Cousins und so weiter mit Ländereien und reichen Erbinnen beglückt.«

»Man könnte es auch andersherum betrachten«, wandte Owen Tudor ein. »Vielleicht gibt sie den Angehörigen ihrer eigenen Familie den Vorzug vor allen verdienten Lords und Rittern, weil sie die Erfahrung gemacht hat, dass sie sich allein auf ihre Familie verlassen kann.«

Julian betrachtete ihn kopfschüttelnd. »Du weißt genau, dass das nicht stimmt. Eure Klostermauern sind nicht so dick, dass ihr nicht genau wüsstet, was nebenan im Palast vorgeht.«

Owen machte eine unbestimmte Geste, die weder zustimmte noch verneinte. »Wir sprachen nicht davon, was *ich* weiß oder glaube, sondern sie.«

Julian nickte und sah durch das Fenster des schmucken Gästehauses einen Moment auf den Fluss hinaus. Drei kleine Jungen tollten auf der Uferwiese umher und rangelten um einen Fußball. Alle drei waren blond und athletisch gebaut, hatten die gleiche aristokratische Nase und schmale Brauen. Sie sahen einander ähnlich wie Brüder, aber das konnten sie nicht sein, denn sie schienen alle etwa gleich alt zu sein, acht oder neun. Julian hatte keine Mühe, sie zu erkennen. »Nun schau sie dir an, Owen. Die Yorks der nächsten Generation. Einträchtiger, als ihre Väter es jemals waren.«

Die Knaben waren Cousins: König Edwards zweiter Sohn, Richard of York. Gloucesters Sohn Edward. Und den gleichen Namen trug auch der dritte, der einzige überlebende Sohn des trunksüchtigen Duke of Clarence. Da der Vater des Jungen den König einmal zu oft verraten und vor sechs Jahren in einem aufsehenerregenden Prozess vom König selbst enteignet und zum Tode verurteilt worden war, hatte der kleine Edward dessen Titel nicht erben können, wohl aber den seines Großvaters, und deswegen war er der Earl of Warwick. Armes Bübchen, dachte Julian flüchtig. Was für ein Leben mochte er führen? Die Mutter gestorben, der Vater ein so hinterhältiger und widerwärtiger Schurke, dass man ihm nicht einmal die Ehre erwiesen hatte, ihn auf dem Tower Hill zu enthaupten, sondern auf Geheiß des Königs in einem Weinfass ersäuft hatte. Julian zeigte mit dem Finger auf ihn. »Lebt er hier?«

Owen folgte seinem Blick und schüttelte dann den Kopf. »Gloucester und Lady Anne haben ihn zu sich genommen. Er soll mit seinem Cousin zusammen aufwachsen. Siehst du? Da ist sie.«

Anne Neville kam in Begleitung einer zweiten Dame über die Wiese in ihr Blickfeld geschlendert. Es stimmte, was Roland Julian erzählt hatte: Anne war blass, wirkte gar ein wenig matt, und es sah aus, als stütze sie sich auf ihre Begleiterin, bei der sie sich eingehakt hatte. Doch als ihr Blick auf die spielenden Jungen fiel, lächelte sie.

»Ist sie krank?«, fragte Julian.

Owen hob leicht die Schultern. »Niemand weiß es. Weihnachten ist sie während der Mette hier in der Kirche ohnmächtig geworden. Der ehrwürdige Abt hat ihr die Dienste unserer Ärzte angeboten, aber sie wollte nichts davon hören.«

»Es gibt viele Frauen, denen vom Weihrauch schwach wird«,

erwiderte Julian. Er musste feststellen, dass er aus ganzem Herzen wünschte, das sei der Grund für ihre Ohnmacht gewesen. Obwohl sie seinen Todfeind geheiratet hatte – und das freiwillig –, wollte er, dass Anne Neville gesund und glücklich war.

»Wenn Gloucester wirklich das vorhat, was du glaubst, wird er sie zwingen, sich untersuchen zu lassen«, mutmaßte Owen. »Denn dann braucht er sie an seiner Seite, nicht wahr?«

»Und wie ihrem Vater das gefallen hätte«, murmelte Julian.

Nach drei Tagen war er des Wartens überdrüssig, und er erstürmte das Haus des Abtes, welches Königin Elizabeth mit ihren Kindern bewohnte, unter Missachtung jeder Etikette.

»Madam, ich weiß, dass Ihr mich nicht sehen wollt, aber es ist wichtig und duldet keinen weiteren Aufschub«, sagte er, während er über die Schwelle trat.

Die verwitwete Königin befand sich im Jerusalem-Zimmer, einem prunkvoll eingerichteten Gemach mit reich geschnitzten Deckenbalken und herrlichen Teppichen an den Wänden, die das Heilige Land zeigten und dem Raum seinen Namen gegeben hatten. Elizabeth saß in einem Sessel am kalten Kamin, und sie war nicht allein. An ihrer Seite kauerte auf einem Schemel ihre älteste Tochter, die den Namen ihrer Mutter trug, und in einem zweiten, brokatgepolsterten Sessel der Königin gegenüber saß der Erzbischof von Canterbury.

Wie üblich verweigerte Julian der Königin den Kniefall, nicht aber dem Bischof, der ihm lächelnd den Ring hinhielt. Julian nahm die Hand behutsam mit zwei Fingern. Bourchier war ein uralter Mann geworden, und auch wenn seine Augen verrieten, dass er nichts von seiner Schläue und seinem messerscharfen Verstand eingebüßt hatte, wirkte er doch so zerbrechlich wie ein Elfenbeinfigürchen. »Waringham, mein junger Freund!«, rief er erfreut aus.

Julian musste schmunzeln. »So hat mich lange niemand genannt, Eminenz.«

Der Erzbischof kicherte. »Das ist das Privileg meines nahezu biblischen Alters. Wie ich höre, schließen die Novizen hier schon Wetten darauf ab, ob ich die Papageien überlebe.«

»Das würde mich nicht wundern«, gab Julian amüsiert zurück.

Er hatte Bourchier immer gemocht. Der Erzbischof hatte in all den Jahren des Krieges eine Neutralität gewahrt, die nichts mit Feigheit, sondern mit Weisheit, Umsicht und christlicher Barmherzigkeit zu tun hatte. Mehr als einmal hatte Julian ihn sagen hören, dass sowohl Yorkisten als auch Lancastrianer Kinder Gottes seien, die beide gleichermaßen seines Beistandes bedürften, weil sie den unheilvollen Weg eines Bruderkrieges beschritten hatten. Wer in diesem Krieg obsiegte – oder auch nur die Nase vorn hatte –, hatte er immer Gott überlassen und yorkistische wie lancastrianische Könige mit der gleichen Feierlichkeit und Hingabe gekrönt.

»Was mag so dringend sein, dass ihr meine Wünsche missachtet und meine Unterredung mit seiner Eminenz stört, Waringham?«, fragte die Königin frostig.

»Ich dachte, es interessiert Euch vielleicht, zu erfahren, dass der Duke of Gloucester beabsichtigt, Euren Sohn zu verdrängen und sich der Krone zu bemächtigen, Madam«, gab er kaum weniger unwirsch zurück.

Schockiertes Schweigen folgte dieser scheinbar so beiläufig angebrachten Behauptung.

Die junge Elizabeth hatte eine Hand vor den Mund geschlagen und starrte ihn mit riesigen, strahlend blauen Augen an. Die Miene ihrer Mutter wirkte eher versteinert, aber zwei hektische rote Flecken bildeten sich auf den fahlen, nicht mehr glatten Wangen.

»Oh, Waringham«, sagte der Erzbischof tadelnd und schüttelte langsam den Kopf auf dem mageren, faltigen Hals, was ihm für einen Moment das Aussehen eines Huhns verlieh. »Das ist eine ungeheuerliche, obendrein vollkommen absurde Unterstellung.« Er sprach, als habe er ein geliebtes, aber ungebärdiges Kind vor sich. »Nur weil Ihr Euer Leben lang Lancastrianer wart, solltet Ihr nicht zu solch fragwürdigen Mitteln greifen. Das ist unter Eurer Würde, mein Sohn.«

»Das ist nicht ganz richtig, Mylord«, widersprach Julian. »Ich war nicht mein Leben lang Lancastrianer. Als junger Mann habe ich Richard of York verehrt und davon geträumt, mich seiner Sache anzuschließen. Ich habe mich von seiner scheinbaren Ritterehre blenden lassen, bis er selbst so gütig war, mir vor Augen zu führen, wie grundlegend ich mich getäuscht hatte. In Wahrheit war er ein gewissenloser, machtgieriger Intrigant, der seine Ehre als Deckmantel benutzte. Euer Gemahl war anders«, fügte er an die Königin gewandt hinzu. »Aber Richard of Gloucester ist genau wie sein Vater. Ihm ist jedes Mittel recht, um zu erreichen, was er haben will. Jedes, glaubt mir.«

»Ich nehme an, das sagt Ihr, weil er Euch einmal auf die Streckbank gelegt hat, nicht wahr?«, entgegnete die Königin mit einem Lächeln, von dem einem angst und bange werden konnte.

Julian spürte, wie seine Wangenmuskeln förmlich versteinerten, aber er erwiderte ihren feindseligen Blick unverwandt. »Mich und einen vollkommen unschuldigen Mann, der mit dieser Fehde nicht das Geringste zu tun hatte.«

»Kein Neville ist unschuldig oder unparteiisch«, gab sie zurück.

Julian deutete ein Schulterzucken an. »Er schon. Würdet Ihr mir verraten, woher Ihr über diese kleine Episode so genau im Bilde seid, Madam?«

»Mein Bruder war der Constable des Tower. Dort geschah nicht viel, wovon er nichts wusste.«

»Verstehe. Nun, ich bin überzeugt, seine Schauergeschichten haben Euch erfreut, und wenn es Euch Spaß macht, geht zu Master Caxton, lasst es hundertmal drucken und schlagt es an jede Londoner Kirchentür, damit die ganze Welt davon erfährt, mir ist es gleich.« Das stimmte nicht. Diese Demütigung hatte niemals aufgehört, ihn mit quälender Scham zu erfüllen, und das würde so bleiben bis zu dem Tag, da er diese verrückte Welt verließ. Aber es konnte seinem Anliegen nur schaden, wenn

Elizabeth das merkte. »Ich bin nicht zu Euch gekommen, um eine alte Rechnung mit Gloucester zu begleichen, sondern im Gedenken an Euren Gemahl, den ich trotz unserer … Differenzen geschätzt habe. Ich fürchte um die Sicherheit seines Erben. Holt Euren Sohn aus dem Tower hierher zu Euch, Madam. Das ist mein Rat.«

»Waringham, jetzt ist es aber genug«, sagte Bourchier streng. Man sah ihn selten gereizt, und Julian rätselte, womit er den Erzbischof verärgert hatte. Er musste nicht lange auf eine Erklärung warten. »Ich bin im Namen des Kronrates hier, um die Königin zu bitten, den kleinen Duke of York aus dem Kirchenasyl zu entlassen und zu seinem Bruder in den Tower zu schicken«, fuhr der Erzbischof fort. »Ich tue dies mit reinem Gewissen und in der festen Überzeugung, dass es das Beste für die beiden Prinzen ist. Der kleine König ist einsam im Tower, wie ich eben schon der Königin erklärte. Dies sind schwere Wochen für ihn, und die Gesellschaft seines Bruders täte ihm gut. Und nun kommt Ihr mit Euren unsinnigen Anschuldigungen daher, die allein ein Produkt Eurer unchristlichen Rachsucht sind.«

Julian spürte ein leises Grauen, das aus den Marmorfliesen durch die Schuhsohlen seine Beine hinaufzukriechen schien und sich in der Magengrube festsetzte. »Madam …« Er musste schlucken. »Das dürft Ihr nicht tun. Ich weiß, dass Ihr Richard of Gloucester selbst misstraut – nur deswegen seid Ihr ja hier, nicht wahr? Wenn Ihr ihm Eure *beiden* Söhne ausliefert, hat er alle Trümpfe in der Hand und Ihr keinen einzigen mehr. Ich bin überzeugt, dass seine Eminenz in bester Absicht handelt, aber ich teile seine Zuversicht nicht, und Ihr solltet Euch nicht überreden lassen.«

Bourchier erhob sich aus seinem Sessel. Es dauerte ein Weilchen, aber das machte die Geste nicht weniger bedrohlich. »Wie ich höre, läuft Euer Kirchenasyl in siebenunddreißig Tagen aus«, knurrte er. »Macht Euch darauf gefasst, dass zu der Anklage wegen Hochverrats und Piraterie noch eine weitere wegen Missachtung der Kirche hinzukommt, Waringham.«

Julian war nicht erschüttert. »Das macht nichts, Eminenz. Denn hinrichten könnt Ihr mich nur einmal.«

»Schert Euch hinaus!«

Julian verneigte sich mit übertriebener Ehrerbietung vor dem mächtigen Bischof. »Wenn Ihr hier heute Erfolg habt, werdet Ihr Anlass haben, es zu bereuen.« Dann wandte er sich ein letztes Mal an die Königin. »Meine Cousine Megan Beaufort wird Euch den gleichen Rat geben wie ich, Madam. Sie kann im Augenblick das Haus nicht verlassen, weil ihr Rheumatismus sie zu sehr quält, aber ich bitte Euch inständig, wartet mit Eurer Entscheidung wenigstens, bis Ihr mit ihr gesprochen habt.«

Elizabeth bemühte sich immer noch um eine ablehnende, eisige Miene, aber er sah in ihren Augen, dass sie wankte. Das machte ihm ein wenig Hoffnung. »Ihr habt nichts zu verlieren, wenn Ihr auf sie hört«, fügte er noch hinzu.

»Wenn das alles war, was Ihr zu sagen hattet, wäre ich dankbar, wenn Ihr mich nun von Eurer Gegenwart erlösen würdet, Sir«, antwortete sie.

Er nickte. »Lebt wohl, Madam.« Er streifte die Prinzessin noch mit einem kurzen Blick, die nach wie vor reglos auf ihrem Schemel saß und die Debatte stumm, aber aufmerksam verfolgt hatte. Julian lächelte ihr zu. Sein Herz war schwer, denn er ahnte, dass er hier nichts ausgerichtet hatte, aber er musste dennoch lächeln. Sie war so ein schönes Kind. Und sie war ihrem Vater wie aus dem Gesicht geschnitten.

Niemand sagte etwas, als er hinausging, und seine Schritte hallten auf dem blanken Marmorboden. Mit schuldbewusster Erleichterung, sich dieser Pflicht entledigt zu haben, trat er hinaus in den strahlenden Sonnenschein, sah sich im stillen, grasbewachsenen Hof um und schlenderte Richtung Fluss. Es dauerte nicht lange, bis er hinter sich leichte, eilige Schritte hörte. »Lord Waringham! Wartet!«

Er fuhr auf dem Absatz herum. Prinzessin Elizabeth kam mit wehenden Röcken auf ihn zu. Als sie vor ihm anhielt, war sie außer Atem.

»So solltet Ihr mich nicht nennen, wisst Ihr«, bemerkte er trocken. »Euer Onkel Gloucester ist jetzt Lord Waringham.«

Es hatte spöttisch klingen sollen, aber offenbar hatte sie seine Bitterkeit herausgehört, denn ihre Augen waren plötzlich voller Mitgefühl. »Man hat mich gelehrt, Euch und alle anderen Lancastrianer als Verräter zu betrachten, die nur bekommen haben, was sie verdienen, Sir, aber manchmal fällt mir das schwer. Es muss … schrecklich für Euch sein. Und für Eure Gemahlin und Eure Kinder.«

Er war gerührt und fürchterlich verlegen. »Wieso sollte unser Schicksal Euch kümmern?«, fragte er brüsk und setzte sich wieder in Bewegung, als wolle er ihr davonlaufen.

Aber sie ging neben ihm her. »Weil Ihr meine Mutter, meine Schwestern und mich einmal vor dem Earl of Warwick gerettet und ins Asyl gebracht habt. Hierher.«

Julian fiel aus allen Wolken. »Das wisst Ihr noch? Ihr könnt höchstens fünf Jahre alt gewesen sein. Ihr musstet auf Fußschemel klettern, um an die Türklinken zu kommen.«

Sie hob leicht die Schultern. »Meine Mutter weinte immerzu und musste sich andauernd … war furchtbar unpässlich. Meine kleinen Schwestern waren noch Babys. Die Amme fing morgens schon an, sich zu betrinken. Niemand war mehr da, der uns beschützte, und ich hatte das Gefühl, irgendetwas tun zu müssen. Weil ich doch die Größte war. Nur ich wusste nicht, was, Sir. Also habe ich gebetet, mein Vater möge heimkommen. Gebetet und gebetet. Aber er kam nicht. Das ist etwas, das man wohl nie vergisst. Diese … Einsamkeit.«

Julian sah sie von der Seite an. »Man hat sie Euch nicht angemerkt. Ihr wart sehr tapfer. Die Tochter Eures Vaters.«

Sie warf ihm einen kurzen, forschenden Blick zu, dann huschte ein kleines Lächeln über ihr Gesicht. »Danke, Mylord.«

Wenn Richmond sie heiratet, bekommt er eine wundervolle Frau, erkannte Julian. »Denkt Ihr, Ihr könntet Eure Mutter überzeugen, nicht auf den Erzbischof zu hören, Lady Elizabeth?«, fragte er sie.

Doch das junge Mädchen schüttelte den Kopf. »Ihr bleibt gar

nichts anderes übrig, als zu tun, was mein Onkel Gloucester wünscht. Er und Buckingham halten ihren Bruder und ihren Sohn in Pontefract gefangen. Ihren Sohn aus erster Ehe, meine ich, meinen Halbbruder Sir Richard Grey. Gloucester hat die Familie meiner Mutter immer gehasst, wisst Ihr.«

»Ja, ich weiß.«

»Ihr Leben hängt am seidenen Faden, würdet Ihr nicht auch sagen? Also, wenn Gloucester meiner Mutter einen Reifen vorhält und sagt ›spring‹, dann muss sie springen.« Sie sagte es nüchtern.

»Diese furchtbare Zwangslage Eurer Mutter scheint Euch nicht besonders nahezugehen, wenn Ihr die Bemerkung verzeihen wollt, Lady Elizabeth.«

»Sie ist äußerst respektlos, Eure Bemerkung, aber ich verzeihe Euch trotzdem. Nein, Ihr habt Recht. Meine Mutter und ich sind nicht die besten Freundinnen. Sie hat jahrelang auf meinem Vater herumgehackt und ihn angeschrien. Wegen seiner ... Ihr wisst schon. Mir war das egal. Ich konnte ihn verstehen. Ich hätte meine Zeit auch lieber mit lebenslustigen, wenn auch leichtfertigen Frauen verbracht als mit einer verbitterten Furie wie meiner Mutter.«

»Offene Worte«, murmelte er anerkennend. »Ich könnte mir vorstellen, dass Euer Vater diese Eigenschaft sehr an Euch geschätzt hat.«

Tränen traten ihr in die Augen und rannen dann ihre Wangen hinab, aber Elizabeth sah ihn unverwandt an. »Ich war sein Ein und Alles«, antwortete sie erstickt. »Es ist ungerecht, ich weiß, aber es war so. Keinen meiner Brüder und keine meiner Schwestern hat er so geliebt wie mich. Ich war sein Augenstern. Und er war für mich wie die Sonne. Und jetzt, da er tot ist, ist nur noch Dunkelheit.«

Julian war stehen geblieben. Sie hatten sich weiter von allen Klostergebäuden und Menschen entfernt, als eigentlich schicklich war, und das nutzte er schamlos aus, um Elizabeths Hand zu ergreifen. Er sagte nichts. Er hatte das Gefühl, er sei nicht der Richtige, um ihr Trost zu spenden, denn auch wenn es die

Wahrheit war, dass er ihren Vater geschätzt hatte, so waren sie ja dennoch Feinde gewesen, gelegentlich sogar erbitterte Feinde. Und wozu sollte er ihr sagen, dass der Schmerz irgendwann nachließ? Was hätte ihr das jetzt genützt?

Die Prinzessin fasste sich rasch wieder. Nach einigen Augenblicken befreite sie ihre Hand, zog ein durchschimmerndes Seidentüchlein aus dem goldbestickten Ärmel ihres blauen Kleides und trocknete ihre Tränen. »Habt Dank für Eure Freundlichkeit, Mylord, und für Eure Sorge um meine Brüder. Aber ich glaube, der Erzbischof hat Recht, wisst Ihr. Mein Onkel Gloucester mag ein harter, ehrgeiziger Mann sein, aber er würde meinen Brüdern kein Haar krümmen.«

»Wieso seid Ihr so sicher?«, fragte Julian verständnislos. »Wie kann es sein, dass er Lord Hastings einfach so hinrichten lassen kann – den engsten Vertrauten Eures Vaters –, ohne dass Euer Misstrauen geweckt wird?«

Elizabeth wandte den Blick zum Fluss und dachte einen Moment nach. Dann antwortete sie: »Weil mein Vater seinem Bruder Gloucester blind vertraut hat. Bedingungslos, Mylord. Und ich kann einfach nicht glauben, dass er sich so in ihm geirrt haben soll. Denn mein Vater hat sich nie geirrt.«

»Er hat sich Tausende Male geirrt«, widersprach Julian. »Und seine größte Schwäche bestand darin, dass er sein Vertrauen gar zu leicht verschenkte. Sogar an Männer wie mich, an seine Feinde. An Warwick. An Clarence. Er war ein guter Mann, aber ein miserabler Menschenkenner, Lady Elizabeth.«

Erwartungsgemäß wurde ihre Miene verschlossen. »Ich verlasse mich dennoch lieber auf sein Urteil als auf das Eure«, erklärte sie trotzig. »Denkt nicht, ich wüsste nicht, in wessen Interesse Ihr in Wahrheit handelt. Zwietracht unter uns kann dem lancastrianischen Prätendenten in der Bretagne ja nur recht sein, nicht wahr?«

Julian hatte natürlich gewusst, dass dieser Verdacht ihm irgendwann entgegengeschleudert werden würde. Er hatte sich schon gewundert, wo er blieb. »Es stimmt, dass seine Interessen auch die meinen sind, Mylady. Aber ich habe vor langer Zeit gelernt, dass ein Sieg nicht jeden Preis wert ist. Ich wünschte, Ihr würdet mir glauben, dass ich hergekommen bin, weil ich das Wohlergehen Eures Bruders ... Eurer Brüder im Sinn habe. Ebenso wie das Eure.«

Elizabeth erwiderte seinen Blick, ihre Miene drückte Unentschlossenheit aus. »Und ich wünschte, ich würde Euch nicht glauben, Mylord«, gestand sie.

Doch ganz gleich, welche Schlüsse die Prinzessin aus ihrer Unterredung zog, es war zu spät. Als sie zu ihrer Mutter ins Haus des ehrwürdigen Abtes zurückkehrte, war der Erzbischof von Canterbury bereits fort, und er hatte ihren Bruder, den neunjährigen Duke of York, mitgenommen, um ihn zu ihrem Bruder Edward in den Tower zu bringen.

Und am selben Abend gab der Kronrat bekannt, dass die Krönung des jungen Edward auf den 9. November verschoben worden sei.

Waringham, Juni 1483

Alice war seit zwei Monaten in Waringham, und obwohl sie nicht wollte, hatte sie begonnen, ihren Kummer zu überwinden. Es waren so unbeschwerte Wochen gewesen, die sie hier bei herrlichem Sommerwetter auf dem Gestüt verbracht hatte, dass sie kaum anders konnte, als zu ihrer eigentlich frohen Natur zurückzufinden und neue Zuversicht zu schöpfen.

Ihr Cousin Roland, der Stallmeister, war ein Mann, wie sie nie zuvor einem begegnet war. Er besaß Bildung und geschliffene Manieren; niemals hätte er seine vornehme Geburt verleugnen können. Aber all die Regeln und höfischen Tugenden, die man Alice immer als Ziel gesteckt hatte, schienen Roland nicht im Mindesten zu interessieren. Er führte seinen Haushalt und sein kleines Reich mit einer eigentümlichen Großzügigkeit, die Alice manchmal geradezu nachlässig und sträflich vorkam. Auch ihr und ihrem Bruder machte er keinerlei Vorschriften: Alice konnte tun und lassen, was ihr gefiel. Niemand erwartete von ihr, dass sie arbeitete, in der Küche oder – schlimmster aller Schrecken – bei der Wäsche half, denn all das erledigten die Mägde. Niemand erwartete, dass sie den lieben langen Tag stickte und las und sich vor der Sonne schützte. Also ließ sie sich treiben, erkundete Dorf und Gestüt und die wundervollen umliegenden Wälder und lernte jeden Tag etwas Neues: über Pferdezucht, über Waringham, über ihre Wurzeln und die Geschichte ihrer Familie. Nach wie vor vermisste sie ihre übrigen Geschwister, ihre Mutter, ihre Tante Blanche und vor allem natürlich Richmond, aber sie war noch nie in ihrem Leben so frei gewesen. Und sie staunte, wie stark diese Freiheit sie machte. Oder zumindest schien es ihr so.

»Das werdet ihr einfach nicht glauben«, sagte Roland, als er mit Edmund zusammen nach dem zweiten Training ins Haus kam.

Alice hatte mit Merle in der Halle gesessen, die Hände um einen Becher verdünntes Bier gelegt, und fasziniert der Geschichte gelauscht, wie ihr Vater – angeblich – mit einer schlauen List die Hinrichtung einer Küchenmagd vereitelt hatte.

Merle unterbrach ihren Bericht an der spannendsten Stelle. »Was werden wir nicht glauben?«, fragte sie. Als sie das Gesicht ihres Mannes sah, verschwand ihr Lächeln. »Roland, was ist passiert?«

»Adam kam eben vorbei, er hat es in Sevenelms auf dem Markt gehört: Der Duke of Gloucester hat den Bruder und den Sohn der Königin, Earl Rivers und Lord Grey, in Pontefract hinrichten lassen. Aber das ist noch nicht das Verrückteste. In London und Westminster wird erzählt, der kleine Thronfolger könne nicht gekrönt werden, weil er und all seine Geschwister Bastarde seien.«

»Was?«, fragten Alice und Merle wie aus einem Munde und wechselten einen Blick, die Augen vor Erstaunen weit geöffnet.

»Es heißt, der König sei bereits verlobt gewesen, als er Königin Elizabeth zur Frau nahm. Mit einer gewissen Lady Eleanor Butler«, fuhr Roland fort.

Alice nahm die Unterlippe zwischen die Zähne und gluckste schadenfroh. »Das ist bitter für die yorkistische Königin und ihre Bälger, nicht wahr? Und außerordentlich erfreulich für uns.«

»Wenn's denn stimmt«, warf Edmund ein.

Sie hob unbekümmert die Schultern. »Das kann uns eigentlich gleich sein, oder?«

Ihr Bruder schien unfähig, die köstliche Ironie dieser unerwarteten Wendung zu würdigen. »Wenn du glaubst, das Parlament werde jetzt eine Abordnung in die Bretagne schicken, um Richmond einzuladen, seinen Thron zu besteigen, dann irrst du dich«, eröffnete er ihr. »Buckingham hat einen Antrag vor Lords und Commons eingebracht, den Duke of Gloucester zu bitten, die Krone zu nehmen. Als letzter legitimer Nachkomme des Duke of York, mithin als Erbe des yorkistischen Thronanspruchs.«

Schlagartig hörte Alice auf zu lächeln. »*Gloucester?*«, fragte sie verständnislos. »Aber … aber er ist ein Ungeheuer.«

»Wieso sagst du das?«, fragte Roland, der mit einem Mal auch seltsam angespannt wirkte. Sie konnte nicht sicher sein, aber es schien ihr, als hätte er die Zähne zusammengebissen. »Was weißt du über Richard of Gloucester, Alice?«

»Nichts«, musste sie gestehen. »Aber Vater nennt ihn kaum je anders.«

»Nun, er hat Recht«, erklärte Roland grimmig. »Und ich schätze, wir können getrost davon ausgehen, dass Gloucester dieses absurde Märchen über das angebliche frühere Verlöbnis seines Bruders in die Welt gesetzt hat, um die Krone zu bekommen. Dass ein mächtiger Lord wie Buckingham sich dafür hergibt, es zu verbreiten, spricht Bände über Gloucesters Macht. Darum wäre mir wohler, ihr beide wäret sicher zurück in der Bretagne, bevor er sich die Krone aufsetzt. Ich verstehe einfach nicht, wieso wir nichts von eurem Vater hören.«

»Wenn er Zweifel hätte, dass wir hier noch sicher sind, hätte er uns Nachricht geschickt«, entgegnete Alice.

»Falls er kann«, schränkte Roland ein.

»Wie meinst du das?«, fragte Edmund stirnrunzelnd, eher verwundert als besorgt. »Wenn die Yorkisten ihn erwischt hätten, wüssten wir davon, oder?«

»Vermutlich, ja. Aber womöglich muss er sich verbergen.«

»Wenn er selbst aus irgendeinem Grunde nicht kommen könnte, hätten wir von Lucas gehört«, sagte Alice.

Roland nickte zögernd, aber er war nicht beruhigt. »Wie dem auch sei. Wir warten noch zwei Tage. Wenn wir bis dahin keine Nachricht von ihm erhalten, bringe ich euch nach Leicestershire auf eins meiner Güter, wo meine Schwester Agnes mit ihrer Familie lebt. Oder zu unserem Onkel, dem Earl of Burton. Und wenn eurem alten Herrn das nicht passt, hat er Pech gehabt, aber ich denke, ihr solltet schleunigst von hier verschwinden. Waringham ist zu nahe an Westminster.«

Alice tauschte einen unsicheren Blick mit ihrem Bruder. »Was denkst du?«, fragte sie.

»Ich denke, einer von uns sollte nach Sevenelms reiten und mit Lucas' Bruder sprechen. Vielleicht weiß er etwas über Vaters Verbleib. Zumindest wird er mehr über die Ereignisse in Westminster und London wissen als die tratschenden Marktweiber.«

»Das ist ein guter Gedanke«, stimmte Roland zu. »Ich reite nach dem letzten Training. Wenn du willst, kannst du mitkommen.«

Edmund willigte ein und ging hinaus, um beim Satteln der Zweijährigen für das Training zu helfen.

Roland folgte ihm bald, und auch Merle verabschiedete sich kurz darauf, weil sie sich um verschiedene Belange ihres großen Haushalts zu kümmern hatte. So kam es, dass Alice allein in der Halle zurückblieb. Normalerweise machte ihr das nichts aus, aber heute empfand sie das Alleinsein plötzlich als bedrückend. Rolands Besorgnis war ansteckend, musste sie feststellen. Mit einem Mal erschien es ihr ominös, dass sie seit über vier Wochen nichts von ihrem Vater oder seinem treuen Ritter gehört hatten, und zum ersten Mal wurde ihr bewusst, wie gefährlich es für sie und ihren Bruder war, sich hier in England, vor allem in Waringham, aufzuhalten. Das schlichte Leben auf dem Gestüt, die sommerliche Fröhlichkeit hatten ihr eine Sicherheit vorgegaukelt, die ihr jetzt trügerisch vorkam.

Sie verließ das Haus, sattelte sich eine der zweijährigen Stuten, die ihrem Vater gehörte, und ritt in den Wald. Am Ufer des Tain hatte sie vor einigen Wochen eine Lichtung entdeckt, einen abgeschiedenen Ort von verwunschener Schönheit, und plötzlich verlangte sie nach seiner stillen Geborgenheit. Sie wollte sich ins weiche Ufergras legen, die Sonne auf dem eiligen Flüsschen glitzern sehen und den Bienen und Vögeln lauschen. Sie hatte festgestellt, dass das eine wirksame Methode war, ihre Gedanken zu beruhigen und zu ordnen. Der magische Ort schien sogar ein Heilmittel gegen Liebeskummer zu sein, und auch deswegen kehrte sie immer wieder dorthin zurück.

Doch zu ihrer Enttäuschung musste sie feststellen, dass ihr Lieblingsplatz heute bereits belegt war. Sie war ein Stück vor der Lichtung abgesessen und führte ihre Stute am Zügel, als sie eine fremde Männerstimme sagen hörte: »Ich weiß, es ist schwer, Malachy. Doch Ihr werdet einsehen, dass es sein muss, nicht wahr?«

»Aber … aber wieso, Mylord?«, fragte eine zweite Stimme. Sie klang furchtsam. Alice wusste, es konnte sich um niemand anderen als Malachy Devereux handeln, und dessen Bruder Andrew, der seit Ewigkeiten in Jasper Tudors Diensten stand, hatte ihr genug erzählt, um sie zu warnen, dass sie schleunigst verschwinden sollte. Sie legte der Stute die Hand auf die Nüstern, damit das Tier nicht in diesem unpassenden Moment schnaubte oder wieherte, und wollte es wenden, als sie Malachy fortfahren hörte: »Sie können Euch doch nicht mehr gefährlich werden, jetzt da feststeht, dass sie Bastarde sind.«

Der andere Mann lachte; es klang eher höhnisch als amüsiert. »Ja, das ist eine hübsche Geschichte, aber da keiner der fraglichen Brautleute mehr lebt, um sie zu bestätigen, werden meine Feinde bei jeder Gelegenheit Zweifel anmelden. Von den prinzlichen Bastarden selbst ganz zu schweigen. Aus Welpen werden gefährliche Rüden, wenn man sie groß werden lässt, ganz gleich ob Bastarde oder nicht. Das kann ich nicht riskieren, ich muss an meinen eigenen Sohn denken. Und Ihr seid der Einzige, den ich mit diesem delikaten Auftrag betrauen kann, Malachy. All die Jahre habt Ihr mir in Wales und im Norden treu gedient, was bedeutet, dass niemand hier im Süden Euch kennt. Ihr betretet den Tower kurz vor Sonnenuntergang und verbergt Euch an der Stelle, die ich Euch beschrieben habe. Dort wartet der treue Tyrell mit den Schlüsseln. Seid unbesorgt, es wird nicht schwierig sein. Nur zwei Diener sind bei den Welpen, und sie schlafen wie tot, weil sie sich jeden Abend volllaufen lassen. Es ist ein Kinderspiel. Also?«

»Euer Gnaden, ich ... ich würde alles für Euch tun ...«, stammelte Malachy. »Aber ...«

»Dann sind wir uns ja einig«, unterbrach der Erste. Gloucester, sagte Alice' Verstand. Scheu dich nicht vor dem Namen. Es ist Gloucester. »Wartet bis einige Tage nach der Krönung«, fuhr er fort. »Meine Königin und ich werden gleich nach der Zeremonie aufbrechen, um unser Reich zu bereisen. Und ich will weit fort von London sein, wenn es passiert. Aber sorgt dafür, dass es geschehen ist, ehe ich zurückkomme.«

Alice hatte genug gehört. Sie vollendete die Wende, führte ihre Stute durchs Gras am Wegesrand, damit die beschlagenen Hufe nicht zu hören waren, und als sie gerade überlegte, ob sie es schon wagen konnte, wieder aufzusitzen, riss das Pferd den kleinen Kopf hoch, und das Zaumzeug klimperte vernehmlich.

Alice kniff die Augen zu und stellte einen Fuß in den Steigbügel.

»Was war das?«, hörte sie Malachy erschreckt fragen.

»Das wisst Ihr genau. Na los, Mann, worauf wartet Ihr?«, knurrte Gloucester.

Alice hangelte sich in den Sattel, als sie hinter sich rennende Schritte hörte. Sie stieß der Stute die Fersen in die Seiten, doch ehe sie auch nur angetrabt war, packten sie zwei große Hände um die Taille und rissen sie herunter. Das nervöse, nur halb zugerittene Tier ergriff schnaubend die Flucht.

Alice stand mit gesenktem Kopf auf dem Pfad und stellte fest, wie es war, wenn die Furcht einem die Luft abschnürte. Das Summen der Bienen, das ihr sonst immer so friedvoll, geradezu schläfrig erschien, war ein penetrantes, viel zu lautes Surren in ihren Ohren, das Sonnenlicht blendete sie noch durch die geschlossenen Lider.

Sie spürte eine Hand am Oberarm, die sie herumwirbelte, und unweigerlich riss sie die Augen auf.

Keinen Spann vor ihr stand ein gut aussehender Mann von vielleicht Mitte dreißig, und der Ausdruck in seinen dunklen Augen schien ihren eigenen Schrecken widerzuspiegeln.

»Was fällt Euch ein, Sir?«, fragte sie empört.

»Das frage ich Euch, Madam«, entgegnete er barsch. »Ihr habt gelauscht, nicht wahr? Für wen? Wer seid Ihr?«

Alice antwortete nicht.

»Bringt sie her, Sir Malachy«, befahl die Stimme aus dem Innern der kleinen Lichtung. Sie klang wütend, aber es schwang noch etwas anderes darin, was Alice eine Gänsehaut auf den Armen verursachte.

Sie versuchte erst gar nicht, sich gegen Malachy zu wehren, als er sie durch die Zweige der Haselsträucher und Birken schob – Alice wusste aus langjähriger, leidvoller Erfahrung mit zu vielen Brüdern und Cousins, dass ein Mädchen gegen einen Mann, der sein Leben lang das Waffenhandwerk trainierte, nicht den Hauch einer Chance hatte. Also verweigerte sie ihm die Genugtuung, sie zappeln zu sehen, und ersparte sich die Demütigung.

Der Duke of Gloucester stand mit verschränkten Armen am Ufer des Tain und sah ihr abwartend entgegen. Als sein Blick auf sie fiel, lächelte er, und seine grauen Augen erstrahlten. Er hatte ein nobleres Gesicht, als Alice bei einem Mann, den ihr Vater ein Monstrum nannte, für möglich gehalten hätte, aber er wirkte seltsam nervös. Gehetzt geradezu. Weil er die Schulter so komisch hochzieht, ging ihr auf.

»Da sieh mal einer an«, sagte er mit einem Seufzer der Zufriedenheit. »Wo haben sie dich denn all die Jahre versteckt, hm?«

»Ihr wisst, wer sie ist?«, fragte Malachy.

»Eine Waringham erkenne ich auf einen Blick, vor allem eine, die das Ebenbild ihres Vaters ist.« Er hob die Linke und legte sie ihr auf die Wange. Die Hand war rau, aber sanft.

Alice gelang es mit Mühe, nicht zurückzuzucken. Sie versuchte zu schlucken, aber ihre Kehle brachte nur ein trockenes Klicken zustande.

Gloucester lächelte sie an. »Wie ist Euer Name, hm?«

»Alice of Waringham.« Es klang ein bisschen brüchig, aber der trotzige Stolz war nicht zu überhören. Alice war zufrieden mit sich. Sie machte sich keine Illusionen. Diese Männer würden sie töten. Es blieb ihnen gar nichts anderes übrig. Und sie würden sie nicht töten, ohne sie zuvor zu schänden, denn das war es, was Kreaturen wie diese mit den Frauen und Töchtern ihrer Feinde taten. Sie wusste nicht, wie sie dem ins Auge sehen sollte, darum klammerte sie sich an ihren Stolz, an die Ehre der Waringham, denn sie gaben ihr Mut.

»Ihr habt keinen Grund, solche Angst vor mir zu haben, Alice of Waringham«, versicherte der Duke of Gloucester ihr beschwichtigend.

»Ich habe Mühe, das zu glauben, Euer Gnaden.«

Er lachte in sich hinein. »Nun, ich gebe zu, ich hätte nicht übel Lust, mich ein wenig mit dir zu vergnügen und Sir Malachy hier anschließend zu deinem Vater nach Westminster zu schicken, um ihm davon zu erzählen, aber das wäre Verschwendung. Denn auch wenn du es noch nicht weißt, sieht es so aus, als habe der Himmel dich mir geschickt, Täubchen.« Die Hand, die immer noch an ihrer Wange lag, versetzte ihr plötzlich einen Stoß, sodass sie rückwärts taumelte und in Malachy Devereux' Armen landete, der sie reflexartig auffing.

»Die Gefälligkeit, um die ich Euch bat, soll nicht unbelohnt bleiben, Sir Malachy«, sagte Gloucester, plötzlich geschäftsmäßig. »Euer Vater hat sich jahrzehntelang vergeblich nach einem Adelstitel gesehnt, aber nach meiner Krönung wird sein Wunsch sich endlich erfüllen. Er wird der Earl of Waringham. Da er ein alter Knochen ist, müsst Ihr voraussichtlich nicht lange warten, bis Ihr ihn beerbt, nicht wahr? Und als Dreingabe bekommt Ihr auch noch eine echte Waringham zur Frau. Was sagt Ihr?«

Malachy Devereux zauderte nur noch einen Moment lang. Dann nickte er. »Einverstanden.«

»Ich wünsche Euch, dass Ihr besser mit Eurer Waringham fertig werdet als Euer Vater mit seiner, dieser Unglücksrabe«, spottete Gloucester.

Malachy sah auf das schreckensstarre, zu Tode verängstigte Mädchen in seinen Armen hinab und grinste anzüglich. »Da hab ich keinerlei Zweifel.«

Gloucester nickte desinteressiert. »Schickt ein paar Männer zu diesem Neville auf dem Gestüt und lasst ihn festnehmen. Richtet ihm aus, er sei enteignet, und sperrt ihn bis auf weiteres irgendwo ein.« Er streifte die Handschuhe über. »Ich werde nun aufbrechen, Devereux. Es wäre nicht von Vorteil, wenn uns irgendwer zusammen sieht. Außer Eurer hinreißenden Braut, meine ich. Ihr dürft meinethalben schon ein bisschen mit ihr spielen, aber die Einwilligung der Krone zur Vermählung bekommt Ihr erst, wenn Ihr Euren Teil des Abkommens erfüllt habt, klar?«

Malachy Devereux hörte schlagartig auf zu grinsen, biss sich auf die Unterlippe und nickte. »Natürlich, Mylord.«

Der Duke of Gloucester zwinkerte Alice verschwörerisch zu, schwang sich in den Sattel seines Waringham-Rosses und verschwand zwischen den Bäumen, die die Lichtung umstanden.

Alice befreite sich aus Malachys Armen – es war nicht einmal schwierig. Dann wandte sie sich zu ihm um. »Sir, Ihr müsst nicht tun, was er verlangt. Flieht mit mir in die Bretagne. Ich sehe doch, dass sein Ansinnen Euch Entsetzen einflößt, und das spricht für Euch.«

Für die Dauer eines Herzschlages erwog Malachy Devereux, auf sie zu hören. Aber sein Vater, der ihm in jedem Moment seines Lebens über die Schulter zu schauen schien, selbst wenn er hunderte Meilen weit weg war, siegte auch dieses Mal. Etwas, das wie blanker Hass aussah, trat in Malachys Augen, ehe sie sich verengten, und er schlug Alice mit dem Handrücken ins Gesicht, sodass sie zu Boden ging.

»Halt den Mund«, herrschte er sie an. »Wenn du je wieder von dem sprichst, was du zu hören geglaubt hast, schneid ich dir die Kehle durch, ist das klar?«

Alice schaute blinzelnd zu ihm hoch, spürte ihre rechte Gesichtshälfte anschwellen und dachte: Das wäre alles in allem wahrscheinlich das geringere Übel.

Westminster, Juli 1483

Einen Tag, nachdem das Parlament König Edwards Söhne zu Bastarden erklärt und Gloucester die Krone angetragen hatte, war der designierte König nach Westminster geritten und hatte sich auf seinen ergaunerten Thron gesetzt. Die versammelten yorkistischen Lords jubelten, und Buckingham war der erste, der ausrief: »Gott schütze den König! Lang lebe König Richard!«

Die anderen nahmen den Ruf hastig auf.

Unmittelbar darauf begannen die Vorbereitungen für die feierliche Krönung in Westminster, die auf den 6. Juli festgesetzt worden war.

»Ich glaube, es wird Zeit, dass ich verschwinde«, sagte Julian, als Bruder Owen ihm davon berichtete.

»Meine Rede seit Wochen«, stimmte der rothaarige Mönch zu. »Die Frage ist nur, wie? Gloucesters Bluthunde – oder muss ich jetzt König Richards Bluthunde sagen? – lauern an jedem Ausgang des Klosters und warten auf dich.«

Das bereitete Julian wenig Sorgen. »Ich gehe heute Nacht. Über den Fluss.«

»Aber sie bewachen auch die Kais, Julian. Gloucester hat mehrere tausend Mann in der Stadt.«

»*Mehrere Tausend?*«, wiederholte Julian fassungslos. »Woher?«

»Er hat sie aus dem Norden angefordert. Sie kontrollieren sowohl London als auch Westminster.«

Julian schnaubte verächtlich. »Gloucester fürchtet sich immer noch vor einer Revolte der Woodvilles.«

Bruder Owen nickte: »Wie du schon sagtest: Er wird den Rest seines Lebens damit zubringen, über die Schulter zu schauen.«

So blieb Julian keine andere Wahl, als Zeuge zu werden, wie aus Richard Duke of Gloucester König Richard III. von England wurde. Er nahm an, er hatte verdient, es mitansehen zu müssen, weil er es nicht verhindert hatte. Aber es war eine harte Strafe, fand er. Diese Krönung wurde eine Zeremonie von solchem Prunk und Pomp, wie Westminster sie nie zuvor erlebt hatte. Buckingham, wusste Julian, hatte diese Farce inszeniert und zog alle Fäden. Kein Geringerer als der Duke of Norfolk trug die Krone in den hoch erhobenen Händen, der Earl of Surrey das Reichsschwert. Als Erzbischof Bourchier dem neuen König die altehrwürdige Krone aufs Haupt setzte, wurde Julian flau, und als er den feierlichen Krönungseid des neuen Königs vernahm, wurde ihm speiübel. Der einzig erquickliche Anblick war der der Königin an Richards Seite. Trotz oder auch gerade wegen ihrer kränklichen Blässe gab Anne Neville eine hinreißende Königin ab, und die Krone stand ihr hervorragend. Das Volk von Westminster und London, das sich in die Klosterkirche gedrängt hatte und in dessen Mitte er sich verbarg, jubelte ihr zu. Mit einem wehmütigen Lächeln dachte Julian, wie viel es Annes Vater bedeutet hätte, seine Tochter so zu sehen. Warwick wäre stolz auf seine Anne gewesen, da war er sicher. Doch als Julian erkannte, wer die Schleppe der würdevollen, schönen Königin trug, verschwand sein Lächeln wie fortgewischt. Es war Megan Beaufort.

Julian wandte sich angewidert ab, drängte sich so rüde zum

Ausgang, dass er ein paar ausgefallene Beschimpfungen erntete, und als er aus dem weihrauchgeschwängerten Halbdunkel
in den Sonnenschein hinaustrat, stieß er beinah mit Megans
Beichtvater zusammen.

»Nun, Vater Christopher, bleibt Ihr lieber in der sengenden
Sonne, als mitzuerleben, wie sie erniedrigt wird?«, fragte Julian wütend.

Der junge Geistliche hob ergeben die Schultern. »Ich glaube,
eine Frau wie Lady Megan kann man nicht erniedrigen, Mylord.
Sie ist einfach von zu großer, aufrichtiger Demut erfüllt.«

Julian ging neben ihm her Richtung Fluss und dachte darüber nach. »Ihr habt vermutlich Recht«, räumte er schließlich
ein. »Aber dafür, dass sie es versuchen, könnte ich Buckingham
und *König Richard* die Kehle durchschneiden.«

Vater Christopher schüttelte den Kopf über diese gottlose
Bemerkung und wechselte dann das Thema. »Tatsächlich war
ich auf der Suche nach Euch, Mylord. Lady Megan hat mich
gebeten, Euch etwas auszurichten.«

»Ah ja?« Julian war neugierig.

»Sie nimmt an, dass Ihr Westminster gern verlassen würdet,
ehe die vierzig Tage Eures Asyls vergangen sind.«

Julian nickte. »Lieber heute als morgen. Die Frage ist nur,
wie.«

»Hört zu.« Christopher senkte konspirativ die Stimme,
obwohl weit und breit niemand zu entdecken war. »Lady Megan
wird natürlich am Bankett teilnehmen müssen. Bis das vorbei
ist, wird es dunkel sein. Unterdessen steht ihre Kutsche vor
dem Stall neben der St.-Stephen's-Kapelle. Unbewacht. Solltet
Ihr sie Euch zufällig anschauen, werdet Ihr feststellen, dass
die Sitzbank ein verstecktes Scharnier hat und hochgeklappt
werden kann. Darunter befindet sich ein Hohlraum, der etwa
so groß wie eine Reisetruhe ist. Groß genug, dass ein Mann,
der ungesehen von Westminster nach London gelangen möchte,
sich darin verbergen könnte, versteht Ihr?«

»Oh, Megan«, murmelte Julian hingerissen. »Du hörst einfach nie auf, mich zu verblüffen.«

Vater Christopher lächelte flüchtig und fuhr dann fort: »In diesem Verschlag werdet Ihr im Übrigen etwas wiederfinden, das lange verloren war. Kurioserweise hat König Edward es Lady Megan in seinem Testament hinterlassen mit der Anmerkung, damit zu verfahren, wie es sie gutdünkt.«

»Was mag das sein?«, fragte Julian verwirrt.

»Das Schwert Eurer Väter, Mylord.«

Obwohl der neuerliche Aufenthalt seine Meinung über den Tower nicht wesentlich gebessert hatte, musste Lucas Durham doch einräumen, dass seine Gefangenschaft hier von der eher erträglichen Sorte war. Da er weder ein hoher Adliger noch ein berüchtigter Verräter war, interessierte sich niemand für ihn. Derzeit überschlugen die Ereignisse sich ja mit jedem Tag, da hatten die Wachen und königlichen Beamten im Tower Besseres zu tun, als ihn heimzusuchen. Ein Wachsoldat, der ihm ins Essen gespuckt und ihn einen verfluchten lancastrianischen Halunken genannt hatte, war das Schlimmste, was ihm bislang passiert war. Lucas trug es mit Fassung.

Sie hatten ihn in ein halbwegs komfortables Quartier im Beauchamp Tower gesperrt, von wo aus er einen Blick auf die spärliche Grünanlage des Tower Green hatte und den beiden Prinzen dort Tag für Tag beim Fußballspielen oder Bogenschießen zuschauen konnte. Natürlich war der zwölfjährige Edward seinem neunjährigen Bruder im Wettstreit immer überlegen, aber auch der kleine Richard of York zeigte schon einiges Geschick mit dem Bogen, und gelegentlich ließ sein Bruder ihn großmütig gewinnen. Sie waren ausdauernde, lebhafte Bengel, und wider Willen hatte Lucas sie auf die Distanz ins Herz geschlossen. Seit ein paar Tagen hatte er sie indessen nicht mehr gesehen. Er nahm an, die willkürliche Hinrichtung ihres Onkels und Halbbruders, die abscheulichen Lügen über ihren Vater und eine andere Frau und vor allem die Machtergreifung ihres Onkels Gloucester hatten ihnen die Spiellaune verdorben. Wem war wohl die undankbare Aufgabe zugefallen, den jungen Edward beiseitezunehmen und ihm zu erklären, dass er nun doch nicht König von England werden würde?

Lucas seufzte, stand vom Schemel am Fenster auf und drehte die erste von zahllosen Runden durch sein spärlich möbliertes Gemach. Was kümmert es dich?, hielt er sich vor. Hat nicht ihr verfluchter Vater zugelassen, dass unser Prinz Edouard auf dem Schlachtfeld niedergemetzelt wurde? Hat er nicht befohlen – oder zumindest geduldet –, dass der alte König Henry feige ermordet wurde, hier innerhalb dieser blutgetränkten Mauern? Doch, antwortete er sich selbst, genauso war's. Aber so ganz konnte er sich das Mitgefühl für die yorkistischen Prinzen trotzdem nicht abgewöhnen, und das beunruhigte ihn und machte ihn rastlos. Also drehte er seine Runden, die Hände auf dem Rücken verschränkt, und wartete, dass irgendetwas passierte, sein Bruder, sein Vetter Samuel oder Julian endlich etwas unternahmen, um ihn hier herauszuholen. Aber nichts geschah, und allmählich beschlich ihn der beklemmende Verdacht, dass die Welt ihn hinter den dicken Mauern des Tower of London vergessen hatte.

In einer schwülen Julinacht schreckte Lucas aus dem Schlaf, setzte sich ruckartig auf und blickte sich um. Ein Geräusch hatte ihn geweckt, er war sicher. Im Schein der kleinen Öllampe, die er auf dem Tisch hatte brennen lassen, erkannte er schließlich, dass die Tür zu seinem Quartier einen Spalt offen stand.

Verwundert stellte er die Füße auf den strohbedeckten Steinfußboden, zog die edlen Stiefel an und stand auf. Dann zögerte er. Eine geöffnete Tür konnte des Nachts im Tower unheimlicher sein als eine verriegelte, musste er feststellen. Was mochte auf der anderen Seite warten? Freiheit oder Tod?

Nun, es gab wohl nur einen Weg, es herauszufinden, entschied er und trat an die Tür. Er kannte das alte Sprichwort wohl, welches besagte, dass die Neugier der Katze Tod war, aber andererseits: Wenn Gloucester … König Richard den Befehl gegeben hatte, Lucas Durham diskret beiseitezuschaffen, dann würde es so oder so passieren, egal, ob er sich hier

drin feige verkroch oder seinem Schicksal mannhaft entgegentrat.

Niemand lauerte im Vorraum, der kaum mehr als ein
Treppenabsatz war. Es herrschte eine so vollkommene Stille,
dass man eine Gänsehaut davon bekommen konnte. Über sich
erahnte Lucas nichts als Schwärze. Aber von unten schien ein
flackerndes Licht. Beinah instinktiv folgte er ihm.

Auch die Außentür des Beauchamp Tower erwies sich als
unverschlossen. Behutsam stieß Lucas sie auf, trat ins Freie und
gelangte über eine kurze Treppe in den Innenhof hinab. Die
Nacht war finster. Er schaute zum Himmel auf und entdeckte
keinen Mond. Nur ein paar milchige Sterne blinzelten durch
den ewigen Dunst über London. Die Wiese mit der Hand voll
mickriger Birken, die den Tower Green ausmachten, lag still
und dunkel zu seiner Rechten. Kein Windhauch regte sich in
dieser heißen Sommernacht, und Lucas war sich vage bewusst,
dass Schweiß auf seiner Stirn und den Schläfen stand.

Jenseits der kleinen Grünanlage sah er wieder ein Licht flackern, und allmählich wurde ihm klar, dass irgendwer ihn mit
diesen Lichtern verleiten wollte, in eine bestimmte Richtung zu
gehen, so wie Roland in Waringham die ungezähmten Gäule
mit einer Fährte aus Fallobst von der Weide lockte. Doch es
galt nach wie vor: Er hatte nichts Besseres vor, und ganz gleich,
wohin er ging, im Tower war er nicht Herr seines Schicksals.
Also bat er die Heilige Jungfrau, welche die besondere Beschüt-
zerin der Durham war, um Beistand und überquerte den Rasen
mit klopfendem Herzen.

Er hatte die Eingangstür des Turms auf der anderen Seite fast
erreicht, als er murmelnde Stimmen vernahm. Lucas drängte
sich in den Schatten, presste sich an die Turmmauer, als wolle
er mit ihr verschmelzen, und hörte auf zu atmen. Vier Männer
kamen auf dem Weg zum Haupttor an ihm vorbei, ohne ihn
zu bemerken. Sie sagten nicht viel, und sie schienen in Eile.
Die Kerze, die der vorderste trug, war ihr einziges Licht, und
er hielt eine Hand darum, als wolle er vermeiden, dass es zu
hell leuchtete. Keine zwei Schritte von ihm entfernt passierten

sie Lucas, und er erkannte den Mann mit der Kerze. Es war Sir James Tyrell, ein Ritter aus Suffolk. Das Gesicht war Lucas vage vertraut, denn früher einmal war Tyrell Lancastrianer gewesen. Aber irgendwann hatte er die Seiten gewechselt, König Edward hatte ihn nach der Schlacht von Tewkesbury zum Ritter geschlagen, und seit ein paar Jahren war er Richard of Gloucesters Vertrauter und, wie man hörte, sein Mann für delikate Angelegenheiten. Lucas hatte keine Chance, die anderen drei zu erkennen, und er wartete, bis sie im Torhaus verschwunden waren. Dann glitt er die Stufen hinauf und betrat den Turm.

Die Fährte aus spärlichem Licht führte ihn die Treppe hinauf. Lucas folgte ihr zögernd, und er musste feststellen, dass er Mühe hatte zu schlucken. Die Flammen der Fackeln flackerten in einem Luftzug, von dem er nicht das Geringste spürte, und es war so still wie in einer Gruft. Lucas konnte sich nicht entsinnen, sich je so gegruselt zu haben. Gruseln war nicht einmal der richtige Ausdruck, gestand er sich ein. Ihm graute. Denn er wusste, wer in diesem Turm untergebracht war, und er fürchtete sich so sehr vor dem, was er am Ende der Treppe vorfinden würde, dass seine Beine den Dienst zu versagen drohten.

Er kam an eine angelehnte Holztür. Mit kraftlos herabbaumelnden Armen stand er davor, den Kopf gesenkt, und betete, er möge sich irren. Dann hob er eine Hand und stieß die Tür auf.

Das Gemach war größer und luxuriöser als sein eigenes. Drei Kerzen in einem güldenen Leuchter brannten auf dem Tisch, beschienen zwei beinah unberührte Teller mit erlesenen Speisen und eine Schachpartie, die nach den ersten Zügen unterbrochen worden war. Lucas trat wie ein Schlafwandler über die Schwelle. Er wollte nicht, aber seine Füße trugen ihn wie von selbst.

Die Insel aus Licht erreichte auch das kostbar geschnitzte Bett mit den schweren blauen Vorhängen. Sie waren zurückgeschoben und gaben den Blick frei auf die beiden Knaben, die reglos nebeneinander lagen. Doch sie schliefen nicht. Edward, der Prince of Wales, lag mit weit aufgerissenen Augen auf dem Rücken. Die hübschen blonden Locken umrahmten ein wächsernes Gesicht, dessen Haut eine bläuliche Tönung aufwies. Er war erstickt. Sein kleiner Bruder, Richard of York, lag mit dem Rücken zu Edward auf der Seite, die Knie bis an die Brust gezogen, das blutgetränkte Laken unter ihm zerwühlt. Ihm hatten sie den Schädel eingeschlagen, mit so barbarischer Kraft, dass das zarte Gesicht grotesk zusammengeschoben wirkte. Seine Augen waren geschlossen, und die langen Wimpern schimmerten im Kerzenlicht.

Lucas hörte ein eigentümlich keuchendes Wimmern und schreckte zusammen, aber dann wurde ihm klar, dass er selbst diesen Laut von sich gegeben hatte. Langsam wich er zurück, bekreuzigte sich, und endlich gaben seine Knie nach, und er landete auf dem harten Steinboden. Lucas war seit mehr als dreißig Jahren Soldat, und er hatte viele schlimme Dinge gesehen. Aber nichts wie dies hier. Zwei prinzliche Waisenknaben, von allen Beschützern im Stich gelassen, ermordet in ihrem Bett. Kaltblütig.

Lucas kniff die Augen zu und murmelte: »Jesus Christus, erbarme dich ihrer armen unschuldigen Seelen. Was hat dein alter Herr sich nur dabei gedacht, die Krone seiner Schöpfung mit der Fähigkeit auszustatten, *so etwas* zu tun?«

In seinem Rücken knarrte die Tür. Lucas war weder erschrocken noch verwundert.

Ohne den Kopf zu wenden, ohne auch nur die Augen zu öffnen, fragte er: »Warum? Wieso mussten sie sterben? Richard of Gloucester hat die Krone doch schon. War es nicht genug, sie als Bastarde zu brandmarken?«

Er hörte ein Schniefen. »Ich weiß nicht, Sir Lucas. Niemand in London glaubt diese wilde Geschichte über König Edward und Eleanor Butler. Da werden sie sich gedacht haben, sicher ist sicher.«

Lucas kam auf die Füße und drehte sich um. Vor ihm stand ein gestandener Sergeant der Towerwache und weinte bitterlich.

Lucas wusste, er hatte ihn schon einmal gesehen. Dann fiel es ihm ein. »Sergeant John Weddyngham aus East Cheap?«

Der Sergeant nickte und wischte sich mit dem Ärmel über die Augen. Aber es nützte nichts. Immer neue Tränen rollten über die stoppligen Wangen.

Lucas spürte selbst Tränen auf dem Gesicht, aber der unsägliche Jammer des Sergeants half ihm seltsamerweise, etwas Ähnliches wie Fassung wiederzufinden. »Ich erinnere mich, du warst einmal ein anständiger Kerl, Weddyngham«, bemerkte er. Es war dieser Mann gewesen, der ihm und Julian hier in einer sehr finsteren Stunde beigestanden hatte, wenn auch ein bisschen unfreiwillig. »Und jetzt gibst du dich dafür her, mich hier zu ›ertappen‹, damit sie mir diese …« Er musste feststellen, dass es kein Wort gab, das abscheulich genug war, um diesen Kindermord zu umschreiben. »Diese Teufelei anhängen können?«

Weddyngham schüttelte den Kopf und schluchzte. »Ich will Euch nichts anhängen, Sir Lucas. Ich hab Euch hergelockt, weil irgendwer es sehen musste. Sie werden die Leichen verscharren und versuchen, alles zu vertuschen.«

»Das wird ihnen vermutlich auch gelingen«, erwiderte Lucas bitter. »Wer hört in einem yorkistischen England schon auf einen unbedeutenden kleinen lancastrianischen Ritter?«

»Niemand, Ihr habt Recht. Aber Ihr musstet es trotzdem sehen. Damit es nicht vergessen wird.«

Lucas gab sich einen Ruck und schaute ein letztes Mal zu der grauenhaften Szene auf dem Bett. »Du hast Recht«, räumte er ein. »Irgendjemand musste es sehen.« Doch er wünschte bei Gott, dieses Los hätte nicht ausgerechnet ihn getroffen. Er kniff die Augen zu und wandte sich ab. »Jetzt lass uns verschwinden, ehe irgendwer uns hier findet.« Er packte Weddyngham am Ärmel und schob ihn durch die Tür.

Geräuschlos wie Schatten glitten sie die Treppe hinab und zurück ins Freie.

»Wer außer Tyrell steckt dahinter?«, fragte Lucas, als sie die Wiese des Tower Green überquerten. »Der Constable des Tower, nehme ich an. Wer sonst hätte die Wache der Prinzen abziehen und den Mordbuben die Schlüssel zustecken können ...«

»Ich weiß es nicht, Sir. Constable Brackenbury ist seit Tagen immerzu betrunken. Das sieht ihm nicht ähnlich, wisst Ihr. Vermutlich haben sie ihn gezwungen, die Schlüssel herauszurücken, kann schon sein. Aber seinen Segen hatten sie ganz sicher nicht.«

Wenn das stimmte, war der Constable ein widerwärtiger Feigling und musste auf Lucas' Mitgefühl verzichten. Vor der Tür zum Beauchamp Tower hielt er an und klopfte dem verstörten Sergeant die Schulter. »Es war sehr riskant, mich dort rüber zu locken. Und schlau. Du besitzt mehr Tapferkeit und Mut als euer Constable, so viel steht fest.«

»Danke, Sir.«

»Was denkst du, lässt du mich laufen?«

Ein klägliches Lächeln huschte über Weddynghams Gesicht, als er feststellte, welch durchschaubare Absicht Lucas Durham mit seinen schönen Worten verfolgt hatte. »Das muss ich gar nicht, Sir«, erklärte er dann. »Morgen früh werdet Ihr aus der Haft entlassen. Anordnung von Lord Stanley.«

Lady Megan Beauforts einflussreicher Gemahl, wusste Lucas. Ganz sicher war sie es, die hinter seiner Freilassung steckte, und er war ihr dankbar. Er wünschte nur, sie hätte ihn einen Tag eher hier herausgeholt.

Waringham, Juli 1483

Als Thomas Devereux sein Amt als Steward von Waringham antrat, hatte er jedem zutiefst misstraut, den er auf der Burg vorgefunden hatte – und das völlig zu Recht. Von Julians Rittern und Knappen war keiner mehr dort gewesen, wohl aber seine Mägde und Knechte und Torwachen, und sie alle hatten Devereux auf die unnachahmlich subtile, höchst kränkende Art und Weise der kleinen Leute zu verstehen gegeben, was sie von ihm hielten und wem ihre Loyalität gehörte. Das Gesinde hatte er eingeschüchtert, die Torwachen davongejagt und durch angeheuerte Finstermänner ersetzt. Aber all das war zwölf Jahre her. Immer noch gab es wenig Sympathie zwischen den Devereux und den Leuten von Waringham, aber sie hatten sich aneinander gewöhnt. Nach und nach hatte Thomas die Finstermänner – die nichts als Ärger machten und deren Sold ein Vermögen verschlang – wieder fortgeschickt, und so kam es, dass Julian am Tor seiner Burg auf zwei vertraute Gesichter traf.

»Pete, James«, grüßte er. »Wie steht es? Lasst ihr mich rein, oder muss ich euch die Köpfe abschlagen?«

Die beiden Torwachen wechselten einen unbehaglichen Blick. Julian hielt das blanke Schwert in der Hand, und etwas an seinem Ausdruck verriet ihnen, dass er das todernst meinte.

»Ich schätze, wir lassen Euch rein, Mylord«, antwortete James Wheeler. »Aber seid so gut und fesselt uns und nehmt uns die Waffen ab, eh Ihr reingeht. Und wenn es nicht zu viel verlangt ist, schlagt mir ein blaues Auge. Damit Sir Tom das Märchen glaubt, das wir ihm auftischen. Falls Ihr die Absicht habt, ihn leben zu lassen, heißt das.«

Julian war noch nicht sicher. Das hing ganz davon ab, was er hier vorfand. Er nickte knapp und gab seinen beiden Begleitern ein Zeichen.

Edmund und Lucas traten vor und entwaffneten die verschämt grinsenden Wächter. Julians Sohn und Ritter erwiderten das Lächeln nicht. Sie wirkten angespannt und grimmig. Tatsächlich hatten sie wenig zu lachen gehabt, seit Julian in Sevenelms zu ihnen gestoßen war.

Nach der Krönung und Julians geglückter Flucht aus Westminster hatte er sich einige Tage im Haus seiner einstigen Magd Anabelle verborgen, denn in London wimmelte es nur so von Soldaten und Spionen des neuen Königs, die nach ihm suchten. Er hatte nicht gewagt, Kontakt zu den Londoner Durham aufzunehmen, denn die waren Yorkisten.

Edmund, der nach Sevenelms geritten war, ehe seine Schwester spurlos verschwand und Roland verhaftet wurde, hatte erst erfahren, was in Waringham geschehen war, als Adam mit den schlechten Neuigkeiten zu Lucas' Bruder gekommen war.

Aber nicht bevor Lucas aus dem Tower entlassen wurde und Julian ohne große Mühe ausfindig machte, hatte jeder herausgefunden, was aus den anderen geworden war, und Julian hatte seinen Ritter und seinen Sohn mit bitteren Vorwürfen überhäuft – den einen, weil er sich von den Yorkisten hatte schnappen lassen, den anderen, weil er Waringham verlassen hatte, statt auf seine Schwester Acht zu geben. Trotz der himmelschreienden Ungerechtigkeit dieser Vorhaltungen hatten Lucas und Edmund sie kommentarlos über sich ergehen lassen, denn sie wussten, Julian war halb wahnsinnig vor Sorge um Alice. Gemeinsam mit Lucas war er nach Sevenelms gekommen und hatte sich nicht einmal Zeit für einen Becher Ale genommen, sondern war umgehend weiter nach Waringham geritten, und so war es kein Wunder, dass ihre Pferde, die sie im Torhaus angebunden hatten, müde die Köpfe hängen ließen.

Während Edmund Pete die Hände auf den Rücken fesselte, stellte Lucas sich vor James, kniff schmerzlich die Augen zusammen und schlug ihm die Faust ins Gesicht.

Der Torwächter taumelte krachend gegen den Tisch in der Wachkammer und ging dann zu Boden.

»Leise«, knurrte Julian.

James stand wieder auf. »Mordsschlag, Sir Lucas«, lobte er.

»Danke. Dreh dich um.« In Windeseile war auch James fachmännisch verschnürt.

»Wo ist sie?«, fragte Julian.

»Im Rosenzimmer«, antwortete Pete. So nannten die Menschen auf Waringham Castle das Gemach im Bergfried, das über dem Rosengarten lag, weil es dort im Sommer immer so herrlich duftete. »Da haben sie sie eingesperrt, und meist steht eine Wache vor der Tür. Aber keiner von uns.«

»Roland?«, fragte Julian weiter.

Pete schüttelte ratlos den Kopf. »Eingekerkert, glauben wir. Niemand hat ihn mehr gesehen, seit sie ihn hergebracht haben.«

»Und wo ist Devereux?«

Pete wies mit dem Kinn zur Ostseite der Burg. »Im neuen Haus.«

»Und seine Söhne?«

»Gibt nur noch Malachy, Mylord«, erklärte der Wächter. »Sir Richard ist bei Tewkesbury gefallen, und der Jüngste ist bei Euch, richtig?«

Julian nickte.

»Keine Ahnung, wo Malachy sich rumtreibt, aber weit ist er nicht«, sagte Pete.

»Also schön. Gehen wir«, wies Julian Lucas und Edmund an. »Ihr nehmt das Haus. Ich den Bergfried.«

»Aber, Julian«, begann Lucas. »Wär's nicht besser …«

»Halt den Mund und tu, was ich sage«, knurrte Julian, trat bis an den Rand des Schattens, den das Torhaus in den Burghof warf, und nahm sich einen Moment Zeit, sich gründlich umzusehen. Dann glitt er dicht an der Mauer zum Pferdestall hinüber.

Lucas und Edmund blickten ihm nach, ehe sie sich in entgegengesetzter Richtung auf den Weg machten.

Alice hatte mit allerhand gerechnet, nachdem sie als Gefangene auf die Burg ihrer Vorfahren gekommen war, aber niemals damit, dass ausgerechnet der griesgrämige, allseits gefürchtete Thomas Devereux mit der Eisenklaue sich als ihr Retter erweisen würde. In gewisser Weise jedenfalls.

Er hatte aus seiner Genugtuung und seiner Häme keinen Hehl gemacht, als Malachy ihm berichtete, dass sein Vater Earl of Waringham werden und er selbst auf Wunsch des neuen Königs die kleine Waringham hier heiraten solle, doch als Malachy sie mit unschwer durchschaubaren Absichten zu seiner Kammer zerren wollte, war der alte Devereux eingeschritten.

»Nichts da.«

»Aber Sir, Gloucester hat gesagt …«

Ein Blick seines Vaters hatte ihn zum Schweigen gebracht.

»Wir sind gottesfürchtige Gentlemen, und so werden wir uns auch benehmen. Darum wirst du sie nicht anrühren, ehe Gott euren Bund gesegnet hat. Bis es so weit ist, sperr sie irgendwo drüben im Bergfried ein, aber in einem bewohnbaren Gemach, hast du verstanden? Such ihr eine Magd, die sich ihrer annimmt und den Anstand wahrt, und stell eine Wache vor die Tür.«

Und wie immer war genau das geschehen, was er befahl. So fristete Alice ihre Tage und Nächte also in dem hellen Raum mit der wunderbaren Aussicht, den sie nur verlassen durfte, um einmal täglich zur Messe zu gehen. Die kleine Magd, die Malachy ihr aussuchte, war ein lebenslustiges, aber ewig plapperndes Geschöpf, und sie ging ihr auf die Nerven. Aber wann immer Alice darum bat, kam einer der Mönche oder Priester, die Devereux auf der Burg versammelt hatte, um mit ihr zu beten, ihr die Beichte abzunehmen oder auch schon mal ein wenig zu plaudern.

Alice war einsam, und sie fürchtete sich, aber es war längst nicht so schlimm, wie es hätte sein können. Bis Malachy Devereux aus London zurückkehrte.

Ohne besonderen Schwung, eher zaudernd öffnete er die Tür und trat über die Schwelle. Sein schulterlanges blondes Haar war zerzaust, die braunen Augen blutunterlaufen, seine Stiefel staubig. Er schaute sich neugierig um, als sähe er diesen Raum zum ersten Mal. Sein Blick verharrte beim Fenster und glitt dann weiter zu dem komfortablen Bett mit den rosenbestickten Vorhängen, das man eigens für Alice' Bequemlichkeit hier hereingeschafft hatte. Dann nickte er der kleinen Magd zu. »Raus.«

Sie nahm die Hände vom Spinnrad, sprang von ihrem Schemel auf und floh, wobei sie es vermied, Alice anzusehen. Lautlos schloss sie die Tür hinter sich.

»Ich will meine Belohnung«, erklärte Malachy. »Die hab ich verdient, weißt du.«

Alice erhob sich vom Fenstersitz und sah ihn unverwandt an, während er näher kam. Als er sie erreichte, fand sie sich in eine saure Wolke aus Weindünsten gehüllt. Ihre Kehle zog sich gefährlich zusammen. »Ihr solltet nicht vergessen, was Euer Vater gesagt hat, Sir«, riet sie.

Malachy lächelte. Es war ein eigentümlich verträumtes Lächeln. »Das kümmert mich nicht mehr. Wenigstens das hab ich erreicht, und das ist nicht einmal so wenig. Mein Vater lebt dafür, Gott zu versöhnen. Seit deine Tante ihm die Hand abgehackt hat ... Nein, vorher schon. Immer hat er geglaubt, dass er ein furchtbarer Sünder ist und dass er alles tun muss, was er kann, um Gottes Gnade wiederzufinden. Aber ich bin fertig mit Gott.«

»Wohl eher umgekehrt«, entgegnete sie.

Malachy lachte glucksend. »Du hast Schneid, Herzblatt. Und eine lose Zunge.«

Wie alle Waringham, fuhr es ihr durch den Kopf, und sie wich einen Schritt zurück, als er die Lücke zwischen ihnen schließen wollte.

»Komm her, Alice of Waringham«, murmelte er, nahm sie beinah sanft bei den Händen und führte beide hinter ihren Rücken, wo er sie mit einer seiner Pranken zusammenhielt.

Alice starrte ihn an, und als sein Mund näher kam, drehte sie den Kopf weg und kniff die Augen zu. »Sir, besinnt Euch, ich bitte Euch.« Sie bemühte sich, ruhig und vernünftig zu sprechen. »Ihr ... Ihr seid betrunken und ...«

»Oh nein, ich bin nicht betrunken, mein Engel. Ich wünschte, es wäre so. Aber das bin ich nicht.«

Plötzlich graute ihr so sehr vor ihm – vor dem, was er getan hatte –, dass sie versuchte, sich loszureißen. Die Hand, die ihre beiden hielt, schien ihre Haut zu verbrennen. Blut klebte daran, das wusste sie, auch wenn man nichts mehr davon sehen konnte. Sie wand sich, drehte sich zur Seite, und tatsächlich gelang es ihr, eine ihrer Hände zu befreien.

»Oh, Alice«, schalt er nachsichtig. »Warum bist du so spröde?«

Sie warf ihm einen kurzen Blick zu und rang darum, auch ihre zweite Hand loszureißen. »Als ob Ihr das nicht ganz genau wüsstet.«

»Aber du brauchst gar keine Angst vor mir zu haben, weißt du. Die Wahrheit ist nämlich, ich kann gar nicht tun, wozu ich eigentlich hergekommen war. Hier.« Er führte die Hand, die er immer noch festhielt, an seinen Schritt. »Nichts. Spürst du's?«

Mit einem kleinen, halb erstickten Schrei des Abscheus stieß sie ihn von sich und wandte ihm den Rücken zu.

Malachy legte von hinten die Arme um sie. »Lass mich dich nur einen Moment anfassen. Du bist so ... warm. So lebendig. Und lass mich dir erzählen, wie es war, Alice. Du ahnst ja nicht, wie unheimlich es nachts im Tower ist.« Sie spürte ihn schaudern.

Alice fing an zu weinen. »Nein. Bitte nicht, Sir, sprecht nicht weiter ...«

»Der Größere hat es einfach verschlafen. Es war ganz leicht. Ich hab ein Kissen genommen. Vielleicht ist er aufgewacht, keine Ahnung, aber gezappelt hat er nicht. Oder kaum. Aber der Kleine ...« Er lachte, ein schauriger Laut gleich an ihrem Ohr, und endlich begriff Alice, dass Malachy Devereux tatsächlich nicht betrunken war. »Der Kleinere war ein echter Löwe. Er hat es doch tatsächlich geschafft, meinen ... wie soll ich ihn nennen? Meinen Mordkomplizen?« Er schien einen Moment zu überlegen. »Ja. Ich denke, das ist ein gutes Wort. Der kleine Kerl hat es doch tatsächlich fertiggebracht, sich von ihm und dem Kissen zu befreien, und fing an zu schreien. Da hab ich ihm mit dem Schwertknauf den Schädel eingeschlagen, Alice. Ich musste es tun, weißt du. Eh irgendwer ihn hörte. Das durfte einfach nicht schiefgehen, der König hätte mir nie verziehen. So viel Blut.« Seine Stimme klang wie ein Seufzen. »Du kannst dir nicht vorstellen, wie viel Blut in so einem kleinen Schädel ...«

»Hört auf!« Alice hatte zu schluchzen begonnen. Die Fassung, um die sie so eisern gerungen hatte, war dahin. Seine Nähe, die starken Arme, die sie umfangen hielten, fühlten sich an wie die schleimigen Tentakel eines Seeungeheuers. »Bitte, Sir, hört auf damit.« Vage war ihr bewusst, wie würdelos und undamenhaft ihr Flehen war, aber sie war überzeugt, wenn er auch nur ein Wort mehr sagte, würde sie den Verstand verlieren wie er.

»Aber ich tu dir doch gar nichts«, entgegnete er beschwichtigend.

»Da hast du verdammt Recht, du gottverfluchter Hurensohn«, hörte Alice ihren Vater sagen. »Du wirst ihr kein Haar mehr krümmen.«

Die Tentakel glitten von ihr ab, und Alice wurde vorwärtsgeschleudert. Sie taumelte einen Schritt, fing ihren Sturz an der Kante des schweren Tisches ab und fuhr herum.

Malachy lag auf dem Rücken und sah starr zu ihrem Vater hoch, der ihn offenbar zu Boden geschlagen hatte. Julians Stiefel stand auf der rechten Hand des jüngeren Mannes, und seine Schwertspitze ruhte nicht über dessen Kehle, sondern über dem Schritt.

»Hat er dich angerührt?«, fragte er seine Tochter.

Alice hatte ihren Vater schon oft wütend erlebt. Sein Zorn war schnell entflammt – das sei sein Lancaster-Temperament, sagte ihre Tante Blanche gern. Ihr Bruder Robin und ihre Mutter schienen ein besonderes Talent zu besitzen, ihn in Rage zu bringen, aber der Sturm legte sich immer so rasch, wie er losbrach. So wie heute hatte sie ihn jedoch noch nie gesehen. Zum ersten Mal im Leben fürchtete sie sich vor ihrem Vater.

»Alice, hat er dich angerührt?«, fragte er nochmals.

Nicht so, wie du meinst. Sie schüttelte den Kopf. »Nein.«

Er ließ das Schwert sinken, sah auf Malachy hinab und spuckte ihm ins Gesicht. »Dann darfst du dein gutes Stück behalten, du erbärmlicher Wurm.«

Malachy fing an zu kichern.

Julians Augen verengten sich. »Alice, warte draußen.«

»Tu ihm nichts, Vater«, bat sie.

»Warte draußen, hab ich gesagt.«

»Er will doch, dass du ihn tötest. Aber er *muss* beichten, eh er diese Welt verlässt.« Sie wischte sich mit beiden Händen über die Wangen, plötzlich ungeduldig mit sich selbst, weil sie nicht aufhören konnte zu weinen. »Lass ihn leben. Das ist Strafe genug.«

Sie blickte auf Malachy hinab. Er hatte die Augen zugekniffen, das Gesicht zu einer Fratze irrer Heiterkeit verzerrt. Dann wälzte er sich auf die Seite, weg von ihrem Vater, und verbarg den Kopf in den Armen. Kleine erstickte Laute drangen aus seiner Kehle. Unmöglich zu entscheiden, ob er lachte oder weinte.

Angewidert steckte Julian sein Schwert ein. »Also meinetwegen.« Er streckte ihr die Hand entgegen. »Komm. Lass uns gehen.«

Obwohl er ihr immer noch Furcht einflößte, zögerte sie nicht. Sie trat zu ihm, legte die Hand in seine und ließ sich auf den Korridor hinausführen, wo die Wache bewusstlos auf den Steinfliesen lag. Julian packte den Mann mühelos unter den Achseln, schleifte ihn ins Rosenzimmer, kam wieder heraus und sperrte die Tür ab. Erst dann wandte er sich seiner Tochter zu, und mit einem Mal war die unheimliche, eisige Wut aus seinen Augen verschwunden.

Er legte beide Hände auf Alice' Wangen und küsste ihr die Stirn. »Es tut mir so leid, mein Kind.«

Sie schlang die Arme um ihn, presste das Gesicht an seine Schulter und schärfte sich ein, nur ja nicht wieder anzufangen zu heulen. »Es war doch nicht deine Schuld.«

»Natürlich war es das.« Lucas und Edmund hatte er vorgeworfen, *sie* trügen die Verantwortung. Aber in Wahrheit wusste er es besser. »Ich habe dich hergebracht.«

»Und das war gut so«, gab sie zurück, beinah trotzig. »Ich hab dir nie so recht geglaubt, wenn du gesagt hast, hier sei unser Zuhause. Aber jetzt weiß ich, dass es so ist.«

Er drückte sie einen Moment an sich, dann legte er einen Finger unter ihr Kinn und hob ihr Gesicht. »Du bist so großzügig wie deine Mutter.« Sein Lächeln war so traurig, dass ihre Brust sich zusammenzog.

Sie stellte sich auf die Zehenspitzen und küsste ihn auf die

Wange. »Hör auf, dir Vorwürfe zu machen. Mir ist nichts passiert. Und ich habe gewusst, dass du kommst.«

Er nahm sie wieder bei der Hand. »Vorsicht auf den Stufen«, warnte er. Es war eine liebe alte Gewohnheit.

Unten im Burghof herrschten Zwielicht und drückende Schwüle. Von Westen zog ein Gewitter heran, und Julian stellte ergeben fest, dass sie auf dem Weg nach Sevenelms wieder einmal ordentlich nass regnen würden. Nicht der schlimmste Ausgang, den dieser Tag hätte nehmen können, wusste er.

Zehn Schritte vom Torhaus entfernt warteten Lucas und Edmund mit Thomas Devereux. Sie flankierten ihn und hatten ihm die Waffen abgenommen, aber sie fassten ihn nicht an.

Julian schickte Alice, bei den Pferden zu warten. Dann trat er zu der traurigen kleinen Gruppe im Hof und nickte Devereux frostig zu. »Für Eure Rache an uns heiligt der Zweck jedes Mittel, nicht wahr, Devereux?«

Der Mann seiner Schwester schüttelte den beinah völlig kahlen Kopf. »Der Zweck heiligt niemals die Mittel. Und meine Rache an Euch und den Euren habe ich bekommen, als der König mich am Tag nach der Krönung zum Earl of Waringham gegürtet hat.«

Es kostete Julian Mühe, eine gleichmütige Miene zu wahren. Natürlich hatte er es schon gehört. Aber er hatte den Verdacht, dass er sich nie daran gewöhnen, geschweige denn damit abfinden würde. »Möge Eure Rache bitter schmecken«, wünschte er seinem Schwager.

Devereux zeigte ein kleines, freudloses Lächeln, welches mehr Lücken als Zähne enthüllte. »Das wäre nichts Neues. Mein ganzes Leben war bitter. Nicht zuletzt dank Eurer Schwester. Habt Ihr meinen Sohn getötet? Den letzten, der mir geblieben ist?«

Julian verspürte so etwas wie ein schlechtes Gewissen und Mitleid für diesen verkrüppelten Greis. Sie waren ihm höchst unwillkommen, aber plötzlich war er seiner Tochter dankbar, dass sie ihn daran gehindert hatte, Devereux' Sohn das Licht auszublasen. »Für dieses Mal lass ich ihn Euch«, gab er zurück. »Ich bin sicher, er ist Euer ganzer Stolz. Und nun gebt meinen Neffen heraus.«

»Er hat schon zwei Männer nach Roland geschickt«, meldete Edmund sich untypisch schüchtern zu Wort.

»Dann geh ihnen nach und sorg dafür, dass sie Roland nicht noch schnell die Kehle durchschneiden«, befahl sein Vater.

»Aye, Captain.« Edmund rannte zum Bergfried, seine Miene zeigte Schrecken.

Doch schon wenig später kam er mit zwei von Devereux' Rittern und Roland zurück. Sie durchquerten den Hof, hielten vor Julian an, und Devereux' Männer traktierten ihn mit finsteren Blicken.

Julian schenkte ihnen keinerlei Beachtung, sondern betrachtete seinen Neffen. Roland rieb sich die geröteten Handgelenke. Anscheinend hatten sie ihn in Ketten gelegt. Ansonsten sah er unrasiert und schmuddelig aus, aber heil. »Alles in Ordnung?«, fragte sein Onkel brüsk.

Roland nickte. »Wenn du mir sagst, dass meine Frau und Kinder unversehrt sind.«

»Natürlich sind sie das«, warf Devereux empört ein. »Wofür haltet Ihr mich eigentlich, Neville?«

»Das wollt Ihr nicht wissen«, gab Roland verächtlich zurück.

Julian legte ihm kurz die Hand auf die Schulter. Dann nickte er Lucas und Edmund zu. »Wir verschwinden, Gentlemen. Selten hat es mich so gedrängt, Waringham zu verlassen. Grüßt Euren König von mir, Devereux. Sagt ihm, da ich keine Gelegenheit hatte, ihm persönlich zu seiner Krönung zu gratulieren, sei es mir ein Bedürfnis, ihm auf diesem Wege ewige Höllenqualen und Verdammnis zu wünschen.«

Während er sich abwandte, sah er aus dem Augenwinkel, dass Thomas Devereux sich erschrocken bekreuzigte.

Am nächsten Morgen verließen Julian und die Seinen wieder einmal die englische Küste, und dieses Mal segelten auch

Roland Neville und seine Familie an Bord der *Edmund* mit in die Bretagne, denn auch sie waren nun heimatlos. Das war für sie, aber auch für Julian ein herber Schlag, nicht zuletzt in finanzieller Hinsicht, aber darüber sprachen sie nicht. Sie alle wussten, sie konnten froh sein, König Richards England unversehrt entronnen zu sein.

Etwa zu dem Zeitpunkt, da die *Edmund* die Themsemündung passierte und aufs offene Meer hinausfuhr, stieg Malachy Devereux auf das Dach des Bergfrieds von Waringham Castle. Die strahlende Morgensonne funkelte auf seinem Schwert, als er es aus der Scheide zog. Er nahm es in die Linke, hob es auf Schulterhöhe und schlug sich mit einem präzisen Streich die rechte Hand ab. Dann kletterte er auf die Zinnen, presste sich mit der verbliebenen Hand ein Federkissen vors Gesicht und stürzte sich in die Tiefe. Er hatte nicht gebeichtet.

Als sein Vater abends von der Jagd kam, fand er einen völlig aufgelösten Haushalt, einen verschlossenen Sarg und einen unzureichend mit Sand bedeckten Blutfleck im Burghof vor. Da er nicht ahnte, welchen Dienst sein Sohn dem neuen König erwiesen hatte, fand er für Malachys Freitod nur eine Erklärung: Gott war immer noch nicht damit fertig, ihn zu prüfen.

Rennes, September 1483

»Sie sind ein hübsches Paar«, murmelte Blanche, als ihre Nichte Alice und Andrew Devereux nach der Brautmesse aus der kleinen St.-Pierre-Kirche traten. Es war ein bescheidenes Gotteshaus, das nahe am Ufer der Vilaine inmitten weiß getünchter Fischerhütten stand, aber Alice und ihrem Bräutigam war es lieber gewesen als die große Kirche in der Stadt.

»Du hast Recht«, stimmte Janet zu, wischte sich mit dem Ärmel über die Augen und hängte sich bei ihrem Gemahl ein. »Aber ich kann es einfach nicht glauben. Unser kleines Mädchen heiratet, Julian.«

Er seufzte. »Es hätte viel schlimmer kommen können, glaub mir.«

»Auf jeden Fall bekommt sie von allen Devereux den besten«, befand Jasper.

»Und ich hoffe, wir werden diesen frohen Tag verleben, ohne dass irgendwer sich zu irgendwelchen Bemerkungen über Waringham und Devereux und abgeschlagene Gliedmaßen hinreißen lässt«, sagte Blanche.

Ihr Bruder und Jasper tauschten einen amüsierten Blick, hielten sich mit besagten Bemerkungen aber zurück – zumindest vorerst.

Ihre Söhne und Töchter umringten das Brautpaar, um es ausgelassen zu bejubeln, und Robin und Owen leerten bereits den ersten Becher auf ihr Wohl.

»Wo haben sie den Wein her?«, fragte Blanche. »Wie macht ihr Männer das nur immer? Versteckt ihr den Weinschlauch im Hosenbund?«

»Lass sie feiern«, erwiderte Jasper ungewohnt nachsichtig, ohne indessen das Geheimnis zu lüften. »Ich schätze, wir alle haben ein bisschen Frohsinn verdient.«

»Na ja, da hast du Recht«, musste sie einräumen, stieß einen ihrer Söhne und einen ihrer Neffen energisch beiseite und schloss die Braut in die Arme. »Glück und Gottes Segen für euch beide, Alice.«

Die Braut strahlte nicht, aber ihr Lächeln war voller Zuversicht. »Danke, Tante.«

Dann trat Blanche zurück und sah zu, wie endlich auch die Braueltern Gelegenheit bekamen, dem Paar zu gratulieren.

»Alice ist in England erwachsen geworden«, bemerkte sie.

Jasper lehnte mit verschränkten Armen an der hölzernen Kirchenwand und nickte. »Das ist kein Wunder, bedenkt man, was ihr dort geschehen ist.«

»Ein Wunder ist höchstens, dass das Mädchen nicht schwermütig, ängstlich und verschlossen geworden ist.« Blanche fand, Julian hatte eine unverzeihliche Torheit begangen, indem er seine Tochter nach Waringham gebracht hatte, aber was immer er getan hatte, um es wiedergutzumachen, war ihm gründlich gelungen.

»Auf jeden Fall war es richtig, sie wieder herzubringen«, befand Jasper. »In England hätten die yorkistischen Bluthunde sie früher oder später gefunden, auch hinter Klostermauern.«

Ganz sicher, dachte Blanche. König Richard konnte es sich kaum leisten, eine Zeugin seines Mordkomplotts leben zu lassen. Aus genau diesem Grund hatte Julian seine Tochter vor die Wahl gestellt: ein Kloster in Frankreich, ein Aufenthalt von unbestimmter Dauer in der Obhut seines vertrauten Ritters Tristan Fitzalan, der mit seiner Familie nach dem Fiasko von Tewkesbury ins lancasterfreundliche Portugal geflohen war, oder eine Ehe mit einem ihrer Ritter in der Bretagne. Blanche beglückwünschte Alice zu ihrer Klugheit, dass sie sich für Andrew Devereux entschieden hatte.

Sie kehrten zu dem Haus unweit der Kathedrale zurück, welches die herzogliche Verwaltung ihnen dieses Mal zugewiesen hatte. Es war bescheiden und wie üblich zu klein, aber wie immer kamen sie zurecht. Julian hatte für diesen Tag eine Köchin und Mägde engagiert und ein kleines Vermögen springen lassen, um die Hochzeit seiner Tochter angemessen zu feiern.

Also schmausten sie und schwelgten im ungewohnten Überfluss, und als das Mahl endlich vorüber war, kam der Spielmann in die Halle, den Richmond heimlich angeheuert hatte, und spielte mit seiner Fidel zum Tanz auf. Enthusiastisch räumten die jungen Leute Tische und Bänke beiseite.

Blanche saß mit ihrem Bruder und dessen Frau auf dem Fenstersitz und schaute dem wilden Treiben zu, als Mortimer zu ihnen trat.

Er räusperte sich. »Kann ich Euch einen Augenblick sprechen, Mylord?«, bat er Julian.

Der betrachtete ihn kopfschüttelnd. »Junge, Junge. Ich fing langsam an zu befürchten, du würdest niemals den Mund aufmachen.«

Mortimer schoss das Blut in die Wangen. »Ich ...« Er senkte

den Blick, hob ihn wieder. »Ich wollte Euch um Julianas Hand bitten.«

»Was du nicht sagst.«

»Aber ich dachte, ich sollte warten, bis Alice verheiratet ist, weil sie doch die Ältere ist.« All das kam in einem hastigen, beinah unverständlichen Schwall.

»Verstehe. Nun, man kann dir nicht vorwerfen, du hättest Zeit verschwendet«, spöttelte Julian.

Janet stieß ihm den Ellbogen in die Seite. »Nun lass ihn nicht so zappeln.«

Julian stand auf und legte seinem Ritter die Hände auf die Schultern. »Natürlich bekommst du sie, Mortimer.«

Die fünfzehnjährige Juliana und Mortimer verbrachten jede freie Minute über den Büchern, die sie beide so liebten, und es war schon lange ein offenes Geheimnis, dass diese Leidenschaft nicht das Einzige war, was sie verband.

Mortimer strahlte, bedankte sich verlegen und hastete davon, um seiner Liebsten die guten Nachrichten zu bringen.

»Ein Glück, dass wir nur zwei Töchter haben«, raunte Julian seiner Frau zu. »Noch ein paar dieser Hochzeiten, und wir wären ruiniert. Mortimers Großvater, mein Onkel Mortimer, hatte fünf oder sieben, ich weiß nicht mehr genau. Stell dir das nur vor. Ich frag mich, wie er …« Er verstummte abrupt und wurde so bleich, dass Blanche einen schrecklichen Moment lang fürchtete, ihren Bruder habe der Schlag getroffen.

Dann stellte sie fest, dass er unverwandt zur Tür starrte, und folgte seinem Blick. Ihr fuhr selbst der Schreck in die Glieder, als sie sah, wer dort stand, aber sie war gewappnet, als Julian plötzlich aufsprang und die Hand ans Heft legte, und sie erwischte ihn gerade noch am Ärmel. »Julian. Du willst auf der Hochzeit deiner Tochter kein Blut vergießen, oder? Waringham-Blut obendrein.«

Sie war nicht sicher, ob er sie gehört hatte, aber er ließ das Schwert stecken.

Hilfesuchend sah Blanche zu Jasper.

»Wer ist das?«, fragte er.

»Unser Cousin Geoffrey«, antwortete sie, und ihrer Stimme war ihre Verwunderung anzuhören.

»Er war Stallmeister in Waringham«, erklärte Janet.

Jasper nickte. »Ich erinnere mich. Er ist zu den Yorkisten übergelaufen, richtig?«

»Sei so gut, setz ihn vor die Tür, Jasper«, bat Julian. »Wenn er in meine Reichweite kommt, kann ich für nichts garantieren.«

Ehe Jasper reagieren konnte, ging Blanche zur Tür. »Geoffrey.« Sie lächelte wider Willen. Sie hatte nicht vergessen, wie verliebt sie einmal in ihn gewesen war.

Er verneigte sich eigentümlich förmlich vor ihr. »Blanche. Ich sehe, ich komme zu einem ungünstigen Zeitpunkt.«

»Kein Zeitpunkt könnte für den Besuch eines Yorkisten in diesem Haus je günstig sein«, sagte Jasper schneidend an ihrer Seite. Seine Miene war erwartungsgemäß finster.

Geoffrey straffte die Schultern. »Wenn es möglich ist, hätte ich gern den jungen Tudor gesprochen, Sir.«

»Es ist nicht möglich«, erwiderte Jasper prompt. »Schert Euch hinaus, wenn Ihr nicht wollt, dass meine Männer Euch auf die Sprünge helfen.«

»Mit Verlaub, Onkel«, sagte Richmond plötzlich hinter Blanches rechter Schulter.

Julian hielt es nicht länger am Fenster. Er kam mit langen Schritten näher, und Janet folgte ihm besorgt. Es wurde voll an der Tür.

»Wer seid Ihr, Sir?«, fragte Richmond den Neuankömmling.

»Mein Name ist Geoffrey Scott, Sir. Ich …«

»Er ist ein Verräter, Richmond«, warnte Julian. »Nach der Wiedereinsetzung deines Onkels Henry ist er zu den Yorkisten gekrochen. Wer weiß, ob nicht er es war, der Prinz Edouard bei Tewkesbury niedergemetzelt hat …«

»Das war Clarence«, warf Richmond ein.

»Oder meinen Bruder Henry im Tower ermordet hat«, schlug Jasper vor.

Blanche bedachte ihn mit einem Kopfschütteln. »Das war Gloucester.«

Geoffreys Augen funkelten vor Zorn darüber, dass ihm hier solche Abscheulichkeiten unterstellt wurden, und für einen Moment sah es so aus, als hätten Julian und Jasper ihr Ziel erreicht: Geoffrey war im Begriff, auf dem Absatz kehrtzumachen.

Dann sagte Richmond: »Ich bin Henry Tudor, Sir Geoffrey. Ihr wolltet mich sprechen? Also sprecht.« Es klang eine Spur kühl, aber nicht abweisend.

Geoffrey sah ihm einen Moment in die Augen. Er schien unsicher, wie er fortfahren sollte, und Blanche kannte ihn gut genug, um zu wissen, dass Julians und Jaspers unverhohlene Verachtung wie ein Stachel in seinem Fleisch sein musste. Dann rang der einstige Stallmeister sich zu einem Entschluss durch und sank vor Richmond auf die Knie. »Ich bin gekommen, um Euch mein Schwert anzubieten, Mylord.« Er packte die Scheide und streckte Richmond das Heft entgegen.

Alle starrten ihn entgeistert an.

Dann stellte Richmond die offensichtliche Frage: »Warum?«

»Weil die Dinge, die in England geschehen sind, mir keine andere Wahl lassen.« Obwohl er den Kopf in den Nacken legen musste, schaute Geoffrey unverwandt zu Richmond hoch. »Ich bin dazu erzogen worden, zu glauben, dass die Krone dem Hause York gehört. Das mag falsch oder richtig sein, ich bin nicht mehr in der Lage, das zu entscheiden. Aber der York, der sich jetzt der Krone bemächtigt hat, ist ihrer nicht würdig. Ich kann ihm nicht dienen. Darum bin ich hier.«

»Ah«, machte Richmond. »Ihr seid hier, weil ich verglichen mit Richard of Gloucester vielleicht das geringere Übel bin? Wie schmeichelhaft.«

Geoffrey schüttelte den Kopf. »Ich bin hier, weil Ihr der Einzige seid, der England von diesem Ungeheuer auf dem Thron erlösen kann, Mylord. Und sollte ich wirklich der Erste sein, der aus diesem Grund zu Euch gekommen ist, werdet Ihr bald feststellen, dass ich nicht der Letzte bleiben werde.«

»Was veranlasst Euch, König Richard ein Ungeheuer zu nennen?«, fragte Richmond interessiert.

»Das Verschwinden der beiden Prinzen. Des jungen König Edward und des kleinen Duke of York, sollte ich wohl sagen. Seit zwei Monaten hat sie im Tower niemand mehr gesehen. Sie sind ... wie vom Erdboden verschluckt. Ich fürchte das Schlimmste.«

Richmond tauschte einen Blick mit seinem Onkel, dann mit Julian. Schließlich nickte er dem Knienden knapp zu. »Ihr fürchtet zu Recht.«

Geoffreys Gesicht wurde grau. Er schloss für einen Moment die Augen und fuhr sich mit der Hand über die Stirn. Dann nahm er sich zusammen. »Ihr scheint Dinge zu wissen, die ich nur vermute.«

»Und wahrscheinlich gibt es Dinge, die Ihr wisst, die wiederum wir nur vermuten. Erhebt Euch, Sir Geoffrey. Lasst uns reden. Und dann werde ich entscheiden, ob ich Euer Schwert annehmen will oder nicht. Einverstanden?«

Erleichtert kam Geoffrey auf die Füße. Anscheinend hatte er mehr erreicht, als er zu hoffen gewagt hatte. »Ich danke Euch, Mylord.«

Richmond sah zu den Feiernden hinüber, und er lächelte, als sein Blick auf die tanzende Braut fiel. »Wie Ihr seht, haben wir heute eine Hochzeit.«

»Und ich will verdammt sein, wenn ich zulasse, dass meine Tochter ausgerechnet heute noch einmal wiederholen muss, was sie gehört und gesehen hat«, warf Julian unwirsch ein.

»Das wird wohl kaum nötig sein«, erwiderte Richmond. »Aber hol Sir Lucas, sei so gut. Lasst uns nach nebenan gehen.«

Er führte seinen Besucher zu der bescheidenen Kammer neben der Halle, die ihn beherbergte. Blanche beobachtete, dass Robin, Owen und Mortimer ihm fragende Blicke zuwarfen, aber Richmond winkte diskret ab. Blanche selbst und Jasper folgten ihm, und kurz darauf kam Julian mit Lucas. Letzterer schloss die Tür, ging auf Geoffrey zu und schloss ihn in die Arme. »Willkommen in der schönen Bretagne, Geoffrey!«

»Es besteht kein Anlass zu solcher Brüderlichkeit, Lucas«, rügte Julian verdrossen.

Sein Ritter hob unbeeindruckt die Schultern. »Ein guter Mann bleibt ein guter Mann, Julian, und ein alter Freund ein alter Freund. Darüber hinaus ist er mit meiner Cousine verheiratet, und wenn du erlaubst, entscheide ich selbst, wie ich einen Verwandten begrüße.« Und als er daraufhin nichts als einen finsteren Blick erntete, deutete er eine spöttische Verbeugung an. »Untertänigsten Dank, Mylord.«

Blanche sah, dass ihrem Bruder eine scharfe Erwiderung auf der Zunge lag, aber Richmond kam ihm zuvor und lud seinen Gast mit einer Geste ein, auf einem der beiden Holzschemel am Tisch Platz zu nehmen. »Ihr müsst verzeihen, Sir, unsere Verhältnisse sind ein wenig … beschränkt.«

Geoffrey schaute sich in dem schlichten Gemach um: ein Bett mit müden Vorhängen aus ungefärbter Wolle, ein Tisch unter dem unverglasten Fenster, ein Kruzifix an der Wand, eine grob gezimmerte Holzkiste mit einem losen Brett als Deckel, die Richmonds gesamte Garderobe enthielt. Das einzig Kostbare waren die drei Bücher, die auf dem Tisch aufgestapelt lagen.

Geoffrey zeigte ehrfürchtig auf die Bibel. »Wundervoll.«

Richmond nickte. »Master Gutenberg in Mainz hat sie gedruckt. Schaut nur hinein, wenn Ihr wollt.«

Die Bibel war ein Geschenk seiner Mutter. Und Megan hätte Richmond noch viel mehr Bücher geschickt, wenn er sie gelassen hätte, aber er lebte nach dem Grundsatz, nie mehr Besitztümer anzuhäufen, als er in einer halben Stunde packen und ohne fremde Hilfe tragen konnte. Zehn Jahre Geiselhaft und zwölf Jahre im Exil hatten ihn dazu erzogen, sich auf das Notwendigste zu beschränken, und Blanche wusste, Richmond hielt große Stücke auf die Tugend der Bescheidenheit. Genau wie Megan.

Geoffrey legte die Hand auf den Einband der Bibel, und ein kleines Lächeln hellte seine angespannten Züge auf. »Sie hat mich ermutigt, zu Euch zu kommen, Mylord. Lady Megan Beaufort.«

Jasper und Julian, die nebeneinander an der Türwand lehnten, tauschten einen vielsagenden, missvergnügten Blick.

»Ich bin nicht überrascht«, erwiderte Richmond. »Und nun berichtet uns, was in England vorgeht.«

»Es wird unruhig, vor allem im Süden«, erzählte Geoffrey. »König Richard zieht mit seiner Gemahlin und seinem Sohn durchs ganze Land, und in York haben die Menschen die Straße gesäumt und ihnen zugejubelt, heißt es. Aber in London und im ganzen Süden fangen die Menschen an zu fragen, wo die beiden Söhne seines Bruders sind. Niemand glaubt diese lächerliche Geschichte von dem früheren Verlöbnis König Edwards mit dieser Eleanor Butler, und die Menschen fürchten um die Prinzen.«

»Sie sind tot, Geoffrey«, sagte Blanche.

Ihr Cousin senkte den Kopf. Ein paar Atemzüge verharrte er reglos, dann bekreuzigte er sich.

Blanche setzte sich neben ihn und ergriff seine Linke. »Euer König Richard hat eine Hand voll Männer angestiftet, es zu tun. Wir kennen nicht alle Namen. Aber James Tyrell war dabei und Malachy Devereux. König Richard hat ihm den Titel des Earl of Waringham dafür versprochen.« Und sie fasste in kurzen Worten zusammen, was Alice gehört und gesehen hatte. »Wir glauben, dass Malachy vor Entsetzen über seine eigene Tat den Verstand verloren hat«, schloss sie.

»Auf jeden Fall wird er nicht in den Genuss seiner Belohnung kommen«, antwortete Geoffrey heiser. »Er hat sich von den Zinnen deiner Burg gestürzt, Julian.«

»Das ist kein großer Verlust«, gab dieser zurück. »Und wo immer er jetzt sein mag, ich wette, er hat's schön warm.«

Blanche spürte, wie das unwillkommene Mitgefühl für ihren unglücklichen Gemahl sich anschleichen wollte, und lenkte ihre Gedanken lieber schnell in eine andere Richtung. »Malachys Bruder hat gerade Julians Tochter geheiratet, Geoffrey. Vielleicht wäre es gut, wenn vorläufig niemand außerhalb dieses Raums von Malachys Tod erfährt. Alice trägt schwer genug an den Dingen, die sie erlebt hat.«

»Natürlich«, erwiderte Geoffrey bereitwillig. Dann schüttelte er langsam den Kopf. »Es ist also wahr. Die Prinzen sind tot. Richard hat die Söhne seines Bruders ermorden lassen.« Es klang fassungslos, und er klammerte sich an Blanches Hand, ohne es zu merken.

Niemand sagte etwas. Es war eine Tat, die jeden von ihnen sprachlos machte. Blanche tauschte einen Blick mit ihrem Bruder und sah, dass ihm die gleichen Fragen durch den Kopf gingen wie ihr: Hatte der Fluch, den ihr Vater mit seinen letzten Atemzügen ausgesprochen hatte, solche Macht, dass er dieses schreckliche Verhängnis über das Haus derer von York gebracht hatte? Und wenn ja, hätte ihr Vater das wirklich gewollt?

»Wie?«, fragte Geoffrey schließlich. »Wie haben sie das fertiggebracht, ohne dass es in London die Spatzen von den Dächern pfeifen?«

Richmond nickte Lucas auffordernd zu.

»Nachts, in aller Stille und mit der Duldung des Constable«, erklärte Julians Ritter und berichtete, was er im Tower gesehen hatte. Man konnte sehen, dass es ihm schwerfiel. Und obwohl Blanche es nicht zum ersten Mal hörte, spürte sie das Grauen unvermindert.

Auch Geoffrey lauschte mit schreckgeweiteten Augen. »Ich gestehe, ich hatte Mühe, es zu glauben«, räumte er schließlich ein. »Vielleicht könntet ihr es verstehen, wenn ihr König Richard gesehen hättet. Er ist so … überzeugend in seiner Rolle. Mit kleinem Gefolge zieht er durchs Land, als gäbe es nichts auf der Welt, das ihm Sorgen macht. Immer galant zu seiner Gemahlin, immer gütig zu seinem Söhnchen. Er verteilt großzügige Geschenke, senkt die Steuern und macht an jedem Heiligenschrein halt …«

»Um den Zweiflern zu beweisen, dass er ein christlicher König von Gottes Gnaden und kein Tyrann ist«, mutmaßte Richmond verächtlich.

Geoffrey nickte. »Aber alle überzeugt er nicht, Mylord. Und Lady Megan glaubt, dass es auch im engsten Kreis um den

König Männer gibt, die Fragen nach dem Verbleib der Prinzen stellen.«

»Ihr Gemahl, nehme ich an«, sagte Richmond. »Lord Stanley mag ein unverbesserlicher Yorkist sein, aber er ist ein anständiger Mann.«

Geoffrey schüttelte den Kopf. »Er steht unerschütterlich hinter König Richard. Er kann einfach nicht glauben, dass sein König etwas mit dem Verschwinden der Jungen zu tun hat ...« Er brach ab.

Richmond hob plötzlich das Kinn. »Sondern verdächtigt *mich*?«

Geoffrey antwortete nicht.

»Natürlich«, murmelte Jasper bitter. »Richard muss irgendeine Erklärung auftischen, wenn er gefragt wird, was aus den Prinzen geworden ist. Und er wird behaupten, keine Erklärung für ihr Verschwinden zu haben, und düstere Andeutungen über eine lancastrianische Verschwörung machen.«

»Ich fürchte, genau so ist es«, gestand Geoffrey. »Aber manch einer fragt sich, wie Lord Richmond aus dem Exil heraus das Kunststück vollbracht haben sollte, die Prinzen aus dem Tower verschwinden zu lassen, wo es doch in ganz England keinen einzigen Lancastrianer mit Macht und Einfluss mehr gibt, der als sein Verbündeter hätte fungieren können.«

»Außer meiner Mutter«, schränkte Richmond ein. »Und vermutlich würde Richard nicht einmal davor zurückschrecken, sie zu bezichtigen.«

»Er mag skrupellos und ein Mörder sein, aber kein Narr«, widersprach Julian. »Das würde ihm nicht einmal sein bester Freund, der Duke of Buckingham, glauben.«

»Ich bin nicht sicher, ob Buckingham noch König Richards bester Freund ist, Julian«, sagte Geoffrey und wagte zum ersten Mal, seinem Cousin offen in die Augen zu sehen. »Gewiss, niemand steht so hoch in des Königs Gunst wie er. Aber auch Buckingham quält der Verdacht, dass Richard etwas mit dem Verschwinden seiner Neffen zu tun haben könnte.«

»Und wieso? Wie kann er zweifeln, wenn er doch so fest an

ihn geglaubt hat, um all das für ihn zu tun?«, fragte Jasper verständnislos.

»Er war ein paar Tage nach der Krönung in Westminster, um die Königinwitwe zu besuchen. Sie hat ihn nicht empfangen, aber ihre Tochter Elizabeth hat mit ihm gesprochen.« Er sah wieder zu Julian. »Was immer du zu der jungen Lady Elizabeth gesagt hast, hat sie sehr nachdenklich gestimmt. Sie hat ziemlich schockierende Dinge über ihren königlichen Onkel gesagt, und sie war verzweifelt über das Verschwinden ihrer Brüder. Sie macht sich schwere Vorwürfe, weil sie nicht auf dich gehört hat.«

»Das sollte sie nicht«, sagte Richmond kopfschüttelnd, der auf die Distanz eine Schwäche für die Prinzessin entwickelt hatte, seit Julian ihm von der Begegnung mit ihr berichtet hatte. »Selbst wenn sie Julian geglaubt hätte, gegen die Wünsche ihrer Mutter hätte sie ja doch nichts ausrichten können. Aber mit der Königinwitwe möchte ich wahrlich nicht tauschen. Und mit dem Erzbischof von Canterbury auch nicht. Wie muss es in ihnen aussehen?«

Auch darüber wollte Blanche jetzt lieber nicht nachdenken. Es war so schon alles schlimm genug. »Wie kommt es, dass du von Buckinghams Begegnung mit Prinzessin Elizabeth weißt, Geoffrey?«, fragte sie.

»Weil ich die letzten zwei Jahre sein Stallmeister war«, antwortete ihr Cousin. »Es ... na ja, es hat in seinem Haushalt die Runde gemacht. Irgendeiner seiner Ritter hat geplaudert, wie das eben immer so geht. Und vor zwei Wochen, als wir nach Brecon kamen, wo er vorübergehend weilt, während Richard den Norden bereist ...«

»Buckingham ist in *Wales*?«, unterbrach Jasper verblüfft.

Geoffrey nickte. »Ein gutes Stück davon gehört ihm ja, nicht wahr? Und Richard hat ihn zum obersten Richter von Wales berufen. Jedenfalls kam Buckingham in die Stallungen, um sie sich anzuschauen – er ist ein großer Pferdenarr. Und wie viele Pferdenarren hat er die Angewohnheit, mit seinen Gäulen zu reden. Du brauchst gar nicht so höhnisch zu grinsen, Julian, denn du tust es auch.«

»Aber wenigstens lese ich ihnen keine Gedichte vor, so wie Blanche früher«, konterte Julian.

Die beiden Cousins sahen sich an, plötzlich übermannt von Erinnerungen, die so lebhaft und so süß waren, dass die Bitterkeit zwischen ihnen verschwand, solange der Moment währte. Aber so leicht wollte Julian seinen einstigen Stallmeister nicht davonkommen lassen. Er verschränkte abweisend die Arme und fragte: »Und? Was hat Buckingham seinem Gaul anvertraut, als du – ganz zufällig – unbemerkt in der Nähe standest?«

Geoffrey ging auf die Spitze nicht ein. »Dass er sich fürchtet.«

»Wovor?«

»Einen furchtbaren Irrtum begangen zu haben. Vor der Verdammnis. Am meisten davor, als der Mann in die Annalen einzugehen, der ein Monstrum auf den Thron gesetzt hat.«

Es war einen Moment still.

Schließlich sagte Blanche: »Nun, ich schätze, dem Mann kann geholfen werden.«

Brecon, September 1483

Der Duke of Buckingham empfing Julian im Pferdestall. »Waringham!«, rief er erfreut aus, nachdem der mürrische walisische Torwächter Julian in das helle Stallgebäude geführt hatte. »Was für eine glückliche Fügung. Habt die Güte und seht Euch mein neues Schlachtross an.«

Julian traute seinen Ohren kaum. Ich bin nicht nach Wales gekommen und riskiere meinen Kopf, um deine Gäule zu bewundern, dachte er grantig, aber er beherrschte sich. »Gern. Erlaubt mir, Euch meinen Sohn Edmund vorzustellen, Sir.«

Edmunds Miene war verdrossen, doch er machte einen artigen Diener vor Buckingham. »Eine Ehre, Euer Gnaden.«

Buckingham lächelte ihm flüchtig zu und vergaß ihn sogleich

wieder. Mit jungenhafter Ungeduld führte er Julian zu der Box an der Stirnwand, der größten im Stall.

Julian betrachtete ihn verstohlen aus dem Augenwinkel. Der Duke of Buckingham war ein gut aussehender Mann Ende zwanzig mit breiten Schultern und großen, kräftigen Händen. Das dunkle Haar lag glatt und säuberlich gekämmt auf seinem goldbestickten Samtkragen, die dunklen Augen und feinen Züge verrieten, dass seine Mutter eine Beaufort gewesen war. Sein federnder Schritt schien Tatkraft, vielleicht auch Übermut auszudrücken, aber er hatte seinem Gast noch kein einziges Mal in die Augen geschaut.

»Hier, seht ihn Euch an. Ist er nicht ein Prachtkerl? Ich habe ein Vermögen für ihn bezahlt, doch er benimmt sich, als hätte er den Teufel im Leib.«

Wie um diesen Verdacht zu bestätigen, schlug der große, muskulöse Braune hinten aus und verdrehte die Augen, sobald Buckingham die Boxentür öffnete. Die blanken Eisen blitzten gefährlich auf. Buckingham wich unwillkürlich zurück.

Julian blieb einen Moment an der offenen Tür stehen, und obwohl er die Gabe der Waringham nicht besaß und in seinem Geist keine Verbindung zu dem Pferd herstellen konnte, beruhigte es sich doch augenblicklich.

Buckingham schüttelte verwundert den Kopf. »Wie *macht* Ihr das nur?«

»Ich tue gar nichts, Mylord«, erklärte Julian wahrheitsgemäß und ging langsam in die Box, freilich nicht ohne die kleinen Pferdeohren aus den Augen zu lassen. Sie zuckten nervös, aber das war alles. Julian trat näher, fuhr mit einem langen, festen Strich über den Hals und legte die andere Hand sacht auf den Nasenrücken. Das Pferd ließ sich das anstandslos gefallen. Doch als Julian die weichen Lippen auseinanderschob, um ihm ins Maul zu schauen, riss es den Kopf weg und schnaubte.

»Er hat Angst«, sagte Edmund von der Tür.

Julian nickte, schnalzte leise und kitzelte das Tier an der Kinnkettengrube, woraufhin es die Lippen öffnete. »Da. Ein

Schinder hat ihn geritten. Dieses Maul war eingerissen, Buckingham, und zwar öfter als einmal.«

Buckingham steckte den Kopf durch die Tür. »Woher wisst Ihr das?«

»Weil man die Narben sehen kann.« Geoffrey muss blind gewesen sein, als er ihm diesen Gaul ausgesucht hat, dachte er verwundert.

Doch Buckingham klärte ihn umgehend auf. »Ich hätte auf meinen Stallmeister hören sollen«, murmelte er betrübt. »Er hat mir abgeraten. Aber ich wollte dieses Pferd unbedingt haben. Was mach ich jetzt nur mit ihm? Es fängt an zu schwitzen und gerät außer Rand und Band, sobald es einen Sattel auch nur aus der Ferne sieht.« Er klang geradezu verzweifelt.

Julian strich dem nervösen Tier nochmals über den Hals, dann befühlte er die Vorderbeine. »Wie alt ist er? Sieben? Acht?«

»Vier, hat der Pferdehändler gesagt.«

»Und das habt Ihr geglaubt?«, entfuhr es Edmund. Verächtlich wandte er den Kopf ab und murmelte: »Na ja, wieso nicht. Wer auf Richard of Gloucester hereinfällt, traut auch einem Pferdehändler ...«

Buckingham wurde mit einem Mal bleich. »Was erlaubst du dir, Söhnchen ...«

»Ich bin nicht Euer Söhnchen«, gab Edmund zurück und sah zu seinem Vater. »Ich halt das nicht aus, Sir, kann ich gehen?«

Julian schüttelte den Kopf, auf grimmige Weise amüsiert darüber, wie sein siebzehnjähriger Sprössling den mächtigen Duke of Buckingham aus der Fassung gebracht hatte. »Du bleibst hier und übst dich in der Kunst, deine lose Waringham-Zunge zu hüten.«

Edmund seufzte. »Aye, Captain ...«

Julian trat aus dem Stall und betrachtete das schreckhafte Tier noch einmal von der Tür aus. »Ihr habt ein gutes Pferd gekauft, Buckingham, seid unbesorgt. Aber Ihr braucht jemanden, der es wieder Vertrauen lehrt und neu ausbildet.«

Buckingham nickte niedergeschlagen. »Ich hatte einen

großartigen Mann hier, der sich auf so etwas verstand, aber er ist mir davongelaufen.«

Julian erkannte mit einem Mal, dass der Duke of Buckingham kein besonders gescheiter Mann war. Das erklärte so einiges, was ihm bislang rätselhaft gewesen war. »Ich weiß, Mylord«, antwortete er. »Auch seinetwegen bin ich hier.«

»Seinetwegen?«, wiederholte Buckingham verdutzt.

»Ihr wusstet nicht, dass Geoffrey Scott mein Cousin ist?«

Buckingham riss die Augen weit auf. »Ich hatte keine Ahnung ...«

Julian betrachtete ihn nochmals, jetzt beinah mit so etwas wie Nachsicht. »Wollen wir vielleicht irgendwohin gehen, wo wir in Ruhe reden können?«

»Was? Oh, gewiss, gewiss.« Mit einiger Verspätung schien Buckingham ein paar Schlüsse zu ziehen. »Ihr müsst hungrig und müde sein.«

»Woher denn«, raunte Edmund seinen Stiefeln zu. Es waren dreißig Meilen von der Küste nach Brecon, und die Straßen in Wales waren nicht besser geworden, seit Julian sie zuletzt bereist hatte.

Mit einem kummervollen Blick auf seine vierbeinige Fehlinvestition schloss der junge Herzog die Boxentür und führte seine Besucher in den Innenhof von Brecon Castle. Es war eine Burg wie so viele in Wales: einst von den Normannen angelegt, seither alle hundert Jahre oder so verstärkt, trutzig, erhaben und – zumindest für Julians Geschmack – abweisend. Buckingham schienen die hohen grauen Mauern jedoch nicht zu bedrücken. Er plauderte unverdrossen über Pferde, während er die Gäste in einen dicken Turm mit kleinen Fenstern brachte. Auf der Treppe begegnete ihnen noch ein mürrischer Waliser, ein Diener dieses Mal, bei dem der Burgherr Speisen und Wein in Auftrag gab. Dann führte er sie in einen dämmrigen Raum, dem das Licht vieler Kerzen und ein prasselndes Feuer im Kamin eine willkommene Behaglichkeit verliehen.

Am Tisch saßen zwei Priester über ein Buch gebeugt, die sich umwandten, als sie die Tür hörten.

»Waringham!«, rief der eine verwundert aus.

»Vater Christopher!« Es war Megans junger Beichtvater. Im letzten Moment hinderte Julian sich daran, ihn zu fragen, was zum Henker er hier verloren hatte. Denn die Antwort lautete vermutlich: Das Gleiche wie er selbst.

»Kennt Ihr Bischof Morton?«, fragte Christopher.

Julian kniete vor dem einst so mächtigen Bischof von Ely nieder und küsste seinen Ring. »Ich muss gestehen, ich hatte vergessen, dass Ihr hier ... zu Gast seid, Exzellenz.«

Morton lächelte, und um seine Augen zeigten sich Kränze aus tiefen Lachfalten. »Das trifft es besser, als ihr ahnt, mein Sohn. Buckingham ist zu gutherzig, um einen strengen Kerkermeister abzugeben.«

Julian nickte und dachte bei sich, dass Buckingham vermutlich nicht wagte, Morton in ein Verlies zu stecken, weil er fürchtete, Gott könnte ihn mit Aussatz schlagen oder Blitze auf ihn herniederschleudern. »Ich wusste gar nicht, dass Ihr Vater Christopher kennt.« Julian sagte es im Plauderton, aber in Wahrheit platzte er fast vor Neugier. Welche Verbindung mochte zwischen den beiden Kirchenmännern bestehen?

Der junge Geistliche verneigte sich in Richtung des entmachteten Bischofs. »Seine Exzellenz war viele Jahre mein Lehrer und Mentor, Mylord. Ich wollte mich von seinem Wohlergehen überzeugen.«

Sieh an, sieh an. Megan schickte ihren Beichtvater zu dem berüchtigten Bischof, der gegen König Richard rebelliert hatte. Julian war überzeugt, dass mehr als alte Freundschaft dahintersteckte, und traktierte Vater Christopher mit einem forschenden Blick, den der Priester mit einem milden Hirtenlächeln erwiderte, so als könne er kein Wässerchen trüben.

Verfluchter Pfaffe, dachte Julian mit unfreiwilliger Bewunderung. Gib mir einen Hinweis. Ich muss wissen, was hier vorgeht ...

Der Diener brachte Räucheraal und eingelegte Kalbsnieren und einen Krug Wein. Die Männer im Raum nahmen Platz, Edmund schenkte den Wein ein und verzog sich auf den Fenstersitz, vermutlich in der Hoffnung, dass alle ihn vergaßen, ehe irgendwer auf die Idee kam, ihn hinauszuschicken. Der Junge hatte eine spontane Antipathie gegen Buckingham gefasst – und Julian beglückwünschte ihn zu seinem Instinkt –, aber das änderte nichts an Edmunds Wissbegierde.

»Und was ist es nun, das Euch zu mir führt, Waringham?«, fragte Buckingham schließlich.

»Neugier«, erwiderte Julian und spießte ein Stück Aal auf seinen Dolch. Er biss ab, kaute genüsslich und schluckte mit geschlossenen Augen. »Vorzüglich«, lobte er dann. »Ein schönes fettes Stück Aal ist eine wahre Gaumenfreude.«

»Neugier?«, hakte Buckingham nach. »Was mag es sein, das Eure Neugierde geweckt hat, Mylord?«

Julian wandte sich ihm zu und schlug die Beine übereinander. »Nun, Ihr vor allem. Ihr habt alles getan, was in Eurer Macht stand, um König Richard auf seinen Thron zu setzen, und nun verkriecht Ihr Euch hier, während er seinen Siegeszug durch England absolviert. Dabei solltet Ihr an seiner Seite sein, oder?«

»Vielleicht«, gab der junge Herzog zurück. »Aber möglicherweise gibt es Gründe, die mich hier festhalten.«

»Zum Beispiel?«

»Warum sollte ich das ausgerechnet dem berüchtigtsten aller Lancastrianer anvertrauen?« Mit einem Mal war Buckingham feindselig.

Das erleichterte Julian. Er ist kein solcher Schwachkopf, wie ich befürchtet hatte, schloss er. »Weil ich Euch möglicherweise helfen kann.«

»Wie kommt ihr darauf, dass ich Hilfe brauche?« Der junge Mann schien ehrlich verblüfft.

Irgendwer trat Julian unter dem Tisch verstohlen gegen den Knöchel. Behutsam. Eine Warnung. Es konnte nur Morton sein, Vater Christopher saß zu weit weg. Julian gestattete sich nicht, den Bischof anzusehen, sondern fuhr an Buckingham gewandt fort: »Na schön. Erlaubt mir, offen zu sprechen, Mylord: Ich hörte, Ihr seiet verbittert darüber, dass Euer König Richard die

Ländereien des Verräters Hastings nicht Euch, sondern dessen Witwe übereignet hat.«

Buckinghams Wangen brannten. Aber er nickte trotzig. »Er hatte sie mir versprochen.«

»Oh ja, das glaub ich gern. Richard ist wahrhaftig der König der gebrochenen Versprechen. Und nun herrscht Unrast im Süden, weil die Menschen fragen, wohin die beiden Prinzen verschwunden sind, nicht wahr?«

Aus dem Augenwinkel sah er, wie der Bischof und Megans Beichtvater einen Blick tauschten.

»Woher wisst Ihr das?«, fragte Buckingham argwöhnisch.

»Das spielt keine Rolle«, antwortete Julian. »Viel wichtiger ist, dass ich weiß, was aus ihnen geworden ist, Mylord. Ihr könnt Eure Suche einstellen. Die Prinzen sind tot.« Er sah dem jüngeren Mann unverwandt in die Augen. »Euer König hat des Nachts ein paar Mordbuben in den Tower geschickt.« Und er erzählte es ihm schonungslos, ließ nicht eins der barbarischen Details aus, die Lucas berichtet hatte.

Morton und Vater Christopher bekreuzigten sich. Als Julian geendet hatte, murmelte der Bischof erschüttert: »Ich habe es geahnt. Ich habe gewusst, dass er das tun würde. Sogar Hastings hat es schließlich geglaubt. Darum wollten wir ihn aufhalten und ihm das Protektorat nehmen. Aber Ihr wolltet uns ja nicht anhören«, schloss er an Buckingham gewandt und schüttelte bekümmert den Kopf.

Dem jungen Herzog war das Blut in die Wangen gestiegen. Jetzt hob er einen Zeigefinger und schüttelte ihn energisch. »Ihr könnt mir nicht die Schuld am Schicksal der Jungen zuschieben, Morton! Wer weiß, ob es überhaupt stimmt!« Er ruckte das Kinn beinah mit so etwas wie Verächtlichkeit in Julians Richtung. »Vermutlich tischt er uns diese wilde Geschichte auf, weil er hofft, dass der Widerstand in England sich seinem Schützling in der Bretagne anschließt, Richmond, diesem walisischen *Parvenü*!«

Er sagte es mit weitaus mehr Gift, als Julian erwartet hatte.

Edmund hielt es nicht länger auf dem Fenstersitz. »Wie

könnt Ihr es wagen, den Earl of Richmond einen Parvenü zu nennen, Mylord?«, fragte er, halb erbost, halb verständnislos.

»Halt die Klappe, Bübchen«, grollte Buckingham.

Aber Edmund dachte nicht daran, und Julian ließ ihn gewähren.

»Er ist Euer Cousin«, hielt der Junge dem Gastgeber vor.

Buckingham knurrte angewidert.

»Seine Großmutter war eine französische Prinzessin!«, eiferte der Junge sich weiter.

»Und sein Großvater ein walisischer Niemand«, gab Buckingham zurück.

»Ein Sohn König Edwards III. war der Großvater seines Großvaters!«

»Und ein Sohn König Edwards III. war ebenso der Großvater meiner Großmutter!«, brauste der junge Herzog auf.

»Aber ein jüngerer«, wandte Edmund triumphierend ein.

Buckinghams Röte verfärbte sich ins Violette. »Aber in *meinem* Stammbaum kann man die Linie zu König Edward ohne einen peinlichen Bastard darin zurückverfolgen!«

Bischof Morton regte sich unbehaglich und wollte etwas sagen, aber Julian fing seinen Blick auf und schüttelte den Kopf.

»Der Duke of Lancaster heiratete die Mutter seiner Bastarde, und die Kinder wurden legitimiert, Mylord«, entgegnete Edmund.

»Und dennoch wurden sie als Bastarde geboren, nicht wahr?«, konterte Buckingham. »Aber *mein* Blut ist rein. Wenn Richard tatsächlich seine Neffen ermordet und seine Krone verwirkt hat, dann … dann sollte *ich* sie bekommen!«

Edmund starrte ihn ungläubig an und sagte nichts mehr. Auch Julian und die beiden Geistlichen schwiegen, sodass Buckinghams Forderung in dem stillen Gemach nachhallte und mit jedem Atemzug, der verstrich, schwerer zu wiegen schien.

Der Herzog selbst war derjenige, der die bleierne Stille schließlich brach. Er ließ sich in seinen Sessel fallen und fuhr sich mit beiden Händen durchs Haar. »Das wollte ich nicht sagen«, brummte er. »Euer verdammter Bengel hat mich provoziert, Waringham.«

Julian nickte und schmuggelte ein Augenzwinkern in Edmunds Richtung. Nichts von alldem war abgesprochen gewesen, aber er war überaus zufrieden mit seinem Sohn.

»Provoziert oder nicht, es war ausgesprochen erhellend«, bemerkte Bischof Morton kühl. »Jetzt endlich wird mir klar, was in Eurem Kopf vorgeht, Mylord of Buckingham.«

Der machte ein Gesicht wie ein ertappter Eierdieb. »Ihr könnt nicht von der Hand weisen, dass ich, wenn kein York mehr übrig wäre, einen Anspruch auf die Krone hätte.«

Morton schüttelte ungeduldig den Kopf. »Aber jeder Nachkomme des Duke of Lancaster hat einen besseren Anspruch auf die Krone als Ihr, weil der Duke of Lancaster der ältere Bruder Eures Urahns, des Duke of Gloucester, war. Waringham hier, zum Beispiel …«

Julian hob abwehrend die Hand. »Exzellenz, das führt zu nichts«, unterbrach er den Bischof. »Hört nicht auf ihn, Buckingham«, fuhr er mit einem – wie er hoffte – milden Lächeln und seiner besten Samtstimme fort. »Meine Mutter war der Bastard eines Bastards. Wenn nur noch Ihr und ich übrig wären, wäre Euer Anspruch auf die Krone eindeutig der bessere. Aber das ist ja nicht der Fall, nicht wahr? Henry Tudor, der Earl of Richmond, ist der einzige legitime Erbe der Krone. Jeder York, der etwas anderes behauptet, ist ein Lügner und ein Dieb, und jeder Buckingham, der etwas anderes behauptet, ist ein Träumer. Selbst wenn Ihr von der Rechtmäßigkeit Eures Anspruchs überzeugt wäret – woran ich zweifle –, so wisst Ihr doch, dass Ihr ihn niemals durchsetzen könntet, nicht wahr?«

Buckingham hatte das Kinn trotzig auf die Brust gepresst, während er lauschte. »Das bliebe abzuwarten«, entgegnete er. Es klang angriffslustig, aber gleichzeitig vage.

Unauffällig spielte Julian Morton den Ball zu, und der Bischof beugte sich ein wenig vor und faltete die Hände auf dem Tisch. »Ihr solltet auch an Eure unsterbliche Seele denken, mein Sohn«, sagte er behutsam. »Denn sie ist kostbarer als jede Krone. Ihr habt – natürlich unbeabsichtigt – einem Mörder und Ränkeschmied auf den Thron geholfen. Genau wie ich tragt Ihr eine Mitschuld am Tod der Prinzen, weil Ihr versäumt habt, ihn zu verhindern.«

Buckingham riss entsetzt die Augen auf. »Aber Exzellenz, ich hätte doch *niemals* ...«

»Ich weiß«, versicherte Morton tröstend. »Ich weiß das genau, Buckingham. Aber wer Euch nicht so gut kennt wie ich, wer nur Eure Taten beurteilt, weil er nicht in Euer Herz blicken kann, wird Euch Richards Handlanger und Komplizen nennen.«

Buckinghams eben noch hochrotes Gesicht wurde fahl.

Julian war geneigt, vor Morton den Hut zu ziehen. Dieser gerissene Pfaffe spielte mit dem einfältigen jungen Herzog wie ein walisischer Barde auf seiner Harfe.

»Es wird Zeit, dass Ihr Euch distanziert«, fuhr der Bischof fort. »Und zwar deutlich, sodass die Welt es hört und sieht. König Richard bereist den Norden, während es im Süden brodelt. Ein Wort von Euch würde genügen, und Ihr hättet eine anti-yorkistische Armee hinter Euch. Auch die Waliser würden Euch zuströmen, wenn ...«

»Die Waliser hassen mich«, quengelte Buckingham.

Wenigstens das hat er gemerkt, fuhr es Julian durch den Kopf, und er warf ein: »Aber sie lieben den Earl of Richmond und setzen ihre Hoffnungen auf ihn. Wenn Ihr für ihn kämpfen würdet, würden sie Euch folgen.«

»Warum sollte ich das tun?«, fragte Buckingham ungeduldig. »Ich kenne ihn nicht einmal, und sein Anspruch auf die Krone erscheint mir zweifelhaft, egal, was Ihr sagt.«

»Mag sein«, entgegnete Bischof Morton. »Aber nur mit ihm habt Ihr eine Chance. Ohne ihn werdet Ihr untergehen, mein Sohn. Und wenn Ihr Euch auf Richmonds Seite stellt und es gelingt, Richard zu entmachten, dann werdet Ihr keinen Grund haben, Euch zu beklagen.« Er nickte in Vater Christophers Richtung. »Die Mutter des Earl of Richmond – Eure Tante

Megan Beaufort, die eine Cousine ersten Grades Eurer lieben Mutter ist …«

»Oh, erspart mir das«, stöhnte Buckingham.

»Sie hat Vater Christopher zu uns geschickt, um Euch Folgendes zuzusichern: Wenn Ihr Euch entscheidet, Euch der Sache des Earl of Richmond anzuschließen, sollen alle Ländereien und Titel, die Richard Euch versprochen und dann vorenthalten hat, Euer sein. Lord William Hastings' gesamtes Vermögen, Buckingham.« Er lehnte sich noch ein bisschen weiter vor. »Überlegt es Euch, mein Sohn. Es wäre beinah ein Königreich im Königreich. Mehr als Ihr jetzt habt und je zu gewinnen hoffen könnt, wenn Ihr es allein mit Richard aufnehmt.«

Buckinghams Gesicht nahm erst einen nachdenklichen, dann einen verträumten Ausdruck an. Julian konnte nicht fassen, dass ein Mann, der schon so märchenhaft reich war, immer noch so gierig sein konnte, aber er erkannte, dass das ihrem Anliegen nur förderlich war.

»Woher soll ich wissen, dass Richmond, falls er König würde, hält, was seine Mutter mir verspricht?«, fragte der junge Herzog skeptisch.

»Ich verbürge mich dafür«, sagten Morton und Julian wie aus einem Munde, sahen sich verblüfft an und tauschten ein Grinsen.

»Ein Lancaster vergisst niemals, wer seine Freunde sind und wer ihm einmal einen Dienst erwiesen hat«, fügte Julian dann hinzu.

»Schöne Worte«, entgegnete Buckingham. »Aber schöne Worte sind billig, Mylord.«

»Wenn wir König Richard besiegen, ist es aus mit den Yorkisten«, sagte Julian nüchtern. »Und darum wird der neue König *sehr* viel Land zu verteilen haben.«

»Nun ja, das ist wahr …«, musste der junge Herzog einräumen.

Julian verspeiste noch ein Stück Aal.

Buckingham saß in seinem Sessel, die Beine steif vor sich ausgestreckt, die Hände um die Lehnen gekrampft. Er wirkte

nicht besonders glücklich. Lange grübelte er – vermutlich weil
er nur langsam denken konnte –, aber zu guter Letzt rang er
sich seufzend zu einem Entschluss durch. »Also meinetwegen.
Sagt meinem Cousin Richmond, er kann auf mich rechnen.
Sagt ihm, ich werde zu seinen Gunsten auf meinen eigenen
Thronanspruch verzichten.«

Er hob den Kopf und sah in die Runde, als erwarte er, dass
sie ihm dafür die Schulter klopften, wenngleich sein Thronanspruch kein Bein, nicht mal ein Füßchen hatte, auf dem er
stehen konnte.

Morton erbarmte sich. »Die Geste beweist Eure Klugheit
ebenso wie Eure Größe, Mylord.«

Buckingham nickte zufrieden und schaute Julian an. »Sagt
ihm, ich bin gewillt, ihn als rechtmäßigen König von England
anzuerkennen und … und gelobe ihm Vasallentreue.«

Vannes, Oktober 1483

»Ich wünschte, du gingest nicht, Richmond«, sagte Jasper, die Stirn in tiefe Furchen gezogen. »Es ist zu gefährlich.«

Sein Neffe lachte. »Und das sagst ausgerechnet du? Wer war
es doch gleich wieder, der ein Jahrzehnt lang mit einer Hand
voll Banditen in Wales über mein Leben gewacht und derweil
dem bedauernswerten Black Will Herbert das Leben bitter
gemacht hat?«

»Das war etwas anderes«, gab Jasper zurück. »Denn es hatte
einen *Sinn*.«

Richmonds Heiterkeit verging auf einen Schlag. »Und Buckinghams Rebellion hat keinen? Wann soll ich mir meine Krone
holen, wenn nicht jetzt?«

»Wenn der richtige Zeitpunkt gekommen ist. Und nicht
wenn deine jugendliche Ungeduld dich drängt und verantwortungslos macht.«

»Jasper ...«, mahnte Blanche. Onkel und Neffe standen sich in der stillen Halle gegenüber. Blanche nahm sie beide beim Handgelenk und packte fest zu, damit sie es merkten. »Das führt zu nichts«, hielt sie ihnen vor. »Also nehmt euch zusammen.«

Richmonds Miene war so finster geworden, wie wohl nur ein Tudor es zustande brachte. Er trat einen Schritt zurück und verschränkte die Arme vor der Brust. »Dergleichen habe ich verdammt lange nicht von dir gehört, Onkel«, bemerkte er steif.

Jasper zuckte die massigen Schultern. »Es war verdammt lange nicht nötig.«

»Mein Entschluss steht fest.«

Jasper betrachtete ihn einen Moment. Auch er war wütend, aber Blanche kannte ihn gut genug, um das verräterische Funkeln in den schwarzen Augen zu sehen. Der Eigensinn seines Neffen gefiel ihm. Trotzdem versuchte er noch einmal, ihn von seinem leichtsinnigen Vorhaben abzubringen. »Sieh aus dem Fenster. Abscheuliches Wetter. Es ist fraglich, ob du überhaupt über den Kanal kämst, ohne zu ertrinken.«

Richmond würdigte das Fenster keines Blickes, aber das war auch nicht nötig. Man hörte den prasselnden Regen und das Heulen der stürmischen Böen. »Wir sind schon in schlimmerem Wetter gesegelt.«

»Mag sein. Aber selbst wenn du ankommst, rennst du ins Verderben.«

»Buckingham ...«

»Buckingham ist ein Narr, genau wie Julian gesagt hat«, unterbrach Jasper. »Es war vereinbart, dass er in Brecon auf uns wartet, richtig? Und was tut dieser Schwachkopf? Er zieht alleine los, mit dem Ergebnis, dass kein Waliser ihm folgt. Jetzt hat er Richard unsere Pläne offenbart, ehe wir bereit waren, und Richard eilt zurück nach Süden. Ich sage dir, Buckingham ist erledigt.«

»Nicht, wenn wir uns sputen«, widersprach Richmond. »Die Waliser werden sich erheben, wenn ich sie anführe, das weißt du.«

»Nicht alle, aber viele«, musste Jasper einräumen.

»Rhys hat versprochen, dass er in Powys eine Armee für mich aufstellt.«

»Oh Gott, mein Bruder Rhys ...« Jaspers Tonfall war eine Mischung aus Ungeduld und Nachsicht. »Er hat immer gern große Reden geschwungen, aber ich an deiner Stelle würde nicht zu fest mit dieser Armee rechnen. Du hast gesagt, du wartest, bis Julian uns Nachricht schickt, dass der richtige Zeitpunkt für dich gekommen sei. Aber wir haben kein Wort von Julian gehört.«

»Weil er mit den kentischen Rebellen auf London marschiert. Er *tut* wenigstens etwas. Halb England erhebt sich in meinem Namen, und ich sitze hier rum.« Er trat an den Kamin und starrte in die rastlosen Flammen. »*Das* nenne ich verantwortungslos.«

»Du solltest dich von Buckinghams überstürztem Handeln nicht unter Zugzwang setzen lassen«, riet auch Blanche. »Du hast vor allem eine Verantwortung gegenüber deinem Haus, Richmond. Wenn du den Yorkisten in die Hände fällst, ist Lancasters Sache verloren.«

»Ja, und wenn die Engländer, die mich doch überhaupt nicht kennen, mich für einen Feigling halten, auch«, gab er zurück. Es klang bitter.

Blanche suchte nach den richtigen Worten, um ihm aus diesem Konflikt zu helfen und ihn vor dieser Dummheit, jetzt nach England zu segeln, zu bewahren. Sie verstand genau, was ihn quälte, und ihr Herz schlug für ihn. Richmond wollte an der Seite derer sein, die sich in der Hoffnung auf ihn gegen König Richard erhoben hatten. Er wollte seinen Mut und seine Tapferkeit beweisen und endlich seine Krone erringen. Er wollte das Richtige tun und lief doch gerade deswegen Gefahr, einen verhängnisvollen Fehler zu machen.

»Richmond ...«, begann sie, aber er hob abwehrend die Hand. Immer noch mit dem Rücken zu ihnen verharrte er reglos am Feuer, und es war eine Weile still.

Dann wandte er sich an Jasper. »Gibst du mir dein Schiff,

Onkel? Ich würde … ich würde gern mit der *Red Rose* nach England segeln. Als gutes Omen.«

Jasper antwortete: »Ich gebe dir mein Schiff nur, wenn du es als mein König befiehlst.«

Der junge Mann zögerte nicht. »Dann tu ich das. Ich befehle es als dein König.« Es schien ihm nicht schwerzufallen. Er hatte viele Jahre Zeit gehabt, sich mit der Vorstellung vertraut zu machen. »Und wie steht es mit deinem Segen? Gibst du mir den aus freien Stücken?«

Jasper schüttelte den Kopf. Zorn und die schlimmsten Befürchtungen verhärteten seine Züge. »Gute Männer werden sterben, wenn du segelst. Du selbst wahrscheinlich als erster. Meine Gebete werden dich auf jedem Schritt begleiten, aber meinen Segen bekommst du nicht.«

Mit Megans Geld und der Hilfe einiger bretonischer Freunde hatte Richmond eine kleine Flotte aufgeboten, und sie stachen mit der Morgenflut in See. Stolz segelte die *Red Rose* vorneweg, und die walisische Mannschaft unter dem treuen Meilyr ließ sich weder vom peitschenden Regen noch vom tückischen Wind die Laune verderben.

Wie erwartet war die stürmische Überfahrt für Robin ein einziges Jammertal. In weiser Voraussicht hatte er vor ihrem Aufbruch kein Frühstück zu sich genommen; trotzdem waren sie noch keine halbe Stunde auf See, als die Übelkeit ihn übermannte. Beinah ergeben machte er sich auf den Weg zur Reling, aber Meilyr scheuchte ihn von dort weg. Zu gefährlich bei dem Seegang, sagte er.

So zog Robin sich notgedrungen mit einem Eimer und einer löchrigen Wolldecke in einen winzigen Verschlag neben der Kapitänskajüte im Achterkastell zurück, grimmig entschlossen, alles zu erdulden, was die See mit ihm anzustellen gedachte, bis sie ankamen.

Er erwachte aus einem traumlosen Erschöpfungsschlaf, als ihm jemand die Hand auf die Schulter legte. Erschrocken riss Robin die Augen auf, rührte sich jedoch nicht.

»Ich habe noch nie gehört, dass man an Seekrankheit sterben kann, aber du siehst mir so aus, als seiest du nicht mehr weit davon entfernt«, bemerkte Richmond. Er lächelte, aber in seinen Augen stand Besorgnis.

Robin hob die Hand zu einer matten Geste. »Sobald ich wieder festen Boden unter den Füßen hab, ist alles vergessen. Es kommt mir dieses Mal nur so grauenhaft lange vor.«

»Wir sind seit fünf Tagen auf See«, erklärte Richmond.

Robin schloss die Lider. »Fünf Tage …« Kein Wunder, dass er sich mehr tot als lebendig fühlte. Wie lange konnte Seekrankheit andauern? Unendlich? Oder hörte sie irgendwann einfach auf?

»Mir läuft die Zeit davon«, murmelte Richmond an seiner Seite.

Robin sann auf etwas, das er sagen konnte, um seinem Freund Mut zu machen, als die Tür der winzigen Kajüte schwungvoll aufgerissen wurde. »Richmond, wir sind …«, begann Owen, ehe sein Blick auf seinen Cousin fiel. »Junge, du siehst *furchtbar* aus.«

Robin verdrehte die Augen. »Was du nicht sagst. Erzähl es Mortimer, den wird es erfreuen.«

Owen schnaubte belustigt. »Wenn du noch munter genug bist, deinen angehenden Schwager zu hassen, bin ich beruhigt.«

»Was wolltest du sagen?«, fragte Richmond.

»Wir laufen Plymouth an. Meilyr sagt, das Hafenbecken liegt geschützt in einem Sund; es müsste klappen.«

Richmond kam auf die Füße. »Gott sei gepriesen. Robin, wenn du kannst, steh auf und bewaffne dich. Wir sollten mit allem rechnen, wenn wir an Land gehen, schätze ich.«

Robin drehte sich stöhnend auf die Seite, aber sobald er allein war, machte er sich an die schwierige Aufgabe, sich in die Senkrechte zu bringen.

An Land zu gehen war nicht so einfach, wie sie gehofft hatten. Selbst im geschützten Hafenbecken von Plymouth schlug die aufgewühlte See in beängstigenden grauen Brechern gegen die Kaimauer, und Meilyr ließ den Anker sicherheitshalber ein gutes Stück weiter draußen werfen, damit sie nicht zerschellten.

Richmond, Mortimer und Owen standen an der Reling. Nach einer Weile gesellte Robin sich zu ihnen, lehnte sich unauffällig an das Beiboot und spähte durch den unablässigen Regen zum Ufer hinüber. Eine große Schar Männer stand dort versammelt, und als sie über dem Toppsegel Richmonds Wappen mit dem roten Drachen von Wales erkannten, hoben sie die Arme und winkten.

»Eine Abordnung von Buckingham?«, fragte Mortimer unsicher.

»Vermutlich«, antwortete Richmond. »Bischof Morton hat mir geschrieben, ich solle entweder in Poole oder hier landen, also ist es gut möglich, dass Buckingham in beiden Häfen nach uns Ausschau halten lässt.« Er wandte sich an den Kapitän. »Meilyr, wie komme ich hinüber?«

Der vierschrötige Waliser wies mit dem verstümmelten Arm zum Kai hinüber. »Sie schicken ein Boot, diese Wahnsinnigen. Sie müssen Euch *sehr* sehnsüchtig erwarten, Mylord.«

Ein untypisch übermütiges Funkeln stand in Richmonds Augen. »Darauf wette ich. Buckingham hat inzwischen gemerkt, dass er uns braucht, um die Waliser für seine Sache zu begeistern.«

Wegen des stürmischen Windes gestaltete es sich ausgesprochen schwierig, das Boot am Kai zu Wasser zu lassen. Sechs gestandene Kerle versuchten, es die Treppe hinunterzutragen, doch das stabile Ruderboot wirkte wie ein Segel und wurde ihnen immer wieder aus den Händen gerissen.

Robin war so sterbenselend wie nie zuvor in seinem Leben. Jedenfalls kam es ihm so vor. Buckinghams Männer bei ihrem lebensgefährlichen Kampf mit dem Bötchen zu beobachten, schien das grässliche Schwindelgefühl noch zu steigern, also ließ er den Blick über die schäumenden Wellen gleiten. Noch schlimmer, erkannte er schnell. Er wollte den Kopf hastig abwenden, als er etwas im Wasser entdeckte. Er richtete sich auf, krallte die Hände um die Reling und stierte auf den Punkt. »Großer Gott ... Da ist ein Mann im Wasser.«

»Wo?«, fragte Owen erschrocken.

»Du siehst Gespenster«, mutmaßte Mortimer verächtlich.

Robin zeigte mit dem Finger auf den Punkt, der etwa auf der Hälfte zwischen dem Kai und der *Red Rose* lag.

Auch Richmond spähte jetzt angestrengt aufs Wasser. »Du hast Recht«, sagte er dann. »Jesus Christus, steh dem armen Tropf bei. Meilyr?«

»Ich seh ihn, Mylord«, antwortete der Kapitän. »Aber es gibt nichts, was wir für ihn tun können, außer beten. Jeder, der versucht, ihm zu Hilfe zu eilen, wird so sicher ertrinken wie er.«

Richmond warf ihm einen ungläubigen Blick zu. »Holt ein langes Tau und seilt mich an«, befahl er, setzte sich auf die Planken und begann, an seinen Stiefeln zu zerren. Sie saßen eng und rührten sich nicht. »Hilft mir vielleicht mal jemand?«, ächzte er.

Owen und Mortimer verschränkten demonstrativ die Arme und schüttelten die Köpfe. »Du bist ja nicht bei Trost, Mylord«, bekundete Ersterer.

Robin sah immer noch aufs Wasser hinaus. »Er ertrinkt nicht«, sagte er plötzlich. »Er schwimmt. Und zwar hierher.«

Die anderen schauten ebenfalls wieder hinab, und nach kurzer Zeit sahen sie alle, dass er Recht hatte: Der tollkühne Schwimmer kämpfte sich ganz allmählich auf die *Red Rose* zu. Als er näher kam, erkannten sie, dass er das schäumende Wasser mit langen, gleichmäßigen Zügen zerteilte; keine panische Hast lag in seinen Bewegungen. Ein paar Mal glaubte Robin trotzdem, er sei untergegangen, bis ihm klar wurde, dass der Mann durch die Wellen tauchte.

»Er schwimmt wie eine Robbe«, murmelte Owen bewundernd.

»Und das ist kein Wunder«, erwiderte Robin. »Denn das Meer ist sein Freund, so wie es mein Feind ist.«

Die anderen sahen ihn verdutzt an.

»Es ist Edmund«, erklärte Robin, und ohne jede Vorwarnung knickten seine Knie ein. Er schüttelte die Hände ab, die ihm aufhelfen wollten, senkte den Kopf über die gefalteten Hände und flehte: Jesus Christus, beschütze meinen Bruder. Lass nicht zu, dass die See ihn bekommt.

Es vergingen qualvolle Minuten, während derer sie atemlos verfolgten, wie Edmund sich ganz allmählich der *Red Rose* näherte, und seine Züge wurden langsamer und matt. Doch ehe seine Kräfte endgültig schwanden, hatte er das Schiff erreicht.

Ein Matrose warf das Fallreep über die Bordwand. Richmond schob ihn beiseite, schwang die Beine über die Reling und kletterte hinunter.

Die anderen beugten sich vor, um sehen zu können, was geschah. Das Fallreep flatterte wie ein Fähnchen im Sturm. Bedächtig, aber ohne zu zaudern, stieg Richmond hinab, und das Flattern hörte auf. Die Wellen klatschten tosend gegen die Bordwand, und Robin kam in den Sinn, wie winzig und schutzlos ein Mann war, sobald er die trügerische Sicherheit eines Schiffes verließ und sich den Elementen aussetzte. Als Richmond eine Hand losließ, um Edmund damit am Kragen zu packen, schloss Robin für einen Herzschlag die Augen und betete inbrünstiger als zuvor.

Er schlug die Lider wieder auf und sah, dass Owen und Mortimer rittlings auf der Reling saßen und sich gefährlich weit nach unten beugten. Edmund klammerte sich mit beiden Händen ans Fallreep, rührte sich aber nicht. Erst als Richmond ihn unsanft zwischen die Schultern boxte, sich an ihm vorbeihangelte und ihn dann nach oben zu ziehen versuchte, begann er zu klettern. Sobald er in Reichweite war, packten Owen und Mortimer ihn an den Armen und hievten ihn an Deck.

Keuchend und hustend lag der junge Seemann auf den Planken, als auch Richmond zurück an Bord kam. Er hockte sich neben ihn, riss sich den Mantel von den Schultern und hüllte Edmund ungeschickt darin ein.

»Lichtet den Anker«, brachte Edmund undeutlich hervor.

»Ihr müsst ... sofort von hier verschwinden, Mylord ...« Ein neuerlicher Hustenanfall überkam ihn, und er konnte nicht weitersprechen.

Richmond richtete ihn ein wenig auf und strich ihm den nassen Schopf aus der Stirn. »Warum? Dort drüben stehen Buckinghams Männer und ...«

Edmund schüttelte wild den Kopf. »Buckingham ist tot. Es ist eine Falle. Das sind ... König Richards Männer.«

Richmonds Ritter und die umstehenden Matrosen zogen erschrocken die Luft ein und fluchten, aber der junge Thronanwärter selbst schien mit einem Mal die Ruhe selbst. Er stand auf und sah zum Kai hinüber, wo sein vorgebliches Begrüßungskommando endlich sein Bötchen klargemacht hatte, das nun auf sie zuhielt und von den Wellen umhergeschleudert wurde wie ein Birkenblatt auf einem reißenden Strom. »Möget ihr elend ersaufen«, murmelte er, ehe er sich an seinen Kapitän wandte. »Anker lichten, Meilyr.«

»Wo soll's denn hingehen, Mylord?«, fragte Meilyr zweifelnd. »Gott allein weiß, wo wir landen, wenn wir jetzt auf die offene See zurückkehren.«

»Das spielt keine Rolle, nur erst einmal weg von hier.«

Meilyr nickte grimmig und gab ein paar Befehle.

Inzwischen hatte Robin seinem Bruder auf die Füße geholfen, und Mortimer brachte dem völlig erschöpften Schwimmer einen Becher Wasser.

Edmund nahm ihn in beide Hände und trank gierig. Er schien das Schlingern des Schiffs überhaupt nicht zu spüren, sondern stand sicher wie ein Baum, erkannte Robin neiderfüllt.

»Was ist passiert?«, fragte er seinen Bruder.

Edmund setzte ab, keuchte und gab Mortimer den Becher zurück. »Krieg ich noch mehr? Ich muss ein Fass Salzwasser geschluckt haben ...«

Richmond trat zu ihnen. »Ich habe noch nie einen Schwimmer wie dich gesehen, Edmund. In Wales würden wir ein Lied darüber dichten.«

Edmund war zu erledigt, um verlegen zu sein. »Danke, My-

lord. Aber zwischendurch hab ich gedacht, ich schaff es nicht.«
Er war immer noch völlig außer Atem.

Richmond legte ihm für einen Moment die Hand auf die
Schulter. »Komm.«

Er führte ihn zu seiner Kajüte im Heck. Owen, Mortimer
und Robin folgten. Letzterer wurde immer noch von Schwindel
geplagt, aber es schien ihm, als lasse die Übelkeit allmählich
nach.

Als Owen die Kajütentür schloss, hörten sie das Unwetter
immer noch, doch es war eine Wohltat, dem eisigen Regen für
den Moment entronnen zu sein.

Richmond schenkte einen Becher Wein ein und drückte
ihn Edmund in die Finger. »Hier. Trink. Und wenn du kannst,
erzähl uns, was passiert ist.«

Edmund trank den Wein so gierig wie zuvor das Wasser, aber
das Keuchen und das Zittern seiner Arme hatten nachgelassen.
Dennoch sank er dankbar auf den Schemel, den Richmond
ihm wies. »Es ist einfach von Anfang an alles schiefgelaufen«,
begann er. »Gegen Vaters Rat marschierten die Rebellen in
Kent zu früh los, ehe sie sich mit denen aus East Anglia und
Surrey vereinigt hatten. Der Duke of Norfolk stellte sich ihnen
bei Gravesend in den Weg, und sie mussten sich schleunigst
zerstreuen. Vater und ich zogen mit den Männer aus Waringham in die Midlands, um Buckingham zu treffen.« Er schüttelte den Kopf. »Ich wusste nicht, dass man so viele Stunden reiten
und so wenig schlafen kann, ohne irgendwann tot vom Pferd
zu fallen, Mylord. Aber sosehr wir uns auch eilten, wir kamen
zu spät. Buckingham war genauso vom Pech verfolgt wie wir.
Der Regen hatte den Severn anschwellen lassen, sodass Buckingham den Fluss nicht wie geplant überqueren konnte, um zu
den Rebellen in Devon zu stoßen. Die Waliser rührten keinen
Finger für ihn, und seine Männer desertierten Nacht für Nacht,
weil sie den Regen satthatten, nicht genug Proviant fanden und
Angst vor König Richard hatten. Der hatte nämlich in Windeseile eine kleine Armee aufgestellt und war nach Coventry gezogen. Buckingham floh schließlich nach Weobley.«

»Er ist *geflohen*?«, wiederholte Robin entsetzt.

Sein Bruder nickte und schlug die Augen nieder, als schäme er sich für Buckinghams Feigheit. »Einer seiner eigenen Diener hat ihn schließlich verraten und an den Sheriff von Shropshire ausgeliefert. Verkauft, nehm ich an. Sie brachten ihn nach Salisbury, wo König Richard inzwischen eingetroffen war. Er hat ihn hinrichten lassen, ohne ihn zuvor anzuhören. Es heißt, König Richard sei zutiefst verbittert über Buckinghams Verrat.«

»Das bricht mir das Herz«, knurrte Mortimer. »Was hat er sich denn gedacht? Dass er seine Neffen aus dem Weg räumen kann und all seine Lords so tun, als wär nichts passiert?«

»Buckingham hat geheult und um Gnade gewinselt, als sie ihn zum Richtblock führten, hat ein Späher Vater erzählt«, fuhr Edmund beklommen fort. »Umsonst, versteht sich. Sie haben ihn hingerichtet, ohne dass Richard sich blicken ließ.«

»Wann?«, fragte Richmond, seine Miene unmöglich zu deuten.

»Vorgestern«, antwortete Edmund.

»Und wo ist Vater?«, wollte Robin wissen.

»Er versteckt sich mit der *Edmund* in einer Bucht unweit von Poole. Wir dachten, ihr kämet dort an Land. Nur für den Fall, dass ihr nach Plymouth segelt, hat er mich hier postiert.«

»Und dir ist nicht Besseres eingefallen, als zur *Red Rose* zu schwimmen, um uns deine Neuigkeiten zu überbringen?«, fragte sein Bruder fassungslos. »Herrgott noch mal, du wärst um ein Haar draufgegangen, Edmund!«

Der runzelte ärgerlich die Stirn. »Allmählich wirst du wieder munter, scheint mir. Was hätte ich denn deiner geschätzten Meinung nach tun sollen? Ich habe in einer trostlosen Hafenschenke auf euch gewartet. Zwei verdammte Tage lang. Aber dann kamen Richards Männer scharenweise, ausstaffiert mit Buckinghams Wappen, und ich wusste, sie würden euch eine Falle stellen. Was wäre passiert ...«

»Du hast vollkommen richtig gehandelt«, unterbrach Richmond leise. »Von mutig ganz zu schweigen. Wärst du nicht gekommen, wären wir in diese Falle getappt, das steht außer Zweifel.«

Er sprach gefasst, aber selbst Edmund, der ihn weit weniger gut kannte als die anderen, sah, wie erschüttert Richmond über seine Nachrichten war, und er hatte ein schlechtes Gewissen. »Vater lässt Euch noch dies ausrichten, Mylord: Das Wetter und Buckinghams Dummheit haben die Rebellion zum Scheitern verurteilt, ehe sie noch richtig begonnen hatte. Und unsere eigene Dummheit ebenso, weil wir Richards militärisches Geschick unterschätzt haben. Aber der Widerstand in England gegen ihn nimmt zu. Vater hat so viele englische Lords und Ritter an Bord der *Edmund* genommen, die sich von Richard abgewandt haben, dass sie fast untergeht. Bischof Morton ist auch darunter. Vater bringt sie in die Bretagne, denn all diese Männer bauen ihre Hoffnungen auf Euch, sagt er. Er rät Euch, umzukehren, um mit Hilfe dieser Männer neue Pläne zu schmieden.«

Richmond hatte ihm konzentriert gelauscht. Nun saß er ihm gegenüber, strich versonnen mit dem linken Zeigefinger über das Silberkreuz auf seiner Brust, und nach wie vor konnte man nur raten, was in seinem Kopf vorging. »Ich muss gestehen, ich habe Mühe, seine Zuversicht zu teilen«, sagte er schließlich.

»Warum?«, fragte Owen. »Lord Waringham hat völlig Recht, Cousin. Was macht es für einen Unterschied, ob es noch ein paar Monate länger dauert? Die Zeit arbeitet für uns.«

»Und was ist mit all den Engländern, die sich mit Buckingham erhoben haben und nicht rechtzeitig aus England fliehen können?«, konterte Richmond. »Vor allem, was ist mit meiner Mutter? Erwartet ihr im Ernst, dass ich in der Bretagne die Hände in den Schoß lege, während sie in den Tower gesperrt wird, um dann genauso zu verschwinden wie die Prinzen?«

Da niemand sonst es sagte, gab Robin sich einen Ruck. »Im Moment kannst du nichts anderes tun. Lady Megan wäre die Erste, die dich daran erinnern würde, dass du das Wohl Englands über das ihre stellen musst, Richmond.«

»Schöne Worte«, höhnte Richmond. »Ich möchte dich sehen, wenn es deine Mutter wäre.« Er ließ die Linke sinken und klemmte beide Hände zwischen die Knie, so hastig, als wolle er vermeiden, dass irgendwer sie zittern sah. »Großer Gott, was hab ich nur angerichtet? Wie konnte es passieren, dass wir so kläglich scheitern?«

»Vielleicht könnten wir die Themse hinaufsegeln«, schlug Mortimer nachdenklich vor. »Bis kurz vor London. Dann reiten wir in die Stadt und holen Lady Megan aus …«

»Du bist ja nicht bei Trost«, unterbrach Robin ungehalten. »Du musst doch wissen, dass sie die ganze Küste und die Themse nach uns absuchen und …«

»Es ist wieder einmal ein Beweis für deinen unerschütterlichen Heldenmut, dass du eine Dame wie Lady Megan dem Zorn eines unberechenbaren Ungeheuers überlassen willst.«

»Und du beweist wieder einmal deine Unfähigkeit, das Wesentliche zu erkennen. Wenn die Yorkisten Richmond schnappen, dann …«

»Schluss!«, donnerte dieser plötzlich.

Alle zuckten zusammen, denn sie waren es nicht gewohnt, dass er die Stimme erhob.

Richmond stand auf und wies einen anklagenden Finger, der nicht ganz ruhig war, erst auf Robin, dann auf Mortimer. »Ich will das nicht mehr hören«, beschied er. »Ihr erzählt mir, was ich zum Wohle Englands zu tun habe, und besitzt nicht einmal genug Disziplin, um im Angesicht unserer Feinde Frieden zu halten. Aber ich sage euch: Wenn ihr das nächste Mal in meiner Gegenwart streitet, verbanne ich euch alle beide von meiner Seite. Ihr solltet mir lieber glauben, denn ich meine, was ich sage.«

Das war nicht zu übersehen. Seine beiden gescholtenen Freunde starrten ihn ebenso fasziniert an wie Owen und Edmund. Keiner von ihnen hatte ihn je so bitter, so verzweifelt und gleichzeitig so königlich gesehen.

Robin fasste sich als Erster. Er stand vom Boden auf, machte einen Schritt auf Richmond zu und sank vor ihm auf ein Knie. »Vergib mir, Mylord.«

Mortimer kniete an seiner Seite nieder. »Auch ich bitte um Vergebung, Mylord.«

»Dann erhebt euch und zeigt mir, dass ihr euch versöhnt habt.«

Mortimer und Robin standen auf, und man sah beide schlucken. Aber sie zögerten nicht, sondern küssten sich zum Zeichen ihrer aufrichtigen Friedensabsicht auf den Mund, wie es üblich war. Es war nur eine äußerst flüchtige Berührung ihrer Lippen, aber dennoch gaben sie mit der Geste ein Versprechen ab, das man kaum brechen konnte, ohne seine Ehre zu verlieren.

Richmond nickte ernst. »Also vergebe ich euch«, erklärte er eigentümlich feierlich. »Und nun seid so gut und lasst mich allein, Gentlemen. Sagt Meilyr, wir kehren in die Bretagne zurück. Ich muss es Gott überlassen, meine Mutter vor Richards Rache zu bewahren.«

Bletsoe, März 1484

Gott hatte Megans Gemahl Lord Stanley mit dieser delikaten Angelegenheit betraut. Stanley hatte wie seit jeher auch während der Rebellion fest an König Richards Seite gestanden, sodass der sich genötigt gesehen hatte, nachzugeben, als Stanley auf Knien um Gnade für seine Gemahlin bat. Megan Beaufort war sämtlicher Titel enthoben worden und hatte all ihre Ländereien ebenso verloren wie ihr märchenhaftes Vermögen, aber nicht an die Krone, sondern an ihren Gemahl. Und vor allem durfte sie weiterleben. Zumindest vorerst.

Stanley war ein wenig gekränkt über ihren Mangel an ehelicher Loyalität und Gehorsam, vor allem darüber, dass sie hinter seinem Rücken die versuchte Machtergreifung ihres Sohnes unterstützt und finanziert hatte. Aber richtig böse sein konnte er ihr nicht. Er schickte sie zurück nach Bletsoe – den Schauplatz ihrer einsamen Kindheit –, wo sie zur Strafe für ihre lancastrianischen Sünden ohne Dienerschaft und mit sehr kargen finanziellen Mitteln auskommen musste.

»Er behandelt mich wie ein ungezogenes Kind, das ohne Essen ins Bett geschickt wird«, sagte Megan mit einem nachsichtigen Lächeln.

Julian schlenderte mit ihr durch den verwilderten Garten. Sie hatte sich bei ihm eingehängt, und er hatte seine Hand auf ihre gelegt, um sie zu wärmen. Megans Schritte waren langsam und offenbar mühselig, aber er gab keinen Kommentar ab.

Es war der erste Tag, da eine Verheißung auf Frühling in der Luft zu liegen schien, und im Schatten der Silberbirke blühten Veilchen im struppigen Gras.

»Wenn es dir hier zu bunt wird, nehme ich dich mit in die Bretagne«, erbot er sich, obwohl er insgeheim zweifelte, dass sie reisen konnte.

Megan schüttelte den Kopf. »Ich würde meinen armen Lord Stanley niemals öffentlich bloßstellen. Er ist so ein guter Mann, weißt du.«

»Ein guter Mann, der Richard, dem Kindermörder, die Wünsche von den Augen abliest.«

»Er tut, was er tun muss, genau wie wir alle«, erwiderte sie streng. »Und darum hast du kein Recht, über ihn zu urteilen.«

Julian neigte das Haupt, um Demut vorzutäuschen und sein Grinsen zu verstecken. Er würde wohl niemals klug werden aus Megans Gefühlen für ihren dritten Gemahl, aber glücklicherweise musste er das ja auch gar nicht.

»Wie lange kannst du bleiben?«, fragte sie.

Er hörte nichts, was Ähnlichkeit mit einem bangen Unterton hatte. Aber er ahnte, dass Megan in Bletsoe einsamer war, als selbst ihr lieb sein konnte. »Zwei, drei Tage vielleicht«, antwortete er, wenngleich es leichtsinnig war.

Megan warf ihm einen vorwurfsvollen Blick zu. »Ich meinte: Bleibst du zum Essen. Du solltest noch heute nach Wales zurückkehren, Julian, du bist hier nicht sicher.«

Er lächelte ihr zu und antwortete nicht.

Der gemächliche Spaziergang hatte sie zur Ruine des Tennishofs geführt, und Julian musste feststellen, dass er der Versuchung nicht widerstehen konnte, einen Blick in die Vergangenheit zu werfen. Also drückte er versuchsweise mit der flachen Hand gegen die Holztür, die sich erstaunlich leicht, wenn auch unter vernehmlichem Quietschen öffnete.

Das einst so penibel gestutzte Gras war so lang wie das im Garten. Das Netz war löchrig und hing in der Mitte schlaff durch. Schwalben hatten in der Galerie ihre Nester gebaut, und die Farbe der Holzwände war abgeblättert. Schweigend schaute Julian sich um.

»Du vermisst Edmund immer noch, nicht wahr?«, hörte er Megan an seiner Seite. »So wie ich. Vor mehr als siebenundzwanzig Jahren ist er von uns gegangen, aber wir vermissen ihn immer noch.«

»Und?«, fragte er und wandte ihr das Gesicht zu. »Macht uns das zu Narren?«

»Dich nicht, aber mich«, antwortete sie. »Gott hat mir einen wunderbaren Sohn geschenkt, um mich über den Verlust hinwegzutrösten, und ich habe zugelassen, dass er fast immer fern von mir war. In jeder Weise.«

»Warum?«, fragte Julian.

Sie hob langsam die Schultern. »Aus Rebellion gegen Gott, nehme ich an. Er sollte sehen, dass ich mich mit einem Ersatz nicht zufriedengebe.«

Julian war schockiert. »Du hast dich niemals gegen Gott aufgelehnt, Megan.«

»Nicht auf den ersten Blick. Aber wenn ich heute zurückschaue, kommt es mir mehr und mehr so vor, als sei das der Grund für alle Entscheidungen gewesen, die ich nach Edmunds Tod getroffen habe. Leider war ich ein dummes Gänschen und nicht in der Lage, mich selbst zu durchschauen. Glücklicherweise ist Gott indes langmütig und voller Gnade, darum hat er mir meinen Sohn gelassen, sodass es noch nicht zu spät ist, meinen Fehler wiedergutzumachen.« Sie zeigte ihr schönes Lächeln und strich Julian sacht über den Arm. »Erzähl mir von ihm. Was geschieht in der fernen Bretagne?«

Julian führte sie aus dem Tennishof, dessen Totenstille ihn bedrückte, und sie machten sich langsam auf den Rückweg zum Haus. »Gutes und weniger Gutes«, antwortete er. »Unser Leben dort hat sich seit der Rebellion so komplett verändert, dass ich es manchmal immer noch nicht fassen kann. Mehr als vierhundert englische Lords und Ritter haben sich Richmond inzwischen angeschlossen, und Herzog François hat uns zähneknirschend eine seiner Burgen zur Verfügung gestellt. Manche der Lords haben ein bisschen Geld mitgebracht oder haben vermögende Freunde in Frankreich, die uns unterstützen. Wir können immer noch keine großen Sprünge machen, aber wir leben nicht mehr wie Bettler.«

»Das ist gut«, sagte sie erleichtert.

Julian nickte. »Vor allem für deinen Sohn. Man kann zusehen, wie er von Tag zu Tag mehr in die Rolle hineinwächst, die ihm zugedacht ist. Die Männer verehren ihn, Engländer und Waliser gleichermaßen. Und er bringt es fertig, die einstigen Yorkisten unter ihnen selbst mit den verbittertsten Lancastrianern auszusöhnen. Er … er wird einmal ein guter König, Megan. Er kann England den Frieden zurückbringen.«

»Gebe Gott, dass er Gelegenheit dazu bekommt«, erwiderte seine Cousine. »Es stimmt doch, dass Richard dem armen Herzog der Bretagne droht, damit der meinen Sohn an ihn ausliefert, nicht wahr?«

»Du weißt davon?«

Sie nickte. »Vater Christopher und Bischof Morton stehen in ständigem Kontakt.«

»Tatsächlich? Wir haben Morton seit Monaten nicht gesehen«, sagte er. »Ich fing schon an zu glauben, er sei zu Richard zurückgekrochen.«

»Im Gegenteil. Er ist in Flandern und wirbt dort um Unterstützung für unsere Sache.«

Julian nickte und kam auf ihre Frage zurück. »Herzog François ist ein alter, kranker Mann. Seit der König von Frankreich gestorben ist, ist seine Lage noch schwieriger geworden. Anna, die Regentin des kleinen *Dauphin*, will die Bretagne annektieren. Richard droht dem Herzog, sie mit Geld und Truppen zu unterstützen, wenn er Richmond nicht ausliefert. Und er versüßt seine Drohungen mit unwiderstehlichen Angeboten: Alle Einkünfte aus Richmonds Ländereien und Titeln in England und Wales, zum Beispiel. Ewige Freundschaft des Hauses York und Schutz vor französischen Begehrlichkeiten. Ich fürchte, unsere Tage in der Bretagne sind gezählt.«

Megans Miene war besorgt, aber nicht überrascht. »Was mein Sohn auf keinen Fall riskieren sollte, ist, ein zweites Mal verfrüht nach England zu segeln und wieder zu scheitern.«

»Ich gebe dir Recht, und er sagt das Gleiche. Die Frage ist nur, wo sollen wir hin?«

Megan führte ihn ins Haus und blieb die Antwort schuldig. Julian sah sich beklommen in der feuchten, unwirtlichen Halle um, die so viele Jahre verwaist gewesen war.

»Stanley ist ein Halunke, dass er dich so leben lässt.«

Sie schüttelte den Kopf. »Er kann überhaupt nichts dafür, Julian. Es sind die Befehle seines Königs. Stanley hat seinen Kopf riskiert, um meinen zu retten. Mehr schuldet kein Mann seiner Frau. Im Übrigen halte ich mich nie hier in der Halle auf, denn ich bin zu arm, um sie zu heizen. Komm mit in die Küche. Dort ist es viel behaglicher.«

Das stimmte, denn im Herd brannte ein lebhaftes Feuer, und der schlichte Tisch war gescheuert. Nirgends war auch nur ein Staubkörnchen zu entdecken. Trotzdem war unschwer zu erkennen, dass in diesem Haus ein Mann fehlte, also machte Julian sich umgehend ans Werk. Er trug Holz und Wasser herein, reparierte einen Fensterladen und grub die Beete im Küchengarten um, wo Megan Pastinaken und Kohl ziehen wollte.

Als er wieder hereinkam und sich in dem Eimer neben der Küchentür die Hände wusch, stellte er fest, dass sie ein schlichtes Mahl aus Brot und eingelegten Heringen auf den Tisch gebracht hatte. Julian unterdrückte mit Mühe eine Grimasse. Fastenzeit hin oder her – er hatte schwer gearbeitet und war ausgehungert.

»Ich hätte ja für dich gekocht«, sagte Megan mit einem verschämten Lächeln. »Aber ich bin eine so miserable Köchin, dass ich dir das nicht zumuten wollte.«

»Du brauchst dringend jemanden, der sich um dich kümmert«, befand Julian. »Ich reite zu den Benediktinerinnen hinüber und bitte die Mutter Oberin, dir eine der Schwestern zu schicken. Du hast immer so viel für das Kloster getan, sie wird es dir gewiss nicht abschlagen.«

Doch Megan schüttelte entschieden den Kopf. »Richard würde es erfahren, Julian. Und dann passiert irgendetwas Furchtbares. Eine Schar Banditen wird das Kloster überfallen und den Schwestern Gott weiß was antun. Oder er würde die Mutter Oberin der Hexerei anklagen. Man kann nie wissen, was der König tut. Es haben genug unschuldige Menschen gelitten. Ich komme schon zurecht.«

Vielleicht kämest du zurecht, wenn du kein Rheuma hättest, wollte er entgegnen, aber sie beide hörten den Hufschlag im Hof. Julian erhob sich, glitt neben das Fenster und spähte vorsichtig hinaus. Dann atmete er tief durch. »Christopher Urswick«, berichtete er.

»Nanu?«, erwiderte Megan verwundert. »Ihn habe ich nicht vor Ostern erwartet.«

Der junge Geistliche beäugte das fremde Pferd im Hof mit dem gleichen Argwohn, mit dem Julian ans Fenster geschlichen war, und kam dann eilig zur Küchentür. Fast stürmisch stieß er sie auf und trat über die Schwelle. »Mylady? Alles in Ordnung? Seid Ihr … Ah, Waringham.« Er lächelte erleichtert.

Julian nickte ihm zu. »Vater Christopher.«

Megan reichte ihrem Beichtvater beide Hände. »Ich hoffe, Ihr seid nicht ohne die Erlaubnis meines Gemahls gekommen, mein lieber Freund?«, erkundigte sie sich ein wenig besorgt.

»Im Gegenteil. Er schickt mich.« Er geriet ins Stocken – was ihm nicht ähnlich sah –, so als wisse er mit einem Mal nicht mehr, was ihn eigentlich herführte.

Julian stellte einen Becher verdünntes Ale vor ihm auf den Tisch. »Nehmt Platz, Vater.«

»Betätigt Ihr Euch hier neuerdings als Mundschenk?«, scherzte der ein wenig lahm.

»Da Ihr es nicht tut …«, entgegnete Julian achselzuckend.

Vater Christopher sah ihn betreten an, aber Megan hob die Hand zu einer ihrer königlichen Gesten. »Genug davon. Esst mit uns, Vater. Und sagt uns, was Euch herführt.«

Behindert durch sein langes Priestergewand, kletterte Christopher ungeschickt über die Bank und ließ sich nieder. Dann legte er die Hand um den Becher, trank aber nicht. »Der Prince of Wales ist gestorben, Madam«, sagte er unvermittelt.

»Was denn, schon wieder?«, entfuhr es Julian.

Megan hatte die kleine Hand vor den Mund geschlagen, ließ sie jetzt aber wieder sinken und wies ihn scharf zurecht: »Unter meinem Dach wird nicht über den Tod eines Kindes gespottet, Cousin!«

Er biss sich auf die Zunge, ehe er darauf hinweisen konnte, dass es nicht mehr ihr, sondern Stanleys Dach war, und quittierte ihren Tadel mit einem knappen Nicken. Sie hatte ja Recht. Und er schämte sich für seine Bemerkung, aber nur ein bisschen. Richard of Gloucesters Welpe war noch ein zartes Knäblein gewesen, aber eben Richard of Gloucesters Welpe. Julian konnte den unchristlichen Verdacht, dass der frühe Tod des Jungen kein Verlust für die Welt war, nicht abschütteln. »Was ist passiert?«, fragte er den Priester.

»Es war ein Fieber«, berichtete der. »Vor etwa einer Woche fing es an, und was immer die Ärzte taten, es wurde nur schlimmer statt besser. Letzte Nacht ist er gestorben. Und Lord Stanley sagt, der König und die Königin sind wie von Sinnen vor Schmerz, alle beide.«

Es war einen Moment still. Arme Anne, dachte Julian, obwohl er nicht wollte. Er konnte ihr den Weg nicht verzeihen, den sie eingeschlagen hatte, aber er musste zugeben, dass sie teurer dafür bezahlte, als sie vermutlich verdient hatte. »Auf die Gefahr hin, dass du mich vor die Tür setzt, Megan: Gott hätte sich kaum unmissverständlicher offenbaren können, oder?«

»Du glaubst, Gott züchtigt Richard für die Ermordung seiner Neffen?«, fragte sie beklommen.

Julian hob beide Hände, als wolle er sagen: Was denn sonst?

Megan bekreuzigte sich und senkte den Kopf zu einem stillen Gebet. Wie üblich betete sie lange. Vater Christopher leistete ihr Gesellschaft. Und selbst Julian ertappte sich bei dem Gedanken, dass er hoffte, der kleine Prince of Wales dürfe im Paradies mit seinen beiden Cousins Fußball spielen.

Er erfüllte Megans Wunsch und begleitete sie in die verfallene Kapelle, wo Vater Christopher eine Messe für den toten Prinzen las. Doch wenig später brach Julian auf, denn er wusste, er durfte keine Zeit verlieren. Richmond musste sofort erfahren, was passiert war. König Richard hatte keinen Erben mehr; seine Position war geschwächt. Seine Lords würden bald anfangen, zu munkeln und zu zweifeln. Und darum würde Richard jetzt nichts mehr unversucht lassen, um den gefährlichen Konkurrenten in der Bretagne endlich zu beseitigen.

Vannes, August 1484

»*E.o.Y. an H.T.E.o.R., Grüße*«, las Richmond vor und schüttelte mit einem kleinen Schmunzeln den Kopf.

»Was soll das um Himmels willen heißen?«, fragte Mortimer.

»Elizabeth of York an Henry Tudor, Earl of Richmond«, antwortete Robin prompt. Eine Bemerkung über Mortimers Begriffsstutzigkeit schluckte er hinunter, obwohl sie ihm so schlüpfrig wie eine bretonische Strandschnecke auf der Zunge lag. Er hatte Richmonds furchtbare Drohung weder vergessen, noch gedachte er, sie in den Wind zu schlagen. Außerdem hatte Mortimer kurz nach Ostern Robins kleine Schwester Juliana geheiratet und war somit nun sein Schwager. Darum hielten die einstigen Streithähne heutzutage Frieden, was sie in aller Regel dadurch bewerkstelligten, dass sie einander vollkommen ignorierten.

»*Habt Dank für Euren Brief, mein lieber Freund*«, las Richmond weiter. Ob dieser vertraulichen Anrede überzogen die glatt rasierten Wangen sich mit einer schwachen Röte. »*Er kam gerade recht, um mich aufzuheitern, aber ich will Euch nicht verhehlen, dass ich in großer Sorge bin. Der ehrwürdige Beichtvater Eurer Mutter war so freundlich, meine Mutter, meine Schwestern und mich zu besuchen, und er erzählte, dass Ihr am Weihnachtstag in der Kathedrale zu Rennes einen heiligen Eid geschworen habet, mich zur Frau zu nehmen, wenn Ihr Euer Geburtsrecht erkämpft habt. Ich hoffe, Ihr haltet mich nicht für gar zu kühn, wenn ich gestehe, dass ich diesen Tag herbeisehne, Mylord.*« Richmond brach ab und biss sich auf die Unterlippe.

»Junge, Junge«, brummte Owen. »Deine Elizabeth hat es so richtig erwischt, he?«

Richmond schnitt eine kleine Grimasse des Unwillens und sagte zu Julian: »Ich kann nur hoffen, du hast ihr keine schönen Lügen über mich aufgetischt, sodass sie enttäuscht wird, wenn sie mich kennen lernt. *In natura*, sozusagen.«

Julian zog eine Braue in die Höhe. »Denkst du wirklich, es sei möglich, bei der Aufzählung deiner Tugenden zu übertreiben?«

Alle lachten, aber dann winkte Richmond ab. »Ich lese euch das nicht vor, damit ihr euch über mich lustig machen könnt, Gentlemen, sondern weil ihre Nachrichten in der Tat beunruhigend sind. Hört zu: *Bedauerlicherweise hat auch mein königlicher Onkel von Eurem Eid gehört, und er ist offenbar nicht erbaut darüber. Nachdem er uns länger als ein Jahr nicht beachtet hat, drängt er nun plötzlich darauf, dass meine Schwestern und ich das Asyl in Westminster verlassen, um, wie er meiner Mutter ausrichten ließ, ›die Prinzessinnen angemessen zu vermählen‹. Wie Ihr seht, ist auf einmal keine Rede mehr davon, dass wir angeblich alle Bastarde seien. Ich fürchte, Mylord, meine Mutter wird seinem Wunsch früher oder später nachgeben. Seit dem rätselhaften Verschwinden meiner armen Brüder ist sie endgültig gebrochen und besitzt keine große Widerstandskraft mehr. Es ist also damit zu rechnen, dass meine Schwestern und ich in Bälde an den Hof geschickt werden. Ich wage nicht, diesem Pergament anzuvertrauen, was ich bei der Vorstellung empfinde. Aber vermutlich muss ich das auch gar nicht, seid Ihr doch gewiss in der Lage, es Euch vorzustellen, denn in Euren schönen Briefen habe ich Eure Gabe erkannt, Euch in andere hineinzuversetzen.*

Ich schreibe Euch dies, damit Ihr im Bilde seid, was hier vorgeht, nicht etwa, um Euch zu drängen, Euer Vorgehen zu überstürzen. Im Gegenteil bitte ich Euch inständig, zu warten, bis der richtige Zeitpunkt gekommen ist, auf dass ich nicht um Euch trauern muss, ohne Euch je begegnet zu sein. Einstweilen werde ich tun, was ich kann, um meine Schwestern und mich selbst zu beschützen. Darin habe ich ja lebenslange Übung. Lebt wohl, Mylord. Mögen Gott und alle Erzengel und Heiligen Euch beschützen.«

Es war einen Moment still, nachdem er geendet hatte, das regelmäßige Schaben von Julians Schnitzmesser das einzige Geräusch. Schließlich ließ er es einen Moment sinken und murmelte: »Sie ist ein sehr tapferes Mädchen.«

Jasper gab ihm Recht. »Aber das wird sie kaum retten, wenn Ihr Onkel ernsthaft entschlossen ist, sie zu verheiraten.«

»Das dürfte aber gar nicht so einfach sein, oder?«, wandte Richmond ein. »Wenn er mit einem Mal wieder dazu übergeht, Elizabeth und ihre Schwestern als Prinzessinnen zu bezeichnen, dann erklärt er Elizabeth damit zwangsläufig zur Erbin ihres Vaters. Also muss er sich verdammt gut überlegen, mit wem er sie verheiratet.«

»Das ist wahr«, stimmte Julian zu. »Ich frage mich, wieso er das ausgerechnet jetzt tut, da sein Sohn gestorben ist. Seltsam.«

»Wie geht es der Königin eigentlich?«, fragte Robin seinen Vater scheinbar unvermittelt.

Julian unterdrückte ein Seufzen und schüttelte den Kopf. Er war derjenige, der sich wieder einmal nach England gewagt und den Brief der Prinzessin von Vater Christopher entgegengenommen hatte, darum schienen alle zu glauben, er müsse über jeden Hofklatsch im Bilde sein. »Das kann ich nicht sagen«, bekannte er. »Seit dem Tod ihres Sohnes hat sie sich offenbar nur selten in der Öffentlichkeit gezeigt.«

»Vielleicht ist es mehr als nur das«, entgegnete Robin. »Vielleicht ist sie tatsächlich krank, wie letztes Jahr gemunkelt wurde, und vielleicht denkt König Richard einfach vorausschauend und will seine Nichte selbst heiraten, wenn die Königin stirbt.«

Mortimer gab einen unartikulierten Protestlaut von sich, sagte aber nichts.

»Seine eigene Nichte?«, fragte Owen entsetzt. »Wär das nicht Blutschande?«

»Das käme darauf an«, antwortete Jasper. »Ohne päpstliche Erlaubnis, ja. Aber mit einem päpstlichen Dispens …«

»Ach, das ist doch absurd«, warf Mortimer ein. »Die Welt wäre entsetzt. Nicht einmal Richard of Gloucester würde das wagen.«

Julian hatte sein Schnitzwerk wieder aufgenommen. Seit Monaten schnitzte er nichts als Pfeilschäfte. Das war eintönig, aber sinnvoll. Geld war immer noch eines ihrer größten Probleme, und was sie selbst herstellen konnten, brauchten sie nicht zu kaufen. Er fand, ein jeder musste das Seine dazu beitragen, um den rechtmäßigen König bei der Eroberung seines Throns zu unterstützen. »Es würde auf jeden Fall all jene zum Schweigen bringen, die an Richards Herrschaftsanspruch zweifeln.«

»Und wenn er mit Edwards Tochter Prinzen zeugte, würden die unangenehmen Fragen nach Edwards Söhnen vielleicht nach und nach verstummen«, fügte Robin hinzu.

Julian nickte seinem Sohn anerkennend zu und dachte nicht zum ersten Mal, dass sein Ältester seit der gescheiterten Rebellion ein gutes Stück erwachsener geworden war. Ein heller Kopf war Robin immer gewesen, aber ebenso ein leichtsinniger Draufgänger, der lieber bretonische Jungfrauen verführte als sich mit den komplexen Zusammenhängen der Politik zu befassen. Doch genau das hatte er während der letzten Monate zunehmend getan, und Robins Gabe, einen Gegner zu durchschauen und seine Taktik zu entlarven, erinnerte Julian an den berühmten Kardinal, der sein Großvater gewesen war.

Jetzt griff der junge Mann nach einem der fertigen Pfeil-schäfte und fuhr rastlos mit den Fingerkuppen über das fach-männisch gesplissene Ende, wo später die Befiederung ange-bracht würde. »Die Frage ist nur, was wir dagegen machen könnten, wenn er es täte.«

»Noch weilt Anne Neville unter den Lebenden«, erinnerte sein Vater ihn trocken.

»Wer?«

»Die Königin«, verbesserte Julian sich. »Und da sie eine Neville ist, ist sie immer für eine Überraschung gut.«

Richmond stand auf, streckte sich und trat an den Kamin. Es brannte kein Feuer, wenngleich es draußen regnerisch und ungemütlich war. »Ich hoffe, wir kommen rechtzeitig nach England, um Lady Elizabeth vor dem zu bewahren, was immer Richard mit ihr vorhat«, sagte er langsam. »Denn nur wenn sie meine Frau wird, können wir je hoffen, die Kluft zu überbrü-cken, die England seit drei Jahrzehnten in zwei Lager spaltet. Nur wenn das Haus Lancaster und das Haus York verschmelzen, kann es einen dauerhaften Frieden geben.«

Dem nassen August folgte ein herrlicher Altweibersommer im September, und sie hörten nur wenige Nachrichten aus Eng-land. Dabei riss der Strom englischer Ritter und Edelleute, die sich in die Bretagne durchschlugen, um sich Richmond anzu-schließen, niemals ab.

»Sie kommen, weil sie vor Richards Willkür und Grausam-keit fliehen«, sagte Julian zu seiner Frau. »Oder weil Richard ihren Fragen nach dem Verbleib seiner beiden Neffen immer nur ausweicht. Aber unser Richmond braucht nur wenige Tage, um sie von sich zu überzeugen und glühende Lancastrianer aus ihnen zu machen. Das hört nie auf, mich zu verblüffen.« Vermutlich lag es daran, dass Richmond die Entschlossenheit seines Vaters und den Charme seiner Mutter in sich vereinte, glaubte er.

Sie saßen im Burghof auf einer steinernen Bank, die Gesich-ter der Sonne zugewandt. So spät im Sommer noch so schöne

Tage zu haben war ein wahres Gottesgeschenk, und beiden war bewusst, wie dunkel und kalt der nahende Winter sein würde. Vielleicht dunkler und kälter als in all den Jahren des Exils.

Janet nahm Julians Hand und verschränkte die Finger mit seinen. »Was denkst du, wann er den Kanal überqueren wird?«

»Im Frühling, hoffe ich. Viel günstiger, als die Dinge jetzt für ihn stehen, wird es nicht mehr werden.«

»Aber Julian, selbst wenn im Laufe des Winters noch ein paar weitere Unzufriedene den Weg hierher finden, wie kann Richmond je hoffen, mit so wenigen Getreuen Richards Armee zu schlagen?«

»Vergiss die Waliser nicht«, entgegnete er. »Sie werden kommen, und zwar in Scharen. Und wir werden französische Söldner anheuern.«

Sie rümpfte die Nase. »Gesindel. Gewissenlose Halunken, die für jeden kämpfen, der sie bezahlt.«

»Tja.« Er hob unbehaglich die Schultern. »Ich kann nicht behaupten, dass es mir gefällt, aber uns bleibt keine andere Wahl.«

Er ließ den Blick über den etwas verwahrlosten Hof der alten Burg schweifen. Vor dem baufälligen Pferdestall auf der anderen Seite hatten Blanche, ihr Sohn Goronwy und Geoffrey und Roland, die beiden einstigen Stallmeister von Waringham, sich um einen offenbar sehr indignierten Rappen geschart und debattierten hitzig, was die Laune des Pferdes nicht besserte. Juliana und Alice standen mit zwei Mägden zusammen vor dem Backhaus und schnatterten auf Bretonisch, als hätten sie nie etwas anderes gesprochen. Obwohl Richmond mit seinen »drei Jüngern« zur Jagd geritten war, sah Julian vertraute Gesichter und ebenso vertraute Bilder, wohin er auch schaute.

»Du wirst mich albern nennen, aber manchmal wünsche ich mir, wir würden für immer hierbleiben«, gestand Janet ihm. »Das Leben ist so einfach und friedvoll hier. Oder das könnte es sein, wenn Richmond und sein Thronanspruch nicht wären.«

»Ich finde dich nicht albern«, sagte Julian. »Wir *haben* hier ein gutes Leben, keine Frage. Wenn ich ehrlich sein soll, mir hat es noch besser gefallen, als wir unter uns waren, ehe die halbe englische Ritterschaft zu uns gestoßen ist. Es war … beinah idyllisch. Und in England erwartet uns ein ungewisses Schicksal. Ich würde dich albern nennen, wenn dir niemals Zweifel kämen.«

»Aber warum hast du keine?«, fragte sie verständnislos.

»Oh doch, Janet«, musste er bekennen. »Ich habe Zweifel. An unseren Erfolgsaussichten, zum Beispiel, denn Richard of Gloucester – Gott verfluche seine schwarze Seele – ist ein hervorragender Soldat. Aber ich zweifle nicht an der Richtigkeit meines Weges. Und das liegt nicht allein daran, dass ich fürchten müsste, den Verstand zu verlieren, wenn ich mir Zweifel gestattete und zu der Erkenntnis käme, dass ich dreißig Jahre meines Lebens an eine Sache verschwendet habe, die es letztlich nicht wert war.«

»Sondern woran?«, hakte sie nach. Sie hatte sich zu ihm umgewandt und schaute ihm ins Gesicht, ihre grauen Wikingeraugen schon jetzt dunkel vor Kummer um den Mann und die fünf Söhne, die mit Richmond in den Krieg ziehen würden. »Selbst wenn ihr siegreich seid, wird das keinen der Toten zurückbringen. Deinen Vater nicht oder Edmund Tudor, Algernon Fitzroy, deinen Neffen Alexander, Frederic of Harley, Prinz Edouard, Warwick – alle, die dir teuer waren und die diesem Krieg zum Opfer gefallen sind, werden immer noch genauso tot sein. Und erzähl mir bloß nicht, ein Sieg gäbe ihrem Tod einen Sinn. Denn das ist dummes Zeug.«

Das ist es nicht, dachte er, aber er sprach es nicht aus. Er nahm an, es war ziemlich sinnlos, mit seiner Frau darüber zu streiten, ob es Dinge gab, für die zu sterben sich lohnte, denn für sie würde die Antwort immer »nein« lauten. Er suchte nach einer Art Gleichnis, nach etwas, das er ihr stellvertretend für all seine Gründe nennen konnte, das sie verstehen würde. Was er schließlich vorbrachte, war: »Ich will Waringham zurück, Janet. Es gehört uns. Niemand hatte das Recht, es uns wegzunehmen und die Menschen dort, die sich auf uns verlassen haben, Thomas Devereux auszuliefern.«

»Nein, ich weiß. Aber ich wünschte, du würdest begreifen,

dass ...« Sie brach plötzlich ab. »Da kommt Lucas mit einem Priester.«

Julian wandte den Kopf. »Das ist Vater Christopher Urswick«, sagte er erstaunt.

»Er sieht nicht glücklich aus«, raunte Janet.

Julian stand auf und ging ihnen ein paar Schritte entgegen. »Vater Christopher, willkommen in Vannes.«

Christopher schüttelte ihm die Rechte, sein Händedruck so fest wie eh und je. »Lord Waringham. Wo finde ich den Earl of Richmond? Ich muss ihn umgehend sprechen.«

»Ist es Megan?«, fragte Julian und biss schnell die Zähne zusammen.

Aber der Priester schüttelte den Kopf. »Ihr geht es gut, seid unbesorgt.«

Danke, Jesus. »Nun, Vater, der Earl of Richmond ist auf der Jagd. Aber kommt nur mit hinein und wartet auf seine Rückkehr. Ihr ...« Er brach ab, weil Christopher Urswick sich plötzlich an seinem Arm festkrallte.

»Ihr müsst ihn suchen, Mylord«, drängte der Priester leise. »Bischof Morton hat erfahren, dass König Richard hinter dem Rücken des Herzogs der Bretagne mit dessen Schatzmeister ein Abkommen geschlossen hat. Dieser Schatzmeister ...« Er sann erfolglos auf den Namen.

»Landois«, knurrte Lucas. Er konnte den Schatzmeister so wenig ausstehen wie Julian. Sie alle wussten, dass Landois seit Jahren mit den Yorkisten liebäugelte und den Unterhalt der englischen Gäste in seinem Land viel zu teuer fand.

Vater Christopher nickte. »Er hat mehr als fünf Dutzend Männer ausgeschickt, um Lord Richmond gefangen zu nehmen und zum Hafen zu bringen, wo ein yorkistisches Schiff ihn erwartet.«

Julian ließ ihn stehen und rannte. Über die Schulter brüllte er: »Lucas, erklär's den anderen! Alle sollen sich auf die Suche machen!« Dann hatte er die kleine Gruppe vor dem Stall erreicht, stieß Geoffrey und Roland rüde beiseite und schwang sich in den Sattel des missgelaunten Rappen.

»Julian, was um Himmels willen ...«, begann seine Schwester, aber er beachtete sie überhaupt nicht, wendete das Pferd und preschte durchs Tor.

Wenngleich Julian im Gegensatz zu Blanche und Roland nicht die Gabe der Waringham besaß, war es dennoch kurioserweise immer so gewesen, dass Pferde eine eigentümliche Schwäche für ihn hatten und selbst das ungebärdigste unter ihm lammfromm wurde. So auch dieses Mal. Kaum hatten sie die Zugbrücke passiert, hörte der langmähnige Rappe auf, zu bocken und den Kopf zu schütteln, und trug seinen Reiter in einem schnellen, flüssigen Galopp Richtung Wald.

Das unmittelbare Umland der Burg war aus Sicherheitsgründen gerodet, und Schafe weideten auf den hügeligen Wiesen, die nach dem nassen Sommer jetzt mit einiger Verspätung im satten Rot, Gelb und Violett der wilden Blumen leuchteten.

Vielleicht eine halbe Meile vor sich zu seiner Linken entdeckte Julian ein halbes Dutzend Reiter. Sie waren zu weit weg – oder möglicherweise waren seine Augen zu schwach geworden –, um sie genau zu erkennen, doch er erahnte die herzogliche Livree. Beinah unbarmherzig trieb er sein Pferd weiter, doch das Tier nahm es nicht übel, sondern streckte den Hals und wurde spürbar schneller. Ein wahrer Sportsmann, erkannte Julian erleichtert.

Etwa auf einer Höhe mit den Bretonen, aber ein gutes Stück weiter östlich tauchte er in den Wald ein. Nach vielleicht hundert Schritten ließ er sein Ross in Schritt fallen und lenkte es weg vom Pfad nach rechts zwischen die Bäume.

Sie hatten im Laufe der vergangenen zwölf Jahre oft in Vannes gelebt, und nicht selten hatte Herzog François seine englischen und walisischen Gäste zur Jagd geladen. Darum wusste Julian, welche Strecke Richmond und seine Freunde für gewöhnlich nahmen, und er betete, dass sie heute keine Ausnahme gemacht hatten. Der Wald war dicht, das Unterholz jedoch spärlich. Julian konnte im Schritt reiten, und im Farnkraut verursachten die Hufe kaum einen Laut. Vielleicht eine halbe Stunde war er in nordöstlicher Richtung geritten, als er das Kläffen der Meute hörte. Es war alles andere als schwierig, dem Radau zu folgen, doch das galt natürlich auch für die Bretonen. Julian beeilte sich, soweit das Gelände es zuließ, und wenig später stieß er auf eine Lichtung, wo Richmond und seine kleine Jagdgesellschaft rasteten.

Julian glitt aus dem Sattel. »Mortimer, geh zum Hundeführer und sag ihm, er soll die Meute nach Westen führen.«

»Aber wieso …«, begann sein Schwiegersohn verdattert.

»Tu es, und zwar jetzt gleich. Für Erklärungen ist keine Zeit.« Julian wandte sich an Richmond. »Landois hat dich an die Yorkisten verkauft. Er hat Patrouillen ausgesandt, dich zu suchen, eine ist keine halbe Meile hinter mir.«

Richmond reagierte, wie er schon als Junge auf Unwägbarkeiten und plötzliche Gefahren reagiert hatte: Er hob das Kinn ein wenig und verengte die Augen, als wolle er sagen: Lass sie nur kommen. Sie werden schon sehen, was sie davon haben …

Julian schüttelte ungeduldig den Kopf. »Jetzt ist nicht der richtige Moment für trotzigen Heldenmut. Du musst fliehen.«

»Ich soll weglaufen?«, fragte der junge Mann in einer Mischung aus Empörung und Verwunderung, die komisch gewirkt hätte, wäre die Lage nicht so bitterernst gewesen.

Julian packte ihn unsanft am Arm und schob ihn zu seinem Pferd.

Richmond riss sich los. »Was fällt dir ein, Julian?«, fragte er barsch. Da er von Rechts wegen König von England war, durfte ihn niemand unerlaubt berühren – geschweige denn durch die Gegend schubsen. Nach dem Gesetz war es ein Akt des Verrats.

»Ich versuche, deine Gefangennahme zu vereiteln.«

»Durch eine von Landois' albernen Patrouillen? Willst du mich beleidigen?«

Julian stellte sich vor ihn und sah ihm in die Augen. »Er hat mehr als sechzig Männer ausgeschickt, und sie alle wissen, wohin du geritten bist. Das heißt, du hast zwei Möglichkeiten: Flieh nach Frankreich und bitte die Regentin um Unterstützung, oder bleib hier und lass dich schnappen, auf dass sie dich nach England bringen und Richard of Gloucester ausliefern. Solltest du dich für das Letztere entscheiden, schau dir noch mal genau den Himmel an, denn es wird das letzte Mal sein, dass du ihn siehst. Und alles, aber auch *alles*, was wir in den letzten zwölf Jahren auf uns genommen haben, war sinnlos.«

Richmond senkte den Kopf und stieß hörbar die Luft aus. »Entschuldige. Du hast natürlich Recht. Aber … ich bin es so *satt*, vor Richard of Gloucester zu fliehen.«

»Ich weiß«, antwortete Julian kurz angebunden. »Doch wir können auf deinen verletzten Stolz jetzt keine Rücksicht nehmen.«

Richmond warf ihm einen finsteren Blick zu, wandte sich dann aber ab und führte sein Pferd zwischen die Stämme der Bäume, die die Lichtung säumten.

Robin und Owen folgten. Mortimer hatte die Hunde längst in entgegengesetzter Richtung weggeführt, aber trotzdem hörten sie Hufschlag und das Klimpern von Zaumzeugen, die sich näherten.

»Da kommen sie«, raunte Owen.

»Schneller«, murmelte Robin. »Und kein Wort mehr.«

Julian ließ sich ein paar Schritte zurückfallen und lauschte. Dann holte er wieder auf und sagte zu Richmond: »Lass uns die Kleider tauschen.«

Richmond warf ihm im Gehen einen raschen Blick zu und schaute dann über die Schulter. Natürlich wusste er, was Julian im Schilde führte: Richmonds Schecke zeigte sowohl die Lancaster-Rose als auch den Drachen von Wales – beide in leuchtendem Rot. Ein gutes Ziel in einem dämmrigen Wald. Leicht zu verfolgen. Doch wenn der rote Drache die Verfolger in die falsche Richtung führte …

Julian war schon dabei, seine Schecke über den Kopf zu ziehen. »Tu's. Mach dir um mich keine Gedanken. Landois wird kein Interesse daran haben, mich an Richard zu verscherbeln. Ich bin ein gar zu kleiner Fisch.« Hoffentlich, fügte er in Gedanken hinzu.

Einer der Bretonen rief seinen Kameraden etwas zu, und die Gejagten erschraken, wie nah die Stimme klang.

Richmond folgte Julians Beispiel und zog Schecke und Wams aus. »Gott, ich hasse es, das zu tun.«

Sie tauschten die Kleider und kämpften sich beide in die Gewänder des anderen.

»Vater …«, begann Robin besorgt.

Julian legte ihm für einen Augenblick die Hand auf die Schulter und lächelte ihm zu. »Reitet nach Paris. Geht ins Kloster St.-Germain-des-Prés. Mein Großvater, der Kardinal, war dort oft zu Gast, man wird sich gewiss an ihn erinnern.« Er sprach leise und hastig. »Dann soll Owen an den Hof gehen und um eine Audienz bei der Regentin ersuchen.« Er wandte sich an Blanches Ältesten. »Erinnere sie daran, dass eure Großmutter eine französische Prinzessin war, der kleine Dauphin mithin dein und Richmonds Cousin ist. Habt ihr verstanden?«

Owen schwang sich mit einem matten Grinsen in den Sattel. »Wir sind ja nicht beschränkt, Onkel.« Er war sehr blass.

Julian schloss erst seinen Sohn, dann Richmond kurz in die Arme. »Reitet mit Gott und vor allem schnell. Sie sind fast hier.«

Julian folgte Mortimer und dem Gebell der Hunde. Er gestattete sich nicht, Richmond, Robin und Owen nachzuschauen, denn er hatte das Gefühl, jeder Augenblick war kostbar. Vielleicht fürchtete er auch, Zeuge ihrer Festnahme zu werden, wenn er es tat, so als könne er mit seinem Blick das Unglück heraufbeschwören.

So schnell er vermochte, ritt er zurück zu der Lichtung, und kaum hatte er sie erreicht, brachen die bretonischen Verfolger aus dem Dickicht. Im Nu fand Julian sich von vier Reitern umringt, vier Lanzen wurden auf ihn gerichtet. »Ihr steht unter Arrest, Richmond«, eröffnete ihm der Älteste, der schon graue Fäden im Bart hatte und offenbar der Anführer war.

»Und wieso?«, fragte Julian. Er sah keinen Grund, es ihnen leicht zu machen.

»Keine Ahnung«, erwiderte der Graubart achselzuckend.

»Ich dachte, dieser Richmond ist noch keine dreißig«, meldete sich plötzlich einer der anderen zu Wort. »Bist du ...« Er besann sich. »Seid Ihr wirklich Henry Tudor?«, fragte er Julian.

Der runzelte die Stirn. »Denkst du nicht, es reicht, dass ihr mich meiner Freiheit beraubt? Willst du mich obendrein noch beleidigen?«

Der Graubart ging dazwischen und winkte ab. »Ist schon recht. Das Wappen stimmt, er muss Richmond sein. Gebt mir Eure Waffen, Monseigneur, wenn Ihr so gut sein wollt. Kein Grund, dass wir uns schlagen, oder?«

Julian war höchst unwillig, sich von dem alten Waringahm-Schwert zu trennen, doch er tat es, ohne zu zögern. Er löste den Gürtel und überreichte ihn dem Anführer zusammen mit dem Dolch. »Und was nun? Eine Audienz bei Schatzmeister Landois, dem wahren Herzog dieses Landes?«

Doch der Graubart schüttelte den Kopf. »Zum Hafen und ab aufs Schiff mit Euch.«

Das war ein unerwarteter Schlag. Julian sagte nichts mehr und ritt flankiert von zweien seiner Bewacher in westlicher Richtung. Unterwegs trafen sie auf weitere Patrouillen des Schatzmeisters. Sobald die Männer sahen, dass ihr Auftrag erledigt war, schlossen sie sich ihnen an, sodass Julians Eskorte bald auf dreißig angeschwollen war. Ungefähr die Hälfte, schloss er. Er konnte nur beten, dass die übrigen Bretonen, die noch durch den Wald streiften, Richmond ebenso wenig von Angesicht kannten und ihn ohne sein Wappen nicht erkennen würden, selbst wenn sie ihn fanden.

Eine englische Karacke erwartete sie im unweit von Vannes gelegenen Hafen, die *Trinity*. Am Kai befahl der Graubart Julian abzusitzen und fesselte ihm die Hände auf den Rücken, ehe er ihn über die Laufplanke an Bord führte.

Der Kommandant der *Trinity* erwartete sie mit grimmiger Miene. Julian war geneigt, seinen Augen zu misstrauen: Es war sein Schwager Ralph Hastings.

»Hier bringe ich Euch den Gefangenen, Monseigneur«, sagte der Graubart und machte einen höflichen Diener.

»Ich versteh kein Wort, Freundchen«, knurrte Hastings, sah Julian kurz in die Augen und wandte den Blick sogleich wieder ab. Seit ihrer letzten, nicht sonderlich glücklichen Begegnung auf dem englischen Kanal vor über einem Jahr war Sir Ralph merklich dünner geworden. Er wirkte hager, geradezu verhärmt. Offenbar kam er nur schwer darüber hinweg, wie das Haus York seinem Bruder ein Leben aufopferungsvoller Treue gedankt hatte. Und das war kein Wunder.

»Sie halten mich für Richmond, Schwager«, erklärte Julian mit einem Lächeln, das verwegener wirkte, als ihm zumute war. »Es bleibt Euch überlassen, ob Ihr den Schwindel auffliegen lassen wollt. Mir ist es gleich. Jetzt erwischen sie ihn vermutlich ohnehin nicht mehr.«

Der Graubart sah fragend von Sir Ralph zu Julian und wieder zurück. »Was ist nun?«, fragte er. »Können wir abziehen?«

Höflich übersetzte Julian die Frage.

Sir Ralph speiste die Bretonen mit einem Wink ab, als wolle er sie von Bord scheuchen.

Ein wenig eingeschnappt rückte der Graubart ab. Kein guter Tag für die englisch-bretonischen Beziehungen, schloss Julian.

Sein Schwager wartete, bis die fremden Soldaten von seinem Schiff verschwunden waren, dann stemmte er die Hände in die Seiten. »Und könnt Ihr mir vielleicht sagen, was ich jetzt mit Euch anfangen soll, Waringham?«

Julian hob unbehaglich die Schultern. »Ich glaube kaum, dass ich in der Lage wäre, Euch einen uneigennützigen Rat zu geben, Sir«, gestand er.

Ralph Hastings brummte, wider Willen belustigt.

»Ihr könnt mich zu Eurem König Richard bringen«, fuhr Julian fort. »Er wäre vermutlich enttäuscht, dass es nur ein Waringham und kein Rivale ist, den er in die Finger kriegt, aber wie ich ihn kenne, würde er sich trösten, indem er sein Mütchen an mir kühlt. Oder Ihr könntet …«

»Verdient hättet Ihr's«, fiel Sir Ralph ihm wütend ins Wort.

Julian gab lieber keinen Kommentar ab. Ihm war bewusst, dass er aus yorkistischer Sicht vermutlich alles verdient hatte, was einen Mann an Unglück treffen konnte.

»Er hat mich enteignet«, fuhr sein Schwager fort, gedämpfter, aber nicht weniger zornig als zuvor. »Um die Krone für den Verlust der *St. Peter* und der Soldtruhen zu entschädigen. Jetzt bin ich ein verdammter Bettelritter und auf Gedeih und Verderb seiner Gnade ausgeliefert.«

Julians Miene wurde verschlossen. »Auf mein Mitgefühl müsst Ihr verzichten, Sir. Denn Ihr selbst tragt die Schuld an Eurem Schicksal, wenn Ihr den Mann Euren König nennt, der Euren Bruder und zwei unschuldige Knaben auf dem Gewissen hat.«

»Und was sonst bleibt mir zu tun übrig?«, entgegnete Sir Ralph und machte einen Schritt auf ihn zu. »Mit Frau und vier Kindern in England? Jetzt hungern sie nur. Wenn ich überlaufe, sterben sie.«

»Sagt mir, wo ich sie finde«, gab Julian zurück. »Dann hole ich sie und bring sie nach Wales, ich schwör's. Ich kann heute Abend mit der Flut auslaufen. Sie werden aus England verschwunden und in Sicherheit sein, ehe Richard merkt, dass Ihr Euch uns angeschlossen habt.«

Ralph Hastings' Miene verriet seine Zerrissenheit. »Aber ich kann doch nicht *Lancastrianer* werden«, brachte er verzweifelt hervor. »Mein Bruder würde aus dem Grab aufstehen und mich heimsuchen.«

»Das halte ich für unwahrscheinlich«, widersprach Julian. »Euer Bruder hat mit seiner Rebellion gegen Richard offenen Auges sein Leben riskiert, um die Prinzen zu beschützen, die dieses Monstrum dann doch ermorden ließ. Nein, Sir Ralph, ich glaube, Euer Bruder würde mit Wohlwollen auf Euch herabsehen, wenn Ihr den Mut fändet, auf Euer Gewissen zu hören.«

Ralph Hastings sagte eine Weile nichts, sah auf die stahlblaue See hinaus und rang mit sich. »Wie Ihr schon sagtet«, murmelte er schließlich. »Ihr könnt mir keinen uneigennützigen Rat geben.«

»Nein«, räumte Julian ein.

Ralph nickte versonnen, sah ihn wieder an und zückte seinen Dolch. »Und ich kann meine Schwester nicht zur Witwe machen, Mylord.« Er stellte sich hinter Julian und durchschnitt die Handfesseln.

Julian schluckte trocken. Er hatte geglaubt, genau das sei Hastings' Absicht, als der den Dolch plötzlich in der Hand hielt. Dankbar rieb er sich die befreiten Handgelenke.

»Ich … werde Richard den Rücken kehren, wenn Ihr mir schwört, meine Familie aus England herauszuholen«, sagte Hastings.

Julian küsste seinen Siegelring und hob die Hand zum Schwur.

»Aber ob ich mich der Sache des walisischen Bengels anschließe, entscheide ich erst, wenn ich ihn gesehen und gesprochen habe«, fügte Hastings hinzu und sah ihn trotzig an, als wolle er ihn herausfordern, seinen Bedingungen zu widersprechen.

Doch Julian hatte keine Einwände. »Abgemacht«, sagte er und dachte: Es wird keine Stunde dauern, bis du dem walisischen Bengel aus der Hand frisst wie alle anderen, die zu ihm gekommen sind. Aber vorher müssen wir ihn erst einmal wiederfinden …

Vincennes, April 1485

»Ich frage mich, ob dies das Bett ist, in dem König Harry gestorben ist«, murmelte Blanche schläfrig.

Jasper lachte in sich hinein. Sie hörte es nicht wirklich, sondern spürte es mehr als Beben in seiner Brust. »Nur Blanche of Waringham bringt es fertig, bei der Liebe so morbide Gedanken auszubrüten«, behauptete er.

Sie hob den Kopf und sah ihn an. »Was ist morbide daran, an die Vergangenheit zu denken? Oder über die eigentümlichen Fügungen der Geschichte nachzusinnen? Einer der größten

Könige, die England je hatte, starb auf dieser Burg bei dem vergeblichen Versuch, Frankreichs Krone zu erringen. Nun wartet der rechtmäßige König von England – der gewiss auch groß sein wird – auf dieser Burg auf den Sommer, um nach England zu segeln und dort seine Krone zu erobern.« Sie legte den Kopf wieder auf Jaspers massige Schulter. »Mein Onkel Raymond war übrigens dabei, als König Harry starb, wusstest du das?«

Jasper brummte. »Und mein Vater war an der Seite der trauernden Witwe. In Lauerstellung«, höhnte er.

»Immer machst du dich darüber lustig«, bemerkte sie ungehalten. »So als wäre es dir peinlich, dass dein Vater die Witwe eines Königs geheiratet hat. Das ist doch albern.«

»Es war ein typisches Beispiel für seine Missachtung aller Regeln und Autoritäten«, gab er gereizt zurück. »Darum ist es kein Wunder, dass die Engländer ihn für einen Halunken hielten.«

»Blödsinn.« Sie zupfte ihn am Brusthaar, um ihn zu maßregeln. »Er hat sie geliebt und alles riskiert, um sie zu bekommen. Ich bewundere ihn dafür. Und welch ein Glück für sie, dass er der Welt um ihretwillen die Stirn geboten hat, denn so war er an ihrer Seite, als sie ...« Blanche brach abrupt ab, als ihr klar wurde, in welche Richtung ihre Gedanken sich gestohlen hatten.

Jasper nahm ihre Hand, damit sie aufhörte, ihn zu piesacken. Dann zog er Blanche näher und legte beide Arme um sie. »Du fürchtest, ich würde dich je verlassen? Wer ist hier albern, hm?«

Sie antwortete nicht.

»Blanche ...«

»Nein«, unterbrach sie und legte einen Finger auf seine Lippen. »Ich will nicht, dass du diese Dinge zu mir sagst. Ich will das nicht hören, Jasper.« Rastlos befreite sie sich aus seiner Umarmung, schwang die Beine über die hohe Bettkante und wickelte sich in ein Laken. Vage kam ihr in den Sinn, dass sie früher nie das Bedürfnis verspürt hatte, sich zu bedecken, wenn er sie ansah. Sie stand auf, trat an die hohe Truhe neben der Tür, schöpfte mit beiden Händen Wasser aus der Waschschüssel und benetzte ihr Gesicht. Einige Tropfen rannen ihren Hals hinab. Es war ein angenehmes Gefühl.

Als seine Hand sich auf ihre Schulter legte, fuhr sie nicht zusammen, aber sie drehte sich auch nicht zu ihm um. »Ich verstehe, warum du eingewilligt hast, Jasper. Aber es ist einfach zu viel verlangt, wenn ich vorgeben soll, es sei mir gleichgültig.«

»Ich habe nicht eingewilligt«, widersprach er. Seine Stimme klang rau und tief, wie es immer der Fall war, wenn eine Sache ihm zu schaffen machte. »Richmond hat mich höflich von seinem Entschluss in Kenntnis gesetzt, dass im Falle unseres Sieges jeder unverheiratete Mann seines Gefolges seinem Beispiel folgen und eine Yorkistin heiraten wird. Auf meine ebenso höfliche Frage, ob er schon entschieden habe, mit welcher Braut er mich zu beglücken gedenke, antwortete er: Buckinghams Witwe. Und damit endete unsere Unterredung.«

»Oh ja. Du bist wutentbrannt hinausgestiefelt. Aber du wirst es tun. Wenn es so weit ist und er dich vor die Wahl stellt, seinem Wunsch zu entsprechen oder ihm den Rücken zu kehren, dann wirst du es tun.«

»Natürlich werde ich es tun«, gab er mit mühsam unterdrückter Ungeduld zurück, so als werde er gezwungen, einem beschränkten Kind zum wiederholten Male zu erklären, dass Wasser bergab fließt. »Aber ich habe nicht die Absicht, die Dame nach der Brautmesse je wiederzusehen. Nichts wird sich ändern.«

»Abgesehen von der Kleinigkeit, dass deine hübsche junge Braut dir mehr an Titeln und Ländereien einbringt, als ich mir merken kann ...«

Jasper packte ihren Ellbogen und drehte sie zu sich um. »Hör auf damit. Das ist unter deiner Würde.«

Ja, dachte Blanche niedergeschlagen, das ist es. Seht nur, was aus Blanche of Waringham geworden ist. Eine lebenslange Sünderin, die auf einmal ehrbar werden will, weil ihr Haar grau wird und ihr Busen nicht mehr so straff ist, wie er einmal war, und ihr davor graut, ihr Alter in Einsamkeit hinter

Klostermauern zu verbringen. Das war erbärmlich. Sie senkte den Blick, dann sah sie wieder auf. »Ist es so abwegig, dass ich mich fürchte?«

»Hast du so wenig Vertrauen zu mir? Nach …« Jasper rechnete kurz. »Nach achtundzwanzig Jahren, in denen ich dir nicht ein einziges Mal untreu war?«

Ihre Mundwinkel verzogen sich für einen Moment zu einem kleinen Lächeln. Sie fand es rührend, dass er versuchte, sie zu beruhigen. Aber es nützte nichts. »Ich *habe* Vertrauen zu dir«, antwortete sie wahrheitsgemäß. »Weil ich dich kenne. Aber weil ich dich kenne, bin ich auch wütend auf dich. Denn wenn ich einen der französischen Schurken, die du unsere Söldner nennst, anheuern würde, um sich nach Waringham zu begeben und Thomas Devereux im Schlaf zu ermorden – was jeder von ihnen für ein paar Pennys bedenkenlos täte –, würdest du mich trotzdem nicht heiraten, um Richmonds Pläne zu vereiteln. Nicht wahr?«

»Als ob du so etwas je tätest …«, knurrte er. Er wich ihr aus.

»Glaub lieber nicht, dass ich davor zurückschrecken würde, wenn ich nur glauben könnte, dass es etwas nützt. Aber du würdest deinem Neffen, deinem *König* niemals den Gehorsam verweigern.«

»Weil es sich nicht gehört«, eröffnete er ihr unwirsch. »Und weil er mich braucht.«

»Das ist nicht der wahre Grund!«, fuhr sie ihn an. Er wollte etwas sagen, aber sie hob abwehrend die Linke. »Ich weiß, dass dir an Buckinghams Titeln und Ländereien nichts liegt. Dir liegt nicht einmal etwas an Geld und Annehmlichkeiten. Du warst nie so glücklich wie zu der Zeit, als du in Wales wie ein Bandit dein Unwesen getrieben hast, ewig auf der Flucht vor Black Will Herbert, oft genug kein Dach über dem Kopf. Aber was du um jeden Preis zurückwillst, ist Pembroke. Du bist genau wie mein Bruder. Er würde alles tun, um Waringham zurückzubekommen, kein Opfer wäre ihm zu groß. Doch du hängst noch fanatischer an Pembroke als er an Waringham.

Und Richmond wird es dir nicht zurückgeben, wenn du dich seinen Wünschen widersetzt. Also heiratest du Buckinghams Witwe und stempelst deine Söhne und Töchter unwiderruflich zu Bastarden. Und mich ...«

»Deine moralischen Bedenken kommen reichlich spät«, unterbrach Jasper kühl. »Unsere Kinder sind Waliser genug, um sich dessen, was sie sind, nicht zu schämen. Und du hast deine Wahl selbst getroffen, Blanche. Offenen Auges. Du hast mich gehindert, Thomas Devereux zu töten, als ich die Gelegenheit hatte. Und deine Entscheidung ist heute noch so richtig wie damals. Wenn du gelegentlich einmal wieder zu Verstand kommst und in dich hineinhörst, wirst du feststellen, dass ich Recht habe.«

»Du verfluchter, überheblicher *Hurensohn* ...«

»Was die Beweggründe deines Bruder betrifft, so kenne ich sie nicht, und sie gehen mich auch nichts an«, fuhr er unbeeindruckt fort. »Doch allein die Tatsache, dass er nicht mehr Earl of Waringham ist und ich nicht mehr Earl of Pembroke bin, widerlegt deine absurde Behauptung, kein Opfer sei uns dafür zu groß. Den Preis, Yorkisten zu werden, fanden wir offenbar beide zu hoch. Aber es ist weder ehrlos noch unzumutbar, was Richmond von mir wünscht. Nur eine lächerliche Formalität. Und du hast Recht, Blanche: Ich werde seinem Wunsch entsprechen. Aber das wird zwischen dir und mir nichts ändern. Es sei denn, du bestehst darauf.«

»Das heißt: ›Begnüge dich, oder scher dich zum Teufel.‹ Richtig?«

Jasper stand nur einen kleinen Schritt vor ihr, die Hosen nachlässig zugeschnürt, Füße und Oberkörper entblößt. Aber nicht das, sondern der gänzlich unmaskierte Gesichtsausdruck war es, der ihn mit einem Mal so schutzlos wirken ließ, dass Blanche die Fäuste ballen musste, um sich daran zu hindern, auf der Stelle nachzugeben.

»Ich bin nicht wie mein Vater«, gestand er schließlich und hob hilflos die Schultern. »Ich kann nicht alles verleugnen, was mich bindet, um dich zu behalten. Obwohl ich mir oft wünsche, ich wäre anders. So vieles in meinem Leben wäre einfacher gewesen, wenn ich in der Lage gewesen wäre, meine Fesseln abzustreifen. Aber ich kann nicht. Wie du sehr wohl weißt.«

Blanche nickte. »Und das Verrückte ist, ich wollte dich nie anders, als du bist. Es hat mir immer imponiert, wie unermüdlich du für Richmond gekämpft hast. Für den Sohn deines Bruders. Er hatte ja auch niemanden außer uns. Ich wünschte nur ...« Sie brach ab.

»Ich auch, glaub mir. Und es wäre nur angemessen, Richmond würde uns ein bisschen Dankbarkeit zeigen – dir vor allem – und irgendeinen anderen der vielen Junggesellen in seinem Gefolge mit der steinreichen Witwe des Duke of Buckingham beglücken. Ich nehme an, die fragliche Witwe würde mir aus vollem Herzen zustimmen, denn vermutlich ist sie nicht versessen auf einen Gemahl, der kein Interesse an ihr hat und obendrein ihr Vater sein könnte. Aber Richmond ist nicht in der Lage, die Dinge so zu betrachten. Er hat sehr früh lernen müssen, dass Sentimentalität ein Luxus ist, der einen oft teuer zu stehen kommt.«

»Genau wie du«, bemerkte Blanche mit einem unfreiwilligen kleinen Lächeln.

Jasper nickte. »Der Junge ist mir ähnlicher als jeder meiner Söhne. Das heißt nicht, dass ich ihm nicht gelegentlich gern den Hals umdrehen würde ...«

»Aber es heißt, dass du immer verstehst, warum er tut, was er tut. Und das entwaffnet dich.«

»Ich fürchte, so ist es.« Zögernd streckte er die Hand nach ihr aus, so als fürchte er, sie werde zurückweichen. Diese Schüchternheit nahm Blanche jeglichen Wind aus den Segeln, und sie ließ zu, dass er sie an sich zog, schlang die Arme um seine Taille und legte die Stirn an seine breite Brust. »Denk ja nicht, das Thema sei ausgestanden«, drohte sie leise.

»Um das zu hoffen, bin nicht einmal ich töricht genug«, erwiderte er trocken. »Im Übrigen sind wir wie zwei Hühner, die über ungelegte Eier gackern. Denn bevor Richmond reiche Erbinnen verteilen kann, muss er König von England werden.

Und um das zu bewerkstelligen, haben wir immer noch viel zu wenig Geld und Männer. Derweil schart Richard of Gloucester in Nottingham Castle eine Armee um sich, und seine Flotte sichert die Küste mit tausend Augen.«

Dabei hatte Richmonds überstürzte Flucht nach Frankreich sich als segensreich erwiesen. Anna, die Regentin des kleinen französischen Königs, war zu der Auffassung gelangt, dass ein Lancaster auf dem englischen Thron, der ihr zur Dankbarkeit verpflichtet war, ihren Absichten weitaus förderlicher sei als ein feindseliger York, der ihr drohte und auf Zahlung der horrenden Summen bestand, die ihr Bruder einst seinem Bruder vertraglich zugesichert hatte, um eine englische Invasion abzuwenden.

Nach Richmonds knappem Entrinnen hatte Jasper den verräterischen bretonischen Schatzmeister Landois erfolglos zur Rede gestellt. Doch kurz darauf war Herzog François genesen, und als er erfuhr, was sich zugetragen hatte, war er tief beschämt über den Treuebruch seines Schatzmeisters und hatte den Engländern, die noch in seinem Land weilten, freien Abzug nach Frankreich gewährt. Vermutlich war er erleichtert, dass der Unterhalt der über vierhundert englischen Exilanten fortan die Sorge seiner ungeliebten Cousine jenseits der Grenze sein würde.

Doch die finanzielle Unterstützung der Franzosen war weit hinter Richmonds Hoffnungen zurückgeblieben, und seine Truppe war bislang nur zweitausend Mann stark. Weit über die Hälfte davon waren obendrein französische Söldner – Sträflinge, die sich mit dem Waffendienst für den englischen Prätendenten die Freiheit erkauften –, und Blanche war nicht die Einzige, die an der Zuverlässigkeit dieses Gesindels zweifelte.

»Wir sollten trotzdem lossegeln«, bekundete der ungestüme Owen, und er sagte es nicht zum ersten Mal. »Jeder Tag, den wir verstreichen lassen, ist ein guter Tag für Richard of Gloucester. Er baut seine Position aus, während wir uns hier die Ärsche plattsitzen. Ich werde noch *wahnsinnig* …«

»Sei so gut und mäßige dich, Cousin«, bat Richmond mit einem Seufzer, der eher Langmut als Missbilligung ausdrückte. »Unserer Sache ist gewiss nicht damit gedient, wenn wir ein zweites Desaster wie vorletzten Herbst erleben. Wir brauchen mehr Männer.«

»Sie stehen in Wales bereit und warten auf dich«, erwiderte Owen prompt.

»Vielleicht. Vielleicht auch nicht.«

»Wie kannst du nur zweifeln? Onkel Rhys hat versprochen ...«

»Ich würde nicht gar zu viel auf die Versprechungen deines Onkels geben«, warnte Julian. »Aber Richmond hat andere Freunde in Wales. Und zwar mächtige.«

»Ah ja?«, fragte Richmond. »Und verrätst du uns, wer genau das sein soll? Richard hat ganz Wales an seine Getreuen verteilt.«

»Die Frage ist, wie getreu sie noch sind, wenn sie auch nur den Hauch einer Chance wittern, dass sie dich an seiner Stelle bekommen könnten. Und ganz Pembrokeshire steht hinter Jasper und wird sich für dich erheben, wenn er mit den Fingern schnippt.«

Richmonds Gesicht hellte sich auf. »Du hast eine große Gabe, den Menschen Mut zu machen, Julian«, bemerkte er mit einem kleinen Lächeln.

Julian hob abwehrend die Linke. »Wenn es so ist, würde Jasper sie zweifellos eine gefährliche Gabe nennen. Ich rate ebenso zur Besonnenheit wie er. Aber ich sage auch dies: Wir haben keinen Grund zu verzagen, und wir dürfen auch nicht verzagen. Denn Owen hat Recht: Die Zeit arbeitet für Richard of Gloucester.«

Richmond nickte, drehte sich um und hob das Gesicht zur Sonne. Es war ein klarer, wenn auch kühler Frühlingstag, und sie waren auf die Brustwehr der alten Burg gestiegen, um ungestört zu sein und gleichzeitig den Truppen bei ihren Waffenübungen zuzuschauen. Was er unten im Hof sah, machte Julian Mut. Die Männer mochten Gesindel sein, aber sie waren gut in

Form, und sie hatten keine Angst davor, sich eine blutige Nase zu holen.

»Da kommen zwei Reiter«, sagte Robin plötzlich, der Richmond gegenüberstand und den Blick über das hügelige Umland der Burg hatte schweifen lassen. Blinzelnd spähte er hinunter. »Der eine ist ein Priester«, berichtete er. »Der andere ... Du meine Güte, ich glaub, dem Kerl fehlt ein Ohr.«

Julian richtete sich auf. »Was sagst du da?« Er bemühte sich ohne jeden Erfolg, die törichte Hoffnung niederzuringen, die plötzlich in ihm aufkeimte. Das ist einfach unmöglich, hielt er sich vor und trat zu seinem Sohn. Dann brach er plötzlich in Gelächter aus, und die jüngeren Männer sahen ihn verwundert an.

Julian packte Richmond bei den Schultern. »Jesus Christus und all seine Erzengel und Heiligen seien gepriesen! Es ist Oxford!« Er hastete zur Treppe.

»Wer zum Henker ist Oxford?«, fragte Robin halblaut. »Vermutlich irgendein Tattergreis, der bei der ersten Schlacht von St. Albans Ruhmestaten vollbracht hat ...«

Richmond schnaubte amüsiert, schalt ihn aber gleich darauf: »Dein Mangel an Respekt wird nur noch von deiner Unkenntnis übertroffen.«

Damit verschwand auch Richmond auf der Treppe, und seine drei Jünger folgten ihm wie üblich.

Ehe der Earl of Oxford im Burghof absitzen konnte, riss Julian ihn aus dem Sattel und schloss ihn in die Arme. »John! Willkommen in Vincennes. Ich muss gestehen, seit ein paar Jahren habe ich befürchtet, du seiest tot.«

Oxford lachte leise. »Hin und wieder dachte ich das auch«, gestand er.

Dann betrachteten sie einander mit unverhohlener Neugier. Bei der Schlacht von Barnet vor vierzehn Jahren hatten sie sich zuletzt gesehen. In den Wirren nach der Niederlage der Lancastrianer hatte der Earl of Oxford nach Schottland fliehen müssen. Aber der Mann, dem Janets Bruder einst für seine Lancastertreue das Ohr verstümmelt hatte, war noch nicht fertig mit den Yorkisten gewesen. Er war zurückgekehrt, hatte eine Rebellion gegen König Edward angeführt und St. Michael's Mount in Cornwall besetzt. Erst nach dem Fall der Festung hatten die Yorkisten ihn endgültig dingfest gemacht und in Hammes Castle unweit von Calais eingesperrt, auf dass er fern von England in Vergessenheit gerate und ihnen keinen Ärger mehr machen konnte. Das war vor zwölf Jahren gewesen, und seither hatte Julian nichts mehr von ihm gehört.

»Du siehst gut aus«, befand Julian mit einer Mischung aus Verwunderung und Verlegenheit.

Oxford hob kurz die Schultern. »Festungshaft ist mir seit jeher gut bekommen«, spöttelte er. Dann wurde er ernst. »Hab Dank für alles, was du für meine Frau und meine Kinder getan hast, Julian.«

Der winkte ab. »Ich hätte gern mehr getan. Megan Beaufort war es, die deine Familie vor der Not bewahrt hat. Solange sie konnte.«

»Ich weiß.« Oxford wies auf seinen Begleiter. »Seine Exzellenz hat mir alles berichtet.«

Julian sah den zweiten Reiter zum ersten Mal richtig an. Es war Bischof Morton. Julian verneigte sich. »Noch eine freudige Überraschung. Willkommen, Mylord.«

Bemerkenswert agil für einen Kirchenmann sprang der Bischof von Ely aus dem Sattel. »Danke, mein Sohn. Wir haben ein paar weitere Überraschungen im Gepäck – freudige und weniger freudige. Wo ist der Earl of Richmond?«

»Hier«, sagte dieser und trat mit einem Lächeln näher.

Oxford sah ihm einen Moment in die Augen, dann sank er auf ein Knie nieder. »Es hat länger gedauert, als mir lieb war, aber hier bin ich, Mylord. Wenn Ihr mir ein Schwert borgt, will ich es führen, um mit Euch Euren Thron zu erringen. Ich bin John de Vere, Earl of Oxford – zu Euren Diensten.«

Richmond nahm ihn bei den Schultern, hob ihn auf und schloss ihn in die Arme. »Dann habe ich wahrlich Grund, neue Zuversicht zu schöpfen.«

Vermutlich hast du keine Ahnung, wie wahr deine Worte sind, fuhr es Julian durch den Kopf. Oxford war nicht nur ein mutiger, verwegener Mann, er war auch der beste Kommandant, den die Lancastrianer je gehabt hatten. Ein geborener Stratege.

Richmond verneigte sich formvollendet vor Morton und küsste ihm den Ring. »Willkommen an meinem bescheidenen Hof in der Verbannung, Exzellenz.«

Der Bischof lächelte. Es war ein geradezu schelmisches Lächeln. »Ich glaube nicht, dass Ihr noch lange werdet ausharren müssen, Mylord.« Er wies unfein mit dem Finger auf Oxford. »Er ist nicht nur geflohen, wisst Ihr. Er hat den Kastellan von Hammes Castle mitsamt der ganzen Garnison überredet, sich Euch anzuschließen. Zweihundert hervorragende englische Soldaten.«

Richmonds dunkle Augen leuchteten auf. »Das bringt uns in der Tat einen Schritt weiter. Ich glaube, bald sind wir so weit.« Für einen kurzen Moment verriet seine Miene jugendliche Ungeduld.

Morton nickte. »Die Zeit drängt. Seltsame, höchst beunruhigende Dinge geschehen in England.«

Richmond sah von einem der Neuankömmlinge zum anderen, dann nickte er und vollführte eine einladende Geste. »Kommt mit hinein. Besser, wir reden ungestört, und Ihr müsst Euch erfrischen, Gentlemen.«

»Die Königin ist gestorben«, eröffnete Bischof Morton ihnen.

Julian fuhr zusammen und bekreuzigte sich wie alle anderen. Dann stand er auf und trat ans Fenster. »Arme Anne«, murmelte er bekümmert. »Das Haus York hat dir wahrhaftig wenig Glück gebracht.«

»Das ist wahr«, stimmte der Bischof zu. »Danke, mein Sohn«, sagte er zu Owen, der ihm einen Weinpokal reichte.

Sie saßen in Richmonds geräumigem, aber kärglich eingerichtetem Gemach. Mortimer hatte einen Knappen nach Wein und Speisen geschickt, doch an der Tür hatte er dem Jungen das Tablett abgenommen und ihn fortgeschickt. So waren sie unter sich.

»War's die Schwindsucht?«, fragte Julian.

Morton hob vielsagend die Schultern. »Schwer zu sagen. Vater Christopher und einige andere Freunde in England, die mich über die letzten Monate mit Nachrichten versorgt haben, berichteten, ihre Gesundheit sei schon länger angeschlagen gewesen. Der Tod ihres Sohnes hat sie vollends gebrochen. Blass und mager war sie geworden und meist zu schwach, um an offiziellen Hoffesten teilzunehmen. Was den König nicht gehindert hat, sich allnächtlich eifrig zu bemühen, einen neuen Erben zu zeugen. Jedenfalls sagen die Hofdamen das hinter vorgehaltener Hand.«

Julian musste feststellen, dass er Richard of Gloucester nie so leidenschaftlich gehasst hatte wie in diesem Moment. Die Zuneigung, die er für Anne Neville empfunden hatte, war merklich abgekühlt, als sie dieses Monster aus freien Stücken geheiratet hatte, aber erloschen war sie nie. Vielleicht, weil ihre Mutter die unglückliche Liebe seiner Jugend gewesen war. Vielleicht, weil er immer das Bedürfnis verspürt hatte, Anne der Freund und Beschützer zu sein, der ihr Vater so viele Jahre für ihn selbst gewesen war.

»Natürlich befindet König Richard sich in einer hochprekären Lage«, fuhr Morton mit unverhohlener Genugtuung fort. »Sein Erbe gestorben, und sein Rivale gewinnt mit jedem Tag neue Freunde in England. Kein Wunder, dass er verzweifelt ist, nicht wahr? Und ein verzweifelter Mann tut die ungeheuerlichsten Dinge.«

Richmond ließ ihn nicht aus den Augen. »Was heißt das?«, fragte er brüsk. Er schätzte es nicht sonderlich, wenn man in Rätseln zu ihm sprach. Dafür fehlte ihm die Geduld.

»Die Königin starb, eine Woche nachdem er die nächtlichen Besuche in ihren Gemächern eingestellt hatte. Weil er eingesehen hat, dass er ihr das nicht mehr zumuten konnte? Oder hat er eingesehen, dass seine Bemühungen sinnlos waren, und ihr auf dem Weg ins Jenseits ein wenig geholfen? Ich weiß es nicht,

Mylord.« Morton schüttelte langsam den Kopf. »Aber sicher ist dies: Finstere Gerüchte hielten sich so hartnäckig in London, und die Stadt begann so bedrohlich zu brodeln, dass Richard sich genötigt sah, vor dem Lord Mayor und dem Stadtrat einen öffentlichen Schwur zu leisten, dass er seine Gemahlin nicht vergiftet habe.«

Robin zog erschrocken die Luft ein und schlug dann die Hand vor den Mund. »'tschuldigung«, murmelte er.

»Euer Entsetzen spricht nur für Euch, mein Sohn«, erwiderte der Bischof ernst, ehe er an Richmond gewandt fortfuhr: »Für diesen Schwur kann es nur zwei Gründe geben: Entweder, er hat es tatsächlich getan, und seine einzige Hoffnung, die Menschen von seiner Unschuld zu überzeugen, lag in diesem dreisten Meineid. Oder er hat es *nicht* getan, aber sein Ansehen im Land ist so beschädigt und seine Position so schwach, dass ihm nichts anderes übrig blieb, als sich dieser öffentlichen Demütigung zu unterziehen. So oder so: König Richard ist in Nöten.«

»Gut …«, murmelte Richmond befriedigt.

»Aber er wäre nicht dort, wo er heute ist, wenn er sich nicht zu helfen wüsste«, fuhr der Bischof fort. »Er hat die Hoffnung auf einen neuen Erben noch nicht aufgegeben. Er will wieder heiraten. Und zwar eine Frau, die ihn auf einen Schlag von vielen Sorgen befreit.« Er legte eine Pause ein, um seine Zuhörer ein bisschen auf die Folter zu spannen, aber Richmond machte ihm einen Strich durch die Rechnung.

»Seine Nichte, Elizabeth of York«, tippte er.

Die Enttäuschung auf Mortons Gesicht war beinah komisch. »Woher wisst Ihr das?«, fragte er.

Richmond wies auf Robin. »Er hat das schon letzten Sommer kommen sehen. Als Richard seine Nichten plötzlich aus dem Kirchenasyl holen wollte.«

Zum ersten Mal schenkte Bischof Morton dem jungen Waringham mehr als einen flüchtigen Blick und nickte ihm anerkennend zu.

Richmond stellte seinen Becher mit einer entschlossenen

Geste auf dem schlichten, aber sauber gescheuerten Eichentisch ab und stand auf. »Es wird Zeit, dass wir handeln. Mortimer, wärst du so gut, meinen Onkel herzubitten? Wir werden uns schnellstmöglich einschiffen, und wir müssen sofort Pläne machen.«

Mortimer ging hinaus, und es war einen Moment still.

Plötzlich donnerte Richmond die Faust auf den Tisch. Alle zuckten ein wenig zusammen, denn dergleichen waren sie nicht von ihm gewöhnt.

»Ich will verdammt sein, wenn ich zulasse, dass dieses Ungeheuer mir nach meiner Krone auch noch meine Braut stiehlt«, sagte er – leise, aber unverkennbar zornig.

Der Earl of Oxford hatte sich aufs Zuhören beschränkt, während Morton sie über die jüngsten Entwicklungen in England ins Bild setzte, und derweil den geschmorten Hammel, den man ihm serviert hatte, mit einer Konzentration und einem Heißhunger verschlungen, wie nur Männer sie an den Tag legen konnten, die lange eingekerkert gewesen waren. Verstohlen hatte Julian ihn beobachtet und mehr über Oxfords Haftbedingungen erfahren, als der ihm freiwillig je erzählt hätte.

Jetzt steckte Oxford sein Speisemesser ein und fragte Richmond: »Darf ich sprechen, Mylord?«

Der nickte. »Jederzeit, Sir.«

»Nach dem, was ich vorhin gesehen habe, schätze ich, ihr habt zweitausend Mann?«

»Ungefähr, ja. Söldner.«

Oxford verzog keine Miene. »Plus die zweihundert, die ich mitgebracht habe. Und wie viele Schiffe?«

»Hundert.«

»Das sind nicht genug.«

»Nein, ich weiß«, gab Richmond zurück. »Aber mehr haben wir nicht. Wir müssen zweimal segeln und uns in Wales verstecken, während wir auf die Rückkehr der Schiffe mit den restlichen Männern und Pferden warten.«

Oxford schüttelte den Kopf. »Richard wird es erfahren und uns zerquetschen, während wir warten.«

»Also was soll ich Eurer Meinung nach tun?«

»Leiht Euch Geld bei der Regentin. Sechzigtausend Francs sollten reichen und ...«

»Ich bin kein Freund von Schulden, Mylord«, unterbrach Richmond entschieden.

»Das kann nur gut für die zukünftigen Finanzen der Krone sein«, gab Oxford lächelnd zurück. »Aber in diesem Fall solltet Ihr eine Ausnahme machen. Anna wird Euch das Geld gewiss geben, wenn Ihr ihr zwei Lords als Geiseln überlasst. Wenn ich einen Vorschlag machen darf: Lasst Dorset und den jungen Bourchier als Bürgen hier, denn im Herzen sind sie Yorkisten, und ihre Loyalität Euch gegenüber erscheint mir zweifelhaft.«

Richmond lauschte ihm mit wachsendem Erstaunen. »Weiter, Sir«, bat er.

»Von dem Geld kaufen wir noch einmal hundert Schiffe und heuern noch ein paar hundert Männer an. Dann segeln wir nach Wales, und zwar nach Milford Haven.«

»Aber es heißt, Richard lässt Milford Tag und Nacht überwachen«, protestierte Richmond. »Und er hat ein System von Signalfeuern in den Hügeln aufbauen lassen, die die Nachricht unserer Landung in kürzester Zeit zur englischen Grenze weiterleiten würden. In England hat er alle zwanzig Meilen frische Meldereiter entlang der Straßen postiert.«

Oxford nickte anerkennend. »Ich sehe, Ihr seid bestens im Bilde über die Vorbereitungen Eures Feindes. Das ist gut, Mylord. Ihr habt nur eine Kleinigkeit übersehen.«

»Und zwar?«, fragte Richmond.

»Wisst Ihr, wer die Signalfeuer an der walisischen Küste befehligt?«

Richmond schüttelte den Kopf.

»William Herbert, Mylord, mit dem Ihr zusammen in Pembroke Castle aufgewachsen seid. Und so schäbig sein Vater auch zu Euch war, war der Sohn doch immer Euer Freund, nicht wahr?«

»Das ist lange her«, wandte Richmond ein.

Oxford winkte ab. »Herbert ist Waliser. Schickt ein Vorauskommando, das ihm auf den Zahn fühlt. Ich bin sicher, Ihr könnt ihn für unsere Sache gewinnen.«

Richmond dachte eine Weile nach.

»Es ist ein guter Plan«, sagte Julian. »Der beste, den wir in Anbetracht der Umstände erhoffen können. Und es ist, wie du sagst, Richmond: Wir können uns nicht leisten, viel länger zu warten.«

»Du hast Recht«, gab Richmond zurück. »Was mir Sorgen macht, ist, dass wir niemals mehr als fünf-, höchstens sechstausend Mann haben werden, selbst wenn die Waliser mir so zahlreich zuströmen, wie wir hoffen. Richard hat …?«

»Etwa zehntausend, schätzen wir«, antwortete Morton. »Wenn alle kommen, die er zu den Waffen ruft.«

Richmond stieß die Luft durch die Nase aus. »Wie soll ich es vor Gott und meinem Gewissen verantworten, all diese Männer gegen solch eine Übermacht in die Schlacht zu führen?«

Oxford sah ihn mitfühlend an und sagte: »Eine Übermacht von zwei gegen einen ist nicht aussichtslos, wie Ihr sicher wisst. Aber einfach wird es nicht. Es ist durchaus möglich, dass wir alle draufgehen. Ich fürchte, es ist eine Entscheidung, die nur Ihr allein treffen könnt, Mylord.«

»Ein Vorgeschmack auf die Einsamkeit eines Königs«, sagte Jasper von der Tür, trat zu Oxford und umarmte ihn – kurz und förmlich, als hätten sie sich gestern noch gesehen.

»Dein armer Bruder ist daran zerbrochen, hab ich manches Mal gedacht«, antwortete Oxford.

»Ja, ich auch«, gestand Jasper.

»Aber du bist stärker als dein Onkel Henry«, sagte Julian zu Richmond.

»Glaubst du das wirklich?«, fragte der junge Mann, und er machte aus seinen Zweifeln keinen Hehl.

Julian nickte. »Du bist ein Tudor, Richmond.«

Am ersten August stachen sie in See. Die *Red Rose* war das Flaggschiff der Flotte, und dieses Mal hatte Jasper sie seinem Neffen nicht nur freiwillig überlassen, sondern stand an dessen

Seite, als die französische Küste allmählich hinter ihnen verschwand.

Ganz anders als bei dem gescheiterten Versuch vor zwei Jahren war das Wetter bei dieser Überfahrt ruhig und sonnig, sodass sogar Robin und seine seeuntauglichen Brüder nahezu gänzlich von der elenden Reisekrankheit verschont blieben. Aber der milde Südwind war schwach, und so erreichten sie Wales erst nach einer Woche. In einem geschützten Hafen unweit von Milford in Pembrokeshire gingen sie vor Anker.

Richmond wartete nicht auf das Fallreep. Behände sprang er über Bord, watete an Land, und als er das Ufer erreichte, ließ er sich auf die Knie fallen und küsste die geliebte walisische Erde, der er vierzehn Jahre – die Hälfte seines Lebens – hatte fern sein müssen.

Als Julian ihm schließlich mit seinen Söhnen und Schwiegersöhnen folgte, hatte der junge Thronanwärter sich immer noch nicht gerührt.

»*Verhilf mir zu meinem Recht, oh Herr*«, hörten sie ihn beten, »*denn ich habe ohne Schuld gelebt. Auf dich habe ich vertraut, ohne zu wanken. Stell mich auf die Probe, Herr, erforsche mein Herz. Denn deine Güte habe ich vor Augen, ich wandle in deiner Wahrheit. Nie saß ich bei den Frevlern, noch weilte ich bei den Gottlosen. Ich wasche meine Hände in Unschuld …*« Er konnte nicht weitersprechen. Mit gesenktem Kopf, die Hände auf den Knien zu Fäusten geballt, wartete er, dass er die Fassung wiederfand.

Bischof Morton legte ihm die beringte Hand auf die Schulter und sprach den Psalm für ihn: »*Ich umschreite, Herr, deinen Altar, um dein Lob zu künden und all deine Wunder zu preisen. Ich liebe die Stätte deines Tempels, wo deine Herrlichkeit wohnt. Raffe meine Seele nicht hinweg mit den Frevlern, mein Leben nicht mit den Mördern.*«

»*An ihren Händen klebt Schandtat*«, fuhr Richmond mit festerer Stimme fort. »*Mit Bestechung ist ihre Rechte gefüllt. Ich aber wandle ohne Schuld. Erlöse mich, Herr, und erbarme dich meiner. Mein Fuß steht auf festem Grund, und preisen will ich den Herrn.«*

Er stand auf, und es war eine Weile still. Dann räusperte sich Robin und raunte seinem Cousin Owen zu: »Na ja. Das ist vielleicht ein bisschen dick aufgetragen, aber im Großen und Ganzen stimmt es schon …«

Richmond wandte langsam den Kopf und sah ihn an, als wolle er ihm das Schwert in die Brust stoßen. Doch dann breitete sich plötzlich ein Lächeln auf seinem Gesicht aus, das übermütig und zuversichtlich zugleich schien, und er ließ die Rechte schwer auf Robins Schulter fallen. »Knie dich hin, du Schandmaul.«

Robin machte große Augen. »Was …?«

»Owen, Mortimer, Edmund, ihr auch.« Zwölf weitere wählte er aus, die mit ihm gesegelt waren, und als sie alle nebeneinander vor ihm auf der felsigen Erde knieten, zog er das Schwert und schlug alle sechzehn zu Rittern.

Die Truppen, die von Bord aus zuschauten, jubelten und applaudierten.

»Er hat ein gutes Auge für die Inszenierung eindrucksvoller Gesten«, bemerkte Bischof Morton gedämpft, der zwischen Julian und Jasper stand. »Eine äußerst nützliche Gabe für einen König. Schaut mich nicht so finster an, Tudor, ich bin nicht der Zyniker, für den ihr mich haltet. Ich stelle nur Tatsachen fest.«

Jasper schüttelte den Kopf. »Er hat nichts dergleichen, Mylord. Er ist nicht so … weltgewandt, wie ein Prinz in seinem Alter es wäre. Und weil er keine Ahnung hat, was in einem Moment wie diesem von ihm erwartet wird und was er tun muss, folgt er einfach der Stimme seines Herzens.«

Morton lächelte. »Nun, da er es auf dem rechten Fleck hat, ist das vielleicht viel kostbarer als prinzliche Weltläufigkeit.«

Julian drängte sich vorerst nicht in die Traube derer, die Richmond und seine frisch gebackenen Ritter umstanden, sondern trat zu seinen beiden jüngeren Söhnen und ihrem Cousin Goronwy, die die Zeremonie niederfüllt verfolgt hatten.

»Kopf hoch, Männer«, sagte Julian. »Eure Zeit kommt auch noch.«

»Aber ich bin schon siebzehn«, klagten Goronwy und John wie aus einem Munde.

»Ziemlich jung«, urteilte Julian nachdrücklich. Er fand insgeheim, dass auch Edmund mit seinen neunzehn Jahren noch sehr jung war, um an Richmonds Seite in die Schlacht zu ziehen, aber das sahen Väter natürlich grundsätzlich anders als Söhne.

»Und was ist, wenn die kommende Schlacht gegen Richard of Gloucester unsere einzige Chance wäre, für ihn zu kämpfen?«, fragte der scheue Harry so leise, dass Julian die Ohren spitzen musste, um ihn zu verstehen.

»Dann hättet ihr zumindest die Ehre gehabt, als seine Knappen seine Rüstung makellos und sein Schwert scharf gehalten zu haben. Das ist nicht so wenig, Harry.«

Sein Jüngster hob den Kopf und sah ihn stumm an, und in seinen Augen erkannte Julian die Frage, die den Jungen eigentlich quälte: Was wird aus uns, wenn wir verlieren? Wenn er fällt?

Julian wünschte einen Moment, er hätte auf Janet gehört und wenigstens Harry in Rouen gelassen, wo der französische Hof derweil residierte und Janet und Blanche und alle anderen Frauen zurückgeblieben waren. Aber Richmond hatte es als Selbstverständlichkeit betrachtet, dass seine Knappen ihn vollzählig begleiten würden. Und Harry ebenso. Letztlich hatte Julian es nicht fertiggebracht, ihn zu enttäuschen. Verantwortungslos und kriegswütig hatte Janet ihn geschimpft. Und womöglich hatte sie Recht. Jedenfalls war der drohende Gesichtsverlust seines Jüngsten seinem Herzen näher gewesen als die mütterliche Sorge seiner Frau.

Er zwinkerte Harry zu. »Ich hoffe, bis du alt genug für deinen Ritterschlag bist, sind die letzten Yorkisten aus England verschwunden. Aber sei unbesorgt, mein Sohn. Wenn man sich wirklich Mühe gibt, findet man immer jemanden, mit dem man sich schlagen kann.«

Weil sie auf Oxfords Rat gehört und alles akribisch geplant hatten, verlief ihre Landung in Milford reibungslos. In der festgelegten Reihenfolge brachten die Männer Pferde und Ausrüstung von Bord, und Richmond führte seine Armee nach Dale. Die Bewohner des beschaulichen kleinen Dorfes verfolgten ihren Einzug mit offenen Mündern und jubelten, als sie Jasper im Grün und Weiß der Tudors entdeckten. Noch ehe die Ankömmlinge die kleine Burg erreichten, wurden deren Tore einladend geöffnet, und es war kein Geringerer als William Herbert, Richmonds Freund aus Kindertagen, der sie in der bescheidenen Halle empfing. »Seid willkommen in der Heimat, Mylord. Ihr habt mir gefehlt, weiß Gott.«

»Bill!« Lächelnd hob Richmond ihn auf und schloss ihn in die Arme. »So pummelig wie eh und je«, frotzelte er, aber seine dunklen Augen leuchteten vor Freude über dieses Wiedersehen.

Der junge Herbert strich sich mit einem Achselzucken über den fassrunden Bauch. »Wir hatten keine schlechten Jahre, und leider sieht man mir das an. Erinnert Ihr Euch, wie sie meinen Vater nannten?«

»Black Will.«

William junior nickte. »Und Fat Will nennen sie mich«, verriet er. Es klang ein wenig verstimmt, aber ebenso ergeben.

»Es gibt schlimmere Beinamen«, bemerkte Richmond und legte seinem alten Freund für einen Augenblick die Hand auf den Unterarm. »Ihr sagt, die Jahre für Euch waren gut unter Yorks Herrschaft, und dennoch beugt Ihr vor mir das Knie und habt es versäumt, Richards Leuchtsignale in den Hügeln zu entzünden?«

Fat Will Herbert nickte ohne alle Anzeichen von Scham. »Ich gestehe, ich befände mich in einer bösen Zwickmühle, wenn es König Edward wäre, dem Ihr die Krone entreißen wollt. Aber Richard?« Er spuckte ins Stroh. »Er hat uns mit Furcht und Schrecken regiert. Zwei Jahre lang. Das ist genug.«

»Wie steht es um Wales?«, fragte Jasper.

Herbert sah ihn an und zögerte einen Moment, als sei er nicht sicher, wie er diesen Mann, der der fleischgewordene Albtraum seines Vaters gewesen war, begrüßen sollte. Dann verneigte er sich und sagte: »Pembrokeshire gehört Euch mit Mann und Maus, Mylord. Das ist so, wie es immer war. Es würde mich nicht wundern, wenn wir morgen früh feststellen, dass Eure Truppen über Nacht um ein paar hundert angewachsen sind. Und Wales«, fuhr er an Richmond gewandt fort, »betet seit Jahren um Eure Heimkehr. Die Sänger haben Lieder über Euch gedichtet, wisst Ihr. Sie nennen Euch den wiedererstandenen Artus.«

»Ich bin geschmeichelt«, erwiderte Richmond trocken.

Herbert nickte mit einem verlegenen Lächeln. »Ihr wisst, wie sie sind, unsere Landsleute. Vor den Realitäten können sie die Augen verschließen, aber für einen Mythos sind sie leichte Beute. Ich habe meinem Bruder Walter und den Männern im Norden Nachricht geschickt, dass Ihr kommt. Sie werden sich Euch anschließen, ich bin sicher.«

Er hatte Recht. Als sie am nächsten Morgen aufbrachen, lag Dale unter einer weißen Nebeldecke, aber die Welt war nicht so still, wie sie schien. Beinah vor jeder der Katen warteten Männer mit Langbögen, verneigten sich vor Jasper und Richmond an der Spitze des Zuges, warteten, bis die Armee an ihnen vorbeimarschiert war, und schlossen sich an.

Sie waren noch nicht lange unterwegs, als Rhys ap Thomas, ein mächtiger walisischer Lord, der seit Buckinghams Rebellion König Richards Auge und Ohr in Wales gewesen war, mit tausend Mann zu ihnen stieß und Richmond öffentlich huldigte. Am nächsten Tag war es William Herberts Bruder Walter – noch ein gestandener Yorkist –, der sich ihnen anschloss, und tags darauf Jaspers Bruder Rhys, der die Männer von Anglesey und aus Nordwales anführte.

Aber Richmond ließ sich von dem überwältigenden Zustrom nicht zu Euphorie und Leichtsinn verführen. Er wusste, die Dinge würden anders aussehen, sobald sie nach England kamen, wo niemand ihn kannte.

»Nun, ich kann nicht sagen, wie es um das restliche England bestellt ist, Mylord. Shrewsbury jedenfalls wird Euch die Tore öffnen«, berichtete Andrew Devereux, als er kurz nach Einbruch der Dunkelheit in Richmonds Zelt kam. Sie lagerten in Welshpool nahe der Grenze. Da Andrew aus einer Familie von Marcher Lords stammte, hatte er gute Beziehungen in den Grenzmarken zwischen England und Wales und sich hinübergeschlichen, um ein paar Erkundigungen einzuziehen.

»Wieso sollte Shrewsbury uns mit einem Mal freundlich gesinnt sein, wo die Stadt vor zwei Jahren Buckingham an die Yorkisten ausgeliefert hat?«, entgegnete Robin sich skeptisch.

Sein Schwager hob die Hände. »Sie haben es sich einfach anders überlegt, Robin. Buckingham war unbeliebt im Grenzland. Ihr hingegen seid es nicht«, schloss er an Richmond gewandt.

Richmond saß auf einem zusammenklappbaren Schemel an einem wackligen Tisch, einen unberührten Becher vor sich. Er hatte die Rechte zu einer losen Faust geballt und strich sich versonnen damit über die Lippen. »Ich weiß nicht, Sir Andrew«, brummte er schließlich. »Das ist alles zu leicht. Wenn das so weitergeht, fange ich an zu glauben, dass Richard mir persönlich die Krone überreicht, wenn wir uns auf dem Schlachtfeld begegnen …«

Die Männer im Zelt lachten leise, aber Andrew schüttelte den Kopf. »Ich schätze, die Gefahr, dass das geschieht, ist eher gering. Vor drei Tagen hat er von unserer Landung erfahren, habe ich gehört. Er hat sofort Boten ausgesandt, um seine Lords mit ihren Männern zu den Waffen zu rufen. Wer nicht kommt, heißt es in dem Befehl, sei ein Verräter und werde hingerichtet.«

»Ah ja?«, fragte Julian verächtlich. »Richard ist sich der Treue seiner Lords so unsicher, dass er sie mit Drohungen zu den Waffen ruft?«

»Es hat den Anschein«, bestätigte Andrew. »Aber Norfolk wird zu ihm stehen, er ist schon unterwegs. Genau wie Northumberland.«

»Und wie steht es mit Lord Stanley?«, fragte Jasper in die plötzliche Stille.

Andrew hob die Hände. »Ich hörte, er habe den Hof verlassen und sei auf seine Güter gegangen, um seine Männer dort zu versammeln. Aber er ist noch nicht wieder ausgerückt. Er sei krank, hieß es. Schweißfieber.«

»Welch ein eigentümlicher Zeitpunkt für einen Fieberanfall«, bemerkte Mortimer spitz.

»Hm«, machte Owen und schniefte verächtlich. »Vielleicht ist es auch nur der Angstschweiß ...«

»Ich kann nicht glauben, dass der Gemahl meiner Mutter seinem König den Rücken kehren würde«, widersprach Richmond. »Wenn er sagt, er sei krank, *ist* er krank.«

»Vielleicht unterschätzt du die Überredungskünste deiner Mutter«, gab Julian zu bedenken.

Aber Richmond schüttelte entschieden den Kopf. »Mein Stiefvater ist mit Haut und Haar Yorkist. Wenn jeder andere englische Lord Richard verließe, würde Stanley allein an seiner Seite stehen.« Er sagte es mit Hochachtung, denn auch wenn Stanley an die falsche Sache glauben mochte, war seine Haltung doch ehrenhaft.

»Tja«, machte Julian. »Dann bleibt uns nur zu hoffen, dass der alte Stanley sich mit seiner Genesung Zeit lässt.«

»Wenn er kommt, bringt Richard das auf die zehntausend Mann, mit denen wir gerechnet haben«, warf Oxford ein, und sein Tonfall sagte: Es ist nicht besser, aber auch nicht schlimmer als erwartet.

Unangefochten überquerte Richmond mit seiner Armee die Grenze nach England, und wie Andrew Devereux vorausgesagt hatte, öffnete Shrewsbury ihm die Tore. Von dort aus zogen sie weiter in östlicher Richtung. Am Abend des zwanzigsten August erreichten sie bei Einbruch der Dämmerung Tamworth. Keine zwanzig Meilen trennten sie nun mehr von Leicester, wo König Richard mit seinen Truppen lagerte.

Robin saß mit Edmund und seinem Cousin Owen in ihrem

Zelt und beäugte ohne großen Enthusiasmus den Kanten Brot, das Stück Dörrfleisch und den Becher Ale, die seine Abendration darstellten. »Ich glaub, ich bin zu müde zum Essen«, murmelte er.

»Tu's trotzdem«, riet sein Bruder. »Wer weiß, ob's morgen noch etwas gibt.«

Der Proviant wurde knapp, das wussten sie alle. So glücklich sie auch über den Zustrom an Freiwilligen waren, so groß waren doch die Probleme, all die Männer zu versorgen.

Robin nickte ergeben, steckte sein Dörrfleisch zwischen die Zähne und zerrte. Als es ihm endlich gelungen war, ein mundgerechtes Stück abzubeißen, trat Mortimer mit eingezogenem Kopf durch den niedrigen Zelteingang. »Robin, Owen, wir sollen satteln lassen.«

Owen runzelte die Stirn. »Wie bitte? Wenn er die Nacht durchmarschieren will, warum um Himmels willen hat er dann das Lager aufschlagen lassen?«

Mortimer schüttelte den Kopf. »Wir marschieren nicht die Nacht durch. Er möchte ausreiten.«

»Ausreiten?«, wiederholte Edmund ungläubig.

Sein Bruder drückte ihm das angenagte Stück Fleisch in die Hand. »Manchmal ist er ein bisschen wunderlich. Wohl bekomm's, Bruder. Leg dich ruhig schlafen und warte nicht auf uns – das kann dauern.«

»Aber was hat er denn vor?«, fragte Edmund.

Robin hob die Schultern. »Keine Ahnung. Hin und wieder überkommt ihn eine ebenso plötzliche wie heftige Sehnsucht nach weiblicher Gesellschaft. Vor allem immer dann, wenn die Dinge brenzlig werden. Und da seine süße Eloise in der Bretagne geblieben ist …«

»Hör auf zu schwafeln und komm endlich, Robin«, drängte Owen, der schon die Waffen angelegt hatte und den Mantel über dem Arm trug.

Robin klopfte seinem Bruder kurz die Schulter und folgte Owen und Mortimer in den lauen Abend hinaus. Sie lagerten einen Steinwurf nördlich der Straße auf den abgeernteten

Feldern eines Ursulinenklosters. Richmonds Zelt stand auf der Kuppe eines Hügels. Eigentlich nur ein mickriges Hügelchen, fand Robin, aber in dieser flachen Gegend bot selbst das einen guten Blick über die Umgebung.

Als die drei Ritter jeder mit einem Pferd an der Hand dorthin kamen, erwartete Richmond sie bereits im Sattel. »Was hat so lange gedauert, Gentlemen?«, fragte er eine Spur gereizt. »Das üppige Nachtmahl?«

Robin saß auf und dachte flüchtig, dass er Richmond nie so angespannt erlebt hatte wie in den letzten zwei Wochen, nicht einmal bei ihrer überstürzten Flucht aus der Bretagne, als sie ihn um ein Haar erwischt hätten. Aber Robin wusste natürlich, woran das lag. Es war die Verantwortung für all die Männer, die sich seiner Sache im Angesicht einer Überzahl an Feinden angeschlossen hatten, die Richmond so zu schaffen machte.

»Und warum die Eile, Mylord?«, konterte Robin und ritt neben ihm an. »Die hübschen Jungfrauen von Warwickshire werden uns schon nicht davonlaufen …«

Richmond schüttelte den Kopf. »Wie kannst du glauben, dass ich in einer Lage wie dieser solche Frivolitäten im Sinn habe?«

Ist es so frivol, wenn man jung ist wie wir und noch ein letztes Mal einen Frauenkörper unter sich spüren will, ehe man in eine wenig aussichtsreiche Schlacht reitet?, überlegte Robin und fand keine befriedigende Antwort.

»Also, wohin wollen wir dann?«, fragte Mortimer.

Richmond schwieg, bis sie die Wachen passiert hatten und allein über die offenen Felder ritten. Dann antwortete er: »Nach Atherstone.« Er zeigte geradeaus. »Da geht's lang.«

Owen und Robin wechselten einen entsetzten Blick. »Zu Lord Stanley?«, fragte Owen ungläubig. »Ähm … nur wir vier?«

Richmond wandte den Kopf und sah ihn schweigend an, eine Braue spöttisch in die Höhe gezogen.

»Ich mein ja nur …«, beeilte Owen sich hinzuzufügen und brach dann ab, als wisse er nicht so recht, was er eigentlich meinte.

»Ganz Unrecht hat er nicht«, murmelte Mortimer vor sich hin. »Lord Stanley wird uns festnehmen und an Richard ausliefern.«

»Oder auch nicht«, sagte Robin und zügelte seinen Braunen mühelos, als der vor einem Rascheln zu ihrer Linken scheute.

Richmond fegte die Debatte mit einer ungeduldigen Geste beiseite. »Hätte ich Bedenken hören wollen, hätte ich eure Väter nach ihrer Meinung gefragt.«

»Und das heißt, sie wissen nicht, wohin du reitest?«, fragte Robin.

Richmond schüttelte den Kopf. »Niemand weiß es.«

»Du magst der rechtmäßige König von England sein, Cousin, aber du bist verrückt«, befand Owen. »Wenn wir spurlos verschwinden, wird niemand wissen, wohin und wieso.«

»Wenn wir spurlos verschwinden, spielt das Wohin und Wieso keine große Rolle mehr«, entgegnete Richmond ungerührt.

»Stimmt«, sagten Robin und Mortimer wie aus einem Munde und wechselten einen halb argwöhnischen, halb erstaunten Blick. Es kam nicht gerade oft vor, dass sie einer Meinung waren.

Es war kein weiter Weg. Als sie Lord Stanleys Burg nach etwa einer Stunde erreichten, war es Robin, der an der Spitze ritt und der Wache auftrug, Lord Stanley von seiner Ankunft zu unterrichten und um eine kurze Unterredung zu bitten.

Der Name Waringham war in den Midlands nicht unbekannt. Der Soldat neigte höflich den Kopf und entfernte sich im Laufschritt. Robin ritt wieder an, um ihm zu folgen, und als er unter dem schweren Fallgitter hindurchkam, konnte er sich nicht hindern, den Blick nach oben zu richten. Beinah war es ihm, als höre er das raue Klirren schon, mit dem das rostige Gitter herabsausen würde, um sie in Atherstone gefangen zu setzen …

»Lord Waringham?«, fragte Stanley, als er die kleine Halle im Erdgeschoss des Bergfrieds betrat, wohin man die späten Besucher geführt hatte. Seine Stimme drückte Verwunderung ebenso wie Misstrauen aus.

Robin trat ins Licht der einzelnen Kerze auf dem Tisch, nahm den alten, aber verwegenen Samthut ab und deutete eine Verbeugung an. »Sein Sohn, Mylord.«

Stanley war bleich und unrasiert. Entweder war er tatsächlich krank gewesen, oder es gab irgendetwas, das schwer auf seiner Seele lastete. Sein Blick wirkte ebenso erschöpft wie gehetzt, und die Augen waren trüb. Doch jetzt verengte er sie und musterte seinen jungen Besucher. »Und was mag es sein, das Ihr von mir wollt?«

Richmond stellte sich neben Robin und verneigte sich weitaus höflicher als er vor ihrem Gastgeber. »Ich bin derjenige, der zu Euch gekommen ist, Mylord.«

»Und Ihr seid?«, fragte Stanley barsch.

»Henry Tudor, Earl of Richmond.«

Stanley gab keinen Kommentar ab, aber Robin schien es, als werde der ältere Mann noch eine Spur bleicher.

Von der Tür erklang ein gedämpfter Jubellaut, und im nächsten Moment kam eine zierliche Frau herein. Sie ging langsam und auf einen eleganten Stock mit Silberknauf gestützt, und trotzdem kam es Robin vor, als schwebe sie.

»Henry!«, rief sie leise. »Der Herr Jesus Christus und die Heilige Jungfrau seien gepriesen, denn sie haben meinen sehnlichsten Wunsch erfüllt, dich noch einmal wiederzusehen.«

Richmond zeigte ein Lächeln, wie seine Freunde es noch nie an ihm gesehen hatten: Es drückte eine eigentümliche Mischung aus Nachsicht und Verehrung aus. Er nahm die freie Hand der Dame in seine beiden und führte sie an die Lippen. »Madam.« Dann wandte er den Kopf ein wenig zur Seite, weg vom Licht, wie er es immer tat, wenn er nicht wollte, dass irgendwer seine Gefühle erriet.

Lady Megan bedurfte solcher Hilfsmittel nicht. Eine einzelne Freudenträne rann ihre Wange hinab, aber ihre Miene drückte nichts als Gleichmut und heitere Gelassenheit aus. Robin kam zu dem Schluss, dass diese Dame zu Recht für ihre große Beherrschtheit gerühmt wurde, und er ertappte sich bei der Erkenntnis, dass er erleichtert war, nicht ihr Sohn zu sein. Über vierzehn Jahre hatte sie Richmond nicht gesehen. Und alles sprach dafür, dass diese Begegnung ihre letzte sein würde. Ihre *Nonchalance* war ihm unheimlich.

Dann legte Lady Megan die Hand ihres Sohnes an ihre Wange und schloss die Augen. »Wie groß du geworden bist.«

Richmond lachte leise. »Das hab ich lange nicht gehört …«

»Für einen Waliser, meine ich«, erklärte sie. »Genau wie dein Vater.«

Er nahm behutsam ihren Arm und führte sie zu einem Sessel. Für den Augenblick schien er seinen Stiefvater völlig vergessen zu haben, der bedrohlich und reglos wie ein Pranger auf dem Dorfplatz mitten im Raum stand und die Szene mit undurchschaubarer Miene verfolgte.

»Ich hoffe, Ihr seid wohl, Madam«, sagte Richmond, nachdem seine Mutter Platz genommen hatte. Dann hob er die Hand und schnalzte mit der Zunge, ungeduldig mit sich selbst. »Das seid Ihr nicht, wie man sieht. Julian hat mir von Eurem Leiden erzählt, aber ich habe den Verdacht, er hat mir verschwiegen, wie sehr es Euch zu schaffen macht.«

Lady Megan winkte mit einer ihrer kleinen Hände ab. Im schwachen Licht sah die Bewegung aus wie ein tanzender Schmetterling. »Es ist nicht so schlimm, wie du vielleicht denkst. Stell mir deine Freunde vor.«

»Robin of Waringham, Owen ap Jasper, Mortimer Welles.«

Nebeneinander traten sie näher und verneigten sich vor ihr.

Lady Megan nickte huldvoll. Wie eine Königin. »Seid willkommen, Gentlemen.«

Stanley konnte nicht länger an sich halten. »Madam, bei allem Verständnis«, grollte er und trat an den Tisch. »Aber wenn der König hiervon erfährt, dann …« Er brach ab.

»Ich weiß, mein Lieber«, erwiderte sie sanft. »Mir ist vollkommen bewusst, wie schwierig diese Situation für dich ist und dass weder mein Sohn noch seine Begleiter in deinem Haus willkommen sein können. Gestattest du trotzdem, dass ich nach Wein und Speisen schicke?«

»Das ist wirklich nicht nötig, Madam«, begann Richmond abzuwehren, obwohl es mindestens eine Woche her war, seit er sich zuletzt sattgegessen hatte.

»Ich bestehe darauf«, entgegnete Stanley steif, forderte die Besucher mit einer knappen Geste auf, Platz zu nehmen, ging zur Tür und erteilte murmelnd ein paar Befehle.

Ein unangenehmes Schweigen breitete sich am Tisch aus, während sie warteten, voll unausgesprochener Fragen und Anschuldigungen. Schließlich kam ein livrierter Diener und brachte einen großen Krug Wein, eine Platte mit dampfendem Biberbraten und eine Schale Feigen.

Nachdem er eingeschenkt hatte und wieder gegangen war, wandte Richmond sich an seinen Stiefvater: »Seid beruhigt, Stanley. Niemand wird erfahren, dass ich hier war. Nur Waringham hat sich Eurer Torwache zu erkennen gegeben, und wie Ihr seht, reite ich heute ohne mein Wappen.«

Stanley fuhr sich mit dem Unterarm über die Stirn und nickte, offenbar wenig beruhigt. »Aber was immer Euch herführt, muss auf einem Irrtum beruhen, Richmond. Es gibt nichts, das ich für Euch tun könnte. Und ich muss Euch gewiss nicht erklären, in welch einen Konflikt Ihr mich bringt: Soll ich Eurer Mutter das Herz brechen und Euch festnehmen oder meinen König verraten und Euch laufen lassen?«

Richmond sah ihm in die Augen. »Ich fürchte, die Zeit ist gekommen, da jeder Edelmann in England eine unbequeme Entscheidung treffen muss.«

»Und was gibt Euch das Recht, mir diese Entscheidung aufzuzwingen?«, brauste Stanley auf.

»Mein Thronanspruch, Mylord«, antwortete Richmond, höflich, aber bestimmt.

»Der äußerst zweifelhaft ist!«

»Darüber soll Gott entscheiden, wenn wir gegen Richard

in die Schlacht ziehen. Ich werde weder meine noch Eure Zeit damit verschwenden, mich zu rechtfertigen.«

»Nein? Wie wär's, wenn Ihr mir dann endlich sagt, wozu Ihr hergekommen seid?«

Richmond lehnte sich in dem komfortablen Polstersessel zurück, ließ den rechten Arm über die Lehne baumeln und betrachtete den Gemahl seiner Mutter mit zur Seite geneigtem Kopf. »Ich war neugierig. Wir hörten, Ihr habet Richards Hof verlassen, um Eure Männer zu den Waffen zu rufen, und als Euer König Euch einen Boten schickte, sich ihm wieder anzuschließen, habet Ihr Euch mit Krankheit entschuldigt. Keine Ausrede, wie ich sehe«, kam er Stanleys wütendem Protest zuvor. »Und dennoch, Mylord. Ihr seid hinreichend genesen, um das Krankenlager verlassen zu haben. Was mag es sein, das Euch hindert, zu Eurem König zu eilen? In der Stunde seiner Not?«

Stanley brummte verächtlich. »Er hat keine Not, Söhnchen. König Richard hat doppelt so viele Männer wie Ihr, und ich wünschte, Ihr würdet um Eurer Mutter willen kehrtmachen und zurück ins Exil gehen. Denn Ihr habt keine Chance.«

»Und Ihr habt meine Frage nicht beantwortet«, entgegnete Richmond liebenswürdig und biss in eine Feige.

Stanley nahm einen Zug aus seinem Becher und schwieg. Robin beobachtete ungläubig, wie Lady Megan unter dem Tisch die Hand ihres Gemahls ergriff, als wolle sie ihm Kraft spenden. Warum tut sie das?, rätselte er. Wieso nutzt sie den Einfluss, den sie offenkundig auf ihn hat, nicht für ihren Sohn? Was zum Henker stimmt nicht mit dieser Frau?

Stanley warf seiner Gemahlin einen kurzen Blick zu, der eine Spur verschämt schien. Dann gab er sich einen Ruck. »Der König und ich hatten … Differenzen.«

Richmond legte seine angebissene Feige auf den Tisch und atmete tief durch, als habe er inständig gehofft, genau dies zu hören. Aber seine Stimme klang vollkommen gelassen, als er wiederholte: »Differenzen?«

Stanley nickte. »Er … er ist nicht mehr der Mann, der er einmal war. Mir ist bewusst, dass Ihr ihn hasst, aber nicht alles ist wahr, was über ihn verbreitet wird, und ich würde meine Hand dafür ins Feuer legen, dass er mit dem Verschwinden seiner Neffen nichts zu tun hat.«

Gut für deine Hand, dass wir dir diese Feuerprobe ersparen, dachte Robin gallig.

»Aber viele Männer in England verdächtigen ihn, gerade jene, die einst Yorkisten waren und seinem Bruder gedient haben. Vom ersten Tag seiner Regentschaft an stand König Richard im Schatten seines Bruders. Und viele Männer wandten sich von ihm ab und ließen ihn im Stich.«

»Sie ließen ihn nicht im Stich«, widersprach Richmond bedächtig und schüttelte den Kopf. »Sie kamen zu mir. Die wenigsten, weil sie mich kannten oder gar schätzten, sondern weil ihnen vor Richard graute. Und vor seinen Verbrechen, die Ihr nicht wahrhaben wollt.«

»Lancastrianische Lügengeschichten, nichts weiter!«, stieß Stanley hervor, mäßigte sich aber sogleich wieder. »Dann starb der Prinz, dann die Königin. Das hat ihn über die Maßen verbittert.«

»Seine Bitterkeit hat ihn indessen nicht gehindert, gleich neue Heiratspläne zu schmieden«, raunte Robin in seinen Becher.

Richmond warf ihm einen kurzen Blick zu, wies ihn aber nicht zurecht.

Stanley hob ein wenig hilflos die Hände. »Er hat an eine Dynastie zu denken, nicht wahr.«

Robin biss sich auf die Zunge, um sich an einer boshaften Bemerkung über Richards verschwenderischen Umgang mit den Prinzen seines Hauses zu hindern.

»Ich könnte den Eindruck gewinnen, dass Ihr meine und Eure Zeit verschwendet, indem Ihr Euch bemüht, mein Mitgefühl für Richard of Gloucester zu wecken, Mylord«, sagte Richmond, »hätte ich nicht das Gefühl, dass Ihr auf etwas Bestimmtes hinauswollt.«

Stanley gab sich einen sichtlichen Ruck und nickte. »Seine Enttäuschung und Bitterkeit haben ihn maßlos in seinem Zorn und seiner Auflehnung gegen Gott gemacht«, gestand er freimütig. »Er … er hört nicht mehr auf seinen Kronrat, er hat im Parlament Angst und Schrecken verbreitet, um Lords und Commons gefügig zu machen. Er ist …«

»Ein Tyrann?«, schlug Owen vor.

Stanleys Blick glitt in seine Richtung. »Vielleicht. Trotzdem … konnte ich mich nicht entschließen, mich von ihm abzuwenden. Aber mein Bruder William und mein Sohn … sie entschieden sich, die Seiten zu wechseln, Richmond.«

»Euer Sohn?«, wiederholte Richmond erstaunt. »Ich wusste nicht, dass ich einen Stiefbruder habe, Mylord.«

Ein klägliches Lächeln huschte über Stanleys kränkliches Gesicht.

»Sieben, um genau zu sein«, antwortete Lady Megan. »Und fünf Töchter. Sie stammen aus Lord Stanleys erster Ehe. George – der Erstgeborene – ist so alt wie du, mein Sohn. Ein großartiger Mann. Aber ein Hitzkopf, der keineswegs immer in allem auf seinen Vater hört.« Sie lächelte und strich Stanley tröstend über den Arm. »George wollte sich deiner Sache anschließen und hat sich darüber mit seinem Vater zerstritten.«

Stanley nickte. »Und als ich den König um Erlaubnis bat, den Hof verlassen zu dürfen, um meine Männer zu versammeln, da …« Er schluckte. »Da sagte König Richard, ich sei frei zu gehen, solange ich ihm George zur Gesellschaft ließe. Ich habe eingewilligt. Geschieht dem Bengel recht, dachte ich …« Er stützte die Stirn in die Hand.

Richmond umschloss sein Silberkreuz mit der Linken. »Er hat Euren Sohn als Geisel genommen? Als … als Pfand für Eure Treue?«

Für einen Moment fürchtete Robin, der wackere Lord Stanley werde in Tränen ausbrechen. »So ist es«, antwortete Richmonds Stiefvater beinah tonlos. »Und dann hat er … Richard hat …« Er geriet ins Stocken, verzog den Mund, als verspüre er einen bitteren Geschmack, und nahm sich dann zusammen. »Ich hatte kaum den Rücken gekehrt, als er meinen Sohn bezüglich seiner und meiner Königstreue einer Befragung unterzog. Versteht Ihr?«

Robin fühlte mit einem Mal einen heißen Druck auf dem Magen. Sie alle wussten, was es bedeutete, wenn Richard of Gloucester einen Mann »befragte«. George Stanley war gewiss nicht zu beneiden.

»Nach allem, was mein Informant mir berichtete, scheint es ungewiss, ob mein Sohn je wieder einen Schritt laufen wird, Richmond«, fuhr Stanley fort. Es klang nüchtern. Vermutlich, weil er es nur so herausbringen konnte. »Und damit hat der König genau das erreicht, was er verhindern wollte: Ich bin fertig mit ihm. Und nicht nur ich. Kein Stanley wird mehr einen Finger für ihn rühren. Aber noch … lebt mein Sohn.«

»Bitte, Mylord, sprecht nicht weiter«, unterbrach Richmond. Er stand auf, umrundete den langen Tisch, blieb vor dem Gemahl seiner Mutter stehen und verneigte sich tief. »Vergebt mir, dass ich hier einfach eingedrungen bin und das Leben Eures Sohnes in noch größere Gefahr gebracht habe. Wenn ich all das gewusst hätte, wäre ich nie hergekommen. Wir werden auf der Stelle verschwinden. Das heißt, wenn Ihr uns gehen lasst.«

Stanley sah verständnislos zu ihm auf. »Ihr wollt gehen?«

Richmond nickte, beugte sich über die Hand seiner Mutter und murmelte: »Sorgt Euch nicht um mich, Madam. Aber betet für mich.«

Dieses Mal schien es Lady Megan ein bisschen schwerer zu fallen, Haltung zu bewahren. Mühsam kam sie auf die Füße, und Richmond beugte sich höflich zu ihr herab, damit sie ihn in die Arme schließen konnte. »Das werde ich, Henry. Und wenn es Gottes Wille ist, sehen wir uns in Westminster wieder.«

Robin konnte sich ein Schnauben nicht verkneifen. »Gottes Wille in allen Ehren, Madam, aber ohne Stanleys Hilfe …«

»Still«, befahl Richmond.

Bitte, dachte Robin wutentbrannt, wenn du darauf bestehst, unser aller Grab zu schaufeln. Aber er hielt den Mund.

Richmond streckte Stanley die Hand entgegen. »Tut, was Ihr tun müsst, Mylord. Rettet Euren Sohn.«

Stanley schlug ein. Für einen Moment schienen ihm die

Worte zu fehlen. Dann sagte er: »Gott schütze Euch, Mylord. Ich wünsche Euch Glück, denn ich merke, Ihr wäret England ein besserer König als Richard.«

Richmond nickte, als erzähle Stanley ihm nichts Neues, und führte seine drei Ritter hinaus.

Schweigend machten sie sich auf den Rückweg zum Lager ihrer viel zu kleinen Armee, aber nach einer Viertelmeile konnte Robin nicht mehr an sich halten. »Warum, verflucht noch mal?«, fragte er verständnislos. »Du hattest ihn schon! Du hättest nur noch sagen müssen: ›Kämpfe für mich‹, und er hätte es getan!«

»Und sein Sohn wäre tot.«

»Viele Söhne werden sterben, wenn diese Schlacht geschlagen wird, Cousin«, bemerkte Owen.

»Sie werden fallen. Das ist etwas anderes.«

»Aber …«, begann Mortimer.

»Es ist, wie meine Mutter sagte«, unterbrach Richmond. »Gottes Wille wird geschehen, nichts sonst. Und ich will nicht, dass ein Vater seinen Sohn zum Tode verurteilt, indem er für meine Sache kämpft. Ein Sieg ist nicht *jeden* Preis wert.«

»Sagt wer?«, fragte Robin angriffslustig.

In der Dunkelheit blitzten Richmonds Zähne auf, als er lächelte. »Prinzessin Elizabeth, meine Braut«, antwortete er. »Sie schrieb, das habe sie von deinem Vater gelernt.«

Bosworth, August 1485

Südwestlich der kleinen Ortschaft Market Bosworth, unweit von Leicester, trafen die Armeen des yorkistischen Königs und seines lancastrianischen Rivalen am Morgen des zweiundzwanzigsten August aufeinander.

Richmond und die Seinen hatten die Nacht am Fuße des Ambion Hill kampiert, und die Späher berichteten, dass Richard auf der anderen Seite des Hügels lag. Er war ihnen von Leicester aus entgegengezogen, um den Lancastrianern den Weg abzuschneiden, sollten sie sich nach Süden Richtung London wenden.

Richmond hatte zusammen mit seinen Lords und Vertrauten vor Tau und Tag die Messe gehört und stand nun im Morgengrauen am offenen Eingang seines Zeltes. Er trank ohne Hast einen Becher Suppe, und die Brühe dampfte heftig, denn es war ein kühler Morgen. Er schaute auf die abgeernteten Felder und den grasbewachsenen Hügel hinaus, als versuche er sich vorzustellen, was sich dort heute zutragen, wie viel Blut die friedvollen Wiesen tränken würde. Der Himmel wölbte sich verhangen und stahlblau über einer stillen, melancholischen Welt.

»Mylord?«, fragte John of Waringham zaghaft, und als Richmond den Kopf wandte, hielt der Knappe das gesteppte Wams hoch.

Richmond lächelte. »Du hast Recht. Ich sollte heute Morgen vielleicht lieber nicht trödeln.« Er schlüpfte in das jackenförmige Gewand, verknotete die Bänder und bat seinen jüngsten Knappen: »Harry, tu mir einen Gefallen und hilf, mein Pferd zu satteln und zu rüsten. Mir wäre wohler, wenn ein Waringham sich darum kümmert.«

Der Junge verbeugte sich und trat aus dem Zelt.

Julian stand mit Jasper und Richmonds drei getreuen Rittern zusammen im hinteren Teil des Zeltes und sah genau wie sie schweigend zu, während die Knappen Richmond für die Schlacht rüsteten: Über das Wams kam ein geschmeidiges Kettenhemd, das am Hals hoch geschlossen wurde, dann das Beinzeug, angefangen mit den sporenbewehrten stählernen Schuhen, schließlich Brust- und Rückenharnisch, Armschienen und gefingerte Handschuhe und zum Schluss der Schaller – ein Helm mit spitzer Glocke, großem Klappvisier und Nackenschutz –, gekrönt von einem Federbusch im Weiß und Grün der Tudors. Als Goronwy seinen Cousin mit dem Schwert gürtete, sah Richmond ebenso kriegerisch wie königlich aus.

»Bring die Standarte zu Sir William Brandon, John«, bat

er, und ehrfürchtig trug der Junge das grün-weiße Banner mit dem Georgs-Kreuz und dem roten Drachen von Wales hinaus.

Julian ertappte seinen Ältesten bei einem neiderfüllten Blick. Robin hatte ebenso wie Owen und Mortimer gehofft, dass Richmond ihn als Standartenträger auswählen würde, doch der hatte diese Ehre einem seiner neueren Ritter zuteilwerden lassen. Julian fand, es war eine kluge Entscheidung.

»Gentlemen, ich bin so weit«, bekundete Richmond. Er bewegte sich verblüffend mühelos in der schweren Rüstung, bedachte man, dass er seit den Waffenübungen seiner Jugendtage keinen Harnisch mehr getragen hatte.

»Und da kommt dein Pferd.« Owen wies auf den Zelteingang. Draußen wartete Harry mit Richmonds Rappen, der ebenso in Kettenpanzer und Harnisch gerüstet war wie sein Herr und ein stählernes Horn auf der Stirn trug.

Richmond nickte Harry mit einem Lächeln seinen Dank zu, dann wandte er sich an seine Kommandanten. »Alles bereit? Dann lasst uns gehen. Oxfords Späher berichtet, dass unsere Feinde aufmarschieren.«

Sie verließen das Zelt schweigend, saßen auf und ritten einige hundert Yards nach Nordosten, wo Oxford die Truppen formiert hatte. Er hatte die knapp fünftausend Mann am Fuß des Hügels in dreigeteilter Schlachtordnung postiert und vor der Hauptstreitmacht keilförmige Abteilungen von Bogenschützen als Spitzen aufgestellt.

Höflich beugte der Earl of Oxford den Kopf, als Richmond sich ihm mit seinem Gefolge anschloss, wies nach Osten und sagte ohne Vorrede: »Sie werden bald über die Kuppe des Hügels kommen. Der Duke of Norfolk führt Richards Vorhut an. Wenn Ihr erlaubt, werde ich ihm mit der unseren entgegenziehen, Mylord.«

»Einverstanden.«

»Northumberland, dieses wankelmütige Waschweib, bildet Richards rechte Flanke. Um ihn mache ich mir keine Sorgen. Norfolk und Richard selbst sind die gefährlichen Gegner, und sie kommen direkt von vorn.«

Es folgte ein kurzes Schweigen, und dann stellte Julian die alles entscheidende Frage: »Was ist mit Lord Stanley?«

Oxford sah ihm in die Augen, als er scheinbar gelassen antwortete: »Er ist gekommen. Mit beinah fünftausend Mann.«

»Gott steh uns bei«, murmelte Jasper.

»Er liegt genau nördlich von uns. Das heißt, wir müssen unsere linke Flanke verstärken und ebenfalls mit Bogenschützen sichern.«

»Das übernehme ich«, erbot sich Julian, und als er Richmond fragend anschaute, nickte der.

»Und was tun wir, wenn Stanley ...«, begann Mortimer, aber Oxford fiel ihm ins Wort.

»Keine Zeit mehr für Fragen, mein Junge.« Er wies nach Osten. »Da kommt Richard.«

Das Wetter, das seit Beginn dieses verfluchten Krieges vor dreißig Jahren bei jeder Schlacht auf Yorks Seite zu kämpfen schien, machte auch heute keine Ausnahme: Als die vorderste Reihe der feindlichen Truppen über die Kuppe des Ambion Hill kam, brach ein Sonnenstrahl durch die graue Wolkendecke, funkelte auf Richards blanker Rüstung und ließ die Edelsteine der Krone, die er über dem Helm trug, in allen Farben des Regenbogens funkeln. Sein Banner mit der Sonne und der weißen Rose von York und dem Eber von Gloucester erstrahlte.

»Seid ohne Furcht, Freunde«, sagte Richmond bedächtig. »Ganz gleich, wie er aussehen mag, er ist dennoch nur ein Mann und so sterblich wie jeder von uns.« Damit klappte er das Visier herunter und ritt in die Schlacht.

Die yorkistische Vorhut unter dem Duke of Norfolk stimmte ein Gejohle an, von dem einem das Blut in den Adern gerinnen konnte, und kam den Hang heruntergerannt. Sie ließ einen Pfeilhagel auf die Lancastrianer niedergehen, den diese sofort erwiderten. Dann brandeten die feindlichen Truppen aufeinander, und das grauenvolle Hauen und Stechen nahm seinen Anfang, Mann gegen Mann. Oxford und seine Vorhut mussten sowohl gegen die Sonne wie auch bergan kämpfen, wurden langsam, aber stetig zurückgedrängt und gerieten bald in arge Nöte.

Doch Northumberland, der eigentlich die rechte Flanke der yorkistischen Armee bilden sollte, ließ sich nicht blicken. Er hatte oben auf dem Hügel Stellung bezogen, um, wie er seinem König ausrichten ließ, Lord Stanley im Auge zu behalten, dem ja nicht zu trauen sei. Als König Richard feststellte, dass Stanley tatsächlich zögerte, in die Schlacht einzugreifen, gab er Befehl, den Sohn seines Stewards, den er ja immer noch als Geisel hielt, auf der Stelle zu töten. Ein Mann seiner Leibwache eilte davon, um den Befehl zu befolgen, aber nach zehn Schritten streckte ein lancastrianischer Pfeil ihn nieder.

Mit grimmiger Konzentration kämpfte Julian auf der linken Flanke, formierte seine Männer immer wieder neu für Northumberlands Angriff, der niemals kam, und beobachtete mit zunehmendem Schrecken, wie Oxford und die Seinen vor dem feindlichen Ansturm zurückwichen und ihre Reihen schließlich brachen. Doch der erfahrene Oxford verhinderte, dass seine Männer in Panik gerieten und flohen, zog sie hinter die Standarten zurück und stellte sie neu auf. Dann rückten sie wieder vor – ausgedünnt, wie sie waren –, und bald hörte Julian einen Jubelschrei aufbranden, der schließlich auch ihre Seite erreichte: »Norfolk ist gefallen!«, brüllten die lancastrianischen Soldaten einander zu. »Richard hat seinen besten Kommandanten verloren! Norfolk ist gefallen!«

Man konnte förmlich zusehen, wie die Yorkisten verzagten und die Lancastrianer neuen Mut schöpften, und Julian spürte sein eigenes Herz leichter werden, obwohl der Ansturm der Feinde nicht nachließ.

»Julian!«, hörte er Jasper plötzlich neben sich über den Schlachtenlärm brüllen. »Ich glaube, Northumberland kommt nicht!«

»Sieht so aus!«, gab Julian zurück.

Fast beiläufig schlug Jasper Tudor einem johlenden Yorkisten, der mit erhobenem Streitkolben auf ihn zuhielt, den unbehelmten Kopf von den Schultern. Dann blieb er neben Julian stehen. »Was denkst du?«, fragte er.

Julian ließ den Blick kurz über das Gewimmel auf dem Hang gleiten. »Könnte klappen«, sagte er vorsichtig. »Falls unsere Söldner durchhalten.«

»Oh, das werden sie. Oxford hat ihnen weisgemacht, Richard würde jeden von ihnen bei lebendigem Leib verbrennen, wenn er sie gefangen nimmt. Ihr Siegeswille ist dementsprechend groß.«

Julian musste grinsen. »Listenreicher Oxford.«

Jasper nickte. »Er wird uns noch … Oh, mein Gott! Heiliger Georg, steh uns bei …« Seine Stimme versagte, und er starrte nach Norden. Der kleine Ausschnitt seines Gesichts, den Julian durch das aufgeklappte Visier sehen konnte, war grau.

Julian wandte den Kopf. Langsam wie in einem Albtraum. Ihm graute vor dem, was er sehen würde.

Aber noch lag Richmond nicht niedergestreckt im Gras, stellte er fest, als er ihn endlich entdeckte. Auch keiner seiner Söhne oder Neffen. Doch Richmond hatte sich mit einer kleinen Schar treuer Ritter von der Hauptstreitmacht gelöst und galoppierte – dank seines Wappens weithin erkennbar – beinah ungeschützt auf Stanleys Stellung zu. Und das blieb nicht lange ungestraft. Hügelabwärts kam König Richard mit zwanzig Mann seiner Leibwache, so schnell als trügen ihn die geflügelten Kreaturen der Hölle auf ihren Schwingen, und er schnitt Richmond den Weg ab.

Wie die Spitze eines Pfeils durchdrang der König von England den schützenden Wall, den Richmonds Getreue um den letzten Spross der Lancaster gebildet hatten, und sein Zorn und seine Bitterkeit verliehen Richard Kräfte, wie sie eigentlich kein sterblicher Mann haben konnte. Hilflos mussten Jasper und Julian mit ansehen, wie er zwei von Richmonds Rittern niedermachte, ehe Edmund sich ihm stellte und ihn in einen rasant schnellen Schwertkampf verwickelte.

»Er kann ihm nicht standhalten«, brachte Julian gepresst hervor. Das Entsetzen drohte ihm die Luft abzuschnüren.

»Da kommt Stanley«, sagte Jasper.

»Er ist zu jung und hat zu wenig Erfahrung. Jasper, mein Sohn wird ...«

Jasper Tudor packte ihn am Arm. »Julian, sieh doch, da kommt Stanley!«

Edmund wurde aus dem Sattel geschleudert und blieb reglos im Gras liegen.

Julian fiel auf die Knie.

An der Spitze von viertausend Soldaten ritt Thomas Lord Stanley im gestreckten Galopp in die Schlacht.

Robin wollte sich Richard als Nächster in den Weg stellen, aber zwei der Yorkisten drängten ihn ab, und er versuchte, den einen mit dem Schwert, den anderen mit einer erbeuteten Streitaxt in Schach zu halten.

König Richard fällte Richmonds Bannerträger mitsamt der prächtigen Standarte, und endlich standen die beiden Kontrahenten einander Auge in Auge gegenüber.

Dann hatten Stanley und seine Vorhut die kleine Gruppe erreicht, brachen wie eine Sturmflut über sie herein und versperrten Jasper und Julian jegliche Sicht.

Zu viele Dinge waren zu schnell passiert, sodass Robin keinen klaren Gedanken mehr fassen konnte. Seit sein Bruder gefallen war, brüllte er ohne Unterlass. Er erkannte seine eigene Stimme nicht, war sich nicht bewusst, dass er es war, der der wahnsinnigen Welt mit diesen unartikulierten Schreien seinen Zorn und seinen Schmerz kundtat, aber die beiden Yorkisten, mit denen er sich schlug, wichen furchtsam vor ihm zurück. Das erfüllte ihn mit einem bitteren Triumph, und er hob die Axt, mit der er kaum umgehen konnte, um dem linken den Rest zu geben, als ihn plötzlich drei Männer in Stanleys Livree abdrängten und Kleinholz aus seinen Yorkisten machten.

Robin war so fassungslos, dass er abrupt verstummte. Hilfesuchend sah er sich um, doch es herrschte ein wogendes Durcheinander aus Lärm und Leibern und Pferden. Dann fing jemand anderes an zu schreien, und über das allgemeine Getöse hinweg hörte Robin: »Verrat! Verrat!«, immer wieder das eine Wort, bis die Stimme plötzlich abgeschnitten wurde.

Als das Chaos sich ein wenig entwirrte, saß Richmond immer noch im Sattel, umringt jetzt von einer weitaus stärkeren Leibgarde in Stanleys Livree, und Mortimer war an seiner Seite und reckte triumphierend den abgebrochenen Pfahl mit seinem Banner in die Höhe.

Weder von König Richard noch von seinem Wappen war mehr irgendetwas zu sehen.

Ungeschickt glitt Robin aus dem Sattel, warf sein Schwert achtlos weg, obwohl um ihn herum noch überall gekämpft wurde, und fiel neben Edmund auf die Knie. Er nahm ihm den Helm ab, bettete den Kopf auf seinen stahlummantelten Oberschenkel, sah auf das bleiche, blutverschmierte Gesicht seines Bruders und kniff dann die Augen zu.

»Warum heulst du?«, fragte Edmunds Stimme matt. »Haben wir die Schlacht verloren?«

Robin fuhr zusammen, und um ein Haar hätte er schon wieder geschrien. Er schüttelte den Kopf. »Ich heul um dich.«

»Ich bin geschmeichelt. Aber ich glaub … noch ist das nicht nötig.« Er keuchte.

»Wo hat er dich erwischt?«

»Was ist mit der Schlacht? Und lüg mich ja nicht an.«

»Wir haben gesiegt. Stanley kam, als es auf Messers Schneide stand, und hat sich für uns entschieden. Für Richmond. Der Krieg ist aus, Bruder.«

Edmund lächelte. »Also ist unser Piratenleben nun wohl vorüber. Eigentlich schade.« Dann wurde er bewusstlos.

Es war noch Morgen, als König Richard von den Männern seines einst so treuen Lord Stanley aus dem Sattel geworfen und totgeprügelt wurde, denn die Schlacht hatte nur zwei Stunden gewährt. Etwa tausend Männer lagen gefallen oder sterbend auf dem langgezogenen Hang des Ambion Hill. Doch Edmund of Waringham zählte nicht dazu.

Richmond selbst brachte seinen jungen Ritter vor sich auf

dem Pferd vom Schlachtfeld, und nachdem die Ärzte Edmund im Lazarettzelt aus der Rüstung geschält hatten, fanden sie bald heraus, dass das Schwert in die Achselhöhle eingedrungen war – eine gefährliche Schwachstelle an vielen Rüstungen. Die Wunde war tief und blutete stark, aber weder Lunge noch Herz schienen verletzt zu sein.

Nachdem Julian die gute Nachricht vernommen hatte, machte er sich allein auf den Weg zu der Stelle, wo König Richard gefallen war. Der Leichnam war verschwunden, stellte er fest, aber drei Soldaten hockten im Gras und zankten um ein paar offenbar kostbare Kleidungsstücke und die einzelnen Teile einer blanken Rüstung.

»Finger weg«, befahl Julian, glitt aus dem Sattel und legte die Hand an das Heft. »Was fällt euch ein?«

»Aber Mylord«, protestierte ein Mann mit einer blutigen Schramme auf der Stirnglatze. »Lord Stanleys Sohn hat gesagt, wir dürfen die Sachen haben und damit machen, was wir wollen.«

Das wundert mich nicht, fuhr es Julian durch den Kopf. »Lord Stanleys Sohn? Das heißt, er lebt?«

Sie nickten.

Gott war heute so gnädig zu Stanley wie zu mir. »Und kann er laufen?«

»Im Moment nicht, Sir. Aber der Medicus glaubt, er kriegt ihn wieder hin.«

»Also meinetwegen, behaltet die Sachen. Was ist aus Richards Leichnam geworden?«

»Sie haben ihn wie einen Sack Korn auf ein Pferd gebunden und bringen ihn nach Leicester.«

»Nackt?«, fragte Julian ein wenig pikiert.

Der mit der Stirnglatze grinste. »Splitternackt, Mylord. Die Leute in der Stadt kriegen richtig was geboten.«

Julian wusste, es gehörte sich nicht, aber bei der Vorstellung verspürte er eine Genugtuung, die so warm und herzerfrischend war wie ein Kaminfeuer nach einem langen Ritt durch eisige Winterkälte. Er achtete indes darauf, dass seine Miene diese barbarische Regung nicht preisgab.

Die Männer verzogen sich schleunigst mit ihrer Beute, ehe er es sich anders überlegen und ihnen die feinen Sachen und die königliche Rüstung doch noch abknöpfen konnte. Zu spät fiel Julian ein, dass Richard vor Beginn der Schlacht eine Krone auf dem Helm getragen hatte. Er wandte sich um, um die Soldaten zurückzurufen, doch sie waren schon verschwunden. Mit einem Mal fand Julian sich mutterseelenallein, und es war so still, dass er den nahen Bach plätschern hörte. Die Sonne hatte die Wolken endgültig vertrieben und ließ das lange Gras am Ufer leuchten. Es versprach ein heißer Tag zu werden, und zu seiner Linken vernahm Julian das Zirpen einer Grille. Es war ein lächerlich friedlicher Moment, geradezu obszön, wenn man bedachte, was sich hier vor einer Stunde noch abgespielt hatte.

Seufzend schüttelte Julian den Kopf und folgte dem Gesang der Grille zu einem ausladenden Dornenbusch, der einsam auf der Wiese stand, und wie er gehofft hatte, sah er am Fuß des Busches etwas funkeln. Er kniete sich hin und tastete mit der Hand, doch die scharfen Dornen lehrten ihn schnell, dass das keine gute Idee war. Also zog er sein Schwert und stocherte ungeschickt damit unter dem Dornenbusch herum, bis er das verheißungsvolle Klirren von Metall auf Metall vernahm. Vorsichtig, Zoll um Zoll, brachte er das Schwert wieder zum Vorschein, und tatsächlich zog er die Krone mit ans Licht. Es war nicht die, welche bei der feierlichen Krönungszeremonie in Westminster Abbey verwendet wurde, aber dennoch ein prunkvolles Stück aus schwerem Gold und mit großen, perfekt geschliffenen Edelsteinen besetzt. Nur ein kleines Stück an der Oberkante fehlte.

»Herrje, Richard, du Hurensohn«, murmelte Julian. »Du hast dir einen Zacken aus der Krone gebrochen ...« Und er lachte vor sich hin, ließ seine Waffe los und hielt die Krone mit beiden Händen in die Sonne, um sich am Funkeln von Gold und Juwelen noch einen Moment zu ergötzen.

»Das ist der Augenblick deines Triumphes, nicht wahr,

Waringham?«, sagte plötzlich eine raue Stimme mit einem unüberhörbar walisischen Akzent. »Gibt es einen besseren Moment, um zu sterben?«

Ehe Julian herumfahren konnte, spürte er eine kalte Stahlklinge an der Kehle. Also beschränkte er sich darauf, die Augen zu bewegen, und mit Mühe erhaschte er einen Blick auf den Mann, der ihn töten wollte. »Rhys …«

»Ich bin verwundert, dass du dich an meinen Namen erinnerst«, entgegnete Edmund und Jasper Tudors jüngster Bruder.

»Wie könnte ich einen Feuerkopf wie dich vergessen?«, gab Julian zurück.

»Ich bin gekommen, um zu tun, was ich geschworen habe, Waringham. Entsinnst du dich auch daran?«

Julian erinnerte sich nur zu gut. Er hatte fürchterliche Rache an einem Knaben genommen, der einen verhängnisvollen Fehler begangen hatte. Schon als es passierte, hatte Julian gewusst, dass er Unrecht tat. Er hatte sich geschämt, aber nicht aufgehört. Und jetzt, fast dreißig Jahre später, präsentierte der Knabe von damals ihm die Rechnung.

»Du hast nicht erwogen, mich zu einem fairen Zweikampf zu fordern, wie es sich für Gentlemen gehört, nein?«, fragte Julian bissig.

»Ich hätte keine Chance gegen dich. Ich hab das nie richtig gelernt, weißt du. Ich bin kein Gentleman. Du hast verhindert, dass ich je die Gelegenheit bekam, einer zu werden.«

Julian fand, das ging ein bisschen zu weit. »Und du hast dich immer bequem auf der Überzeugung ausgeruht, dass du niemals deines Glückes Schmied sein könntest, weil die böse Welt sich gegen dich verschworen hat, nicht wahr?«

Die Klinge zuckte und ritzte Julian die Haut ein. Instinktiv machte er einen langen Hals, und mit einem Mal wurde ihm bewusst, was für einen würdelosen Anblick er bot, hier auf den Knien zu Füßen dieses walisischen Bauernlümmels, der ihn abschlachten wollte.

Immerhin sterbe ich mit der Krone in der Hand, dachte er und gestand sich zum ersten Mal ein, dass es Augenblicke gegeben hatte, da er versucht gewesen war, nach ihr zu greifen. Weil ein lächerliches Tröpfchen Lancaster-Blut in seinen Adern floss. Und im selben Moment erkannte er, dass er Richard of Gloucester auch deswegen so gehasst hatte, weil der getan hatte, was Julian sich insgeheim gewünscht und dann verboten hatte: Er war über Leichen gegangen, um die Krone zu bekommen. In einem finsteren, wirklich sehr finsteren Winkel seines Herzens hatte Julian jeden Schritt verstanden, mit dem Richard sich dem Abgrund näher gebracht hatte.

Julian biss die Zähne zusammen und knurrte: »Und gedenkst du, noch lange zu zögern? Ich komme zu unerfreulichen Einsichten über mein Leben, während ich warte, dass du den Mut aufbringst, deinen Vorsatz in die Tat umzusetzen, und langsam reicht's mir …«

Rhys trat ihm mit ungehemmter Kraft in die Nieren, und Julian landete mit dem Gesicht im Gras. Die Zacken der Krone bohrten sich schmerzhaft in seine Rippen, und er überlegte, ob er wohl noch einen abgebrochen hatte. Dann drehte Rhys ihn rüde mit der Fußspitze auf den Rücken, stellte einen Stiefel auf seine Schulter und hob das Schwert mit beiden Händen.

Julian starrte auf die Klinge und betete. Er musste feststellen, dass es auch bei einer zweiten Hinrichtung nicht leichter wurde, sich nicht zu bepinkeln.

Das Schwert fuhr nieder und landete klirrend auf einem zweiten, das plötzlich von links in Julians Blickfeld gekommen war und den Hieb abfing.

»Was hat das zu bedeuten?«, fragte eine junge, aber tiefe Stimme. Julian wandte den Kopf ein wenig und blinzelte gegen die Sonne. Es war Richmond, der ebenso turmhoch über ihm aufragte wie Rhys.

Der ließ sein Schwert sinken und trat zurück.

Julian setzte sich auf und stützte einen Moment den Kopf in die Hände. Dann kam er auf die Füße.

»Julian, was geht hier vor?«, verlangte Richmond zu wissen.

Doch Julian schüttelte den Kopf. »Das musst du ihn fragen.«

»Und das tu ich«, gab der jüngere Mann zurück und machte einen Schritt auf Rhys zu. »Wieso wolltest du diesen Mann feige ermorden, der so großen Anteil an unserem heutigen Sieg hatte, Onkel?«

Rhys' Gesicht arbeitete. Gehetzt sah er von Richmond zu Julian und wieder zurück, schlug die Augen nieder und murmelte etwas auf Walisisch.

»Sprich englisch!«, fuhr Richmond ihn an.

»Weil ich es geschworen habe.«

»Verstehe. Er kannte dein dunkles Geheimnis, wie?«

Sowohl Rhys als auch Julian starrten ihn an. »Ich … ich weiß nicht, wovon du sprichst«, stammelte der Waliser und wich vor dem zornigen Blick seines Neffen noch einen Schritt zurück.

Richmond betrachtete ihn und schüttelte langsam den Kopf. »Du hast meinen Vater verraten, nicht wahr? Damals in Carmarthen? Du hast ihn Black Will Herbert und der Pest ausgeliefert.«

Rhys sagte nichts mehr. Er ließ sein Schwert ins Gras gleiten, fiel vor Richmond auf die Knie und weinte stumm.

»Woher wusstest du es?«, fragte Julian.

»Weil er mir nie in die Augen sehen konnte. Und weil er mich immer gehasst hat. Ich habe das von Anfang an gespürt, aber erst viel später verstanden. Als er sich als Stallknecht in Pembroke eingeschlichen hat, um auf mich Acht zu geben, hat er immer weggeschaut, wenn ich ihn wirklich gebraucht hätte. Weil ich die wandelnde Erinnerung an seine Schande war. Das konnte er nicht aushalten. Und darum war es auch kein Missgeschick, als er auf unserer Flucht nach der Schlacht von Tewkesbury Malachy Devereux zu uns geführt hat.« Er sah auf seinen Onkel hinab, und der Schmerz über dessen Verrat und Zurückweisung stand in seinen Augen. »Ist es nicht so?«

Rhys wagte nicht mehr, den Kopf zu heben. Aber er nickte.

Richmond spuckte vor ihm aus. »Sei froh, dass ich heute König von England geworden bin. Ich würde dich gern töten,

Rhys, weißt du. Wäre ich einfach nur Henry Tudor, würde ich es tun. Aber ich fürchte, als König Henry darf ich das nicht. Pack dich. Ich denke, es ist besser für uns beide, wenn wir uns nie wiedersehen.«

Rhys schluchzte und kam ungeschickt auf die Füße, doch er hielt sich unterwürfig geduckt, als er davonlief. Als wolle er sichergehen, dass sein Neffe es sich nicht noch anders überlegte.

Julian wartete, bis er mit Richmond allein war. »Danke.«

Richmond hob abwehrend die Linke und steckte sein Schwert ein. »Ich bin froh, dass ich ein einziges Mal etwas für dich tun konnte.«

Julian kniete sich vor ihn und streckte ihm entgegen, was er die ganze Zeit in der Hand gehalten hatte. »Hier, mein König. Ihr habt sie Euch gerade zum zweiten Mal an diesem Tag verdient.«

Richmond zog eine Braue in die Höhe. »Weil ich dem treuesten der Lancastrianer das Leben gerettet habe?«

Julian schüttelte den Kopf. »Weil Ihr Eure persönlichen Gefühle hintangestellt und Rhys das Leben geschenkt habt. Es war eine königliche Entscheidung, wie Ihr sagtet.«

Richmond nickte, den Blick auf die Krone gerichtet. »Steh auf, Julian, um Himmels willen. Es beschämt mich, wenn gerade du vor mir kniest.«

»Ihr werdet Euch daran gewöhnen.«

»Nicht eher als zwingend notwendig.«

Julian kam auf die Füße. Er betrachtete seinen jungen König mit einem stolzen Lächeln und setzte ihm die Krone aufs Haupt. »Passt«, bemerkte er. »Und sie steht Euch hervorragend.«

König Henry hob langsam die Hand und befühlte den ungewohnten Kopfschmuck. »Aber sie drückt«, stellte er nüchtern fest.

Julian nickte. »Oh ja. Ich wette, das tut sie.«

Die kleinen Leute von Waringham bereiteten der großen Reisegesellschaft einen denkwürdigen Empfang. Auf dem Anger am Ufer des Tain hatten sie sich versammelt und sich die Wartezeit mit einem ausgelassenen Fest vertrieben. Als Julian an der Spitze des Zuges in Sicht kam, reckten sie die Bierkrüge in die Luft, ließen ihn hochleben und tranken einen ordentlichen Zug auf sein Wohl.

Julian warf Edmund die Zügel zu, glitt aus dem Sattel und trat zu ihnen.

»Willkommen daheim, Mylord«, rief der Schmied dröhnend und wischte sich verstohlen die Augen.

Julian schüttelte ihm die Pranke. »Hab Dank, Matthew. Ich hoffe, hier sind alle wohlauf und guten Mutes?« Er richtete die Frage an Vater Michael, der an der Seite des Schmieds stand.

»Das sind sie, Mylord«, bestätigte der Priester. »Thomas Devereux verschwand, noch ehe Sir Lucas mit den guten Neuigkeiten herkam, und seither ist es, als sei eine schwarze Wolke weggeweht worden, die viele Jahre dräuend über unseren Köpfen hing.«

Julian nickte. Lucas – der neue Steward von Waringham – hatte ihm schon geschrieben, dass Devereux das Weite gesucht hatte, und Julian war dankbar, dass eine letzte, vermutlich hässliche Konfrontation mit seinem Schwager ihm und vor allem Blanche erspart blieb. In aller Diskretion hatte Julian dafür gesorgt, dass Devereux sein kleines Gut in Lydminster behielt, damit er wenigstens ein Dach hatte, unter welchem er die letzten Jahre seines Lebens in Einsamkeit und Bitterkeit fristen konnte.

Während Julian mit dem Schmied und dem Pfarrer sprach, waren auch Roland und Geoffrey abgesessen und zu den Vorarbeitern und Stallburschen des Gestüts getreten, um sie zu begrüßen. Julian beobachtete sie aus dem Augenwinkel. Beide wurden mit großer Herzlichkeit willkommen geheißen. Julian wusste noch nicht so recht, wie es mit den Eigentumsverhältnissen des Gestüts stand. Aber sie würden schon eine Regelung finden.

»Wir hörten, im Sommer gab es in London eine Pestwelle«, sagte er zu Vater Michael. »Ist hier auch jemand krank geworden?«

Der Pfarrer schüttelte den Kopf. »Weiter als bis Rochester ist die Pest dieses Mal nicht gekommen. Auch Sevenelms hat sie verschont. Es war ein guter Sommer mit einer reichen Ernte, Mylord, Ihr werdet zufrieden mit der Pacht sein. Und alle blicken jetzt mit großer Zuversicht und Gottvertrauen in die Zukunft.«

»Na ja, sagen wir, fast alle«, schränkte der Schmied grinsend ein, und als Julian ihn fragend anschaute, ruckte Matthew das Kinn nach links. Julian sah in die Richtung. Ein gutes Stück von all seinen Nachbarn entfernt stand Adam an der Holzbrücke, allein sein Bruder war an seiner Seite, trippelte nervös von einem Fuß auf den anderen und verdrehte die Augen.

Julian trat näher, blieb vor ihnen stehen und betrachtete die beiden ungleichen Brüder. Schließlich sagte er: »Sieh nur, Melvin, da drüben ist Roland. Willst du nicht gehen und ihn begrüßen?«

Wie ein Pfeil von der Sehne schoss Melvin an ihm vorbei, ohne ihn einer Antwort zu würdigen, und fiel seinem Freund jubelnd um den Hals. Roland, der ihn nicht hatte kommen sehen, fuhr erschrocken zusammen, aber dann lachte er.

Julian beobachtete sie noch einen Augenblick, dann richtete er den Blick auf den Mann, der ihm ähnlich wie ein Bruder sah, ihn erst verraten und dann gerettet hatte. »Der Krieg ist aus, Adam.«

»Ja, Mylord. Ich weiß.« Adam schluckte.

»Und auf dem Ambion Hill hatte der Staub der Schlacht sich kaum gelegt, da unterschrieb der neue König eine Urkunde, die den Männern, die Waffen gegen ihn geführt haben, Straffreiheit garantiert.«

Adam hob den Kopf. »Ehrlich?«

»Ehrlich. Er will Versöhnung. Und er will einen wirklichen

Neubeginn. Hast du von seinem zukünftigen Wappen gehört? Nein? Es ist eine Rose mit weißen und roten Blättern.« Schon jetzt nannte man sie in Westminster die Tudor-Rose. »Er wird sie von dem Tag an in seinem Wappen führen, da er Prinzessin Elizabeth heiratet und die Häuser York und Lancaster vereint. Verstehst du, worauf ich hinauswill?«

»Um ehrlich zu sein, nein, Mylord. Ich verstehe, dass Ihr mich zappeln lasst. Das ist vermutlich Euer gutes Recht, aber wenn Ihr mir nicht bald sagt, was aus mir werden soll, dann … dann wird mein Herz einfach zerspringen, glaub ich.«

Für einen Lidschlag trat ein mutwilliges Funkeln in Julians Augen, aber dann besann er sich eines Besseren und legte dem anderen Mann die Hand auf die Schulter. »Willkommen zu Hause, Adam.«

Adam stieß erleichtert die Luft aus. »Danke gleichfalls, Mylord.«

Auch auf der Burg wurden der wieder eingesetzte Earl of Waringham und seine Familie stürmisch begrüßt, und Lucas Durham hatte dafür gesorgt, dass sie mit einem ansehnlichen Festmahl willkommen geheißen wurden. Doch Julians Brut nahm sich kaum Zeit zum Essen. Harry war noch nie im Leben in Waringham gewesen, Juliana und John hatten keinerlei Erinnerungen daran. Auch die drei älteren konnten es kaum erwarten, den Stammsitz ihres Geschlechts neu zu entdecken, und so verabschiedeten sie sich bald, um den alten Bergfried auf der anderen Seite des Hofs zu erkunden.

Julian tunkte sein letztes Stückchen Brot in die sämige Kräutersauce auf seinem Teller, verspeiste es mit Genuss und schob den Teller dann von sich. »Deine erste Prüfung als Steward hast du mit Bravour bestanden, Lucas«, bemerkte er. »Du hast uns eine hervorragende Köchin ausgesucht.«

»Nicht wahr?« Lucas nickte zufrieden. »Es ist Martha Wheelers Tochter Lucy. Eine hervorragende Köchin und ein erquicklicher Anblick obendrein.«

»Ach herrje.« Janet seufzte. »Dann halt sie lieber versteckt, bis unser Robin nach Westminster zurückkehrt. Er ist ein Herzensbrecher, fürchte ich. Und ein Filou.« Sie bedachte ihren Gemahl mit einem vorwurfsvollen Blick, als wolle sie sagen: Von wem hat er das wohl?

Julian ignorierte den Blick geflissentlich. »Nun, er wird lernen müssen, sich zu beherrschen, wenn er Earl of Waringham werden will. Ich schätze, wir alle werden uns an die neuen Verhältnisse gewöhnen müssen.« Und dabei sah er sich in dem behaglichen Wohngemach des »neuen Hauses« um. Früher hatte er sich hier nie so recht heimisch gefühlt, aber mit einem Mal erlag er der unaufdringlichen Eleganz des großzügigen Raums und dem hellen, aber warmen Licht, das durch die bernsteinfarbenen Butzenscheiben fiel. »Wir stehen am Beginn einer neuen Zeit, sagte Jasper, als wir in London einzogen. Und das stimmt.«

»Wann ist die Krönung?«, wollte Lucas wissen.

»Ende Oktober. Und gleich darauf beginnt das Parlament. Das heißt, du und ich haben einen Monat Zeit, hier alles zu ordnen, ehe der König uns nach Westminster zitiert.«

»Und sind wir erst einmal da, werden wir so bald nicht nach Hause kommen«, prophezeite Janet. »Nach dem Parlament kommt die königliche Hochzeit, dann die Krönung der Königin.« Sie legte die Hand an die Stirn. »Ich darf gar nicht daran denken, wie viele neue Kleider ich brauche, Julian.«

»Warum heiratet der König Prinzessin Elizabeth nicht erst und lässt sie dann beide zusammen krönen?«, fragte Lucas. »Ich dachte, er ist so sparsam?«

»Das ist er«, bestätigte Julian. Vierzehn Jahre Exil, Armut und Abhängigkeit von einem oft knauserigen Gastgeber machten einen Mann sparsam. »Aber England soll sehen, dass der König seine Krone aufgrund seiner Abstammung und seines Sieges bekommt, nicht als ... als Prinzgemahl seiner yorkistischen Braut.«

Lucas nickte. »Verstehe. Das ist vernünftig.« Dann leerte er seinen Becher und stand auf. »Wenn ihr mich entschuldigt, ich habe ungefähr hundert Dinge zu tun, die alle gleich wichtig sind.«

»Ja, es ist ein undankbares Amt«, spöttelte Julian.

Lucas ging zur Tür. »Das kannst du laut sagen, Mylord. Da fällt mir ein, Tristan Fitzalan hat geschrieben. Wenn du ihm gelegentlich ein Schiff schickst, würde er gern nach Hause kommen und uns seine portugiesische Gemahlin präsentieren.«

»Oh, darauf bin ich gespannt«, erwiderte Julian. »Ich hoffe, sie hat genug Temperament für zwei, weil er doch gar keins hat.«

»Julian …«, mahnte Janet, kicherte aber wider Willen.

Julian zwinkerte ihr zu und sagte zu Lucas: »Edmund soll so bald wie möglich aufbrechen und sie mit der *Edmund* holen. Fitzalan wird die Krönung nicht versäumen wollen.«

»Aye, Captain«, sagte Lucas grinsend und ging hinaus.

»Du gibst Edmund das Kommando über dein Schiff?«, fragte Janet.

»Ich schätze, das wird das Beste sein. Unser Edmund ist mit Leib und Seele Seemann. Wenn er längere Zeit keine Planken unter den Füßen hat, wird er schwermütig.«

»Bleibt zu hoffen, dass es dir nicht ebenso ergehen wird.«

Tja, wer weiß, dachte Julian. Auch ihm war das Meer in den Jahren der Verbannung eine Heimat geworden. Vielleicht nahm Edmund ihn ja hin und wieder einmal mit. »Ich glaube nicht, weißt du«, gestand er seiner Frau. »Wir haben den Krieg gewonnen und dem rechtmäßigen König zu seiner Krone verholfen. Aber es bleibt noch viel zu tun, und Richmond … der König wird Hilfe brauchen. Ich denke nicht, dass ich jetzt irgendwo anders als hier in England sein wollte.«

Janet sah ihn mit einem wissenden Lächeln an. »Tja. Wir müssen abwarten, wie wir damit zurechtkommen, dass wir das erreicht haben, was wir wollten.«

»So ist es. Aber wie dem auch sei. Es kann auf keinen Fall schaden, einen Seefahrer in der Familie zu haben, denn die Welt wird größer.«

Janet nickte, stand auf und trat ans Fenster. Mit einiger Mühe öffnete sie den ewig verklemmten linken Flügel.

Julian gesellte sich zu ihr, legte den Arm um ihre Schultern, und sie sahen in den Hof von Waringham Castle hinab. Juliana und Harry hatten irgendwo zwei Tennisschläger aufgetrieben und schlugen einen Ball hin und her. Alice, die hochschwanger war, saß auf dem Mauervorsprung der Kapelle und schaute ihnen zu. Andrew Devereux, ihr Gemahl, saß neben ihr und fütterte sie mit mundgerechten Stücken einer Birne, die er mit seinem Dolch zurechtschnitt. Sie steckten die Köpfe zusammen, sagten irgendetwas und lachten dann. Robin, Edmund und John schlenderten Richtung Torhaus – wahrscheinlich auf dem Weg ins Dorf, um das Bier im Wirtshaus zu probieren –, doch sie mussten zwei Reitern Platz machen, die ihnen entgegenkamen.

»Jasper«, sagte Julian.

»Und mein Bruder Ralph!«, rief Janet erfreut.

»Der unversöhnlichste Lancastrianer und der einstmals treueste Yorkist reiten einträchtig in meine Burg ein«, murmelte Julian kopfschüttelnd. »Ist das zu fassen?«

Janet legte den Kopf an seine Schulter und sah in den verhangenen Himmel. »Wie du schon sagest: Die Welt ist größer geworden.«

Blanche saß mit einem Buch im Schoß am Tain. Sie hatte sich zu der kleinen verwunschenen Lichtung im Wald gestohlen, weil sie allein sein und nachdenken wollte. Das Buch war lediglich ihr Alibi, falls irgendwer sie sah und fragte, warum sie sich zurückzog. Doch nachdem sie einmal angefangen hatte zu lesen, war sie bald völlig in ihre Lektüre versunken. Natürlich kannte sie die Geschichte von König Artus, den Rittern seiner Tafelrunde und der Suche nach dem Gral, aber niemand hatte sie je auf diese Weise erzählt.

So kam es, dass sie mit einem unwilligen Stirnrunzeln aufblickte, als das Knacken der Zweige und das Rascheln im langen Waldgras ihr einen Besucher ankündigte. »Wer du auch sein magst, du störst«, brummte sie.

»O je. Das ist kein guter Anfang«, erwiderte Jasper Tudor seufzend, und tatsächlich war sein Schritt untypisch zögerlich, als er die letzten Zweige beiseiteschob und auf die Lichtung trat.

Blanche markierte die Stelle in ihrem Buch mit einem Finger, wie Megan es früher immer getan hatte, und sah zu ihm auf. »Und?«, fragte sie. »Wie war's?«

Jasper deutete ein Achselzucken an. »Erträglich. Wir haben ein paar höfliche Worte gewechselt, dann haben wir uns ewige Treue geschworen und uns anschließend einvernehmlich auf Nimmerwiedersehen getrennt. Sie ist …« Er brach ab und räusperte sich nervös. »Katherine Woodville ist eine vernünftige Frau.« Man konnte hören, dass diese Eigenschaft seiner frisch gebackenen Gemahlin ihn überrascht hatte.

Blanche nickte, lächelte unverbindlich und senkte den Kopf wieder über ihr Buch.

Jasper kam näher, ließ sich neben ihr nieder und sah ihr über die Schulter. »Was liest du da?«

»Eine wunderbare Geschichte über wahres Rittertum«, antwortete sie, ohne aufzuschauen. »*Le Morte D'Arthur.*«

»Dann würde es Richmond … dem König gewiss gefallen. Er ist versessen auf Artus-Geschichten. Er will gar seinen ersten Sohn Arthur nennen.«

»Ich bin überzeugt, du kannst ihm ein Exemplar kaufen. Master Caxton hat es gedruckt. Ein Mann namens Thomas Malory hat es geschrieben.«

»Malory?« Jasper brach in Gelächter aus. Es war ein übermütiges Lachen purer Heiterkeit, und Blanche schaute überrascht auf, denn dergleichen war sie von ihm nicht gewohnt.

»Was ist so komisch?«, fragte sie krötig. »Ich sitze hier in Einsamkeit und tröste mich mit einem Buch, während du in London bist und Buckinghams verfluchte Witwe *heiratest,* und dann fällt dir nichts Besseres ein, als dich über die einzige Quelle meines Trosts lustig zu machen, du *Schuft?*«

Jasper schlug die Hand vor den Mund und bemühte sich ohne großen Erfolg, seine unangebrachte Heiterkeit zu unterdrücken. »Es ist nur … Thomas Malory war so ziemlich der schändlichste Ritter, den England je hervorgebracht hat. Er war über zwanzig Jahre im Gefängnis. Wegen abscheulicher Verbrechen. Raub, Vergewaltigung – was du dir nur vorstellen kannst.«

Pikiert schaute Blanche von seinem Gesicht auf ihr Buch und wieder zurück. »Es kann nicht derselbe Mann sein.«

»Oh doch«, widersprach er. »Es ist kein Geheimnis, dass dieses Muster an Rittertugenden sich die Jahre im Kerker mit dem Verfassen langer Geschichten versüßt hat.«

»Aber ... aber es ist so wunderschön«, protestierte Blanche.

»Tja.« Jasper hob kurz die Schultern. »Wer weiß. Vielleicht war das seine wahre Natur«, er zeigte auf das Buch, »und seine Untaten die Folge irgendwelcher unglücklichen Umstände ...«

Blanche schnaubte. »Ach, hör doch auf.« Ernüchtert klappte sie das Buch zu und warf es ins Gras. »Was für verdammte Heuchler ihr Kerle doch seid ...«

Schlagartig wurde Jaspers Miene ernst, und er wandte den Kopf zur Seite. »Ich wäre ausgesprochen dankbar, wenn du mich nicht mit einer Kreatur wie Thomas Malory über einen Kamm scheren würdest.«

»Ah ja? Und wenn ich es doch tue, was machst du dann, Mylord of Pembroke? Oh, und Duke of Bedford wirst du dank dieser klugen Heirat nun auch noch, richtig?«

Er seufzte. »Denkst du nicht, es reicht, Blanche?«

»Keine Ahnung«, gab sie zurück, bedachte ihn mit einem finsteren Blick und schaute dann auf den plätschernden Fluss hinaus. »Ich bin gekränkt«, erklärte sie dann.

»Ich weiß. Aber du ...«

»Alle haben gewonnen«, fiel sie ihm ins Wort. »Alle sind im Siegestaumel und schauen mit verklärtem Blick in die Zukunft. Julian und Janet haben Waringham zurück. Du hast Pembroke zurück. Megan hat ihren Sohn zurück. Und Richmond bekommt seine Krone, seine Elizabeth, und obendrein hat London beschlossen, ihm zu Füßen zu liegen. Ich sag ja nicht, dass ihr das nicht verdient hättet. Das habt ihr. Nur ... ich habe das Gefühl, dass ich mit leeren Händen dastehe.«

»Das ist albern«, entgegnete er. »Wie oft muss ich beteuern, dass sich nichts geändert hat, damit du es glaubst?«

»Woher soll ich das wissen?«, brauste sie auf.

Jasper ließ ihr ein paar Atemzüge Zeit, weil er wusste, dass ihr Zorn immer schnell verrauchte. Dann kniete er sich vor sie ins Gras, ergriff ihre Hand und legte sie an seine Brust. »Blanche, lass uns nach Hause reiten, ja? Ich bin …« Er unterbrach sich kurz, sammelte seinen Mut und sah ihr in die Augen. »Seit beinah fünfzehn Jahren bin ich auf dem Weg nach Hause. Ich will nicht länger warten.«

»Du willst nach Pembroke?«

Er nickte.

»Jetzt?«

»Jetzt.«

»Meinetwegen.« Sie stand auf, zog ihn mit sich auf die Füße und lächelte ihm zu, ein bisschen verlegen, dass sie sich so leicht hatte überreden lassen. »Aber eins sag ich dir: Wenn du mich je mit deiner Frau hintergehst, dann …«

»Hackst du mir die Hand ab, ich weiß, ich weiß.«

»Du kannst froh sein, wenn es nur deine Hand ist.«

Jasper lachte leise, schloss sie einen Moment in die Arme und küsste sie. »Ich hab dir ein Pferd mitgebracht.«

»Vorausschauend wie eh und je …« Blanche zwängte sich durch das Gesträuch und zog Jasper mit sich. Auf einmal konnte sie es gar nicht mehr erwarten.

»Was ist mit dem Werk des edlen Sir Thomas Malory?«, fragte Jasper.

»Wir lassen es liegen. Julian wird es finden, und ich weiß, es wird ihm gefallen.«

ENDE

Nachbemerkung und Dank

Ich habe früher gelegentlich gesagt, ich würde niemals einen Roman über die Rosenkriege schreiben. Nur ein Wahnsinniger könnte seinem Publikum eine Geschichte zumuten, in der beinah alle Hauptakteure Edward oder Henry heißen und alle Frauen Margaret. Weil Wahnsinn und Schriftstellerei aber bekanntlich recht nah beieinander liegen, habe ich es nun doch getan, und da Sie, liebe Leserin und lieber Leser, bei diesem Nachwort angelangt sind, haben Sie offenbar durchgehalten, wofür ich Ihnen herzlich danken möchte. Ich habe versucht, das Durcheinander mit den ewig gleichen Vornamen durch den Einsatz variierter Schreibweisen und einiger Spitznamen zu entwirren. Sie alle sind erfunden, bis auf drei: William Herbert wurde von seinen Zeitgenossen wegen seines schwarzen Barts tatsächlich »Black Will« genannt. Richard Neville, Earl of Warwick ging als »Königsmacher« in die Geschichte ein. Und die Streckbank war allgemein als »Exeters Tochter« bekannt. Klingt ja auch viel netter, gell?

Mit der Schlacht von Bosworth und Henry »Richmond« Tudors Krönung zu Henry VII. von England endete das dreißig Jahre währende nationale Trauma, das heute die Rosenkriege genannt wird. Es wäre jedoch ein Irrtum anzunehmen, nach 1485 seien die Auseinandersetzungen zwischen Lancaster und York ein für alle Mal vorüber gewesen. Nicht alle Yorkisten hatten aufgegeben, und ein potenzieller Erbe des Hauses York war noch übrig: Edward (was sonst?) Earl of Warwick, der Sohn des trinkfreudigen Duke of Clarence. Edward of Warwick wurde ungefragt zur Leitfigur des yorkistischen Widerstands und 1499 wegen Hochverrats hingerichtet. Damit hätte sich John of Waringhams Fluch – wäre er keine Erfindung von mir – endgültig erfüllt: Alle Söhne des Duke of York und alle Söhne seiner Söhne waren tot.

Henry VII. regierte England vierundzwanzig Jahre lang mit erstaunlichem Erfolg. Erstaunlich deshalb, weil er ja nie für diese Rolle ausgebildet wurde, aber er war ein staatsmännisches Naturtalent. Er schwächte den Adel zugunsten der Krone, um zu verhindern, dass sich so etwas wie die Rosenkriege je wiederholte, er sanierte die Staatsfinanzen und hinterließ seinem Nachfolger als erster König seit hunderten von Jahren ein beträchtliches Vermögen, und er beendete die Diskriminierung der Waliser und stellte sie den Engländern juristisch gleich. Seine Vernunftehe mit Elizabeth of York erwies sich als ebenso glücklich wie fruchtbar – die beiden hatten vier Söhne und drei Töchter –, aber sie blieben nicht von persönlichen Tragödien verschont. Ihr ältester Sohn Arthur starb 1502 im Alter von nur fünfzehn Jahren, und so kam es, dass der Zweitälteste, schon wieder ein Henry, seinem Vater auf den Thron folgte. Das war der ebenso berühmte wie berüchtigte Henry VIII. mit den sechs Frauen.

Margaret »Megan« Beaufort erreichte ein gesegnetes Alter von sechsundsechzig Jahren. Die ruhigeren Zeiten nach dem Amtsantritt ihres Sohnes widmete sie vor allem der Förderung von Kultur und Bildung und gründete beispielsweise das Christ's College in Cambridge. Ihr politischer Einfluss war enorm. Sie wurde von ihren Zeitgenossen als Begründerin der Tudor-Dynastie und als Gelehrte ebenso verehrt wie für ihre Frömmigkeit und Tugend. Es heißt, ihre Schwiegertochter, Königin Elizabeth, habe ein wenig Angst vor ihr gehabt, und das ist wohl verständlich. Übrigens berichten die Chronisten tatsächlich, dass der heilige Nikolaus Margaret Beaufort erschienen sei, um dafür zu sorgen, dass sie Edmund Tudor heiraten konnte. Das ist ein wunderbares Beispiel für die geschickte Propaganda, die mit einer Mischung aus Wahrheit und Legende den sogenannten »Tudor-Mythos« erschuf.

Aber mit oder ohne Nikolaus – Margaret Beaufort war eine außergewöhnliche Frau, die mit dreizehn Jahren erstmals verwitwete, drei Monate später Mutter wurde und in den achtundzwanzig Jahren danach meist allein in feindlicher Umgebung mit widrigen Umständen zu kämpfen hatte. Auf ihre stille, beinah unsichtbare Art hat sie einen großen Beitrag dazu geleistet, dass ihr Sohn König von England wurde, und mir gefällt der Gedanke, dass sie nach seiner Thronbesteigung Gelegenheit hatte, die Früchte ihrer langen Mühen zu genießen. Hoffen wir, dass das Rheuma den verdienten Triumph nicht allzu sehr beeinträchtigt hat.

Ebenfalls eine bemerkenswerte Frau, die genau wie Margaret Beaufort mit allem, was sie hatte, für ihren Sohn gekämpft hat, war die lancastrianische Königin Marguerite d'Anjou, auch wenn sie ihre Ziele mit gänzlich anderen Methoden verfolgte. Ich kann nicht sagen, ob sie wirklich so verrucht war und so viele Liebhaber gehabt hat, wie ihr nachgesagt wurde. Die Engländer haben sie nie sonderlich gemocht, und sie hatte immer eine schlechte Presse. Tatsache ist, dass sie aufgrund des Charakters und des schlechten Gesundheitszustandes ihres Mannes Königin und König zugleich sein musste. Es stimmt, dass sie viele grausame Dinge getan hat, aber wäre sie ein Mann gewesen, hätte darüber niemand mit der Wimper gezuckt. Es stimmt übrigens auch – oder zumindest berichten es die Chronisten –, dass sie nach der Schlacht von Northampton den Yorkisten entkam, weil einer ihrer Begleiter die Hufeisen ihres Pferdes umdrehte. Vielleicht war Marguerite d'Anjou ein Luder, aber auf jeden Fall hatte sie großen Mut und hat gekämpft, solange sie etwas hatte, wofür sie kämpfen konnte. Ich finde ihre Geschichte tragisch, und ich meine, Marguerite hat mehr Hochachtung und Mitgefühl verdient, als ihr zugestanden wird.

Wer sich ein wenig in der englischen Geschichte auskennt, weiß, dass ich Richard of York, Edward IV., Warwick den Königsmacher und all die anderen Akteure der Rosenkriege geschildert habe, ohne viel hinzuzuerfinden. Das gilt auch für

Jasper Tudor. Warum er erst im Alter von vierundfünfzig Jahren und auf hartnäckiges Drängen seines Neffen heiratete und warum aus der Ehe keine Kinder hervorgingen, obwohl er und seine Frau Kinder aus früheren Beziehungen hatten, ist nicht bekannt. Wie schon gelegentlich in der Vergangenheit habe ich mir erlaubt, diesen weißen Flecken im Geschichtsbuch mit meiner Fantasie auszumalen.

Problematischer verhält es sich mit Richard of Gloucester, der seinem Bruder 1483 als Richard III. auf den Thron folgte und zwei Jahre später bei Bosworth fiel. Man könnte auf den Gedanken kommen, dass ich ihn aufgrund meiner lancastrianischen Gesinnung des Mordes an seinen Neffen bezichtigt habe. Das ist aber nicht der Fall. Ich bin nach langem Quellenstudium, wirklich gründlicher Abwägung aller bekannten Fakten und des aktuellen Forschungsstandes zu dem Schluss gekommen, dass er es war, der die beiden Prinzen im Tower of London ermorden ließ, um die Krone zu bekommen, was selbst im rauen 15. Jahrhundert als furchtbares Verbrechen galt. Und weil ich das glaube, halte ich Richard für ein Ungeheuer und hatte keine Skrupel, ihn als solches darzustellen. Im Übrigen bestreiten nicht einmal seine Fans, dass er William Hastings unrechtmäßig hinrichten und Lord Stanleys Sohn vor der Schlacht von Bosworth foltern ließ.

Aber es gibt eine Forschungsrichtung, die bezweifelt, dass Richard für den Prinzenmord verantwortlich ist. Was diese Frage so besonders knifflig macht, ist die Tatsache, dass es keine zweifelsfrei identifizierten Leichen der Prinzen gibt. Offiziell gelten sie lediglich als verschollen. Und ein Mord ohne Leiche hat immer gute Chancen, sich als perfektes Verbrechen zu erweisen, denn ohne Opfer kein Beweis.

Im Jahr 1674, also 191 Jahre nach dem Verschwinden der Prinzen, wurden bei Bauarbeiten im Tower zwei Kinderskelette entdeckt. Der damalige König – Charles II. – warf einen Blick darauf, sagte, es müsse sich wohl um die ermordeten Prinzen handeln, und ließ sie in Westminster Abbey beisetzen. 1933 wurden sie exhumiert und von einem Mediziner und einem

Zahnmediziner untersucht. »Zwei männliche, vorpubertäre Skelette«, schrieben sie in ihren Bericht. »Der ältere Junge war zum Todeszeitpunkt zwölf oder dreizehn Jahre alt, der jüngere, dessen Schädel teilweise zertrümmert ist, neun oder zehn.« Sowohl die Fundstelle der Skelette als auch ihr Zustand deckten sich mit dem Bericht über den Prinzenmord in den Chroniken. Die beiden Gelehrten kamen also wiederum zu dem Schluss, dass es die Prinzen sein müssten, und wieder wurden die sterblichen Überreste beigesetzt.

Heute könnte man sich mit den Methoden der DNA- und C14-Analyse Gewissheit verschaffen, ob sie es denn nun sind oder nicht und wann genau sie gestorben sind. Das wäre wichtig für die Beantwortung der Frage, wer die Prinzen auf dem Gewissen hat. Wenn sie im Spätsommer oder Herbst 1483 im Tower ermordet wurden, dann kann nur Richard dafür verantwortlich gewesen sein. Wurden sie aber nur versteckt und an einen anderen Ort gebracht und lebten vielleicht 1485 noch, könnte es auch Henry Tudor gewesen sein, der sie aus dem Wege räumen ließ.

Mit Sicherheit werden wir das so bald nicht erfahren, da die Queen eine erneute Exhumierung und Untersuchung der beiden Skelette verweigert. Das ist ihr gutes Recht, denn der Tower gehört ihr – mitsamt seinen Leichen im Keller.

Wie gesagt, hatte ich trotz manch offener Fragen gute Gründe, Richard als den Mörder seiner Neffen darzustellen. Sie hier im Einzelnen darzulegen würde jedoch zu weit führen. Für diejenigen unter Ihnen, die diese Frage interessiert, habe ich auf meiner Website www.gable.de eine etwas ausführlichere Einlassung zu diesem Thema bereitgestellt.

König Richard war übrigens der letzte englische Herrscher, der auf einem Schlachtfeld starb. Es ist wahr, dass sein nackter Leichnam nach Leicester gebracht und dort zur Schau gestellt wurde. Im Franziskanerkloster zu Leicester wurde er schließlich beigesetzt, doch seine Ruhe währte nicht lange. Als 1538 im Rahmen der etwas wunderlichen englischen Reformation alle Klöster in England aufgelöst wurden, grub man Richard wieder aus und warf seine sterblichen Überreste in einen Fluss, wo ihre Spur sich verliert. Das ist wohl ein beredtes Zeugnis dafür, wie leidenschaftlich er mehr als fünfzig Jahre nach der Schlacht von Bosworth immer noch gehasst wurde.

Mit Richmonds Sieg und Krönung 1485 endete nicht nur der lange Thronfolgekrieg, sondern ebenso das englische Mittelalter. Der junge König hatte lange genug auf dem Kontinent gelebt, um zu wissen, dass dort längst ein neues Zeitalter angebrochen war, und weil er es verstand, den inneren Frieden wiederherzustellen, und weil er – ebenso wie seine Mutter – die Künste und die Universitäten förderte, konnten Humanismus und Renaissance nun auch in England Einzug halten. Es war eine Epoche großer Veränderungen: Bereits 1453 hatten die Türken Konstantinopel erobert, und das byzantinische Reich war untergegangen. Die Erfindung der Druckerpresse revolutionierte die Welt. 1483 – in dem Jahr, da Richard of Gloucester die Macht an sich riss – kam in Eisleben ein Mann namens Martin Luther zur Welt. Sieben Jahre nach der Schlacht von Bosworth vertrieben die »katholischen Majestäten« Isabella und Ferdinand die letzten Kalifen aus Spanien und finanzierten einem gewissen Christoph Columbus seine Seereise zur Suche einer Westpassage nach Indien. Columbus' Bruder Bartholomäus war übrigens schon 1488 bei König Henry von England vorstellig geworden, um Geld für diese Expedition zu erbetteln. Aber Henry war zu sparsam und winkte ab. Darüber dürfte er sich später ziemlich geärgert haben, doch seine Enkelin, Elizabeth I., machte den Fehler wett und begründete mit der Hilfe ihrer Freibeuter Englands Seemacht und sein *Empire*.

Das Jahrhundert der Tudors gehört wohl zu den dynamischsten und spannendsten Abschnitten englischer Geschichte, doch es ist schon so viel darüber geschrieben worden, dass ich derzeit keine Veranlassung sehe, dem noch etwas hinzuzufügen. Nach meiner Erfahrung mit den Rosenkriegen will ich aber lieber nicht »nie« sagen.

Wieder einmal sind zwei Jahre ins Land gegangen, während derer ich drei Jahrzehnte englischer Geschichte recherchiert und nacherzählt habe, und wie immer gilt es auch dieses Mal, vielen Menschen zu danken, weil sie mich während dieser Zeit unterstützt, bereichert oder auch einfach nur ertragen haben. Ich danke Ursula, Birgit und Stefan Lübbe für das verlegerische Zuhause und für manch unvergesslichen, glanzvollen Abend. Karlheinz Jungbeck und Marco Schneiders für ihr Engagement und eine Zusammenarbeit, in der das Attribut »konstruktiv« keine leere Phrase ist. Karin Schmidt, Gisela Kullowatz, Yvonne Schlitt und jeweils stellvertretend für ihre wunderbaren Teams Barbara Fischer, Beate Stefer, Andrea Fölster, Gregor Möller und Marc Sieper – Letzterem auch für so manches Duett, das wir gesungen haben. *Like the boys of the* NYPD *choir*.

Wie immer geht mein Dank an meinen Agenten Michael Meller, der nicht nur meinem Bankkonto, sondern auch mir stets ein verlässlicher Freund ist; an seine Mitarbeiterinnen Franka Zastrow und Regina Wegmann, an Jan Balaz für seine wunderbaren Illustrationen nicht nur in diesem Roman, und ich danke Hans-Peter Peltzer und Simon Bodner für ihren fachkundigen Rat in der Frage, ob man Hufeisen umdrehen kann oder nicht. Alexander Fricke, der mir den Unterschied zwischen einer Karacke und einer Karavelle erklärt hat. Kathrin Henrich für die Waringham-Stammbäume. Dem einzigartigen und schier unerschöpflichen Wissens-Pool, den die Autorenvereinigung DAS SYNDIKAT darstellt, insbesondere Anne Chaplet, Gisbert Haefs, Horst Eckert, Reinhard Junge, Gesine Schulz, Renate Ufermann und Karola Hagemann, die selbst bei den hanebüchensten Recherchefragen noch Rat wussten. Und ich danke – wie immer – Dr. Sabine Rose und Dr. Janos Borsay für die unerlässliche medizinische Beratung. Sie alle haben mir mit großer Sachkenntnis und Kompetenz zur Seite gestanden. Etwaige Fehler gehen allein auf mein Konto.

Für die unverdrossene und aufmerksame Lektüre meines Manuskriptes in unterschiedlichen Garstufen, ihre Kommentare und Ideen danke ich meinem Vater Wolfgang Krane, meiner Schwester Sabine Rose und meinem Neffen Dennis Rose.

Mein letzter und innigster Dank geht an meinen Mann Michael: Für die umfassende Fotodokumentation der Recherchereise, ohne die ich verloren gewesen wäre, sowie für Geduld und Langmut trotz des oft *sehr* englischen Wetters, für Unterstützung, Inspiration und Rat bei der Entstehung nicht nur dieses Romans und für vieles, vieles mehr. *When mountains crumble to the sea ...*

R.G., Februar 2005 – November 2006

»Fundiertes Wissen und große Erzählkunst.«

WESTDEUTSCHE ZEITUNG

Rebecca Gablé
DIE HÜTER DER ROSE
Roman
1120 Seiten
ISBN 978-3-404-15683-2

»Etwas Furchtbares war in Gang gekommen, das nicht nur seine Familie betraf, sondern ebenso den König, das Haus Lancaster und ganz England. Ihnen allen schien der Blutmond.«
England 1413: Als der dreizehnjährige John of Waringham fürchten muss, von seinem Vater in eine kirchliche Laufbahn gedrängt zu werden, reißt er aus und macht sich auf den Weg nach Westminster. Dort begegnet er König Harry und wird an dessen Seite schon jung zum Ritter und Kriegshelden. Doch Harrys plötzlicher Tod stürzt England in eine tiefe Krise, denn sein Sohn und Thronfolger ist gerade acht Monate alt ...

Bastei Lübbe Taschenbuch

*Ein faszinierendes Ritterepos vor dem
Hintergrund großer Geschichte*

Rebecca Gablé
DAS LÄCHELN
DER FORTUNA
Roman
1200 Seiten
ISBN 978-3-404-13917-8

England 1360: Nach dem Tod seines Vaters, des ehemaligen Earl of Waringham, reißt der zwölfjährige Robin aus der Klosterschule aus und verdingt
sich als Stallknecht auf dem Gut, das einst seiner Familie gehörte. Als
Sohn eines angeblichen Hochverräters zählt er zu den Besitzlosen und ist
der Willkür der Obrigkeit ausgesetzt. Besonders Mortimer, der Sohn des
neuen Earl, schikaniert Robin, wo er kann. Zwischen den Jungen erwächst
eine tödliche Feindschaft. Aber Robin geht seinen Weg, der ihn schließlich zurück in die Welt von Hof und Ritterschaft führt. An der Seite des
Duke of Lancaster erlebt er Feldzüge, Aufstände und politische Triumphe
– und begegnet Frauen, die ebenso schön wie gefährlich sind. Doch das
Rad der Fortuna dreht sich unaufhörlich, und während ein unfähiger
König England ins Verderben zu reißen droht, steht Robin plötzlich wieder seinem Todfeind gegenüber ...

Bastei Lübbe Taschenbuch

Rebecca Gablés Waringham-Saga – ein prachtvoller Triumph großer Erzählkunst

Rebecca Gablé
DAS SPIEL DER KÖNIGE
Sprecher:
Rebecca Gablé und
Jan Josef Liefers*
18 CDs, ca. 1300 Minuten
ISBN 978-3-7857-3384-4

Auch als MP3 lieferbar:
3 CDs, ca. 1300 Minuten
ISBN 978-3-7857-3463-6

England 1455: Die Lancastrianer führen einen verzweifelten Kampf, bis schließlich mit Edward IV. der erste König aus dem Hause York die Krone erringt. Für Julian und Blanche of Waringham brechen schwere Zeiten an, denn mit dem Widerstand gegen das neue Regime riskieren sie nicht nur ihr eigenes Leben. Doch in den Klauen der Yorkisten in Wales wächst ein Junge heran, der Englands letzte Hoffnung sein könnte …

* angefragt

Lübbe Audio